KB166173

한국주역대전 10

정괘·혁괘·정괘·진괘·간괘·점괘

이 저서는 2012년 대한민국 교육부와 한국학중앙연구원(한국학진흥사업단)의 한국학분야 토대연구지원사업의 지원을 받아 수행된 연구임(AKS-2012-EAZ-2101)

10

한국주역대전

한국주역대전 편찬실

정괘 · 혁괘 · 정괘 · 진괘 · 간괘 · 점괘

學古房

한국주역대전을 펴내며

2012년 9월 첫 작업을 시작한 '『한국주역대전』편찬 · 표점 · 번역 · 주해 · 해제'라는 방대한 사업이 이제 출판의 결실을 보게 되었다. 지난 수 십 년간 유교경학과 한국학의 급속한 성장에도 불구하고 한국역학은 여전히 불모의 상태를 벗어나기 어려웠다. 개별 연구들이 적지 않게 축적되어 왔고, 이에 고무되어 한국역학사를 공동으로라도 엮어보자는 호기로운 시도가 없었던 것은 아니지만, 그것이 아직 시기상조라는 자각과 함께 무산되곤 하였다. 한국역학 원전자료는 한국경학자료 가운데 단연 방대한 양을 자랑한다. 반면 전문연구자는 턱없이 부족하다. 사정이 이러하니 한국역학이 우뚝 서기까지는 아직 갈 길이 멀기만 하다. 이러한 정황 속에서 『한국주역대전』의 출간은 매우 기쁜 일이 아닐 수 없다.

이번에 출간되는 『한국주역대전』은 한국학자의 역학관련 자료 가운데 주요한 것을 가려 뽑아 『주역전의대전』 체제에 맞추어 집해(集解)형식으로 편찬한 것이다. 『주역전의대전』은 중국은 물론 조선시대 역학사상 형성에 무엇보다 영향력이 큰 문헌이라 할 수 있다. 이번 『한국주역대전』은 먼저 『주역전의대전』을 소주까지 모두 번역하여, 주역에 대한 중국학자들의 이해와 한국학자들의 해석을 비교해 볼 수 있도록 하였다. 편찬 체재는 경문－정전－본의－중국대전－한국대전으로 구성하였다. 편찬과 표점, 그리고 번역을 동반한 『한국주역대전』을 통해 한국학자들의 『주역전의대전』에 대한 깊은 이해 및 새로운 해석의 지평을 볼 수 있을 것이다. 또한 한국학자들의 저작을 시대별로 배열하였으므로 그 흐름을 일목요연하게 파악할 수 있을 것이다.

이번 『한국주역대전』을 편찬하면서 연구기간은 짧고 작업은 방대하여 아쉬운 점이 한 둘이 아니었다. 제한된 연구기간으로 인해 연구 범위를 제한할 수밖에 없었으며, 따라서 작자 미상의 자료, 연대 미상의 자료, 『주역전의대전』과 유사하여 별다른 특징을 볼 수 없는 자료는 편찬 범위에 포함시키지 않았다. 또한 다산의『주역사전』처럼 중요한 자료일지라도 별도로 번역되어 시중에 유통되고 있는 책은 자료에 포함시키지 않았다. 특히 상수학 관련 자료들에 대한 번역은 앞으로 더 정치한 번역이 필요할 것이라고 생각되며, 그에 대한 별도의 연구도 필요할 것이다. 그럼에도 불구하고 이번『한국주역대전』의 출간은 한국역학연구의 획기적인 토대를 제공하여, 많은 후속연구를 가능하게 하리라는 기대로 그 아쉬움을 상쇄하고자 한다.

이와 같이 방대한 토대사업은 실상 국가적 지원이 아니고서는 실행되기 어렵다. 이 사업의 지원을 결정해 주신 한국학중앙연구원과 한국학진흥사업단에 감사드린다. 그리고 제한된 연구기간의 압박 속에 과도한 업무를 사명감으로 감당해 준 연구진들의 노고에 고마운 마음을 전한다.

오늘날과 같은 출판시장의 현실에서『한국주역대전』과 같은 방대한 분량의 책을 간행해 줄 출판사를 찾는다는 것은 결코 쉽지 않은 일이다. 모든 어려움에도 불구하고 조금의 망설임도 없이 흔쾌하게 이 책의 출판을 결정해 주신 도서출판 학고방의 하운근 사장님께 깊은 감사를 드린다.

2017년 1월

한국주역대전편찬 연구책임자

성균관대학교 유학대학 교수/한국주자학회 · 율곡학회 회장

최 영 진

목차

48

정괘

井卦䷯

中國大全

傳

井, 序卦, 困乎上者必反下, 故受之以井. 承上升而不已必困爲言, 謂上升不已而困, 則必反於下也. 物之在下者, 莫如井, 井所以次困也. 爲卦坎上巽下, 坎水也, 巽之象則木也, 巽之義則入也. 木, 器之象, 木入於水下而上乎水, 汲井之象也.

정괘(井卦䷯)는 「서괘전」에서 "위에서 어려운 자는 반드시 아래로 돌아오므로 정괘로 받았다"고 하였다. 위로 올라가고 그치지 않으면 반드시 어렵다는 말을 이어 말했으니, 위로 올라가기를 그치지 아니하여 어려우면 반드시 아래로 돌아옴을 말한 것이다. 사물이 아래에 있는 것은 우물만한 것이 없으니, 정괘가 이 때문에 곤괘의 다음이 되었다. 괘는 감괘(☵)가 위에 있고 손괘(☴)가 아래에 있으니, 감괘는 물이며 손괘의 상은 나무이고 '손(巽)'의 뜻은 '들어간다'는 것이다. 나무는 그릇의 상이니, 나무가 물 아래로 들어가서 물을 퍼 올리는 것이 우물을 긷는 상이다.

小註

朱子曰, 井象, 只取巽入之義, 不取木義.
주자가 말하였다: 정괘(井卦䷯)의 상은 다만 손괘(☴)의 들어간다는 뜻을 취했고, 나무라는 뜻은 취하지 않았다.

○ 進齋徐氏曰, 以卦體言, 初柔爲泉眼, 二三剛爲泉石, 四柔爲井中空處, 五剛爲泉實已汲將出井也, 上柔爲井空處, 有全井象.
진재서씨가 말하였다: 괘의 몸체로 말하면 부드러운 초효는 샘의 눈이 되고, 굳센 이효와 삼효는 샘의 돌이 되고, 부드러운 사효는 우물 가운데의 빈 곳이 되고, 굳센 오효는 샘이 이미 가득 차서 물을 길어 장차 우물 밖으로 나오려는 것이 되고, 부드러운 상효는 우물의 빈곳이 되어, 우물 전체의 상이 있다.

○ 隆山李氏曰, 自古國邑之建, 必先視其泉之所在, 是以公劉創京于豳之初, 相其陰陽, 觀其流泉, 先卜其井泉之便而後居之也. 又曰, 坎者, 天一之水, 見於諸卦者, 皆諸水下流之失, 故多以險喩. 其在卦而得水之眞性者, 惟井是也. 以畫觀之, 一陽實其中, 二陰圍其外, 譬之陽氣初回暖律於凝陰之中, 冬水因之而變溫, 此坎之眞性也. 嘗以此觀天下之水, 其在冬而溫者, 獨井泉而已. 蓋得之地脈, 不失其本眞, 及注之川澤, 風雨霜露之所剝, 失其本性, 无復有向來一陽之溫矣. 載觀井泉之水在人身, 則精血是也, 川流之水在人身, 則涕洟之類是也. 精血固藏者, 乃井泉生動之性, 而涕洟往而不反者, 諸水下流之失也.
융산이씨가 말하였다: 옛날부터 나라와 읍을 세움에 반드시 먼저 샘이 있을 곳을 살폈기 때문에 공유(公劉)가 빈(豳)에 처음 도읍을 세울 적에 음양을 보고 시내와 샘을 살피며, 먼저 우물과 샘의 편리함을 점친 다음에 그곳에 거처하였다.
또 말하였다: 감(坎)은 천일(天一)의 물[水]로 여러 괘에 나타나는 것은 모두 물이 아래로 흘러 없어져 버리는 잘못이 있기 때문에 대부분 험한 것으로 비유하였다. 괘 가운데서 물의 참 성질을 얻은 것은 오직 정괘가 그러할 뿐이다. 획으로 살펴보면 한 양이 가운데를 채우고 있고 두 음이 밖을 둘러싸고 있으니, 비유하자면 양의 기운이 응결된 음의 가운데에서 따뜻한 기운을 처음으로 회복하면 겨울에 물이 따라서 온도가 변하는 것과 같으니, 이것이 감(坎)의 참 성질이다. 일찍이 이로써 천하의 물을 살펴보니, 겨울에 따뜻한 것은 유독 우물과 샘뿐이다. 우물과 샘은 지맥(支脈)을 얻어서 그 본래의 참됨을 잃지 않다가 시내와 못으로 흘러들어가고 바람 · 비 · 서리 · 이슬의 침범으로 그 본성을 잃어 다시는 이전 한 양의 따뜻함을 갖지 못한다. 우물과 샘의 물을 사람의 몸에서 찾아 살펴본다면 정혈(精血)이 그것이고, 시내로 흐르는 물을 사람의 몸에서 찾아 살펴본다면 눈물과 콧물이 그것이다. 정혈이 본래 저장되어 있는 것은 우물과 샘이 생동하는 성질을 갖고 있는 것과 같고, 눈물과 콧물이 흘러서 다시 돌아오지 않는 것은 물이 아래로 흘러 없어져 버리는 것과 같다.

井, 改邑不改井, 无喪无得, 往來井井,

정전 정괘는 고을은 바꾸어도 우물은 바꾸지 않으니, 잃음도 없고 얻음도 없으며, 오고가는 이가 우물을 우물로 쓰니,

본의 정괘는 고을은 바꾸어도 우물은 바꾸지 않는다. 잃음도 없고 얻음도 없어 오고가는 이가 우물을 우물로 쓰니,

中國大全

傳

井之爲物, 常而不可改也. 邑可改而之他, 井不可遷也. 故曰, 改邑, 不改井. 汲之而不竭, 存之而不盈, 无喪无得也, 至者皆得其用, 往來井井也. 无喪无得, 其德也常, 往來井井, 其用也周, 常也周也, 井之道也.

우물이란 것은 항상 그 자리에 있어 바꿀 수 없다. 고을은 바꾸어 다른 곳으로 갈 수 있으나 우물은 옮길 수가 없다. 그러므로 고을은 바꾸어도 우물은 바꿀 수 없다고 하였다. 물을 길어도 다 없어지지 않고 내버려 두어도 차지 않는 것은 잃음도 없고 얻음도 없는 것이고, 이르는 자가 모두 얻어 쓰는 것은 오고가는 이가 우물을 우물로 쓰는 것이다. 잃음도 없고 얻음도 없는 것은 그 덕이 항상됨이고, 오고가는 이가 우물을 우물로 사용함은 그 쓰임이 두루 넓은 것이니, 항상됨과 두루 넓은 것은 우물의 도이다.

小註

朱子曰, 井是那掇不動底物事, 所以改邑不改井.

주자가 말하였다: 우물이란 계속해서 움직이지 않는 사물이기 때문에 고을은 바꾸어도 우물은 바꾸지 않는다.

○ 中溪張氏曰, 井, 德之地也而以不變爲德. 下體本乾, 上體本坤, 初五剛柔相易而成井. 坤爲邑, 變坤爲坎, 改邑也. 坎水爲井, 五以剛居中而不變, 是不改井也. 邑居其所而能聚, 可改而就井, 井居其所而有常, 不可改而就邑. 汲之而不竭, 故无所喪. 不汲之

而不盈, 故无所得. 剛往居五, 柔來居初, 往者得水而上, 來者求水於下. 往來皆井其井, 則无飢渴之害矣, 故曰往來井井.

중계장씨가 말하였다: 우물이란 덕의 땅인데, 변하지 않는 것을 덕으로 삼는다. 하체는 본래 건괘[☰]이고 상체는 본래 곤괘[☷]인데, 초효와 오효가 굳셈과 부드러움을 서로 바꾸어 정괘를 이루었다. 곤괘[☷]는 고을이 되는데 곤괘가 변하여 감괘[☵]가 되었으니, 고을을 바꾼 것이다. 물을 상징하는 감괘가 우물이 되는데, 오효는 굳센 양으로 가운데 있어 변하지 않으니, 이것이 우물을 바꾸지 않는 것이다. 고을은 제자리에 있어 사람을 모을 수 있기 때문에 바꾸어 우물에 나아갈 수 있지만, 우물은 제자리에 있으면서 항상 거기에 있기 때문에 바꾸어 고을에 나아갈 수 없다. 물을 길어내도 마르지 않기 때문에 잃는 바가 없고, 길어내지 않아도 가득 차지 않기 때문에 얻는 바가 없다. 굳센 양이 가서 오효의 자리에 있고 부드러운 음이 와서 초효의 자리에 있으니, 가는 것은 물을 얻어 위에 있고 오는 것은 아래에서 물을 구한다. 가고 오는 것이 모두 그 우물을 우물로 쓰면 굶주리고 목마른 해로움이 없기 때문에 "오고가는 이가 우물을 우물로 쓴다"고 말하였다.

韓國大全

유정원(柳正源)『역해참고(易解参攷)』

小註, 進齋說泉眼. 成都記石笋之下是海眼, 泉從石中出.

소주의 진재서씨 설에 샘의 눈이라 하였다.「성도기」에는 "석순(石笋)의 아래가 바다의 눈"이라고 했으니 샘이 돌 속에서 나오는 것이다.

井改 [至] 井井.

정괘는 고을은 바꾸어도 … 우물을 우물로 쓰니,

正義, 井用有常德, 終日引汲, 未嘗言損, 終日泉注, 未嘗言盈, 故曰无喪无得.

『주역정의』에서 말하였다: 우물의 쓰임은 일정한 덕이 있어서 종일 길어 없애도 줄었다고 말한 적이 없고 종일 샘솟아도 찼다고 말한 적이 없기 때문에 "잃음도 없고 얻음도 없다"고 하였다.

○ 厚齋馮氏曰, 凡川流趨下之水, 皆雨之所降會而成流者也. 若穴地得泉, 乃天地之英水之元也. 反之吾身, 爲涕唾便旋, 皆鹹而在下者也, 唯舌根之竅, 其津反美, 古人以譬井泉, 是也. 若坎之氣騰而爲雲, 降而爲雨, 集而成川, 則離其眞久矣.
후재풍씨가 말하였다: 시냇물은 아래로 흐르는 물로 비가 내려 모여서 흐른다. 땅에 구멍을 파서 샘을 얻는다면 천지의 빼어난 물의 으뜸이다. 내 몸에 돌이키면 눈물 · 콧물 · 소변은 모두 짜고 밑으로 내려오는 것이 되는데, 오직 목구멍으로 넘어가는 침만은 삼켜져서 좋은 작용을 하여, 옛 사람들이 우물의 샘으로 비유하였다. 만약 감(坎)의 기운이 올라가 구름이 되고 내려가 비가 되어 모여서 시내를 이룬다면 그 진기(眞氣)에서 떠남이 멀다.

서유신(徐有臣) 『역의의언(易義擬言)』

古之民, 秋冬在邑, 春夏在田. 邑有井, 田有井, 隨居而遷, 所以爲養而不窮也. 卦象, 坎在外, 田廬之井也, 是爲改邑不改井无喪无得往來井井也. 初六在內, 田井則泥矣. 六四始出於外, 田井方可甃矣. 九五春夏之時, 故寒泉食也. 上六田功旣畢, 將復入邑, 故曰井收也. 君子之道, 左右逢原, 汎應不窮, 有改邑不改井无喪无得往來井井之象也.
옛날 백성들은 가을과 겨울에는 고을에서 살았고 봄과 여름에는 밭에서 살았다. 고을에도 우물이 있고 밭에도 우물이 있어서 거처를 따라 옮기니 '길러줌에 끝이 없음'이 된다. 괘상은 감괘가 바깥에 있어 전려(田廬)의 우물이니 이것이 "고을은 바꾸어도 우물은 바꾸지 않으니, 잃음도 없고 얻음도 없으며, 오고가는 이가 우물을 우물로 쓴다"는 것이다. 초육은 안에 있어 전정(田井)이 진흙이다. 육사는 처음으로 밖에 있어 전정(田井)에 우물 벽을 쌓을 수 있다. 구오는 봄과 여름이라 찬 우물을 마신다. 상육은 밭일을 이미 마쳐 장차 고을로 들어오기 때문에 우물을 긷는 것이다. 군자의 도는 좌우에 있는 것에서 그 근원을 취해서 넓게 응해 다함이 없으니 "고을은 바꾸어도 우물은 바꾸지 않으니, 잃음도 없고 얻음도 없으며, 오고가는 이가 우물을 우물로 쓴다"는 상이 있다.

윤행임(尹行恁) 「신호수필-역(新湖隨筆-易)」

澤風大過, 水風井, 象曰澤滅木, 曰木上有水. 如地風升, 火風鼎, 風山漸, 以其取象者, 在木而不在風也, 水則一也. 或曰雲或曰雨, 此所以變易也.
택풍대과괘와 수풍정괘의 「대상전」에서는 '못이 나무를 멸한다'고 하고, 나무위에 물이 있다고 하였다. 지풍승괘나 화풍정괘나 풍산점괘에서 상을 취한 것은 나무이지 바람이 아닌데 물은 한결같다. 어떤 경우는 구름이라 하고 어떤 경우은 비라고 하는데 이것은 변역하는 까닭이다.

심대윤(沈大允) 『주역상의점법(周易象義占法)』

邑必依於井, 邑可改而井不可改. 君子知有變而德有常, 行事可改而命令不可改, 行事自我而命令自上也. 坤之變爲艮而爲坎, 有改邑象. 巽爲方所, 有不可改井之象. 德有常而不窮, 如井之取而不竭, 故曰无喪无得, 言不增不減也. 兌爲喪, 對噬嗑艮爲得, 知有變而必依於德. 如汲之斟酌, 往來而井其井, 故曰往來井井, 言其往來而依於井也. 巽离爲往, 對离震爲來. 改邑不改井, 言其體也. 知體圓而德體方也. 无喪无得往來井井, 言其用也, 德用无增減而知用往來而依於德也. 井之有泉德也, 汲而能養知也.

고을은 우물을 의지해야만 하니 고을은 바꿀 수 있어도 우물을 바꿀 수 없다. 군자가 지식은 변하여도 덕은 일정함이 있고, 행사는 바꿀 수 있지만 명령은 바꿀 수 없으니 행사는 나로부터인 것이고 명령은 위로부터이다. 곤괘가 변하여 간괘가 되고 감괘가 되어 고을을 바꾸는 상이 있다. 손괘는 방소가 되어 바꿀 수 없는 상이 있다. 덕이 일정하여 끝이 없음이 우물의 취해도 다함이 없음과 같기 때문에 "잃는 것도 없고 얻는 것도 없다"고 했으니 늘지도 줄지도 않음을 말하였다. 태괘는 '잃음'이 되고 반대괘인 서합괘의 간괘(☶)가 얻음이니 지식은 변하여도 덕에 의지해야 하는 것이다. 마치 긷는데 짐작하여 오고 감에 그 우물을 우물로 쓰는 것과 같기 때문에 "오고가는 이가 우물을 우물로 쓴다"고 했으니 왕래함에 우물에 의지함이다. 손괘(☴)와 리괘(☲)가 '감'이고 음양이 바뀐 괘인 리괘(☲)와 진괘(☳)가 '옴'이다. 고을을 바꾸지만 우물을 바꿀 수 없음은 그 본체를 말하였으니 앎의 본체는 둥글고 덕의 본체는 방정하다. "잃음도 없고 얻음도 없으며, 오고가는 이가 우물을 우물로 쓰니"는 작용을 말했으니 덕의 작용은 더하고 덜함이 없어 앎의 작용이 덕에 의지한다. 우물에 샘이 있음이 '덕'이고 길어서 길러줄 수 있음이 '지'이다.

汔至, 亦未繘井, 羸其甁, 凶.

전의 거의 이르더라도 우물에 줄을 드리우지 못한 것과 같으니, 두레박을 깨뜨리면 흉하다.
본의 거의 이르더라도 우물에서 줄을 다 올리지 못하고서 두레박을 깨뜨리면 흉하다.

中國大全

傳

汔, 幾也, 繘, 綆也. 井以濟用爲功, 幾至而未及用, 亦與未下繘於井同也. 君子之道, 貴乎有成, 所以五穀不熟, 不如荑稗, 掘井九仞而不及泉, 猶爲棄井, 有濟物之用而未及物, 猶无有也. 羸敗其甁而失之, 其用喪矣, 是以凶也. 羸, 毁敗也.

'흘(汔)'은 '거의'라는 뜻이고, '귤(繘)'은 두레박줄이다. 우물은 작용을 이루는 것을 공으로 삼으니, 거의 이르렀으나 쓰는데 미치지 못함은 또한 두레박줄을 우물에 내리지 못한 것과 같다. 군자의 도는 이룸이 있는 것을 귀하게 여긴다. 이 때문에 다섯 가지 곡식이 성숙하지 못한 것은 돌피나 피만 못하고, 우물을 아홉 길을 파더라도 샘에 미치지 못하면 오히려 버려진 우물이 되며, 물건을 구제하는 쓰임이 있으나 물건에 미치지 못하면 없는 것과 같은 것이다. 두레박을 깨뜨려 잃으면 그 쓰임을 상실하니, 이 때문에 흉하다. '리(羸)'는 훼손하고 깨뜨리는 것이다.

本義

井者, 穴地出水之處, 以巽木入乎坎水之下而上出其水, 故爲井. 改邑, 不改井, 故无喪无得, 而往者來者, 皆井其井也. 汔, 幾也, 繘, 綆也, 羸, 敗也. 汲井幾至, 未盡綆而敗其甁則凶也. 其占爲事仍舊无得喪, 而又當敬勉, 不可幾成而敗也.

우물은 땅을 파서 물이 나오는 곳이니, 손목(巽木)이 감수(坎水)의 아래로 들어가서 물을 퍼 올리므로 정(井)이라고 하였다. 고을은 바꾸어도 우물은 바꿀 수 없다. 그러므로 잃음도 없고 얻음도 없어서 오고가는 자가 모두 그 우물을 우물로 쓰는 것이다. '흘(汔)'은 '거의'라는 뜻이고, '귤(繘)'은 두레박줄이고, '리(羸)'는 깨뜨리는 것이다. 우물을 길어 거의 이르렀더라도 줄을 다 올리지 못하고서 두레박을 깨뜨리면 흉하다. 이 점은 일을 옛날 그대로 따르면 잃음도 얻음도 없을 것이고, 또 마땅히 공경하여 힘써야 하니, 거의 다 이루었다가 잘못해서는 안 된다.

小註

朱子曰, 汔至作一句, 亦未繘井羸其瓶是一句. 意謂幾至而止, 如綆未及井而瓶敗, 言功不成也.

주자가 말하였다: "거의 이르더라도[汔至]"를 한 구절로 삼고, "우물에서 줄을 다 올리지 못하고서 두레박을 깨뜨리면[亦未繘井羸其瓶]"을 한 구절로 삼아야 한다. 생각해 보건대 거의 이르렀는데 그치면 두레박줄이 아직 우물물에 미치지 못했는데 두레박이 깨진 것과 같으니, 공이 이루어지지 않았다는 말이다.

○ 建安丘氏曰, 改邑不改井, 井之體也, 无喪无得, 井之德也, 往來井井, 井之用也, 此三句言井之事. 汔至亦未繘井, 未及於用也, 羸其瓶, 則併失其用也, 此二句, 言汲井之事.

건안구씨가 말하였다: '고을은 바꾸어도 우물은 바꾸지 않는 것'은 우물의 본체이고, '잃음도 없고 얻음도 없는 것'은 우물의 덕이고, '오고가는 이가 우물을 우물로 쓰는 것'은 우물의 작용이니, 이 세 구절은 우물의 일을 말하였다. '거의 이르더라도 우물에서 줄을 다 올리지 못한 것'은 작용에 미치지 못한 것이고, '두레박을 깨뜨린 것'은 작용을 아울러 잃은 것이니, 이 두 구절은 우물물을 긷는 일을 말하였다.

○ 厚齋馮氏曰, 繘關西謂綆, 汲水索. 瓶, 汲器. 文從缶, 瓦器也. 或謂古無桶, 故不取巽木象. 韓信以木罌渡師, 如尊罍, 古皆用木. 疑古以木爲瓶, 從缶則又瓦爲之者, 此象巽木無疑.

후재풍씨가 말하였다: '귤(繘)'을 관서 지방에서는 '경(綆)'이라고 말하니, 물을 긷는 두레박의 줄이다. 두레박[瓶]은 물을 긷는 그릇이다. 부(缶) 부수에 쓴 글자[缾]는 도자기 그릇이라는 뜻이다. 어떤 이는 옛날에는 통(桶)이 없었기 때문에 손괘인 나무의 상을 취하지 않았다고 말한다. 한신(韓信)이 군사로 하여금 나무통으로 강을 건너게 하였고,[1] 술통이나 술단지를 옛날에는 모두 나무로 만들었다. 아마도 옛날에는 나무로 두레박을 만들었고, 부(缶) 부수에 쓴 경우는 도자기로 만들었던 것 같으니, 이 괘의 상이 손괘인 나무라는 것은 의심이 없다.

---

1) 『史記 · 淮陰侯列傳』: 伏兵從夏陽以木罌渡軍, 襲安邑.

○ 雲峰胡氏曰, 澤无水爲困, 命也, 澤雖无水而井則有水, 性也. 知困之義則知安命, 知井之義則知盡性. 易性命之書, 而言之明且切者, 莫困井二卦若也. 改邑不改井三句爲井言, 汔至三句爲汲者言. 改邑不改井, 井之體也, 性靜而定也. 无喪无得往來井井, 井之用也, 性動亦定也. 汔至未繘井而羸其甁, 人之於性知之, 行有未盡者, 其猶是乎.
운봉호씨가 말하였다: 못에 물이 없어 어렵게 된 것은 명(命)이고, 못에 비록 물은 없지만 우물에 물이 있는 것은 성(性)이다. 곤괘의 뜻을 알면 명을 편안히 여길 줄 알고, 정괘의 뜻을 알면 성을 다할 줄 안다. 『주역』은 성명을 다룬 책으로, 말이 분명하고 절실한 것이 곤괘와 정괘 두 괘만한 괘가 없다. "고을은 바꾸어도 우물은 바꾸지 않는다" 이하 세 구절은 우물로 말했고, "거의 이르더라도" 이하 세 구절은 물을 긷는 것으로 말하였다. '고을은 바꾸어도 우물은 바꾸지 않는 것'은 우물의 본체이니, 본성이 고요하여 안정된 것이다. '잃음도 없고 얻음도 없어 오고가는 이가 우물을 우물로 쓰는 것'은 우물의 작용이니, 본성이 움직여도 또한 안정된 것이다. '거의 이르더라도 우물에서 줄을 다 올리지 못하고서 두레박을 깨뜨리는 것'은 사람이 본성에 대해 알지만 행동에 다하지 못한 것이 있는 경우가 이와 같을 것이다.

韓國大全

이현익(李顯益)「주역설(周易說)」

雲峯胡氏中溪張氏言困井卦變, 以乾坤二卦言, 非朱子之旨. 張氏以改邑不改井往來井井, 作卦變看, 未必然. 且以往爲五, 而謂往者得水而上, 然則何以曰無得耶.
운봉호씨와 중계장씨가 말한 곤괘(困卦䷮)와 정괘(井卦䷯)의 괘변은 건곤 두 괘로 말한 것이니 주자의 뜻이 아니다. 장씨는 고을은 바꾸어도 우물은 바꾸지 않는 것과 오고가는 이가 우물을 우물로 쓰는 것을 괘변으로 풀어서 보았는데 반드시 그럴 필요는 없다. '간다[往]'를 오효로 보아서 '간다[往]'를 물을 얻어 위에 있다고 하였는데 그렇다면 어떻게 '얻음이 없음'이라 할 수 있겠는가?

建安丘氏, 專以五爲剛中, 與傳少異. 易中竝說二五處, 就其中, 以其主者, 單說亦無妨.
건안구씨는 오로지 오효만 가지고 강중(剛中)이라 하였는데 『정전』과 조금 다르다. 『역』에서 이효와 오효를 함께 말 한 경우, 그 가운데에 나아가서 그 주효를 사용한다면 하나만 말해도 무방하다.

泥與射, 只是廢井也. 九二井谷射鮒, 似謂井水漏成谷, 可射其中之鮒也. 射是射御之射, 蓋井漏無水之象. 若以射爲注, 謂水注於泥中之鮒, 恐文義不叶. 且泥只是初象, 不必於二又以泥言也. 如何.
'진흙'[2]과 '흘러감'[3]은 폐기된 우물이다. 구이의 "우물이 골짜기의 물처럼 두꺼비에게 흘러간다"는 우물의 물이 새서 골짜기를 이루어 그 속의 두꺼비에게 흐른다는 말과 비슷하다. '석(射)'은 '활쏘기와 수레 몰기[射御]'의 '석(射)'이니 우물이 새어서 물이 없는 상이다. 만약 석(射)을 '물을 댐'으로 여긴다면 물이 진흙 속의 두꺼비에게 흘러감을 일컫게 되니 문장의 뜻이 맞지 않는다. 또 진흙은 초효의 상이니 이효에 또 진흙으로 말할 필요가 없다. 어떠한가?

이익(李瀷) 『역경질서(易經疾書)』

改邑, 非遷邑也. 古人作邑於是, 今人又作邑於是, 井則同, 是古今同井也. 喪, 失也, 得, 據以爲己有也. 求則如意, 故無喪也, 與衆共之, 則无得也. 井字本從畫田得名, 卽均平之物. 前後左右, 來必有求, 往必有獲, 是四方同井也. 其日用之不可闕, 而與古今四方人均平者, 惟井爲然. 井井宜帖無喪無得看. 或曰, 困井反對之卦, 困之下坎爲井之上坎, 是不改井也, 更詳之.
'개읍(改邑)'은 고을을 옮기는 것이 아니다. 옛 사람이 여기에 고을을 만들었고 지금 사람이 또 여기에 고을을 만들어도 우물은 동일하니 이것이 예나 지금이나 우물을 함께 한다는 것이다. 상(喪)은 잃음이고 득(得)은 의지하여 자기의 소유로 하는 것이다. 구하면 뜻대로 되기 때문에 잃음도 없고 뭇 사람들과 함께 하기 때문에 얻음도 없다. 정(井)자는 본래 밭[田]을 구획하면서 얻어진 이름이니 고르고 평등한 물건이다. 전후와 좌우에서 오면 반드시 구함이 있고 가면 반드시 얻음이 있으니 이것이 사방에서 우물을 함께 하는 것이다. 날마다 사용하면서 빠뜨릴 수 없고 예나 지금이나 사방의 사람에게 고르게 평등한 것은 오직 우물이 그렇다. '정정(井井)'은 무상무득(無喪無得)에 붙여서 보아야 한다. 어떤 이는 "곤괘(困卦䷮)와 정괘(井卦䷯)는 거꾸로 된 괘이니, 곤괘의 하괘인 감(坎)이 정괘의 상괘의 감(坎)이 됨이 '우물을 바꾸지 않음'이다"라고 하였는데 더욱 상세하다.

汔至, 承上文言, 謂幾至於無喪無得往來井井也. 甁, 汲具也, 左傳襄公十六年云, 飮馬

2) 『周易 · 井卦』: 初六, 井泥不食. 舊井无禽.
3) 『周易 · 井卦』: 九二, 井谷, 射鮒, 甕敝漏.

毁甁, 未必是口狹之器也. 汲之之道, 必須有繘而堅其甁, 井旣渫矣肰.
거의 이른다[汔至]는 윗글을 이어서 말한 것으로 잃음도 없고 얻음도 없고 가고 옴에 우물을 우물로 씀에 거의 이름을 말한다. 두레박은 물을 긷는 기구이니 『좌전』 양공 16년에 "말에게 물을 먹이다가 두레박을 깨뜨렸다"[4]고 하였으니 입구가 좁은 그릇만은 아니다. 물을 긷는 방법은 반드시 두레박줄이 있고 그 두레박이 견고해야 하나, 우물이 이미 깨끗한 다음의 일이다.

或有未繘井者, 又或有羸其甁者. 未繘則不可以汲深, 羸甁則必敗, 是以凶也. 君子修德於己, 準備材具, 人主亦不知所以求之, 又或求而不以誠實者, 似之. 亦字, 宜諦看. 泉脉在地中, 不穿不出, 巽者入也, 謂穿入及水, 水於是涌出, 是巽乎水而上出. 易擧正, 不改邑下, 脫無喪無得往來井井二句.
혹은 우물에 줄을 드리우지 못하는 자가 있고 혹은 두레박을 깨뜨리는 자가 있다. 줄을 드리우지 못하면 깊은 물을 길을 수 없고 두레박을 깨뜨리면 반드시 실패하니 이 때문에 흉하다. 군자가 스스로 덕을 닦아 재능을 갖추어 준비하였을 때 군주가 알지 못해 구하지 않거나 구한다 하더라도 성실하게 하지 않는 경우도 비슷하다. '역(亦)'자는 자세히 보아야 한다. 샘의 수맥은 땅 속에 있어 뚫지 않으면 나오지 않으니 '손(巽)'의 들어감으로, 뚫고 들어가 물에 미치면 물이 샘솟아 나오니 이것이 물에 들어가 위로 나오는 것이다. 『주역거정』에 '고을은 바꾸지 않아도[不改邑]'[5] 아래에 '잃음도 없고 얻음도 없음[無喪無得]'과 '오고 가는 이가 우물을 우물로 씀[往來井井]'의 두 구절이 빠져있다.

유정원(柳正源) 『역해참고(易解參攷)』

汔至 [至] 甁凶.
거의 이름 … 두레박을 깨면 흉하다.

建安丘氏曰, 繘, 巽繩象, 甁, 坎缶象.
건안구씨가 말하였다: 두레박줄은 손괘(☴)가 노끈인 상이고 두레박은 감괘(☵)가 질그릇인 상이다.

○ 雙湖胡氏曰, 井卦辭專論卦變. 井固困反體, 亦困變體. 困二至四互離爲市邑象. 自

4) 『左傳 · 襄公』: 衛孫蒯田于曹隧, 飮馬于重丘, 毁其甁.
5) 不改邑: 불개정(不改井)의 오류인 듯하다.

困六三上往爲井六四, 困九四下來爲井九三, 則離已改居上矣, 是改邑也. 而二五剛中爲井泉者, 初未嘗改, 是不改井也. 旡喪旡得, 邑之改者, 初不見其喪, 井之不改者, 亦不見其得. 往來井井, 困六三上往居四成上體之井, 困九四下來居三, 成下體之井也. 井以三陽爲泉, 陽上至五, 幾至井口矣, 而巽繩在下, 是未繘井也. 二至四互兌爲毁折, 三至五互離爲腹象瓶, 而兌上爻正當離中而毁折之, 是羸其瓶也. 泉幾至而未繘, 瓶已羸而莫達. 是旡及物之功矣, 其凶可知.
쌍호호씨가 말하였다: 정괘의 괘사에서는 오로지 괘변을 논했다. 정괘는 곤괘(困卦䷮)의 거꾸로 된 괘이니 곤괘가 변화된 괘체이기도 하다. 곤괘의 이효에서 사효까지 호괘인 리괘(☲)가 시장과 고을의 상이다. 곤괘의 육삼효가 위로 올라가 정괘의 육사효가 되었고, 곤괘의 구사효가 아래로 내려와 정괘의 구삼효가 되었으니 리괘[離]가 이미 바뀌어 위에 거하니 이것이 고을을 바꾸는 것이다. 이효와 오효의 강중(剛中)이 우물의 샘이 됨은 처음부터 바뀐 적이 없으니 이것이 우물은 바꾸지 않는 것이다. '무상무득(旡喪旡得)'이란 고을은 바꾸어도 처음부터 그 잃음을 보지 못하고 우물은 바꾸지 않아도 또한 얻음을 보지 못함이다. '왕래정정(往來井井)'은 곤괘의 육삼이 위로 가서 사위(四位)에 거하여 정괘의 상체를 이루고, 곤괘의 구사가 아래로 내려가 삼위(三位)에 거하여 정괘의 하체를 이룬다. 정괘는 세 양으로 샘을 삼으니 양이 위로 오효에 이르면 거의 우물의 입구이고 손괘(☴)의 줄이 아래에 있으니 이것이 두레박줄이 우물에 드리우지 못함이다. 이효에서 사효에 이르기까지 호괘인 태괘(☱)는 '부서지고 끊어짐'이 되며 삼효에서 오효까지 호괘인 리괘(☲)가 배가 되어 두레박을 상징하고 태괘의 상효가 바로 리괘의 가운데 해당하여 훼절되었으니 이것이 그 두레박을 깨뜨림이다. 샘에 거의 이르렀는데 줄이 닿지 않고, 병이 이미 깨져 다다를 수 없다. 이것이 만물에 파급되는 공이 없음이니 흉함을 알 수 있다.

김상악(金相岳) 『산천역설(山天易說)』

井之卦變, 自旣濟而來. 離變爲巽, 是改邑也. 坎之不變, 是不改井也. 故井之德无喪无得, 而卦因初二上下而成井, 故往來井井. 汔, 幾也, 繘, 綆也, 羸, 敗也, 亦巽互兌離之象也. 汲井幾至未盡綆而敗其瓶則凶也.
정의 괘변은 기제괘(旣濟卦䷾)에서 왔다. 리괘(☲)가 변해 손괘(☴)가 된 것이 개읍(改邑)이고 감괘(☵)의 변함이 없음이 불개정(不改井)이다. 그렇기 때문에 정괘의 덕은 잃음도 없고 얻음도 없고, 괘가 초효와 이효가 오르고 내려와 정괘를 이루었기 때문에 가고 옴에 우물을 우물로 사용한다. 흘(汔)은 거의이고 귤(繘)은 두레박줄이고 리(羸)는 깨뜨림인 것 또한 손괘(☴)와 호괘인 태괘(☱)와 리괘(☲)의 상이다. 우물을 긷다가 거의 이르러 줄이 닿지 않고 두레박을 깨뜨린다면 흉하다.

○ 邑坤象, 先天巽位卽後天坤方, 而巽得坤初爻而換位者, 故曰改邑. 益則六四自坤而往成巽體則曰遷國. 上卦之坎乃以剛中爲井之主而不變, 故曰不改井. 初六與四爲應, 亦以舊井言之. 不改其井, 則井之德自如, 故无喪无得往來井井. 繘巽之繩也, 瓶坎之缶也, 羸兌之毁也. 離之中虛變巽爲下拆, 故曰羸其瓶. 九二曰甕敝漏, 亦以是也. 以全體言, 巽下二爻初六九二, 在坎之下, 若瓶之覆而入井之象. 九三六四二爻, 若井中之瓶覆者復仰之象. 坎之九五, 隔其上, 若繫縲其瓶而不能上乎水之象. 坎爲水巽爲木, 木者汲之器也, 器入水而復上水者, 井之象. 九五上六, 坎上二爻, 有瓶仰而出井之象也.
고을은 곤괘(☷)의 상인데 선천으로 손괘(☴)의 자리가 후천으로 곤괘(☷)의 방위이고 손괘가 곤괘의 초효를 얻어 자리를 바꾸었기 때문에 고을을 바꾼다[改邑]고 하였다. 익괘(益卦 ䷩)는 육사효가 곤괘(☷)에서 와서 손괘의 몸을 이루었기 때문에 나라를 옮긴다[遷國]고 하였다. 상괘의 감괘는 이에 강중으로써 함[乃以剛中]이 되어 변하지 않기 때문에 우물을 바꾸지 않는다[不改井]고 하였다. 초육은 사효와 호응하기 때문에 옛 우물[舊井]로 말하였다. 그 우물은 바꾸지 않기 때문에 우물의 덕이 스스로 태연해서 잃는 것도 없고 얻는 것도 없으며 가고 옴에 우물을 우물로 사용한다. 귤(繘)은 손괘(☴)의 노끈이고 병(瓶)은 감괘(☵)의 질그릇이고 리(羸)는 태괘(☱)의 부서짐이다. 이괘의 가운데 비어있는 효가 손괘로 변하여 아래가 터졌기 때문에 '리기병(羸其瓶)'이라 하였다. 구이효에 말한 "동이가 깨져 물이 샌다"도 이 때문이다. 전체적으로 말하면 손괘의 아래 두 효인 초육과 구이는 감괘의 아래에 있어 두레박을 엎어 우물에 넣는 상이다. 구삼과 육사 두 효는 우물 속에서 두레박을 뒤집어 다시 올려보는 상이다. 감괘의 구오는 그 위와 떨어져 있어 그 두레박에 줄을 매달아 물을 위로 올리지 못하는 상이다. 감괘는 물이 되고 손괘는 나무가 되는데 나무는 물을 긷는 그릇이니 그릇을 물에 넣어 다시 위로 올리는 것이 정괘의 상이다. 구오와 상육은 감괘의 위에 있는 두 효로 두레박이 올려다보며 우물을 나오게 하는 상이 있다.

서유신(徐有臣)『역의의언(易義擬言)』

汔, 幾也, 幾至於泉而不及者, 分寸亦未可以汲泉也. 羸, 脆也, 瓶脆必敗, 故凶也. 長其繘堅其瓶, 則无是患也. 君子當利用安身, 以御險難也.
흘(汔)은 거의이니 거의 샘에 이르러 미치지 못함은 조금이라도 샘을 기를 수 없다. 리(羸)는 약함이니 두레박이 약하면 반드시 깨지기 때문에 흉하다. 그 줄을 길게 하고 그 두레박을 견고하게 한다면 이런 근심이 없다. 군자는 이롭게 써서 몸을 편안히 하여 험난을 예방한다.

하우현(河友賢)『역의의(易疑義)』

或問, 卦辭改邑不改井一節, 言井之事. 其下一節, 言汲井之事, 而以未繘羸瓶言其凶何也.
曰, 此承上文, 往來井井之辭而言. 夫井者, 民生日用之不可廢, 而以濟用爲功. 然若汲井者, 未汲而敗器, 則不能遂其用矣. 故聖人於此特戒之曰如此則凶, 蓋深爲占者之辭.
어떤 이가 물었다: 괘사에 "고을을 바꾸어도 우물은 바꾸지 않는다"는 한 마디는 우물의 일을 말하였습니다. 그 아래 한 마디는 우물을 긷는 일을 말하면서 "줄이 이르지 않고 두레박을 깨뜨린다"고 하여 그 흉함을 말함은 어째서입니까?
답하였다: 이는 윗글의 "오고가는 이가 우물을 우물로 쓰니"의 글을 이어서 말하였습니다. 우물은 민생의 일용에 없어서는 안 되고 길어 쓰는 것으로 공을 삼습니다. 그렇지만 우물을 긷는 자가 긷지 못하고 그릇을 깨뜨리면 그 쓰임을 완수할 수 없기 때문에 성인이 이에 특별히 경계하여 이르길 이처럼 하면 흉하다 하였으니 점친 자를 위한 말입니다.

박제가(朴齊家)『주역(周易)』

改邑不改井, 无喪无得, 往來井井, 汔至亦未繘井, 羸其甁凶.
고을은 바꾸어도 우물은 바꾸지 않으니, 잃음도 없고 얻음도 없으며, 오고가는 이가 우물을 우물로 쓰니, 거의 이르더라도 우물에 줄을 드리우지 못한 것과 같으니, 두레박을 깨뜨리면 흉하다.

困之反而爲井, 故此象先言井之所以遭變, 而井則自在之故, 故曰无喪旡得, 乃文王經歷變故之辭. 往來井井者, 言邑旣遷而井可惜, 故行人之往來者, 人人說井不已, 故曰井井, 猶曰其井其井云爾. 汔, 及也, 言人人之說井者, 無論已見與未見, 皆過去相傳之說而已. 未有親至其井者, 及其親至其井也, 亦未有能必及其井而爲恒用之道者, 故曰未繘, 而或有不用繘而只欲以甁汲取者, 非徒取之甚少, 往往自敗其甁, 故曰凶. 此凶字, 屬汲甁者之凶, 非井之凶也, 故彖傳曰是以凶也.
곤괘(困卦䷮)가 거꾸로 된 괘가 정괘이기 때문에 단전에서 우물이 변화를 겪지만 우물은 그대로 있는 연고를 먼저 말하였다. 그러므로 '잃음도 없고 얻음도 없다[无喪旡得]'라 하였으니 문왕이 변고를 겪은 내용이다. '왕래정정(往來井井)'은 고을은 이미 옮겨갔지만 이전 우물을 애석하게 여기기 때문에 왕래하는 행인들마다 모두 우물을 이야기함에 끝이 없다. 그렇기 때문에 '우물우물[井井]'이라 하였으니 "그 우물이여, 그 우물이여"라고 하는 것과 같다. 흘(汔)은 미침[及]이니 사람들마다 우물 이야기를 하는 자가 이미 보았든 보지 못했든 모두 지난날부터 서로 전해오던 말일 따름이다. 몸소 그 우물에 이르지 못하던 사람이 몸소 그 우물에 이른다 하더라도 또한 반드시 그 우물에 이르러 늘 사용할 수 있는 도를 둘 수 있는 것은 아니기 때문에 '미귤(未繘)'이라 하였다. 혹은 줄을 사용하지 않고 단지 두레박으로 길어서 취하려는 자는 취하는 것이 적은 것이 아니라 종종 스스로 그 병을 깨뜨리기 때문에 흉하다고 하였다. 이곳의 '흉(凶)'자는 두레박으로 긷는 자의 흉함이지 우물의 흉함이 아니다. 그렇기 때문에 「단전」에서 "이로써 흉하다"고 하였다.

是以二字屬羸其瓶之下. 傳曰往來井井, 其用也周. 本義, 往者來者皆井其井. 然則此井爲得矣, 何曰无得. 其用也周則乃不改邑之井矣, 何曰改邑. 當曰居人亦何必曰往來乎. 若曰汲井幾至未盡綆而敗其瓶, 則雖曰未至, 固已繘矣, 何曰未繘. 故傳必曰與未下繘同, 然於文亦未通, 且與羸瓶不接. 旣繘則雖未至, 亦何羸之有. 惟其未繘, 故敗耳.

'시이(是以)' 두 글자는 리기병(羸其瓶)의 아래에 속한다. 『정전』에서는 "오고가는 이가 우물을 우물로 씀은 그 쓰임이 두루 넓음이다"라고 하였다. 『본의』에서는 "가는 자나 오는 자나 그 우물을 우물로 사용한다"고 하였다. 그렇다면 이 우물은 얻음이 되는데 어찌 얻음이 없다고 하였는가? "그 쓰임이 두루 넓다"면 이에 고을을 바꾸지 않은 우물인데 어찌 고을을 고쳤다고 하였는가? 마땅히 거처하는 사람이라 해야 하는데 하필 왕래(往來)라 하는가? 만약 우물을 긷는데 거의 이르렀으나 아직 줄을 들어 올리지 못하고 그 두레박을 깨뜨렸다면 비록 이르지 못했어도 이미 줄을 내렸는데 어떻게 미귤(未繘)이라 할 수 있는가? 그러므로 『정전』에서 이르길 "아직 줄을 내리지 않은 것과 같다"고 하였다. 그러나 여전히 문맥이 통하지 않고 두레박이 깨진다는 것과 이어지지도 않는다. 이미 줄을 드리웠으면 비록 이르지 못함이 있긴 하지만 어찌 깨지는 것이 있겠는가? 오직 아직 드리우지 않았기 때문에 실패한 것이다.

박문건(朴文健) 『주역연의(周易衍義)』

爲二陰所陷, 故邑居則見革而井地則不變也. 往來井井者, 井道恒存也. 汔, 幾, 羸, 敗也.

두 음에게 빠져있기 때문에 고을에 거처하면 바뀜을 겪지만 우물의 터는 변하지 않는다. "오고가는 이가 우물을 우물로 쓰니"는 우물의 도가 항상 존재함이다. 흘(汔)은 거의이고 리(羸)는 깨짐이다.

〈問, 改邑以下. 曰, 九五爲陰所陷, 故邑雖改而井不改也, 陷者, 井之體也. 所以不變, 惟其如此者, 以剛陽之體而處尊得中也. 進往而爲九二之所陷, 退來而爲二陰之所陷, 是往亦井來亦井也, 所以无喪而无得也. 陽進處五, 則井之幾至盈滿者, 然二陰亦未用綆而反羸敗其所汲之器, 故是以有凶, 蓋未有養物之功而反見傷害者也.

물었다: "고을을 바꾼다" 이하는 무슨 뜻입니까?

답하였다: 구오는 음에게 빠져있기 때문에 고을은 비록 바꾸어도 우물은 바꾸지 않으니 빠짐은 우물의 몸체입니다. 변하지 않음이 오직 이와 같음은 굳센 양의 몸으로 높이 거처하여 알맞음을 얻었기 때문입니다. 나가면 구이(九二)에게 빠지고 물러나면 두 음에게 빠지니

이것이 가도 우물이고 와도 우물이어서 잃음도 없고 얻음도 없음입니다. 양이 나아가 오위(五位)에 거처하면 우물이 거의 가득 참에 이르지만 두 음이 또한 줄을 사용하지 않고 도리어 물을 긷는 그릇을 깨뜨리기 때문에 흉함이 있으니 생물을 기르는 공을 두지 못하고 오히려 해로움을 당하는 자입니다.〉

이지연(李止淵) 『주역차의(周易箚疑)』

下一陰爲瓶口而爲覆瓶之象. 上一陰亦爲瓶口而爲仰瓶之象. 汲水之時, 覆其瓶而戽之水滿於瓶, 則又引其綆而出於上. 故爲井之象也. 汔至而羸其瓶, 指六四也. 六四, 仰瓶而汔至井口之象. 又與初六滔得二陽爲互坎, 未繘而反陷於井爲羸之象.
아래의 한 음은 두레박의 구멍이 되어 두레박을 아래로 뒤집는 상이다. 위의 한 음도 두레박의 구멍이 되어 두레박을 위로 향하는 상이다. 물을 길을 때에 두레박을 뒤집어서 두레박에 물을 가득 담으면 또 두레박줄을 당겨서 위로 나온다. 그렇기 때문에 우물의 상이다. "거의 이르더라도 두레박을 깨뜨림"은 육사를 가리킨다. 육사는 두레박을 위로 향해 거의 우물 입구에 이른 상이다. 또 초육과 더불어 그득히 두 양을 얻으면 호괘로 감괘[☵]가 되어 줄이 이르지 않고 도리어 우물에 빠지니 깨뜨리는 상이다.

윤종섭(尹鍾燮) 『경(經)·역(易)』

井, 改邑不改井.
정괘는 고을은 바꾸어도 우물은 바꾸지 않으니,

坎自坤變, 有改邑象.
감괘는 곤괘에서 변한 것으로 고을을 바꾸는 상이 있다.

김기례(金箕澧) 「역요선의강목(易要選義綱目)」

井, 升而困者必反而下, 井爲最下. 木器入井而上水, 卽汲井之象. 改邑不改井无喪无得往來井井. 卦變自泰來, 初九往居五, 改坤爲坎, 故曰改邑, 取坤爲邑. 五以剛居中不變, 故曰不改井. 取坎坑汲之不竭, 不汲不盈, 故曰无喪无得.
정은 "올라가서 곤한 자는 반드시 되돌아 내려온다"[6]하였는데 우물이 가장 아래이다. 나무그릇으로 우물에 넣어 물을 위로 올리니 우물을 긷는 상이다. "고을은 바꾸어도 우물은 바꾸

---

6) 『周易·序卦傳』: 困乎上者必反而下, 故受之以井.

지 않으니, 잃음도 없고 얻음도 없으며, 오고가는 이가 우물을 우물로 쓰니"는 괘변이 태괘에서 왔으니 초구가 가서 오위(五位)에 거하면 곤이 바뀌어 감이 되기 때문에 개읍(改邑)이니 곤이 고을이 됨을 취했다. 오효가 굳셈으로 가운데 거해서 변하지 않기 때문에 "우물은 바꾸지 않음"이라 하였다. 감의 구덩이를 취하여 길러도 다함이 없고 기르지 않아도 차지 않기 때문에 "잃음도 없고 얻음도 없다"고 하였다.

○ 剛往居五, 柔來居初, 故曰往來.
강이 가서 오효의 자리에 있고 유가 와서 초효의 자리에 있기 때문에 '왕래(往來)'라 하였다.

○ 蓋汲水者往, 求水者來, 井其井而救渴, 故謂之往來井井, 井井猶言種種. 井爲德之地, 水爲性之源, 澤无水則困而知命, 井有水則知水之有性.
물을 길은 자는 가고 물을 구하는 자는 와서 그 우물을 우물로 사용하여 갈증을 해결하기 때문에 "오고가는 이가 우물을 우물로 쓰니"라고 하였으니 정정(井井)은 종종(種種)이라 말하는 것과 같다. 정괘는 덕의 터전이고 물은 본성의 근원이니 못에 물이 없으면 곤궁하여 명을 알고, 우물에 물이 있으면 물에 본성이 있음을 아는 것이다.

○ 邑可改而井不可改者, 以體言也. 汔至亦未繘井羸其甁凶, 汲井幾至泉, 綆未及, 而甁敗則凶. 不改井, 以井體言也.
고을은 바꾸어도 우물은 바꿀 수 없음은 몸체로 말하였다. "거의 이르더라도 우물에 줄을 드리우지 못한 것과 같으니, 두레박을 깨뜨리면 흉하다"는 우물을 길을 때 거의 샘에 이르러 줄이 미치지 못하고 두레박이 깨지면 흉하다. "우물은 바꾸지 않으니"는 우물의 몸체로 말하였다.

○ 无喪无得, 以水性言也.
"잃음도 없고 얻음도 없음"은 물의 성질로 말하였다.

○ 汔至未繘羸其甁, 以失其用而言也. 人能知有性理而不修, 則如井之有水而不能汲也.
"거의 이르더라도 우물에 줄을 드리우지 못함"은 그 쓰임을 잃음으로 말하였다. 사람이 본성이 있음을 알면서도 닦지 않으면 우물에 물이 있어도 긷지 못함과 같은 것이다.

이항로(李恒老) 「주역전의동이석의(周易傳義同異釋義)」

傳, 幾至而未及用, 亦與未下繘於井同也.

『정전』에서 말하였다: 거의 이르렀으나 쓰는데 미치지 못함은 또한 두레박줄을 우물에 내리지 못한 것과 같다.

本義, 汲井幾至未盡綆而敗其甁, 則凶也.
『본의』에서 말하였다: 우물을 길어 거의 이르렀더라도 줄을 다 올리지 못하고서 두레박을 깨뜨리면 흉하다.

按, 如傳釋, 則汔至下添幾字, 未繘下添發字, 語始足. 且未字作不字看, 又未安, 羸其甁, 亦無語脉, 故本義不從.
내가 살펴보았다: 『정전』처럼 해석한다면 흘지(汔至)다음에 기(幾)자를 첨가하고 미귤(未繘)아래에 발(發)자를 첨가해야만 말이 비로소 충분하다. 또 미(未)자를 불(不)자로 보는 것도 자연스럽지 않으니 '리기병(羸其甁)'도 문맥이 통하지 않기 때문에 『본의』에서 따르지 않았다.

或問, 繫辭傳曰, 井德之地也, 何謂也. 曰, 井所以養物者也. 曰改邑不改井, 言人遷我居, 人動我靜, 無古無今, 恒守其一者, 井之德也.曰旡喪旡得往來井井, 言用不益竭, 舍不加盈, 往必滿載, 來必渴求者, 井之功也. 然汲引在人, 成敗在天, 用舍行藏, 井不與焉. 故曰汔至亦未繘井羸其甁凶. 此言汲引成敗由乎人與天, 而不由乎井也. 此則井之時也. 譬之於人, 則改邑不改井, 所謂先聖後聖, 其揆一, 是也. 旡喪旡得, 所謂雖大行不加焉, 雖窮居不損焉, 是也. 汔至羸甁, 所謂爲山九仞功虧一簣, 是也. 上坎下巽爲井, 非巽旡以濟坎, 非坎旡以行巽, 井之觀深矣.
어떤 이가 물었다: 「계사전」에 "정괘는 덕의 땅이다"라고 한 것은 무엇을 말합니까?
답하였다: 우물은 생물을 기르는 것입니다. "고을은 바꾸어도 우물은 바꾸지 않음"은 남은 옮기지만 나는 가만히 있고 남은 움직이지만 나는 고요해서, 예나 지금이나 늘 그 동일성을 유지하는 것으로 정괘의 덕입니다. "잃음도 없고 얻음도 없으며, 오고가는 이가 우물을 우물로 씀"은 사용해도 더 없어지지는 않고 놔두어도 더 차지 않아 갈 때는 반드시 가득 싣고 올 때는 반드시 목마름으로 구하니 우물의 공용입니다. 그러나 길어 올리는 것은 사람에 달려있고 성패는 하늘에 달려있어 용사(用舍)와 행장(行藏)에 우물은 관여함이 없습니다. 그렇기 때문에 "거의 이르더라도 우물에 줄을 드리우지 못한 것과 같으니, 두레박을 깨뜨리면 흉하다"라 했습니다. 이는 길어 올리는 성패의 연유가 사람과 하늘에 있지 우물에 있지 않다는 것이니 이것이 '정'의 때입니다. 사람에게 비유하자면, "고을은 바꾸어도 우물은 바꾸지 않음"은 "앞선 성인이나 뒤의 성인이나 그 헤아림은 동일하다"는 것이 이것입니다. "잃음도 없고 얻음도 없음"은 이른바 "비록 크게 행해져도 더함이 없고 비록 곤궁하게 거해도

덜 것이 없다"는 것이 이것입니다. "거의 이르더라도 두레박을 깨뜨리면"은 이른바 "산을 만드는데 아홉 길을 공들이고 한 삼태기가 모자라다"는 것이 이것입니다. 상괘는 감(坎)이고 하괘는 손(巽)이 정인데 손이 아니면 감을 구제할 수 없고 감이 아니면 손을 행할 수 없으니 우물을 관찰함이 깊습니다.

심대윤(沈大允) 『주역상의점법(周易象義占法)』

上段主井而言其道, 此段主汲而言其功. 井水之方汲, 尙未出於井, 入於甁而爲用也. 士之擧選, 尙未授官而試功也. 汔幾也, 繘綆也, 言幾至而亦未及汲出于井也. 以言士之居下而未變, 故獨取下卦之對坤爲至巽爲繘. 羸虛而不飽也, 言汲而未入于甁也. 甁盆盎之屬, 對离震爲羸甁, 以井對甁. 此未汲出彼而尙虛也.

위의 문단은 우물을 주로 하여 그 도를 말했고 이 문단은 긷는 것을 주로 하여 그 공을 말했다. 우물의 물을 길을 때 우물에서 나오지 못하면 두레박을 넣어 사용한다. 선비가 선발될 때 관직을 주지 않고 공을 시험한다. 흘(汔)은 거의[幾]이고 귤(繘)은 줄[綆]이니 거의 이르러 우물을 길어내지 못함을 말한다. 선비가 아래에 거처하여 변화가 없기 때문에 유독 하괘의 상대인 곤괘[☷]가 이름[至]이 됨과 손괘가 줄[繘]이 됨을 취하였다. 리(羸)는 비어서 차지 않음이니 긷는데 두레박을 들지 못함이다. 두레박[甁]은 동이의 종류이니 음양이 바뀐 괘인 리괘와 진괘가 '리병(羸甁)'임은 우물을 두레박과 상대한 것이니 이는 아직 저것을 길어내지 못하여 여전히 비어있는 것이다.

오치기(吳致箕) 「주역경전증해(周易經傳增解)」

井者地中之泉也. 上坎爲陷下巽爲入, 而上陷下入, 爲井之象. 巽木入于坎陷之水, 爲汲井之象也. 坤爲邑坎爲水, 而坎得一陽於坤之中, 爲邑之有井也. 坎之坤體, 自困之下卦反而在上, 爲邑之改也. 卦雖反而坎體則自在, 爲井之不改也. 在上在下坎陽得中則一, 故曰旡喪也. 二五之旡應則終不改, 故曰旡得也. 六四來而九三往, 則爲坎於下. 九四來而六三往, 則爲坎於上. 故曰往來井井而, 皆以卦反取象, 言井功之不窮也. 幾至于汲而未及繘井, 言將取井功也. 羸其甁凶, 言失汲井之具, 則不得井養之功而爲凶也.

우물은 땅속의 샘이다. 위의 감(☵)은 빠짐이고 아래의 손(☴)은 들어감이니 위에서 빠뜨려 아래로 들어가니 우물의 상이다. 손괘의 나무가 빠진다는 뜻을 지닌 감괘의 물로 들어가니 우물을 긷는 상이다. 곤괘(☷)가 고을이 되고 감괘(☵)는 물이 되는데 감괘는 곤괘의 가운데서 하나의 양을 얻었으니 고을에 우물이 있는 상이다. 감괘인 곤괘의 몸체는 곤괘(困卦䷮)의 하괘가 거꾸로 위로 올라갔으니 고을이 바뀌었다. 괘가 거꾸로 되었지만 감괘의 몸체는 그대로 있으므로 우물을 바꾸지 않은 것이다. 위에 있으나 아래에 있으나 양이 가운데를 얻음은 한결같기 때문에 '잃음이 없다'고 하였다. 이효와 오효가 상응함이 없음은 끝내 바뀌지 않았기 때문에 '얻음도 없다'고 하였다. 육사가 내려오고 구삼이 올라가면 감(☵)이 아래에 있다. 구사가 내려오고 육삼이 올라가면 감(☵)이 위에 있다. 그렇기 때문에 "오고가는 이가 우물을 우물로 쓰니"라고 하였으니 괘를 거꾸로 하여 상을 취하여 우물의 공이 끝이 없음을 말하였다. 거의 긷는데 이르러 우물에 두레박줄을 내리지 못함은 장차 우물의 공을 취함을 말한다. '두레박을 깨드려 흉함'은 우물을 긷는 도구를 잃어버리면 우물의 기르는 공을 얻지 못해 흉함을 말하였다.

이진상(李震相)『역학관규(易學管窺)』

往來井井.
오고가는 이가 우물을 우물로 쓰니.

困九四來居三, 六三往居四, 所以爲井. 三與四易改邑之象. 二五剛中爲井之主, 是不改井也. 井不改則汲之用未嘗廢也, 而井不以多汲而竭, 是無喪也. 邑雖改而井之體未嘗息也. 井不以無汲而盈, 是無得也. 三之往則上體之井成, 四之來則下體之井成, 是往來井井也.
곤괘(困卦䷮)의 구사가 와서 삼위(三位)에 거처하고 육삼은 가서 사위(四位)에 거처해 정괘(井卦䷯)가 되었다. 삼효와 사효가 바뀐 것이 고을을 바꾸는 상이다. 이효와 오효가 굳셈으로 가운데 있어 우물의 주인이니 이것이 우물을 바꾸지 않음이다. 우물을 바꾸지 않으니 물을 긷는 쓰임이 폐기되지 않는다. 우물은 많이 긷는다고 해서 마르지 않으니 이것이 잃음이 없음이다. 고을을 바꾸어도 우물의 본체는 그치지 않는다. 우물은 길어먹지 않는다고 해서 가득차지 않으니 이것이 얻음이 없음이다. 삼효가 가면 상체의 우물이 이루어지고 사효가 오면 하체의 우물이 이루어지니 이것이 "오고가는 이가 우물을 우물로 씀"이다.

○ 羸其瓶.
두레박을 깨뜨리면.

巽繩爲繘, 坎缶爲瓶, 巽入而坎陷, 乃汲井之象, 而二至四, 互兌爲毁折, 是有羸瓶之憂也.
손괘(☴)의 노끈이 두레박줄이고, 감괘(☵)의 질그릇이 두레박이며, 손괘로 들어가 감괘로 빠지니 우물을 긷는 상이다. 이효에서 사효까지의 호괘인 태괘(☱)가 훼절이니 이에 두레박을 깨뜨리는 근심이 있다.

박문호(朴文鎬) 「경설(經說)・주역(周易)」

汔至, 以用水言, 非以掘竝言. 蓋傳之五穀與掘竝, 皆引喩之語, 非釋汔至也.
'흘지(汔至)'는 물을 사용하는 것을 말하였지 우물을 파는 것을 말한 것이 아니다. 『정전』의 '오곡(五穀)'과 '굴정(掘竝)'은 이끌어서 비유한 말이지 '흘지(汔至)'를 해석한 것이 아니다.

其井井, 言用其井, 食其井也. 繘井羸瓶, 本義旣合作一事, 而象傳乃分言之. 故其註又合之曰, 未有功而敗其瓶. 蓋以象雖分言而其義則實相因也.
정정(井井)은 우물을 사용하고 우물을 먹음이다. '귤정(繘井)'과 '리병(羸瓶)'은 『본의』에서 이미 한 가지 일로 합했고 「단전」에서는 나누어 말했다. 그렇기 때문에 주석에 또 합하여 이르길 "공이 없이 그 두레박을 깨뜨린다"고 하였다. 「단전」에서는 비록 나누어 말했지만 의미는 실제는 서로 기인한다.

이정규(李正奎) 「독역기(讀易記)」

井之一卦, 畫一全井而亦作成一大人也. 大象之木上有水, 井之基址也. 初六井泥不食者, 浚井之初, 得水而泥汚也. 九二井谷射鮒者, 水源湧出, 傍洩而注鮒也. 九三井渫不食者, 修治泥汚, 始得淸潔而人未及食也. 六四井甃无咎者, 累砌防洩, 使水漸盈也. 九五井洌寒泉食者, 汲井始食, 其味甘美潔寒也. 上六井收勿幕者, 收繘而勿掩, 使人人日夜汲出, 施及廣大也.
정괘는 일(一)을 그어 정(井)을 완전하게 이루니 대인을 이루는 것이기도 하다. 『대상전』의 '나무 위에 물이 있음'은 우물의 터이다. 초육의 "우물에 진흙이 있어 먹지 않는다"는 우물을 파는 처음에 물을 얻었으나 더러운 진흙이다. 구이의 "우물이 골짜기의 물처럼 두꺼비에게 흘러간다"는 물의 근원이 용솟음치지만 곁으로 새서 두꺼비에게 흐름이다. 구삼의 '우물이 청소되었는데도 먹어 주지 않음'은 더러운 진흙을 청소했으나 처음으로 청결함을 얻어 사람들이 아직 마시지 못함이다. 육사의 '우물에 벽돌을 쌓으면 허물이 없음'은 벽돌을 쌓아서 새는 것을 방지하여 물이 점차로 가득 참이다. 구오의 '우물이 깨끗하여 차가운 샘물을 먹는다'는 우물을 길어 처음으로 마시니 그 맛이 감미롭고 시원함이다. 상육의 '우물을 길어 덮지 않음'은 줄을 거두고 덮지 않아서 사람들마다 밤낮으로 퍼내 쓰니 베풂이 광대함이다.

如君子主忠信, 井之基址也. 志學向道, 德姑未充, 井泥不食也. 收放心篤行義, 常恐左人, 井谷射鮒也. 學就德成, 而上之人未及收用, 井渫不食也. 只修己職, 不求見用, 井甃无咎也. 上之人, 戀德慕義, 束帛以聘, 井洌寒泉食也. 行志展才, 博施濟衆, 井收勿幕也.

예를 들자면, 군자가 충신으로 주장함은 우물의 터이다. 배움과 도리를 지향하나 덕이 아직 차지 않음은 "우물에 진흙이 있어 먹지 않는다"이다. 내친 마음을 거두어들이고 옳은 행실을 돈독히 하지만 늘 가까운 사람을 두려워함은 '우물이 골짜기라 두꺼비에게 흐름'이다. 배움과 덕을 성취하였으나 윗사람이 아직 거두어들여 쓰지 못함은 '우물을 청소했는데 먹어주지 않음'이다. 자기의 덕을 닦을 뿐 쓰임을 구하지 않음은 '우물의 벽돌을 쌓아서 허물이 없음'이다. 윗사람이 덕와 의리를 사모해서 패백을 가지고 초빙함은 '우물이 깨끗하여 차가운 샘물을 마심이다. 뜻을 행하고 재주를 펼쳐 널리 베풀어 무리를 구제함은 '우물을 거두어들이고 덮지 않음'이다.

彖曰, 巽乎水而上水井, 井養而不窮也.

「단전」에서 말하였다: 물에 들어가서 물을 퍼 올리는 것이 우물이니, 우물은 길러주어 다함이 없다.

中國大全

本義

以卦象釋卦名義.

괘의 상으로 괘의 이름을 풀이하였다.

小註

隆山李氏曰, 坎三爻, 二陰在外爲險陷, 井象也. 一陽居內, 陷二陰之中, 泉象也. 以巽遇坎, 巽木在坎水中, 巽水而上, 亦猶鑿木爲機, 後重前輕, 挈水若抽者, 蓋汲井之象也. 井之汲, 烹飮漑濯, 日用可旣乎. 故曰, 巽乎水而上水井, 井養而不窮也.

융산이씨가 말하였다: 감괘의 세 효 가운데 두 음이 밖에 있는 것이 험하고 빠지는 것이 되니, 우물의 상이다. 한 양이 안에 있으면서 두 음의 가운데 빠진 것이 샘의 상이다. 손괘로서 감괘를 만나 손괘가 상징하는 나무가 감괘가 상징하는 물 가운데 들어가 물을 떠서 올리는 것도 또한 나무를 깎아 기구를 만들어 뒤가 무겁고 앞이 가벼워 물을 모아 떠올리는 것이 우물물을 긷는 상이다. 우물물을 길어서 끓이고 마시고 씻으니 날마다 쓰는 것을 다할 있겠는가? 그러므로 "물에 들어가서 물을 퍼 올리는 것이 우물이니, 우물은 길러주어 다함이 없다"고 말하였다.

韓國大全

권만(權萬) 『역설(易說)』

卦本兌而變而爲巽, 由初爻之變陰, 初爻不坼則乾也, 非巽也. 巽之爲巽, 由於初爻, 而成卦之體, 初與四之間, 有坎水象, 上體則又是坎體也. 故曰巽乎水而上水.
괘가 본래 태괘(☱)였는데 변해서 손괘(☴)가 됨은 초효가 음으로 변함을 말미암음이니 초효가 갈라지지 않으면 건괘(☰)이지 손괘(☴)가 아니다. 손괘가 손괘가 됨은 초효를 말미암은 것이고, 괘를 이룬 몸체가 초효와 사효의 사이에 감수의 상이 있으니 상체가 또 감괘의 몸체이다. 그러므로 물에 들어가서 물을 퍼 올린다고 하였다.

○ 井滿, 則群飮而不窮, 爲養不窮也. 坎爲水, 坎北方爲陰方. 然天一之陽遇地六而成水. 巽長女也, 乾索成巽故爲水, 是巽水資於乾陽也. 此卦當以陰陽相感, 成水之義觀之, 則幾矣養字有生養之義, 生養是巽女事. 水是血, 下體是水生木, 上體水在上, 猶血上成乳. 巽字爲兩巳共有乳象. 巳火, 火有升上之象. 然此是思索過處人必笑之矣.
〈萬讀易姑置程傳本義, 只靠上下卦體及諺解句讀飜釋者讀之於此卦. 終有所未達者, 反復百回, 恍然有悟於卦下彖辭. 已以己意解改邑不改井以下, 象義玆略之.〉
우물이 가득하면 군중이 마셔도 다함이 없으니 길러줌에 다함이 없다. 감괘는 물이고 감괘는 북방으로 음방이다. 그렇지만 천일(天一)의 양이 지육(地六)을 만나서 물을 이룬다. 손괘는 장녀인데 건(乾)이 구해서 손(巽)을 이루기 때문에 물이 되니 이 손괘의 물은 건괘의 양에 바탕한다. 이 괘를 음양이 서로 감응하여 물을 이루는 뜻으로 보면 거의 양(養)은 낳아 기르는 뜻이 있으니 낳아 기름은 손괘(巽卦) 여인의 일이다. 물은 피인데 하체는 물이 나무를 낳고 상체는 물이 위에 있어 마치 정혈이 올라가 젖을 이룬 것과 같다. 손(巽)은 두 뱀[巳]이 젖을 공유하는 상이다. 사(巳)는 화(火)이니 불은 위로 오르는 상이다. 그렇지만 이는 사색이 지나친 곳으로 사람들이 반드시 비웃을 것이다.
〈나는 『주역』을 읽으면서 우선 『정전』과 『본의』를 놔두고 상하의 괘 몸체와 언해의 구두·번역에만 의지하여 이 괘를 읽어본다. 끝내 통달하지 못하는 것이 있어 백번을 반복하니 홀연히 괘 아래의 단사에서 깨달음이 있었다. 이미 나의 뜻을 가지고 "고을은 바꾸지만 우물은 바꾸지 않음" 이하를 해석했으니 이에 상을 취한 뜻은 생략한다.〉

○ 卦本地天泰, 而坤之中爻, 下於乾初而爲巽, 乾之初爻, 上於坤中而爲坎. 上體則是坎水, 下體則自初至四其間爲坎象, 是上坎而下亦坎.

괘는 본래 지천태괘(泰卦䷊)에서 곤괘(☷)의 가운데 효가 아래로 건괘(☰)에 내려와서 손괘(☴)가 되고, 건괘(☰)의 초효가 위로 곤괘(☷)의 가운데로 가서 감괘(☵)가 되었다. 상체는 감괘의 물이고 하체는 초효에서 사효에 이르기까지 감괘의 상이니 이것이 위도 감괘이고 아래도 감괘라는 것이다.

유정원(柳正源)『역해참고(易解參攷)』

○ 案, 巽, 入於水中者, 汲水甁也. 坎, 陷而敗羸之象也.
내가 살펴보았다: 손(☴)은 물속에 들어가 물을 긷는 두레박이다. 감(☵)은 빠져서 깨뜨리는 상이다.

김상악(金相岳)『산천역설(山天易說)』

以卦象釋卦名義, 而言井之養於物而无窮已者, 乃其德之有常也.
괘상으로 괘의 명칭과 의미를 풀었고, 우물이 만물을 기름에 끝이 없음이 그 덕에 항상성이 있어서임을 말했다.

○ 潤萬物者, 莫潤於水, 故不但人, 物之生皆稟水爲形. 生我者, 亦所以養我, 故有養義. 井養而不窮卽卦辭之无喪无得往來井井也. 故不復釋兩句. 改邑不改井乃以剛中也, 汔至亦未繘井未有功也, 羸其甁是以凶也, 以卦變釋卦辭. 剛中坎之本象, 故改邑而不改井, 乃以五剛中之德也. 功謂利物之功也. 羸敗其甁則廢井之用而凶也.
만물을 윤택하게 하는 것이 물보다 더 잘하는 것이 없다. 그렇기 때문에 사람뿐만 아니라 만물도 다 물을 받아 형체를 만든다. 나를 낳는 자가 나를 기르기도 하기 때문에 기름의 뜻이 있다. 우물은 기름에 다함이 없음이 곧 괘사의 "잃음도 없고 얻음도 없으며, 오고가는 이가 우물을 우물로 쓰니"이다. 그렇기 때문에 두 구절을 다시 풀지 않았다. "고을은 바꾸어도 우물은 바꾸지 않음"은 굳세고 알맞기 때문이고, 거의 이르더라도 우물에서 줄을 다 올리지 못함은 공이 없는 것이고, 두레박을 깨뜨림은 그 때문에 흉하다"는 괘변(卦變)으로 괘사를 풀었다. 굳센 양으로 가운데 자리에 있음은 감괘(☵)의 본래 상이다. 그렇기 때문에 고을은 바꾸어도 우물은 바꾸지 않음은 오효의 굳세고 알맞은 덕 때문이다. '공(功)'은 만물을 이롭게 하는 공이다. 두레박을 깨뜨리면 우물의 쓰임이 닫혀서 흉하다.

○ 繘卽鹿盧之索也. 繘斷則不能上水而未有功也, 故上曰井收, 收則可以成井之功, 所以在上而大成也.

‘굴’은 도르래의 끈이다. 끈이 짧으면 물을 위로 올릴 수 없어 공을 둘 수 없다. 그러므로 상효에 ‘우물을 거둠’이라고 하였다. 거두면 우물의 공을 이룰 수 있으니 위에 있어 크게 성공함이다.

서유신(徐有臣) 『역의의언(易義擬言)』

巽乎水而上水井.
물에 들어가서 물을 퍼 올리는 것이 우물이니.

巽木也入也. 巽乎水, 木入水也. 渙變爲井而巽自上來於坎之下, 是入水之象, 坎自下往於巽之上, 是上水之象. 是爲汲泉之象, 故卦爲井也
손괘는 나무이고 들어감이니 ‘손호수(巽乎水)’는 나무가 물에 들어감이다. 환괘(渙卦䷺)가 변화하여 정괘가 되었는데 손괘(☴)는 위에서부터 감괘(☵)의 아래로 오니 이것이 물에 들어가는 상이고 감괘는 아래로부터 손괘의 위로 가니 이것이 ‘물이 위에 있는’ 상이다. 이것이 물을 긷는 상이기 때문에 괘가 정이 되었다.

윤행임(尹行恁) 「신호수필-역(新湖隨筆-易)」

井者所以象形而自升而爲井, 故井與升形相似. 義雖取其反下, 繘而上之亦兼升義.
정괘의 상은 승괘로부터 정괘가 되었기 때문에 정괘와 승괘는 형상이 비슷하다. 의미는 아래로 돌아옴을 취했지만 두레박줄로 올리는 것도 승괘의 뜻을 겸하고 있다.

박문건(朴文健) 『주역연의(周易衍義)』

巽入也. 此以卦象釋卦名而贊其功也.
손괘는 들어감이다. 이는 괘상으로 괘명을 풀면서 그 공을 찬탄함이다.
〈問, 巽乎水而上水井. 曰, 入乎水而使水涌出者, 井之體也. 巽與鼎象以木巽火之巽, 同義也.
물었다: “물에 들어가서 물을 퍼 올리는 것이 우물이다”는 무슨 뜻입니까?
답하였다: 물에 들어가서 샘솟아 나오게 함은 정괘의 몸체입니다. ‘손(巽)’은 정괘(鼎卦) 「단전」의 “나무로서 불에 들어간다”는 ‘손(巽)’과 같은 뜻입니다.〉

改邑不改井, 乃以剛中也,

"고을은 바꾸어도 우물은 바꾸지 않음"은 굳세고 알맞기 때문이고,

中國大全

傳

巽入於水下而上其水者, 井也. 井之養於物不有窮已, 取之而不竭, 德有常也. 邑可改, 井不可遷, 亦其德之常也. 二五之爻剛中之德, 其常乃如是, 卦之才, 與義合也.

물 아래로 들어가서 물을 퍼 올리는 것이 우물이다. 우물이 만물을 기르는 것은 다함이 없어 취하여도 다하지 않으니, 덕이 항상됨이 있는 것이다. 고을은 바꿀 수 있어도 우물은 옮길 수 없는 것은 또한 그 덕이 항상된 것이다. 이효와 오효의 굳세고 알맞은 덕이 그 항상됨이 이와 같으니, 괘의 재질이 의와 합한 것이다.

小註

建安邱氏曰, 剛中五也. 剛則不變, 故邑可改而井不可改.
건안구씨가 말하였다: 굳세고 알맞은 것은 오효이다. 굳세면 변하지 않기 때문에 고을을 바꿀 수 있지만, 우물을 바꿀 수 없다.

○ 林氏栗曰, 井者, 君子之德, 井不可改, 以其剛中也. 剛中者, 泉在中也.
임율이 말하였다: 우물은 군자의 덕이 있으니, 우물을 바꿀 수 없는 것은 굳세고 알맞기 때문이다. 굳세고 알맞은 것은 샘이 가운데 있는 것이다.

○ 雲峰胡氏曰, 惟井之不改, 故不以往而喪, 不以來而得, 而往者來者, 自井其井. 彖傳但言其體而用已該矣.
운봉호씨가 말하였다: 우물을 바꾸지 않기 때문에 가도 잃어버리지 않고 와도 얻지 않으며, 가고 오는 이들이 저절로 우물을 우물로 쓴다. 「단전」은 다만 본체를 말했지만 작용을 이미 갖추고 있다.

韓國大全

유정원(柳正源) 『역해참고(易解參攷)』

改邑 [至] 中也.
고을을 바꾸어도 … 이에 굳셈으로 가운데를 씀이다.

漢上朱氏曰, 君子窮居不損, 大行不加, 非剛中不變能之乎.
한상주씨가 말하였다: 군자는 곤궁해도 덜림이 없고 크게 행하여도 더함이 없으니 굳셈으로 알맞아 변치 않음이 아니면 가능하겠는가!

○ 案, 井者陽氣之所出, 乃剛中也.
내가 살펴보았다: 우물은 양기가 나오는 곳이니 굳셈이 가운데 있음[剛中]이다.

서유신(徐有臣) 『역의의언(易義擬言)』

井養而不窮也.
우물은 길러주어 다함이 없다.

此疑闕文錯簡, 當在下文.
이 구절은 아마도 글이 빠졌거나 뒤섞였을 것이니 마땅히 아래 글에 있어야 한다.

內外卦改易, 而二五之剛中不改也. 此下恐有无喪无得往來井井養而不窮也十三字. 巽入而坎出, 所以養物也. 无得喪往來之異, 所以不窮也. 渙變井則曰養而不窮, 井變渙則曰來而不窮. 觀象玩辭, 妙在變處.
내괘와 외괘가 바꾸어졌지만 이효와 오효의 강중은 바뀌지 않았다. 이 아래에 아마도 '무상무득왕래정정양이불궁야(无喪无得往來井井養而不窮也)' 13자가 있어야할 듯하다. 손괘로 들어가고 감괘로 나옴으로 민물을 기른다. 득상(得喪)과 왕래(往來)의 다름이 없음으로 다함이 없다. 환괘가 변해 정괘가 되면 양이불궁(養而不窮)이라 하고 정괘가 변해 환괘가 되면 래이불궁(來而不窮)이라 한다. 괘상을 보고 말을 완미함에 묘함이 변화하는 곳에 있다.

汔至亦未繘井, 未有功也, 羸其甁, 是以凶也.

정전 "거의 이르더라도 우물에 줄을 드리우지 못함"은 공이 없는 것이고, "두레박을 깨뜨림"은 그 때문에 흉하다.

본의 "거의 이르더라도 우물에서 줄을 다 올리지 못함"은 공이 없는 것이고, "두레박을 깨뜨림"은 그 때문에 흉하다.

中國大全

傳

雖使幾至, 旣未爲用, 亦與未繘井同. 井以濟用爲功, 水出乃爲用, 未出則何功也. 甁所以上水而致用也, 羸敗其甁, 則不爲用矣, 是以凶也.

비록 만약 거의 이르렀더라도 이미 쓰이지 못하면 또한 우물에 두레박줄을 드리우지 않은 것과 같다. 우물은 작용을 이루는 것을 공으로 삼는데, 물이 나와야 쓰임이 될 수 있으니, 나오지 않으면 무슨 공이 있겠는가? 두레박은 물을 퍼 올려 쓰임을 이루는 것이니, 두레박을 깨뜨렸다면 쓰이지 못한다. 이 때문에 흉하다.

本義

以卦體釋卦辭. 无喪无得, 往來井井, 兩句意與不改井同, 故不復出. 剛中, 以二五而言. 未有功而敗其甁, 所以凶也.

괘의 몸체로 괘사를 해석하였다. "잃음도 없고 얻음도 없어"와 "오고가는 이가 우물을 우물로 쓰는 것" 두 구절은 뜻이 우물은 바꿀 수 없다는 말과 같으므로 다시 나오지 않았다. "굳세고 알맞다"는 것은 이효와 오효로써 말한 것이다. 공이 없고 두레박을 깨뜨렸으니, 이 때문에 흉하다.

小註

建安丘氏曰, 井以上乎水爲功. 汔至亦未繘井, 猶未可以得水, 故未有功也. 旣不得水,幷與其甁而羸之, 則汲之用廢矣, 是以凶也.
건안구씨가 말하였다: 우물은 물을 길어올리는 것을 공으로 삼는다. 거의 이르더라도 우물에서 줄을 다 올리지 못하면 오히려 물을 얻을 수 없기 때문에 공이 없는 것이다. 이미 물을 얻지 못하고 아울러 두레박까지 깨뜨린다면 물을 긷는 작용이 없어지기 때문에 흉하다.

○ 嵩山晁氏曰, 或謂彖主三陽言, 五井洌寒泉食, 是陽剛居得中正, 邑可改而井不可改也. 三井渫不食, 是水未見於用, 未有功也. 二甕敝漏, 是旣不得水, 幷其甁而亡之, 羸其甁而凶者也.
숭산조씨가 말하였다: 어떤 이는 다음과 같이 말한다. 「단전」은 세 양을 주로 해서 말했는데, 오효에서 "우물이 깨끗하여 시원한 샘물을 먹도다"라고 한 것은 굳센 양이 중정한 자리에 거하니, 고을은 바꿀 수 있지만 우물을 바꿀 수 없다는 것이다. 삼효에서 "우물이 청소되었는데도 먹어주지 않는다"는 것은 물이 아직 쓰이지 않아서 공이 있지 않다는 것이다. 이효에서 "동이가 깨져 물이 샌다"는 것은 물을 얻지 못하고 두레박을 아울러 없애버리니, 두레박을 깨뜨려 흉한 것이다.

‖韓國大全‖

조호익(曺好益) 『역상설(易象說)』

汔至亦未繘, 井羸其甁.
거의 이르더라도 우물에 줄을 드리우지 못한 것과 같으니, 두레박을 깨뜨리면 흉하다.

繘, 巽繩象, 甁, 巽木象. 馮厚齋言, 古者樽罍皆用木. 汔至, 巽木方入水之象. 羸甁, 巽下缺之象. 以雙湖說推之, 甁瓦器. 三陰坤土, 坎水和之離火燒之之象. 自初至五, 亦以木巽火之象.
귤(繘)은 손괘인 노끈의 상이고 병(甁)은 손괘인 나무의 상이다. 풍후재가 "옛적엔 술동이나 단지는 모두 나무를 사용했다"고 하였다. '흘지(汔至)'는 손괘의 나무가 막 물에 들어가는 상이다. '리병(羸甁)'은 손괘의 아래가 터진 상이다. 쌍호호씨의 설로 미루어보면 병(甁)은 질그릇으로 만든 그릇이다. 세 음은 곤괘의 흙이니 감괘의 물로 조화롭게 하고 이괘의 불로 굽는 상이다. 초효에서 오효까지도 나무로 불을 지피는 상이다.

홍여하(洪汝河) 「책제(策題): 문역(問易) · 독서차기(讀書箚記)-주역(周易)」

井象辭本義, 以巽木入于坎水之下而上出其水故爲井, 下一故字明象傳只擧改邑不改井, 而包下兩句釋之也.
정괘의 단사에 관해 『본의』에서는 "손목(巽木)이 감수(坎水)의 아래로 들어가서 물을 퍼 올리므로 정(井)이라고 하였다"고 하였는데 '그러므로[故]'를 쓴 이유는 「단전」에서는 단지 '개읍불개정(改邑不改井)'을 들어 아래 두 구절을 포함하여 푼 것임을 밝힌 것이다.

권만(權萬) 『역설(易說)』

卦本地天泰, 而坤之中爻, 下於乾初而爲巽, 乾之初爻, 上於坤中而爲坎. 上體則是坎水, 下體則自初至四其間爲坎象, 是上坎而下亦坎.
괘는 본래 지천태괘(泰卦䷊)에서 곤괘(☷)의 가운데 효가 아래로 건괘(☰)에 내려와서 손괘(☴)가 되고, 건괘(☰)의 초효가 위로 곤괘(☷)의 가운데로 가서 감괘(☵)가 되었다. 상체는 감괘의 물이고 하체는 초효에서 사효에 이르기까지 감괘의 상이니 이것이 위도 감괘이고 아래도 감괘라는 것이다.

○ 坤邑也, 而乾陽來居於中, 而坤改爲坎, 是改邑而井不改也. 下乾不得坤之中爻, 改爲初陰, 則乾也無互水之象, 而得陰爲初, 亦有井象. 亦所謂不改井也.
곤은 고을인데 건괘(☰)의 양이 와서 가운데 거하고 곤괘를 고쳐 감괘(☵)가 되니 이것이 고을을 고치되 우물은 고치지 않음이다. 하괘인 건괘가 곤괘의 가운데 효를 얻지 못하고 고쳐서 초육의 음이 되었으니 건괘는 호괘로 물인 상이 없고 음을 얻어 초효가 되었으니 우물의 상이 있다. 이것이 이른바 '우물을 바꾸지 않음'이다.

○ 旡喪旡得, 諺解曰, 喪도업스며得도업스며 是必程傳之義如此.
무상무득(旡喪旡得)을 언해에 '잃음도 없으며 얻음도 없으며'라 했는데 이는 분명히 『정전』의 뜻이 이럴 것이다.
愚意, 如此讀之, 未見其有取象之義. 其曰旡喪旡得之吐, 當曰旡喪이면旡得이니, 使乾而旡喪初之事, 坤旡得中之事. 如此則泰而非巽矣. 文王之意, 必以此取象也. 連改邑不改井觀之, 則其義躍如. 學者勿以人廢, 而作一義看, 可也.
내가 살펴보았다: 이렇게 읽으면 상을 취한 뜻이 나타나지 않는다. 무상무득(旡喪旡得)의 토를 '잃음이 없으면 얻음이 없으니'로 해서 건괘(☰)가 초효를 잃는 일이 없으면 곤괘도 가운데 효를 얻는 일이 없다고 보아야 한다. 문왕의 뜻은 반드시 이렇게 해서 상을 취하였

다. 이어지는 '고을을 바꾸어도 우물은 바꾸지 않음'으로 보면 그 의미가 잘 드러난다. 배우는 자는 사람 때문에 말을 버리지 않으니 한 가지의 뜻으로 보면 좋을 것이다.

○ 汔至亦未繘井, 未有功也.
거의 이르더라도 우물에서 줄을 다 올리지 못함은 공이 없는 것이고.

汔, 及也. 至, 井水自下而上至也. 繘, 考字書, 恐當作矞. 矞, 水滿有所出也.
흘(汔)은 미침이다. 지(至)는 우물의 물이 아래에서 위로 이름이다. 『자서』를 살펴보니 귤(繘)은 마땅히 '귤(矞)'로 써야 할 듯하다. '귤(矞)'은 물이 차서 나오는 것이다.

此言方水之至, 亦未滿井溢出而汲之, 則凶也. 以夫子未有功之字觀之尤較然矣. 物以成爲功, 爲山九仞功虧一簣, 掘井不汲泉猶爲棄井, 亦未有功之義也.
이는 물이 이르렀지만 아직 우물에 차서 넘쳐나 길어 쓰지 못하면 흉하다. 공자의 '미유공(未有功)'의 글자를 보면 더욱 확실하다. 사물은 이룸을 공으로 삼으니 "산을 만드는데 아홉 길이 되어도 한 삼태기가 모자라 공이 이루어지지 못한다"나 "우물을 파는데 샘에 미치지 못하면 오히려 우물을 버리는 것이다"라는 것도 '미유공(未有功)'의 뜻이다.

○ 羸其瓶之羸, 王肅作縲, 鄭虞作纍, 蜀本作累, 司馬云大索, 穎達云拘纍纏繞. 蓋今人汲深井, 必以瓶瓢之屬, 纏縛其體, 垂綆下汲, 若井滿, 則以不縲之瓶, 手挹而取之. 如此, 則水無渴涸之耻, 而需養不窮. 若泉未滿, 而隨其至而以綆瓶旋汲, 則井渴而不能養不窮爲凶道也.
'리기병(羸其瓶)'의 '리(羸)'는 왕숙은 '류(縲)'라 하였고 정현과 우번은 '류(纍)'라 하였고 촉본(蜀本)에는 루(累)라 하였고 마융은 큰 새끼줄이라 하였고 공영달은 줄로 메달아 당기는 것이라고 하였다. 지금 사람들이 깊은 우물에서 물을 길을 경우에는 반드시 두레박 같은 몸체에 줄로 달아서 줄을 아래로 내려 길어 올리고, 우물이 가득 차 있는 경우에는 줄을 달지 않은 두레박을 손으로 잡아서 취한다. 이와 같다면 물이 말라서 고갈되는 부끄러움이 없고 기름에 다함이 없다. 만약 샘이 차지 않았는데 따라가 이르러 줄을 내려 두루 긷는다면 우물은 고갈되고 기름이 다함이 없을 수 없게 되어 흉하게 된다.

심조(沈潮) 「역상차론(易象箚論)」

象, 繘瓶.
「단전」의 두레박줄과 두레박.

繘, 繩也, 瓶, 巽木也.
두레박줄[繘]은 손괘(☴)의 노끈이고, 두레박[瓶]은 손괘(☴)의 나무이다.

서유신(徐有臣) 『역의의언(易義擬言)』

繘短而無汲泉之功也, 瓶脆而致虧敗之凶也.
두레박줄이 짧으면 샘을 기르는 공이 없고 두레박이 약하면 깨지는 흉함을 이룬다.

하우현(河友賢) 『역의의(易疑義)』

彖改邑不改井乃以剛中也, 先儒張氏, 於卦辭, 亦以剛中不變, 證不改井之義. 然恐文王卦辭, 初無是意. 但夫子於彖傳, 始以剛中之德發之, 諸家皆不明言.
「단전」의 '개읍불개정내이강중야(改邑不改井乃以剛中也)'에 대해서 선배 학자인 장씨는 괘사에서도 굳세고 알맞음[剛中]의 변하지 않음으로 불개정(不改井)의 뜻을 증거했다. 그러나 문왕의 괘사에는 애초에 이런 뜻이 없는 듯하다. 단지 공자가 「단전」에서 처음으로 굳세고 알맞음의 덕으로 표현하였을 뿐인데 모든 학자들이 다 분명히 말하지 않았다.

박문건(朴文健) 『주역연의(周易衍義)』

此以卦體釋卦辭.
이는 괘의 몸체로 괘사를 풀이하였다.

김기례(金箕澧) 「역요선의강목(易要選義綱目)」

井養而不窮.
우물은 길러주어 다함이 없다.

巽爲木爲入, 故曰巽乎水而上水.
손괘는 나무가 되고 들어감이 되기 때문에 "물에 들어가서 물을 퍼 올리는 것"이라 하였다.

○ 民非水不可活, 故曰養而不窮. 乃以剛中, 指五也, 言剛不變. 故井不改, 以體言, 是以凶, 以用言, 言有井不汲, 如有性不修.
백성은 물이 아니면 살 수가 없기 때문에 "길러주어 다함이 없다"고 하였다. '굳세고 알맞기 때문이다'는 오효를 가리키니, 굳세어 변하지 않음을 말한다. 그러므로 '우물이 바뀌지 않음'

은 몸체로 말했고 '그 때문에 흉하다'는 작용으로 말했으니, 우물이 있지만 길을 수 없음이 본성이 있지만 닦지 못함과 같음을 말하였다.

심대윤(沈大允) 『주역상의점법(周易象義占法)』

井之功在人, 士之用在上, 故獨言巽乎水而不言巽乎人也. 以二五之剛中, 能居德而行知也, 能修身以濟物也.
우물의 공은 사람에게 달려있고 선비의 등용은 윗사람에게 달려있기 때문에 '손호수(巽乎水)'만 말하고 '손호인(巽乎人)'은 말하지 않았다. 이효와 오효의 굳세고 알맞음으로 덕에 거하여 아는 것을 행하고 몸을 닦아 남을 구제할 수 있다.

오치기(吳致箕) 「주역경전증해(周易經傳增解)」

此以卦象卦體, 釋卦名義及卦辭也, 已見彖解.
이는 괘의 상과 몸체로 괘의 이름과 괘사를 푼 것이니, 이미 단사의 해석에 보인다.

이진상(李震相) 『역학관규(易學管窺)』

彖以反卦言, 則困六三上往居四, 九四下來居三, 是爲往來井井之象. 胡氏曰, 困二至四, 互離爲市邑象. 六三上往爲井, 九四下來爲井, 則離已改居上矣, 是改邑也. 而二五剛中爲井泉者, 初未嘗改也, 是不改井也. 以程氏卦變言, 則下體本乾上體本坤, 初五剛柔相易而成井. 坤爲邑, 變坤爲坎, 改邑也. 井以上出爲功, 而上六九三皆不易, 是不改井也. 二五剛中之德, 亦有不變之象. 繘巽繩[7]象, 瓶坎缶象, 而四至二互兌爲毁折羸象.
단사에서 뒤집힌 괘로 말하였으니, 곤괘(困卦䷮)의 육삼(六三)이 가서 사효에 거하고 구사(九四)는 아래로 내려와 삼효에 거하는 이것이 "오고가는 이가 우물을 우물로 씀"의 상이다. 호씨는 "곤괘(困卦䷮)의 이효에서 사효까지의 호괘인 이괘(☲)가 시장과 고을의 상이다. 육삼이 위로 가서 정괘(井卦䷯)를 이루고 구사가 내려와 정괘(井卦䷯)를 이루면 이괘(☲)가 이미 고쳐져 위에 거하니 이것이 '고을은 바꿈'이다. 이효와 오효의 '굳세고 알맞음'이 우물의 샘이 됨은 처음부터 고친 일이 없으니, 이것이 '우물은 바꾸지 않음'이다"라고 하였다. 정씨(程氏)의 괘변으로 말하면 하체는 본래 건괘(☰)이고, 상체는 본래 곤괘(☷)인데, 초효와

---

7) 繩: 경학자료집성DB와 영인본에는 모두 '□'로 되어 있으나, 문맥을 살펴 '繩'으로 바로잡았다.

오효의 굳셈과 부드러움이 서로 바뀌어 정괘를 이루었다. 곤괘(☷)는 고을이니 곤괘가 변해 감괘(☵)가 됨이 '고을은 바꿈'이다. 우물은 위로 나옴을 공으로 삼는데 상육과 구삼이 다 바꾸지 않으니, 이것이 '우물은 바꾸지 않음'이다. 이효와 오효는 굳세고 알맞은 덕으로 변치 않는 상이 있다. 귤(繘)은 손괘(☴)의 노끈의 상이고 병(瓶)은 감괘(☵)의 질그릇의 상인데 사효에서 이효에 이르기까지의 호괘인 태괘(☱)가 부서져 깨지는 상이다.

○ 傳, 不直曰剛中, 而曰乃以剛中, 則改邑之義似在其中. 五自初來而得中, 乃以剛中也, 剛中則自有不可變之實. 井用在動而象體靜, 故未有功而羸匃.
「단전」에서 곧바로 '굳세고 알맞다'고 하지 않고 '굳셈으로 알맞음을 얻었다'고 하였으니, 고을을 바꾸는 뜻이 그 속에 있는 것 같다. 오효는 초효에서 와서 가운데에 있음이 '굳셈으로 알맞음을 얻음'이니, 굳셈이 알맞음을 얻으면 변치 않는 실질이 있다. 정괘의 쓰임은 움직임에 있지만 괘체는 고요하기 때문에 공이 있지 않으며 깨지면 흉하다.

최세학(崔世鶴) 「주역단전괘변설(周易彖傳卦變說)」

彖曰, 巽乎水而上水井.
「단전」에서 말하였다: 물에 들어가서 물을 퍼 올리는 것이 우물이니

井, 泰之二體變也. 初與五二爻爲主, 故彖以巽水上水言之. 否初來居於下體之下, 而爲巽乎水之象, 否五往居於上體之中, 而爲上水之象. 求水而來於井下, 得水而往於井上, 卦辭所謂往來井井.
정괘는 태괘의 두 몸체가 변한 것이다. 초효와 오효 두 효를 위주로 하기 때문에 「단전」에서 '물에 들어감'과 '물을 퍼 올림'으로 말하였다. 비(否)괘의 초효가 와서 하체의 아래에 거하여 물에 들어가는 상이 되고, 비(否)괘의 오효가 가서 상체의 가운데 거하여 물을 퍼 올리는 상이 된다. 물을 구하여 우물 아래로 내려오고 물을 얻어 우물 위로 올라가니, 괘사에 이른바 "오고가는 이가 우물을 우물로 씀"이다.

이병헌(李炳憲) 『역경금문고통론(易經今文考通論)』

孟曰, 井法也.
맹희가 말하였다: 정(井)은 법이다.

正義曰, 汔幾也, 繘綆也, 羸鉤而覆之也.
『주역정의』에서 말하였다: 기(汔)는 거의[幾]이고 귤(繘)은 두레박줄[綆]이고, 리(羸)는 갈

고랑이를 뒤집는 것이다.

按, 改邑不改井, 謂國雖改革, 眞正之法理不可改也. 以剛中也四字, 自習坎而來, 注意淵永. 卦辭則自改邑以下, 指周之有修治導養之節也. 汔至亦未繘井以下, 指殷之漸棄前功也. 爻辭則先指殷事, 後指周事. 三陰三陽之往來屢見前, 右一對策準中數.
내가 살펴보았다: “고을은 바꾸어도 우물은 바꾸지 않는다”는 나라는 개혁해도 진실로 바른 법과 도리는 고칠 수 없음을 이른다. ‘굳세고 알맞기 때문이다[以剛中也]’는 감괘(坎卦䷜)에서 왔으니, 깊고 길음에 주의한 것이다. 괘사에서 ‘고을을 바꿈’부터는 주나라가 닦아 다스리고 이끌어 기르는 절도가 있음을 가리킨다. ‘거의 이르더라도 우물에 줄을 드리우지 못함’부터는 은나라가 점차 전일의 공을 버림을 가리킨다. 효사에서는 먼저 은나라의 일을 가리키고, 뒤에 주나라의 일을 가리켰다. 세 음과 세 양이 가고 옴은 앞에서 자주 나타나니 이상은 한 짝이 되어 책수가 360이 된다.

象曰, 木上有水井, 君子以, 勞民勸相.

「상전」에서 말하였다: 나무 위에 물이 있는 것이 정(井)이니, 군자가 그것을 본받아 백성을 위로하며 돕기를 권면한다.

中國大全

傳

木承水而上之, 乃器汲水而出井之象, 君子觀井之象, 法井之德, 以勞徠其民而勸勉以相助之道也. 勞徠其民, 法井之用也, 勸民使相助, 法井之施也.

나무가 물을 받쳐 퍼 올리는 것은 그릇으로 물을 길어 우물에서 나오는 상이니, 군자가 우물의 상을 관찰하고 우물의 덕을 본받아서 백성들을 위로하여 서로 돕는 방법으로 권면한다. 백성들을 위로하는 것은 우물의 쓰임을 본받은 것이고, 백성들을 권면하여 서로 돕게 하는 것은 우물의 베풂을 본받은 것이다.

本義

木上有水, 津潤上行, 井之象也. 勞民者, 以君養民, 勸相者, 使民相養, 皆取井養之義.

나무 위에 물이 있으니, 윤택한 것이 위로 행함은 우물의 상이다. 백성을 위로함은 임금으로서 백성을 기르는 것이고, 서로 돕는 방법으로 권면함은 백성들로 하여금 서로 기르게 하는 것이니, 이는 모두 우물이 기르는 뜻을 취하였다.

小註

朱子曰, 木上有水井, 說者以爲木是汲器, 則前面卻有甁, 甁自是瓦器, 此不可曉. 怕只是說水之津潤上行, 至那木之杪, 這便是井水上行之象.

주자가 말하였다: "나무 위에 물이 있는 것이 정괘이니"라는 말에 대해 설명하는 사람들이 나무는 물을 긷는 도구인데 앞면에 두레박이 있고 두레박 자체는 도자기라고 여기지만, 이는 분명하지 않다. 아마도 물이 나무를 적셔 올라가 나무의 끝에 이르는 것이 곧 우물의 물이 위로 올라가는 상이라고 말한 것 같다.

○ 草木之生, 津潤皆上行, 直至樹末, 便是木上有水之義. 雖至小之物亦然, 如菖蒲葉, 每晨葉葉尾皆有水如珠顆, 雖藏之密室亦然, 非露水也. 問, 如此則井之義, 與木上有水何預. 曰, 木上有水, 便如井中之水, 水本在井底, 卻能汲上來給人之食, 故取象如此.
살아있는 초목에서는 물이 적시어 위로 가서 바로 나무 끝까지 이르는데, 이것이 곧 나무 위에 물이 있다는 뜻이다. 비록 지극히 작은 식물이라도 그러하니, 예를 들어 창포의 잎에도 매양 새벽이면 잎 끝마다 구슬 같은 물방울이 달리는데, 밀실에 저장해도 그러하니 이슬방울이 아니다.
물었다: 이와 같다면 정괘의 뜻과 '나무 위에 물이 있는 것'이 무슨 관계가 있습니까?
답하였다: '나무 위에 물이 있는 것'은 곧 물이 본래 우물 밑에 있다가 길어 올려져서 사람이 먹는 것과 같기 때문에 상을 취한 것이 이와 같습니다.

○ 問, 程子井桶之說是否. 曰, 不然. 木上有水, 是木穿水中, 張上那水, 若作汲桶, 則解不通矣. 且與羸其瓶之說, 不相合也.
물었다: 정자가 말한 우물의 물통이라는 설명은 옳습니까?
답하였다: 그렇지 않습니다. 나무 위에 물이 있다는 것은 나무가 물 가운데를 꿰뚫어 그 물을 퍼뜨리는 것으로, 만약 물을 길어 올리는 통으로 풀이한다면 해석이 통하지 않습니다. 또한 또한 '병(瓶)'을 깨뜨렸다는 설과도 서로 맞지 않습니다.

○ 臨川吳氏曰, 井之養人, 所及者衆, 君子觀其象, 教民以相養之道. 勞者閔其勞而休息之也. 勸勤勉之意, 相助力也. 勸相者, 使之各勤勉以相助也.
임천오씨가 말하였다: 우물이 사람을 길러 혜택을 받는 사람이 많으니, 군자가 그 상을 보고서 서로 기르는 도리로 백성을 가르친다. '노(勞)'란 수고로움을 안타깝게 여겨 쉬게 하는 것이다. '궈(勸)'은 부지런히 힘쓴다는 뜻이고, '상(相)'은 돕는다는 뜻이다. '권상(勸相)'이란 그들로 하여금 각각 부지런히 힘써 서로 돕도록 한다는 것이다.

○ 建安丘氏曰, 无君子莫治野人, 无野人莫養君子. 君勞乎民, 民助乎君, 古者井田之制, 或取諸此.
건안구씨가 말하였다: 군자가 없으면 야인을 다스릴 사람이 없고, 야인이 없으면 군자를 봉

양할 사람이 없다. 임금은 백성을 위로하고 백성은 임금을 돕는데, 옛날의 정전제도는 아마도 여기에서 취한 것 같다.

○ 雲峰胡氏曰, 井以喩性, 然則勞民勸相, 所以養人之性也. 而以君養民, 使民自養, 又有井田之義焉.
운봉호씨가 말하였다: 우물은 본성을 비유했는데, 그렇다면 백성을 위로하고 재상을 권면하는 것은 사람의 본성을 기르는 것이다. 그리고 임금이 백성을 기르고 백성들로 하여금 스스로 기르게 하는 데에는 또한 정전제도의 뜻이 있다.

韓國大全

조호익(曺好益)『역상설(易象說)』

勞民坎爲勞之象, 勸相巽爲齊之象.
백성을 위로함은 감괘의 위로하는 상이고, 돕기를 권면함은 손괘의 가지런히 하는 상이다.

김도(金濤)「주역천설(周易淺說)」

愚按, 本義下所釋, 朱子凡三條, 吳氏以下, 又凡三條, 而皆合於大象之旨矣. 蓋天降生民, 首出庶物者, 君也. 然則君者養民者也, 民者奉君者也. 君有養民之道, 民有奉君之義, 則爲君者豈可徒自養而不養民乎. 井之爲物, 則所以養人者也. 閭閻之中, 若有一大井, 則人莫不賴養而生活, 井之功用豈不大哉. 是以古之王者, 建國之初, 必先相井泉之所在, 然後居之者, 以其爲養民衆也. 大槪井之爲德, 无喪无得而往者來者, 皆井其井, 故君子法其象而勞民勸相, 使之有相生相養之道, 則其所以養育斯民者, 可謂廣矣. 後世則不然, 徒知自養而不知養民之道, 故剝民奉己而國隨以亡, 可勝痛哉.
내가 살펴보았다: 『본의』의 아래에 주석한 것이 주자가 모두 세 조목이고, 오씨 이하가 모두 세 조목인데, 모두 「대상전」의 뜻에 맞는다. 하늘이 백성을 냄에 많은 인물 가운데 우두머리로 나온 이가 임금이다. 그렇다면 임금은 백성을 기르는 자이고 백성은 임금을 받드는 자이다. 임금에게는 백성을 기르는 도가 있고 백성에게는 임금을 받들어야 하는 의가 있으니, 임금된 자가 어찌 한갓 자신만을 기르고 백성을 기르지 않을 수 있는가? 우물은 인민을 기르

기 위한 것이다. 마을의 가운데 하나의 큰 우물이 있으면 사람들이 의지해 길러져 생활하지 않음이 없으니 우물의 쓰임새가 어찌 크지 않겠는가! 이 때문에 옛적의 왕이 나라를 세우는 초기에 반드시 먼저 우물의 위치를 상본 뒤에 거함은 민중을 기르기 위함이다. 대체로 우물의 덕은 잃음도 없고 얻음도 없어 가고 오는 자가 모두 그 우물을 우물로 사용하기 때문에 군자가 그 형상을 본받아 백성을 위로하고 돕기를 권면하여 서로 살리고 서로 기르는 도를 두게 하니 백성을 양육하는 바가 넓다고 할 수 있다. 후세에는 그렇지 못해 한갓 자신만을 기르고 백성을 기르는 도를 알지 못하기 때문에 백성을 깎아 자기를 받들게 하여 나라도 따라서 망하니 애통하도다.

이만부(李萬敷) 「역통(易統)·역대상편람(易大象便覽)·잡서변(雜書辨)」

傳曰, 木承水而上之, 乃器汲水而出井之象. 君子觀井之象, 法井之德以勞徠其民, 而勸勉以相助之道也. 勞徠其民, 法井之用也. 勸民使相助, 法井之施也.
『정전』에서 말하였다: 나무가 물을 받쳐 퍼 올리는 것은 그릇으로 물을 길어 우물에서 내오는 상이니, 군자가 우물의 상을 관찰하고 우물의 덕을 본받아서 백성들을 위로하여 서로 돕는 방법으로 권면한다. 백성들을 위로하는 것은 우물의 쓰임을 본받은 것이고, 백성들을 권면하여 서로 돕게 하는 것은 우물의 베풂을 본받은 것이다.

本義曰, 木上有水, 津潤上行井之象也. 勞民者以君養民, 勸相者使民相養, 皆取井養之義.
『본의』에서 말하였다: 나무 위에 물이 있으니, 윤택한 것이 위로 행함은 우물의 상이다. 백성을 위로함은 임금으로서 백성을 기르는 것이고, 서로 돕는 방법으로 권면함은 백성들로 하여금 서로 기르게 하는 것이니, 이는 모두 우물이 기르는 뜻을 취하였다.

臣謹按, 文王經始靈臺, 庶民子來, 以文王勞民之德, 深入于民故也. 後之人君, 奪民時費民力, 以充其欲者, 乃脅之也, 非勞之也. 其不旋踵而身死國亡者, 不亦宜乎.
신이 삼가 살펴보았습니다: 문왕이 영대(靈臺)를 지을 때 서민(庶民)이 부모의 일에 자식이 오는 것처럼 온 것은 문왕이 백성을 위로하는 덕이 백성들에게 깊이 들어간 까닭입니다. 후일의 임금이 백성들의 시간을 빼앗고 백성들의 힘을 낭비해서 그 욕심을 채운 것은 으름장을 놓은 것이지 위로한 것이 아닙니다. 발길을 돌림에 몸이 죽고 나라를 망침이 당연하지 않겠습니까?

심조(沈潮) 「역상차론(易象箚論)」

象, 木上有水, 井.
「상전」에서 말하였다: 나무 위에 물이 있는 것이 정(井)이니.

井之取象最妙. 下一畫拆者, 泉脉通于地底也, 若塞則水便湧出來不得矣. 次有互兌, 卽此水淸寒滋潤也. 次有互離, 井中空虛也, 不空則水無貯在處矣. 上一畫拆者, 井口也. 逆順看無非坎兌. 兌則非但取水, 亦有口食底意思.
정괘의 상을 취한 것이 가장 절묘하다. 맨 아래에 한 획이 터진 것은 샘 줄기가 땅 속으로 통함이니, 만약 막혔다면 물이 샘솟아 나오지 못한다. 다음으로 호괘인 태괘(☱)가 있으니, 이는 곧 물이 맑고 차서 윤택한 것이다. 다음으로 호괘인 이괘(☲)가 있으니, 우물 속의 빈 공간으로 비지 않으면 물을 저장할 곳이 없다. 맨 위의 한 획이 터진 것은 우물의 입구이다. 순역으로 보면 감괘(☵)와 태괘(☱)가 아님이 없다. 태괘에서는 물을 취할 뿐 아니라 입으로 먹는다는 뜻이 있다.

유정원(柳正源) 『역해참고(易解參攷)』

木上 [至] 勸相.
나무 위에 물이 있음이 … 돕기를 권면한다.
李氏士表曰, 木上有水, 非井也, 井之用也. 亦猶木上有火, 非鼎也, 鼎之用也.
이사표가 말하였다: 나무 위에 물이 있음은 우물이 아니라 우물의 쓰임이니 나무 위에 불이 있음이 솥이 아니라 솥의 쓰임인 것과 같다.

○ 李氏開曰, 坎勞卦, 水之出也, 不勞而人以爲勞, 則有之矣. 勞其勤苦, 而勸相其不足, 則井爲旡窮之用.
이개가 말하였다: 감(☵)은 위로하는 괘이니 물이 나옴에 위로를 하지 않아도 사람들이 위로라고 여기면 위로가 있게 된다. 부지런히 애쓰는 것을 위로하며 부족한 점을 돕기를 권한다면 우물은 끝없는 쓰임이 된다.

○ 節齋蔡氏曰, 井之水自下而上, 木之水亦自下而上, 故取以爲象.
절재채씨가 말하였다: 우물의 물은 아래에서 위로 오르고 나무의 물도 아래에서 위로 오르기 때문에 취하여 상으로 삼았다.

○ 雙湖胡氏曰, 勞民, 坎象, 取諸勞卦義. 勸相, 巽象, 取諸命令義.
쌍호호씨가 말하였다: 백성을 위로함은 감괘(☵)의 상이니 위로하는 괘의 뜻을 취하였다. 돕기를 권함은 손괘(☴)의 상이니 명령의 뜻을 취하였다.

○ 案, 今井上橫木, 如井字樣, 而水出其上, 亦是木上有水.
내가 살펴보았다: 오늘날 우물 위에 가로지른 나무가 정(井)자의 모양이고, 물이 그 위로 나옴도 나무 위에 물이 있음이다.

小註朱子說, 木穿 [至] 那水.
소주에서 주자가 말하였다: 나무를 뚫고 … 물에 이른다.

案, 張當作漲, 語類, 此段是沈僩錄, 而註云, 後親問先生, 先生云, 不曾說木在下面漲得水來, 這箇話是別人說, 不是義理如此. 據此, 則先生蓋以木穿水漲之說爲未安, 而木抄水潤蒲葉露珠等語, 當爲定論.
내가 살펴보았다: '장(張)'은 '창(漲)'이라고 해야 한다. 『주자어류』에 이 문단은 심한이 기록한 것이고, 주에서는 "후일에 선생을 뵙고 물으니 선생이 이르길 '나무가 뚫고 들어 물이 넘친다는 설은 온전하지 못하다'고 했고, '나무로 뜨고 물이 윤택함'이나 '창포 잎의 이슬' 등의 말이 정론이 되어야 한다"고 했다.

김상악(金相岳) 『산천역설(山天易說)』

勞民者, 以君養民也. 勸相者, 使民相養也. 坎水生巽木, 而木受其津潤之上行, 相生相養, 故曰勞民勸相.
백성을 위로함은 임금이 백성을 기름이고, 돕기를 권면함은 백성들이 서로를 기르게 함이다. 감(☵)의 물이 손(☴)의 나무를 생함에 나무가 진액의 윤택함을 받아 위로 올려주니, 서로 생하고 서로 기르기 때문에 "백성을 위로하고 돕기를 권면한다"고 하였다.

서유신(徐有臣) 『역의의언(易義擬言)』

汲引上水者井, 而木上有水其象也. 轆轤引水, 故曰木上有水也. 掘井治井汲井, 皆勞也而勞後有養, 故君子觀此象, 使民勞於當勞也. 民勞則思善, 惰則不材, 勞之所以勸相也. 勞民如風之振物, 勸相如水之潤物.
물을 길어 올리는 것은 우물이고 나무 위에 물이 있음은 그 상이다. 도르래로 물을 끌어당기기 때문에 '나무 위에 물이 있다'고 하였다. 우물을 파고 우물을 다스리고 우물을 긷는 것은 다 수고스러운 일이지만 수고로운 뒤에 기름이 있기 때문에 군자가 이 상을 보고 백성들로 하여금 수고할 때 수고하도록 한다. 백성들은 수고하면 선을 생각하고 게으르면 재목으로 쓰이지 못하니, 수고롭게 함으로써 돕기를 권면한다. 백성을 수고롭게 함은 바람이 물건을 흔드는 것과 같고, 돕기를 권면함은 물이 물건을 윤택하게 함과 같다.

박제가(朴齊家)『주역(周易)』

本義, 木上有水, 津潤上行, 井之象也. 案, 此所謂意象也, 此木乃木德也, 非有形之木. 彖傳曰, 巽乎水, 言以巽受水也, 豈有形之木乎. 傳言, 汲水之象, 此但說彖傳之上水, 而撇去巽乎水之義.

『본의』에서 말하였다: 나무 위에 물이 있으니, 윤택한 것이 위로 행함은 우물의 상이다. 내가 살펴보았다: 이것은 이른바 생각 속의 상이다. 여기의 나무는 나무의 덕이지 형체가 있는 나무가 아니다. 「단전」에서 "물에 들어간다[巽乎水]"고 한 것은 공손하게 물을 받음을 말함이니, 어찌 형체가 있는 나무이겠는가? 『정전』에서 '물을 긷는 상'이라 한 것은 「단전」의 '물을 퍼 올림[上水]'만 말하고, 공손하게 물을 받는다는 뜻은 버렸다.

朱子謂前面卻有瓶, 瓶有是瓦器, 若作汲桶則解不通者, 是也. 然津潤上行, 至引菖蒲晨葉, 有水如珠以證之, 恐尤涉笑話. 如曰澤上于天, 豈眞有停蓄之水在天上耶. 蓋古者甃井, 用木井字, 从木欄爲象, 雖非汲桶, 亦可爲木上之水矣.

주자가 말한 전면[8]에는 도리어 병이라고 했는데 병은 도자기이니 만약 물을 긷는 통으로 보면 풀이가 통하지 않는다는 것이 이것이다. 그러나 윤택한 것이 위로 행함에서부터 창포 잎새에 물이 구슬처럼 있다는 것을 인용한 것으로 증거를 댄 것은 아마도 우스운 이야기가 될 수도 있다. 예컨데 '못이 하늘 위에'라고 말하는 것이 어찌 정말로 모여서 담겨진 물이 하늘위에 있겠는가? 옛날에 우물 벽을 칠 때 나무를 정(井)자 형태로 짰으니 나무우리를 따라 상을 삼은 것이니, 비록 물을 긷는 나무통이 아니라도 나무 위의 물이 될 수 있다.

박문건(朴文健)『주역연의(周易衍義)』

〈問, 木上有水井. 曰, 用木筒以承井水之流出, 則其養及遠, 故取勞民勸相之義也. 木上有水非井, 只取引汲之義, 亦猶木上有火非鼎, 只取烹飪之義也.

물었다: "나무 위에 물이 있음이 정이다"는 무슨 뜻입니까?

---

8) 전면(前面)을 『주자어류』에서는 후면(後面)으로 기록하였다.

답하였다: 목간을 이용해서 우물물이 나오는 것을 받든다면 그 기름이 멀리 파급되기 때문에 백성을 위로하고 돕기를 권면한다는 뜻을 취했습니다. 나무 위에 물이 있음이 우물이 아니라 단지 끌어서 긷는다는 뜻을 취했으니, 마치 나무 위에 불이 있음이 솥이 아니라 단지 음식을 요리하는 뜻을 취한 것과 같습니다.〉

이지연(李止淵) 『주역차의(周易箚疑)』

勞卽勞乎坎之勞也. 以木而下於水, 木之勞者也. 又以木相水而水上於井口, 乃勸相之象. 非木相水, 則井下之水, 安得上於井上乎. 詩曰, 誕后稷之穡, 有相之道, 君子之勞民, 非欲使民困也. 所謂以逸道使民, 雖勞而不怨者也. 相與勸相, 克成厚生之道, 如木之相水, 克成汲井之功也.

수고로움은 '감(☵)에서 수고롭다'는 수고로움이다. 나무를 물아래에 넣는 것이 나무의 수고로움이다. 그리고 나무가 물을 도와서 물이 우물의 입구로 나옴이 돕기를 권면하는 상이다. 나무가 물을 돕지 않으면 우물 아래의 물이 어찌 우물의 위로 올라오겠는가? 시에서 "후직이 농사지음에는 돕는 도가 있다"[9]라 하였으니, 군자가 백성을 수로롭게 함은 백성을 곤란하게 하려함이 아니다. 이른바 편안한 도로 백성을 부림이니 비록 수고로와도 원망하지 않는다. 서로 더불며 돕기를 권면함이 후한 삶의 도를 이룸은 나무가 물을 돕는 것이 우물을 긷는 공을 이룸과 같다.

김기례(金箕澧) 「역요선의강목(易要選義綱目)」

君子以, 榮民觀相.

군자가 그것을 본받아 백성을 위로하며 돕기를 권면한다.

井養人, 水潤物, 君榮民, 民相助. 井田之法, 使民相助.

우물은 사람을 기르고 물은 물건을 윤택하게 하고, 임금은 백성을 영화롭게 하고 백성은 서로 돕는다. 정전(井田)의 방법은 백성이 서로 돕게 만든다.

이항로(李恒老) 「주역전의동이석의(周易傳義同異釋義)」

傳, 木承水而上之, 乃器汲水而出井之象. 勞徠其民, 法井之用也. 勸民使相助法井之施也.

9) 『詩經 · 生民』: 誕后稷之穡, 有相之道.

『정전』에서 말하였다: 나무가 물을 받쳐 퍼 올리는 것은 그릇으로 물을 길어 우물에서 내오는 상이니, 군자가 우물의 상을 관찰하고 우물의 덕을 본받아서 백성들을 위로하여 서로 돕는 방법으로 권면한다. 백성들을 위로하는 것은 우물의 쓰임을 본받은 것이고, 백성들을 권면하여 서로 돕게 하는 것은 우물의 베풂을 본받은 것이다.

本義, 木上有水津潤上行井之象也勞民者以君養民觀相者使民相養皆取井養之義
『본의』에서 말하였다: 나무 위에 물이 있으니, 윤택한 것이 위로 행함은 우물의 상이다. 백성을 위로함은 임금으로서 백성을 기르는 것이고, 서로 돕는 방법으로 권면함은 백성들로 하여금 서로 기르게 하는 것이니, 이는 모두 우물이 기르는 뜻을 취하였다.

按, 益之木道乃行, 渙之乘木有功, 指舟楫而言, 程傳用此例也. 桔槔轆轤之屬, 汲水之器, 以木爲之也. 升之地中生木, 大過之澤滅木, 漸之山上有木, 指樹木而言, 本義用此例也. 一在木下爲本,一在木上爲末, 一卽坎中之一, 卽天一陽水之氣也, 上下升降, 其理甚明. 兩釋不敢遽定從違, 讀者自擇焉.
내가 살펴보았다: 익괘(益卦䷩)의 '나무의 도가 행해짐'과 환괘(渙卦䷺)의 '나무를 타고 공이 있음'은 배와 노를 가리켜 말하였으니,『정전』에서 이런 예를 사용했다. 두레박이나 도르래의 종류는 물을 긷는 그릇으로 나무로 만든다. 승괘(升卦䷭)의 "땅속에서 나무가 나옴"과 대과괘(大過卦䷛)의 '못이 나무를 멸함'과 점괘(漸卦䷴)의 '산위에 나무가 있음'은 수목을 가리켜 말하였으니, 『본의』에서 이런 예를 사용했다. 일(一)이 나무 아래 있으면 본(本)이고, 일(一)이 나무 위에 있으면 말(末)이니, 일(一)은 곧 감(☵)중의 일(一)로 곧 하늘의 일(一)인 양수의 기운으로 상하로 오르내림에 그 이치가 명백하다. 둘 중에 택해서 따라야할지 말아야할지를 갑자기 정할 수는 없으니, 읽는 자가 스스로 택할 뿐이다.

심대윤(沈大允) 『주역상의점법(周易象義占法)』

木上有水, 亦主汲者而言, 木承水以上之也. 勞民勸相, 皆巽命以任. 勞濟難也, 相臣僚也. 汲水於井, 有井然後有汲. 取臣於民, 有民然後有臣. 是以先民而後臣也. 坎爲勞, 下卦之對坤爲民, 坎互兌敎爲勸, 巽爲相.
나무 위에 물이 있음은 긷는 것을 주로 해서 말했으니, 나무가 물을 받들어 올림이다. "백성을 위로하고 신료를 권면함"은 다 손(☴)의 명령으로 맡긴다. 노(勞)는 어려움을 구제함이고 상(相)은 신료이다. 우물에서 물을 길으니 우물이 있어야 물을 길을 수 있다. 백성들에게서 신료를 취하니 백성이 있어야 신료가 있다. 이 때문에 백성이 먼저고 신료가 나중이다. 감(☵)은 위로함이고, 아래 괘의 반대괘인 곤(☷)이 백성이고, 감괘와 호괘인 태괘의 가르침이 권면이고, 손괘가 신료이다.

오치기(吳致箕) 「주역경전증해(周易經傳增解)」

水在上木在下, 而以木承水, 爲繘井汲水之象. 井所以養人, 故君子觀其象, 勞徠其民, 而勸勉以相助之道也. 坎爲勞卦, 故言勞. 巽爲命, 故言勸也.
물이 위에 있고 나무가 아래에 있으며 나무로 물을 받듦이 우물에 두레박줄을 내려 물을 긷는 상이다. 우물로 사람을 기르니, 군자가 그 상을 보고 백성을 위로하고 서로 돕는 도를 권면한다. 감(☵)은 위로하는 괘이기에 '위로'를 말했고, 손(☴)은 '명령'이기 때문에 권면을 말했다.

이진상(李震相) 『역학관규(易學管窺)』

木上有水井.
나무 위에 물이 있는 것이 정(井)이니.
厚齋以木罌, 證以木爲瓶, 降山以鑿木爲機挈水若抽, 證巽木木之用. 然瓶本從瓦則古無木瓶可知. 機在水上, 只以上水而已, 水不上於機, 則亦非巽下之體. 今之井例, 有橫木爲欄, 作井字樣, 倚欄下繘瓶升而置于欄, 則是水出在木上矣. 疑古井亦只如此, 故名之爲井, 卽象形也. 朱子以木杪之津潤上行謂有井象, 是乃取象中重取象也. 以木上之水取井泉之義. 以井泉之義取勞勸之象者, 似隔公案. 小註中木穿水中漲上郁水之說, 先生後以爲不是如此, 此亦不取木義之意也.
후재는 나무통을 가지고 나무가 두레박임을 증명하였고, 융산은 "나무를 깍아 기계를 만들어 뽑아내듯 물을 푼다"[10]는 것을 가지고 손괘(☴)의 나무는 나무의 쓰임임을 증명하였다. 그렇지만 '병(瓶)'은 본래 질그릇[瓦]을 따르니 옛날엔 나무로 만든 병(瓶)이 없었음을 알 수 있다. 기계[機]는 물 위에 있어서 다만 물을 끌어 올릴 뿐이며 물이 기계의 위에 있는 것이 아니니 손(巽)으로 내려가는 물체도 아니다. 근래에 우물의 예에 나무를 가로질러 난간[欄]을 정(井)자 형태로 만들어 그것에 의지해 줄을 내려 두레박을 올려 난간에 놓으니 곧 이것이 물이 나무 위로 올라옴이다. 아마도 옛날의 우물도 단지 이와 같았을 뿐이고 그렇기 때문에 이름을 정(井)이라고 한 것은 곧 형상을 본뜬 것이다. 주자는 나뭇가시 끝에 진액이 올라옴을 우물의 상이라 했는데 이는 상을 취한 것 중에서도 거듭 상을 취함이다. 나무 위의 물로 우물 샘의 뜻을 취하고 우물 샘의 뜻으로 위로하고 권면하는 상을 취한 것은 주제의 간격이 서로 떨어져있는 듯하다. 소주에 나무가 물을 꿰뚫어 물을 퍼뜨리는 설에 대

10) 『莊子 · 天地』: 鑿木爲機, 後重前輕, 挈水若抽.

해서 선생이 후일에 옳지 않다고 여겼으니 이 또한 나무의 의미를 취하지 않았다는 뜻이다.

○ 勞民勸相.
백성을 위로하며 돕기를 권면한다.
勞坎象, 勸巽象, 綆自高而汲下, 有勞民之象. 井出泉而爲養, 有勸相之義.
위로함은 감괘의 상이고 권면함은 손괘의 상이다. 두레박줄은 높은 곳에서 내려오니 백성을 위로하는 상이 있다. 우물은 샘을 냄으로 기르는 것이 되니 돕기를 권면하는 뜻이 있다.

박문호(朴文鎬) 「경설(經說)·주역(周易)」

津潤上行, 言春夏木之津液自根而上行也.
윤기와 진액이 위로 행함은 봄과 여름에 나무의 진액이 뿌리부터 위로 올라가는 것을 말한다.

이병헌(李炳憲) 『역경금문고통론(易經今文考通論)』

王曰, 相助也.
왕필이 말하였다: 상(相)은 도움이다.

鄭曰, 井, 以汲水無空竭, 猶以政教養天下也.
정현이 말하였다: 우물이 물을 길어 공허와 갈증을 없앰이 정교로 천하를 기름과 같다.

初六, 井泥不食. 舊井无禽.

초육은 우물에 진흙이 있어 먹지 않는다. 옛 우물에 짐승이 없다.

中國大全

傳

井與鼎皆物也, 就物以爲義. 六以陰柔居下, 上无應援, 无上水之象. 不能濟物, 乃井之不可食也, 井之不可食, 以泥汙也. 在井之下, 有泥之象. 井之用, 以其水之養人也, 无水則舍置不用矣. 井水之上, 人獲其用, 禽鳥亦就而求焉, 舊廢之井, 人旣不食水, 不復上, 則禽鳥亦不復往矣, 蓋无以濟物也. 井本濟人之物, 六以陰居下, 无上水之象, 故爲不食. 井之不食以泥也, 猶人當濟物之時而才弱无援, 不能及物, 爲時舍也.

우물[井]과 솥[鼎]은 다 물건이니, 물건을 가지고 뜻을 삼았다. 육(六)은 부드러운 음으로서 아래에 있고 위에 호응하여 도와주는 자가 없으니, 물을 퍼 올리는 상이 없다. 물건을 구제하지 못함은 바로 우물물을 먹을 수 없는 것이니, 우물물을 먹을 수 없는 것은 진흙이 있어 더럽기 때문이다. 초효는 정괘의 맨 아래에 있으니, 진흙의 상이 있다. 우물의 쓰임은 그 물이 사람을 기르기 때문이니, 물이 없으면 버려두고 쓰지 않는다. 우물물이 올라오면 사람들이 쓰고, 짐승과 새들 또한 나아가서 구하는데, 옛날에 버려진 우물은 사람들이 이미 먹지 아니하여 물이 다시 올라오지 않으면 짐승과 새들 또한 다시 가지 않으니, 물건을 구제할 수 없는 것이다. 우물은 본래 사람을 구제하는 물건이나, 육(六)이 음으로서 아래에 있어서 물을 퍼 올리는 상이 없기 때문에 먹지 않는다. 우물물을 먹지 않는 것은 진흙 때문이니, 사람이 물건을 구제할 때를 당하였으나 재주가 약하고 호응하여 도와주는 자가 없어서 남에게 미치지 못하면 시간이 흘러 버려지는 것과 같다.

本義

井以陽剛爲泉, 上出爲功, 初六以陰居下, 故爲此象. 蓋不泉而泥, 則人所不食,

而禽鳥亦莫之顧也.

우물은 굳센 양을 맑은 물로 삼고 위로 나옴을 공으로 삼는데, 초육은 음으로 아래에 있기 때문에 이 상이 되었다. 맑은 물이 못되고 진흙이 있으면 사람들이 먹지 않을 것이고, 짐승과 새들도 또한 돌아보지 않을 것이다.

小註

臨川吳氏曰, 井以陽剛爲泉, 陰柔爲上. 初六陰柔在水之下, 故爲泥.
임천오씨가 말하였다: 우물은 굳센 양이 샘[泉]이 되고 부드러운 음이 위[上]가 된다. 초육은 부드러운 음으로 물의 아래에 있기 때문에 진흙이 된다.

○ 雲峰胡氏曰, 井以上出爲功, 初在井下泥而不爲人所食矣. 井以汲而日新, 泥不可汲而爲舊井而禽亦莫之顧矣.
운봉호씨가 말하였다: 우물은 위로 나오는 것을 공으로 삼는데, 초효는 우물 아래가 진흙이어서 사람들이 먹지 않는다. 우물은 물을 길어 올려 날마다 새로워져야 하는데, 진흙이 있어 길어 올릴 수 없어 옛 우물이 되어 새 조차도 돌아보지 않는다.

○ 進齋徐氏曰, 人品汚下, 不能强于爲善, 无用於世, 爲人所棄. 觀於此爻, 可以知所當勉矣.
진재서씨가 말하였다: 인품이 더럽고 낮으면 억지로 선을 행할 수 없고, 세상에 쓰이지 못하며, 사람에게 버림을 받는다. 이 효를 보면 마땅히 힘써야 함을 알 수 있다.

韓國大全

조호익(曺好益) 『역상설(易象說)』

泥, 吳氏說不食, 泥而不泉, 故取象. 禽離象, 互離隔一畫, 无禽之象. 或曰, 上體坎爲食, 下體巽, 兌之反, 坎在前, 兌口背之, 有不食象.
'진흙'에 대해 오씨는 "먹지 못함은 진흙이어서 샘이 나지 않기 때문에 상을 취하였다"고 설명하였다. 짐승[禽]은 리괘(離卦)의 상이고, 호괘인 리괘가 한 획이 떨어져 있으니, 짐승이 없는 상이다. 어떤 이는 "상체인 감괘(坎卦)는 음식이 되고, 하체인 손괘는 태괘의 반대인데, 감괘가 앞에 있어도 태괘의 입이 이를 등지니, 먹지 못하는 상이 있다"고 하였다.

송시열(宋時烈) 『역설(易說)』

陰而在下. 井木始生泥濁, 不堪食之象. 不改井, 故云舊井. 互離爲飛鳥, 故以禽言之. 初與四應, 四亦陰虛, 故曰无禽. 小象時舍者, 當井之時, 棄井之功也.
음이 아래에 있다. 우물은 본래 처음 나올 때는 흙탕물이 생기니 감히 먹지 못하는 상이다. 우물은 바꾸지 않기 때문에 옛 우물[舊井]이라 하였다. 호괘인 리괘(☲)는 나는 새이기 때문에 새[禽]로 말했다. 초효는 사효와 호응하고, 사효도 음으로 비어서 "새가 없다"고 하였다. 「소상전」에 시간이 흘러 버려짐은 우물의 때에 우물의 공을 버림이다.

이익(李瀷) 『역경질서(易經疾書)』

初六在五爻之下, 水不上行, 或廢而不食矣. 禽者, 羽毛鱗之通稱, 孟子詭遇獲禽則毛蟲也, 國語登川禽則鱗蟲也. 凡有水則必有魚, 無魚證其無水也.
초육은 다섯 효의 아래에 있어서 물이 위로 오르지 못해 혹은 버려져 먹지 못한다. '금(禽)'은 깃털[羽毛]이나 비늘[鱗]달린 동물의 통칭이니, 『맹자』의 "속임수로 동물을 잡는다"에서는 깃털 달린 동물이고, 『국어』의 '등천금(登川禽)'은 비늘달린 동물이다. 물이 있으면 반드시 물고기가 있으니, 물고기가 없으면 물이 없다는 증거이다.

유정원(柳正源) 『역해참고(易解參攷)』

王氏曰, 最在井底, 上又无應, 沈滯滓穢, 故曰井泥不食也. 井泥而不可食, 則是久井, 不見渫治 也. 禽所不嚮而況人乎. 一時所共棄舍也.
왕필이 말하였다: 우물의 가장 아래에 있고 위로 호응이 없이 가라앉은 더러운 찌꺼기이기 때문에 "우물에 진흙이 있어 먹지 않는다"고 했다. 우물이 진흙이어서 먹을 수 없다면, 이는 오래된 우물이라 깨끗이 수리한 적이 없다. 새도 향하지 않는데 하물며 사람이랴! 한 동안 모두가 버려둔 우물이다.

○ 漢上朱氏曰, 初在井下, 六自坤上來, 汩之泥也. 互兌口在上不食也. 乾初九往爲坎水, 去泥存舊井也. 離爲飛鳥, 四不應初, 无禽也.
한상주씨가 말하였다: 초효는 우물의 아래에 있고, 음효[六]은 곤괘의 위에서 왔으니 가라앉

은 진흙이다. 호괘인 태괘(☱)의 입이 위에 있어도 먹지 못한다. 건괘의 초구가 가서 감괘의 물이 되니, 진흙이 있는 옛 우물에 감이다. 리괘(☲)는 나는 새인데 사효가 초효에 호응하지 않으니 새가 없는 것이다.

○ 梁山來氏曰, 陰濁在下, 泥之象.
양산래씨가 말했다: 음의 탁함이 아래에 있으니, 진흙의 상이다.

○ 案, 禽, 先儒以爲獲也, 言廢舊之井, 无濟物之功, 是无獲也. 猶卦辭之言无得也.
내가 살펴보았다. '금(禽)'을 선배 학자들은 획득하는 것이라고 여겼는데, 버려진 우물이 구제하는 공이 없음이 획득함이 없음이다. 괘사에서 '얻음이 없다'고 한 것과 같다.

김상악(金相岳) 『산천역설(山天易說)』

舊井, 謂上坎也. 井以陽剛爲泉, 上出爲功. 初六以陰承坎, 與四无應, 而四互兌離, 不泉而泥, 則不爲人所食, 而禽亦莫之顧也. 卦變而失正應於上, 故曰舊井无禽.
옛 우물은 상괘인 감괘이다. 우물은 양으로 굳셈을 샘으로 삼아 위로 나옴을 공으로 여긴다. 초육은 음으로 감괘를 받들고 사효와 호응이 없는데, 사효의 호괘가 태괘(☱)와 리괘(☲)여서 샘이 나지 않고 진흙이니, 사람들이 먹지 않고 짐승들도 돌아보지 않는다. 괘변이 바르게 위와 호응함을 잃어 "옛 우물에 짐승이 없다"고 하였다.

○ 陰濁在坎水之下, 泥之象. 初變爲需, 需之三, 乾坎之交, 故曰需于泥. 又需有飮食之道, 故諸爻以食不食言之. 初之泥, 井之方掘者也. 二之射, 泉之始達者也. 三之渫, 泉之已潔者也. 四之甃, 井之已修者也. 五之冽, 水之始汲者也. 上之收, 井之成功者也. 兌口有食之象, 而初居其外, 故曰不食. 又巽爲臭, 井有泥, 則臭不堪食也. 五則居坎之中, 故寒泉可食也. 舊井以坎之不變而言也. 禽者離象, 離變爲巽, 風以散之, 无禽之象. 恒九四, 與初爲應而初在巽體, 故與此同象.
음(陰)의 탁함이 감수의 아래에 있어 진흙의 상이다. 초효가 변하면 수괘(需卦䷄)가 되는데, 수괘의 삼효에서 건과 감이 사귀기 때문에 '진흙에서 기다린다"고 하였다. 또 수괘에는 음식의 도가 있기 때문에 모든 효에 '식(食)'과 '불식(不食)'으로 말했다. 초효의 진흙은 우물을 막 판 것이고, 이효의 흘러감은 샘물이 처음으로 나오는 것이고, 삼효의 청소함은 샘물이 이미 깨끗해짐이고, 사효의 벽돌을 쌓음은 우물이 이미 수리된 것이고, 오효의 깨끗함은 물을 처음으로 긷는 것이고, 상효의 길음은 우물의 공을 이룬 것이다. 태괘는 입으로 먹는 상인데, 초효가 그 바깥에 있으니 "먹지 못한다"고 하였다. 또 손괘는 냄새인데 우물에 진흙이 있으면 냄새가 나서 먹기 힘들다. 오효는 감괘의 가운데 거하기 때문에 찬 샘물로 먹을 수 있다. 옛 우물은 감괘가 변하지 않은 것으로 말하였다. 새[禽]는 리괘(離卦☲)의 상인데, 리괘가 변해 손괘가 되어 바람으로 흩는 상이라 새가 없는 상이다. 항괘(恒卦䷟)의 구사효가 초효와 더불어 정응이지만 초효가 손괘의 몸에 있기 때문에 이것과 같은 상이다.

박제가(朴齊家) 『주역(周易)』

始掘則泥, 故屬初無疑. 又引舊井, 卽困後見廢之象. 二之射鮒甕漏, 比初之泥, 則有旁出之水, 及乎小魚而或有汲者. 又不專精之象. 鮒小魚, 莊周所言涸轍之鮒, 井旁汙陷處, 多有之. 以爲蝦蟆蝸牛未可知. 三則渫而不食, 爲我心惻, 卽所謂往來井井者, 本義以爲行道之人者, 正是可用汲, 王明竝受其福者, 皆行人嗟歎之辭, 非井之自求也.
막 파서 진흙이 있기 때문에 초효에 속함은 의심이 없다. 또 옛 우물을 인용함은 곤괘의 후속으로 폐기된 상이다. 이효의 붕어에게 흘러가 동이가 새는 것은 초효에 가까워 곁으로 나오는 물이 작은 물고기에게 미쳐서 혹 긷는다 해도 깨끗하지만은 않은 상이다. 붕어[鮒]는 작은 물고기이니 장주(莊周)의 이른바 '학철지부(涸轍之鮒)'이다. 우물 곁에는 움푹 파인 곳이 많이 있다. 하마(蝦蟆)나 와우(蝸牛)라고 여기는 것은 맞는지 모르겠다. 삼효는 청소를 했는데 먹지 않으니 '내 마음이 슬프다'는 것은 '왕래정정'하는 사람들이니, 『본의』에서는 길가는 사람들이라 하였다. 이는 길어서 사용할 만 한 것인데, "왕이 밝으면 함께 복을 받음"은 다 지나가는 사람들이 탄식하는 말이지 우물 스스로 요구함이 아니다.

象傳之求字, 或爻辭脫此一字, 亦當爲代求之謂, 四曰甃, 世无王明, 則益自修治而已, 五則冽而食矣, 復井之常矣. 上則施之博而出无窮矣, 夫自治之極, 豈有不終吉之理乎. 其井井者, 公論之在人者也. 亦未繘者, 不能眞知實踐者也. 羸其甁者, 不以其道而自凶者也, 猶不得其門而少孔子者也. 井六爻之序如此明白, 而彖則只言於井无喪无得而羸甁者自凶, 竝不說舊而无禽終而勿幕, 眞文王之志也哉.
「상전」의 구(求)자가 혹은 효사에 이 한 글자가 빠진 것도 역시 대신 요구함을 말한 것이다. 사효에는 벽돌을 쌓는다 함은 세상에 밝은 임금이 없으면, 더욱 자신을 닦아 다스릴 뿐이다. 오효는 깨끗해서 먹으니, 우물의 떳떳함을 회복함이다. 상효는 베풂이 넓어서 나옴에 끝이 없으니, 스스로 다스림이 지극하면 어찌 마지막에 길하지 않을 수 있겠는가? '정정(井井)'하는 자는 공론이 남들에게 있는 자이고, '역미귤(亦未繘)'은 정말로 알고 실천하지 못하는 자이고, '리기병(羸其甁)'은 원칙대로 하지 않아 스스로 흉한 자이니, "그 문을 얻지 못하여" 공자를 과소평가한 것이다.[11] 정괘의 여섯 효의 순서는 이처럼 명백한데 단사에서는 "우물

11) 『論語 · 子張』: 子貢賢於仲尼.

의 잃음도 없고 얻음도 없으니 두레박을 깨는 자는 흉함"만 말하고 '오래되어 짐승이 없음'과 '마쳐도 덮지 않음'을 아울러 말하지 않았으니 진실로 문왕의 뜻이구나!

윤행임(尹行恁) 「신호수필-역(新湖隨筆-易)」

舜之孝自浚井時, 升聞當其浚也. 如初六之不食, 當其升也, 如九五之泉食.
순임금의 효는 우물을 팔 때부터였으니, 소문이 들린 것은 우물팔 때에 해당한다. 초육의 '먹지 못함'이 올라가게 되면 구오의 샘물을 먹은 것과 같다.

서유신(徐有臣) 『역의의언(易義擬言)』

井底而虛, 水竭之象也. 渙變爲井, 而九三塞坎, 爲井泥也. 泥而不食, 爲舊廢之井也, 禽鳥不來, 井竭之甚也.
우물의 바닥이 비어서 물이 고갈된 상이다. 환괘가 변해 정괘가 되면서 구삼효가 물을 막아 우물에 진흙이 있다. 진흙이 있어 먹지 못함은 옛날에 버려진 우물이다. 짐승과 새도 오지 않음은 우물의 고갈이 심함이다.

강엄(康儼) 『주역(周易)』

按, 恆之九四曰田旡禽, 以初六雖爲正應, 而陰柔在下, 且爲九二之所比, 而應四之志不專也. 井之初六曰舊井旡禽, 以本爻旣陰柔在下而不泉, 六四雖居相應之位, 而又陰柔不足以爲援也.
내가 살펴보았다: 항괘의 구사효에 '전무금(田旡禽)'이라 한 것은 초효가 비록 정응이지만 음유하여 아래에 있고, 구이에게 가까워 정응인 구사의 의지가 전일하지 못하기 때문이다. 정괘의 초육에 이르길 "옛 우물에 짐승이 없다"고 한 것은 본래의 효가 이미 음유하여 아래에 있어 샘이 나지 못하고, 육사가 비록 상응하는 자리에 있지만 또한 음유하여 구원하기엔 부족하기 때문이다.

박문건(朴文健) 『주역연의(周易衍義)』

處下不脩, 故有井泥之象. 有泥旡水, 初之自穢.
아래에 거처하여 닦지 않았기 때문에 우물에 진흙이 있는 상이다. 진흙은 있고 물은 없음은 초효가 스스로 더러워짐이다.
〈問, 井泥不食以下.

물었다: "우물에 진흙이 있다" 이하는 무슨 뜻입니까?
曰, 初六處下而不欲養上, 故所以爲泥, 是以不食也. 舊廢之井, 亦无禽鳥之至也. 蓋己先棄人, 而人亦棄己也.
답하였다: 초육은 아래에 처하여 위를 기르려 하지 않기 때문에 진흙이 있어 먹지 않습니다. 오래되어 버려진 우물에는 짐승과 새도 찾아오지 않습니다. 자기가 먼저 남을 버리면 남도 역시 자기를 버립니다.〉

이지연(李止淵) 『주역차의(周易箚疑)』

需之九三, 以近水故曰泥. 井之初六, 與六四爲互坎, 坎者水也, 故亦曰泥.
수괘의 구삼은 물에 가까워서 진흙이라 하였다. 정괘의 초육은 육사와 더불어 호괘로 감인데 감은 물이기 때문에 진흙이라 하였다.

김기례(金箕澧) 「역요선의강목(易要選義綱目)」

井以陽剛爲泉, 曰而陰在下者, 土也, 故曰泥.
정괘는 양의 굳셈으로 샘을 삼으니, 음이 아래에 있다고 한 것은 흙이므로 '진흙'이라고 하였다.

○ 井不食而廢舊, 則鷄犬亦不至.
우물을 먹지 못해 오래전에 버려지면 닭이나 개들도 오지 않는다.

○ 如人鄙汚而自暴自棄, 則人亦棄.
사람이 더러우면서 스스로 포기한다면 남들 또한 포기한다.

허전(許傳) 「역고(易考)」

禽, 謂魚也.
금(禽)은 물고기를 말한다.

심대윤(沈大允) 『주역상의점법(周易象義占法)』

井之六爻, 以士之擧選取義, 故有時而无位. 井之爻位, 居剛求用者也, 居柔自修而不求用者也.

정괘의 여섯 효는 선비가 천거되고 선택되는 것으로 뜻을 취했기 때문에 때만 있고 자리는 없다. 정괘 효의 자리가 굳센 자리에 있으면 쓰임을 구하는 자이고, 부드러운 자리에 있으면 스스로 수양하며 쓰임을 구하지 않는 자이다.

井之需☵☰, 待人也. 井之有泉而待汲也, 士之修德而待用也. 居剛求用而才柔地卑, 上无應援, 故曰井泥不食. 居井之下, 坎之底有泥象, 坎水艮土离麗曰泥. 對比有艮兌坎爲不食. 井之始鑿, 有泉而渾, 士之始求擧, 優劣未分, 如井之渾而淸濁不分也. 初近於二而從之无所得, 故曰舊井无禽. 二之陽德, 不爲時所用, 故曰舊井. 兌艮爲无禽, 言无所得也.

정괘가 수괘(需卦☵☰)로 바뀌었으니, 사람을 기다리는 것이다. 우물에 샘이 있어 길러지길 기다림은 선비가 덕을 닦아 쓰이기를 기다림이다. 굳센 자리에 있어서 쓰임을 구하지만, 재질이 유약하고 땅자리로 낮아 위로 호응하여 구원함이 없기 때문에 우물에 진흙이 있어 먹지 못한다고 하였다. 우물의 아래에 있어서 감괘(☵)의 바닥에 진흙이 있는 상이다. 감괘의 물과 간괘(☶)의 흙이 리괘(☲)로 걸려있어 진흙이라 하였다. 반대 괘와 이웃에 간괘와 태괘와 감괘가 있어 먹지 못한다. 우물을 처음 파면 샘이 나오면서 흐린데, 선비가 천거를 구할 때 우열을 가리지 못함이 마치 우물이 흐려서 청탁을 구분할 수 없음과 같다. 초효가 이효에 가까워 따르더라도 소득이 없기 때문에 "옛 우물에 짐승이 없다"고 하였다. 두 번째 자리의 양의 덕이 때에 쓰이지 못하기 때문에 '옛 우물'이라고 하였다. 태괘와 간괘가 무금(无禽)이 되니, 소득이 없음을 말한다.

오치기(吳致箕)「주역경전증해(周易經傳增解)」

六陰柔不正而在井之下, 有泥汚而不可食. 然時雖舍棄而將修治用汲, 匪如擀取禽獸之阬阱. 故言舊井旡禽, 而旣曰旡禽, 則可辨其匪阱而乃井也. 雖不言占, 觀其辭而可知矣.

육으로 음유하면서 바르지 못하고 우물의 아래에 있으니 진흙이 있어 먹을 수 없다. 그렇지만 일시 비록 버려졌으나, 장차 닦고 다스려 길러 사용할 것이니 금수를 잡는 함정과 같지는 않다. 그렇기 때문에 "옛 우물에 짐승이 없다"고 하였고, 이미 짐승이 없다고 했으니 함정이 아니라 우물임을 알 수 있다. 비록 점을 말하진 않았지만, 그 말을 보면 알 수 있다.

○ 上有坎而在下, 故言泥. 互兌爲口食之象而泥汚故不食也. 廢井曰舊井也. 禽取於應坎, 而禽者, 禽獸之通稱也. 井棄不食, 則旡異於阬阱, 而其曰旡禽, 則言將修治爲井也.

위에 물이 있는데 아래에 있기 때문에 진흙이라 하였다. 호괘인 태로 입으로 먹는 상인데 진흙이기 때문에 먹지 못한다. 폐기된 우물을 옛 우물이라 하였다. 금(禽)은 호응하는 감괘에서 취하였고, 금(禽)은 금수(禽獸)의 통칭이다. 우물이 폐기되어 먹지 못하면 함정과 다름이 없지만 짐승이 없다고 했으니 장차 닦아 다스려 우물이 된다.

이진상(李震相) 『역학관규(易學管窺)』

坤六五下來居初, 土入井底, 汨而爲泥. 兌口在上, 不食也. 乾初九往爲坎水, 去泥存舊井也. 離爲飛鳥, 四不應初, 旡禽也.
곤괘의 육오가 아래로 내려와 초위(初位)에 있으니, 흙이 우물바닥에 들어가 더러워 진흙이 되었다. 태괘의 입이 위에 있어 먹지 못한다. 건괘의 초구가 가서 감괘(☵)의 물이 되었으니 진흙이 있는 옛 우물로 감이다. 이괘가 나는 새가 되나 사효가 초효와 응하지 않으니 새가 없는 것이다.

박문호(朴文鎬) 「경설(經說)・주역(周易)」

諸卦皆事也, 故各就其事以爲義. 惟井與鼎名物也, 因就其物以爲義, 與諸卦不同. 故於竝初六, 傳特明之.
모든 괘는 다 일이기 때문에 그 일에 나아가 뜻을 삼았다. 오직 정괘(井卦)와 정괘(鼎卦)만 물건의 이름으로 하였으니, 그 물건에서 뜻을 취함이 다른 괘와는 같지 않다. 그렇기 때문에 정괘의 초육의 상전에서 특별히 밝혔다.

泥則非水也, 谷則水也. 渫則治其水也. 甃則治其水, 上之累石也. 食則上出可食也. 元吉則已食也. 此自下至上之次序也.
'니(泥)'는 물이 아니고, '곡(谷)'이 그 물이다. '설(渫)'은 물을 깨끗하게 만드는 것이다. '추(甃)'는 물을 깨끗하게 하고 위에 벽돌을 쌓는 것이다. '식(食)'은 위로 나와 먹을 수 있는 것이다. '원길(元吉)'은 이미 먹은 것이다. 아래에서부터 위에 이르는 순서이다.

象曰, 井泥不食, 下也, 舊井无禽, 時舍也.

「상전」에서 말하였다: "우물에 진흙이 있어 먹지 않음"은 아래에 있기 때문이고, "옛 우물에 짐승이 없음"은 시간이 흘러 버려진 것이다.

中國大全

傳

以陰而居井之下, 泥之象也. 无水而泥, 人所不食也. 人不食則水不上, 无以及禽鳥, 禽鳥亦不至矣. 見其不能濟物, 爲時所舍, 置不用也, 若能及禽鳥, 是亦有所濟也. 舍上聲, 與乾之時舍音不同.

음으로서 우물의 아래에 있는 것이 진흙의 상이니, 물이 없고 진흙이 있으면 사람이 먹지 않는다. 사람이 먹지 않으면 물이 올라오지 않아 짐승과 새들에게 미칠 수 없으니, 짐승과 새들 또한 이르지 않는다. 이는 물건을 구제하지 못하여 시간이 흘러 버려져서 쓰이지 않음을 나타내니, 만일 짐승과 새들에게 미친다면 이 또한 구제하는 바가 있는 것이다. '사(舍)'는 상성(上聲)이니, 건괘(乾卦)의 '시사(時舍)'와는 음이 같지 않다.

本義

言爲時所棄.

시간이 흘러 버려진 것을 말한다.

‖韓國大全‖

김상악(金相岳)『산천역설(山天易說)』

井道上行, 而泥而不食, 故曰下也, 曰時舍也.
우물의 도는 위로 올라가는 것인데 진흙으로 먹지 못하기 때문에 ‘아래’라 하고 ‘시간이 흘러 버려짐’이라 하였다.

○ 乾分初二, 言龍之潛見, 故與此同象. 所以易春秋美惡不嫌同辭.
건괘에는 초효와 이효를 나누어 용의 잠김과 나타남으로 말했기 때문에 이와 더불어 상이 같다. 『역』과 『춘추』[12]는 아름다움과 추함에 같은 말을 하기를 꺼리지 않는다

서유신(徐有臣)『역의의언(易義擬言)』

下猶底也, 舍猶廢也. 曷以爲泥, 水竭而見底也. 曷以爲舊, 時人之所廢也. 然則非泥而不食, 乃不食而泥也, 殆非井之罪也歟.
‘하(下)’는 바닥이고 사(舍)는 버림이다. 왜 진흙이라 했을까? 물이 고갈되어 바닥이 보임이다. 왜 옛날이라 했을까? 때가 사람들이 버림이다. 그렇다면 진흙이라 먹지 못하는 것이 아니고, 먹지 않았기 때문에 진흙이 된 것이니 우물의 죄가 아닐 것이다.

심대윤(沈大允)『주역상의점법(周易象義占法)』

言二之不爲時用也. 乾之九二, 亦云時舍也.
이효가 때의 쓰임이 되지 못함을 말한다. 건괘의 구이에서도 ‘시사(時舍)’를 말했다.

오치기(吳致箕)「주역경전증해(周易經傳增解)」

下而泥, 故人所不食, 而舊井匪擭取禽獸之阬阱, 故時適舍棄而終能修治用汲也. 爻辭疊言井, 而象又兩釋之者, 其義可明也.
아래에 있어 진흙이기 때문에 사람들이 먹지 못하고, 옛 우물은 금수를 잡는 함정이 아니기 때문에 잠시 버려진 상태이지만, 마침내 다스려 닦아 기를 수 있다. 효사에 거듭 ‘정(井)’을

12)『春秋公羊傳 · 隱公』: 春秋, 貴賤不嫌同號, 美惡不嫌同辭.

말하고, 「상전」에서도 두 번 해석한 것은 그 뜻이 분명하다.

이병헌(李炳憲)『역경금문고통론(易經今文考通論)』

禽, 川禽也. 〈魯語川禽, 注謂鱉蜃之屬.〉下, 汚下也. 舍, 廢置也.
금(禽)은 천금(川禽)이다. 〈『국어·노어』의 천금(川禽)에 대해, 위소의 주에서는 '자라나 조개의 종류'라고 하였다.〉 하(下)는 더러운 바닥이다. 사(舍)는 버려둠이다.

干曰, 在井之下體本土交, 故曰泥不食. 此託紂之穢政, 不可以養民也. 舊井, 謂殷之未喪師也, 旡水禽之穢, 故曰舊井旡禽.
간보가 말하였다: 정괘의 아래 몸체는 본래 토(土)와 사귀기 때문에 진흙으로 먹지 못한다고 하였다. 이는 주(紂)의 더러운 정치가 백성을 기르지 못함을 비유한 것이다. 옛 우물은 "은나라가 무리를 잃지 않음"이다. 물고기가 없을 정도로 더럽기 때문에 "옛 우물에 짐승이 없다"고 하였다.

或曰, 白虎通五祀, 祭井蓋牲用魚, 旡禽謂旡祀之者, 亦通.
어떤 이가 "『백호통』의 오사(五祀)에서 우물제사에는 희생물로 물고기를 쓴다고 했으니, 무금(旡禽)은 제사를 지내지 않는다는 뜻이다"고 하였는데, 역시 통한다.

九二, 井谷, 射鮒, 甕敝漏.

구이는 우물이 골짜기의 물처럼 두꺼비에게 흘러가고, 동이가 깨져 물이 샌다.

‖中國大全‖

傳

二雖剛陽之才而居下, 上无應而比於初, 不上而下之象也. 井之道, 上行者也, 澗谷之水, 則旁出而就下, 二居井而就下, 失井之道, 乃井而如谷也. 井上出, 則養人而濟物, 今乃下就汚泥, 注於鮒而已. 鮒或以爲蝦或以爲蟇, 井泥中微物耳. 射注也, 如谷之下流注於鮒也. 甕敝漏, 如甕之破漏也. 陽剛之才, 本可以養人濟物, 而上无應援, 故不能上而就下, 是以无濟用之功. 如水之在甕, 本可爲用, 乃破敝而漏之, 不爲用也. 井之初二, 无功而不言悔咎何也. 曰失則有悔, 過則爲咎, 无應援而不能成用, 非悔咎乎. 居二比初, 豈非過乎. 曰處中非過也, 不能上, 由无援, 非以比初也.

이효가 비록 굳센 양의 재질이나 아래에 있으며 위에 호응이 없고 초효에 가까이 있으니, 올라오지 못하고 내려가는 상이다. 우물의 도는 올라오는 것인데, 골짜기의 물은 옆에서 나와 아래로 나아가니, 이효가 정괘에 거하여 아래로 내려가서 우물의 도리를 잃었으니, 바로 골짜기에서 나오는 우물과 같다. 우물물이 위로 나오면 사람을 기르고 물건을 구제할 수 있는데, 이제 마침내 아래로 더러운 진흙으로 나아가서 '두꺼비[鮒]'에게 댈 뿐이다. '부(鮒)'는 혹 '하(蝦)'라고도 하고 혹 '마(蟆)'라고도 하니, 우물의 진흙 속에 있는 미물이다. '석(射)'은 물을 대는 것이니, 골짜기의 하류가 '두꺼비'에게만 대는 것과 같다. '옹폐루(甕敝漏)'는 동이가 깨져 새는 것과 같다. 굳센 양의 재질은 본래 사람을 기르고 물건을 구제할 수 있으나, 위에 호응하여 도와주는 자가 없으므로 올라오지 못하고 아래로 내려가니, 이 때문에 구제하여 쓰는 공이 없다. 물이 동이에 있으면 본래 쓰일 수 있으나, 동이가 깨져서 새어 쓰이지 못함과 같다. 정괘의 초효와 이효가 공이 없는데도 후회와 허물을 말하지 않은 것은 왜인가? 잘못하면 후회가 있고 지나치면 허물이 되나, 호응하여 도와주는 자가 없어서 씀을 이루지 못한 것이니, 후회와 허물은 아닐 것이다. 이효에 있으면서 초효와 가까이 있는 것이 어찌 지나친 것이 아닌가? 알맞음에 처함은 지나친 것이 아니고, 올라가지 못함은 호응하여 도와주는 자가 없기 때문이니, 초효를 가까이해서가 아니다.

本義

九二剛中, 有泉之象. 然上无正應, 下比初六, 功不上行, 故其象如此.

구이는 굳세고 알맞아서 샘물의 상이 있다. 그러나 위에 정응이 없고 아래로 초육과 가까이 있어서 공이 위로 행해지지 못하기 때문에 그 상이 이와 같다.

小註

朱子曰, 鮒, 程沙隨以爲蝸牛, 如今廢井中多有之.
주자가 말하였다: '부(鮒)'는 사수 정씨가 달팽이라고 하였는데, 지금도 쓰지 않는 우물 가운데 많이 있다.

○ 進齋徐氏曰, 井谷者, 井傍穴也. 射下注也. 鮒, 泥中微物蛙屬, 謂初. 甕, 汲水瓶也. 九二剛中, 上无應與, 下比初六, 不上出而下注, 有井谷射鮒之象. 又爲泉實可汲而在甕敝漏之象.
진재서씨가 말하였다: '정곡(井谷)'이란 우물 곁의 구멍이다. '석(射)'은 아래로 흘러가는 것이다. '부(鮒)'는 진흙 가운데의 작은 동물인 개구리 등속으로 초효를 말한다. '옹(甕)'은 물을 긷는 동이이다. 구이는 굳세고 가운데 있으며 위로는 호응하여 함께 하는 이가 없고 아래로 초육과 비(比)의 관계이므로 위로 나오지 않고 아래로 흘러 우물 곁 구멍의 물이 개구리에게 흘러가는 상이 있다. 또한 샘물을 실제로 기를 수 있어서 동이가 깨져 물이 새는 상이 된다.

○ 雲峰胡氏曰, 井以上出爲功, 二无應而下昵於初, 以井言, 如井旁穴出之水, 僅能射鮒. 以汲井言, 如敝甕不足以上水而反漏於下.
운봉호씨가 말하였다: 우물은 위로 나오는 것을 공으로 삼는데, 이효가 호응이 없고 아래로 초효와 가까우므로 우물로 말하면 우물 곁 구멍에서 나온 물이 겨우 두꺼비에게나 흘러갈 수 있는 것과 같다. 우물을 긷는 것으로 말하면 깨진 동이가 물을 길어 올리기에 부족하여 도리어 아래로 새는 것과 같다.

○ 中溪張氏曰, 彖言羸其瓶, 卽此之甕敝漏也. 巽體覆盂, 亦有甕敝漏之象.
중계장씨가 말하였다: 「단전」에서 "두레박을 깨뜨렸다"고 말하였으니, 이것이 동이가 깨져 물이 새는 것이다. 손괘(巽卦☴)의 몸체가 엎어놓은 동이와 같아서 또한 동이가 깨져 물이 새는 상이 있다.

韓國大全

조호익(曺好益)『역상설(易象說)』

井谷卦下缺象, 鮒陰物, 初柔象. 雙湖曰, 甕瓦器, 三陰坤土坎水和爲泥, 離火燒之之象.
'정곡(井谷)'은 괘 아래에 틈이 있는 상이다. 부(鮒)는 음물(陰物)이니 초효의 부드러운 상이다. 쌍호호씨가 말하였다: 옹(甕)은 도자기 그릇이니 세 음의 곤토(坤土)가 감수(坎水)와 섞여 진흙이 되고 리화(離火)로 굽는 상이다.

송시열(宋時烈)『역설(易說)』

坎爲幽谷, 見困初, 此云谷者, 亦以坎象. 射者坎爲弓也. 鮒者巽爲魚, 甕者離之中虛象與甁同意. 互兌爲毁折故云敝, 敝則水漏涸也. 離甕雖汲而兌毁其器. 蓋井中之魚可射, 則水之不盈科也. 汲水之甕亦毁, 則水之下漏也, 象辭羸甁亦此意. 小象无與者, 上无相與之應也.
감(坎)은 유곡(幽谷)이 되는데 곤괘의 초효에 보이니 여기에서 곡(谷)이라 한 것도 감(坎)의 상 때문이다. 쏜다는 것은 감괘가 활이기 때문이다. 붕어는 손괘가 물고기이며, 옹(甕)은 리(離)괘의 가운데가 빈 상으로 병(甁)과 같은 뜻이다. 호괘인 태(兌)가 훼절이 되기 때문에 깨진다고 했으니 깨지면 물이 새나간다. 리(離)괘의 항아리로 비록 물을 길었지만 태괘로 그 그릇을 훼절한다. 우물의 물고기가 쏠 정도면 물이 구덩이에 차지 않은 것이다. 물을 긷는 동이마저 깨진다면 물이 아래로 새니 단사(彖辭)에서 동이가 깨진다고 한 것도 이런 뜻이다. 「소상전」의 '함께하는 이가 없음'은 위로 서로 더부는 호응이 없음이다.

이익(李瀷)『역경질서(易經疾書)』

井谷如困之幽谷, 謂泥土中深處也. 巽入也, 射者深入也. 鮒之爲魚深入泥土, 久而不死, 驗之可見. 今井水旣涸, 越月經時, 鮒能深射於土中以存其身. 喩君子埋沒其身, 守道不衒, 深藏而不出者, 似之也. 夫汲水於井, 貯之以甕, 將以需用也. 如人主求賢於草野, 任之尊官, 用以資治, 求不以道, 則賢者不進也. 任非其官則才固不進也. 井泥而甕敝, 則賢人隱遯無與於時序也.
'정곡(井谷)'은 곤(困)괘의 유곡(幽谷)과 같으니 진흙속의 깊은 곳이다. 손괘는 들어감이니 석(射)이란 깊이 들어감이다. 부(鮒)란 물고기는 진흙 속에 깊이 들어가서 오래있어도 죽지 않음을 경험해서 알 수 있다. 지금 물이 이미 말라 달을 넘기고 때가 지남에 부(鮒)는 흙속에 들어가 몸을 보존할 수 있다. 마치 군자가 자기 몸을 숨겨서 도를 지켜 자랑하지 않고 깊이 감추고 나가지 않는 자와 같다. 우물에서 물을 긷고 동이에 물을 저장함은 장차 쓰여지길 기다림이다. 예컨대 임금이 초야에 있는 현인을 구해서 높은 벼슬을 맡김은 나라를 다스리는 데 쓰려고 함인데, 도로써 구하지 않으면 현명한 사람이 나아가지 않고 걸 맞는 벼슬을 맡기지 않으면 재주 있는 이가 나가지 않는 것과 같다. 우물에 진흙이 있고 동이가 깨지면 현인은 은둔하면서 시절에 참여하지 않는다.

유정원(柳正源) 『역해참고(易解參攷)』

正義, 井之爲德, 以下汲上, 九二上无其應, 反下比初, 正以谷中之水下注而似谷, 故曰, 井谷射鮒, 謂初也. 子夏傳云, 井中蝦蟆, 呼爲鮒魚.
『주역정의』에서 말하였다: 정괘의 덕은 아래에서 위로 물을 긷는 것인데 구이는 위로 응함이 없고 도리어 초효와 가까워 골짜기의 물이 아래로 흘러가듯 골짜기와 흡사하다. 그러므로 '정곡석부(井谷射鮒)'라 했으니 초효를 말한다. 「자하전」에 "우물 속의 하마(蝦蟆)를 부어(鮒魚)라고 한다" 하였다.

○ 朱子曰, 程沙隨, 以井卦有井谷射鮒, 遂說井六爻有蝦蟇之象.
주자가 말하였다: 사수정씨는 정괘에 '정곡석부(井谷射鮒)'를 근거로 삼아 정괘의 여섯 효에 두꺼비의 상이 있다고 말했다.

○ 梁山來氏曰, 巽爲魚鮒之象也.
양산래씨가 말하였다: 손괘는 어부(魚鮒)의 상이다.

○ 案, 谷之水, 下流而不能上, 甕之敝, 下漏而不能上, 此井道之不能上行也.
내가 살펴보았다: 골짜기의 물은 아래로 흘러 위로 올라갈 수 없고, 동이의 물은 아래로 새서 위로 올라갈 수 없는데, 이는 우물의 도가 능히 위로 올라갈 수 없음이다.

김상악(金相岳) 『산천역설(山天易說)』

二之剛中, 以巽遇坎, 无應而比初, 功不上行, 故有井谷射鮒之象, 不能成養物之功也.
이효는 굳세고 알맞아 손괘(☴)로 감괘(☵)를 만나 정응이 없이 초효와 가까워 공이 위로 행하지 못하기 때문에 "우물이 골짜기의 물처럼 두꺼비에게 흘러감"의 상이 있고 물건을 기르는 공을 이룰 수 없다.

○ 谷卽坎之窞也, 射水之注下也, 鮒巽象, 子夏傳, 井中蝦蟆呼爲鮒. 澤之无水爲困, 故受之以井, 井通也, 而初之井泥而无禽, 二之井谷而射鮒者, 猶未免於枯涸, 故不爲人所食而只及於昫沫之賤, 所以功不上行, 廢井之用也. 甕弊漏見卦下. 井鼎二卦, 皆以上出爲功, 而井之二, 鼎九四, 皆下行, 故此曰甕弊漏, 鼎曰鼎折足覆公餗.
골짜기는 감괘의 구덩이이고 '석(射)'은 물이 아래로 흐름이고 '부(鮒)'는 손괘의 상이다. 「자하전」에 "우물 속의 하마(蝦蟆)를 부(鮒)라고 한다"고 하였다. 못에 물이 없음이 곤괘이기 때문에 정괘로 이어받았는데 정괘는 통함의 뜻이다. 초효의 우물에 진흙이 있어 짐승이 없음과 이효의 우물이 골짜기라 물고기에게 흐른다는 것은 물이 마름을 면하지 못했기 때문에 사람들에게 마셔지지 못하고 후말(昫沫))[13]의 미물에게 미칠 뿐이니 공이 위로 행해지지 못하여 우물의 쓰임이 폐기된다. 동이가 깨져서 샌다는 말은 괘의 아래에 보인다. 정(井)괘와 정(鼎)의 두 괘는 모두 위로 내는 것을 공으로 삼는데 정괘의 이효와 정괘의 사효는 모두 아래로 행해지기 때문에 여기에서는 동이가 깨져 물이 샌다고 하였고 정괘에서는 "솥발이 부러져서 공(公)에게 바칠 음식을 엎었다"고 하였다.

서유신(徐有臣)『역의의언(易義擬言)』

井以陽爻爲泉, 九二泉始出地也. 去井口尙遠, 故曰井谷, 谷深也. 井深而泉弱, 秪自噴射井中之鮒也. 人不汲故有魚也. 然其有鮒, 賢於无禽也. 甕所以汲泉者, 蓋指九五也. 不來汲, 故知其敝漏也.
정괘는 양효가 샘인데 구이는 샘이 처음 나오는 것이다. 우물의 입구에서 오히려 멀기 때문에 '정곡(井谷)'이라 했으니 곡(谷)은 깊은 곳이다. 우물은 깊은데 샘이 약하니 단지 스스로 우물속의 물고기에게 뿜어낼 뿐이다. 사람들이 길어먹지 않기 때문에 물고기가 있다. 그렇긴 해도 물고기가 있는 것이 짐승이 없는 것보다는 낫다. 동이[甕]는 샘을 긷는 도구이니 구오를 가리킨다. 와서 긷지 않으니 깨져서 샘을 알 수 있다.

박문건(朴文健)『주역연의(周易衍義)』

無與見傷故有射鮒之象, 鮒魚名, 甕汲器也.
함께 하는 이가 없어 상처를 받기 때문에 '석부(射鮒)'의 상이 있다. 동이는 물을 긷는 그릇이다.

---

13)『莊子·大宗師』: 泉涸, 魚相與處於陸, 相呴以濕, 相濡以沫.

이지연(李止淵)『주역차의(周易箚疑)』

射鮒, 雖稍優於无禽者, 而亦非人所食也.
석부(射鮒)가 비록 "짐승이 없는 것"보단 낫지만 역시 사람이 먹지 못한다.

김기례(金箕澧)「역요선의강목(易要選義綱目)」

井以上出爲功, 而二雖剛陽, 上无應援, 故下比初而不能上, 則如井不汲而傍漏也.
우물은 위로 나옴이 공이 되는데 이효가 비록 굳센 양이지만 위로 호응이 없기 때문에 아래로 초효에 가까이해 위로 오를 수 없다면 우물을 긷지 못해 옆으로 새는 것과 같다.

○ 井廢則蝦蟆之注會
우물이 버려지면 하마(蝦蟆)들이 모여든다.

○ 瓮敝, 指初六陰虛象, 彖所謂羸其瓶. 无與也, 上无應援, 如井不汲象.
동이가 깨짐은 초육의 음이 허한 상이니 단사의 "그 동이를 깨뜨림"을 말한다. '무여(无與)'는 위로 호응하여 구원함이 없어 우물이 길러지지 않는 상이다.

심대윤(沈大允)『주역상의점법(周易象義占法)』

井之蹇䷦, 流通而朋合也. 程子曰, 井道上行, 二上无應而下此於初, 如澗谷之水, 流而就下也. 鮒蝦蛙之屬. 射鮒, 言流下而注於鮒也. 九二居柔自修不求用而地稍高, 泉之出高而注下也. 鮒泥中微物也. 君子有剛中之德而上无應與, 不得擧用, 自知時未可求進而不求焉. 下與朋類處而自修, 故曰井谷射鮒. 艮离爲谷, 對節有艮离坎爲射, 初陰在坎下爲鮒. 二不得上而爲用乃下注於井泥, 故曰甕敝漏. 兌爲甕對節亦有兌曰敝. 坎离爲穴互坎水震出巽下曰漏. 二居兌底而下注有其象.
정괘가 건괘(蹇卦䷦)로 바뀌었으니, 흘러가 이르러 벗과 합하는 것이다. 정자가 "우물의 도는 위로 행한다" 하니 이효는 위로 호응이 없어 아래와 친하니 계곡물과 같아 흘러서 아래로 간다. 부(鮒)는 개구리나 두꺼비의 등속이니 석부(射鮒)는 아래로 두꺼비에게 흘러감이다. 구이는 부드러움에 있어서 스스로 닦아 쓰임을 구하지 않지만 지위는 조금 높으니 샘물이 나와 아래로 흐르는 것이다. '부(鮒)'는 진흙속의 미물이다. 군자가 굳세고 알맞은 덕을 지니고도 위로 호응함이 없어 쓰여지지 않을 때는 스스로 때가 아직 바로 나갈 때가 아님을 알아서 구하지 않는다. 아래로 벗들과 함께 있으면서 스스로를 닦기 때문에 "우물이 골짜기의 물처럼 두꺼비에게 흘러간다"라고 하였다. 간괘와 리괘가 계곡이 되고, 반대괘인 절괘(節

卦䷻)에 간괘와 리괘와 감괘로 '석(射)'이 되고, 초효의 음으로 감괘의 아래에 있어 '부(鮒)'가 된다. 이효가 위에서 쓰여짐을 얻지 못하고 아래로 우물의 진흙에 흐르기 때문에 "동이가 깨져 물이 샌다"고 하였다. 태괘가 '옹(甕)'이 되고 반대괘인 절괘(節卦䷻)에 또한 태괘(☱)가 있어 '폐(敝)'라 하였다. 감괘(☵)와 리괘(☲)가 구멍이 되고 호괘인 감괘(☵)의 물이 손괘(☴)의 아래에 진괘(☳)로 나오니 루(漏)라고 하였다. 이효가 태괘(☱)의 아래에 있어 아래로 흐르는 상이 있다.

오치기(吳致箕) 「주역경전증해(周易經傳增解)」

九二雖剛中而失正, 爲谷水之象, 而上旡正應, 下比初柔, 故旡汲水上出之功, 有射鮒甕漏之象. 卽象而占可知矣.
구이는 비록 굳셈으로 중을 얻었으나 바름을 잃어 골짜기 물의 상으로 위로 정응이 없고 아래로 초육의 음과 가깝기 때문에 물을 길어 위로 푸는 공은 없고 두꺼비에게 흘러가고 동이가 깨지는 상이 있다.

○ 山間水曰谷, 而取於爻變之艮及互坎也. 射亦取變, 坎巽有魚象, 故言鮒而卽井中小魚也. 互離爲甕象, 而互兌爲毁折, 故言敝也. 二變則成互坎而下旡剛, 故爲漏也. 此爻卽彖所言羸其甁者也.
산 사이의 물을 골짜기라 하는데 효가 변한 간괘(☶)와 호괘의 감괘(☵卦)에서 취하였다. '석(射)'도 효변에서 취하였고 감괘와 손괘에 물고기의 상이 있기 때문에 '부(鮒)'를 이야기 했으니 곧 우물 속의 작은 물고기이다. 호괘로 리괘(☲)가 동이의 상이고 호괘로 태괘(☱)가 훼절이 되기 때문에 '폐(敝)'라고 하였다. 이효가 변하면 호괘로 감괘가 되어 아래에 강한 효가 없기 때문에 '루(漏)'가 된다. 이 효는 곧 「단전」에서 말한 '리기병(羸其甁)'이다.

이진상(李震相) 『역학관규(易學管窺)』

井谷射鮒.
우물이 골짜기의 물처럼 두꺼비에게 흘러가고.

井廢不治, 則堙塞成谷. 泉脉之所通, 但能注射於蝸牛而已. 然九猶陽也, 故以泉脉言.
우물이 버려졌는데 수리하지 않으면 막혀서 골짜기를 이룬다. 샘물줄기가 통하긴 하지만 두꺼비에게 흘러갈 뿐이다. 그러나 '구(九)'는 양이기 때문에 샘물의 줄기로 말했다.

象曰, 井谷射鮒, 无與也.

「상전」에서 말하였다: "우물이 골짜기의 물처럼 두꺼비에게 흘러감"은 함께 하는 이가 없기 때문이다.

中國大全

傳

井以上出爲功, 二陽剛之才, 本可濟用, 以在下而上无應援, 是以下比而射鮒. 若上有與之者, 則當汲引而上, 成井之功矣.

우물은 위로 나오는 것을 공으로 삼는데, 이효는 굳센 양의 재질이라서 본래 구제하고 쓸 수 있으나, 아래에 있고 위에 호응하여 도와주는 자가 없기 때문에 아래로 가까이하여 두꺼비에게만 흘러가는 것이다. 만약 위에 호응하여 함께 하는 이가 있다면 마땅히 물을 길어 올려서 우물의 공을 이룰 것이다.

小註

臨川吳氏曰, 與謂應, 无應在上, 故无提挈之以出者.
임천오씨가 말하였다: '여(與)'는 호응을 말하니, 위에 호응이 없기 때문에 이끌어 나오게 할 이가 없는 것이다.

○ 進齋徐氏曰, 在井而射鮒, 在甕而敝漏, 皆无與之故也. 嘗謂人才生世, 自非果於暴棄甘爲下流之歸者, 皆可與爲善, 苟陽剛之稟資質之美者, 皆可以進德. 良由上无應與而爲之誘掖汲引者, 故上達之難, 下達之易也.
진재서씨가 말하였다: 우물에 있어야 하는데 두꺼비에게 흘러가고, 동이에 있어야 하는데 깨져서 물이 새는 것은 모두 함께 하는 이가 없기 때문이다. 일찍이 말하기를 인재가 세상에 태어나서 포기하는데 과감하여 하류로 돌아가기를 즐겨하는 자가 아니라면 모두 함께 선을 행할 수 있고, 굳센 양으로서 훌륭한 자질을 지닌 자는 덕을 기를 수 있다. 그런데 참으로 위에서 함께 호응하여 부축해 주고 끌어줄 이가 없기 때문에, 위로 도달하기는 어렵고 아래로 도달하기는 쉽다.

韓國大全

김상악(金相岳) 『산천역설(山天易說)』

无與者, 无應與也. 困九四則與初爲應, 故曰有與也.
"함께 하는 이가 없음"은 호응하여 더부는 상대가 없음이니 곤괘의 구사는 초효와 더불어 함께하기 때문에 "함께 하는 이가 있다"고 하였다.

서유신(徐有臣) 『역의의언(易義擬言)』

有應與而來汲, 則豈止於射鮒也.
호응하여 함께하는 자가 있어 물을 길을 수 있다면 어찌 '석부(射鮒)'에만 그치겠는가?

오치기(吳致箕) 「주역경전증해(周易經傳增解)」

井以上出爲功, 而上旡應與, 故不能汲用而下比初柔. 故但見谷水之射鮒也.
우물은 위로 긷는 것을 공으로 삼는데 위로 호응하여 함께하는 상대가 없기 때문에 길러서 사용하지 못하고 아래로 초효의 음과 응한다. 그러므로 다만 골짜기의 물처럼 두꺼비에게 흘러가는 것만 보인다.

박문호(朴文鎬) 「경설(經說) · 주역(周易)」

陽剛爲泉, 泉卽源出之生水也.
양으로 강함이 샘이니 샘은 근원에서 나오는 물이다.

如甕之破漏, 此以甕敝作譬辭, 恐合更詳, 蓋甕敝與羸瓶, 皆爲實事, 本義有此意.
『정전』의 "동이가 깨져 새는 것과 같다"는 "동이가 깨짐"을 비유하는 말로 간주한 것이니, 합당하고 상세한 듯하다. "동이가 깨짐"과 "병을 깨는 것"을 모두 실제의 일로 간주하였으니 『본의』에도 이런 뜻이 있다.

不言悔咎何也. 下兩曰字, 是一問而再答也. 上所答, 是因其所問而爲言, 下所答, 微反其意, 此其正意所在也.

회(悔)나 구(咎)를 말하지 않음은 어째서인가? 아래의 두 '왈(曰)'자는 한 번 물음에 두 번 답함이다. 위의 답은 질문에 근거해서 말했고, 아래의 답은 그 뜻을 도리어 은미하게 하였으니 이에 바른 뜻이 있다.

이병헌(李炳憲)『역경금문고통론(易經今文考通論)』

程傳曰, 二居井而就下, 如谷.
『정전』에서 말하였다: 이효가 우물에 있어 아래로 흐름이 계곡과 같다.

虞曰, 巽爲鮒, 小鮮也.
우번이 말하였다: 손괘는 부(鮒)가 되는데 작은 생선이다.

王曰, 鮒謂初也.
왕필이 말하였다: 부(鮒)는 초효이다.

孟曰, 甕汲缾也.
맹희가 말하였다: 옹(甕)은 물을 긷는 동이다.

正義曰, 不與上交, 故曰无與也.
『정의』에서 말하였다: 위와 함께하지 못하기 때문에 '무여(无與)'라고 하였다.

九三, 井渫不食, 爲我心惻, 可用汲, 王明, 竝受其福.

정전 구삼은 우물이 청소되었는데도 먹어주지 않아서 내 마음이 슬퍼 물을 길을 수 있으니, 왕이 현명하면 함께 그 복을 받으리라.

본의 구삼은 우물이 청소되었는데도 먹어주지 않아서 나를 위하여 마음에 슬퍼하니 물을 길을 수 있다. 왕이 현명하면 함께 그 복을 받으리라.

中國大全

傳

三以陽剛居得其正, 是有濟用之才者也, 在井下之上, 水之淸潔, 可食者也. 井以上爲用, 居下未得其用也. 陽之性上, 又志應上六, 處剛而過中, 汲汲於上進, 乃有才用而切於施爲, 未得其用, 則如井之渫治淸潔而不見食, 爲心之惻怛也. 三居井之時, 剛而不中, 故切於施爲, 異乎用之則行舍之則藏者也. 然明王用人, 豈求備也. 故王明則受福矣. 三之才足以濟用, 如井之淸潔可用汲而食也, 若上有明王, 則當用之而得其效. 賢才見用, 則己得行其道, 君得享其功, 下得被其澤, 上下竝受其福也.

삼효는 굳센 양으로 거함에 바름을 얻었으니 이는 구제하고 쓰는 재주를 가지고 있는 자이며, 정괘 가운데 하괘의 위에 있으니 물이 청결하여 먹을 수 있는 자이다. 우물은 위로 올라오는 것을 쓰임으로 삼으니, 아래에 있는 것은 그 쓰임을 얻지 못한 것이다. 양의 성질은 올라가고 또 뜻이 상육과 호응하며 굳셈에 처하고 가운데를 지나서 위로 나아감에 급급하니, 이는 바로 재주와 쓰임이 있어 시행함에 간절하나 그 쓰임을 얻지 못한 것이니, 우물을 치우고 다스려 청결하나 먹어주지 아니하여 마음이 슬퍼지는 것과 같다. 삼효가 정괘의 때에 거하여 굳세나 알맞지 못하기 때문에 시행함에 간절하니, 쓰면 행하고 버리면 감추는 자와는 다르다.[14] 그러나 현명한 왕이 사람을 등용함에 어찌 완비함을 구하겠는가? 그러므로 왕이 현명하면 복을 받는다. 삼효의 재주가 충분히 구제하고 쓸 수 있는 것이 우물이 청결하여 물을 길어 먹을 수 있는 것과 같으니, 만일 위에 현명한 왕이 있으면 마땅히 등용하여 효험을 얻을 것이다. 현명하고 재주 있는 사람이 등용되면 자신은 그 도를 행하게 되고

14) 『論語 · 述而』: 子謂顔淵曰, 用之則行, 舍之則藏, 惟我與爾有是夫.

임금은 그 공을 누리게 되며, 아래 백성들은 그 은택을 입게 되니, 이는 위아래가 모두 그 복을 받는 것이다.

本義

渫, 不停汙也. 井渫不食而使人心惻, 可用汲矣. 王明則汲井以及物, 而施者受者竝受其福也. 九三以陽居陽, 在下之上, 而未爲時用, 故其象占如此.

'설(渫)'은 정체되어 더럽지 않은 것이다. 우물이 청소되었는데도 먹지 않아 사람으로 하여금 마음에 슬퍼하게 하니, 물을 길을 수 있다. 왕이 현명하면 우물을 길어 남에게 미쳐서 베푸는 자와 받는 자가 모두 그 복을 받을 것이다. 구삼이 양으로서 양의 자리에 있어서 하괘의 위에 있으면서 때에 쓰이지 못하였으므로 그 상과 점이 이와 같다.

小註

朱子曰, 九三可用汲以上三句是象, 下兩句是占, 大概是說理, 決不是說汲井.
주자가 말하였다: 구삼에서 "물을 길을 수 있다"는 이상의 세 구절은 상이고 아래 두 구절을 점이니, 대체로 이치를 말한 것이지 결코 우물물을 긷는 것을 말하는 것이 아니다.

○ 若非王明, 則无以收拾人才.
왕이 현명하지 않으면 인재를 거둘 수 없다.

○ 中溪張氏曰, 九三以陽剛之才, 而居一井之半, 則泥者去, 注者深, 此渫治之井, 泉可食矣. 泉可食而人莫之食, 非惟使我心測也, 而行者過之亦爲之惻然也. 然三有甘潔之泉, 苟上遇汲者之明, 則美泉見食而邑人皆被其井養之功, 猶下有陽剛之才, 而上遇王者之明, 則賢才見用而天下竝受其利澤之福也.
중계장씨가 말하였다: 구삼은 굳센 양의 재질로 한 우물의 반에 해당하는 자리에 있으므로 진흙이 제거되고 물을 대는 것이 깊어지니, 이것은 청소된 우물로서 샘물을 먹을 수 있는 것이다. 샘물을 먹을 수 있는데도 먹는 사람이 없어서 내 마음이 안타까울 뿐만 아니라 길을 가는 사람이 지나면서도 그 때문에 안타까워한다. 그러나 삼효는 달고 깨끗한 샘물이 있어서 위로 물을 길어주는 현명한 사람을 만나면 좋은 샘물이 먹혀서 읍인들이 모두 그 우물이 기르는 공의 혜택을 입는데, 그것은 아래로 굳센 양의 재주를 갖고 위로 현명한 왕자를 만나면 현명한 재주를 가진 사람이 등용되어 천하 사람들이 그가 이롭게 해주고 은택을 주는

복을 함께 받는 것과 같다.

○ 雲峰胡氏曰, 初六井泥而不食可也, 九三井渫可食矣而不食何哉. 爲我心惻者, 非我心自惻也, 行道之人, 爲我而心惻也. 惻此水可用汲而不汲也, 惻其與應者才柔, 不能汲也, 汲之者, 其惟五乎. 五非應也而曰王明, 周公特筆也. 王明則汲之以汲物, 而上下竝受其福矣.
운봉호씨가 말하였다: 초육은 우물에 진흙이 있어 먹지 않는 것이 좋지만, 구삼은 우물이 청소되어 먹을 수 있는데도 먹지 않는 것은 왜인가? 내 마음이 안타까운 까닭은 내 마음이 스스로 안타까운 것이 아니라, 길을 가는 사람이 나를 위하여 마음이 안타까운 것이다. 이 물을 길을 수 있는데 긷지 않는 것을 안타까워하고, 함께 호응하는 자의 재질이 유약하여 길을 수 없는 것을 안타까워하는데, 물을 긷는 것은 오직 오효일 것이다. 오효가 호응이 아닌데 "왕이 현명하다"고 말한 것은 주공이 특별히 쓴 것이다. 왕이 현명하면 물을 길어 만물에 미쳐서 위아래가 아울러 그 복을 받는다.

韓國大全

조호익(曺好益)『역상설(易象說)』

井渫, 井以陽剛爲泉, 以陽居陽有渫象. 陽淸而陰濁. 不食, 井以上出爲功, 三在下, 故取象. 我, 指三. 心惻, 三近坎, 坎爲心爲憂. 可用汲, 所應柔可汲而不能汲之象. 王明, 指九五. 福兌澤象. 竝, 指三五. 或曰三互兌爲口, 三雖兌體, 至四方成口, 故有不食象.
'정설(井渫)'은 우물은 굳센 양으로 샘을 삼는데 양이 양의 자리에 있어서 맑은 상이다. 양은 맑고 음은 탁하다. '불식(不食)'은 우물은 위로 나옴이 공이 되는데 삼효는 아래에 있기 때문에 상을 취했다. '아(我)'는 삼효를 가리킨다. '심측(心惻)'은 삼효가 감괘에 가까운데 감은 마음에 걱정히는 것이다. 가용급(可用汲)은 응하는 대상이 유약해서 기를 수 있는데 긷지 못하는 상이다. '왕명(王明)'은 구오를 가리킨다. '복(福)'은 못의 상이다. '병(竝)'은 삼효와 오효의 상이다. 어떤 이는 "삼효가 호괘로 태괘(☱)인 입인데 삼효가 비록 태괘의 몸체이지만 사효에 이르러야 입을 이룰 수 있기 때문에 '불식(不食)'의 상이 있다"고 하였다.

송시열(宋時烈) 『역설(易說)』

渫者, 淸潔也, 巽爲潔□也. 兌爲口可食, 而離中虛, 故不食象. 坎爲心疾, 故爲我心惻. 王者指九五也, 明者離明也. 言五與三有離明之象, 可以汲此井, 而竝受福也. 言可食而不食, 故始爲心惻. 可汲而求明, 故終受其福. 蓋前有坎, 故行惻, 互有離故受福也.
'설(渫)'은 청결이니 손괘로 결재(潔齋)가 된다. 태괘는 입으로 먹을 수 있는데 이괘의 가운데가 비어서 먹지 못하는 상이다. 감괘는 심질(心疾)이 되기 때문에 '위아심측(爲我心惻)'이다. '왕(王)'은 구오를 가리키고 '명(明)'은 리괘의 밝음이다. 오효와 삼효에 리괘로 밝은 상이 있어서 이 우물을 길어 함께 복을 받을 수 있음을 말한다. 먹을 수 있는데 먹지 못하기 때문에 처음에 마음이 슬프고 길어 먹을 수 있어 밝음을 구하기 때문에 마침내 그 복을 받음을 말했다. 앞에 감괘가 있어서 행측(行惻)이고 호괘에 리괘가 있으므로 수복(受福)이다.

이익(李瀷) 『역경질서(易經疾書)』

爲我心惻, 謂賢人不見世用, 見物而興歎也. 可用汲而汲焉, 則人人竝受其利. 如賢人修德待用, 王明則可擧以資治, 天下竝受其福矣. 行字帖象辭往來着, 謂往者來者皆惻也. 行惻者, 爲王之不明故也. 惻則有求其明之意, 所以求其明者, 爲天下之竝受其福也.
'위아심측(爲我心惻)'은 현인이 세상에 등용되지 않음을 사물을 보고 흥기시켜 탄식한 것이다. 물을 길을만 해서 길으면 사람들이 함께 그 이로움을 받는다. 마치 현인이 덕을 닦아 쓰여지길 기다림에 왕이 밝으면 들어앉혀 다스리게 하여 천하가 함께 그 복을 받는 것과 같다. '행(行)'자는 단사(彖辭)의 '왕래'에 붙으니 가는 자나 오는 자나 모두 슬퍼함이다. 행인이 슬퍼함은 왕이 밝지 못한 까닭이다. '측(惻)'은 밝음을 구하는 뜻이니 밝음을 구함으로 천하가 함께 복을 받게 된다.

유정원(柳正源) 『역해참고(易解參攷)』

李氏士表曰, 有已渫之德而未食者, 未離乎下也. 夫泥而不食, 自取之也, 渫而不食, 寧不惻然哉, 時焉而已.
이사표가 말했다: 이미 맑아졌는데 먹지 못함은 하체에서 떠나지 못함이다. 진흙이면서 먹지 못함은 스스로 취한 것이지만 맑은데 먹지 못하니 어찌 슬프지 않은가! 때가 그럴 따름이다.

○ 漢上朱氏曰, 巽爲股爲入, 股入坎下, 而水淸潔治井之象渫也. 兌口在上不食也. 我九三自謂. 上六坎體爲加憂爲心病, 故爲我心惻. 坎在井上, 坎爲輪, 井車汲引之象.

五爲王, 互離爲明, 王明則受福矣.
한상주씨가 말하였다: 손괘는 넓적다리와 들어감이 되니 넓적다리가 감의 아래로 들어가 물이 청결함은 우물을 청소하는 상으로 설(渫)이다. 태괘의 입이 위에 있어 먹지 못함이다. 내[我]는 삼효 자신을 이른다. 상육은 감의 몸체로 가우(加憂)와 심병(心病)이 되기 때문에 '위아심측(爲我心惻)'이다. 감이 정괘의 위에 있어 감은 수레바퀴이니 우물의 도르래로 길어올리는 상이다. 오효는 왕이고 호괘인 리가 밝음이니 왕이 밝으면 복을 받는다.

○ 進齋徐氏曰, 惻傷怛也. 三以剛乘剛, 有井渫象, 在下又有不食象.
진재서씨가 말하였다: 측(惻)은 슬퍼함이다. 삼효는 굳센 양이 굳센 양을 타고 있어 우물이 맑은 상이 있고 또 아래에 있어서 먹지 못하는 상이 있다.

○ 案, 渫治淸潔, 井之功也. 可汲而不食, 唯使行道之人心惻也, 何與於井哉. 用之則行舍之則藏, 君子之道, 當然也.
내가 살펴보았다: 우물을 청소하여 청결함은 우물의 공이다. 기를 수는 있어도 먹지 못함은 오직 길을 가는 사람의 마음을 슬프게 하니 우물에 있어서 어떠한가? 쓰면 행하고 버리면 감추는 군자의 도는 당연하다.

傳. 〈案, 傳末本有汲音急三字.〉
『정전』. 〈내가 살펴보았다: 『정전』에 말미에는 본래 '급음급(汲音急)'이라는 세 글자가 있다.〉

김상악(金相岳) 『산천역설(山天易說)』

渫者不停汚也, 卽新井也. 九三以陽剛, 居谷之上, 處甃之下, 爲井渫之象. 雖有承應之交, 无汲引者, 故不爲人所食, 而使之心惻也. 然與五爲互離, 惟可用汲者, 王之明也. 王明則井渫之功行, 而上下竝受其福矣.
설(渫)은 정체되어 더러워지지 않음이니 우물을 새롭게 함이다. 구삼은 양의 굳셈으로 골짜기의 위에 거하고 우물벽의 아래에 있어 우물이 맑은 상이다. 비록 승(承)과 응(應)의 사귐이 있어도 길어올리는 사람이 없기 때문에 사람들에게 먹히지 않아 마음이 슬프다. 그러나 오효와 더불어 호괘로 리괘(離卦)이니 오직 길어 쓸 수 있는 이는 왕의 밝음이다. 왕이 밝으면 우물이 맑아 공이 행해지니 위와 아래가 함께 그 복을 받는다.

○ 初以陰居下, 故井泥而人自不食. 三以陽居上, 井渫而不見食於人, 故爲我心惻也.

汲者, 巽乎水而上水也. 三居巽坎之交, 故曰可用汲. 明者, 明明揚側陋也. 五互離體, 王明之象. 坎伏離與鼎爲對, 王之所在, 鼎亦在焉. 又貞悔交則與豊爲對, 豊象曰王假之勿憂宜日中, 九五曰來章. 又三變爲習坎, 坎之四曰納約自牖, 故此曰王明, 小象曰求王明受福者, 及物之功也. 五行之相生也, 坎水生巽木, 故曰竝受其福. 旣濟則水火相交, 故九五曰實受其福. 下三爻皆有象无占, 然三之用汲, 乃向吉者也.
초효는 음이 아래에 거하기 때문에 우물에 진흙이 있어서 사람들이 먹지 않는다. 삼효는 양으로 위에 거하여 우물이 맑아 사람들에게 먹히지 않기 때문에 내 마음이 슬프다. 급(汲)은 물에 들어가 물을 위로 올린다. 삼효가 손괘와 감괘가 만나는 곳에 거하였기 때문에 '가용급(可用汲)'이라 하였다. 밝음은 숨어있음을 밝게 드날림이다. 오효는 호괘가 이체(離體)라서 왕이 밝은 상이다. 감괘에 은복해있는 리괘로 보면 정괘(鼎卦䷱)가 반대괘가 되니 왕이 있는 곳은 솥도 있다. 그리고 내괘[貞]와 외괘[悔]를 바꾸면 풍괘(豊卦䷶)와 반대괘가 되니 풍괘의 단사에 "왕이 이르니 근심하지 말고 마땅히 해가 중천에 있는 것처럼 하라"고 하였고 구오효에 '래장(來章)'이라 하였고 또 삼효가 변하면 감괘(坎卦䷜)가 되는데 감괘의 사효에 이르길 "간략히 들이길 바라지창으로 하라"고 했다. 그렇기 때문에 여기에 '왕명(王明)'이라 하고 소상전에 "왕명을 구함은 복을 받음이라"하였으니 물건에 미치는 공이다. 오행의 상생으로 볼 때 감수가 손목을 생하기 때문에 "함께 복을 받는다"고 하였다. 기제(旣濟)는 물과 불이 서로 사귀기 때문에 구오효에 "실제 복을 받는다"고 하였다. 하괘의 세 효는 모두 상만 있고 점이 없지만 삼효의 '용급(用汲)'은 길을 향하는 자이다.

서유신(徐有臣)『역의의언(易義擬言)』

渫汚也. 巽塞坎, 不通之象, 井不通則停汚也. 三近於井口, 猶且停汚而不食者, 時未至也. 非泉之爲汚, 不食而汚也, 故爲我心之傷惻也. 我者見之者也, 惻者遇物之感也. 雖然其實可汲之泉也, 王又明王也, 將見其往來井井, 而井與人與王同享其福也. 兌爲西離爲明, 九三有文王之象也.
설(渫)은 오염됨이다. 손괘(☴)로 감괘(☵)를 막아 통하지 않는 상이니 우물은 통하지 않으면 정체되어 오염된다. 삼효가 우물의 입구에 가까운데 오히려 정체되어 오염되어 먹지 않음은 때가 이르지 않음이다. 샘 자체가 오염된 것이 아니라 먹지 않아서 오염된 것이므로 내 마음이 슬프다. '나'는 보는 자이다. '슬픔'은 사물을 접촉했을 때의 느낌이다. 그렇지만 실제로는 길을만한 샘이고 왕 또한 밝은 왕이니 장차 가고 옴에 우물을 우물로 사용함을 본다면 우물과 사람과 왕이 함께 그 복을 누릴 것이다. 태괘(☱)는 서방이고 리괘(☲)는 밝음이니 구삼에 문왕의 상이 있다.

박문건(朴文健) 『주역연의(周易衍義)』

上不來汲, 故有井渫之象, 渫溢出也. 可用汲, 言其无可疑也.

위에서 와서 긷지 않기 때문에 우물이 넘쳐나는 상이 있다. 설(渫)은 넘쳐나는 것이다. '가용급(可用汲)'은 의심할 것이 없음을 말한다.

〈問, 井渫不食以下. 曰, 九三之志, 雖欲養上, 然上反疑己, 故井雖渫去而不食, 所以爲我心之惻愴者也. 可用汲而不汲, 王若致明而无疑, 則上下俱受福也. 蓋處下而致養其上者, 下之福也, 處上而得養其下者, 上之福也.

물었다: '우물이 청소되었는데도 먹어주지 않아서' 이하는 무슨 뜻입니까?

답하였다: 구삼의 뜻은 윗사람을 봉양하고자 하지만 윗사람이 도리어 자기를 의심합니다. 그렇기 때문에 우물이 넘쳐나지만 먹지 않아 내 마음이 슬프게 되었습니다. 기를 만한데 기르지 않으니, 왕이 만약 밝아서 의심이 없으면 위와 아래가 함께 복을 받습니다. 아래에 처하여 윗사람을 봉양함은 아랫사람의 복이고 위에 거처하여 아랫사람을 기름은 윗사람의 복입니다.〉

이지연(李止淵) 『주역차의(周易箚疑)』

又稍優於射鮒者, 我者井也. 行道之人, 爲此井而心惻也. 竝受其福, 與九二竝受也. 九二者, 王之應也. 九二受福之時, 九五以同德之陽, 九三亦與二爲同體之陽. 卦惟三陽, 奚必厚於二而薄於三乎.

또 "두꺼비에게 흘러감"보다는 조금 나으니 '나'는 우물이다. 길을 가는 사람이 이 우물을 위해 슬퍼함이다. "함께 복을 받음"은 구이와 함께 복을 받음이다. 구이는 왕과 호응한다. 구이가 복을 받을 때에 구오도 같은 덕을 지닌 양이며, 구삼도 이효와 같은 몸체의 양으로 함께 한다. 괘에는 오직 세 양이 있는데 어찌 꼭 이효에만 후하고 삼효에는 박하겠는가!

김기례(金箕澧) 「역요선의강목(易要選義綱目)」

井潔而不食則使人心惻. 三居井之半, 剛才可以濟用, 而上无應援. 若有五同德之求, 則當致君澤民, 上下竝被其惠, 如井之汲用而潤物也.

우물이 깨끗한데 먹지 않아 사람을 슬프게 한다. 삼효는 정괘의 반에 거처해 굳센 재질로 구제하여 쓸 수 있지만 위로 응하며 구원함이 없다. 만약 오효가 같은 덕으로 구한다면 임금이 백성에게 은택을 줄 수 있게 하여 위아래가 모두 그 혜택을 입으니 우물을 길어 써서 물건을 윤택하게 함과 같다.

박종영(朴宗永)의 「경지몽해(經旨蒙解)-주역(周易)」

九三自恃其淸潔, 汲汲欲上進, 急於需用也. 若爾則井雖渫而處剛過中, 非君子之道也. 彼君子之心, 則安於自守, 絶其外慕, 懷抱道德, 蘊蓄才智, 窮則獨善其身, 達則兼善天下, 寧不遇而終老, 蓋無憫於遯世者也. 若明王知其賢, 而致敬盡福欲與之, 共天位食天祿, 則於是乎進而行道, 君臣上下同受其福也. 是乃自古賢哲, 歷歷可數. 無明揚之堯帝, 則大舜不過雷澤之漁父, 非三聘之殷湯, 則伊尹終於莘野之耕夫而已. 此豈有汲汲於求進見用, 如井之心惻也哉. 然則其所謂惻乃行路之人, 見而憂惻云者. 朱子及胡氏之論, 容有見得是者. 若謂之井乃自惻, 則雖曰渫治, 是不美之井也. 後之君子觀此, 則知所以自處也夫.

구삼은 스스로 청결함을 믿고 급급하게 위로 나가고자 하는 자로 쓰여지기에 조급한 자이다. 만약 그런 자라면 우물이 맑아도 굳셈에 처해 알맞음을 지나치니 군자의 도가 아니다. 군자의 마음은 스스로 지킴에 편안하여 밖으로 사모함을 끊으며 도덕을 품고 재능과 지혜를 쌓아 궁색할 때에는 홀로 그 몸을 착하게 하고 영달할 때에는 천하도 착하게 하니 차라리 만나지 못해 늙어 마치더라도 세상을 떠나도 번민이 없는 자이다. 만약 밝은 왕이 그 현명함을 알아 공경을 다하고 복을 다해 천위(天位)를 함께 하고 천록(天祿)을 먹게 한다면 이에 나아가 도를 행하여 임금과 신하가 함께 그 복을 받는다. 오래전부터의 현철들을 분명히 셀 수 있으니, 밝음을 드날린 요임금이 아니었다면 순임금은 뇌택(雷澤)의 어부(漁父)에 불과했을 것이며 세 번 예를 갖춘 은나라의 탕임금이 아니었다면 이윤은 신야의 밭가는 사내로 마쳤을 것이다. 이것이 어찌 급급하게 나아가 쓰여지기를 구하여 우물의 마음에 슬픈 것 같음이 있겠는가? 그러므로 이른바 슬프다는 것은 길을 가는 사람이 보고 근심하고 슬퍼하는 것이다. 주자와 호씨의 견해는 이런 것을 충분히 포함하고 있다. 만약 우물이 스스로 슬퍼한다면 비록 깨끗하게 청소했다 해도 이는 아름답지 못한 우물이다. 후세의 군자가 이를 안다면 스스로 처신할 바를 알 것이다.

심대윤(沈大允) 『주역상의점법(周易象義占法)』

井之坎䷜. 九三, 居剛求用而上有正應, 得其引薦之力, 而上六才柔阻於五, 而從之不得自專. 以三之才剛而居井之中水之上, 淸潔可食而不汲, 故曰井渫不食. 渫淸潔也, 坎淸巽潔爲渫. 爲我心惻, 言上六之爲三而傷心也. 兌離爲傷心曰惻. 可用汲, 上六告五之辭也. 王明竝受其福, 言五若從上六之言而用三, 則君民竝受其福也, 艮爲受爲福. 九三專應于上, 有坎陷之義, 故言我也. 如蕭何之數言韓信而漢王未之奇也.

정괘가 감괘(坎卦䷜)로 바뀌었다. 구삼은 굳센 자리에 거하여 쓰임을 구하는데 위에 정응이 있어 이끌고 들어주는 힘을 얻었지만 상육의 재질이 유약하고 오효에 막혀 따르고자 하나 마음대로 할 수 없다. 삼효의 재질이 강한데 우물의 중간위에 거하여 청결해서 먹을 수 있는데 긷지 않기 때문에 "우물은 깨끗한데 먹지 못한다"고 하였다. 설(渫)은 청결(清潔)이니 감괘는 맑고 손괘는 깨끗하여 '설(渫)'이 된다. '위아심측(爲我心惻)'은 상육이 삼효를 위하여 마음을 아파함이다. 태괘와 리괘로 상심함이니 '측(惻)'이라 하였다. '물을 길을 수 있음'은 상육이 오효에게 고하는 말이다. "왕이 밝으면 함께 복을 받음"은 오효가 만약 상육의 말을 따라서 삼효를 쓰면 인군과 백성이 같이 복을 받음이니 간괘로 '복을 받음'이다. 구삼은 오로지 상효와 응해 감괘로 빠지는 뜻이 있기 때문에 '아(我)'를 말했다. 소하가 자주 한신을 거론함에 한왕이 그것을 기이하게 여기지 않은 것과 같다.

오치기(吳致箕) 「주역경전증해(周易經傳增解)」

九三陽剛而得正, 故有井渫之象. 然不能應九五之君, 雖有上六之應, 而陰柔旡位, 不得其汲引之力, 故有不食之象, 而行路之人亦爲之心惻, 謂言井旣渫而可用汲矣. 若遇君上之明, 則當竝受其福也. 雖不言占, 卽象可知矣, 大義.

구삼은 양으로 굳세고 바름을 얻어 우물이 맑은 상이다. 그러나 구오의 임금과 호응하지 못하니 비록 상육의 정응이 있더라도 음유하여 자리가 없어서 길어올릴 힘이 없기 때문에 먹지 못하는 상이 있다. 길을 가는 사람도 그 때문에 마음이 슬퍼짐은 우물이 이미 깨끗해서 길을 수 있다고 말함을 이른다. 만약 위의 밝은 임금을 만난다면 마땅히 함께 그 복을 받는다. 비록 점은 말하지 않았지만 상에 나아가면 알 수 있으니 큰 뜻이 있다.

○ 渫, 謂清潔也. 坎爲食之象而三與五非應, 故言不食也. 我者三自謂也. 心取互離, 惻者憂也, 取於變坎. 王指五而明取互離竝受其福, 言渫而見用, 則井之福也, 汲得其渫, 則汲者之福也.

'설(渫)'은 청결을 말한다. 감괘로 먹는 상인데 삼효는 오효와 더불어 상응하지 않기 때문에 '먹지 않는다'고 하였다. '아(我)'는 삼효 스스로를 이른다. '심(心)'은 호괘인 리를 취하였고 '측(惻)'은 근심인데 변한 감괘에서 취했다. '왕(王)'은 오효를 가리키고 '명(明)'은 호괘인 리를 취해 함께 그 복을 받음이니 깨끗해서 쓰여지면 우물의 복이고 그 깨끗함을 길어 얻으면 긷는 자의 복임을 말한다.

이진상(李震相) 『역학관규(易學管窺)』

爲我心惻.

나를 위해 슬퍼해서.

行脩潔而不見用, 則知之者當爲之惻然動心. 我乃有井之德者, 惻之者乃人也. 象言行惻, 恐爲行之可惻.
수리해서 깨끗해졌는데 쓰임을 받지 못하면 아는 자는 당연히 그를 위해 슬퍼하며 마음이 움직일 것이다. 나는 우물의 덕을 소유한 자이고 슬퍼하는 자는 타인이다. 상에서 말한 '행측(行惻)'은 '행함을 슬퍼할만 함'일 것이다.

채종식(蔡鍾植)의 「주역전의동귀해(周易傳義同歸解)」

井九三爲我心惻, 傳作自惻, 本義作爲人所惻. 蓋人有可用之才而不得其用, 故其心自惻, 井有可食之渫而不見其食, 故人爲之惻, 則其心之所自惻者, 乃爲衆人之所惻者也.
정괘의 삼효에 '위아심측(爲我心惻)'을 『정전』에서는 자신이 슬퍼한다고 했고, 『본의』에서는 사람들이 슬퍼하는 것이라 하였다. 사람에게 쓸만한 재주가 있는데 쓰여지지 못하기 때문에 그 자신의 마음이 슬프고, 우물에 먹을 만한 물이 있는데 먹히지 않기 때문에 사람들이 그것을 위해 슬퍼한다. 그렇다면 그 마음에 스스로 슬퍼하는 바가 곧 뭇 사람들이 슬퍼하는 바이다.

박문호(朴文鎬) 「경설(經說) · 주역(周易)」

往來者不得井其井, 故爲惻.
오고 가는 사람이 그 우물을 우물로 쓰지 않기 때문에 슬프다.

象曰, 井渫不食, 行惻也, 求王明, 受福也.

정전 「상전」에서 말하였다: "우물이 청소되었는데도 먹어주지 않음"은 행하지 못함을 안타까워하는 것이고, "왕의 현명함"을 구하는 것은 복을 받기 위해서이다.

본의 「상전」에서 말하였다: "우물이 청소되었는데도 먹지 않음"은 길가는 사람이 안타까워하는 것이고, "왕의 현명함"을 구하는 것은 복을 받기 위해서이다.

中國大全

傳

井渫治而不見食, 乃人有才知而不見用, 以不得行爲憂惻也. 旣以不得行爲惻, 則豈免有求也. 故求王明而受福, 志切於行也.

우물이 청소되어 다스려졌는데도 먹어주지 않는 것은 바로 사람이 재주와 지혜가 있는데도 쓰이지 않는 것이니, 행하지 못함을 근심하고 안타까워하는 것이다. 이미 행하지 못함을 근심하고 안타까워한다면, 어찌 구하는 것을 벗어나겠는가? 그러므로 왕의 현명함을 구하여 복을 받는 것이니, 뜻이 행하는데 간절한 것이다.

本義

行惻者, 行道之人皆以爲惻也.

'행측(行惻)'은 길가는 사람이 모두 안타깝게 여기는 것이다.

小註

誠齋楊氏曰, 可食者泉也, 不食者人也. 井何惻焉, 人之行者惻之. 非爲井惻也, 爲有才德之君子不見用於上者惻也. 井一用, 一邑受其福, 君子一用, 天下受其福. 有美井无善汲則如无井, 有賢者无明王則如无賢. 仲尼曰, 王明不興, 天下孰能宗予. 然則九三之惻也, 井云乎哉, 君子云乎哉. 故微明揚之堯帝, 則大舜雷澤之漁父, 微明哲之高宗, 則傳說巖野之胥靡.
성재양씨가 말하였다: 먹을 수 있는 것은 우물물이고 먹지 않는 것은 사람이다. 우물을 누가 안타까워하는가? 길가는 사람이 안타까워한다. 그것은 우물을 위해 안타까워하는 것이 아니라, 재주와 덕이 있는 군자가 윗사람에게 쓰이지 못하는 것을 안타까워하는 것이다. 우물이 한 번 쓰이면 한 읍이 그 복을 받고, 군자가 한 번 쓰이면 천하가 그 복을 받는다. 좋은 우물이 있는데도 잘 길어 쓰지 않으면 우물이 없는 것과 같고, 현명한 사람이 있는데도 현명한 왕이 없으면 현명한 사람이 없는 것과 같다. 공자는 "왕이 현명하여 흥기하지 않으면, 천하의 누가 나를 종주로 삼아줄 수 있겠는가?"라고 하였다. 그렇다면 구삼에서 안타깝게 여기는 것은 우물이겠는가, 군자이겠는가? 그러므로 밝게 드러난 요임금이 없었다면 위대한 순임금도 뇌택(雷澤)의 어부에 불과했을 것이고, 명철한 고종이 없었다면 부열도 암야(巖野)의 죄수에 불과했을 것이다.

▌韓國大全▐

유정원(柳正源) 『역해참고(易解參攷)』

行惻 [至] 福也.
행하지 못함을 안타까워하는 것 … 복을 받기 위해서이다.

王氏曰, 行感於誠, 故曰惻也.
왕필이 말하였다: 행함이 정성에 느껴지기 때문에 '슬프다'고 하였다.

○ 梁山來氏曰, 五非正應, 故以求字言之.
양산래씨가 말하였다: 오효가 정응이 아니기 때문에 구한다[求]고 하였다.

本義之人. 〈案, 一无之字.〉
『본의』의 '지인(之人)'에 대하여. 〈내가 살펴보았다: 다른 판본에는 '지(之)'자가 없다.〉

김상악(金相岳) 『산천역설(山天易說)』

行惻, 猶詩之行言也. 井渫而不食,則邑人不被其澤, 故行道之人, 皆以爲惻也.
행측(行惻)은 『시경』의 '행언(行言)'과 같다. 우물이 맑은데 먹지 않으면 고을 사람들이 그 혜택을 입지 못하기 때문에 길을 가는 사람이 다 슬퍼한다.

○ 巽木生於坎水, 非水無以相養, 故三曰求王明. 屯則坎水生震木, 非木无以相生, 故四曰求而往明也.
손목(巽木)이 감수(坎水)에서 나니 물로 서로를 기르지 못함은 아니다. 그렇기 때문에 삼효에서 "왕의 밝음을 구한다"고 하였다. 준괘(屯卦䷂)에서는 감수(坎水)가 진목(震木)을 나으니 나무가 아니면 상생하지 못하기 때문에 사효에서 "구해서 감은 밝음이다"고 하였다.

서유신(徐有臣) 『역의의언(易義擬言)』

行惻, 恐有缺文, 當從本義, 作行人惻也. 曷以知其爲行人歟, 井之不食居无人也. 求王明者誰歟. 天下之渴者歸於周也.
'행측(行惻)'은 빠진 글이 있는 것 같으니 『본의』를 따라서 '행인의 슬픔'이라 해야 한다. 어찌 그 행인이 됨을 알 수 있는가? 우물을 먹지 못함은 사람이 없는 곳에 있음이다. 왕의 밝음을 구하는 자가 누구인가? 천하에 목마른 자가 주(周)나라에 귀의한다.

박문건(朴文健) 『주역연의(周易衍義)』

行惻, 言行進而惻愴也.
'행측(行惻)'은 지나가면서 슬퍼함을 말한다.
〈問, 井渫不食行惻也, 求王明受福也. 曰, 井渫而不食, 故所以行惻也. 此者往求王之受福也. 行字渫字上取義者也.
물었다: "'우물이 청소되었는데도 먹지 않음'은 길가는 사람이 안타까워하는 것이고, '왕의 현명함'을 구하는 것은 복을 받기 위해서이다"는 무슨 뜻입니까?
답하였다: 우물이 청소되었는데도 먹어주지 않기 때문에 지나가면서 슬퍼합니다. 이는 가서 왕의 밝음을 구하는 복을 받는 것입니다. 행(行)자는 설(渫)자에서 뜻을 취한 것입니다.〉

이항로(李恒老) 「주역전의동이석의(周易傳義同異釋義)」

傳, 井渫治而不見食, 乃人有才知而不見用, 以不得行爲憂惻也.

『정전』에서 말하였다: 우물이 청소되어 다스려졌는데도 먹어주지 않는 것은 바로 사람이 재주와 지혜가 있는데도 쓰이지 않는 것이니, 행하지 못함을 근심하고 안타까워하는 것이다.

本義, 行惻者, 行道之人, 皆以爲惻也.
『본의』에서 말하였다: '행측(行惻)'은 길가는 사람이 모두 안타깝게 여기는 것이다.

按, 井者物也, 借物以象德, 故曰井德之地也. 蓋德之爲言得也. 由人生之初而言, 則所得乎天者也. 由在人者而言, 則行道而有得於心者也. 韓子所謂, 足乎己無待於外之謂德, 是也. 是以孔子曰, 人不知而不慍, 不亦君子乎. 朱子釋之曰, 學在己, 知不知在人, 何慍之有. 孔子謂顔淵曰, 用之則行, 舍之則藏, 惟我與爾有是夫, 是者何也. 道與德也. 若用之便喜, 舍之便憂, 則便是無道 無德者也, 用以何物行之, 舍以何物藏之耶. 孔子曰, 飯蔬食飮水曲肱而寢之樂亦在其中, 又曰, 一簞食一瓢飮在陋巷人不堪其憂回也不改其樂賢哉回也. 孟子稱舜之德亦惟曰, 飯糗茹草, 若將終身. 稱伊尹之志亦惟曰, 由是以樂堯舜之道, 我何以湯之聘幣爲哉, 又曰人知之亦囂囂, 人不知亦囂囂, 觀此則君子之所養可知已.
내가 살펴보았다: 우물은 물건인데 물건을 빌려서 덕을 상징하였기 때문에 "정괘는 덕의 땅이다"라고 하였다. 덕(德)은 얻음인데 사람이 나오는 처음으로 말하면 하늘로부터 얻은 것이고 사람에게 있는 것으로 말하면 도를 행하여 마음에 얻은 것이다. 한유가 "나에게 충족되어있어 밖에서 기대할 것이 없음을 덕이라 한다"는 말이 이것이다. 그래서 공자는 "남이 알아주지 않아도 성내지 않으면 군자가 아닌가"라 하였다. 주자는 해석하기를, "배움은 나에게 있고 알아주고 못 알아주고는 남에게 달려있으니 어찌 성질이 나겠는가" 하였다. 공자가 "안연에게 이르기를, "쓰여지면 행하고 버려지면 감춤이 오직 나와 너에게 '이것'이 있구나" 하였는데, 이것[是]은 무엇인가? 도(道)와 덕(德)이다. 만약 쓰여지면 기뻐하고 버려지면 근심한다면 이는 도(道)도 없고 덕(德)도 없는 것이니, 쓰여진다한들 무엇을 쓸 것이며 버려진다한들 무엇을 감추겠는가? 공자가 이르기를, "거친 밥을 먹고 물을 마시고 팔 베고 누워도 즐거움이 그 가운데 있다"고 하였다. 또 이르기를, "한 그릇 밥과 물 한 그릇을 마시면서도 누추한 마을에 사는 것을 사람들은 견디지 못하는데 안회는 그 즐거움을 바꾸지 않으니 현자로구나 안회는"라고 하였다. 맹자는 순임금의 덕을 칭찬하면서 "찬밥에 나물을 먹는 것이 평생 그럴 것 같이 했다"고 하였다. 이윤의 뜻을 칭찬하면서 "이렇게 요순의 도를 즐기는데 어찌 탕임금의 예물을 받겠는가" 하였고, 또 이르기를, "남이 알아주어도 담담하였고 남이 알아주지 못해도 담담하였다" 하였으니 이를 보면 군자의 기른 바를 알 수 있다.

今夫渫與不渫, 井之德也, 汲與不汲, 人之事也. 若以人之不汲棄而不食, 惻惻悲傷以累其心, 則井已汚穢滓濁, 自失其渫久矣, 人將唾而不食矣, 焉有可汲之渫乎哉. 夫井之爲卦, 九三以陽剛居下體之上, 旣遠初六泥濁之汚, 又無九二甕漏之患. 以其居上也, 淸而无滓, 以其陽剛也, 泉而不渴, 出可以澤物, 汲可以養人. 但爲居不離於下體, 又爲九五, 六四之所隔, 未爲時用, 以有用之物, 濱棄於无用之地, 則見者孰不爲咨嗟而惋惜之乎. 夫海有明珠, 混在沙礫, 非珠之病也, 谷有芝蘭, 雜在草卉, 非蘭之恥也. 行路之人, 莫不動心, 不待和氏歧伯而後惜之也. 其故何也. 由其珠之光白, 自可以上飾冕琉, 下飾雜佩也. 蘭之馨香, 自可以上享神明, 下辟臭穢也. 珠蘭一微物耳 人尙愛惜, 而況於人乎.

지금 맑고 맑지 않음은 우물의 덕이고 긷고 긷지 않음은 사람의 일이다. 만약 사람이 긷지 않아 버려서 먹지 않는다고 슬퍼하면서 마음에 묶어두면 우물은 이미 더럽고 탁해져서 스스로 그 맑음을 잃은지 오래여서 사람들이 침을 뱉고 먹지 않을 것이니 어찌 길을 수 있는 맑음이 있겠는가? 정괘는 구삼이 양의 굳셈으로 하괘의 위에 있어 이미 초육의 진흙의 더러움과는 거리가 멀고 구이처럼 동이가 깨질 염려도 없다. 위에 있기 때문에 맑아서 찌꺼기가 없고 양으로 굳세기 때문에 샘이 나서 마르지 않으니 나와서는 물건을 윤택하게 하고 길어서는 사람을 기를 수 있다. 다만 자리가 하체를 떠나지 못했고 구오가 육사에게 막혀 때의 쓰임이 되지 못하니 쓸 만한 물건인데 쓸 수 없는 처지에 버려진다면 보는 자마다 누구라도 한탄하면서 아깝게 여기지 않겠는가? 바다에 밝은 진주가 모래자갈 속에 섞여있음을 진주가 아픔으로 여기지 않고 골짜기에 지초와 난초가 잡초와 풀 더미에 섞여 있는 것을 난초는 부끄러워하지 않는다. 길을 가는 사람마다 마음이 움직이지 않음이 없어 화씨(和氏)와 기백(歧伯)을 기다린 뒤에야 애석해하지는 않는다. 그 이유는 무엇인가? 그 진주의 밝은 빛은 저절로 위로는 면류관을 장식하고 아래로는 패물을 장식한다. 난초의 향기는 위로 신명이 흠향하고 아래로는 냄새나는 잡초를 덮는다. 진주와 난초의 미물도 사람이 애석해하는데 하물며 사람에 있어서랴!

孔子曰, 如有用我者, 期月而已可也. 孟子曰, 國君用之則安富尊榮, 子弟從之則孝悌忠信, 其爲可用何如哉. 故秦誓曰, 人之有技若己有之, 人之彦聖其心好之, 不翅若自己口出, 寔能容之, 以能保我子孫黎民, 尙亦有利哉. 人之有技, 娟嫉以惡之, 人之彦聖, 而違之俾不通, 寔不能容, 以不能保我子孫黎民, 亦曰殆哉. 此言好惡之得失也, 然用舍行廢, 或由於人, 或由於天, 非賢者之所與也. 然則, 其德在己, 則不以通塞叅欣戚. 其德在人, 則必以擧措占否泰, 其故何也. 道德在己, 故樂而忘憂, 道德在人, 故好而无斁, 其實一也. 在己不能盡樂道之樂者, 在人必不能盡好賢之誠者也. 所爭毫忽而吉凶得失判焉, 不可不辨也. 孔子慮心惻之惻疑在於井, 故釋之曰, 行惻也. 本義從之釋之曰行道之人皆以爲惻也. 此係易之大義, 讀者不可草草放過也.

공자가 이르기를, "만약 나를 쓰는 자가 있다면 몇 달이면 가능하다"고 하였다. 맹자는 "나라에 거할 때 인군이 쓰면 편안하며 부유해지고 자제들이 따르면 효제충신을 한다"고 하였으니, 쓸 수 있음은 어떠한가? 그러므로 「진서」에 이르기를 "남의 재주있음을 자기가 있는 것처럼 하고 남의 어짊을 마음으로 좋아함이 입으로 내는 것에만 그치지 않으면 능히 포용하여 나의 자손과 백성을 보전한다 하였으니 또한 이로움이 있을 것이다. 남의 재주를 질투하고 미워하고 남의 어짊을 어겨서 통하지 못하게 하면 능히 포용하지 못해 나의 자손과 백성을 보전하지 못하니 또한 위태할 것이다" 하였다. 이 말은 호오(好惡)의 득실을 말한 것이지만 쓰고 버리고 행하고 폐함은 혹은 남에게 달렸고 혹은 하늘에 달려서 현인이 관여할 바가 아니다. 그렇다면 덕이 자기에게 있으면 '통하고 막힘' 때문에 기쁘고 두려워하지 않고, 덕이 남에게 있으면 반드시 '쓰여지거나 버려짐'에 비태(否泰)를 점치니 그 이유는 무엇인가? 도덕이 자기에게 있기 때문에 즐거워 근심을 잊고 도덕이 남에게 있기 때문에 좋아하고 싫어하지 않으니 실제는 동일하다. 자기에게 있어서 도를 즐기는 즐거움을 다하지 못하는 자는 남에 있어서도 필시 현인을 좋아하는 정성을 다할 수 없다. 터럭과 순간을 다툴 만큼매우 짧은 순간에 길흉과 득실이 나누어지니 분별하지 않을 수 없다. '심측(心惻)'의 '측(惻)'이 우물에 있다고 여길까봐 해석하여 이르기를 '행측(行惻)'이라 하였다. 『본의』에서 따라서 해석하여 "길가는 사람이 다 슬퍼한다"고 했다. 여기에는 『역』의 큰 뜻이 매어있으니 읽는 자들이 거칠게 지나쳐서는 안 된다.

심대윤(沈大允) 『주역상의점법(周易象義占法)』

行惻言行其惻也. 巽爲行, 言惻九三也. 上六之惻三, 而爲言于五, 乃行其惻也. 求王明, 求五之用三也.

'행측(行惻)'은 그 안타까움을 행함이다. 손괘로 행함이 되니 구삼을 안타까워 함이다. 상육이 구삼을 안타깝게 여겨서 오효에게 말을 함이 그 안타까움을 행함이다. 왕의 밝음을 구함은 오효에게 삼효를 쓰라고 요구함이다.

오치기(吳致箕) 「주역경전증해(周易經傳增解)」

可用而不見用, 故行人爲之惻也. 欲求王明而用汲者, 將以受福也. 夫子, 特加求之一字, 發明爻義也.

쓸 만한데 쓰여지지 않았기 때문에 행인이 그를 위해 슬퍼한다. 왕의 밝음을 구해서 길어씀은 복을 받으려 함이다. 공자가 특별히 '구(求)' 한 자를 더해서 효의 의미를 펼쳤다.

이진상(李震相) 『역학관규(易學管窺)』

求王明.
왕의 현명함을 구함.

求非干求之求. 此言占辭之所求乎王明者, 以其可與之受福也. 求猶稱願也. 程子以行惻爲脩行者之自惻, 故又以有求爲志, 切於行. 然苟其不免於有求, 則其渫之也, 亦必未盡, 人亦不爲之惻矣.
구함은 간구함이 아니다. 이는 점사로서 왕의 밝음을 구하는 자가 더불어서 복을 받을 수 있음을 말한 것이다. 구함은 칭원(稱願)과 같다. 정자는 '행측(行惻)'을 수리를 행한 자가 스스로 슬퍼하는 것으로 여겼기 때문에 구함이 있음으로 뜻을 삼고 행함에 간절하다. 그러나 진실로 구함이 있음을 면하지 못한다면 그 깨끗이 함도 미진하고 사람들 또한 그를 위해 슬퍼하지 않을 것이다.

이병헌(李炳憲) 『역경금문고통론(易經今文考通論)』

鄭曰, 渫浚也.
정현이 말하였다: '설(渫)'은 '준(浚)'이다.

荀曰, 三得正故曰井渫. 不得據陰, 喩不得用故曰不食.
순상이 말하였다: 삼효는 바름을 얻었기 때문에 '우물이 맑다'고 했다. 음에 거처함을 얻지 못해서 쓰임을 얻지 못하기 때문에 '먹지 못한다'고 하였다.

孟曰, 惻痛也.
맹희가 말하였다: '측(惻)'은 아파하는 것이다.

京曰, 言我道可汲而用也.
경방이 말하였다: 나의 도를 길어서 쓸만함을 말하였다.

干曰, 周德來被.
간보가 말하였다: 주나라의 덕화를 와서 입는다.

六四, 井甃, 无咎.

정전 육사는 우물에 벽돌을 쌓으면, 허물이 없으리라.
본의 육사는 우물에 벽돌을 쌓으니, 허물이 없으리라.

中國大全

傳

四雖陰柔而處正, 上承九五之君, 才不足以廣施利物, 亦可自守者也. 故能修治, 則得无咎. 甃, 砌累也, 謂修治也. 四雖才弱, 不能廣濟物之功, 修治其事, 不至於廢可也. 若不能修治, 廢其養人之功, 則失井之道, 其咎大矣. 居高位而得剛陽中正之君, 但能處正承上, 不廢其事, 亦可以免咎也.

사효가 비록 부드러운 음이나 바른 자리에 있고 위로 구오의 임금을 받드니, 재주가 널리 베풀어 물건을 이롭게 할 수는 없으나 또한 스스로 지킬 수 있는 자이다. 그러므로 닦고 다스릴 수 있으면 허물이 없을 수 있다. '추(甃)'는 벽돌을 쌓는 것이니, 닦고 다스리는 것을 말한다. 사효가 비록 재주가 약하여 물건을 구제하는 공을 넓히지는 못하나 그 일을 닦고 다스려 폐하는 데에 이르지 않음은 가능하니, 만일 닦고 다스리지 못하여 사람을 기르는 공을 폐한다면 우물의 도리를 잃어 그 허물이 크다. 높은 지위에 거하여 굳센 양으로 중정한 임금을 얻었으니, 다만 바름에 처하고 윗사람을 받들어 그 일을 폐하지 않으면 또한 허물을 면할 수 있다.

本義

以六居四, 雖得其正, 然陰柔不泉, 則但能修治而无及物之功. 故其象爲井甃而占則无咎, 占者能自修治, 則雖无及物之功, 而亦可以无咎矣.

육(六)으로서 사효에 있어서 비록 바름을 얻었으나 부드러운 음으로서 샘이 나오지 못하니, 다만 닦고 다스릴 뿐이고 물건에 미치는 공이 없다. 그러므로 그 상이 우물에 벽돌을 쌓음이 되고 점은 허물이 없는 것이니, 점치는 자가 스스로 닦고 다스리면 비록 남에게 미치는 공은 없으나 또한 허물은 없을 수 있을 것이다.

小註

中溪張氏曰, 井甃者, 甓而修之也. 井而甃矣, 則舊井完而新之, 俾勿壞然. 六四才柔, 雖未能施其井養之用, 而近承九五井洌之主, 苟能甃而治之, 修而潔之, 則將有汲引上出之功, 而无汚濁不食之咎矣.
중계장씨가 말하였다: 우물에 벽돌을 쌓는 것은 벽돌을 쌓아 수리하는 것이다. 우물에 벽돌을 쌓는 것은 옛 우물을 완비해서 새롭게 하여 무너지지 않게 하는 것이다. 육사는 재질이 유약하여 비록 우물이 기르는 작용을 베풀 수 없더라도 깨끗한 우물의 주인인 구오를 가까이 받들고 있어서, 벽돌을 쌓아 다스려 수리해서 깨끗하게 하면 장차 물을 길어 올려 나오는 공이 있게 되어, 더러워져 먹을 수 없는 허물이 없을 것이다.

○ 雲峰胡氏曰, 初才柔有井泥象. 三之渫, 渫初之泥也. 二位柔, 有井谷象, 四之甃, 甃二之谷也. 渫與甃, 其皆日新之功乎. 日新而不已, 寒泉之來, 不窮矣.
운봉호씨가 말하였다: 초효는 재질이 유약하여 우물에 진흙이 있는 상이 있다. 삼효가 깨끗한 것은 초효의 진흙을 깨끗하게 한 것이다. 이효는 자리가 유약하여 우물 곁 구멍의 상이 있고, 사효가 벽돌을 쌓는 것은 이효의 구멍에 벽돌을 쌓는 것이다. 진흙을 깨끗하게 하고 벽돌을 쌓는 것은 모두 날마다 새롭게 하는 공일 것이다. 날마다 새롭게 하여 그치지 않으면 찬 샘물이 끊임없이 나오게 된다.

韓國大全

조호익(曺好益) 『역상설(易象說)』

六四, 井甃.
육사는 우물에 벽돌을 쌓는다.

甃, 張中溪云, 甓而脩之, 亦坤土坎水離火之象.
'추(甃)'는 중계장씨가 이르기를, "벽돌을 쌓아 수리하니 곤토와 감수와 리화의 상이다"고 하였다.

곽설(郭設) 『역전요의(易傳要義)』

鼎九四爻, 子曰, 德薄而位尊, 知小而謀大, 力小而任重, 鮮不及矣, 易曰, 鼎折足覆公餗其形渥凶, 言不勝其任也.

정괘(鼎卦䷱)의 구사효에 대해 공자가 말하였다: 덕은 박한데 자리는 높고 지혜는 작은데 도모함은 크고 힘은 작은데 책임은 무거우면 화가 미치지 않을 이가 적을 것이다. 『주역』에 "솥의 발이 부러져 공의 솥을 엎으니 그 모습이 젖었다. 흉하다"고 하였으니 그 책임을 이기지 못함을 말함이다.

송시열(宋時烈) 『역설(易說)』

甃者, 以甓瓦砌其井也, 无咎者, 占辭. 蓋言脩井而汲水, 无咎之道也. 井之道, 以得水爲主. 初則陰濁不食, 二則漏涸無功, 三則可汲求明. 此以上三爻, 雖不言悔吝而吝在其中. 四則脩井而无咎, 五則甘潔而食, 六則勿幕而元吉. 此以上三爻, 易汲其水, 漸就其成, 其吉可知. 其次第之漸, 不可不知也.

'추(甃)'는 우물에 벽돌을 쌓는 것이고 '허물이 없음'은 점사이다. 우물을 수리하여 물을 긷는 것이 허물이 없는 도이다. 우물의 도는 물을 얻음을 주로 삼는다. 초효는 음으로 먹지 못하고 이효는 새나가서 공이 없고 삼효는 길을 만해서 밝음을 구한다. 이상의 세 효는 '후회 · 인색'을 말하지 않았지만 '인색'이 그 가운데 있다. 사효는 우물을 수리하여 허물이 없고 오효는 달고 깨끗해 마시며 상효는 덮지 않아 크게 길하다. 이상의 세 효는 물을 긷기 쉽고 점점 이룸을 성취하니 길함을 알 수 있다. 그 순서의 점진을 알지 않으면 안 된다.

이익(李瀷) 『역경질서(易經疾書)』

修井以甃, 則亦可以免泥塞矣. 六四近君得正也.

우물을 벽돌로 수리하면 진흙으로 막힘을 면할 수 있다. 육사는 임금에 가깝고 바름을 얻었다.

유정원(柳正源) 『역해참고(易解參攷)』

馬云, 爲瓦裹下達上.

마융이 말하였다: 벽돌[瓦]을 만들어 아래에서부터 채워서 위에 이른다.

干云, 以甎疊井.

간보가 말하였다: 벽돌을 우물에 쌓는다.

字林云, 井甓.
『字林』에서 말하였다: 우물의 벽돌이다.

正義, 子夏傳云, 甃亦治也, 以塼壘井, 修井之壞, 謂之甃. 六四得位而旡應, 自守而已, 不能給上, 可以脩井崩壞, 施之於人, 可以修德補過.
『주역정의』에서 말하였다: 『자하역전』에서 "'벽돌을 쌓는 것(甃)'도 수리함이니 우물에 벽돌을 쌓아 무너진 것을 수리하는 것에 대해 벽돌을 쌓는 것이라 한다"라 하였다. 육사는 자리를 얻었지만 호응이 없어 자신을 지킬 뿐이니, 위로 보탤 수 없어 무너진 우물을 수리할 수 있고, 사람들에게 베풀어 덕을 쌓아 허물을 보충할 수 있다.

○ 進齋徐氏曰, 四下乘井渫之剛, 雖才柔未能上出, 然旡初之泥, 非二之谷, 上承井冽之剛, 將上出矣. 砌甃其井, 修治勿壞, 雖未有濟物之功, 亦可旡咎.
진재서씨가 말하였다: 사효는 아래로 깨끗한 우물인 굳셈을 올라타고 있으면서 유약하여 위로 나올 수 없지만 초효의 진흙도 없고 이효의 골짜기도 아니라서 위로 우물이 맑은 굳셈을 이어 나올 수 있다. 그 우물에 벽돌을 쌓아서 무너지지 않게 수리하면 비록 사물을 구제하는 공은 없더라도 허물은 없을 수 있다.

○ 案, 濟物之功, 由於自治, 砌累治井之具也. 脩以治之, 以待盈科之期, 則雖未及於利物之效, 而井道其庶幾成乎, 所以旡咎.
내가 살펴보았다: 사물을 구제하는 공은 자신을 다스리는 것에서 나온다. 벽돌은 우물을 수리하는 도구이다. 수리하고 고쳐서 우물이 차는 시기를 기다린다면 사물을 이롭게 하는 효과에는 미치지 못해도 우물의 도가 거의 이루어지기 때문에 허물이 없게 된다.

本義, 陰柔不泉.
『본의』에서 말하였다: 부드러운 음이어서 샘이 나오지 않는다.
○ 案, 井以陽剛爲泉, 陰柔則不泉矣.
내가 살펴보았다: 우물은 굳센 양으로 샘을 삼으니 부드러운 음은 샘이 아니다.

김상악(金相岳) 『산천역설(山天易說)』

甃, 築砌而修井者, 四雖陰而不泉, 然居坎之下, 比三之渫, 承五寒泉, 爲井甃之象. 能自修治, 則井本立, 井用通, 故得旡咎也.
벽돌을 쌓는 것(甃)은 벽돌을 쌓아서 우물을 수리함이니 사효는 음이어서 샘이 나오지 않을 지라도 감괘의 아래에 있으면서 삼효의 깨끗한 물과 가깝고 오효의 찬 샘물을 받들어 우물에 벽돌을 쌓는 상이다. 스스로 수리하여 고치면 우물의 근본이 서고 우물의 쓰임이 통하기 때문에 허물이 없다.

○ 陰之偶, 在下爲谷, 在上爲甃. 六四有兩甓連接之象, 上六有開而勿幕之象也. 井象瓦器, 故爲甁爲甕爲甃, 皆從瓦, 如鼎之金鉉玉鉉.
음의 우(偶:--)가 아래에 있으면 골짜기가 되고 위에 있으면 벽돌이 된다. 육사는 두 벽돌이 붙어있는 상이 있고 상육은 열려서 막을 치지 않은 상이 있다. 우물은 질그릇의 상이기 때문에 항아리[甁]가 되고 독[甕]이 되고 벽돌[甕甃]이 되는 것이 모두 와(瓦)자를 부수로 하니 정괘의 금현(金鉉)이나 옥현(玉鉉)과 같다.

서유신(徐有臣) 『역의의언(易義擬言)』

至此井始修治而可食也. 初爲泥, 四爲甃, 上爲收, 陰爻皆不爲泉水象也.
이에 이르면 우물을 수리하고 고치기 시작하여 먹을 수 있다. 초효는 진흙이고, 사효는 벽돌이며, 상효는 거둠이니, 음효는 다 샘의 물이 되지 못하는 상이다.

박문건(朴文健) 『주역연의(周易衍義)』

退而自潔, 故有井甃之象. 甃, 四圍之甓也.
물러나 있지만 스스로를 깨끗하게 하기 때문에 우물의 벽돌을 쌓는 상이다. 벽돌로 쌓은 것[甃]은 사방으로 에워싼 벽이다.
〈問, 井甃无咎. 曰, 六四志在養下, 故退而自脩, 則是乃井而甃矣. 何咎之有哉.
물었다: "우물에 벽돌을 쌓으면 허물이 없다"는 무슨 뜻입니까?
답하였다: 육사는 뜻이 아래를 기르는데 있기 때문에 물러나 있지만 스스로 닦으니 이것이야말로 우물에 벽돌을 쌓는 것입니다. 어찌 허물이 있겠습니까?〉

이지연(李止淵) 『주역차의(周易箚疑)』

甃, 則修井也, 自修而以待九五之汲出也.
벽돌을 쌓는 것[甃]은 곧 우물을 수리함이니, 스스로 닦아서 구오가 물을 길어 냄을 기다린다.

김기례(金箕澧) 「역요선의강목(易要選義綱目)」

以瓦甓築井改修, 則井可新矣. 雖陰柔无應, 承君居正, 不廢自修, 則不及寒泉之才, 可禦外渫之汚. 如人自强自新, 則雖无濟用之功, 何咎之有.

벽돌로 우물벽을 쌓아 개수하면 우물은 새로울 수 있다. 음의 부드러움으로 호응이 없을지라도 임금을 받들고 바름에 거처하니, 스스로 닦음을 그만두지 않으면 찬 우물의 재질에 미치지는 못하나 밖으로 새는 오염은 막을 수 있다. 만약 사람이 스스로 강하고 새롭게 한다면 구제하여 쓰는 공은 없겠지만 어찌 허물이 있겠는가?

심대윤(沈大允) 『주역상의점법(周易象義占法)』

井之大過䷛, 過而有形也. 六四, 居柔自修而不求用. 在巽木二陽之上而近五, 井之旣載于瓢而將上也, 士之旣入于選而將貢也. 然其才柔而无應, 其自修而不求, 在時爲過而於義爲无咎. 坎爲石, 巽爲等級大過全爲疊坎, 重巽曰甃, 甃累石也.

정괘가 대과괘(大過卦䷛)로 바뀌었으니, 잘못해서 드러남이 있는 것이다. 육사는 부드러운 자리에 있으면서 자신을 닦아 등용을 구하지 않는다. 손괘(巽卦)라는 목(木)의 두 양의 위에 있어 오효에 가까우니 우물물을 이미 동이에 떠서 막 위로 퍼내려는 것이고, 선비가 이미 선출되어 막 공헌할 때이다. 그러나 그 재질이 유약하고 호응이 없어 스스로 닦으며 구하지 않으니 때는 지나침이 되지만 의미에 있어서는 허물이 없다.

오치기(吳致箕) 「주역경전증해(周易經傳增解)」

六四, 陰柔居近君之位, 而无應與, 故在井之時, 无泉水汲引之功, 宜若有咎. 然以其得正, 而承九五之剛, 有井甃修治之象, 而將以汲冽泉, 故言无咎.

육사는 부드러운 음으로 임금과 가까운 자리에 있지만 호응하여 함께 하는 것이 없기 때문에 우물에 있을 때에 샘물을 길어 올리는 공이 없으니 당연히 허물이 있을 것 같다. 그렇지만 바름을 얻고 굳센 구오를 받들어 우물의 벽돌을 쌓아 다스리는 상이 있고 맑은 물을 길을 수 있기 때문에 허물이 없다.

○ 甃, 井之砌石, 而取對體互艮爲石也.

추(甃)는 우물의 벽돌인데 음양이 반대인 괘의 호괘인 간괘(艮卦)가 돌이 됨을 취했다.

이진상(李震相) 『역학관규(易學管窺)』

六四註雲峰說.

육사효의 주에서 운봉의 설.

三四爲人位, 故渫之甃之, 皆以脩竝者言. 渫則無泥, 甃則無谷. 然亦非三應於初而四求於二也, 特以自治而已.
삼효와 사효는 사람의 자리이기 때문에 청소하고 벽을 쌓으니 모두 우물을 수리하는 것으로 말하였다. 청소하면 진흙이 없어지고 벽돌을 쌓아 놓으면 패여 나가는 것이 없다. 그러나 또한 삼효가 초효와 호응하고 사효가 이효에게 구할 것이 아니니 다만 스스로를 다스릴 뿐이다.

박문호(朴文鎬) 「경설(經說) · 주역(周易)」

如是則可咎, 言以陽而止於修治不廢而已, 則爲可咎也.
"이와 같으면 허물이 될 수 있다"는 양인데 수리하고 고치기를 그만두지 않을 뿐이라면 허물이 있을 수 있음을 말한다.

이용구(李容九) 「역주해선(易註解選)」

井甃, 六四.
우물에 벽돌을 쌓는 것은 육사효이다.

項氏曰, 甃所以禦泥而達泉也. 有閑邪存誠之功, 故爲修井.
항씨가 말하였다: 벽돌은 진흙을 막아 샘물이 통하게 한다. 사악함을 막고 성실함을 보존하는 공이 있기 때문에 우물을 수리하는 것이 된다.

象曰, 井甃无咎, 修井也.

「상전」에서 말하였다: "우물에 벽돌을 쌓으면 허물이 없음"은 우물을 수리하기 때문이다.

中國大全

傳

甃者, 修治於井也. 雖不能大其濟物之功, 亦能修治不廢也故无咎, 僅能免咎而已, 若在剛陽自不至如是, 如是則可咎矣.

'추(甃)'는 우물을 닦고 다스리는 것이다. 비록 물건을 구제하는 공을 크게 하지는 못하나, 또한 닦고 다스려 폐하지 않을 수 있으므로 허물이 없으니, 겨우 허물을 면할 뿐이다. 만일 굳센 양에 있다면 스스로 이와 같음에 이르지 않을 것이니, 이와 같으면 허물이 될 수 있다.

小註

平庵項氏曰, 泥與甃, 皆陰也. 初六不正在下, 故不能自修而爲泥. 六四正而在上, 故能自修而爲甃, 甃所以禦泥而達泉也. 有閑邪存誠之功, 故爲修井之象.
평암항씨가 말하였다: 진흙과 벽돌은 모두 음이다. 초육은 바르지 않으면서 아래에 있기 때문에 스스로 닦을 수 없어 진흙이 된다. 육사는 바르면서 위에 있기 때문에 스스로 닦을 수 있어 벽돌이 되니, 벽돌은 진흙을 막아 샘물이 통하게 한다. 사악함을 막고 성실함을 보존하는 공이 있기 때문에 우물을 수리하는 상이 된다.

○ 建安丘氏曰, 三在內卦, 渫井內以致其潔, 四在外卦, 甃井外以禦其汚. 蓋不渫則汚者不潔, 不甃則潔者易汚. 此君子內外交相養之道也.
건안구씨가 말하였다: 삼효는 내괘에 있으면서 우물 안을 청소하여 깨끗함을 다하며, 사효는 외괘에 있으면서 우물 밖에 벽돌을 쌓아 오염을 막는다. 청소하지 않으면 더러운 것이 깨끗해지지 않고, 벽돌을 쌓지 않으면 깨끗한 것이 쉽게 더럽게 된다. 이것이 군자가 안과 밖을 번갈아 서로 기르는 도이다.

韓國大全

유정원(柳正源)『역해참고(易解參攷)』

脩井也.
우물을 수리한다.

正義, 但可修井之壞, 未可上汲養人也.
『주역정의』에서 말하였다: 다만 무너진 우물을 수리할 수 있고 위로 길어 사람을 기를 수는 없다.

서유신(徐有臣)『역의의언(易義擬言)』

不但甃築, 又必浚滌, 故曰修井也.
벽돌로 쌓는 것 뿐 아니라 깊이 씻기 때문에 우물을 수정한다고 하였다.

오치기(吳致箕)「주역경전증해(周易經傳增解)」

雖不足於養物之功, 能修治而不廢, 故可以无咎也.
비록 사물을 기르는 공에 있어서는 부족하나 수리하고 고치면서 그만두기 때문에 허물이 없을 수 있다.

이병헌(李炳憲)『역경금문고통론(易經今文考通論)』

虞曰, 以瓦甓壘井稱甃, 修治也.
우번이 말하였다: 우물에 벽돌을 쌓는 것을 벽돌을 쌓는 것이라고 하니 수리하고 고치는 것이다.

九五, 井洌, 寒泉食.

구오는 우물이 깨끗하여 차가운 샘물을 먹는다.

中國大全

傳

五以陽剛中正, 居尊位, 其才其德盡善盡美. 井洌寒泉食也. 洌, 謂甘潔也, 井泉以寒爲美. 甘潔之寒泉, 可以人食也, 於井道爲至善也. 然而不言吉者, 井以上出爲成功, 未至於上, 未及用也. 故至上而後, 言元吉.

오효는 굳센 양이 중정함으로 높은 자리에 있어서 재주와 덕이 참으로 선하고 참으로 아름다우니, 우물이 깨끗하여 시원한 샘물을 먹을 수 있는 것이다. '열(洌)'은 달고 깨끗함을 이르니, 우물물은 시원한 것을 아름답게 여긴다. 달고 깨끗한 시원한 샘물은 사람이 먹을 수 있으니, 우물의 도리에 지극히 선함이 된다. 그러나 길하다고 말하지 않은 것은 우물은 위로 나옴을 성공으로 삼으니, 위에 이르지 않으면 쓰임에 미치지 못한 것이다. 그러므로 위에 이른 뒤에야 크게 길함을 말하였다.

本義

洌, 潔也. 陽剛中正, 功及於物, 故爲此象, 占者有其德, 則契其象也.

'열(洌)'은 깨끗함이다. 굳센 양이 중정함으로 공이 물건에 미치기 때문에 이 상이 되니, 점치는 자가 이러한 덕이 있으면 이 상에 합할 것이다.

小註

嵩山晁氏曰, 井者陰之質也, 故靜而虛, 泉者陽之用也, 故動而實.

숭산조씨가 말하였다: 우물은 음(陰)인 바탕이기 때문에 고요하고 비어 있으며, 샘물은 양인 작용이기 때문에 움직이고 차 있다.

○ 沙隨程氏曰, 水始達曰泉. 坎水之正性則寒. 坎, 北方也.
사수정씨가 말하였다: 물이 처음으로 솟아나오는 것을 샘이라고 한다. 감괘가 상징하는 물의 바른 성질은 차갑다. 감괘는 북쪽 방향이다.

○ 瀘川毛氏曰, 三與五, 皆泉之潔者也, 三居甃下, 未汲之泉也, 故曰不食, 五出乎甃, 已汲之泉也, 故曰食.
노천모씨가 말하였다: 삼효와 오효는 모두 깨끗한 샘물인데, 삼효는 벽돌의 아래에 있어서 아직 길어 올리지 않은 샘물이기 때문에 먹지 않는다고 하였고, 오효는 벽돌에서 나와서 이미 길어 올린 샘물이기 때문에 먹는다고 하였다.

○ 雲峰胡氏曰, 井至此, 初泥已浚, 二漏已修, 井道全矣, 所謂井養而不窮者, 正在此爻. 寒者, 水之性也. 洌, 潔也. 三之渫, 潔之也. 潔之可食矣, 而不如五之食者, 何哉. 五在上, 三猶在下故也. 然則渫與洌, 性也, 食與不食, 命也.
운봉호씨가 말하였다: 정괘는 여기에 이르러 초효의 진흙이 이미 치워지고 이효의 새는 것이 이미 수리되어 정괘의 도가 완전해지니, 이른바 우물이 한 없이 기른다는 것이 바로 이효에 있다. 차가운 것은 물의 성질이다. '열(洌)'은 깨끗함이다. 삼효가 청소하는 것은 깨끗하게 하는 것이다. 깨끗하게 하여 먹을 수 있는데도 오효의 샘물을 먹는 것만 못한 것은 왜인가? 오효는 위에 있고 삼효는 아래에 있기 때문이다. 그렇다면 깨끗한 것과 차가운 것은 성(性)이고, 먹거나 먹지 못하는 것은 명(命)이다.

○ 白雲郭氏曰, 洌, 言井之修潔, 主人事言, 寒, 言泉自然之性, 主天理言. 人事學也, 天理命也, 兩得之, 斯爲至矣.
백운곽씨가 말하였다: '깨끗하다'는 것은 우물을 수리하여 깨끗하게 한 것을 말하니, 인사를 주로 하여 말하였고, 차갑다는 것은 샘물의 자연스런 성질을 말하니, 천리를 주로 하여 말하였다. 인사는 배움이고 천리는 명이니, 둘 다 얻으면 이에 지극하다.

○ 合沙鄭氏曰, 井以陽爲泉者, 水固天之一陽而生也. 巽二陽, 二在地位, 趨下射谷而非井矣, 三在人位, 居甃之下, 汲之不及, 不若坎之一陽浮溢於甃上也. 井欲溢而鼎戒盈, 德與器之辨也.
합사정씨가 말하였다: 우물이 양으로 샘물을 삼는 것은 물이 본래 하늘의 한 양이 낳는 것이기 때문이다. 손괘(☴)의 두 양은 이효는 땅의 자리에 있어 아래로 내려가 골짜기로 흘러가므로 우물이 아니고, 삼효는 사람의 자리에 있어 벽돌의 아래에 거처하여 물을 긷는 데는 미치지 못하므로 감괘(☵)의 한 양이 벽돌 위에 떠 있는 것만 같지 못하다. 정괘(井卦)는 넘치고자 하고 정괘(鼎卦)는 가득 찬 것을 경계한 것은 덕과 그릇의 구별이다.

‖韓國大全‖

조호익(曺好益)『역상설(易象說)』

冽, 井以陽剛爲泉, 以陽居陽, 有冽象. 陽淸而陰濁. 泉坎爲泉. 雙湖曰, 食坎象.
'열(冽)'은 우물은 양의 굳셈을 샘으로 여기는데 양이 양의 자리에 있어서 깨끗한 상이다. 양은 맑고 음은 탁하다. 샘물은 감(坎)이 샘물이다. 쌍호호씨가 "'먹는다[食]'는 감괘의 상이다"라고 하였다.

송시열(宋時烈)『역설(易說)』

洌者, 亦潔甘之意. 詩云洌彼下泉, 泉而寒爲美. 五居中得正, 主井汲食. 雖不言吉, 而井道之常井功之將成也, 其吉可知.
열(洌)은 깨끗하고 단 의미이다.『시경』에 '열피하천(洌彼下泉)'이라 하니 샘인데 차고 감미롭다. 오효가 가운데 거하고 바름을 얻어 우물의 주인에 해당해 길어 먹는다. 비록 길함을 말하지 않았지만 우물의 도의 떳떳함과 우물의 공이 이루어질 것이니 길함을 알 수 있다.

석지형(石之珩)『오위귀감(五位龜鑑)』

臣謹按, 井之九五, 處坎之中, 得水性之正爲井道之成, 而推源其始而言, 則蓋水泉出地, 本自甘潔. 或汚於泥, 或漏於甕, 或渫而不食, 非井之罪也, 處下故也. 及至六四修治其甃然後, 始知九五之泉寒冽可食, 良由處勢順便爾. 人君施澤于下, 與此頗相類, 修道于身, 推及四海, 而民莫不食其德, 井之大用, 至此而盡矣. 伏願殿下中正是修, 以契井冽之象焉.
신이 삼가 살펴보았습니다: 정괘의 구오는 감괘의 가운데 있고 물의 성질이 바름을 얻어 우물의 도가 이루어졌고 그 시원을 추구하여 말하면 샘물이 땅으로 나옴에 본래 깨끗합니다. 혹은 진흙에 더러워지고 혹은 동이에서 세거나 혹은 청소를 했음에도 먹지 않음은 우물의 죄가 아니라 아래에 있기 때문입니다. 육사에서 벽돌로 수리하고 고친 다음에 비로소 구오의 샘물이 차고 맑아 먹을 수 있음을 아는 것은 진실로 형세에 처함이 순하고 편하기 때문입니다. 임금께서 아래로 은택을 베풂은 이와 서로 비슷하니 자신에게서 도를 닦아 사해에 미루어 미치면 백성들이 그 덕을 누리지 않음이 없으니 우물의 큰 쓰임이 이에 이르러 극진합니다. 전하께서는 중정함을 닦아서 우물이 맑은 상에 부합하소서!

이익(李瀷) 『역경질서(易經疾書)』

火猛爲烈, 水猛爲洌. 井洌寒泉, 謂井中寒泉洌洌然湧出. 今於泉脉涌處, 雖欲塡塞, 不可得, 是謂井洌. 王明則才德自顯, 誰得以蒙蔽之乎. 王制夏后氏收以祭. 史記堯黃收純衣收冠也. 井收, 井冠也. 居上故有此象. 勿幕不揜而待人之汲也. 井以上出爲利, 故上六無貶義.
불이 세차면 뜨겁고 물이 세차면 맑다. 우물이 차고 맑음은 우물 속의 찬 샘물이 맑게 솟아 나옴을 말한다. 지금 샘물의 맥이 용솟음쳐 막으려 해도 그럴 수 없으니 이것을 우물이 깨끗하다고 한다. 왕이 밝으면 재주와 덕이 저절로 드러나니 누가 막을 수 있겠는가? 『예기 · 왕제』에서, 하후씨는 '수(收)'라는 면류관을 쓰고 제사를 지낸다고 했고, 『사기』에서는 요임금이 황수(黃收)를 쓰고 순의(純衣)를 착용했다고 했으니, 수(收)는 머리에 쓰는 관이다. 따라서 정수(井收)는 정(井)이라는 관이다. 위에 거해있기 때문에 이런 상이 있다. 덮지 않고 가리지 않음은 사람들이 긷기를 기다림이다. 우물은 위로 냄을 이롭게 여기기 때문에 상육에는 부족한 뜻이 없다.

심조(沈潮) 「역상차론(易象箚論)」

九五, 寒泉.
구오는 차가운 샘물이다.

寒, 陰在下也.
찬 것은 음이 아래에 있는 것이다.

유정원(柳正源) 『역해참고(易解參攷)』

王氏曰, 冽潔也, 居中得正, 體剛不撓, 不食不義, 中正高潔, 故井冽寒泉然後, 乃食也.
왕필이 말하였다: '열(冽)'은 청결이니 가운데 거하여 바름을 얻고 몸체가 굳세어 흔들리지 않으며 의롭지 않은 것을 먹지 않고 중정하고 고결하기 때문에 우물이 맑고 차갑게 된 다음에 먹는다.

○ 梁山來氏曰, 以陽居陽爲潔, 寒泉, 泉之美者也. 坎居北方, 一陽生于水中, 得水之正體, 故甘潔而寒美也. 食者, 人食之也. 中爻兌口之上, 食之象也. 井以寒洌爲貴, 泉以得食爲功.
양산래씨가 말했다: 양이 양자리에 거해 깨끗하고 차가운 샘물[寒泉]은 샘이 좋다는 것이다. 감괘는 북방에 있어 하나의 양이 물 가운데에서 나와 물의 바른 몸체를 얻었기 때문에 감미

롭고 맑으며 차다. 먹는다는 것은 사람이 먹는 것이다. 가운데 효가 태괘인 입의 위에 있으니 먹는 상이다. 우물은 차고 맑음을 귀하게 여기고 샘물은 먹을 수 있음을 공으로 여긴다.

○ 案, 井洌者, 井修而潔也, 以居尊位言也. 寒泉者, 泉出而寒也, 以剛中正言也.
내가 살펴보았다: 우물이 맑음은 우물을 수리하여 깨끗해짐이니 높은 자리에 있는 것으로 말하였다. 찬 샘물은 샘이 솟아나며 차가운 것이니 굳셈이 중정한 것으로 말하였다.

서유신(徐有臣)『역의의언(易義擬言)』

於是, 谷者甃渫者修而井乃洌矣. 又出於井口之上, 而人乃食之也. 井之用, 孰不爲功, 而夏渴之飮洽, 最切於人, 故曰寒泉食也. 泉之洌者, 當夏益寒也.
이에 패인 곳은 벽돌로 쌓고 새는 곳은 수리하여 우물이 맑아졌다. 또 우물 입구의 위로 흘러나와 사람들이 먹는다. 우물의 쓰임은 어느 것인들 공이 아니겠는가만 여름 목마름에 시원하게 마심이 사람에게 가장 절실하기 때문에 찬 샘물을 먹는다고 하였다. 샘이 맑은 것은 여름에 더욱 차다.

강엄(康儼)『주역(周易)』

本義, 陽剛中正功及於物.
『본의』에서 말하였다: 굳센 양이 중정함으로 공이 물건에 미친다.

按, 本義不言居尊位者, 蓋有是德則不必居尊位而亦可以及於物. 君子之以善及人而信從者衆, 豈皆必居尊位者耶. 蓋達而在上, 則利澤及人, 固此爻之象也. 窮而在下則敎育英材, 傳道來世, 亦此爻之象也. 故本義不言居尊位, 以明通上下可用也.
내가 살펴보았다: 『본의』에서 높은 자리를 말하지 않은 것은 이런 덕이 있으면 반드시 높은 자리게 있을 필요가 없어도 사물에 미칠 수 있기 때문이다. 군자가 선(善)으로 남에게 미치면 믿고 따르는 이가 많으니 어찌 높은 자리에 있어야만 하는가? 영달하여 높이 있으면 이로운 혜택이 사람에게 미치니 진실로 이 효의 상이다. 곤궁하여 아래에 있으면 영재를 교육해서 오는 앞으로 다가오는 세상에 도를 전하니 또한 이 효의 상이다. 그렇게 때문에 『본의』에서 높은 자리를 말하지 않아서 위나 아래에 통하여 쓸 수 있음을 밝혔다.

박문건(朴文健)『주역연의(周易衍義)』

處得中正, 故有井洌之象. 洌潔也.

거처함에 중정을 얻었기 때문에 우물이 깨끗한 상이 있으니 열(洌)은 깨끗함이다.
〈問, 井洌寒泉食. 曰, 九五處上用中, 故有此象. 是以九二來, 食其寒泉也. 寒者水之本也故. 陽□中故於井爲寒泉之象.
물었다: "우물이 깨끗하여 차가운 샘물을 먹는다"는 무슨 뜻입니까?
답하였다: 구오가 위에 있어서 알맞음을 쓰기 때문에 이런 상이 있습니다. 이 때문에 구이가 와서 그 찬 샘물을 먹습니다. 차다는 것[寒]은 물의 본성인 때문입니다. 양이 알맞음을 얻었기 때문에 우물에 있어서 차가운 샘물의 상이 됩니다.〉

이지연(李止淵) 『주역차의(周易箚疑)』

九五, 始爲往來井井.
구오에서 처음으로 오고가는 이가 우물을 우물로 씀이다.

김기례(金箕澧) 「역요선의강목(易要選義綱目)」

次爲陰中之陽, 居太陽北方, 故曰寒. 三居甃下, 未及之泉, 故不食. 五居甃上, 已汲之泉, 故曰食. 如人之自明誠者也, 可以濟用而澤施矣.
이어 음 가운데 양이 되어 태양인 북방이 있기 때문에 '차다'고 하였다. 삼효는 벽의 아래에 있어서 샘에 미치지 못하기 때문에 '먹지 못한다'고 하였다. 오효는 벽의 위에 있어 이미 길어먹는 샘이기 때문에 '먹는다'고 하였으니, 밝고 진실한 사람이 구제에 사용되어 은택을 베풀 수 있는 것과 같다.

심대윤(沈大允) 『주역상의점법(周易象義占法)』

井之升䷭. 九五, 以剛實居剛而求用, 旣離于水而上升也. 无應而從于上., 未及有濟養之功, 而爲汲人之所寒飮, 故曰井冽寒泉食. 冽清甘也. 坎爲清, 兌坤爲甘曰冽, 對乾爲寒.
정괘가 승괘(升卦䷭)로 바뀌었다. 구오는 채워있는 굳센 양으로 굳센 양의 자리에 있어 쓰임을 구하고 이미 물에서 떠나 위로 오른다. 호응이 없어 위를 따른다. 구제하여 기르는 공에는 미치지 못하지만 사람들이 길어 시원하게 마시기 때문에 "우물이 깨끗하여 차가운 샘물을 먹는다"고 하였다. 열(冽)은 맑고 감미로운 것이다. 감괘가 맑음이고 태괘와 곤괘가 감미로움이니 "깨끗하다"고 하였다. 음양이 반대괘인 건괘가 차가움이다.

오치기(吳致箕) 「주역경전증해(周易經傳增解)」

九五, 陽剛中正而居尊爲井之主. 其德盡善盡美, 故甘潔之寒泉, 人皆可得而食也. 程傳備矣.
구오는 양으로 굳세고 중정하면서 높은 자리에 있어 정괘의 주인이 되었다. 그 덕이 지극히 착하고 아름답기 때문에 감미롭고 맑은 찬 샘물이니 사람들이 마실 수 있다. 『정전』에 자세한 의미가 있다.

○ 冽, 謂甘潔也. 坎陽得乾剛, 故言寒而乾爲寒也. 此爻不言吉之義, 已見程傳.
열(冽)은 감미롭고 깨끗함이다. 감괘의 양은 건괘의 굳셈을 얻었기 때문에 차다고 했으나 건괘가 찬 것이 된다. 사효에서 길함을 말하지 않은 뜻은 이미 『정전』에 보인다.

이진상(李震相) 『역학관규(易學管窺)』

九二之谷, 泉脉微注, 九三之渫, 泉源旣通. 故有此寒冽之泉. 然泉之寒冽, 非人力之所致, 特人事旣脩, 而天命自至耳. 泉以寒言, 天一之水, 生於北故也, 非以坎在北方也. 此封互兌, 兌爲口. 初六不及於兌, 故不可食. 九三未及於兌上, 故可食而不見食. 九五則已出乎兌上, 故直言其食.
구이의 골짜기의 물처럼은 샘줄기가 미미하게 나오는 것이고 구삼의 청소는 샘물의 근원이 이미 통한 것이다. 그렇기 때문에 샘이 차고 맑지만 사람의 힘으로 이룰 수 있는 것이 아니라 단지 사람의 일을 닦으면 천명이 저절로 이를 뿐이다. 샘을 찬 것으로 말한 것은 하늘의 일(一)의 물이 북방에서 생하기 때문이지 감괘(☵)가 북방에 있어서가 아니다. 이 괘는 호괘가 태괘(☱)인데 태괘는 입이 된다. 초육은 태괘에 미치지 못해서 먹을 수 없다. 구삼은 태괘의 위에 미치지 못해 먹을 수는 있지만 먹히지는 못한다. 구오는 이미 태괘의 상효를 벗어났기 때문에 곧바로 먹는다고 하였다.

박문호(朴文鎬) 「경설(經說)・주역(周易)」

寒泉食, 主泉而言. 可食, 傳所云, 可爲人食[15], 是也. 若如諺釋, 則是主人而言, 已食也, 非可食也.
"찬 샘물을 먹는다'는 샘물울 중심으로 말하였다. 먹을 만함은 『정전』에 이른바 "사람들이 먹을 만 하다"는 것이 이것이다. 만약 언해의 해석대로라면 사람을 주로 하여 말하였으니 이미 먹은 것이지 먹을 만 한 것이 아니다.

---

15) 可爲人食을 『정전』에는 '可以人食也'으로 기록하였다.

象曰, 寒泉之食, 中正也.

「상전」에서 말하였다: "차가운 샘물을 먹음"은 중정하기 때문이다.

中國大全

傳

寒泉而可食, 井道之至善者也, 九五中正之德, 爲至善之義.

시원한 샘물을 먹을 수 있는 것은 우물의 도에 지극히 선한 것이니, 구오의 중정한 덕이 지극히 선한 뜻이 된다.

小註

建安丘氏曰, 井六爻, 惟五曰泉, 蓋九五爲井之主, 位中而正, 泉洌而寒, 井之德, 已盡美矣. 井至九五, 雖未能收上出之功, 而寒泉之食, 則異乎井泥之不食, 井渫之不食者. 非坎中之泉洌而且寒, 則人亦將出而吐之, 況食之乎.

건안구씨가 말하였다: 정괘의 여섯 효 가운데 오직 오효에서 샘이라고 말한 것은 구오가 정괘의 주인이 되고 가운데 자리하고 바른 자리에 있어서 샘물이 깨끗하고 차가워 정괘의 덕이 이미 참으로 아름답기 때문이다. 정괘는 구오에 이르러 비록 위로 나오는 공을 거둘 수는 없지만, 차가운 샘물을 먹는 것은 우물이 진흙이라 먹지 못하는 것이나 우물이 깨끗이 되었어도 먹지 못하는 것과 다르다. 우물 가운데의 샘물이 깨끗하고 또 차갑지 않으면 사람이 또한 장차 나가서 토할 것인데, 하물며 그것을 먹겠는가?

韓國大全

김상악(金相岳) 『산천역설(山天易說)』

冽, 因其中, 寒, 因其正.
'깨끗함[冽]'은 그 알맞음[中]에 근거함이고 '찬[寒]'은 그 바름[正]에 근거함이다.

유정원(柳正源) 『역해참고(易解參攷)』

正義, 寒泉者, 淸而冷者. 水之本性, 遇物然後濁而溫, 故言寒泉以表潔也.
『주역정의』에서 말하였다: 차가운 샘물은 맑아서 찬 것이다. 물의 본성은 사물을 만난 다음에 탁해지고 따뜻해지기 때문에 한천(寒泉)을 말해 맑음을 표현했다.

서유신(徐有臣) 『역의의언(易義擬言)』

同一井, 同一泉, 豈九五之獨冽哉. 惟其爲食而及物者, 中正之功也.
동일한 우물과 샘이니, 어찌 구오만 맑은가? 오직 먹고 물건에 미침은 중정의 공로이다.

오치기(吳致箕) 「주역경전증해(周易經傳增解)」

中正爲德之至善, 故寒泉而可食, 乃井道之至善也.
중정이 덕의 지극한 선이 되기 때문에 찬 샘물이지만 먹을 수 있으니 정도(井道)의 지극한 선함이다.

이병헌(李炳憲) 『역경금문고통론(易經今文考通論)』

孟曰, 洌水淸也.
맹희가 말하였다: 열(洌)은 물이 맑음이다.

上六, 井收勿幕, 有孚元吉.

정전 상육은 우물을 길어 덮지 않고 믿음이 있어서 크게 길하다.
본의 상육은 우물을 길어 덮지 않으니 믿음이 있어서 크게 길하다.

中國大全

傳

井以上出爲用, 居井之上, 井道之成也. 收, 汲取也, 幕, 蔽覆也. 取而不蔽, 其利无窮, 井之施廣矣大矣. 有孚, 有常而不變也. 博施而有常, 大善之吉也. 夫體井之用, 博施而有常, 非大人孰能. 他卦之終, 爲極爲變, 唯井與鼎, 終乃爲成功, 是以吉也.

우물은 위로 나오는 것을 쓰임으로 삼으니, 우물이 위에 있는 것은 우물의 도가 이루어진 것이다. '수(收)'는 물을 길어 취함이고, '막(幕)'은 가리고 덮는 것이다. 취하고 가리지 않으면 그 이익이 무궁하니, 우물의 베풂이 넓고 크다. '유부(有孚)'는 항상됨이 있어 변하지 않는 것이니, 널리 베풀고 항상됨이 있는 것은 크게 선한 것의 길함이다. 우물의 쓰임을 체득하여 널리 베풀고 항상됨이 있는 것은 대인이 아니면 누가 할 수 있겠는가? 다른 괘의 마침은 지극함이 되고 변함이 되나 오직 정괘(井卦)와 정괘(鼎卦)는 마침이 마침내 성공함이 되니, 이 때문에 길하다.

小註

建安丘氏曰, 上六有井口之象. 收者, 汲器之出也. 幕者, 覆井之具也. 勿者, 禁止之也. 井以上出爲功, 繘至於收而井養之用成矣. 聖人之心以博施濟衆爲公, 而不以井養之利爲私, 故勿幕焉. 夫惟收而勿幕, 然後天下信其心之公而有孚, 故獲大善之吉. 苟收繘之後, 復幕其井, 則非元吉在上井道之大成矣. 蓋內卦井道之小成, 外卦井道之大成也.

건안구씨가 말하였다: 상육은 우물 입구의 상이 있다. '수(收)'는 물을 긷는 그릇이 나온 것이다. '막(幕)'은 우물을 덮는 도구이다. '물(勿)'은 금지하는 것이다. 우물은 위로 나오는 것을 공으로 삼는데, 두레박을 거두는데 이르러서야 우물이 기르는 공이 이루어진다. 성인의 마음

은 널리 베풀어 대중을 구제하는 것을 공으로 삼고, 우물이 봉양하는 이익을 사사롭게 하지 않기 때문에 덮지 않는다. 두레박을 거두고서도 덮지 않은 다음에 천하 사람들이 그 마음의 공평함을 믿어 믿음을 갖기 때문에 크게 선한 길함을 얻는다. 두레박을 거두고서 다시 우물을 덮어버린다면 크게 길함이 위에 있어 정괘의 도가 크게 이루어지는 것이 아니다. 내괘는 정괘의 도가 작게 이루어지는 것이고, 외괘는 정괘의 도가 크게 이루어지는 것이다.

本義

收, 汲取也. 晁氏云, 收鹿盧收繘者也, 亦通. 幕, 蔽覆也, 有孚, 謂其出有源而不窮也. 井以上出爲功, 而坎口不揜, 故上六雖非陽剛而其象如此. 然占者應之, 必有孚, 乃元吉也.

'수(收)'는 물을 길어 취하는 것이다. 조씨(鼂氏)가 "수(收)는 도르래로써 두레박줄을 거두는 것이다"라고 하니, 또한 통한다. '막(幕)'은 가리고 덮는 것이고, '유부(有孚)'는 그 나옴이 근원이 있어 다하지 않음을 이른다. 우물은 위로 나오는 것을 공으로 삼는데, 감괘(坎卦)의 입이 닫히지 않기 때문에 상육이 비록 굳센 양이 아니나 그 상이 이와 같다. 그러나 점치는 자가 호응할 적에 반드시 항상됨이 있어야 크게 길하다.

小註

雲峰胡氏曰, 六陰柔非泉也, 而有收之象, 元吉之占何哉. 他卦之終爲極爲變, 唯井與鼎, 終乃成功. 孚字例訓爲信, 本義曰, 有孚謂出有源而不窮也. 蓋其出有源, 井之體也. 其應不窮, 井之用也. 必如此而後, 爲盡性之極功.

운봉호씨가 말하였다: 육효는 부드러운 음으로 샘이 아닌데도 거두는 상과 크게 길한 점이 있는 것은 왜인가? 다른 괘는 마지막 효가 끝이 되고 변함이 되지만, 오직 정괘(井卦)와 정괘(鼎卦)는 끝이 공을 이루는 것이 된다. '부(孚)'자는 보통 '믿음'이라고 해석되는데, 『본의』에서는 "믿음이 있다는 것은 나오는 것이 근원이 있어 한이 없는 것을 말한다"라고 하였다. 나오는 것이 근원이 있는 것은 우물의 본체이고, 그 응용이 한이 없는 것은 우물의 작용이다. 반드시 이와 같은 후에 본성을 다한 지극한 공이 된다.

‖韓國大全‖

조호익(曺好益)『역상설(易象說)』

上六, 井收勿幕, 有孚
상육은 우물을 길어 덮지 않으니 믿음이 있다.

收, 上六井口之象, 勿幕, 坎口不掩之象. 有孚, 本柔虛象, 以井象, 故程朱釋義別.
'긷다'는 상육이 우물의 입구인 상이고, '덮지 않다'는 것은 감괘의 입을 막지 않은 상이다. '믿음이 있다'는 유순함이 비어 있는 상에 근본하여 우물을 상징하였기 때문에 정자와 주자가 해석한 뜻이 다르다.

송시열(宋時烈)『역설(易說)』

井道旣成. 收食井水, 勿用覆蔽, 故曰井收勿幕. 有坎象, 故曰有孚元吉, 占辭以象言之. 坎水在上卦, 而上六開坼於汲, 而不覆之象.
우물의 도가 이미 이루어져 샘물을 길어 마시며 덮지 않기 때문에 '정수물막(井收勿幕)'이라고 하였다. 감괘의 상이 있기 때문에 '유부원길(有孚元吉)'이라 하였으니 점사를 상으로 말했다. 감괘의 물이 상괘에 있고 상육이 긷는 데 열려 있어 덮지 않는 상이다.

유정원(柳正源)『역해참고(易解參攷)』

王氏曰, 井功大成在此爻, 群下仰之以濟, 淵泉由之以通者也. 幕猶覆也, 不擅其有, 不私其利, 則物歸之, 往无窮矣. 故曰勿幕有孚元吉.
왕필이 말하였다: 우물의 공이 크게 이루어짐은 여기의 효에 있으니, 무리가 아래로 따라서 구제되고 샘물은 이로 말미암아 통한다. 덮음[幕]은 가림으로 그 소유를 마음대로 하지 않고 그 이로움을 사사롭게 하지 않으니 인물들이 귀의하고 찾아감에 끝이 없다. 그러므로 "덮지 않으니 믿음이 있어서 크게 길하다"고 하였다.

○ 漢上朱氏曰, 坎爲輪, 在井上, 下應巽繩, 收也. 玉篇謂以物覆井曰幕.
한상주씨가 말하였다: 감괘는 바퀴인데 우물의 위에 있어 아래로 손괘의 끈에 응함이 긷는 것이다. 『옥편(玉篇)』에는 "물건으로 우물 덮는 것을 막(幕)"이라 했다.

○ 案, 有孚指五陽, 言上六勿幕, 則五之寒泉, 其出不窮也.
내가 살펴보았다: 유부(有孚)는 오효의 양을 가리켜 상육의 덮지 않음을 말했으니, 오효의 찬 샘물은 끝없이 나오는 것이다.

김상악(金相岳) 『산천역설(山天易說)』

收, 鹿盧收繘者也. 有孚, 本義其出有源而不窮也. 上六居坎之終, 應三之渫, 比五之冽, 以成養物之功者也. 取之而不蔽, 所施者廣, 出之而有源, 所畜者厚, 故有孚而元吉.
'수(收)'는 도르래로 줄을 올림이다. '유부(有孚)'는 『본의』에 "나옴에 근원이 있어 끝이 없음이다"고 하였다. 상육은 감괘의 끝에 있어 삼효의 청소와 호응하고 오효의 맑음과 가까워 물건을 기르는 공을 이룬 자이다. 취하는데도 가리지 않아 베풂이 넓고, 나오는데도 근원이 있어 쌓임이 두텁기 때문에 믿음이 있어 크게 길하다.

○ 巽于水而上水卽此爻也. 虞翻云, 偶畫在上, 有鹿盧雙柱對立之象. 施坎輪以收巽繩爲井收也. 幕蔽覆也, 勿幕坎口之不掩也. 孚亦坎象. 五雖有井冽之德, 功未大施, 故止曰寒泉之食, 至上而曰有孚元吉, 由於五之中正, 而上六與之相比也, 與大有上九相似.
물에 넣어 그것을 길어 올리는 것이 여기의 효이다. 우번이 말하였다: 음획이 위에 있어 도르래의 두 기둥이 마주하고 서있는 상이 있다. 감괘의 도르래를 설치하여 손괘의 줄로 거둬 올리는 것이 우물을 긷는 것이다. '막(幕)'은 덮음인데 '물막(勿幕)'은 감괘의 입을 가리지 않음이다. '부(孚)'도 감괘의 상이다. 오효가 비록 '정렬(井冽)'의 덕은 있지만 공을 크게 베풀지 못하기 때문에 "차가운 샘물을 먹는다"고 말했을 뿐이고 상효에 이르러 "믿음이 있어 크게 길하다"고 한 것은 오효의 중정으로 말미암아 상육이 그것과 서로 가깝기 때문이니, 대유괘의 상구와 서로 비슷하다.

서유신(徐有臣) 『역의의언(易義擬言)』

收, 收繘也, 亦爲收功也. 渙變爲井, 而上六開巽之塞, 爲不幕之象意者, 古人蓋冪井上, 以防禽獸歟. 應三比五爲有孚之象, 勿幕者, 取之無禁也. 有孚者, 用之不竭也. 至此始稱元吉, 功成之終, 統而言之也.
'수(收)'는 두레박줄을 거두어들임이니 또한 공을 거두는 것이다. 환(渙)괘가 변해 정괘가 되면서 상육이 손괘의 막힘을 열어 덮지 않는 상과 뜻이 됨은 옛 사람들이 우물 위를 덮어 금수를 막았기에 그런 것이다. 삼효와 호응하고 오효와 가까워 믿음이 있는 상이니 '덮지 않음'은 우물을 길어감에 금지함이 없음이다. '믿음이 있음'은 사용함에 다함이 없음이다.

여기에서야 비로소 크게 길하다고 했으니 공을 이룬 마지막에 통합해서 말함이다.

강엄(康儼) 『주역(周易)』

本義, 有孚謂其出有源而不窮也 [止] 占者應之, 必有孚乃元吉也.
『본의』에서 말하였다: '유부(有孚)'는 그 나옴이 근원이 있어 다하지 않음을 이른다 … 점치는 자가 호응할 적에 반드시 항상됨이 있어야 크게 길하다.

按, 上六有孚, 承九五寒泉之食而言之也. 九五之寒泉有源而不窮, 故上六收而勿幕, 勿幕則其利澤之及人者廣矣. 占者得之, 必其德如寒泉之有源而不窮, 然後乃爲元吉, 本義之意似如此.
내가 살펴보았다: 상육의 '유부(有孚)'는 구오의 "찬 샘물을 먹는다"를 이어 말하였다. 구오의 찬 샘물을 근원이 있어 끝이 없기 때문에 상육에서 덮지 않는다고 했으니 덮지 않으면 그 이로운 혜택이 사람에게 파급됨이 넓다. 점친 자가 이를 얻으면 반드시 그 덕이 샘물에 근원이 있어서 끝이 없는 것과 같은 연후에 크게 길하다. 『본의』의 뜻도 이와 같다.

又按, 此卦六爻, 有間一爻相應之象. 蓋井泥而不食, 故九三井渫而不食, 渫者渫其泥也. 九二井谷而射鮒, 故六四井甃而无咎, 甃者甃其谷也. 渫之極, 故九五井洌而寒泉食, 甃之盡, 故上六井收而勿幕. 此六爻之間一爻相應者也.
또 살펴보았다: 이 괘의 여섯 효는 한 칸 건너 서로 호응하는 상이다. 우물에 진흙이 있기 때문에 구삼에서는 우물을 청소했는데도 먹지 않는다. '청소'는 그 진흙을 걷어냄이다. 구이는 우물이 골짜기의 물처럼 두꺼비에게 흘러가기 때문에 육사에서 벽돌을 쌓아올리면 허물이 없으니 벽돌을 쌓아올리는 것은 골짜기의 물처럼 흘러가는 것을 막음이다. 깨끗함이 지극하기 때문에 구오효에 우물이 맑아 찬 샘물을 먹고, 벽돌을 다 쌓아놓았기 때문에 상육에서 우물을 거두어 올리게 해놓고도 덮지 않는다. 이것이 여섯 효가 한 칸 건너 서로 호응함이다.

若以雲峯養性之說推之, 則初六井泥, 非旡性也, 但氣質昏濁, 汨於物欲, 而旡以見性之本然也. 九二井谷, 固有性也, 但不事學問以養其性, 而反爲物欲之所誘也. 九三以剛居剛, 六四以柔居柔, 剛健則可以克去人欲, 柔順則可以篤志勉學, 故九三渫初之泥而可用汲, 六四甃二之谷而修其井. 是皆克治修爲以養其性者也, 性得其養, 則成性存存, 而道義出焉, 故至九五而井洌寒泉食. 道義出焉, 則其出不窮而利澤之及人者廣矣, 故至上六而井收勿幕. 此井道之大成, 而盡性之極功也.

운봉의 양성(養性)이론으로 미루어 보면 초육의 우물에 진흙이 있음은 본성이 없는 것은 아니지만 단지 기질이 혼탁하고 물욕에 빠져 본래 그런 본성을 볼 수 없다. 구이는 우물이 골짜기 물처럼 흘러가는 것은 진실로 본성이 있지만 학문으로 그 성품을 기르지 못해 도리어 물욕에 끌린 것이다. 구삼은 굳센 양으로 굳센 양의 자리에 있고 육사는 부드러운 음으로 부드러운 음의 자리에 있다. 강건하면 인욕을 극복하여 제거할 수 있고 유순하면 뜻을 돈독히 하여 학문에 힘쓰기 때문에 구삼은 초효의 진흙을 청소해 길을 수 있고 육사는 이효의 골짜기 물처럼 흘러가지만 벽돌을 쌓아 그것을 수리한다. 이는 모두 다스리고 닦아서 그 본성을 기름이니 본성을 기르면 이루어진 본성이 보존되고 보존되어 도의가 나오기 때문에 구오에 이르러 우물이 깨끗하여 차가운 샘물을 먹는 것이다. 도의가 나오면 나옴에 끝이 없어 이로운 혜택을 사람에게 미침이 넓기 때문에 상육에 이르러 우물을 길어 덮지 않는 것이다. 이는 우물의 도가 크게 이루어지고 본성을 극진하게 하는 지극한 공이다.

하우현(河友賢)『역의의(易疑義)』

九三井渫不食爲我心惻, 傳義不同. 蓋傳以心惻爲九三自言, 本義則曰使人心惻. 朱子之意, 則爲九三雖渫而不見食於人, 故行道之人爲我心惻, 我謂九三, 心惻謂行道之人也. 今夫山林之間有明潔之泉, 而不食於人, 則過之者莫不惻之也. 九三以陽居下體之上, 上才柔不能汲, 五又非正應而體又不同, 故有不食之象. 譬其猶山林之泉乎, 然若上遇汲者之明, 則邑人皆被其澤矣.

"구삼은 우물이 청소되었는데도 먹어주지 않아서 나를 위하여 마음에 슬퍼한다"는『정전』과『본의』가 같지 않다.『본의』에서는 사람들의 마음을 슬프게 한다고 했는데 주자의 뜻은 구삼이 비록 깨끗하지만 사람들이 먹지 않기 때문에 길을 가는 사람이 나를 위해 슬퍼한다는 것이니 나는 구삼이고 슬퍼함은 길을 가는 사람들이다. 지금 산림에 깨끗하고 맑은 샘이 있는데 사람들에게 마셔지지 않는다면 지나가는 자마다 슬퍼하지 않음이 없다. 구삼은 양으로 하체의 위에 있는데 상효의 재질은 부드러워 길어먹지 못하고, 오효 또한 정응이 아니고 몸체가 같지 않기 때문에 먹어주지 않는 상이 있으니 비유하자면 산림에 샘이 있는 것과 같지만 위에서 길어주는 자의 밝음을 만나면 읍인들이 다 그 은택을 입을 것이다.

박문건(朴文健)『주역연의(周易衍義)』

下來用汲, 故有井收之象. 收, 不溢也, 幕, 蔽覆也.

아래로 와서 길어 먹기 때문에 우물을 긷는 상이 있다. 수(收)는 넘치지 않음이고 막(幕)은 가리고 덮음이다.

〈問, 井收以下. 曰, 上六用柔順之道, 以與其下, 故下亦釋疑而來, 汲其井也. 是以水不洩, 而收其內也. 若勿幕其井口, 而有孚信於其下, 則大吉也. 如此則能大成養下之功也.
물었다: '우물을 길어' 이하는 무슨 뜻입니까?
답하였다: 상육은 유순한 도를 써서 그 아래와 함께하기 때문에 아래에서도 의심을 풀고 와서 그 우물을 긷습니다. 이 때문에 물을 세게 하지 않고 그 안으로 거둡니다. 그 우물의 입구를 덮지 않아 그 아래에 믿음이 있으면 크게 길합니다. 이와 같이 하면 아래를 기르는 공을 크게 이루게 됩니다.〉

윤행임(尹行恁) 「신호수필-역(新湖隨筆-易)」

堯民鑿井而飮, 如井甃, 周民井田如井收勿羃, 井之義大哉.
요임금의 백성이 우물파서 마심은 정추(井甃)와 같고, 주나라 백성의 정전법은 우물을 길러 덮지 않음과 같으니 우물의 뜻이 위대하다.

이지연(李止淵) 『주역차의(周易箚疑)』

坎爲孚信之象也. 此所謂二八三八, 飛泉仰流者也.
감괘는 믿음의 상이다. 이는 이른바 2×8과 3×8[40이 되어 井이 됨]의 날아오르는 샘물의 흐름이다.

김기례(金箕澧) 「역요선의강목(易要選義綱目)」

他卦則極取變, 而惟井鼎以上出爲功, 故勿蔽常汲, 有不廢之理, 故有孚元吉. 如聖人博施濟衆, 豈不爲大吉.
다른 괘는 그 변화를 지극히 했는데 오직 정괘(井卦)와 정괘(鼎卦)만 위로 나옴을 공으로 삼았기 때문에 가려놓지 않아 늘 긷는 것이고, 다하지 않는 이치가 있기 때문에 믿음이 있어서 크게 길하다. 성인이 넓게 베풀어 중생을 구제하면 어찌 크게 길하지 않겠는가?

贊曰, 有井不汲, 由井不治. 有人不用, 由人自虧. 瞻彼棄井, 不能潤滋. 瞻彼棄人, 无所猷爲.
찬미하여 말하였다: 우물이 있어도 긷지 못함은 우물을 수리하지 않았기 때문이네. 사람이 있어도 쓰지 못함은 사람이 스스로 잘못되었기 때문이네. 저 버려진 우물을 보건대 다른

것을 윤택하게 적셔줄 수 없네. 저 버려진 사람을 보건대 일을 꾀할 수 없네.

심대윤(沈大允) 『주역상의점법(周易象義占法)』

井之巽䷸. 上六以柔居井之上, 井之巽以隨人也, 士之巽以承命也. 居柔自修而不求用而人自用之焉. 下應乎三, 有汲水之收取, 入瓶而將復傾注爲用之象. 爲九五所蔽, 有冪其瓶口之象. 對震爲瓶, 兌爲口, 坎爲冪, 巽爲收入. 幕與冪同. 瓶中之水, 无終冪而不用之理, 故曰井收勿幕. 其用可必也, 故曰有孚, 离爲孚. 不求用而得用, 故曰元吉. 井至上六乃吉也.
정괘가 손괘(巽卦䷸)로 바뀌었다. 상육은 부드러움으로서 정괘의 위에 있으니 우물이 부드러움으로 사람을 따르고 선비가 공손함으로 명을 받드는 것이다. 부드러움에 있으면서 스스로 닦고 쓰임을 구하지 않아도 남들이 스스로 쓴다. 아래로 삼효와 호응하여 물을 길어 들임이 있으니, 두레박을 넣어 다시 쏟아 부어 사용하는 상이다. 구오에게 덮였으니 병의 입구를 덮는 상이 있다. 반대괘인 진괘가 병이고 태괘는 입이며 감괘는 덮는 것이고 손괘는 거두어 들임이다. 막(幕)은 멱(冪)과 같다. 병 속의 물이 끝까지 끝내 덮여서 쓰이지 못하는 이치는 없기 때문에 "우물을 거두어 덮지 말라"고 하였고, 그것은 반드시 쓰이기 때문에 믿음이 있다고 했다. 이괘(☲)는 믿음이다. 쓰임을 구하지 않고 쓰임을 얻었으니 "크게 길하다"고 하였다. 정괘는 상육에 와서야 길하다.

오치기(吳致箕) 「주역경전증해(周易經傳增解)」

上六, 以柔居極而井道已成, 衆皆得其汲功, 故不爲覆蓋, 卽養而不窮, 久而不改, 有孚信者也. 是以言大善而吉.
상육은 부드러움으로 끝에 있고 우물의 도가 이미 이루어져 여러 사람들이 다 긷는 공을 얻었기 때문에 덮는 것이 아니라 바로 길러주면서도 끝이 없고 오래도록 하면서도 바꾸지 않는 것으로 믿음이 있는 것이다. 이 때문에 크게 선하고 길하다고 하였다.

○ 收汲取也. 鼂氏謂收, 鹿盧收繘, 亦通. 幕覆蓋也. 與人同汲, 故勿幕也. 有孚取於坎也. 井以陽剛爲泉上出爲功, 觀諸爻可知矣.
수(收)는 길어오는 것이다. 조씨(鼂氏)는 수(收)는 도르래 줄을 거두어들임이라 하니 역시 통한다. 덮음은 뚜껑이다. 사람들과 함께 긷기 때문에 덮어놓지 않는다. 유부(有孚)는 감괘에서 취했다. 정괘는 양의 굳셈을 샘이 위로 나오는 것으로 삼았으니 여러 효를 보면 알 수 있다.

이진상(李震相) 『역학관규(易學管窺)』

上六, 井收勿幕.
상육은 우물을 길어 덮지 않고.

井旣收則幕以覆之, 而汲者繼至, 未可幕也. 陰虛上通, 有勿幕之義. 收者坎秋之本象也, 變巽則疑於幕矣.
우물을 이미 길었으면 덮어서 가리지만, 긷는 자가 계속 와서 덮을 수 없다. 음효의 비어 있음이 위로 통하니 덮지 않는 상이다. '거둠[收]'은 감괘(☵)라는 가을의 본래 상인데 변해서 손괘(☴)가 되면 덮을까 의심한다.

박문호(朴文鎬) 「경설(經說)·주역(周易)」

鹿盧卽轆轤也. 汲水者, 以轆轤收繘.
'녹로(鹿盧)'가 바로 도르래이다. 물을 길을 때 도르래의 줄을 당겨야 한다.

이병헌(李炳憲) 『역경금문고통론(易經今文考通論)』

收荀作甃, 勿干作罔
수(收)를 순씨는 '벽돌을 쌓은 것[甃]'이라 하였고, '물[勿]'을 간보는 "~하지 않는다[罔]"라 하였다.

象曰, 元吉在上, 大成也.

「상전」에서 말하였다: "크게 길하여" 위에 있는 것은 크게 이룬 것이다.

中國大全

傳

以大善之吉在卦之上, 井道之大成也. 井以上爲成功.

크게 선한 것의 길함으로 괘의 위에 있으니, 우물의 도가 크게 이루어진 것이다. 우물은 위로 올라오는 것을 성공으로 삼는다.

小註

雲峰胡氏曰, 象始末揭下上二字, 見井之用在上而不在下. 初井泥爲時所棄下也, 故在上則由修而中正, 由中正而大成, 愈上則井之功愈大.

운봉호씨가 말하였다: 「상전」에서는 처음과 끝에 '상(上)'·'하(下)'라는 두 글자를 게시하여 우물의 용도는 위에 있지 아래에 있지 않다는 것을 보여주었다. 초효는 우물에 진흙이 있어 당시의 사람들에게 버려지기 때문에 위에 있으면 수리하여 중정할 수 있고 중정으로 말미암아 크게 이루어지니, 위에 있을수록 우물의 공은 더 커진다.

○ 建安丘氏曰, 井卦六爻, 合而觀之, 一井也, 泉井實也. 先儒以三陽爲泉, 三陰爲井, 陽實陰虛之象也. 九二言井谷射鮒, 九三言井渫不食, 九五言井洌寒泉, 曰射曰渫曰洌, 非泉之象乎. 初六言井泥不食, 六四言井甃无咎, 上六言井收勿幕, 曰泥曰甃曰收, 非井之象乎. 以卦序而言, 則二之射, 始達之泉也, 三之渫, 已潔之泉也, 五之洌, 則可食之泉矣. 初之泥, 方掘之井也, 四之甃, 已修之井也, 上之收, 則出汲之井矣. 又以二爻爲一例, 則初二皆在井下, 不見于用, 故初爲泥而二爲谷. 三四皆在井中, 將見於用, 故三爲渫而四爲甃. 五上皆在井上, 而已見於用矣, 故五言食而上言收也.

건안구씨가 말하였다: 정괘(井卦)의 여섯 효는 합하여 보면 하나의 우물이고, 샘물은 우물의 실질이다. 이전의 학자는 세 양을 샘물로 하고, 세 음을 우물로 하였는데, 양은 실하고 음을 허한 상이다. 구이에서는 "우물이 골짜기의 물처럼 두꺼비에게 흘러간다"고 말하였고, 구삼에서는 "우물이 청소되었는데도 먹어주지 않는다"고 말하였으며, 구오에서는 "우물이 깨끗하여 차가운 샘물을 먹는다"고 말하였는데, "흘러간다"고 말하고, "청소되었다"고 말하며, "깨끗하다"고 말한 것이 샘물의 상이 아니겠는가? 초육에서는 "우물에 진흙이 있어 먹지 않는다"고 말하였고, 육사에서는 "우물에 벽돌을 쌓으면 허물이 없으리라"고 말하였으며, 상육에서는 "우물을 길어 덮지 않는다"고 말하였는데, "진흙이 있다"고 말하고, "벽돌을 쌓는다"고 말하며, "우물을 긷는다"고 말한 것이 우물의 상이 아니겠는가? 괘의 차례로 말하면 이효가 흘러가는 것은 비로소 도달한 샘물이고, 삼효가 청소된 것은 이미 깨끗해진 샘물이며, 오효가 깨끗한 것은 먹을 수 있는 샘물이다. 초효가 진흙이 있는 것은 막 판 우물이고, 사효가 벽돌을 쌓은 것은 이미 수리된 우물이며, 상효가 우물을 길은 것은 길어 나온 우물이다. 또한 두 효를 하나의 예로 삼는다면, 초효와 이효는 모두 우물 아래 있어서 쓰이지 못하기 때문에 초효는 진흙이 되고 이효는 골짜기가 된다. 삼효와 사효는 모두 우물 가운데 있어 장차 쓰일 것이기 때문에 삼효는 청소된 것이 되고 사효는 벽돌이 된다. 오효와 상효는 모두 우물 위에 있어서 이미 쓰이고 있기 때문에 오효에서는 먹는 것을 말하였고 상효에서는 긷는 것을 말하였다.

○ 西溪李氏曰, 井六爻綱領最好. 初井泥, 二井谷, 皆廢井也. 三井渫, 則渫初之泥, 四井甃, 則甃二之谷. 旣渫旣甃, 則井道全矣. 故五爻井洌而泉寒, 上爻井收而勿幕, 功用始及物而井道大成矣. 又曰, 初與二, 在井之地, 故初泥而二谷. 三與四人位, 必盡人事, 故三渫而四甃. 五與上則得之天矣, 是以三才之位取義也.

서계이씨가 말하였다: 정괘 여섯 효의 강령이 매우 좋다. 초효는 우물에 진흙이 있고 이효는 우물에 구멍이 났으니 모두 버려진 우물이다. 삼효는 우물이 청소되었으니 초효의 진흙을 청소한 것이고, 사효는 우물에 벽돌을 쌓았으니 이효의 구멍을 벽돌로 메꾼 것이다. 이미 청소하고 이미 벽돌을 쌓았으면 우물의 도가 완전해진 것이다. 그러므로 오효는 우물이 깨끗해져서 샘물이 차고, 상효는 우물물을 길어 덮지 않아서 공용이 비로소 만물에 미쳐서 우물의 도가 크게 이루어진다.

또 말하였다: 초효와 이효는 우물이라는 땅의 자리에 있기 때문에 초효는 진흙이고 이효는 골짜기이다. 삼효와 사효는 사람의 자리에 있어 반드시 사람의 일을 다하기 때문에 삼효는 깨끗하고 사효는 벽돌을 쌓았다. 오효와 상효는 하늘의 자리에서 얻었으니, 이는 삼재(三才)의 자리로 뜻을 취한 것이다.

韓國大全

김상악(金相岳) 『산천역설(山天易說)』

元吉, 言其澤之所及也. 大成, 言其功之所就也.
원길(元吉)은 은택이 미침을 말하고 대성(大成)은 공을 성취함을 말한다.

서유신(徐有臣) 『역의의언(易義擬言)』

吉在於收, 故曰在上也. 三陽收功, 故曰大成也.
길함이 거두는데 있기 때문에 '재상(在上)'이라 했고, 세 양으로 공을 거두기 때문에 '대성(大成)'이라 했다.

심대윤(沈大允) 『주역상의점법(周易象義占法)』

周禮, 選士有小成大成是也. 井若言其位, 則初入學子之選也, 五入天子之選也, 餘倣此. 上六汲而寫之, 瓶其寫之, 乃汲也, 此致一也.
『주례』의 선비를 선출함에 소성(小成)과 대성(大成)이 있다고 한 것이 여기에 해당한다. 정괘를 그 자리로 말하면 초효는 과거보는 선비를 뽑는데 들어가고 오효는 천자를 뽑는데 들어가니 나머지는 이와 같다. 상육은 길어서 쏟아놓고 쏟아놓은 것을 병에 담아야 긷는 것이니, 이것이 하나로 귀결함이다.

오치기(吳致箕) 「주역경전증해(周易經傳增解)」

井以上爲成功, 故得此元吉, 而在上者, 井道大成也.
우물은 위로 나옴을 성공으로 삼기 때문에 크게 길함을 얻었고, 위에 있는 것이 우물의 도가 크게 이루어진 것이다.

이병헌(李炳憲) 『역경금문고통론(易經今文考通論)』

陸曰, 井收井幹也.
육적이 말하였다: '정수(井收)'는 우물을 둘러싼 칸막이이다.

虞曰, 幕蓋也.
우번이 말하였다: '덮음[幕]'은 뚜껑이다.

干曰, 敎信民服, 大化成也.
간보가 말하였다: 가르침과 믿음으로 백성을 따르게 함이 큰 감화가 이루어짐이다.

49

혁괘

革卦䷰

中國大全

傳

革, 序卦, 井道, 不可不革, 故受之以革. 井之爲物, 存之則穢敗, 易之則淸潔, 不可不革者也. 故井之後, 受之以革也. 爲卦兌上離下, 澤中有火也. 革變革也, 水火相息之物, 水滅火, 火涸水, 相變革者也. 火之性上, 水之性下, 若相違行, 則暌而已. 乃火在下, 水在上, 相就而相尅, 相滅息者也, 所以爲革也. 又二女同居, 而其歸各異, 其志不同, 爲不相得也, 故爲革也.

혁괘(革卦)는 「서괘전」에 "우물의 도는 변혁하지 않을 수 없으므로 혁괘로 받았다" 고 하였다. '우물'은 그대로 두면 더러워지고 썩으며 바꾸면 맑고 깨끗해지니, 변혁하지 않을 수 없는 것이다. 그러므로 정괘(井卦䷯)의 뒤에 혁괘로 받았다. 혁괘(革卦䷰)는 태괘(兌卦☱)가 위에 있고 리괘(離卦☲)가 아래에 있으니, 못 속에 불이 있다. '혁(革)'은 변혁(變革)이니, 물과 불은 서로 없애는 것으로 물은 불을 끄고 불은 물을 말려서 서로 변혁한다. 불의 성질은 위로 올라가고 물의 성질은 아래로 내려가니, 만일 서로 떠나간다면 '규괘(睽卦䷥)'일 뿐이다. 마침내 불이 아래에 있고 물이 위에 있어 서로 찾아가서 서로 억누르며 서로 없애는 것들이기 때문에 '혁'이라 하였다. 또 두 여자가 한 곳에 같이 사나 그 돌아감이 각기 다르고 뜻이 같지 않아 서로 맞지 않기 때문에 '혁(革)'이라 하였다.

革, 已日, 乃孚, 元亨, 利貞, 悔亡.

혁(革)은 시일이 지나야 믿을 것이니, 크게 형통하고 바름이 이로워 후회가 없다.

中國大全

傳

革者, 變其故也. 變其故, 則人未能遽信. 故必已日, 然後人心信從. 元亨利貞悔亡, 弊壞而後革之, 革之, 所以致其通也. 故革之而可以大亨. 革之而利於正道, 則可久而得去故之義, 无變動之悔, 乃悔亡也. 革而无甚益, 猶可悔也, 況反害乎. 古人所以重改作也.

'혁'은 옛것을 바꿈이다. 옛것을 바꾸면 사람들이 선뜻 믿지 못한다. 그러므로 반드시 시일이 지난 뒤에야 인심(人心)이 믿고 따를 것이다. "크게 형통하고 곧음이 이로워 후회가 없다[元亨利貞悔亡]"는 낡아버린 뒤에 변혁하니, 변혁함이 통하게 되는 이유이다. 그러므로 변혁하여 크게 형통할 수 있다. 변혁하는 데에 바른 도가 이로우니 오래갈 수 있고 옛것을 버리는 의의를 얻어 변동시킨 후회가 없을 것이니 바로 '후회가 없다'는 것이다. 변혁하여 많은 이익이 없으면 오히려 후회할 수 있는데 하물며 도리어 해로움에 있어서이겠는가. 그래서 옛사람들이 고치는 일을 신중히 여긴 것이다.

本義

革, 變革也. 兌澤在上, 離火在下, 火然則水乾, 水決則火滅. 中少二女, 合爲一卦, 而少上中下, 志不相得, 故其卦爲革也. 變革之初, 人未之信, 故必已日而後信. 又以其內有文明之德, 而外有和說之氣, 故其占爲有所更革, 皆大亨而得其正, 所革皆當, 而所革之悔亡也. 一有不正, 則所革不信不通, 而反有悔矣.

'혁(革䷰)'은 변혁이다. 태괘(兌卦☱)의 못이 위에 있고 리괘(離卦☲)의 불이 아래에 있으니, 불이 타오르면 물이 마르고, 물이 쏟아져 나오면 불이 꺼진다. 둘째딸과 막내딸이 합하여 하나의 괘가 되었는데, 막내딸은 위에 있고 둘째 딸은 아래에 있어서 뜻이 서로 맞지 않기 때문에 그 괘가 '혁(革)'이 되었다. 변혁하는 초기에는 사람들이 믿지 않기 때문에 반드시 시일이 지난 뒤에야 믿는다. 또 안에 밝고 빛나는 덕이 있으며 밖에 화합하고 기뻐하는 기운이 있기 때문에 그 점이 변혁하게 되면 모두 크게 형통하고 그 바름을 얻는 것이 되어 변혁이 모두 마땅하니 변혁의 후회가 없다. 한 가지라고도 바르지 못함이 있다면 변혁이 신임을 받지 못하고 통하지 못하여 도리어 후회가 있을 것이다.

小註

朱子曰, 鄭東卿, 解革卦以爲風爐, 亦解得好. 初爻爲爐底, 二爻爲爐眼, 三四五爻是爐腰處, 上爻是爐口.
주자가 말하였다: 정동경(鄭東卿)이 혁괘를 '풍로(風爐)'로 해석한 것도 좋다. 초효는 풍로의 바닥이고, 이효는 풍로의 눈이며, 삼효 · 사효 · 오효는 풍로의 허리부분이고, 상효는 풍로 입구이다.

○ 卦中要看得親切, 須是兼象看. 但象不傳了, 鄭東卿易專取象. 如以鼎爲鼎, 革爲爐, 小過爲飛鳥, 亦有義理. 其他更有好處, 亦有杜撰處.
괘 안을 자세하게 보고자 한다면 상을 함께 봐야 한다. 다만 상이 전해지지 않았으므로 정동경은 『역』에서 상을 취하였다. 예컨대 정괘(鼎卦䷱)는 '솥'이라 하였고, 혁괘(革卦)는 '풍로'라 하였으며 소과괘(小過卦䷽)는 '나는 새'라 한 것에도 이치가 있으니, 다른 곳은 더 좋은 곳도 있고 터무니없는 곳도 있다.

○ 合沙鄭氏曰, 革有鼎革生爲熟之象, 故爐鞴之象爲正. 蓋以離火鼓鑄, 兌金從革也. 革而受之以鼎者, 以鼓鑄成鼎也.
합사정씨가 말하였다: 혁괘(革卦䷰)는 '새것을 취하고 낡은 것을 고치는[鼎新革故]'뜻으로 날 것을 익히는 상이 있기 때문에 풀무의 상이 맞다. 리괘(☲)의 불이 두드리며 주조하니 태괘(☱)의 쇠가 그 때문에 바뀐다. 혁괘를 정괘(鼎卦䷱)로 받은 까닭은 두드리고 주조하여 솥을 만들기 때문이다.

○ 沙隨程氏曰, 澤火不相遇則睽, 相遇則革. 革也者, 從其所勝而已.
사수정씨가 말하였다: 못과 불이 서로 만나지 못하면 규괘(睽卦䷥)이고 서로 만나면 혁괘(革卦䷰)이니, 혁괘는 이기는 것을 따를 뿐이다.

○ 隆山李氏曰, 已日乃孚, 言不信于方革之時, 而信于已革之日也.

융산이씨가 말하였다: "시일이 지나서야 믿음"은 한창 변혁할 때에는 믿지 않다가 변혁한 시일이 지나고서야 믿는다는 말이다.

○ 王氏曰, 民可與習常, 難與適變. 可與樂成, 難與慮始. 革之道. 所以已日乃孚也.
왕필이 말하였다: 백성은 일상의 일을 함께 익힐 수는 있지만 함께 변혁에 적응하기는 어렵고, 함께 성과를 즐길 수는 있지만 함께 처음을 염려하기는 어렵다. 변혁의 도를 이 때문에 시일이 지나서야 믿는 것이다.

○ 進齋徐氏曰, 元亨利貞悔亡者, 變有大通之理也. 然必利於貞, 則其悔可亡, 變不以貞, 則事有不可勝悔者. 古人所以重改作也.
진재서씨가 말하였다: "크게 형통하고 바름이 이로워 후회가 없다"는 것은 변화에는 크게 통하는 이치가 있기 때문이다. 그러나 반드시 바르게 하는 데에서 이로우니 그렇게 한다면 후회가 없을 수 있지만, 변혁을 바름으로 하지 않으면 일에서 후회를 감당할 수 없을 것이다. 옛사람이 이 때문에 고치는 것을 중히 여겼다.

○ 雲峰胡氏曰, 日離象. 日入澤, 有已日象. 革必已日乃孚者, 民難與慮始. 革之初, 人未遽信, 必已日而後信也. 離明則約義理而非妄革, 兌說則隨時勢而非强革, 此所謂革之貞也. 不貞, 則所革人不信, 事不通, 悔不亡矣. 凡彖未有言悔亡者, 此獨言之, 重改革也.
운봉호씨가 말하였다: 해는 리괘(離卦☲)의 상이다. 해가 못[澤]으로 들어가니 시일이 지난 상이 있다. 반드시 시일이 지나야 변혁을 믿는 것은, 백성은 처음을 함께 염려하기 어려운 대상이기 때문이다. 변혁의 초기에는 사람들이 선뜻 믿지 않고, 반드시 시일이 지난 뒤에 믿을 것이다. 리괘(離卦)의 밝음은 의리를 결속하니 경거망동한 변혁이 아니고, 태괘(兌卦)의 기쁨은 때의 형세에 따르니 강압적인 변혁이 아니다. 이것이 이른바 변혁의 바름이다. 바르지 않으면 변혁하는 사람을 믿지 않아 일이 통하지 않을 것이니 후회가 없지 않다. 다른 괘의 단사에서는 '후회가 없다'고 말한 적이 없는데, 혁괘에서만 이렇게 말한 것은 개혁을 중히 여기기 때문이다.

▌韓國大全▐

조호익(曺好益) 『역상설(易象說)』

革, 乃孚, 元亨利貞,
혁(革)은 … 믿을 것이니, 크게 형통하고 바름이 이로워,

乃孚, 卦體中實象. 元亨雙湖曰, 彖言元亨者, 皆初晝陽也, 利貞主二五言.
'믿을 것이다[乃孚]'는 괘 몸체 모양이 가운데가 차 있는 상이다. '크게 형통함[元亨]'에 대해서 쌍호호씨가 말하였다: 「단전」에서 말한 '원형(元亨)'은 모두 초효의 획이 양인 것을 말한 것이고, '이정(利貞)'은 이효와 오효를 위주로 말하였다.

○ 註爐鞴之鞴, 吹火革囊.
소주의 '노비(爐鞴)'의 '비(鞴)'는 불에 바람을 부는 가죽 부대이다.

송시열(宋時烈) 『역설(易說)』

日之巳, 傳以終釋之, 與損之已事之已同. 且易多兩項說, 此已字, 讀作戊己之己字看如何. 離者夏也大也, 兌者秋也奎也. 夏秋之交, 天道小變之節, 大象亦以治曆明時言之. 五行循環居西南間爲陰土者, 是己也. 以十干數之己, 是第六甲而居中. 朱夫子亦嘗言後世納甲之法, 其法有離納己兌納丁, 丁亦己之傍甲也. 或者以己之日, 乃有孚於革之時耶. 不敢强解大亨, 而利於貞, 故无悔也.
날의 '이(已)'를 『程傳』에서는 '종(終)'으로 풀었으니[1] 손괘(損卦䷨)의 '이사(已事)'의 이(已)와 같다. 『주역』에는 대체로 두 가지 주장이 있으니 여기에서의 이(已)자는 무기(戊己)의 기(己)자로 보는 것이 어떻겠는가? 리(離)는 여름이고 큼이며, 태(兌)는 가을이고 홑이다. 여름과 가을의 사귐은 천도가 약간 변하는 절기이니, 「대상전」에서도 "역수를 계산하여 때를 밝힘"으로 말하였다. 오행이 순환하여 서남방에 있어 음(陰)인 토(土)가 되는 것이 기(己)이다. 십간(十干)에서의 기(己)는 여섯 번째의 갑자로서 가운데에 있다. 주자(朱子)가 일찍이 후세를 위해 납갑법(納甲法)을 말하였다. 그 법에 '리(離)는 기(己)를 납입하고 태(兌)는 정(丁)을 납입한다'고 하였는데 정(丁)은 기(己)의 방갑(傍甲)이다. 아마도 기일[己

---

1) "이일내부(已日乃孚)를 『정전』에서는 필종일이후부(必終日而後孚)"라고 하였다.

之日]은 바로 변혁을 미더워하는 때일 것이다. 감히 크게 형통하다고 해석하지 않고 바름에 이로운 것이므로 후회가 없다.

이현익(李顯益) 「주역설(周易說)」

已日乃孚, 只是離有日象, 出乎離而至兌, 然後革乃成, 故曰已日乃孚. 至於六二言已日乃革, 蓋六二是離之主, 故於此言之, 而又必曰征吉, 行有嘉, 其意可見. 且彖則是揔言者, 故以其革而孚者言. 二則是未及革者, 故只曰革, 已日乃孚之意, 只是如此. 雲峯胡氏, 謂一爻爲一日, 初至二爲已日, 非是.

"시일이 지나야 믿을 것이다[已日乃孚]"는 다만 리괘(離卦☲)에 날[日]의 상이 있기 때문이니, 리괘(離卦)에서 나와 태괘에 이른 뒤에야 변혁이 이루어지기 때문에 "시일이 지나야 믿을 것이다"고 하였다. 육이에 이르러서 "시일이 지나서야 변혁할 수 있다"고 한 것은 육이가 리괘(離卦)의 주인이기 때문에 여기에서 말하였고, 또 반드시 "그대로 가면 길하다"[2]고 하였으며, "감에 아름다운 경사가 있는 것이다"[3]고 한 것이니, 그 뜻을 알 수 있다. 또 단사에서는 이것을 총괄하여 말했기 때문에 변혁함에 믿는 것으로써 말하였다. 이효는 아직 변혁에 미치지 못한 것이므로 혁(革)이라고만 했으니 "시간이 지나야 믿을 것이다"의 뜻이 이와 같을 뿐이다. 운봉호씨는 "한 효는 하루이니 초효가 이효에 이른 것이 하루가 지난 것이다"고 하였으나, 옳지 않다.

이익(李瀷) 『역경질서(易經疾書)』

已日承革字說, 謂革之須待已日, 與六二辭同. 治曆爲授時也. 雨澤下霔, 炎熱上蒸, 萬物之變革, 惟此時最著. 澤火之盛衰, 而寒暑異候, 原始而知春, 反終而知冬, 此聖人之所取也. 不然何以曰澤中有火. 凡大象莫不以兩象爲言, 與卦爻之取義不同.

이일(已日)'을 '혁(革)'자에 이어서 말할 것은 변혁은 모름지기 시일이 지나기를 기다려야 함을 이르니 육이의 효사와 같다. 역수를 계산함은 때를 부여받기 위함이다. 못에 비가 내려서 장마가 되고 뜨거운 열기가 올라가 수증기가 되니 만물의 변혁이 오직 이때에 가장 잘 드러난다. 못과 불이 번성하고 쇠퇴하여 추위와 더위의 기후가 달라지니 처음을 근원하여 봄을 알고 끝을 돌이켜 겨울을 아는 것이 성인이 취한 것이다. 그렇지 않다면 어떻게 "못 가운데 불이 있다"고 말할 수 있겠는가? 대체로 「대상전」은 두 가지 상으로 말하지 않은

---

2) 『周易 · 革卦』: 六二, 已日, 乃革之, 征吉, 无咎.
3) 『周易 · 革卦』: 六二, 象曰, 已日革之, 行有嘉也.

것이 없으니 괘효에서 취한 뜻과는 같지 않다.

유정원(柳正源) 『역해참고(易解參攷)』

正義, 革命之初, 人未信服, 所以卽日不孚, 已日乃孚也.
『주역정의』에서 말하였다: 혁명의 처음에는 사람들이 믿음으로 복종하지 않으니 당일에는 믿지 못하고 시일이 지나서야 믿게 되는 것이다.

○ 隆山李氏曰, 兌之三畫, 陰潤在上, 是爲澤爲水. 水澤之氣凝結, 而成秋之肅是爲金. 金與水澤之氣, 皆畏火者, 以金得火則銷, 水澤遇火則燥而且涸. 故離兌相遇爲革. 革者金木之氣, 遇火而變易其故, 常有革故之象也. 火與金水澤之氣交戰, 若不相爲用, 而金得火成器, 水得火成煖, 革之者乃利其用也.
융산이씨가 말하였다: 태괘의 세 획이 윤택한 음으로 위에 있으니 이것이 못이고 물이다. 물과 못의 기운이 응결되어 초목을 말라 죽이는 가을이 됨이 쇠이다. 쇠는 물·못의 기운과 함께 모두 불을 두려워하는 것이니 쇠가 불을 만나면 녹고, 물·못이 불을 만나면 건조하고 마른다. 그러므로 리괘(離卦☲)와 태괘(兌卦☱)가 서로 만나는 것이 혁괘이다. 혁괘는 쇠와 나무의 기운이 불을 만나 옛 것을 바꾸므로 항상 옛것을 변혁하는 상이 있다. 불은 쇠·물·못의 기운과 서로 싸우니 서로 쓰임이 되지 못하는 것 같지만 쇠가 불을 얻으면 그릇이 되고 물이 불을 얻으면 따뜻하게 되니 변혁하는 자는 곧 쓰임을 이롭게 여기는 것이다.

○ 漢上朱氏曰, 已日當讀作戊己之己. 十日庚更革也, 自庚至己, 十日浹矣. 己者浹日也.
한상주씨가 말하였다: '이일(已日)'은 마땅히 무기(戊己)의 기(己)로 읽어야 한다. 십일의 경(庚)은 경혁(更革)이니 경(庚)부터 기(己)까지 십일이니 한 바퀴 돈 것이다. 기(己)는 천간이 한 바퀴 돈 것이다.

○ 節齋蔡氏曰, 革不可遽, 必已日而後革. 已日二日也.
절재채씨가 말하였다: 변혁은 갑자기 해서는 안 되니 반드시 둘째 날이 된 뒤에 변혁해야 한다. 이일(已日)은 둘째 날이다.

○ 梁山來氏曰, 己者信也, 五性信屬土, 故以己言之. 不言戊而言己者, 離兌皆陰卦, 故以陰土言. 離火燒金, 必有土, 方可孚契之意. 日者離爲日也, 己日乃孚者, 信我後革也.

양산래씨가 말하였다: 기(己)는 믿음이니 오성(五性)에서 신(信)은 토(土)에 속하므로 기(己)로 말하였다. 무(戊)를 말하지 않고 기(己)를 말한 것은 리괘(離卦)와 태괘(兌卦)가 모두 음의 괘이기 때문에 음인 토(土)로 말하였다. 리괘(離卦)인 불이 쇠를 녹이려면 반드시 흙이 있어야 믿고 합할 수 있다는 뜻이다. '일(日)'은 리괘(離卦)가 해가 되기 때문이니 "기일(己日)에야 믿는다"는 것은 나를 믿은 뒤에야 바뀜이다.

○ 案, 元亨者, 二五之得時也, 利貞者, 二五之中正也. 變革之事, 皆有悔也, 如湯之慚德亦悔也. 革而得正, 然後悔亡.
내가 살펴보았다: '원형(元亨)'은 이효 · 오효가 때를 얻어서이고, '리정(利貞)'은 이효 · 오효가 중정해서이다. 변혁의 일은 모두 후회가 있으니 예컨대 탕왕이 부끄러워했던 덕[4]도 후회이다. 변혁하고서 바름을 얻은 뒤에야 후회가 없다.

小註, 朱子說, 爐眼.
소주에서 주자가 말하였다: 풍로(風爐)의 눈.
〈案, 蓋指爐中之穴, 以受鞴之吹者, 與泉眼, 同意.
내가 살펴보았다: 풍로에 있는 구멍으로, 풀무가 부는 바람을 받아들이는 것을 가리킨 것이니 샘물이 흘러나오는 구멍[泉眼]과 같은 뜻이다.〉

合沙說, 爐鞴.
합사정씨가 말하였다: 풀무.
〈案, 韻會吹火革囊, 亦作排.
내가 살펴보았다: 『운회』에 "불에 바람을 부는 가죽부대이니, 또한 풀무[排]라고도 한다"라고 하였다.〉

김상악(金相岳) 『산천역설(山天易說)』

變革之初, 人未遽信, 故必已日而信之. 文明以說, 故有所更革, 皆大亨而得其正, 所革皆當而悔亡也.
변혁의 초기에는 사람들이 갑자기 믿지 못하기 때문에 반드시 시일이 지나야 믿는다. 밝고 빛나며 기쁘기 때문에 변혁하는 것이 있으면 모두 크게 형통하고 바름을 얻었으니 변혁하는 것이 모두 마땅하여 후회가 없어진다.

---

4) 『書經 · 仲虺之誥』: 成湯, 放桀于南巢, 惟有慙德, 曰予恐來世, 以台爲口實.

서유신(徐有臣) 『역의의언(易義擬言)』

離火鎔兌金而成器, 革之善者也. 鄭氏謂有風爐象甚妙. 離爲日, 兌爲西, 終日, 故曰已日也. 二與五應, 三與上應, 故曰乃孚也. 已日故革而孚也. 元亨利貞, 亦四時變革之象也. 損曰无咎, 損後之咎也, 革曰悔亡, 革前之悔也. 已日讀如戊己亦通. 自甲至己, 爲更始之端也. 夏秋相革之際, 其日戊己, 離爲夏, 兌爲秋也.

불인 리괘(離卦)가 쇠인 태괘(兌卦)를 녹여서 그릇을 만드니 변혁 중에 좋은 것이다. 정씨가 "풍로의 상이 있다"고 한 것이 매우 신묘하다. 리괘(離卦☲)는 해이고 태괘(兌卦☱)는 서쪽이니 날을 마쳤기 때문에 "시일이 지나야"라고 말하였다. 이효와 오효가 호응하고 삼효와 상효가 호응하기 때문에 "믿는다"고 말하였다. 시일이 지났기 때문에 변혁하여도 믿는다. '원형리정(元亨利貞)'도 사시(四時)가 변혁하는 상이다. 손괘(損卦)에서 '허물이 없다'[5]고 한 것은 잃은 뒤의 허물이고, 혁괘(革卦)에서 "후회가 없다"고 한 것은 변혁하기 전의 후회이다. '이일(已日)'을 '무기(戊己)'처럼 읽어도 역시 통하니 갑(甲)에서 기(己)에 이르는 것이 고쳐서 시작하는 단서가 된다. 여름과 가을이 서로 바뀌는 때의 그 날이 무기(戊己)이니 리괘(離卦)는 여름이 되고 태괘(兌卦)는 가을이 된다.

윤행임(尹行恁) 『신호수필(薪湖隨筆)·역(易)』

革者, 去毛者, 如鳥獸毛毨, 而革則不變. 山川民物如革, 所以改之者, 如毛之毨也.

'혁'이라는 것은 털을 제거하는 것이니 짐승이 털갈이 하는 것과 같아서 가죽은 변함이 없다. 산천과 백성·물상은 가죽과 같으니 바꾸는 것은 털을 가는 것과 같다.

강엄(康儼) 『주역(周易)』

傳, 井道不可不革.

『정전』에서 "정도(井道)는 변혁하지 않을 수 없다"고 하였다.

按, 以井言之, 則不改, 而以治井之道之, 則不可不革, 去其害井者也. 序卦註 朱氏說可考

내가 살펴보았다: '우물[井]'로만 말했다면 고치지 않음이고, '우물[井]을 다스리는 도'로 말했다면 변혁하지 않을 수 없음이니' 우물의 해를 제거하는 것이다. 「서괘전」의 주(註) 가운데 주씨의 주장을 살펴볼만 하다.

---

5) 『周易·損卦』: 損, 有孚, 元吉, 无咎, 可貞, 利有攸往, 曷之用. 二簋, 可用享.

本義, 一有不正, [止] 悔矣.
『본의』에서 말하였다: 한 가지라도 바르지 못함이 있다면 … 변혁이 신임을 받지 못하고 통하지 못하여 도리어 후회가 있을 것이다.

按, 革之義, 都在於利貞二字. 已日乃孚, 元亨悔亡等語, 皆革而得其正之效也. 故本義先言不正, 而次言不信不通.
내가 살펴보았다: 혁괘의 뜻은 모두 '리 · 정' 두 글자에 있다. "시일이 지나야 믿을 것이니 크게 형통하고 후회가 없다"는 등의 말은 모두 변혁하고서 바름을 얻은 효과이다. 그러므로 『본의』에서 "바르지 못함이 있다면"을 먼저 말하고 이어서 "신임을 받지 못하고 통하지 못하여"를 말한 것이다.

박문건(朴文健) 『주역연의(周易衍義)』

已日, 終日也. 六二始有革上之志, 故至終日而後, 變其志而孚其上也, 是困而反則者歟.
'이일(已日)'은 날을 마침이다. 육이는 비로소 위를 변혁하려는 뜻이 있기 때문에 날을 마친 뒤에야 뜻을 바꾸어 위를 믿으니 이는 "곤란하여 법칙으로 돌아 온"[6] 자일 것이다.
〈問, 已日乃孚以下. 曰, 六二至已日而後, 乃孚九五也. 且有升進之勢, 則其道雖大亨, 然處二剛之間, 而上有敵應. 故必利其貞, 而後悔乃亡. 若用剛, 則致疑而悔存.
물었다: '시일이 지나야 믿음' 이하는 무슨 뜻입니까?
답하였다: 육이는 날을 마침 뒤에야 구오를 믿습니다. 또 올라가려는 형세가 있으니 그 도가 비록 크게 형통하나, 두 굳센 양의 사이에 처하고, 위로 대적하는 호응관계가 있습니다. 그러므로 반드시 바름이 이롭고, 그런 뒤에야 후회가 없습니다. 만일 굳셈을 쓴다면 의심을 초래하여 후회가 있을 것입니다.〉

이지연(李止淵) 『주역차의(周易箚疑)』

內文明, 而外和說, 則革其所當革, 而不拂於人心, 天下之革, 有大於此者乎. 已日乃孚, 二與六之間, 爲重體之坎, 信之在中, 而日終於三故也.
안이 밝고 빛나며 밖이 화합하면서 기뻐하면 변혁해야 할 것을 변혁하여 인심에서 어긋나지 않으니 천하의 변혁이 이보다 큰 것이 있겠는가? 시일이 지나야 믿는 것은 이효와 상효의

---

6) 『周易 · 同人卦』: 象曰, 乘其墉, 義弗克也, 其吉, 則困而反則也.

사이가 거듭된 몸체의 감괘이니 믿음이 가운데에 있고 해가 삼효에서 마치기 때문이다.

김기례(金箕澧) 「역요선의강목(易要選義綱目)」

革.
혁(革)은.
井不可不革者, 去汚穢而取淨潔.
정괘는 변혁하지 않아서는 안 되는 것이니 더러움을 제거하고 깨끗함을 취하는 것이다.
○ 澤潤火炎, 相就而克.
못의 윤택함과 불의 타오름이 서로 나아가 한쪽을 이긴다.
○ 二女同居, 其志不相得, 故革. 離火爲爐, 兌金從革.
두 여자가 한 곳에 같이 살면서 그 뜻이 서로 맞지 않기 때문에 변혁한다. 리괘(離卦)인 불이 풍로(風爐)이니 태괘(兌卦)인 쇠가 따라서 바뀐다.

已日乃孚, 元亨利貞, 悔亡.
시일이 지나야 믿을 것이니 크게 형통하고 바름이 이로워 후회가 없다.
離爲日, 兌爲西, 則有已日象.
리괘(離卦)가 해이고 태괘(兌卦)가 서쪽이니 시일이 지나는 상이 있다.
○ 變革之事, 人多不信於初, 而至已日而後, 乃信.
변혁의 일은 처음에는 사람들이 믿지 못하는 경우가 많고 시일이 지난 뒤에야 믿는다.
○ 去舊生新, 故大亨, 而若不貞則不利, 而悔亦不无矣. 火在澤上, 則不過相違, 故曰睽, 澤在火上, 則南方正火, 能涸少陰水, 故曰革.
옛것을 제거하고 새 것을 생산하기 때문에 크게 형통하나 바르지 않는 경우에는 이롭지 못하여 후회가 없을 수 없다. 불이 못 위에 있으면 서로 어긋나는 데에 지나지 않기 때문에 규괘(睽卦䷥)라 하였고, 못이 불 위에 있으면 남방의 정화(正火)가 소음(少陰)인 수(水)를 말릴 수 있기 때문에 혁괘라고 하였다.

허전(許傳) 「역고(易考)」

革, 已日乃孚.
혁(革)은 시일이 지나야 믿을 것이니,
〈星湖李氏曰, 已恐是十干之己.
성호이씨가 말하였다: 이(已)는 아마도 십간의 기(己)일 것이다.〉

심대윤(沈大允) 『주역상의점법(周易象義占法)』

以其不相信, 故有爭辨也, 豈可遽革而信之乎. 故曰已日乃孚, 离兌爲已日. 离爲信, 兌爲說, 乃孚言革其故而信說從我也. 凡救人之失者, 當徐喩而漸曉之, 不可遽也. 革者朋友責善之道也, 人之所以少長成就者也, 故曰元亨利貞. 人之自幼至老, 因同輩爭辨而革化者, 多於師長敎訓之所學也. 爭辨而有革化, 故曰悔亡.
서로 믿지 못하기 때문에 다투어 분별함이 있으니 어찌 갑자기 변혁하여 믿게 할 수 있겠는가? 그러므로 "시일이 지나야 믿을 것이다"고 하였으니 리괘(離卦)와 태괘(兌卦)가 '시일이 지남'이 된다. 리괘(離卦)는 믿음이고 태괘(兌卦)는 기쁨이니, '믿는다'는 것은 옛 것을 변혁하니 믿고 기뻐하면서 나를 따른다는 말이다. 남의 잘못을 구제해 주는 자는 천천히 깨우쳐서 점차로 알게 하여야 하고 갑자기 해서는 안 된다. 변혁이란 붕우간의 선(善)을 충고하는 도이니 사람이 어리고 자라고 성취하는 것이기 때문에 '원형리정(元亨利貞)'이라고 하였다. 사람은 어려서부터 늙을 때까지 동료들이 다투어 분별해줌으로 인해 변화하는 것이, 스승과 어른에게 가르침을 받아 배우는 것보다 많다. 다투어 분별하여 변화가 있기 때문에 "후회가 없다"고 하였다.

오치기(吳致箕) 「주역경전증해(周易經傳增解)」

革者, 變革也. 澤潤於上, 火燥於下, 而燥能革潤, 潤能革燥, 爲革之象. 二女不能相得, 各有所性, 亦爲革之象也. 革道甚大, 必待人心信我之日改革, 然後可以相孚, 故言己日乃孚. 卦體則剛柔俱得中正而應, 卦義則天下大事, 窮必革, 革必通, 故曰元亨. 兌離二柔, 皆居正位, 故言利貞. 革去其舊, 易致疑悔, 而以其得正而當, 故言悔亡.
혁은 변혁이다. 못이 위에서 윤택하고 불이 아래에서 건조하여 건조함이 윤택함을 변혁할 수 있고 윤택함이 건조함을 변혁할 수 있는 것이 혁괘의 상이다. 두 여자가 서로 뜻이 맞을 수 없는 것은 각자의 성질이 있어서이니 또한 혁괘의 상이다. 혁괘의 도는 매우 커서 반드시 인심이 나를 믿는 날을 기다려서 변혁한 뒤에야 서로 믿을 수 있기 때문에 "기일(己日)에야 믿는다"고 말하였다. 괘의 몸체는 굳센 양과 부드러운 음이 모두 중정을 얻어 호응하고, 괘의 뜻은 천하의 큰일이 곤궁해지면 반드시 변혁하고 변혁하면 반드시 통하기 때문에 "크게 형통하다"고 하였다. 태괘(兌卦)와 리괘(離卦)의 두 음이 모두 바른 자리에 있기 때문에 "바름이 이롭다"고 말하였다. 옛것을 변혁하고 제거하니 의심과 후회를 초래하기 쉽지만, 바름을 얻어서 마땅하기 때문에 "후회가 없다"고 하였다.

○ 己者, 十干之名, 屬于坤土, 而文王卦位, 坤居離兌之間, 故取於對體. 互坤而坤土屬信, 此言己日者, 謂人心信我之日. 而離爲日之象也.
'기(己)'는 십간의 명칭으로서 곤괘(坤卦)인 흙에 속하나, 「문왕팔괘방위도」에서 곤괘(坤卦)는 리괘(離卦)와 태괘(兌卦)의 중간에 있기 때문에 반대되는 몸체를 취하였다. 호괘가 곤괘인데 곤괘(坤卦)인 토는 신(信)에 속하니 여기에서 기일(己日)이라고 말한 것은 인심이 나를 믿는 날[日]을 이른다. 리괘(離卦)는 날[日]의 상이 된다.

이진상(李震相) 『역학관규(易學管窺)』

卦體.
괘의 몸체.
損益之後, 夬姤體乾, 萃升體坤, 困井體坎, 革鼎體離, 歷敍四正位, 將以起震巽艮兌四間之體也. 且蠱隨之後, 繼以臨觀, 咸恒之次, 繼以遯大壯, 故此又以四陽四陰之卦, 相次爲序. 而革三陽, 實於上, 鼎三陽, 實於中, 變中有常也. 此以少女, 居中女之上, 位之革也.
손괘(損卦䷨)·익괘(益卦䷩)의 뒤에 쾌괘(夬卦䷪)·구괘(姤卦䷫)는 몸체가 건괘(乾卦☰)이고, 취괘(萃卦䷬)·승괘(升卦䷭)는 몸체가 곤괘(坤卦☷)이며, 곤괘(困卦䷮)·정괘(井卦䷯)는 몸체가 감괘(坎卦☵)이고, 혁괘(革卦)·정괘(鼎卦䷱)는 몸체가 리괘(離卦☲)이니, 네 정위(正位)를 차례로 서술하여 진괘(震卦☳)·손괘(巽卦☴)·간괘(艮卦☶)·태괘(兌卦☱)인 네 간방(間方)의 몸체를 일으키려 한 것이다. 또 고괘(蠱卦䷑)·수괘(隨卦䷐)의 뒤에 림괘(臨卦䷒)·관괘(觀卦䷓)를 잇고, 함괘(咸卦䷞)·항괘(恒卦䷟)의 다음에는 돈괘(遯卦䷠)·대장괘(大壯卦䷡)를 이었으므로, 네 양과 네 음이 있는 괘로서 서로 차례로 순서를 삼은 것이다. 혁괘(革卦)의 세 양은 위에서 채워졌고, 정괘(鼎卦)의 세 양은 가운데서 채워졌으니, 변화하는 가운데 상도가 있는 것이다. 이것은 막내딸로서 둘째 딸의 위에 있는 것이니 자리가 바뀐 것이다.

○ 彖.[7]
단사.
離爲日, 一爻又直一日. 而中有厚坎爲孚. 已日之後, 方入坎體, 故曰已日乃孚.
리괘(離卦)는 날[日]이니 한 효는 또 하루에 해당한다. 가운데에 두꺼운 감괘(坎卦☵)가 있으니 믿음이다. 시일이 지난 뒤에 바야흐로 감괘의 몸체로 들어가기 때문에 "날이 지나야 믿을 것이다"고 하였다.

7) 경학자료집성DB에 「단전」에 편집되어 있,으나 영인본의 체재에 의거하여 단사로 옮겨 해석하였다.

박문호(朴文鎬) 「경설(經說)·주역(周易)」

不改井, 以井之爲物而言, 井必革, 以井中之水而言. 井固不可移, 而其水則不厭其屢渫矣. 昔吾之從曾祖睡軒公, 雖當大寒之時, 每日必晨起渫井泉, 因盥嗽而歸, 君子之修身, 亦當如此矣.
"우물을 고치지 않음"은 우물이라는 물상으로 말한 것이고, "우물은 반드시 고쳐야 함"은 우물 속의 물로 말한 것이다. 우물은 본래 옮길 수 없으나 그 속의 물은 자주 쳐내는 것을 싫어하지 않는다. 예전에 우리 종증조(從曾祖)인 수헌공(睡軒公)께서 대한(大寒)의 절기에도 날마다 새벽에 일어나시어 우물의 샘을 쳐내시고 인하여 세수하고 양치질하시고 돌아오셨으니 군자의 수신(修身)이 마땅히 이와 같아야 한다.

利於正道則, 猶言利於正道云者則也.
『정전』에서 말한 "바른 도를 이롭게 하면[利於正道則]"은 "바른 도를 이롭게 한다고 하는 것은 곧[利於正道云者則]"이라고 하는 것과 같다.

滅止二者, 似當分言, 而程傳合作一事, 是取止則必滅之義耶.
멸(滅)·지(止) 두 글자는 나누어 말해야 할 듯한데 『정전』에서 한 가지 일로 합해서 말했으니, 이는 그치면 반드시 멸하는 뜻을 취하였을 것이다.

이정규(李正奎) 「독역기(讀易記)」

革之爲卦, 澤上於火, 與水上於火旡異, 而澤火以息爲言, 水火以濟爲言. 多以澤火二女, 同居不相得, 水火男女得正中而相應故歟. 抑止水與活水有異故歟. 然息非滅而已也, 如吸而卽呼, 未嘗旡相濟之意也. 且內文明外和說, 故其占爲更革, 而元亨利貞也.
혁괘(革卦)에서 못이 불보다 위에 있는 것은 물이 불보다 위에 있는 것과 다름이 없으나 못과 불은 '없애는 것'으로 말하였고 물과 불은 구제하는 것으로 말하였다. 대체로 못과 불은 두 여자이니 한 곳에 같이 살면서 서로 맞지 않기 때문이고, 물과 불은 남자와 여자이니 정중을 얻어 서로 호응하기 때문일 것이다. 아니면 고인 물과 흐르는 물의 차이가 있기 때문일 것이다. 그러나 '없애는 것[息]'이 멸하는 것만은 아니니 들여 마시면 곧 내쉬는 것과 같아서 서로 구제함이 없는 적이 없는 뜻이다. 또 내괘가 밝고 빛나며 외괘가 화합하면서 기뻐하기 때문에 그 점이 변혁하여 크게 형통하고 바름이 이로움이 된다.

象曰, 革, 水火相息, 二女同居, 其志不相得, 曰革.

「단전」에서 말하였다: 혁은 물과 불이 서로 없애는 것이고, 두 여자가 한 곳에 같이 살아 그 뜻이 서로 맞지 않는 것이니, 혁이라 한다.

中國大全

傳

澤火相滅息, 又二女志不相得, 故爲革. 息爲止息, 又爲生息, 物止而後有生, 故爲生義. 革之相息, 謂止息也.

못과 불은 서로 없애고, 또 두 여자가 마음이 서로 맞지 않기 때문에 혁(革)이라고 한 것이다. '없애버림[息]'은 사라짐[止息]이고 또 생겨남[生息]인데, 물건은 사라진 뒤에 생겨나기 때문에 생겨난다는 의미이다. 혁괘에서의 '서로 없앰[相息]'은 사라지게 함을 말한다.

小註

程子曰, 息訓爲生者, 蓋息則生矣. 一事息, 則一事生, 中无間斷. 碩果不食, 則便爲復也. 寒往則暑來, 暑往則寒來, 寒暑相推, 而歲成焉.

정자가 말하였다: '없앰[息]'의 훈고에 생겨나다[生]가 있는 것은 없애면 생겨나기 때문이다. 한 가지 일이 종식되면 한 가지 일이 생겨나니 중간에 끊어짐이 없다. "큰 열매가 먹히지 않음"[8]은 곧 회복하기 위한 것[復卦]이다. 추위가 가면 더위가 오고 더위가 가면 추위가 오니 추위와 더위가 서로 옮겨감에 한 해가 이루어진다.

---

8) 『周易 · 剝卦』: 上九, 碩果不食, 君子得輿, 小人剝廬.

本義

以卦象, 釋卦名義. 大略與睽相似, 然以相違而爲睽, 相息而爲革也. 息, 滅息也. 又爲生息之義. 滅息而後生息也

괘의 상으로 괘의 이름을 해석하였다. 대체로 규괘(睽卦)와 서로 비슷하나 서로 떠남으로써 규괘(睽卦)되고 서로 없애버림[滅息]으로써 혁괘(革卦)가 된다. '없애버림[息]'은 소멸시킴[滅息]이며 또 생겨남[生息]의 뜻이니, 없어진 뒤에 생겨나는 것이다.

小註

或問, 革二女志不相得, 與睽不同行, 有二否. 朱子曰, 意則一也, 但變韻而叶之爾.
어떤 이가 물었다: 혁괘의 '두 여자가 뜻이 맞지 않음[二女志不相得]'과 규괘의 '함께 가지 않음[不同行]'[9]은 다른 것입니까?
주자가 답하였다: 의미는 같으나 운이 바뀌어 협운(協韻)하였을 뿐입니다.

○ 臨川王氏曰, 澤火非如坎離有陰陽相逮之道, 其相遇則相息而已. 其相息也, 唯勝者, 能革其不勝者爾.
임천왕씨가 말하였다: '못과 불[澤火革䷰]'은 감괘(坎卦)와 리괘(離卦)에 음양이 서로 미치는[10] 도가 있는 것과는 같지 않아서 만나기만 하면 서로 없앨 뿐이다. 서로 없앨 경우, 이긴 자만이 이기지 못한 자를 변혁시킬 수 있다.

○ 隆山李氏曰, 澤火相息, 必有一勝. 兌非北方之正水, 少陰之氣, 不能以敵南方之正火. 兌之陰畫, 下有二陽畫限之, 而離火從下暵之, 此火能革澤水也. 故有溫泉而无寒火.
융산이씨가 말하였다: '못과 불'은 서로 없애니 반드시 한쪽이 이긴다. 태괘(兌卦☱)는 '북방의 바른 물'이 아니라 소음의 기운이니 '남방의 바른 불(☲)[리괘(離卦☲)]'을 대적할 수 없다. 태괘(兌卦☱)의 음획은 아래의 두 양획에 제한되고, 리괘(離卦☲)의 불이 아래에서 말리고 있으니, 이것이 불이 못[澤]의 물을 변혁시킬 수 있는 것이다. 그러므로 세상에 '따뜻한 물[溫泉]'은 있지만 '차가운 불[寒火]'은 없다.
又曰, 睽象曰二女同居, 其志不同行, 革象曰, 二女同居, 其志不相得. 不同行, 不過有

9) 『周易 · 睽卦』: 彖曰 睽, 火動而上, 澤動而下, 二女同居, 其志不同行.
10) 『周易 · 說卦傳』: 故水火相逮, 雷風不相悖, 山澤通氣然後, 能變化, 旣成萬物也.

相離之意, 故止於睽, 不相得, 則不免有相克之事, 故至於革.
또 말하였다: 규괘(睽卦䷥) 「단전」에서는 "두 여자가 함께 사나 그 뜻이 함께 가지 못한다[二女同居 其志不同行]"고 하였고, 혁괘 「단전」에서는 "두 여자가 한 곳에 같이 살되 그 뜻이 서로 맞지 않다[二女同居 其志不相得]"라고 하였다. '함께 가지 못함[不同行]'은 서로 떨어지는 뜻이 있는 데에 불과하기 때문에 어그러지는 데에 그쳤지만, '서로 맞지 않음[不相得]'은 서로 이기는 일이 있는 데서 벗어날 수 없기 때문에 변혁하게 되는 것이다.

○ 雲峰胡氏曰, 卦以相違爲睽, 相息爲革, 而旣濟水在火上, 不曰相息者, 何也. 坎之水, 動水也, 火不能息之. 澤之水, 止水也, 止水在上, 而火炎上, 故息. 滅息之中, 有生息者存, 猶人一吸一嘘而謂之一息. 亦有止而復生之義也.
운봉호씨가 말하였다: 괘에서 '서로 떠나는 것'을 규괘라 하고, '서로 없애는 것'을 혁괘라 한다. 기제괘(旣濟卦䷾)는 물이 불의 위에 있는데도 '서로 없애버린다'고 말하지 않는 것은 어째서인가? 감괘(坎卦)인 물은 움직이는 물이니 불이 없애버릴 수가 없다. 못의 물은 고여 있는 물이니 고여 있는 물이 위에 있는데 화염이 타올라가기 때문에 없애버린다. 없애는 가운데에 생겨나는 것이 있게 되니 마치 사람이 한번 들이쉬고 한번 내 쉬는 것을 '한번 숨 쉰다'고 하는 것과 같다. 이 또한 그침에 다시 생겨나는 뜻이 있다.

韓國大全

송시열(宋時烈) 『역설(易說)』

彖二女同居, 與睽略同意.
「단전」에서 "두 여자가 한 곳에 같이 살다"는 규괘(睽卦)와 대략 같은 뜻이다.

권만(權萬) 『역설(易說)』

澤爲水, 離爲火, 澤位於西, 火位於南. 自西至南, 於運行爲逆. 水火本是相克者, 而運氣又逆而不順, 故曰相息. 息從自從心, 各自以爲心. 相息云者, 卽其志不相得.
못은 물이고 리괘(離卦)는 불이며, 못의 자리는 서쪽이고 불의 자리는 남쪽이다. 서쪽에서 남쪽으로 갔으니 거꾸로 운행하였다. 물과 불은 본래 서로 이기는 것이어서 운행하는 기운도 또 거스르게 되어 순하지 못하기 때문에 "서로 없앤다"고 하였다. '식(息)'은 심(心)부수에 자(自)를 합한 자이니 각자 마음으로 삼는 것이다. "서로 없앤다"고 말한 것은 바로 뜻이 서로 맞지 않는 것이다.

유정원(柳正源)『역해참고(易解參攷)』11)

革水, [至] 相得.
혁은 물과 … 서로 맞지 않는 것이니

正義, 火本乾燥, 澤本潤濕, 燥濕殊性, 不可共處. 若其共處, 必相侵克. 其變乃生, 變生則本性改矣, 水熱而成湯, 火滅而氣冷者, 謂革也.
『주역정의』에서 말하였다: 불은 본래 건조하고 못[澤]은 본래 습기가 배어 있으니 건조함과 습기는 성질이 달라서 함께 처할 수 없다. 만일 함께 처하면 반드시 서로 침범하여 이긴다. 이에 변화가 생겨나니 변화가 생기면 본성이 바뀌어 물이 뜨거워짐에 끓게 되고 불이 꺼짐에 기운이 차게 되는 것을 변혁이라 한다.

○ 白雲蘭氏曰, 少女反在外而前, 中女反在內而後, 故不謂之行, 而止曰不相得.
백운난씨가 말하였다: 막내딸이 도리어 외괘에 있어서 앞이고 둘째딸이 도리어 내괘에 있어서 뒤이기 때문에 '간다'고 하지 않고 다만 "서로 맞지 않는 것"이라고 하였다.

○ 李氏曰, 火動而上, 澤動而下, 未若澤火相息, 其勢不能兩存也, 二女同居, 其志不同行, 未若志不相得, 其勢不能兩立也, 此睽與革之分也.
이씨가 말하였다: "불이 움직여서 올라가고 못이 움직여서 내려감"은 못과 불이 서로 없애버려 형세상 둘 다 존재할 수 없는 것만 못하고, "두 여자가 함께 있으나 그 뜻을 한 가지로 행하지 않음"12)은 뜻이 서로 맞지 않아 형세상 둘 다 설 수 없는 것만 못하니 이것이 규괘(睽卦)와 혁괘의 다른 점이다.

○ 案, 自離至兌, 拱得坤土, 是生息也, 兌金離火, 從革而復生, 亦生息也.
내가 살펴보았다: 리괘(離卦)에서 태괘(兌卦)로 가게 되면 곤괘(坤卦)의 흙을 잡게 되니 이것이 '자라남'이고, 태괘(兌卦)의 쇠와 리괘(離卦)의 불은 혁괘(革卦)에서 다시 생겨나니

---

11) 경학자료집성DB에 단사로 편집되어 있으나, 영인본의 체재에 의거하여 단전으로 옮겨 해석하였다.
12) 『周易 · 睽卦』: 象曰, 睽, 火動而上, 澤動而下, 二女同居, 其志不同行.

이 또한 자라남이다.

本義, 小註隆山說溫泉寒火.
『본의』의 소주에서 융산이씨가 말하였다: '뜨거운 물[溫泉]'과 '차가운 물[寒火]'.
皇極經世書, 陰得從陽, 陽不得從陰, 故有溫泉而无寒火.
『황극경세서』에서 말하였다: 음은 양을 따를 수 있으나 양은 음을 따를 수 없기 때문에 '뜨거운 물[溫泉]'은 있지만 '차가운 불[寒火]'은 없다.

김상악(金相岳)『산천역설(山天易說)』

以卦象釋卦名義, 火然於下, 水決於上, 有相滅息之勢, 小女在上, 中女在下, 有不相得之志, 故爲革.
괘의 상으로 괘의 이름을 해석하였다. 불이 아래에서 타고 물이 위에서 터져 서로 없애는 기세가 있으며, 막내딸이 위에 있고 둘째딸이 아래에 있으니 서로 맞지 않는 뜻이 있기 때문에 혁괘가 된다.

○ 兌水之止, 異於坎水之動. 故水火相交, 則爲旣濟, 澤火相息, 則爲革. 然滅息又爲生息之義, 滅息而後有生也.
태괘의 물은 고여 있으니 감괘(坎卦)의 물이 움직이는 것과는 다르다. 그러므로 물과 불이 서로 사귀면 기제괘(旣濟卦䷾)가 되고, 못물([澤])과 불은 서로 없애니 곧 혁괘가 된다. 그러나 없앰[滅息]은 또 생겨나는 뜻이 되니 없앤 뒤에 생겨남이 있다.

서유신(徐有臣)『역의의언(易義擬言)』

澤中有火, 其勢不相容, 必革而後已也. 睽二女, 兄弟在室者, 中女居先, 少女居後, 事之常, 故不同行而爲睽, 革二女, 妻妾同宮者, 少女居上, 中女居下, 事之變, 故不相得而爲革也.
못 가운데 불이 있으니 그 형세가 서로 용납하지 못하여 반드시 변혁한 뒤에야 그만둔다. 규괘(睽卦䷥)의 두 여자는 자매가 집에 있는 것으로서 둘째딸이 앞에 있고 막내딸이 뒤에 있으니 일의 상도이기 때문에 뜻이 한 가지로 행하지 않아 어긋나게 되고, 혁괘의 두 여자는 처첩이 한 집에 있는 것으로서 어린 여자가 위에 있고 중년의 여자가 아래에 있으니 일의 변고이기 때문에 서로 맞지 않아 변혁하게 된다.

박제가(朴齊家)『주역(周易)』

水火相息, 二女同居, 其志不相得, 曰革.
물과 불이 서로 없애는 것이고, 두 여자가 한 곳에 같이 살아 그 뜻이 서로 맞지 않는 것이니, 혁이라 한다.

傳, 相息謂止息也,
『정전』에서 말하였다: '서로 없앰[相息]'은 사라짐[止息]이다.

本義, 息滅息也, 又爲生息之義, 滅息而後生息也.
『본의』에서 말하였다: '없앰[息]'은 소멸시킴[滅息]이며 또 생겨남[生息]의 뜻이니, 없어진 뒤에 생겨나는 것이다.

案, 息對消而言者也. 若曰滅息, 則當曰消, 豈曰息乎. 水火相息者, 正是不滅之謂, 非徒不滅, 乃反相資, 故必曰相. 若單水單火, 則不能息. 如水必資於火而後熟, 火必資於水而後燃, 相爲用者也, 故曰相息. 息者從其用而言也, 若其性則必克乃已, 必至於革. 若二物中一物先滅, 則初不爲革矣, 夫旣滅息則亦已矣. 安能滅息而後生息耶. 雲峯胡氏曰滅息之中有生息者, 終是不達字義.
내가 살펴보았다: '식(息)'은 '소(消)'와 상대적으로 말하는 것이다. 만일 '멸식(滅息)'이라고 했다면 당연히 '소(消)'라고 했을 것이니 어찌 '식(息)'이라고 하였겠는가? 물과 불이 '서로 없앰'은 바로 없애지 않는 것을 이르니, 없애지 않을 뿐 아니라 도리어 서로 의뢰하기 때문에 반드시 '서로'라고 말한 것이다. 만일 독단의 물이며 독단의 불이라면 없앨 수 없다. 물은 반드시 불에 의뢰한 뒤에야 익고, 불은 반드시 물에 의뢰한 뒤에야 타오르니 서로 쓰임이 되는 것이기 때문에 "서로 없앤다"고 하였다. '없앤다'란 '쓰임'을 따라서 말한 것이니, 성질로 말한다면 반드시 이기고야 말아서 반드시 변혁에 이를 것이다. 두 물건 중에 한 물건이 먼저 없어지면 애초에 변혁되지 못할 것이니 이미 없어졌다면 또한 그만이다. 어찌 없어진 뒤에 생겨날 수 있겠는가? 운봉호씨가 "없애는 가운데에 생겨나는 것이 있다"고 한 것은 끝내 그 글자의 뜻을 모르는 것이다.

又案, 或問革之不相得, 與睽之不同行有異否. 朱子曰意則一也, 但變韻而叶之爾. 隆山李氏曰不同行不過有相離之意, 不相得則不免有相克之事, 故至於革, 此義爲優.
또 내가 살펴보았다: 어떤 이가 "혁괘의 '뜻이 맞지 않음'과 규괘의 '뜻이 한 가지로 행하지 않음'[13]은 다릅니까?"고 물으니, 주자가 "뜻은 한 가지이나 변운(變韻)으로 운을 맞추었을

뿐입니다"고 하였다. 융산이씨는 "'뜻이 한가지로 행하지 않음'은 서로 떨어지는 뜻이 있는 데에 불과하지만 '뜻이 서로 맞지 않음'은 서로 이기는 일이 있는데서 벗어나지 못하므로 변혁하는 데에 이른 것이다"고 하였으니 이 뜻이 더 좋다.

박문건(朴文健) 『주역연의(周易衍義)』

息滅息也. 此行卦象, 釋卦名.

식(息)은 멸식(滅息)이다. 이것은 괘의 상을 보고서 괘의 이름을 해석한 것이다.

〈問, 水火相息 曰, 兌水居上而潤下, 離火居下而炎上, 故相遇而相息. 問, 二女同居, 其志不相得. 曰, 少女之性, 降而下, 中女之性, 升而上, 故兩相逮而相射者也. 是以其志不相得也.

물었다: "물과 불이 서로 없애 버린다"는 무슨 뜻입니까?

답하였다: 물인 태괘(兌卦)가 위에 있어 아래를 적셔주고 불인 리괘(離卦)가 아래에 있어 위로 타오르기 때문에 서로 만나면 서로 없애는 것입니다.

물었다: "두 여자가 같이 살아 그 뜻이 서로 맞지 않는 것이다"는 무슨 뜻입니까?

답하였다: 막내딸의 성질은 내려가 아래에 있고 둘째딸의 성질은 올라가 위에 있기 때문에 둘이 서로 만나면[相逮][14] 서로 해칩니다[相射].[15] 이러므로 그 뜻이 서로 맞지 않는 것입니다.〉

이진상(李震相) 『역학관규(易學管窺)』

傳.

『정전』.

少女而處於長女之上, 則猶或見恕, 而處於中女之上, 則必相忿疾. 所以不相得也. 以水滅火,[16] 以火煎水, 固相滅息. 而中互乾金, 又互巽木, 金生水, 水生木,[17] 木生火, 又有生息之義.

막내딸로서 맏딸의 위에 처했다면 그래도 혹시 용서를 받을 수 있을 것이지만 둘째딸의 위에 처했으니 반드시 서로 미워할 것이다. 이 때문에 서로 맞지 않는 것이다. 물이 불을 끄고

---

13) 『周易 · 睽卦』: 彖曰, 睽, 火動而上, 澤動而下, 二女同居, 其志不同行.

14) 『周易 · 說卦傳』: 故水火相逮, 雷風不相悖, 山澤通氣然後, 能變化, 旣成萬物也.

15) 『周易 · 說卦傳』: 地定位, 山澤, 通氣, 雷風, 相薄, 水火不相射, 八卦相錯,

16) 火: 경학자료집성DB에 '大'로 되어 있으나, 경학자료집성 영인본을 참조하여 '火'로 바로잡았다.

17) 木: 경학자료집성DB에 '大'로 되어 있으나, 경학자료집성 영인본을 참조하여 '木'으로 바로잡았다.

불이 물을 끓임은 본래 서로 없애는 것이다. 그러나 가운데가 호괘인 건괘(乾卦☰)의 쇠이고 또 호괘인 손괘(巽卦☴)의 나무이니 쇠는 물을 낳고, 물은 나무를 낳으며, 나무는 불을 낳으므로 또한 낳고 없애는 뜻이 있다.

已日乃孚, 革而信之.

"시일이 지나야 믿음"은 변혁하여 믿게 하는 것이다.

中國大全

傳

事之變革, 人心豈能便信. 必終日而後孚. 在上者, 於改爲之際, 當詳告申令, 至於已日, 使人信之. 人心不信, 雖强之行, 不能成也. 先王政令, 人心始以爲疑者有矣. 然其久也必信, 終不孚, 而成善治者, 未之有也.

변혁하는 일을 인심이 어찌 곧바로 믿겠는가? 반드시 시일이 지난 뒤에야 믿어줄 것이다. 위에 있는 자가 변혁할 때에 마땅히 상세히 알리고 거듭 명령하나 시일이 지나야 사람들에게 믿게 할 수 있으니, 인심이 믿지 않으면 비록 억지로 시행하더라도 성공하지 못한다. 선왕의 정령(政令)을 인심이 처음에는 의심하는 자가 있었으나 오래되자 반드시 믿었으니, 끝내 믿게 하지 않고서 훌륭하게 다스린 경우는 없었다.

韓國大全

권만(權萬) 『역설(易說)』

已日, 離卦三爻畫而後, 離之中陰, 與兌之中陽, 爲應而孚, 言其久而後乃孚也. 自二至五更四位, 而自內至外爲久也. 革反看, 則自上至二, 有風澤之象, 風澤爲中孚, 故下孚字. 卦辭下字, 非無心妄下.

'시일이 지나야[已日]'는 리괘(離卦)의 삼효획 이후에 리괘(離卦)의 가운데 음과 태괘(兌卦)의 가운데 양이 호응하여 믿으니 오래된 뒤에야 믿는다는 말이다. 이효부터 오효까지는 네 자리를 거치니 내괘부터 외괘까지는 '오래'가 된다. 혁괘를 거꾸로 된 괘로 보면 상효에서 이효까지 바람과 못의 상이 있으니 바람과 못은 중부괘(中孚卦䷼)이기 때문에 부(孚)자를 썼다. 괘사에 글자를 쓰는 것은 무심코 함부로 쓴 것이 아니다.

○ 下體變而遇九五爲革也. 信正應相孚信也.
하체가 변하여 구오를 만난 것이 '변혁'이고, '믿게 함[信]'은 정응이 서로 믿는 것이다.

유정원(柳正源)『역해참고(易解參攷)』[18]

革而信之.
변혁하여 믿게 하는 것이다.

案, 未革之前, 詳告申令, 至於已日, 已革之後, 又告申令. 至於已日, 則上不欺下, 而民信其上矣.
내가 살펴보았다: 변혁하기 전에 자세히 고하고 거듭 명령하며, 시일이 지나고 변혁한 뒤에도 또 고하고 거듭 명한다. 시일이 지나게 되면, 윗사람이 아랫사람을 속이지 않아 백성이 윗사람을 믿을 것이다.

박문건(朴文健) 『주역연의(周易衍義)』

此以卦志, 釋卦辭.
이것은 괘의 뜻을 가지고 괘사를 해석하였다.
〈問, 革而信之. 曰, 六二革其志而信於上者也. 所革得當, 故其悔乃亡也.
물었다: "변혁하여 믿게 하는 것이다"는 무슨 뜻입니까?
답하였다: 육이는 자기의 뜻을 변혁하여 윗사람을 믿는 자입니다. 변혁한 것이 마땅함을 얻었기 때문에 후회가 없어지는 것입니다.〉

---

18) 경학자료집성DB에 단사로 편집되어 있으나, 영인본의 체재에 의거하여 단전으로 옮겨 해석하였다.

文明以說, 大亨以正, 革而當, 其悔乃亡.

밝고 빛나며 기뻐하여 크게 형통하고 바르니, 변혁하여 마땅하게 함에 후회가 없다.

中國大全

傳

以卦才, 言革之道也. 離爲文明, 兌爲說, 文明則理无不盡, 事无不察, 說則人心和順. 革而能照察事理, 和順人心, 可致大亨, 而得貞正. 如是變革, 得其至當, 故悔亡也. 天下之事, 革之不得其道, 則反致弊害,. 故革有悔之道., 唯革之至當, 則新舊之悔, 皆亡也.

괘재(卦才)로써 변혁하는 도리를 말하였다. 리괘(離☲)는 밝고 빛남이며 태괘(☱)는 기뻐함이니, 밝고 빛나면 이치를 지극하게 하지 않음이 없어 일을 살피지 않음이 없으며, 기뻐하면 사람들이 마음으로 화합하면서 순응한다. 변혁하면서도 사리에 비추어 살피고 사람들이 마음으로 화합하면서 순응하면 크게 형통함을 이루고 곧고 바름을 얻을 수 있다. 이와 같으면 변혁함이 지극히 마땅함을 얻기 때문에 후회가 없어진 것이다. 천하의 일은 변혁이 그 도에 맞지 않으면 도리어 폐해를 초래하기 때문에 '혁'에는 후회하는 도(道)가 있다. 오직 변혁하기를 지극히 마땅하게 하면 '새것과 옛것'에 대한 후회가 다 없어질 것이다.

本義

以卦德, 釋卦辭.

괘의 덕으로 괘사를 풀이하였다.

小註

白雲郭氏曰, 明故見於未革之先, 說故見於已革之後.

백운곽씨가 말하였다: 밝기 때문에 변혁하기 전에 아는 것이고, 기뻐하기 때문에 변혁한 뒤에 아는 것이다.

○ 庸齋趙氏曰, 變革之難, 非內明而外說, 不可也. 內明則見理必盡, 外說則无咈於人情.
용재조씨가 말하였다: 변혁의 어려움은 안에서 밝고 밖에서 기뻐하지 않으면 안 된다. 안에서 밝음은 이치를 알아 반드시 다하는 것이고, 밖에서 기뻐함은 인정에 어긋남이 없는 것이다.

○ 雲峰胡氏曰, 彖未有言悔亡者, 惟革言之, 革易有悔也. 必革而當 其悔乃亡, 當字卽是貞字. 一有不貞, 則有不信有不通, 皆不當者也. 不當則不見革之亨, 唯有革之悔. 革而當 其悔乃亡, 聖人愼之之意可知矣.
운봉호씨가 말하였다: 다른 괘의 「단전」에서는 "후회가 없다[悔亡]"고 말한 곳이 없는데, 혁괘에서만 그렇게 말한 것은 변혁하면 후회하게 되기 때문이다. 변혁하면 반드시 마땅하게 하여야 후회가 없을 것이니 '마땅하게 함[當]'이 바로 '바름[貞]'이다. 하나라도 바르지 않음이 있으면 믿지 않아 통하지 않을 것이니 모두 마땅하게 하지 않은 것이다. 마땅하게 하지 않으면 변혁의 형통함을 볼 수 없고 변혁한 것에 대한 후회만이 있을 것이다. 변혁하고서 마땅하게 하여야 후회가 없을 것이니 성인이 삼가한 뜻을 알 수 있다.

○ 楊氏曰, 革而當者, 如盤庚之遷, 始則其民之不孚, 迨夫遷都一定, 民情安然, 无所疑慮, 其悔乃亡. 使其革而不當, 則是嬴秦取井田而阡陌之, 取封建而郡縣之, 取鄕遂而兵農之, 安能免其所謂悔歟.
양씨가 말하였다: 변혁하여 마땅하게 된 것은 마치 반경(盤庚)이 천도한 것과 같으니 처음에는 백성이 믿지 않다가 천도하여 한 번 안정되자 민심이 편안하여 의심하거나 염려하는 것이 없어 후회가 없었다. 변혁하여 마땅하게 되지 않은 경우는 진(秦)나라의 진시황이 정전제(井田制)를 천맥제(阡陌制)로 변혁하고, 봉건제(封建制)을 군현제(郡縣制)로 변혁하였으며, 향수제(鄕遂制)를 병농제(兵農制)로 변혁한 것이 여기에 해당하니 어찌 이른바 '후회'를 면할 수 있겠는가?

韓國大全

권만(權萬) 『역설(易說)』

文明以說, 大亨以正.
밝고 빛나며 기뻐하여 크게 형통하고 바르니.
離文明而兌說. 陰陽正應, 有大亨之道.
리괘는 밝게 빛남이고 태괘는 기쁨이다. 음양이 정응하니 크게 형통하는 도가 있다.

○ 革而當, 其悔乃亡.
변혁하여 마땅하게 함에 후회가 없다.
當言陰陽相應故當. 以卦象言之, 則水火相息, 二女不相得, 無非悔象, 而二五正應, 相合相息之餘, 故前悔始亡.
'당(當)'은 음양이 서로 호응하기 때문에 '마땅하게 함[當]'이라는 말이다. 괘상으로 말하면 물과 불이 서로 없애고 두 여자가 서로 맞지 않으니 후회하지 않음이 없는 상이지만 이효와 오효가 정응이니 서로 없애는 나머지에 서로 합하기 때문에 이전의 후회가 비로소 없어진다.

유정원(柳正源)『역해참고(易解參攷)』19)

文明 [至] 以正.
문명하고 … 바르니.

梁山來氏曰, 明則識事理而所革不苟, 說則順時勢而所革不驟. 大亨者, 除弊興利, 一事之大亨也, 伐暴救民, 擧世之大亨也. 以正者, 揆之天理而順, 卽之人心而安也.
양산래씨가 말하였다: 밝으면 일의 이치를 알아 변혁하는 것이 구차하지 않고, 기뻐하면 때의 형세를 따라서 변혁하는 것을 서두르지 않는다. '크게 형통함'이란, 폐단을 제거하고 이로움을 일으키는 것이 한 가지 일에서의 크게 형통함이고, 포악한 자를 쳐서 백성을 구제함이 온 세상에서의 크게 형통함이다. '바름[以正]'은 천리를 헤아려 따르고, 인심에 나아가 편안히 하는 것이다.

---

19) 경학자료집성DB에 단사로 편집되어 있으나, 영인본의 체재에 의거하여 단전으로 옮겨 해석하였다.

○ 案, 明則識天理之當然, 說則順人心之自然. 趣時變通, 理正言順, 然後人心說, 而天意得.
내가 살펴보았다: 밝으면 천리가 마땅히 그러함을 알고, 기뻐하면 인심이 저절로 그러함을 따른다. 때에 따라 변하고 통하여[20] 이치가 바르고 말이 순리에 맞은 뒤에 인심이 기뻐하여 천의를 얻을 것이다.

서유신(徐有臣)『역의의언(易義擬言)』

已日乃孚, 革而信之. 文明以說, 大亨以正, 革而當, 其悔乃亡.
"시일이 지나야 믿음"은 변혁하여 믿게 하는 것이다. 문명하고 기뻐하여 크게 형통하고 바르니, 변혁하여 마땅하게 함에 후회가 없다.

文明以說, 故革而信之, 大亨以正, 故革而當也. 新政文明, 民心悅服, 爲大亨以正也. 睽變爲革,而二三五上, 得其當位, 革而當之象也. 革乃謂當革者, 非謂不當革者. 炎候之不當嬗秋, 豈得以革之, 商道之不當廢周, 豈得以革之. 事有可悔, 不得不革.
밝고 빛나며 기뻐하기 때문에 변혁함에 믿고, 크게 형통하고 바르기 때문에 변혁하여 마땅하게 한다. 새 정치가 밝고 빛나며 백성이 마음으로 기뻐하며 복종하는[21] 것은 크게 형통하고 바르기 때문이다. 규괘(睽卦☲☱)가 변하여 혁괘(革卦☱☲)가 됨에 이효 · 삼효 · 오효 · 상효가 마땅한 자리를 얻으니 변혁하여 마땅하게 하는 상이다. 변혁은 바로 변혁해야 하는 것을 말하지 변혁해서는 안 되는 것을 말함이 아니니, 더위는 마땅히 가을을 물러가게 할 수 없으니 어찌 변혁할 수 있겠으며, 상나라의 도가 마땅히 주나라를 없앨 수 없으니 어찌 변혁할 수 있겠는가? 일에 후회할 만함이 있지만 변혁하지 않을 수 없다.

박문건(朴文健) 『주역연의(周易衍義)』

此以卦德卦志, 釋卦辭.
이것은 괘의 덕과 괘의 뜻[志]으로 괘사를 해석하였다.
〈問, 文明以說. 曰, 文明而且和說也. 此與大有象其德剛健而文明同例也.
물었다: '밝고 빛나며 기뻐하여'는 무슨 뜻입니까?
답하였다: 밝게 빛나고 또한 화합하고 기뻐하는 것입니다. 이것은 대유괘(大有卦) 「단전」

---

20)『周易 · 繫辭傳』: 剛柔者, 立本者也, 變通者, 趣時者也.
21)『孟子 · 公孫丑』: 以力服人者, 非心服也, 力不贍也, 以德服人者, 中心悅而誠服也, 如七十子之服孔子也.

의 "그 덕이 강건하면서 밝게 빛나고"[22]와 같은 사례입니다.〉

김기례(金箕澧)「역요선의강목(易要選義綱目)」

非文明, 則難詳可革之理, 非外悅, 則難孚從革之民.

밝고 빛나지 않으면 변혁할 만한 이치를 자세히 알리기 어렵고, 밖이 기뻐하지 않으면 변혁을 따르는 백성을 믿게 하기 어렵다.

최세학(崔世鶴)「주역단전괘변설(周易彖傳卦變說)」

革, 彖曰, 已日乃孚, 革而信之. 大亨以正, 革而當.

혁괘「단전」에서 말하였다: "시일이 지나야 믿음"은 변혁하여 믿게 하는 것이다. 크게 형통하고 바르니, 변혁하여 마땅하게 한다.

革乾之二體變也, 二與上二爻爲主, 故彖以革而信革而當言之. 坤二來, 居於下體之中, 而已日乃革, 則革而信也, 坤上往, 居於上體之上, 居正從革, 則革而當也.

혁괘는 건괘의 두 몸체가 변한 것이니, 이효와 상효 두 효가 주인이기 때문에「단전」에서는 "변혁하여 믿게 함"과 "변혁하여 마땅하게 함"으로 말하였다. 곤괘의 이효가 와서 하체의 가운데에 있어서 시일이 지나서 변혁하니 변혁하여 믿게하고, 곤괘의 상효가 가서 상체의 위에 거하여 바른 자리에 있으면서 변혁을 따르니 변혁하여 마땅하게 한다.

22)『周易·大有卦』: 彖曰, 大有, 柔得尊位, 大中而上下應之, 曰大有, 其德, 剛健而文明, 應乎天而時行. 是以元亨.

天地革, 而四時成, 湯武革命, 順乎天而應乎人, 革之時, 大矣哉.

천지가 변혁하여 사시(四時)가 이루어지며 탕왕과 무왕이 혁명하여 천명에 순응하고 사람들에게 부응하였으니,'혁'의 때가 크도다!

中國大全

傳

推革之道, 極乎天地變易, 時運終始也. 天地陰陽, 推遷改易, 而成四時. 萬物於是, 生長成終, 各得其宜, 革而後, 四時成也. 時運旣終, 必有革而新之者, 王者之興, 受命於天, 故易世謂之革命. 湯武之王, 上順天命, 下應人心, 順乎天, 而應乎人也. 天道變改, 世故遷易, 革之至大也. 故贊之曰革之時大矣哉.

혁의 도를 미루어 천지의 변화와 시운(時運)의 시종을 다하였다. 천지의 음양이 미루어 옮기고 고치고 바뀌어 사계절을 이루니, 만물이 이에 낳고 자라고 이루고 마침이 각각 그 마땅함을 얻어 변혁한 뒤에 사계절이 이루어진다. 시운이 끝난 다음에는 반드시 변혁하여 새롭게 하는 자가 있으니, 왕자(王者)가 일어날 때에 하늘에서 명을 받으므로 세상을 바꿈을 혁명이라 이른다. 탕왕과 무왕은 위로 천명에 순응하고 아래로 인심에 부응하였으니, 이는 하늘에 순응하여 사람에게 부응한 것이다. 천도가 바뀌어 고쳐짐과 세상 일이 바뀌어 달라짐은 변혁 중에 지극히 큰 것이다. 그러므로 "혁의 때가 크도다"라고 찬미하였다.

本義

極言而贊其大也.

지극히 말하여 변혁의 큼을 찬미하였다.

小註

朱子曰, 革是更革之謂. 到這裏, 須盡翻[23]轉更變一番, 所謂上下與天地同流, 豈曰小補之哉. 小補之者, 謂扶衰救弊, 逐些補緝, 如錮露家事相似. 若是更革, 則須徹底從新鑄造一番, 非止補其罅漏而已. 湯武順天應人, 便如此.
주자가 말하였다: '혁'은 고치고 바꿈을 이른다. 여기에 이르러 반드시 한차례 뒤집고 바꾸는 것을 다해야 하니, 이른바 상하가 천지와 동류인 것을 어찌 작은 보탬이라고 하겠는가? 작은 보탬이라는 것은 쇠약한 것을 부축하고 피폐한 것을 구제하여 도움을 이루는 것이니 그릇을 땜질하는[錮露][24] 것과 흡사하다. 변혁의 경우에는 반드시 철저하게 한차례 새로 주조하는 것이니 하자를 보수하는 정도에서만 그치는 것이 아니다. 탕왕과 무왕이 천명에 순응하고 사람에 부응한 것이 곧 이와 같다.

○ 易言順天應人, 後來盡說應天順人, 非也.
『주역』에 '천명에 순응하고 사람들에게 부응한다[順天應人]'를 후대에는 모두 '하늘에 부응하고 사람들에게 순응한다[應天順人]'로 말하니 잘못이다.

○ 順天應人, 革就革命上說, 言順天理應人心.
'천명에 순응하고 사람들에게 부응한다[順天應人]'는 혁괘에서는 혁명으로 말한 것이니 천리에 순응하고 인심에 부응한다는 말이다.

○ 李氏曰, 夏革春而陽事畢, 春革冬而陰事畢, 時變係焉. 湯革夏而爲商, 武革商而爲周, 天命係焉.
이씨가 말하였다: 여름이 봄에서 바뀌어 양의 일을 마치는 것과 봄이 겨울에서 바뀌어 음의 일을 마치는 것은 때의 변화에 관계된 것이고, 탕왕이 하나라를 바꾸어 상나라를 만든 것과 무왕이 상나라를 바꾸어 주나라를 만든 것은 천명이 관계된 것이다.

○ 建安丘氏曰, 大而天地造化, 密運潛移, 革春而爲夏, 革秋而爲冬, 陰陽代謝, 而四時以成. 況古往今來, 世代更變, 則革夏而爲商, 革商而爲周, 非湯武强爲之也, 不過順天應人而已.
건안구씨가 말하였다: 위대한 천지의 조화가 은밀하게 돌아가며 몰래 변하여 봄을 바꾸어 여름이 되게 하고 가을을 바꾸어 겨울이 되게 하니 음·양이 번갈아 시들어 사시가 이루어

---

23) 翻: 『주역전의대전』에 '番'으로 되어 있으나, 『주자어류』에 따라서 '翻'으로 바로잡았다.
24) 고로(錮露): 금속의 새는 부분을 땜질하여 막음.

진다. 더구나 예로부터 지금까지 왕조가 변경된 경우, 하나라를 바꾸어 상나라가 되게 하고 상나라를 바꾸어 주나라가 되게 한 것이 탕왕과 무왕이 힘써서 그렇게 만들어진 것이 아니라, 천명에 순응하고 사람들에게 부응한 것에 불과할 뿐임에랴.

○ 中溪張氏曰, 夫時未當革, 聖人不能先時, 時有當革, 聖人不能後時. 上順天命, 下應人心, 革而當, 其可之謂時. 故彖辭贊之曰, 革之時大矣哉.
중계장씨가 말하였다: 아직 변혁해서는 안 되는 때에 성인이 시기를 앞당길 수 없고, 변혁해야 하는 때에 성인이 시기를 늦출 수 없다. 위로 천명에 순응하고 아래로 인심에 부응하여 변혁하고 마땅하게 하면 때에 맞는다고 이를 수 있기 때문에 「단전」에서 "혁의 때가 크도다"라고 찬미하였다.

○ 雲峰胡氏曰, 順乎天而應乎人, 革言之, 兌亦言之. 兌, 說也. 順天理應人心, 說道也. 革重事也, 而必以悅道行之, 其義大矣.
운봉호씨가 말하였다: "천명에 순응하고 사람들에게 부응한다[順乎天而應乎人]"를 혁괘에서 말했는데, 태괘에서도 이것을 말했다.[25] 태는 기쁨이다. 천리에 순응하고 인심에 부응하는 것이 기뻐하는 도이다. 변혁은 중대한 일이나 반드시 기쁨의 도로 시행해야 하니 그 의미가 크다.

韓國大全

조호익(曺好益)『역상설(易象說)』

天地, 五上天初二地, 九六四時之象. 湯武指五. 五天位而在下, 有順天之象. 應二, 二人位, 應人之象.
'천지(天地)'는, 오효・상효가 하늘[天]이고 초효・이효가 땅[地]이니, 음양(陰陽)과 사시(四時)의 상이다. '탕왕과 무왕'은 오효를 가리킨다. 오효는 하늘의 자리인데 아래에 있으니 하늘에 순하는 상이 있다. 이효에 호응하니 이효는 사람의 자리이므로 사람에 호응하는 상이다.

---

25) 『周易・兌卦』: 彖曰, 兌, 說也, 剛中而柔外, 說以利貞. 是以順乎天而應乎人, 說以先民, 民忘其勞, 說以犯難, 民忘其死, 說之大, 民勸矣哉.

권만(權萬)『역설(易說)』

天地革以下, 廣言革道, 非說卦象.
“천지가 변혁함”이하는 변혁의 도를 광범위하게 말한 것이지 괘상을 설명한 것은 아니다.

유정원(柳正源)『역해참고(易解參攷)』[26]

湯武 [至] 矣哉.
탕왕과 무왕이 … 로다.

正義, 王者相承, 改正易服, 皆有變革, 而獨擧湯武者, 蓋舜禹禪讓, 猶或因循, 湯武干戈, 極其損益, 故取其變甚者, 以明人革也.
『주역정의』에서 말하였다: 왕자(王者)가 서로 계승하여 정월을 고치고 복식을 바꾸는 것이 모두 변혁이 있는 것인데 유독 탕왕과 무왕을 거론한 것은, 순임금과 우임금은 선양하였으니 오히려 그대로 따른 것이고 탕왕과 무왕은 전쟁하여 덜고 더함을 극도로 하였기 때문에 변화 중에 심한 것을 취하여 사람의 변혁을 밝힌 것이다.

○ 馮氏曰, 湯武應九五, 上順上六天也, 下應六二人也.
풍씨가 말하였다: 탕왕과 무왕은 응당 구오이니 위로 상육인 하늘에 순응하고 아래로 육이인 사람에 호응한다.

○ 節齋蔡氏曰, 豫遯姤旅言時義者, 言當其時處其義也, 坎睽蹇言時用者, 言當其時, 妙其用也, 頤大過解革言時者, 言謹其時也, 隨言隨時之義者, 言隨時爲義也.
절재채씨가 말하였다: 예괘(豫卦䷏)·돈괘(遯卦䷠)·구괘(姤卦䷫)·려괘(旅卦䷷)에서 때와 의리를 말한[27] 것은 때에 마땅히 하고 의리에 처한다는 말이고, 감괘(坎卦䷜)·규괘(睽卦䷥)·건괘(蹇卦䷦)에서 때와 쓰임을 말한[28] 것은 때에 마땅히 하고 쓰임을 잘한다는 말이며, 이괘(頤卦䷚)·대과괘(大過卦䷛)·해괘(解卦䷧)·혁괘(革卦)에서 때를 말한 것은

---

26) 경학자료집성DB에 단사로 편집되어 있으나, 영인본의 체재에 의거하여 단전으로 옮겨 해석하였다.
27) 『周易·豫卦』: 豫之時義, 大矣哉. 『周易·遯卦』: 遯之時義, 大矣哉. 『周易·姤卦』: 姤之時義, 大矣哉. 『周易·旅卦』: 旅之時義, 大矣哉.
28) 『周易·坎卦』: 天險, 不可升也, 地險, 山川丘陵也, 王公設險, 以守其國, 險之時用, 大矣哉. 『周易·睽卦』: 天地, 睽而其事, 同也, 男女, 睽而其志, 通也, 萬物, 睽而其事, 類也, 睽之時用, 大矣哉. 『周易·蹇卦』: 見險而能止, 知矣哉. 蹇利西南, 往得中也, 不利東北, 其道窮也, 利見大人, 往有功也, 當位貞吉, 以正邦也, 蹇之時用, 大矣哉.

때를 삼가야한다는 말이고, 수괘(隨卦䷐)에서 때를 따르는 뜻을 말한 것은 때를 따름을 의리로 삼은 것이다.

○ 雙湖胡氏曰, 梁武帝受禪, 顔見遠不食卒, 武帝曰, 我自應天從人, 何預士夫事. 管見云, 易之革曰, 湯武革命, 順乎天, 而應乎人, 未聞應乎天也. 應者對感而言, 人事作於下, 則天理應於上, 豈曰天感乎上, 而人應乎下歟. 爲是言者, 不知天之爲天矣, 故易唯曰順乎天. 順乎天者, 順理也. 後世務名不務實, 以兵取國者曰, 吾應天順人也, 相承而罔察, 以爲尊號, 則其失之也遠矣. 朱子曰, 胡致堂管見中辨得好.
쌍호호씨가 말하였다: 양나라 무제가 선위를 받으니 안견원(顔見遠)이 식음을 전폐하고 죽자 무제가 말하기를 "내가 스스로 하늘에 부응하여 인심을 따랐으니 사대부가 무슨 상관인가?"고 하였다. 『독사관견(讀史管見)』에 "『주역』의 혁괘에 '탕왕과 무왕이 혁명하여 천명에 순응하고 사람들에게 부응하였다'고 하였으니, 하늘에 부응했다는 소리는 들어보지 못했다. '부응'이란 '감동'에 짝하여 말한 것이니, 아래에서 인사(人事)를 하면 위에서 천리(天理)가 부응하는 것이니 어찌 하늘이 위에서 감동하여 사람이 아래에서 부응한다고 말할 수 있겠는가? 이렇게 말하는 자는 하늘이 하늘이 되는 이유를 모르기 때문에 쉽게 '하늘에 순응한다'고 말하는 것이다. '하늘에 순응함'이란 이치를 따름이다. 후세 사람들 중에 명예에만 힘쓰고 실제에는 힘쓰지 않고서 무력으로 나라를 탈취한 자가 말하기를 '내가 하늘에 부응하고 민심을 따랐다'고 하여 서로 계승하고 살피지 않으면서 높여 호칭하니 매우 잘못되었다"고 하였다. 주자가 "호치당(胡致堂)[29]이 『독사관견(讀史管見)』 안에서 잘 분별하였다"고 하였다.

小註, 朱子說錮露.
소주에서 주자가 말하였다: 땜질하다.
〈案, 說文, 錮鑄塞也, 徐曰, 鑄銅鐵, 以塞隙也, 蓋當時以鎔鐵化水, 點鑄罅隙, 謂之錮露.
내가 살펴보았다: 『說文』에 "고(錮)는 땜질하여 막는 것이다"고 하였고, 서씨는 "구리나 철을 주조하여 틈을 막는 것이다"고 하였으니, 당시에 철을 녹여 액체로 만들어서 틈을 메꾸는 것을 고로(錮露)라고 하였다.〉

家事.
집안 일.

---

29) 호치당(胡致堂): 호인(胡寅: 1098-1157)의 자(字)가 치당(致堂)이며, 양시(楊時)에게서 학문을 배웠다. 저서에 『독사관견(讀史管見)』이 있다.

〈漢語, 謂器皿.
중국어에서 '그릇'을 이른다.〉

김상악(金相岳)『산천역설(山天易說)』

已日乃孚, 革而信之. 文明以說, 大亨以正, 革而當, 其悔乃亡. 天地革, 而四時成, 湯武革命, 順乎天而應乎人, 革之時, 大矣哉.
"시일이 지나야 믿음"은 변혁하여 믿게 하는 것이다. 문명하고 기뻐하여 크게 형통하고 바르니, 변혁하여 마땅하게 함에 후회가 없다. 천지가 변혁하여 사시(四時)가 이루어지며 탕왕과 무왕이 혁명하여 천명에 순응하고 사람들에게 부응하였으니, '혁'의 때가 크도다!

以卦德釋卦辭而極贊之. 信卽孚也. 文明則萬物咸覩, 以說則衆情說服. 以此更革, 所以大亨正悔亡也. 天地變革, 世代變更, 革之大者也.
괘덕으로 괘사를 해석하여 극찬하였다. 신(信)이 곧 부(孚)이다. 밝고 빛나면 만물이 모두 보고, 기뻐하면 민심이 기쁨으로 복종한다. 이로써 변혁하기 때문에 크게 형통하고 바르며 후회가 없는 것이다. 천지가 변혁하고 세대(世代)가 변경하는 것이 "혁의 큼" 이다.

○ 四時卽四德也. 四時之序皆相生, 惟金火相克, 猶堯舜以禪讓, 而湯武以征伐也. 兌居上而五之大人爲革之主, 故順天應人, 與兌同象. 凡言大矣哉, 有二, 有贊美其所係之大者, 豫革之類是也, 有稱歎其所處之難者, 大過遯之類是也.
사시(四時)는 곧 네 가지 덕이다. 사시의 순서는 모두 서로 살리지만 오직 쇠와 불은 서로 이기니, 요임금과 순임금이 선양하고 탕왕과 무왕이 정벌한 것과 같다. 태괘(兌卦)가 위에 있어서 오효의 대인이 혁괘의 주인이기 때문에 천명에 순응하고 사람에게 부응하니 태괘(兌卦䷹)와 상이 같다. 무릇 "크도다"라고 말하는 것은 두 가지가 있다. 관계됨이 큰 것을 찬미한 것이 있으니 예괘(豫卦䷏)·혁괘(革卦)의 종류가 이렇고, 처한 것이 어려움을 일컬어 탄식한 것이 있으니 대과괘(大過卦䷛)·돈괘(遯卦䷠)의 종류가 이렇다.

서유신(徐有臣)『역의의언(易義擬言)』

革之大而不容不爾者, 莫如天時之代序, 湯武之革命, 亦皆有已日乃孚, 元亨利貞, 悔亡之義也. 彖言正言當, 而不言中, 言時之大, 而不言義, 抑有微意也歟.
변혁이 커서 그와 같지 않음을 용납하지 않은 것이 천시(天時)가 교대로 순서에 따라 바뀌고 탕왕과 무왕이 천명을 바꾼 것 만한 것이 없으니 모두 "시일이 지나야 믿을 것이니 크게 형통하고 바름이 이로워 후회가 없다"는 뜻이 있다. 「단전」에서 바름을 말하고 마땅하게 함을 말하였으나 중(中)을 말하지 않고, 때의 큼을 말하였으나 의리는 말하지 않았으니 은미한 뜻이 있을 것이다.

革命, 革夏殷之命也, 此極言革時之大也.
'천명을 바꿈[革命]'은 하나라와 은나라의 천명을 바꿈이니 이것은 변혁의 때가 큼을 지극하게 말하였다.

이지연(李止淵) 『주역차의(周易箚疑)』

所謂天地革而四時成者也.
이른 바 천지가 변혁하여 사시가 이루어진다는 것이다.

심대윤(沈大允) 『주역상의점법(周易象義占法)』

息殖也止也. 人之止憩而殖養其力謂之息. 澤火相克而爲用, 乃止之而殖之也. 革而當, 革化而當於道也.
'식(息)'은 번식이며 그침이다. 사람이 그쳐 휴식하여 힘을 기르는 것을 '식(息)'이라 한다. 못과 불이 서로 이겨서 작용이 되니 곧 일을 그치게 하여 기르는 것이다. "혁이당(革而當)"은 변혁하여 바꾸되 도에 마땅하게 하는 것이다.

陽陰爭辨而推卻[30], 革去其故, 而成四時, 天地之革也. 仁暴爭辨而放伐, 革去其故, 而順天人, 天下之革也. 爭辨有時, 而不可常, 故贊其時. 爭辨者, 末[31]節也, 近於婦人之事焉. 丈夫時, 有不得已也, 非其所尙也, 故傳不釋利也.
음양이 다투어 분별하여 밀쳐버려 옛 것을 변혁해서 사시를 이루는 것이 천지의 변혁이다. 어짊과 포악함이 다투어 분별하여 내쫓고 정벌하여, 옛 것을 변혁해서 하늘과 사람에게 순응하는 것이 천하의 변혁이다. 다투어 분별하는 데에는 때가 있으나 일정할 수가 없기 때문에 때를 찬미하였다. 다투어 분별하는 것은 말단적인 일이니 부인의 일에 가깝다. 장부일 때는 부득이해서이니 숭상하는 것이 아니기 때문에 「단전」에서 '리(利)'를 풀이하지 않았다.

---

30) 卻: 경학자료집성DB에 '欲'으로 되어 있으나, 경학자료집성 영인본을 참조하여 '卻'으로 바로잡았다.
31) 末: 경학자료집성DB에 '未'로 되어 있으나, 경학자료집성 영인본을 참조하여 '末'로 바로잡았다.

오치기(吳致箕) 「주역경전증해(周易經傳增解)」

彖曰, 革, 水火相息〈卦象〉, 二女同居〈卦象〉, 其志不相得, 曰革. 已日乃孚, 革而信之. 文明〈離〉以說〈兌〉, 大亨以正, 革而當, 其悔乃亡. 天地革, 而四時成, 湯武革命, 順乎天而應乎人, 革之時, 大矣哉.
「단전」에서 말하였다: 혁은 물과 불이 서로 없애는 것이고〈괘상이다.〉, 두 여자가 한 곳에 같이 살면서〈괘상이다.〉 그 뜻이 서로 맞지 않는 것이니, 혁이라 한다. "시일이 지나야 믿음"은 변혁하여 믿게 하는 것이다. 밝고 빛나며〈리괘이다〉 기뻐하여〈태괘이다〉 크게 형통하고 바르니, 변혁하여 마땅하게 함에 후회가 없다. 천지가 변혁하여 사시(四時)가 이루어지며 탕왕과 무왕이 혁명하여 천명에 순응하고 사람들에게 부응하였으니, '혁'의 때가 크도다!

此以卦象卦德, 釋卦名義及卦辭也. 澤火互相滅息, 二女志不相得, 皆革之義, 而事之變革, 必待人心孚信之日, 然後可就矣. 其德則文明而照察事理, 和說而民衆順從, 亦能大亨以貞, 而革得其當, 故乃亡其悔也. 終又極言天地四時之革, 及湯武革命之事, 而革道惟得時最宜, 故特贊時之大也.
이것은 괘상과 괘덕으로 괘의 이름 및 괘사를 해석하였다. 못의 물과 불이 서로 없애고 두 여자가 한 곳에 살면서 뜻이 서로 맞지 않음이 모두 혁의 뜻이니, 일의 변혁은 반드시 인심이 믿어주는 날을 기다린 뒤에야 성취할 수 있다. 그 덕은 밝게 빛나서 일의 이치를 밝게 살피고, 화합하고 기뻐하여 민중이 유순하게 따르니, 또한 크게 형통하고 바르게 할 수 있어서, 변혁함이 마땅하게 함을 얻었기 때문에 후회가 없다. 마침내 또 천지와 사시의 변혁과, 탕왕과 무왕이 혁명한 일을 지극히 말하였고, 변혁의 도는 오직 때를 얻음이 가장 마땅해야 하기 때문에 특별히 때의 큼을 찬미하였다.

이진상(李震相) 『역학관규(易學管窺)』

水火相息.
물과 불이 서로 없애는 것이고.
按, 先天圖, 離火在東卯位, 火得木而熾也. 兌水在東南辰巳位. 辰土也, 土克水, 壅而爲澤, 巳火也, 火燥土沃, 則便焦, 故南方有炎. 海積水, 中火氣彌天, 兌居東南, 乃水火相息之地也. 革位又次於離, 而交於兌, 則革又水火相息之始也. 且兌澤本當離火之下, 而今反在上, 是變革其故常也. 止水在上, 而大火暵于其下, 如以釜盛海水, 而火以煑之, 則水涸爲塩, 革其質矣. 苟非有物間之, 則兌水下注, 獨不能滅火而成炭乎. 隆山以有溫泉而無寒火證, 水之不能革火, 而肅丘之火冷, 走燐之火凉, 不可以一槪論也.
내가 살펴보았다: 「선천도」에서 불인 리괘는 동쪽 묘방(卯方)의 자리이니 불이 나무를 얻어

타오르는 것이다. 물인 태괘는 동남쪽 진방(辰方)·사방(巳方)의 자리이다. 진(辰)은 흙인데 흙은 물을 이기니 막아서 못을 이루고, 사(巳)는 불이니 불이 건조하고 흙이 기름지면 곧 태워버리기 때문에 남방에 불꽃이 있다. 바다는 물이 쌓인 것인데 가운데 불의 기운이 하늘에까지 미치고 태괘가 동남에 있으니 곧 물과 불이 서로 없애는 곳이다. 혁괘는 자리는 또 리괘에 있으면서 태괘와 사귀니 혁은 또 물과 불이 서로 없애는 시초이다. 또 못인 택(兌)은 본래 불인 리(離)의 아래인데 지금 반대로 위에 있으니 이것은 옛날과 일상을 변혁한 것이다. 물이 머물러 위에 있는데 큰 불이 아래에서 말리고 있으니 마치 가마솥에 바닷물을 넣고 불로 가열하면 물이 말라 소금이 되는 것과 같으니 재질이 변혁되는 것이다. 만일 다른 물건이 그 사이에 있지 않으면 물인 태(兌)가 아래로 흐르나 홀로 불을 멸할 수 없어 숯이 될 것이다. 융산이씨가 '따뜻한 물[溫泉]은 있지만 차가운 불[寒火]은 없다'는 것으로 증거 삼았듯이 물이 불을 변혁할 수 없으나, 숙구(肅丘)[32]의 불이 차고 도깨비불이 차니 일률적으로 논할 수 없다.

○ 革命註朱子說.
혁명에 대한 소주 주자의 설명.
參攷錮露, 謂鎔鐵成水, 點鑄罅隙. 家[33]事 猶言器皿.
고로(錮露)를 조사해보니 철을 녹여서 주물을 액체로 만들어 갈라진 틈에 붓는 것을 이른다. 집안일에서 그릇에 대해 말하는 것과 같다.

이정규(李正奎) 「독역기(讀易記)」

象傳雖贊革之時大, 而初九鞏用黃牛革戒不可有爲也, 六二雖嘉其革, 而亦以戒已日然後革之而不可遽變也, 九三征凶革言三就, 戒其躁動也. 至九五, 以大人虎變未占有孚贊之, 聖人之深謀遠慮 如是也. 革雖好, 而或不巳日或不三就而躁動者, 大則嬴[34]秦之盡變先王之道而亡也, 小則如王安石遽行新法而禍作, 雖可革, 豈於非其時而爲之, 非其人而行之哉. 必陽剛中正九五之大人, 然後可也, 如此者其惟湯武乎.
「단전」에서 비록 혁괘의 때가 큼을 찬미하였으나 초구는 황소가죽으로 묶어 큰일을 해서는 안 됨을 경계하였고, 육이는 비록 변혁을 아름답게 여기나 또한 시일이 지나서야 변혁할 수 있으니 갑자기 변해서는 안 됨을 경계하였으며, 구삼은 가면 흉하니 변혁해야 한다는 말이 세 번 합해야 함은 조급하게 행동할까봐 경계한 것이다. 구오에 와서야 "대인이 호랑이

32) 『포박자』에 "바다 속 숙구(肅丘)에 저절로 불이 생겨나는데 봄에 발생하였다가 가을이면 꺼진다"고 하였다.
33) 家: 경학자료집성DB에 '象'으로 되어 있으나 경학자료집성 영인본을 참조하여 '家'로 바로 잡았다.
34) 嬴: 경학자료집성DB에 '羸'로 되어 있으나, 경학자료집성 영인본을 참조하여 '嬴'으로 바로잡았다.

가 변하듯 변하니, 점치지 않고도 믿음이 있다"는 것으로 찬미하였으니 성인이 깊이 계획하고 멀리 염려하는 것이 이와 같다. 혁괘가 비록 좋으나 때로는 시일이 지나지 않거나 때로는 세 번 합하지 못하여 조급하게 행동할 경우, 크게는 영정(嬴政)의 진나라가 선왕의 도를 다 바꾸어 망한 것처럼 되고, 작게는 왕안석이 갑자기 신법을 시행하여 화가 일어난 것처럼 될 것이니, 비록 변혁할 만하더라도 어찌 적절한 시기가 아닌 때에 할 수 있겠으며 적당한 사람이 아닌 자가 할 수 있겠는가? 반드시 굳센 양으로 중정한 구오의 대인이라야 할 수 있으니, 이와 같은 자는 아마도 탕왕과 무왕일 것이다.

이병헌(李炳憲) 『역경금문고통론(易經今文考通論)』

鄭曰, 革改也. 已之言起也.
정현이 말하였다: 혁은 고침이다. '이(已)'는 일으켰음을 말한다.

虞曰, 離爲日.
우번이 말하였다: 리괘는 해이다.

按, 離於納甲, 屬己爲火. 虞氏易言云, 四時之革, 信矣乎[35]. 甲子卦氣始, 六日而至己, 而中孚究復然後生焉. 不如是, 不足以信養天下也.
내가 살펴보았다: 리괘는 납갑법에서 기(己)에 속하여 불이다. 『우씨역언』에 "사시의 변혁이 미덥다. 갑자(甲子)에서 괘의 기(氣)가 시작하여 육일이 되어 기(己)에 이르니, 중부괘(中孚卦䷼)가 복괘(復卦䷗)를 다한 뒤에 생겨난다. 이와 같지 않으면 천하를 미덥게 기르기에 부족하다"고 하였다.

按, 舊本息虞訓長, 傳義竝訓止息生息滅息, 故從. 說文作熄, 繇辭有納甲飛伏等例, 而聖人於睽革二卦, 略存其一二歟.
내가 살펴보았다: 옛날 판본의 '식(息)'에 대하여, 우번은 '자라다'로 훈고하였으나, 『정전』과 『본의』에서는 모두 '그치다[止息]'·'나고 없어지다[生息]'·'멸하다[滅息]'로 훈고하였으므로 후자를 따랐다. 『설문해자』에서는 '꺼지다[熄]'로 되어있고 점사에서는 '납갑'·'비(飛)'·'복(伏)'[36] 등의 사례가 있으니 성인이 규괘(睽卦䷥)·혁괘(革卦)에서 대략 그 중의 한두 가지를 남겨두었을 것이다.

---

35) 乎: 경학자료집성DB에 '孚'로 되어 있으나, 경학자료집성 영인본을 참조하여 '乎'로 바로잡았다.
36) 괘가 나타나는 것을 비(飛)라고 하고, 나타나지 않은 것을 복(伏)이라고 한다.

象曰, 澤中有火, 革, 君子以, 治歷明時.

「상전」에서 말하였다: 못 가운데 불이 있는 것이'혁'이니, 군자가 그것을 본받아 역수(歷數)를 계산하여 때를 밝힌다.

中國大全

傳

水火相息爲革, 革, 變也. 君子觀變革之象, 推日月星辰之遷易, 以治歷數明四時之序也. 夫變易之道, 事之至大, 理之至明, 跡之至著, 莫如四時, 觀四時而順變革, 則與天地合其序矣.

물과 불이 서로 없애는 것이 '혁'이니, 혁은 변혁(變革)이다. 군자가 변혁의 상을 관찰하여 해 · 달 · 별자리의 변화를 미루어 역수(歷數)를 계산하여 사계절의 순서를 밝힌다. 변혁의 도 가운데 일의 지극히 큼 · 이치의 지극히 밝음 · 자취의 지극히 드러남이 사계절만한 것이 없으니, 사계절을 관찰하여 변혁에 순응하면 천지와 순서를 합할 것이다.

本義

四時之變, 革之大者.

사계절의 변화는 변혁 중에서 큰 것이다.

小註

朱子曰, 澤中有火, 水能滅火, 此只是說陰盛陽衰. 火盛則克水, 水盛則克火, 此是澤中有火之象, 便有那四時改革底意思. 君子觀這象, 便去治歷明時.

주자가 말하였다: "못 가운데 물이 있음"은 물이 불을 없앨 수 있지만 여기에서는 다만 음이 번성하면 양이 쇠퇴함을 말한 것이다. 불이 거세면 물을 이기고 물이 많으면 불을 이기지만

여기에서는 못 가운데 불이 있는 상이어서 곧 사시가 변해가는 뜻이 있다. 군자가 이런 상을 보고서 곧 역수를 계산하여 때를 밝힌다.

○ 問, 革象, 不曰澤在火上, 而曰澤中有火, 蓋水在火上, 則水滅了火, 不見得水決則火滅, 火炎則水涸之義. 曰澤中有火, 則二物竝在, 有相息之象否. 曰, 亦是恁地.
물었다: 혁괘(革卦䷰)의 「상전」에서 '못이 불 위에 있다'고 하지 않고 '못 속에 불이 있다'고 한 것은, 물이 불 위에 있으면 물이 불을 끄니, 물이 쏟아지면 불이 꺼지고 불이 타오르면 물이 마른다는 뜻이 드러나지 않기 때문입니다. '못 속에 불이 있다'고 한 것은 두 가지가 아울러 있어 서로 없애는 상이 있는 것이 아닙니까?
답하였다: 또한 그렇습니다.

○ 林艾軒說因革卦得歷法云, 歷須年年改革. 不改革, 便差了天度, 此說不然. 天度之差, 蓋緣不曾推得那歷元定, 卻不因不改而然, 歷豈是那年年改革底物. 治歷明時, 非謂歷當改革. 蓋四時變革中, 便有個治歷明時底道理.
임애헌(林艾軒)이 혁괘를 바탕으로 역법(曆法)을 터득하고는 "책력은 해마다 고쳐야 한다. 고치지 않으면 곧 하늘의 도수[天度]가 어긋난다" 하였는데, 이 말은 그렇지 않다. 하늘의 도수가 어긋나는 것은 책력의 기산점[歷元]을 추산하여 정하지 못하였기 때문이지 고치지 않아서 그런 것이 아니니, 책력이 어찌 그렇게 해마다 고치는 것이겠는가? "역수를 계산하여 때를 밝힌다"는 책력을 고쳐야 함을 이르는 것이 아니다. 사시가 변혁(變革)하는 가운데 곧 "역수를 계산하여 때를 밝히는" 도리가 들어있다.

○ 澤中有火, 自與治歷明時, 不甚相干. 聖人取象處, 只是依稀地說, 不曾確定指殺, 只是見得這些意思便說.
"못 속에 불이 있음[澤中有火]"은 본래 "역수를 계산하여 때를 밝힌다[治曆明時]"와 그다지 관련이 없다. 성인이 상을 취함은 단지 어렴풋이 말하는 것이지 완전히 확정하여 가리킨 적이 없으니, 단지 이런 뜻을 보고서 말했을 뿐이다.

○ 楊氏曰, 相生相剋者, 五行之自然. 水上火下, 相剋之義也. 澤中有火, 則相息必矣. 然不有剋, 何以相生, 不有革, 何以相因. 君子觀革之象, 知天地之屢革也如此. 於歷數以推之, 即時氣以明之, 則千歲之日至, 可坐而致者, 此无他, 治歷以明之也.
양씨가 말하였다: 상생과 상극은 오행의 본 모습이다. 물이 위에 있고 불이 아래에 있으니 상극의 뜻이다. 못 속에 불이 있으니 반드시 서로 없애버린다. 그러나 상극이 있지 않으면 어떻게 상생할 수 있겠으며, 바뀜이 있지 않으면 어떻게 서로 인하여 계속할 수 있겠는가?

군자가 혁괘의 상을 보고서 천지가 이처럼 자주 바뀜을 알았다. 역수를 미루어보고 때의 기운으로 밝히면 천년 뒤의 동지(冬至)를 앉아서도 알 수 있는 것은[37] 다름이 아니라 역수를 계산하여 밝혔기 때문이다.

○ 臨川吳氏曰, 此變革之至大者也. 歷謂日月五緯之躔次, 時謂春夏秋冬之代序. 推日月而後, 可定四時, 故治歷所以明時也.
임천오씨가 말하였다: 이것은 변혁 가운데 지극히 큰 것이다. '역(歷)'은 해 · 달과 다섯 위성의 궤도를 이르고, '시(時)'는 봄 · 여름 · 가을 · 겨울이 갈마드는 것을 이른다. 해 · 달의 운행을 추산한 뒤 뒤에 봄 · 여름 · 가을 · 겨울을 정할 수 있기 때문에 역수를 계산하는 것이 때를 밝히는 방법이다.

○ 雲峰胡氏曰, 四時, 以相生爲革, 離兌之交, 以相克爲革. 不相克, 何以相生. 善治歷者, 當能明之.
운봉호씨가 말하였다: 사시는 상생으로 변혁하고 리 · 태의 사귐은 상극으로 변혁한다. 상극하지 않으면 어떻게 상생할 수 있겠는가? 역수를 잘 계산하는 자가 밝힐 수 있어야 한다.

○ 西溪李氏曰, 晝夜者, 一日之革. 晦望者, 一月之革, 分至者, 一歲之革. 歷元者, 无窮之革.
서계이씨가 말하였다: 밤과 낮은 하루의 변혁이고, 그믐과 보름은 한 달의 변혁이며, 춘분 · 추분과 하지 · 동지는 한 해의 변혁이고, 책력의 기산점(起算點)은 무궁한 시간의 변혁이다.

‖韓國大全‖

송시열(宋時烈)『역설(易說)』

大象朱子語類, 謂四時變革中, 便有箇治曆明時底道理, 當依此治看否. 明時, 離象, 治曆, 兌之象, 蓋分決之意在否. 當秋舊曆已驗, 新曆亦考. 歷與曆字通用.

---

37)『孟子 · 離婁』: 天之高也, 星辰之遠也, 苟求其故, 千歲之日至, 可坐而致也.

「대상전」에 대하여 『주자어류』에서 "사시가 변화할 때 역법을 연구[治]하여 때를 분명하게 알아야 하는 도리가 있다."[38]고 하였는데, 이대로 '연구[治]'라고 보아야 마땅할까? '때를 밝힘[明時]'은 리괘의 상이고, '역법을 연구함[治曆]'은 태괘의 상이니, 이는 분별하여 결단하는 뜻이 있지 않은가? '가을'에 해당함은 구력(舊曆)에서 이미 징험하였고 신력(新曆)에서도 고찰하였다. 력(歷)자와 력(曆)자는 통용한다.

김도(金濤) 「주역천설(周易淺說)」

愚按, 本義下所釋朱子凡四條, 楊氏以下又凡四條, 而皆合於大象之旨矣. 蓋天下之事, 只是常與變而已. 常者常道也, 變者變道也. 當常而變則非道也, 當變而常則亦非道也. 革之爲卦, 澤中有火, 此水火相息, 而有變革之象也. 故君子觀此象, 而推日月星辰之遷易, 以治歷數, 其所以明四時之序者, 可謂與天地合其序矣. 大概革之爲事, 雖曰變道, 而以天道推之, 則此常道也. 日月往來, 而四時以成, 成之以後, 則爲常道, 湯武革命, 而黎民以安, 安之以後, 則爲常道, 豈可以二事觀之哉. 愚故曰變亦常也, 常亦變也. 後之觀者, 最宜深省也.

내가 살펴보았다: 『본의』 아래에서 설명한 주자의 네 조목과 또 양씨 이하에 있는 네 조목을 살펴보니 모두 「대상전」의 뜻에 맞는다. 대체로 천하의 일은 다만 일정함[常]과 변함[變]일 뿐이다. '일정함[常]'이란 상도이고 '변함[變]'이란 변도이다. 일정해야 하는데 변하면 도가 아니고, 변해야 하는데 일정해도 도가 아니다. 혁괘는 못 가운데 불이 있으니 이것은 물과 불이 서로 없애서 변혁하는 상이 있다. 그러므로 군자가 이 상을 보고서 일월성신(日月星辰)이 바뀜을 추산하여 역수를 계산하니 사시의 순서를 밝히는 것이 천지와 더불어 그 순서가 부합한다고 이를 만하다. 대개 변혁의 일이 '변도'라 하더라도 하늘의 도로 미루어보면 '상도'이다. 일월이 왕래하여 사시가 이루어지니 사시가 이루어진 이후는 상도가 되고, 탕왕과 무왕이 천명을 바꾸자 백성이 편안해졌으니 편안해진 이후는 상도가 되니, 어찌 두 가지 일로 볼 수 있겠는가? 그러므로 나는 '변'이 '상'이고 '상'도 '변'이라고 생각한다. 뒤에 관찰하는 자는 이 점을 가장 깊이 살펴야한다.

이만부(李萬敷) 「역통(易統)·역대상편람(易大象便覽)·잡서변(雜書辨)」

明時.

때를 밝힌다.

---

38) 『朱子語類』: 治曆明時, 非謂曆當改革. 蓋四時變革中, 便有箇治曆明時底道理.

傳曰, 水火相息爲革, 革, 變也. 君子觀變革之象, 推日月星辰之遷易, 以治歷數明四時之序也. 夫變易之道, 事之至大, 理之至明, 跡之至著, 莫如四時, 觀四時而順變革, 則與天地合其序矣.
『정전』에서 말하였다: 물과 불이 서로 없애는 것이 '혁'이니, 혁은 변혁(變革)이다. 군자가 변혁(變革)의 상을 관찰하여 해·달·별자리의 변화를 미루어 역수(歷數)를 계산하여 사계절의 순서를 밝힌다. 변혁의 도 가운데 일의 지극히 큼·이치의 지극히 밝음·자취의 지극히 드러남이 사계절만한 것이 없으니, 사계절을 관찰하여 변혁에 순응하면 천지와 순서가 합할 것이다.

本義曰, 四時之變, 革之大者.
『본의』에서 말하였다: 사계절의 변화는 변혁 중에서 큰 것이다.

臣謹按, 堯典所謂以閏月定四時, 舜典所謂在璿璣玉衡以齊七政, 皆治曆明時之事. 凡候天運, 授民時, 王政之所先也. 歷代改曆, 術各不同, 蓋羲和之官廢, 而歲差無一定之數故也. 近年以來, 節氣早晚, 多與寒暑進退參差, 似是推步未精. 有差毫釐而謬千里之患, 亦宜擇精於其術者, 會議以正之也.
신이 삼가 살펴보았습니다: 「요전」에서 말한 "윤달로 사시를 정한다"는 것과 「순전」에서 말한 "선기(璿璣)와 옥형(玉衡)으로 살펴 칠정을 고르게 한다"는 것은 모두 역수를 계산하여 때를 밝히는 일입니다. 무릇 하늘의 운행을 살펴서 백성에게 농사짓는 시기를 알려 주는 것이 왕도정치의 급선무입니다. 역대로 달력을 고치는 데에 방법이 각기 다른 것은 희씨와 화씨의 관직이 폐지되어 세차(歲差)에 일정한 수가 없기 때문입니다. 근년이래로 절기의 시기가 계절의 변화와 어긋남이 많으니, 천체의 운행을 추산하는 것이 정밀하지 않은 듯합니다. 처음에는 터럭만큼의 차이이지만 나중에는 천리만큼의 차이가 나는 근심이 있으니, 또한 역수를 계산하는 방법을 선택하여 정밀하게 할 것을 모여 의논해서 바로잡아야 할 것입니다.

심조(沈潮) 「역상차론(易象箚論)」

象, 治曆明時.
「상전」에서 말하였다: 역수(歷數)를 계산하여 때를 밝힌다.

治字從水從口者, 兌也, 曆字從木者, 互巽也, 明時之從日者, 離也.
치(治)자는 수(水)부수에 구(口)자를 합한 것이니 태괘(兌卦☱)이고, 력(曆)자는 목(木)자를 합한 것이니 호괘로 손괘((巽卦☴)이며, 명(明)과 시(時)는 일(日)자를 합한 것이니 리괘(離卦☲)이다.

유정원(柳正源)『역해참고(易解參攷)』[39]

治歷明時.
역수를 계산하여 때를 밝힌다.

漢上朱氏曰, 冬至日起牽牛一度, 右行而周十二次, 盡斗二十六度, 則復還牽牛之一度, 而歷更端矣. 牽牛者, 星紀也, 水之位也. 日月交會于此, 澤中有火之象也, 歷更端者, 革也. 昔黃帝始作調歷, 閱世十二, 歷年五千而更七歷. 至漢造曆, 歲在甲子, 乃十一月冬至, 甲子朔. 日月如合璧, 復合于牽牛, 距上元太初十四萬三千一百二十七歲. 蓋日月盈縮與天錯行, 積久閏差. 君子必修治其歷, 以明四時之正, 所謂四時之正者, 冬至日月必會于牽牛之一度, 而弦望晦朔分至啓閉, 皆得其正矣.
한상주씨가 말하였다: 동지에 해가 견우성의 1도에서 시작하여 오른쪽으로 운행해서 12방위를 일주하고 두성(斗星) 26도에서 운행을 다하면 견우성의 1도로 돌아와 력수[歷]가 다시 시작한다. 견우는 성기(星紀)에 해당하는데[40] 물의 자리이다. 해와 달이 여기에서 서로 만난 것이 '못 속에 불이 있는 상'이고, 역수가 다시 시작한다는 것이 '변혁'이다. 옛날 황제가 처음으로 역수를 조절할 때 12세(世)를 살펴보고 지나온 오천년 동안 일곱 번 역수를 고쳤다. 한나라에 와서 달력을 만들었는데 그 해는 갑자년이고 11월 동지이며 갑자일 초하루이다. 해와 달이 구슬을 합한 듯 다시 견우성에서 합하니 상원(上元) 태초와의 거리가 십사만 삼천 일백 이십 칠년이다. 해와 달이 차고 기움이 하늘과 어긋나게 운행되어 오랫동안 쌓여서 윤달의 차이가 생긴다. 군자는 반드시 그 역수를 계산하여 사계절의 바름을 밝혀야 하니, 이른바 사계절의 바름이라는 것은 동지에 해와 달이 반드시 견우성의 1도에서 만날 때에 상현·하현·보름달·그믐·초하루와 분(分)·지(至)·계(啓)·폐(閉)[41]가 모두 바름을 얻음을 말한다.
〈案, 堯時, 冬至, 日在虛七度. 自是以後, 四千餘年, 歷法屢改. 冬至, 日躔代各有差, 而日入于牛首. 唯漢太初歷爲然, 其餘則不可殫記. 今漢上說必以冬至日起牽牛一度, 當上元太初之時者, 恐涉膠固. 皇極經世書, 以爲古今十二萬九千六百年, 而漢上謂漢

---

39) 경학자료집성DB에 단사에 편집되어 있으나, 영인본의 체재에 의거하여 대상전으로 옮겨 해석하였다.
40) 성기(星紀)는 12차(次) 가운데 축(丑)궁에 해당한다.
41) 분(分)은 춘분(春分)·추분(秋分)이고, 지(至)는 동지(冬至)·하지(夏至)이며, 계(啓)는 입춘(立春)·입하(立夏)이고, 폐(閉)는 입추(立秋)·입동(立冬)이다.

太初歷, 上距黃帝歷元, 十四萬三千一百二十七年, 未知何說的中.
내가 살펴보았다: 요임금때 동지는 해가 허수(虛宿)의 7도에 있었다. 이 뒤로부터 4천여 년 동안 역법이 여러 번 고쳐졌다. 동지에 해의 궤도가 각각 차이가 있으나 해는 견우성 머리로 들어간다. 오직 한나라의 태초력이 그러하니 그 나머지는 다 기록할 수 없다. 지금 한상이 "동지에 해가 견우성의 1도에서 시작한다는 것으로 상원 태초의 시기에 해당한다"고 한 것은 너무 고착된 듯하다. 『황극경세서』에 고금의 한 주기가 십이만 구천 육백년이라 하였는데 한상은 한나라 태초력은 위로 황제력의 원년과의 거리가 십사만 삼천 일백 이십 칠년이라 하니 어느 설이 맞는지 모르겠다.〉

○ 梁山來氏曰, 歷者經歷也. 次也數也行也過也, 蓋日月五緯之躔次也.
양산래씨가 말하였다: 력(歷)은 경력이다. 방위 · 역수 · 운행 · 경과 등은 해 · 달 · 오성의 궤도이다.

小註, 朱子說, 天度之差.
소주에서 주자가 말하였다: 하늘의 도수가 어긋나는 것.
〈朱子曰, 天漸差而西, 歲漸差而東. 此歲差之, 由唐一行所謂歲差者是也. 東晉虞喜, 乃立差法, 約以五十年退一度. 何承天倍其年, 而反不及, 隋劉焯七十五年爲近之.
주자가 말하였다: 하늘은 점차 차이를 내면서 서쪽으로 가고 해[歲: 年]는 점차 차이를 내면서 동쪽으로 간다. 이것이 세차(歲差)가 생기는 이유이니, 당나라 일행(一行)[42]이 이른 바 "세차(歲差)"라는 것이 이것이다. 동진의 우희가 곧 '세차법'을 세워 대략 50년에 1도씩 물러난다고 하였다. 하승천(何承天)는 그 햇수를 배로 하였으나 도리어 근접하지 못하였는데, 수나라 유작(劉焯)이 75년이라고 하였으니, 더 이치에 가깝다.
○ 案, 元郭守敬授時歷, 六十五年八箇月, 最精密.
내가 살펴보았다: 원나라 곽수경(郭守敬)의 수시력(授時歷)에서는 육십 오년 팔개월이니 가장 정밀하다.〉

臨川說五緯.
임천오씨가 말하였다: 다섯 위성.
〈案, 歷家以二十八宿有常度, 故爲經, 五星有遲速, 故爲緯.
내가 살펴보았다: 책력가들은 28수에 정상적인 도수가 있다고 여겼기 때문에 '붙박이별[經星]'이라 하였고, 오성(五星)의 속도에 차이가 있기 때문에 '떠돌이별[緯星]'이라고 하였다.〉

---

42) 일행(一行): 당나라 고종 때의 승려. 국사(國師)이며 저서에 『일장경(一掌經)』이 있다.

김상악(金相岳) 『산천역설(山天易說)』

治歷而明時, 故在上者得以敬天勤民, 在下者得以因時立事焉. 記云, 帝嚳序星辰以著衆, 序星辰乃治歷, 著衆乃明時也.
역수를 계산하여 때를 밝히기 때문에 윗자리에 있는 자가 하늘을 공경히 받들어 백성을 위해 부지런히 정무를 볼 수 있고, 아래 있는 자가 때를 바탕으로 일을 세울 수 있다. 『예기(禮記)·제법(祭法)』에 "제곡이 성신(星辰)을 차서하여 대중에게 비춰주었다"고 하였으니 '성신(星辰)을 차서함'이 곧 '역수를 계산함'이고 '대중에게 비춰줌'이 곧 때를 밝힘이다.

○ 離日, 互坎月, 兌金, 互巽木. 木之精爲星, 金之精爲辰, 經歷其躔次, 則四時之序明矣.
리괘(離卦)는 해이고 호괘인 감괘(坎卦)는 달이며 태괘(兌卦)는 쇠이고 호괘인 손괘(巽卦)는 나무이다. 나무의 정기가 성(星)이고, 쇠의 정기가 신(辰)이니, 궤도를 돌면 사시의 순서가 분명해진다.

서유신(徐有臣) 『역의의언(易義擬言)』

澤中無水而有火, 是爲變革也. 歷者, 歲運之革也, 時者, 節物之革也, 革之大者也. 治歷, 象離之文明, 明時, 象兌之分決.
못 가운데 물이 없고 불이 있는 것이 변혁이다. '역수[歷]'는 년수(年數)의 운행에 대한 변혁이고, '때[時]'는 절기의 일에 대한 변혁이니 변혁 중에 큰 것이다. '역수를 계산함[治歷]'은 리괘(離卦)의 문명을 상징한 것이고 '때를 밝힘[明時]'은 태괘(兌卦)의 나눠짐을 상징한 것이다.

박제가(朴齊家)『주역(周易)』

大象, 治歷明時.
「상전」에서 말하였다: 역수(歷數)를 계산하여 때를 밝힌다.

朱子曰, 澤中有火, 自與治歷明時, 不甚相干.[43] 聖人取象處, 只是依稀地說, 不曾確定指殺, 只是見得這些意思便說.
주자가 『본의』에서 말하였다: "못 속에 불이 있음[澤中有火]"은 본래 "역수를 계산하여 때를

43) 干: 경학자료집성DB에 '于'로 되어 있으나, 경학자료집성 영인본을 참조하여 '干'으로 바로잡았다.

밝힌다[治曆明時]"와 그다지 관련이 없다. 성인이 상을 취함은 단지 어렴풋이 말하는 것이지 완전히 확정하여 가리킨 적이 없으니, 단지 이런 뜻을 보고서 말했을 뿐이다.

案, 聖人見澤中有火之爲革矣, 因變革而治歷明時, 何嘗依俙說出. 但革爲承接之階梯. 不言革而直言澤火, 則與它卦有異. 大象變轉無方, 不曰下有火, 而曰中有火. 此等處, 皆曲爲之貼着人事說出, 斷非不相干[44]而取象者矣. 林艾軒曆須年年改革之說, 未必不然. 而朱子曰歷, 豈是年年改革底物. 蓋四時變革中, 便有箇治歷明時底道理. 然則但知其道理而不改, 則何以敬授人時. 大象又何必爲載之空言而不見行事之語耶.
내가 살펴보았다: 성인이 '못 속에 불이 있는 것'이 혁괘가 됨을 보고 변혁을 통해서 역수를 계산하여 때를 밝혔으니, 어찌 어렴풋이 말한 것이겠는가? '변혁'을 다음을 이어지는 매개로 삼았을 뿐이다. '변혁'이라고 하지 않고 '못과 불'이라고만 하였으니 다른 괘와는 차이가 있다. 대상전은 변화무상하니 아래에 불이 있다고 하지 않고 안에 불이 있다고 하였다. 이런 곳들은 모두 인사(人事)를 에둘러서 말한 것이지 서로 상관없이 상을 취한 것이 결코 아니다. 임애헌의 "책력은 해마다 고쳐야 한다"는 설도 반드시 틀린 말이 아니다. 주자가 '역수'라고 한 것이 어찌 해마다 고쳐야 할 일이겠는가? 이는 사시가 변혁하는 중에 곧 역수를 계산하여 때를 밝히는 원리가 있어서이다. 그렇다고 원리를 알기만 하고 고치지 않는다면 어떻게 사람들에게 계절을 공경히 알려주겠는가? 「대상전」이 또 어찌 반드시 공허한 말을 실어놓고 실행할 수 있는 말을 드러내지 않았겠는가?

윤행임(尹行恁) 『신호수필(新湖隨筆) · 역(易)』

曆始於少昊氏, 鳳鳥之司曆是也. 聖人觀澤中有火, 而何以治曆也. 曆起於律, 律始於子. 子方子月, 則日月會於玄枵, 玄枵者水也. 子午相對, 而午方午月, 則日月會於鶉火. 鶉火者火也. 以陰陽言之, 陽始於子, 陰始於午, 子則復, 午則姤. 兌爲澤而屬於水, 與離火相遇而爲革, 有如子午相對 而爲玄枵鶉火, 故曆法於是乎作焉. 其象之不專取於革義, 因此可見. 而律曆一也, 黃鍾始於子陽也, 蕤賓始於午陰也. 九五虎變, 言民之變也, 上六豹變, 言其自變也. 然而虎變亦自自變, 而至於變其民也.
'역수'는 소호씨에게서 창시되었으니 "봉조씨(鳳鳥氏)가 역수를 맡았다"[45]는 것이 이에 해당한다. 성인이 못 가운데 불이 있는 것을 보고서 어떻게 역수를 계산하였을까? 역수는 율려(律呂)에서 기원하고 율려는 자방(子方)에서 시작한다. 자방은 자방의 달[子月]이니 곧 해

44) 干: 경학자료집성DB에 '于'로 되어 있으나, 경학자료집성 영인본을 참조하여 '干'으로 바로잡았다.
45) 『通典』: 少昊摯之立也, 鳳鳥適至, 故鳥紀, 爲鳥師而鳥名. 鳳鳥氏, 曆正也.

와 달이 현호(玄枵)에서 모이는 것이고 현호는 물이다. 자방과 오방(午方)은 상대이며, 오방은 오방의 달[午月]이니 해와 달이 순화(鶉火)에서 만나고 순화는 불이다. 음양으로 말하면 양은 자방에서 시작하고 음은 오방에서 시작하니, 자방은 복괘(復卦䷗)이고 오방은 구괘(姤卦䷫)이다. 태괘(兌卦☱)는 못이어서 물에 속하는데 리괘(離卦☲)의 불과 서로 만나 혁괘(革卦䷰)가 되니, 자방과 오방이 서로 상대하여 현호와 순화가 됨과 같은 것이 있기 때문에 여기에서 역법이 만들어진 것이다. 「상전」에서 변혁의 뜻만을 취하지 않은 것을 이것으로 인하여 알 수 있다. 율려와 역수가 한 가지이니 황종(黃鍾)은 양인 자방에서 시작하고 유빈(蕤賓)은 음인 오방에서 시작한다. 구오의 '호랑이가 변하듯 변함'은 백성이 변함을 말하고 상육의 '표범이 변하듯 변함'은 스스로 변함을 말한다. 그러나 '호랑이가 변하듯 변함'도 스스로 변함에서 비롯하여 백성을 변화하는 데에 이른 것이다.

하우현(河友賢) 『역의의(易疑義)』

象澤中有火革, 朱子曰, 澤中有火, 水能滅火, 此只是說陰盛陽衰, 又疏曰, 澤中有火, 則二物竝在, 有相息之象.
「상전」에서 "못 가운데 불이 있는 것이 '혁'이니"라고 한 것에 대하여, 주자가 "'못 가운데 물이 있음'은 물이 불을 없앨 수 있지만 여기에서는 다만 음이 번성하면 양이 쇠퇴함을 말한 것이다"라고 하였고, 또 「주소」에 "'못 속에 불이 있다'고 하였으니 두 가지가 아울러 있어 서로 없애는 상이 있다"고 하였다.

蓋嘗思之, 水火相克之物, 今澤中有火, 是水有火也. 火其安能久乎. 此陰盛陽衰之象也. 澤中有火, 水在上, 火在下, 水決則火滅矣, 火炎則水涸. 水火相克而不相生, 此二物竝在, 有相息之象也.
내가 살펴보았다: 물과 불은 서로 이기는 물건인데 지금 못 가운데 불이 있으니 이는 물에 불이 있는 것이다. 어떻게 불이 오래갈 수 있겠는가? 이것은 음이 번성하고 양이 쇠퇴하는 상이다. 못 가운데 불이 있음은 물이 위에 있고 불이 아래에 있는 것이니, 물이 쏟아지면 불이 꺼지고 불이 타오르면 물이 마른다. 물과 불은 서로 이기지 서로 낳지는 않으니 이것이 '두 가지가 아울러 있어 서로 없애는 상이 있는 것'이다.

且思之, 疏所謂不曰澤在火上, 而曰澤中有火, 蓋水在火上則水滅了火. 不得見水決則火滅, 火炎則水涸之義, 此語甚分明. 或曰, 朱先生陰盛陽衰之說如何. 曰, 此恐以水中有火之義言之也. 然澤中當有水, 不宜有火, 而今有火, 其革可知也. 以此觀之, 亦不无火盛之象.

또 살펴보았다: 「주소」에 이른바 "'못이 불 위에 있다'고 하지 않고 '못 속에 불이 있다'고 한 것은 물이 불 위에 있으면 물이 불을 끄니 물이 쏟아지면 불이 꺼지고 불이 타오르면 물이 마른다는 뜻이 드러나지 않아서이다"고 한 이 말이 매우 분명하다.
어떤 이가 물었다: 주선생이 말한 "음이 번성하면 양이 쇠퇴한다"는 무슨 뜻입니까?
답하였다: 이것은 아마도 물 가운데 불이 있는 뜻으로 말한 듯합니다. 그러나 못 가운데는 으레 물이 있지 불이 있는 것이 아닌데 여기에서는 불이 있으니 변혁함을 알 수 있습니다. 이것으로 보건데 또한 불이 번성하는 상이 없는 것도 아닙니다.

박문건(朴文健) 『주역연의(周易衍義)』

〈問, 澤中有火革. 曰, 澤中有火,[46] 則火必革. 君子以之而治歷明時者, 以明氣數之變革也, 此特言其大者也.
물었다: "못 가운데 불이 있는 것이 '혁'이다"는 무슨 뜻입니까?
답하였다: 못 가운데 불이 있으면 반드시 변혁합니다. 군자가 그것을 보고서 역수를 계산하여 때를 밝힌다는 것은 기수(氣數)의 변혁을 밝히는 것이니, 이것은 그 중 중대한 것을 특별히 말한 것입니다.〉

김기례(金箕澧) 「역요선의강목(易要選義綱目)」

君子以治歷明時, 歷日月五緯之躔次, 時春夏秋冬之代序. 離兌克而物變, 秋代夏而後草木受變, 四時革而相生, 晝夜歲元, 皆皆相代而革.
"군자가 그것을 본받아 역수를 계산하여 때를 밝힌다[君子以治歷明時]"에서 역수[歷]는 일월(日月)과 오위(五緯)의 궤도상의 위차이고, 시(時)는 춘하추동이 교대로 오는 차례이다. 리괘 · 태괘가 상극하여 사물이 변하니 가을이 여름을 대신한 뒤에 초목이 변화를 받아들이고, 사시가 변혁하여 상생하니 밤 · 낮과 세시(歲始)가 모두 서로 교대로 변혁하는 것이다.

윤종섭(尹鍾燮) 『경(經) · 역(易)』

革之取名, 卦金在火上, 火入[47]金下, 有從革之義. 治曆明時, 必取於革者. 河圖五行, 連聯相生, 而火金相克, 賴得中土, 而相生不斷, 必於此時治曆. 兌有月生明之象, 又互乾有日中之象. 曆數所以測日月而成歲生閏. 是以聖人觀象治曆, 所以先天而天不

---

46) 火: 경학자료집성DB와 영인본에는 모두 '大'로 되어 있으나, 문맥을 살펴 '火'로 바로잡았다.
47) 入: 경학자료집성DB에 '八'로 되어 있으나, 경학자료집성 영인본을 참조하여 '入'으로 바로잡았다.

違, 後天而奉天時. 已日革之, 火金待土而相生, 已日乃孚.
'혁'으로 이름을 취한 것은 괘에 쇠가 불 위에 있어 불이 쇠 아래로 들어가니 변혁을 따르는 뜻이 있다. 역수를 계산하여 때를 밝히는 것을 굳이 혁괘에서 취한 것은 「하도」의 오행은 서로 낳음[相生]으로 연결되는데, 불과 쇠는 서로 이기니 중앙의 흙에 의지할 수 있어야 상생하여 끊어지지 않으니 반드시 이 때에 역수를 계산해야 하기 때문이다. 태괘(兌卦)에는 달이 밝음을 내는 상이 있고 또 호괘인 건괘에는 해가 중천에 있는 상이 있다. 역수는 해와 달을 관측하여 년수를 이루고 윤달을 만드는 것이다. 이러므로 성인이 기상을 관측하고 역수를 계산하였으니 "하늘보다 먼저 해도 하늘이 어기지 않고 하늘보다 뒤에 해도 하늘이 때를 받든다". "시일이 지나서야 변혁함"48)은 불과 쇠는 흙을 기다려 서로 낳으니 "시일이 지나야 믿음"49)이다.

김기례(金箕澧) 「역요선의강목(易要選義綱目)」

君子以, 治歷明時.
군자가 그것을 본받아 역수(歷數)를 계산하여 때를 밝힌다.

曆日月五緯之躔次, 時春夏秋冬之代序. 離兌克而物變, 秋代夏而後, 草木受變. 四時革而相生, 晝夜歲元, 皆皆相代而革.
'역(歷)'은 해 · 달과 다섯 위성의 궤도이고, '시(時)'는 봄 · 여름 · 가을 · 겨울이 갈마드는 것이다. 리괘(離卦)와 태괘(兌卦)가 서로 이김에 사물이 변하고 가을이 여름을 대신한 뒤에 초목이 변화한다. 사시가 변혁하여 서로 낳으니 밤 · 낮과 세수(歲首)가 모두 다 서로 교대하여 바뀐다.

심대윤(沈大允) 『주역상의점법(周易象義占法)』

澤中有火, 言澤含火氣, 而革爲溫暖也. 我明辨而革去彼之故者, 莫如治曆之事. 曆之爲物, 今年去昨年之故, 昨年之去往年之故也. 此主火之革澤而言也. 人之改過日新, 亦當如此矣. 卦之兌离, 有革日革文之象. 巽离爲時.
못 가운데 불이 있으니 못이 불기운을 머금어 변혁하여 따뜻하게 됨을 말한다. 내가 밝게 분별하여 저 옛 것을 변혁해 버리는 것 중에 역수를 계산하는 일만한 것이 없다. 역수란 올해가 작년의 옛것을 제거하고 작년이 재작년의 옛것을 제거하는 것이다. 이것은 불이 못

48) 『周易 · 革卦』: 九二, 象曰, 已日革之, 行有嘉也.
49) 『周易 · 革卦』: 革, 已日乃孚, 元亨利貞, 悔亡.

을 변혁함을 위주로 말하였다. 사람이 허물을 고쳐서 날마다 새로워지는 것도 이와 같아야 한다. 괘가 태괘(兌卦)와 리괘(離卦)이니 날을 변혁하고 문채를 변혁하는 상이 있다. 손괘(巽卦)와 리괘(離卦)는 때이다.

오치기(吳致箕) 「주역경전증해(周易經傳增解)」

水火相息爲革, 而君子觀變革之象, 推日月星辰之遷易, 而治歷數以明四時之序. 四時變易, 卽革之大者也.
물과 불이 서로 없애는 것이 '혁'이니 군자가 변혁의 상을 보고서 일월성신의 변천을 추산하여 역수를 계산해서 사시의 순서를 밝힌다. 사시의 변화가 곧 '혁' 중에서 큰 것이다.

이진상(李震相) 『역학관규(易學管窺)』

治兌象, 明離象. 四時之變革最大, 而曆以明之, 互乾之象也. 曆有歲差, 不可以仍用一法, 故古今曆法屢革, 卽其驗也.
'계산하다[治]'는 태괘(兌卦)의 상이고, '밝히다[明]'는 리괘(離卦)의 상이다. 사시의 변혁이 가장 커서 역법으로 밝혔으니 호괘인 건괘(乾卦)의 상이다. 역법에는 해마다 차이가 있어서 일률적인 법으로 그대로 사용할 수 없기 때문에 고금의 역법이 자주 바뀌었으니 바로 그 증험이다.

박문호(朴文鎬) 「경설(經說) · 주역(周易)」

變革之道, 時最爲大, 故只贊其時, 而不贊其義. 贊之而意有不足, 故大象又特曰治曆明時.
변혁의 도는 때가 가장 중대하기 때문에 '때'만을 찬미하였고 '뜻'은 찬미하지 않았다.[50] 찬미하였으나 뜻이 부족하기 때문에 「대상전」에서 또 "역법을 계산하여 때를 밝힌다"라고 특별히 말한 것이다.

取卦名, 而義不同, 此罕例, 故特明之.
괘의 이름을 취하는 데에 뜻이 같지 아니하니 이것은 드문 예이기 때문에 특별히 밝혔다.

---

50) 『周易 · 革卦』: 彖曰, … 天地革, 而四時成, 湯武革命, 順乎天而應乎人, 革之時, 大矣哉.

이병헌(李炳憲) 『역경금문고통론(易經今文考通論)』

澤腹冰凝, 微溫動于中, 則其冰乃解. 是爲澤中有火之證.

못의 가운데가 얼어있어도 약간의 온기가 가운데에서 움직이면 얼음이 곧 풀린다. 이것이 못 가운데 불이 있는 증거이다.

初九, 鞏用黃牛之革.

초구는 황소 가죽으로 묶는다.

中國大全

傳

變革, 事之大也, 必有其時, 有其位, 有其才, 審慮而愼動而後, 可以无悔. 九, 以時, 則初也, 動於事初, 則无審愼之意, 而有躁易之象. 以位, 則下也, 无時无援, 而動於下, 則有潛妄之咎, 而无體勢之重. 以才, 則離體而陽也, 離性上, 而剛體健, 皆速於動也. 其才如此, 有爲, 則凶咎至矣. 蓋剛不中, 而體躁, 所不足者, 中與順也. 當以中順自固, 而无妄動則可也. 鞏, 局束也, 革, 所以包束, 黃, 中色, 牛, 順物, 鞏用黃牛之革, 謂以中順之道, 自固不妄動也. 不云吉凶, 何也. 曰, 妄動則有凶咎, 以中順自固, 則不革而已, 安得便有吉凶乎.

변혁은 일의 큰 것이니, 반드시 때가 있고 지위가 있고 재주가 있어서 살펴 생각하고 신중히 움직인 뒤에 후회가 없을 수 있다. 초구는 시기로는 초기이니 일의 초기에 움직이면 살피고 삼가는 뜻이 없어 조급하고 함부로 하는 상이 있다. 지위로는 아래이니 알맞은 때가 없고 도움이 없는데 아래에서 움직이면 분수에 맞지 않고 함부로 하는 허물이 있고 몸체와 형세의 진중함이 없다. 재질로는 리괘(離卦☲)가 몸체여서 양이니 리(☲)의 성질은 올라가고 굳센 양의 몸체는 굳건하여 모두 움직임에 신속하다. 그 재질이 이와 같으니, 일을 하면 흉함과 허물이 있게 될 것이다. 굳세나 가운데의 알맞은 자리가 아니어서 몸체가 조급하여 알맞음과 유순함이 부족하니, 마땅히 알맞고 유순한 도로 스스로 견고하게 해서 함부로 움직임이 없어야 한다. 공(鞏)은 묶음이고, 혁(革)은 싸서 묶는 것이며, 황(黃)은 중앙의 색이고 소[牛]는 순한 동물이니 "황소가죽으로 묶는다"는 알맞고 유순한 도로써 스스로 굳게 지키고 함부로 움직이지 않음을 이른다. 길 · 흉을 말하지 않음은 어째서인가? 함부로 움직이면 흉함과 허물이 있겠지만, 알맞음과 유순함으로써 스스로 견고히 하면 변혁하지 않을 뿐이니, 어찌 곧 길 · 흉이 있겠는가?

本義

雖當革時, 居初无應, 未可有爲, 故爲此象. 鞏, 固也. 黃, 中色, 牛, 順物. 革, 所以固物, 亦取卦名而義不同也. 其占爲當堅確固守, 而不可以有爲, 聖人之於變革, 其謹如此.

비록 변혁의 때가 되었지만 초효의 자리에 있고 호응이 없어 일을 할 수 없기 때문에 이러한 상이 되었다. 공(鞏)은 단단함이다. 황(黃)은 중앙의 색이고, 소[牛]는 순한 동물이다. 가죽은 물건을 견고히 하는 것이어서 또한 괘의 이름을 취했으나 뜻은 같지 않다. 초효에 대한 점(占)은 아주 굳게 지켜야 되고 일을 해서는 안 되는 것이니, 성인이 변혁에 있어 삼감이 이와 같다.

小註

中溪張氏曰, 鞏, 有拘束之義. 革, 皮之堅韌者也. 革下卦離, 黃牛象. 初剛在外爲革. 蓋初處變革之始, 在下, 則非可革之位, 居初, 則非當革之時. 上无應援, 豈宜輕躁. 但當用此中順之道, 固執而堅守之, 如用黃牛之革焉, 而不可妄動以有爲也.

중계장씨가 말하였다: 공(鞏)은 구속의 뜻이 있다. 혁(革)은 질긴 가죽이다. 혁괘(革卦䷰)의 하괘인 리괘(離卦☲)는 황소의 상이다. 초효의 굳셈이 바깥에 있으니 가죽이다. 초효는 변혁의 시작에 처하여, 아래에 있으니 변혁할 수 있는 지위가 아니고, 초기에 있으니 변혁할 때도 아니다. 위로 응원이 없으니 어찌 가볍고 조급하게 할 수 있겠는가? 다만 이러한 중순(中順)의 도를 써서 황소 가죽으로 묶은 것처럼 굳게 잡고 단단히 지켜야 하니 경거망동하게 일을 해서는 안 된다.

○ 雲峰胡氏曰, 革取卦名, 而義不同, 猶噬嗑而取市合之義也. 易道尙變, 故賁之爻, 有不賁者存, 損之爻, 有不損者在, 而革亦不專言革也. 反其義, 爲黃牛之革, 鞏而固之, 戒其輕也. 遯六二, 執用黃牛之革, 六柔順, 而二中正, 中順之道, 所固有也, 革初九, 鞏用黃牛之革, 離性上, 而剛不中, 中順之道, 所不足也. 下无位, 上无應, 不可有爲, 惟可固守中順之道而已.

운봉호씨가 말하였다: '혁'은 괘의 이름에서 취했지만 의미가 같지 않으니, 서합괘(噬嗑卦)에서 시(市)와 합(合)의 의미를 취한 것과 같다.[51]『주역』의 도는 변화를 숭상하기 때문에 비괘(賁卦䷕)의 효 중에 꾸미지 않은 것이 있고, 손괘(損卦䷨)의 효 중에 덜지 않은 것이 있으니 혁괘에서도 '변혁'만을 말한 것은 아니다. 변혁의 뜻을 반대로 하여 '황소의 가죽'이라

---

51)『周易傳義大全 · 繫辭傳下』: [日中爲市, 上明而下動. 又借噬爲市, 嗑爲合也.

고 하였으니 단단히 묶음은 경솔할까 경계한 것이다. 돈괘(遯卦䷠)의 육이에서 말한 "황소가죽으로 잡는다"는 음[六]이 유순하나 이효는 중정하니 알맞고 유순한 도를 본래 가지고 있기 때문이고, 혁괘의 초구에서 말한 "황소가죽으로 묶는다"는 리괘(離卦)의 성질이 위로 올라가나 굳셈이 알맞지 않아서 알맞고 유순한 도가 부족하기 때문이다. 아래에 있어 지위가 없고 위에 호응이 없어 큰일을 할 수 없으니, 오직 알맞고 유순한 도를 굳게 지킬 따름이다.

‖韓國大全‖

조호익(曺好益)『역상설(易象說)』

鞏艮止象. 初變則艮.

'묶음[鞏]'은 간괘(艮卦☶)의 그치는 상이다. 초효가 변하면 간괘(艮卦)가 된다.

송시열(宋時烈)『역설(易說)』

與遯六[52]二同辭, 然此則革字說有力. 離爲黃牛, 說見遯. 蓋初不可有爲, 故當鞏[53]用黃牛而鞏固亦如之. 且初變則有遯象, 故辭亦有同. 然遯二固執於從五, 此則外無應與, 位亦卑下, 不能有所爲. 但如鞏革而不能動. 所以異也.

돈괘(遯卦䷠) 육이[54]의 말과 같으나 여기에서는 '가죽[革]'이라는 글자는 힘이 있음을 말한다. 리괘(離卦)는 황소이니 설명이 돈괘(遯卦)에 보인다. 초효는 큰 일을 해서는 안 되기 때문에 황소가죽으로 묶어야 하니, 단단하게 묶기를 또한 그처럼 해야 한다. 또 초효가 변하면 돈괘(遯卦)의 상이 있기 때문에 말도 같은 것이 있다. 그러나 돈괘의 이효는 오효를 따를 것을 고집하나, 여기에서는 밖으로 호응하여 함께할 자가 없고 자리도 낮고 아래여서 큰일을 할 수 없으니, 다만 가죽으로 묶듯이 하여 움직일 수 없게 한다. 이 때문에 다른 것이다.

---

52) 六: 경학자료집성DB와 영인본에는 모두 '九'로 되어 있으나, 문맥을 살펴 '六'으로 바로잡았다.

53) 鞏: 경학자료집성DB에 '革'으로 되어 있으나, 경학자료집성 영인본을 참조하여 '鞏'으로 바로잡았다.

54)『周易·遯卦』: 六二, 執之用黃牛之革. 莫之勝說.

이익(李瀷) 『역경질서(易經疾書)』

鞏以革固物也. 不言其物意者, 指車而云爾, 何以明之. 九三之三就, 似指車飾.
공(鞏)은 가죽으로 물건을 단단하게 묶는 것이다. 물건의 뜻을 말하지 않은 것은 수레를 가리켜 말하였을 뿐이니 어떻게 아는가? 구삼의 '세 번 합함[三就]'은 수레의 장식을 가리켜 말한 듯하다.

按, 既夕禮云, 馬纓三就, 註纓當胸, 以削革爲之, 三重三匝也, 周禮巾車, 王[55]之五路, 有五就七就九就十二就, 郊特牲云, 先路三[56]就, 註云五色一匝曰就. 此謂織罽爲路車繁纓之飾, 而有一就三就五就之別也. 捨車則更無三就之可證, 而彼傳云革言三就, 又何之矣. 此分明指三就而將有所之之物, 則非車而何. 易文中, 或有不著其物而言其事者. 故以革鞏固者, 知其爲固車之義也.
내가 살펴보았다: 『의례(儀禮) · 기석(既夕)』에 "말의 가슴걸이는 세 겹으로 두른다[馬纓三就]"라 했는데 그 주에 "영(纓)은 가슴걸이니 가죽을 잘라서 만들어 세 겹으로 세 번 두르는 것이다"고 하였고, 『주례(周禮) · 건거(巾車)』에 "왕의 다섯 종류의 수레 가운데 '다섯 겹을 두른 것[五就]' · '일곱 겹을 두른 것[七就]' · '아홉 겹을 두른 것[九就]' · '열두 겹을 두른 것[十二就]'이 있다"고 하였으며, 『예기(禮記) · 교특생(郊特牲)』에는 "선로(先路)[57]는 세 겹을 두른다"고 하였는데 그 주에 "오색으로 한 번 두르는 것을 취(就)라고 한다"고 하였다. 이것은 그물을 짜서 노거(路車)의 말안장 양쪽 옆으로 늘어뜨린 장식을 만드는 것인데 '한 번 두름' · '세 번 두름' · '다섯 번 두름'의 구별이 있다. 수레를 빼놓고는 다시 삼취(三就)를 증거할 만한 것이 없고, 구삼의 「상전」에서 "변혁해야 한다는 말이 세 번 합했으니, 또 어디로 가겠는가?"라고 하였다. 이것은 '삼취'를 가리켜 장차 갈 곳이 있는 물건임을 밝혔으니, 수레가 아니고 무엇인가? 『주역』의 글에서 어떤 것은 그 물건을 드러내지 않고 일을 말하는 경우도 있다. 그러므로 가죽으로 견고하게 묶는 것이란 수레를 견고하게 만든다는 뜻임을 알 수 있다.

離有甲冑戈兵之象, 而火性上進, 有革物之義. 革車者, 又兵器之最大, 故數軍者, 必以車. 武王之伐紂, 革車三百輛, 卽其左契也. 據荀九家, 离爲車輿, 其意亦猶此也. 且睽與此卦相反, 而輿曳鬼車, 亦以車爲言, 可以旁證. 蓋革莫大於革命, 革命莫大於湯武也. 文王言已日乃孚, 則有待之意也, 孔子以湯武實之, 則已日之後也, 乃周公之辭, 以

55) 王: 경학자료집성DB에 '三'으로 되어 있으나, 경학자료집성 영인본을 참조하여 '王'으로 바로잡았다.
56) 三: 경학자료집성DB에 '王'으로 되어 있으나, 경학자료집성 영인본을 참조하여 '三'으로 바로잡았다.
57) 선로(先路): 제후가 타는 수레를 말한다.

其始終況之. 初九在革之始, 以革固車而未及三就也. 火色黃白, 故用黃牛取其象也. 吾聞之人坐皮者, 其毛黃者最韌久, 白黑皆耗, 而黃者獨留. 以此推之, 黃牛之革, 取其最韌鞏用變革之物而已, 見變革之兆也. 此卽文王積善累德, 天下嚮之之時也.
리괘(離卦)는 갑옷과 무기의 상이 있고 불의 성질은 올라가니 사물을 변혁하는 뜻이 있다. 병거[革車]는 또 무기 중에서 가장 중대하기 때문에 군대를 세는 자는 반드시 수레를 헤아렸다. 무왕이 주를 정벌할 때에 병거가 삼백량이라고 한 것이 바로 그 증좌이다. 『순구가역』을 의거해 보면 "리괘는 수레이다"고 하였으니 그 뜻이 또한 이것과 같다. 또 규괘(睽卦䷥)와 혁괘는 상괘 · 하괘가 서로 반대인데, '수레를 끌다'[58]나 '귀신이 실려 있는 수레'[59]라는 말도 또한 수레로 말한 것이니 이로써 방증할 수 있다. '변혁'은 천명을 바꿈이 가장 중대하고 '천명을 바꿈'은 탕왕 · 무왕이 한 일 보다 중대한 것은 없다. 문왕이 "시일이 지나야 믿을 것이다"고 말 한 것은 기다리는 뜻이 있는 것이고, 공자가 탕왕과 무왕으로 실증한 것은 시일이 지난 뒤라는 것이며, 곧 주공의 말은 자초지종으로 비유한 것이다. 초구는 변혁의 처음에 해당하니 가죽으로 수레를 단단히 묶었으나 세 겹으로 두름에는 미치지 못한 것이다. 불의 색이 황백색이기 때문에 황소로 그 상을 취하였다. 내가 가죽을 깔고 앉아 있는 자에게 들으니 황색의 털이 가장 질기고 오래가서 백색과 흑색이 다 해어져도 황색만이 남아있다고 한다. 이것으로 미루어 보면 '황소 가죽'은 가장 질긴 것으로 변혁하는 물건을 묶음을 취하였을 뿐이니 변혁의 조짐을 본 것이다. 이것이 바로 문왕이 선과 덕을 쌓아 천하 사람들이 그에게 귀향하고자 하는 때이다.

심조(沈潮) 「역상차론(易象箚論)」

在下而橫亘者地, 故言黃.
아래에 있으면서 가로로 뻗은 것은 땅이기 때문에 '황색[黃]'을 말하였다.

유정원(柳正源) 『역해참고(易解參攷)』

正義, 名皮爲革者, 以禽獸之皮, 皆可從革, 故以喩焉. 皮雖從革之物, 然牛皮堅韌難變. 初九在革之始, 革道未成, 施之於事, 有似牛皮以自固, 未肯造次以從變者也. 故曰鞏用黃牛之革.
『주역정의』에서 말하였다: 가죽[皮]을 이름하여 '혁'이라고 하는 것은 짐승의 가죽은 모두

58) 『周易 · 睽卦』: 六三, 見輿曳, 其牛掣, 其人天且劓, 无初有終.
59) 『周易 · 睽卦』: 上九, 睽孤, 見豕負塗載鬼一車. 先張之弧, 後說之弧, 匪寇, 婚媾. 往遇雨則吉.

'혁(革)'자를 붙여 쓰기 때문에 그렇게 비유한 것이다. 가죽[皮]이 비록 '혁'자에 붙여지는 물건이나 소가죽은 견고하고 질겨서 변하기 어렵다. 초구는 변혁의 시초에 해당하여 변혁의 도가 이루어지지 않았으므로 일을 시행함에 소가죽이 스스로 견고하게 있는 것과 같은 점이 있으니 잠깐이라도 변혁을 따르려하지 않는 자이다. 그러므로 "황소가죽으로 묶는다"고 한 것이다.

○ 邵子觀梅, 見二雀爭枝墜地, 怪而占之, 得澤火革初爻變爲澤山咸, 互見則天風姤也.
소자가 매화를 감상할 때 참새 두 마리가 가지를 다투다가 땅에 떨어지는 것을 보고 괴이하게 여겨 점을 치니 택화 혁괘의 초효가 변하여 택산함괘(咸卦䷞)가 된 것을 얻었는데 호괘로 보니 천풍구괘였다.
〈辰年十二月十七日申時, 辰年五數, 十二月十二數, 十七日十七數, 共得三十四數. 除去四八三十二, 得零二數, 以兌爲上卦. 加申時九數, 總四十三數. 除去五八四十, 得零三數, 以離爲下卦. 是爲澤火革. 又以四十三總數, 除六七四十二, 得零一數, 爲動爻則初爻變爲澤山咸.
진년 12월 17일 신시에서 진년은 5수이고, 12월은 12수이며, 17일은 17수이니, 모두 34수이다. 여기에서 4×8=32를 제거하면 나머지 2수를 얻으니 태괘로 상괘를 삼는다. 신시는 9수이니 총합 수가 43수이다. 여기에서 5×8=40을 제거하면 나머지 3수를 얻으니 리괘로 하괘를 삼는다. 이것이 택화 혁괘이다. 또 43의 총합수에 6×7=42를 제거하면 나머지 1수를 얻으니 효를 움직이면 초효가 변하여 택산함괘(咸卦䷞)가 된다.〉

明日晩, 當有女折花, 有跌傷之危. 次日晩, 果有一隣女, 來折園花, 童子逐之, 其女驚墮, 失手傷股. 蓋兌金爲體爲少女, 離火克之. 互中巽木, 復生離火, 則克體之卦. 兌爲少女, 固知女子傷股. 互巽木, 逢乾兌兩金克之, 則巽木被傷. 巽爲股之意, 幸而變爲艮土兌金, 得土而有生意, 則雖被傷, 而不至於死也.
다음날 저녁에 여자가 꽃을 꺾다가 넘어져서 상처를 입는 위험이 있을 것이다. 다음날 저녁에 과연 이웃에 사는 한 여자가 와서 정원의 꽃을 꺾는데 어린아이가 쫓아가니 그 여자가 놀라 떨어져서 손을 놓쳐 다리에 상처를 입었다. 태괘(兌卦)의 쇠는 몸체이고 소녀인데 리괘(離卦)의 불이 그것을 이긴다. 호괘 중에 손괘(巽卦)의 나무가 다시 리괘(離卦)의 불을 살리니 이기는 몸체의 괘이다. 태괘(兌卦)는 소녀이니 진실로 여자가 다리에 상처 입게 될 줄을 알 수 있다. 호괘인 손괘(巽卦)의 나무가 건괘(乾卦)·태괘(兌卦)의 두 쇠를 만나 쇠가 나무를 이기면 손괘(巽卦)의 나무가 상처를 입는다. 손괘(巽卦)는 다리의 뜻이 되니 다행히도 변하여 간괘(艮卦)의 흙과 태괘(兌卦)의 쇠가 되면 흙을 얻어 살아나는 뜻이 있으니 비록 상처를 입더라도 죽는 데는 이르지 않을 것이다.

○ 案, 黃牛可言於六二之中順, 而遽於初九言之, 何也. 蓋黃牛離卦象, 初之剛躁, 不足於中順, 故因以黃牛戒之.
내가 살펴보았다: 황소는 육이의 '알맞고 유순함'에서 말할 만한데 갑자기 초구에서 말하는 것은 어째서인가? 황소는 리괘(離卦)의 상인데 초효는 굳센 양으로 조급하니 '알맞고 유순함'에서 부족하다. 그러므로 이에 따라 황소로 경계한 것이다.

김상악(金相岳) 『산천역설(山天易說)』

黃中色, 牛順物. 初二三, 皆行革於下, 四五六, 皆主革於上. 而初九剛而无位, 與四无應, 未可以有爲, 而比二用中順之道, 自固其守, 可革之位, 在二而不在初, 故不言其吉凶.
황(黃)은 가운데 색이고, 소는 순한 동물이다. 초효 · 이효 · 삼효는 모두 아래에서 변혁을 행하고 사효 · 오효 · 상효는 모두 위에서 변혁을 주관한다. 초구는 굳센 양이면서 지위가 없고 사효와도 호응이 없으니 큰일을 할 수는 없으나 알맞고 유순한 도를 쓰는 이효와 비(比)의 관계에 있어서 스스로 지킴을 견고히 하고, 변혁할 만한 자리는 이효에 달려있지 초효에 있는 것이 아니기 때문에 길흉을 말하지 않았다.

○ 鞏固也, 故從革. 黃牛離象, 見遯六二. 蓋禽獸之皮, 皆可從革, 而牛皮堅韌難變, 故遯言執, 革言鞏. 本義, 革取卦名而義不同. 然固守而不革, 如固以牛革則不輕變革, 雖字義不同, 可以參看.
공(鞏)은 견고히 하는 것이기 때문에 혁(革)자를 합하여 썼다. 황소는 리괘(離卦)의 상으로 돈괘(遯卦䷠)의 육이[60]에서도 보인다. 대개 짐승의 가죽은 모두 혁(革)자를 합하여 쓸 수 있으나 소가죽이 단단하고 질겨서 변하기 어렵기 때문에 돈괘(遯卦)에서는 '잡는다[執]'고 말하였고 혁괘에서는 '묶는다[鞏]'고 말하였다. 『본의』에서는 "괘의 이름을 취했으나 뜻은 같지 않다"고 하였다. 그러나 견고하게 지키고 변혁하지 않는 것이 소가죽으로 단단하게 하면 쉽게 변혁하지 못하는 것과 같으니 비록 글자의 뜻이 다르더라도 참고하여 살필 수 있다.

서유신(徐有臣) 『역의의언(易義擬言)』

變革之初, 下民之舊習, 猝不可以大革也. 順其性而格其非, 因其俗而矯其弊. 譬如黃牛毛革, 不改其黃, 是爲維持邦本之術也. 至若文敎漸摩百年而後可也, 漢之文帝, 能

60)『周易 · 遯卦』: 六二, 執之用黃牛之革. 莫之勝說.

知此道者也. 黃牛之革, 蓋取其無文也, 又取其堅固也.
변혁의 초기에는 아래 백성의 예전 습관이 갑자기 크게 바뀔 수 없다. 그 성질에 순히 하면서 잘못된 것을 바로잡으며, 풍속을 따르면서 폐단을 바로잡아야 한다. 비유하자면 황소가 털갈이를 하되 황색은 바뀌지 않는 것과 같으니, 이것이 나라의 근본을 유지하는 방법이다. 문교(文敎)와 같은 경우에는 점점 연마되어 백년이 지난 뒤에야 가능할 것이니 한나라의 문제는 이 방법을 안 자였다. 황소의 가죽은 무늬가 없음을 취하고 또 그 견고함을 취하였다.

박문건(朴文健)『주역연의(周易衍義)』

志堅革上, 故有鞏用黃牛之象. 鞏, 束之固也.
뜻이 위를 변혁하는 데 견고하기 때문에 황소가죽으로 묶는 상이 있다. 공(鞏)은 단단히 묶음이다.
〈問, 黃牛之取義, 曰, 黃牛只取堅韌之義, 與遯二黃牛同例也. 亦猶賁四白馬之, 只取潔白者也.
물었다: 황소에서 취한 뜻이 무엇입니까?
답하였다: 황소는 단지 견고하고 질긴 뜻을 취하였으니 돈괘(遯卦䷠) 이효의 황소와 같은 사례입니다. 또한 비괘(賁卦䷕) 사효의 '흰말'이 단지 결백함을 취한 것과 같은 것입니다.〉

〈○ 問, 鞏用黃牛之革. 曰, 初九處下而用剛, 故堅守其革上之志, 其固譬如鞏束之以牛革也. 處下而其志如此, 安能有爲也哉.
물었다: "황소가죽으로 묶는다"는 무슨 뜻입니까?
답하였다: 초구는 아래에 처하여 굳셈을 쓰고 있기 때문에 위를 변혁하려는 뜻을 견고하게 지키니, 그 단단함을 비유하자면 소가죽으로 묶는 것과 같습니다. 아랫자리에 있으면서 그 뜻이 이와 같으니 어찌 큰일을 할 수 있겠습니까?〉

이지연(李止淵)『주역차의(周易箚疑)』

初九內有文明之德, 而又陽剛得正, 此乃文明而正者也. 但其位在下, 而時之初, 故以中順自守, 如周之太王也. 太王實始有剪商之漸, 而能以中順自守者也.
초구는 안으로 밝고 빛나는 덕이 있고 또 굳센 양으로 바름을 얻었으니 이는 바로 밝고 빛나며 바른 자이다. 다만 그 자리가 아래에 있으니 때의 초기이기 때문에 알맞고 유순한 덕으로 스스로 지키니 주나라의 태왕과 같다. 태왕은 실제로 처음에 상나라를 멸망시킬 조짐이 있었으나 알맞고 유순한 덕으로 스스로 지킬 수 있었던 자였다.

김기례(金箕澧) 「역요선의강목(易要選義綱目)」

離爲牝牛, 取坤中畫而謂黃.
리괘(離卦)는 암소이니 곤괘(坤卦)의 가운데 획을 취하여 황색을 말하였다.

○ 革取卦名而異義.
'혁(革)'은 괘의 이름에서 취하였으나 뜻은 다르다.

○ 剛而在下, 上无應援, 不可有爲於革時. 故自回謹守.
굳센 양으로 아래에 있고 위로 호응하여 도와주는 이가 없으니, 변혁의 때에 큰일을 할 수 없다. 그러므로 도리어 삼가 지킨다.

심대윤(沈大允) 『주역상의점법(周易象義占法)』

革之爻位, 居剛極言直諫也, 居柔溫言諷諭也. 革之取義, 朋友規責, 君臣諫諍是也. 有應者, 有援助也.
혁괘의 효의 자리가 굳센 양의 자리이면 직간을 지극히 말하고, 부드러운 음의 자리이면 풍자함을 완곡하게 말한다. 혁괘에서 취한 뜻은 붕우간에는 규책하고 군신간에는 간쟁하는 것이 이것이다. 호응이 있다는 것은 구원하여 돕는 이가 있는 것이다.

革之咸䷞, 感通也. 初九以剛居剛, 據理直言, 而時淺地卑, 以友則疏, 以臣則賤. 上无援助, 而近於二, 以二爲介, 而附達其意, 僅得精神之相感通, 而夫有革變之効. 故曰鞏用黃牛之革. 鞏堅固也. 坎固艮堅曰鞏, 离爲牛, 巽爲革, 言固托於二也. 疏賤之人, 必有所介而獻忠, 不可徑自妄言而取禍也.
혁괘가 함괘(咸卦䷞)로 바뀌었으니, 느껴서 통하는 것이다. 초구는 굳센 양으로 굳센 자리에 있어서 이치에 의거하여 직언을 하나 때가 미천하고 지위가 낮으니 벗으로 보면 소원하고 신하로 보면 비천하다. 위에 도와주는 이가 없으나 이효와 비(比)의 관계에 있어서 의지하여 그 뜻을 이효에 붙어서 이루니 겨우 정신이 서로 느껴서 통하게 되지만 무릇 변혁의 효과가 있다. 그러므로 "황소가죽으로 묶는다"고 말하였나. 공(鞏)은 견고하게 함이다. 감괘(坎卦)는 견고하고 간괘(艮卦)는 단단하므로 '묶는다[鞏]'고 하였고, 리괘(離卦)는 소이고 손괘(巽卦)는 가죽이니 단단함을 이 둘에 의지한다는 말이다. 소원하고 천한 사람은 반드시 도와주는 이가 있어야 충심을 바칠 수 있으니 지레 스스로 망언하여 화를 취해서는 안 된다.

오치기(吳致箕) 「주역경전증해(周易經傳增解)」

初九, 以剛居剛, 雖得其正, 在下无位, 而上无應與, 當革之時, 不可以有爲者也, 故戒言. 旣居其正矣, 剛能堅志, 明能知幾, 當固守不變, 其鞏牢如以黃牛之革束縛之也.
초구는 굳센 양으로 굳센 양의 자리에 있으니 비록 바른 자리를 얻은 것이나 아래에 있고 지위가 없으며, 위로 호응하여 도와주는 이가 없으니 변혁의 때에 큰일을 할 수 없는 자이기 때문에 경계하여 말하였다. 이미 바른 자리에 있으니 굳셈으로 뜻을 견고하게 할 수 있고 밝음으로 기미를 알 수 있으니, 마땅히 견고하게 지켜서 바꾸지 말아 단단하게 묶기를 황소 가죽으로 묶듯이 해야 한다.

○ 鞏固也, 以革束物之謂也. 黃與牛, 取於對體互坤. 革皮也, 堅韌不易變之物也. 雖取卦名之革, 而義不同也.
공(鞏)은 견고히 함이니 가죽으로 물건을 묶는 것을 이른다. '황색'과 '소'는 음양이 바뀐 몸체의 호괘인 곤괘(坤卦)에서 취하였다. '혁(革)'은 가죽이니, 질겨서 쉽게 변하지 않는 물건이다. 비록 괘의 이름인 '혁(革)'에서 취하였으나 의미는 다르다.

이진상(李震相) 『역학관규(易學管窺)』

離爲黃牛, 而又變艮, 故有鞏革象. 初九剛固, 故曰鞏革. 在已日之前, 故固守而不改, 初剛不足於中順, 故以黃牛設戒, 而移其剛於固守也.
리괘(離卦)는 황소이고 또 변하면 간괘(艮卦☶)가 되기 때문에 가죽으로 묶는 상이 있다. 초구는 굳센 강이면서 견고하기 때문에 "가죽으로 묶는다"고 말하였다. 시일이 지나기 이전에 해당하기 때문에 견고히 지키고 고치지 않으며, 초효는 굳센 강이어서 알맞고 유순하게 하기에 부족하기 때문에 황소로 경계하여 굳셈을 견고히 지키는 데로 옮기게 한 것이다.

이병헌(李炳憲) 『역경금문고통론(易經今文考通論)』

干[61]曰, 鞏固也. 离爲牝牛. 在初无應, 未可以動也.
간보(干寶)가 말하였다: 공(鞏)은 단단함이다. 리괘(離卦)는 암소이다. 초효에 있으면서 호응이 없으니 움직여서는 안 된다.

程傳曰, 黃中色, 牛順物, 當以中順自固也.

---

61) 干: 경학자료집성DB에 '于'로 되어 있으나, 경학자료집성 영인본을 참조하여 '干'으로 바로잡았다.

『정전』에서 말하였다: 황(黃)은 중앙의 색이고 소[牛]는 순한 동물이니 알맞고 유순한 도로 스스로 굳게 지켜야 한다.

按, 至二則柔中可用.
내가 살펴보았다: 이효에 이르면 부드러움이 알맞은 자리에 있어서 쓸 수 있다.

象曰, 鞏用黃牛, 不可以有爲也.

「상전」에서 말하였다: "황소 가죽으로 묶음"은 큰일을 해서는 안 되기 때문이다.

中國大全

傳

以初九時位才, 皆不可以有爲, 故當以中順自固也.

초구의 때 · 지위 · 재질이 모두 큰일을 해서는 안 되기 때문에 중순(中順)으로 스스로 견고히 하여야 한다.

韓國大全

김상악(金相岳) 『산천역설(山天易說)』[62]

无位而无應也.

지위도 없고 호응도 없기 때문이다.

서유신(徐有臣) 『역의의언(易義擬言)』[63]

革之道, 有爲而無爲可也. 有爲而爲之, 則助長之害生矣.

변혁의 도는 큰일을 하면서도 함이 없는 것이 좋다. 큰일을 하면서 함이 있게 되면 조장(助長)의 폐해가 생긴다.

62) 경학자료집성DB에 초구효사에 편집되어 있으나, 영인본의 체재에 의거하여 초구 「상전」으로 옮겨 해석하였다.
63) 경학자료집성DB에 초구효사에 편집되어 있으나, 영인본의 체재에 의거하여 초구 「상전」으로 옮겨 해석하였다.

오치기(吳致箕) 「주역경전증해(周易經傳增解)」[64]

在下无位, 而上无應, 不可有爲於變革之大事也.

아래 자리에 있어서 지위가 없고 위로 호응이 없으니 변혁하는 큰일을 해서는 안 된다.

64) 경학자료집성DB에 초구효사에 편집되어 있으나, 영인본의 체재에 의거하여 초구 「상전」으로 옮겨 해석하였다.

六二, 已日, 乃革之, 征吉, 无咎.

정전 육이는 시일이 지나서야 변혁할 수 있으니, 그대로 가면 길하여 허물이 없을 것이다.
본의 육이는 시일이 지나서야 변혁하면 감에 길하여 허물이 없을 것이다.

中國大全

傳

以六居二, 柔順而得中正, 又文明之主, 上有剛陽之君, 同德相應. 中正則无偏蔽, 文明則盡事理, 應上則得權勢, 體順則无違悖. 時可矣, 位得矣, 才足矣, 處革之至善者也. 然臣道不當爲革之先, 又必待上下之信. 故已日乃革之也. 如二之才德, 所居之地, 所逢之時, 足以革天下之弊, 新天下之治, 當進而上輔於君, 以行其道, 則吉而无咎也, 不進, 則失可爲之時, 爲有咎也. 以二體柔而處當位, 體柔則其進緩, 當位則其處固. 變革者, 事之大, 故有此戒. 二得中而應剛, 未至失於柔也. 聖人因其有可戒之疑, 而明其義耳,. 使賢才不失可爲之時也.

음[六]으로서 이효에 있으니 유순하면서 중정함을 얻었고, 또 밝고 빛나는 주체로서 위로 굳센 양인 군주가 덕을 함께 하여 서로 호응함이 있다. 중정하면 치우쳐서 가려짐이 없고, 밝고 빛나면 일의 이치를 다하며, 위와 호응하면 권세를 얻고, 몸체가 순하면 어그러짐이 없다. 그러므로 때가 가능하고 지위가 얻어졌고 재주가 충분하니, 혁(革)에 대처하기를 지극히 잘하는 자이다. 그러나 신하의 도리는 변혁의 선봉이 되어서는 안 되고 또 반드시 윗사람과 아랫사람의 믿음을 기다려야 한다. 그러므로 시일이 지나서야 변혁하는 것이다. 이효 같은 재주와 덕은 처한 지위와 나아간 때가 천하의 폐해를 변혁하고 천하의 정치를 혁신할 만하니, 마땅히 나아가 위로 군주를 보필하여 그 도를 행하면 길하여 허물이 없을 것이고, 나아가지 않으면 할 수 있는 시기를 놓쳐 허물이 있을 것이다. 이효는 몸체가 부드럽고 처함이 지위에 마땅하니, 몸체가 부드러우면 나아감이 느긋하고 지위에 마땅하면 처함이 견고하다. 변혁은 일 중에 큰 것이기 때문에 이러한 경계가 있다. 이효는 알맞음을 얻고 굳센 양과 호응하니 유순함 때문에 잘못되지는 않는다. 그러나 성인이 경계할만한 의구심이 있기때문에 그 뜻을 밝혔을 뿐이니, 유능한 인재에게 할 수 있는 시기를 잃지 않게 한 것이다.

本義

六二, 柔順中正, 而爲文明之主, 有應於上, 於是可以革矣. 然必已日然後革之, 則征吉而无咎, 戒占者猶未可遽變也.

육이는 유순하고 중정하며 밝고 빛남의 주체가 되고, 위에 호응이 있으니, 이에 변혁할 수 있다. 그러나 반드시 시일이 지난 뒤에 변혁한다면 감에 길하여 허물이 없을 것이니, 점치는 자에게 아직 선뜻 변해서는 안 된다고 경계한 것이다.

小註

雲峰胡氏曰, 一爻爲一日, 初至二, 已日也. 初无位, 二有位矣, 初无應, 二有應矣, 柔順中正, 而文明, 又有德矣. 有德有位, 而有應, 可革之時也, 而必已日乃革之, 寧詳緩, 无遽急也. 如是則往吉而无咎, 聖人謹重之意可見. 卦曰已日乃孚, 爻曰已日乃革者, 君之革, 不待已日, 其所革, 已日而後孚耳. 臣待君之造始而後代終, 故已日乃革之.
운봉호씨가 말하였다: 한 효는 하루이니 초효가 이효에 이른 것은 하루가 지난 것이다. 초효는 지위가 없는데 이효는 지위가 있으며, 초효는 호응이 없는데 이효는 호응이 있으니, 이효는 유순하고 중정하며 밝고 빛남이 있고 또 덕이 있다. 덕이 있고 지위가 있으며 호응이 있는 것은 변혁할 수 있는 때이나 반드시 하루가 지나야 변혁할 수 있으니, 차라리 자세하고 느긋하게 해야지 선뜻 급하게 함이 없는 것이다. 이와 같다면 가면 길하여 허물이 없을 것이니 성인이 삼가고 신중히 하는 뜻을 알 수 있다. 괘사에서 "하루가 지나야 믿을 것이다" 하였고, 효사에서 "하루가 지나서야 변혁하면"이라고 한 것은 임금의 변혁은 하루가 지나기를 기다릴 필요가 없이, 변혁한 것을 하루가 지난 후에 믿게 될 뿐이다. 신하는 임금이 시작을 만들기를 기다린 뒤에 대신 마쳐야 하기 때문에 하루가 지나야 변혁하는 것이다.

○ 中溪張氏曰, 彖言已日乃孚, 爻言已日乃革, 惟孚, 故能革也.
중계장씨가 말하였다: 「단전」에서 "시일이 지나야 믿을 것이다" 고 말하였고, 효사에서 "시일이 지나서 변혁하면"이라고 말한 것은 오직 믿기 때문에 변혁할 수 있는 것이다.

○ 王氏曰, 二五, 雖有澤火之異, 同處厥中, 陰陽相應, 往必合志, 不憂咎也.
왕필이 말하였다: 이효와 오효는 비록 태괘(兌卦☱)인 못과 리괘(離卦☲)인 불의 다른 점이 있으나, 똑같이 가운데에 처하여 음양이 서로 호응하니 가면 반드시 뜻이 부합하여 허물을 우려하지 않는다.

韓國大全

김장생(金長生) 『주역(周易)』

六二, 傳, 所進之時, 足以革天下之弊.
육이에 대한 『정전』에서 말하였다: 나아간 때가 천하의 폐해를 변혁할 만하다.

進, 唐本及他本, 竝作逢.
'나아가다[進]'는 당나라 판본과 다른 판본에 모두 '만나다[逢]'로 되어 있다.

송시열(宋時烈) 『역설(易說)』

已日說見上. 乃革者, 亦乃孚於革也. 征吉者, 往得九五之正應也. 旡咎可知小象, 行有嘉者, 行則得乾卦之嘉好也.
'시일이 지나다'에 대한 설명은 위에 보인다. '그제서야 변혁함'은 변혁함을 믿어 줌이다. '그대로 가면 길함'은 가서 구오의 정응을 만나는 것이다. '허물이 없음'은 「소상전」에서 알 수 있으니, '감에 아름다운 경사가 있는 것'이란 가면 건괘(乾卦)의 아름다움을 얻음이다.

이익(李瀷) 『역경질서(易經疾書)』

六二與彖同辭, 上無革字, 故以革易孚, 而孚在其中. 此則文王伐密須伐崇戡黎之時. 革命則有待, 而其同惡可征也. 故曰有嘉也.
육이는 단사의 말과 같으나 앞에 '혁(革)'자가 없기 때문에 '부(孚)'자 대신에 '혁'자를 썼으니 '믿음(孚)'이 그 안에 있다. 이것은 문왕이 밀수(密須)를 치고 숭(崇)을 정벌하며 려(黎)를 이긴 때이다. 혁명은 때를 기다림이 있으니 어찌 싫어하는 자들과 함께 갈 수 있겠는가? 그러므로 "아름다운 경사가 있다"고 한 것이다.

유정원(柳正源) 『역해참고(易解參攷)』

王氏曰, 陰之爲物, 不能先唱順從者也. 不能自革, 革已乃能從之, 故曰已日乃革之也.
왕필이 말하였다: 음은 선창하지 못하고 순종하는 자이다. 스스로 변혁하지 못하고 변혁하여 시일이 지나야 따를 수 있기 때문에 "시일이 지나야 변혁한다"고 하였다.

○ 王氏湘卿曰, 納甲離屬己, 二爻離之主, 故言己日. 二旬之中, 未至於己, 未可革也.
왕상경이 말하였다: 납갑법에서 리괘(離卦)는 기(己)에 속하고 이효는 리괘의 주인이기 때문에 기일(己日)이라고 말하였다. 20일[二旬] 안에 기일(己日)이 되지 않으면 변혁할 수 없다.

○ 梁山來氏曰 離之日, 日之象也, 陰土己之象也. 此爻變夬, 情說性健, 故易于革.
양산래씨가 말하였다: 리괘(離卦)의 해는 '날'의 상이고, 음은 토(土) · 기(己)의 상이다. 본효가 변하면 쾌괘(夬卦䷪)이니 성정이 기쁘고 강건하기 때문에 변혁하기 쉽다.

○ 案, 火性燥, 傷於急迫, 必須從容而不迫, 詳緩而无遽, 然後上應剛中之德, 而可革天下之弊. 故曰已日乃革征吉也.
내가 살펴보았다: 불의 성질은 건조하고 너무 급박한 데에서 상하게 되니, 반드시 여유롭게 하여 다그치지 말고 자상하고 천천히 하여 서두르지 않은 뒤에야 위로 굳세고 알맞은 덕에 호응할 수 있으며, 천하의 폐해를 변혁할 수 있다. 그러므로 "시일이 지나서야 변혁할 수 있으니 그대로 가면 길하다"고 말하였다.

김상악(金相岳) 『산천역설(山天易說)』

六二當行革之. 位居離體之中, 比初三而應五, 可以行矣, 而水火相息, 猶未可遽變. 必已日而後 革之, 則征吉无咎也.
육이는 변혁을 행하여야 한다. 자리가 리괘(離卦) 몸체의 가운데에 있고 초효 · 삼효와 비(比)의 관계에 있으며 오효와 호응하니 변혁을 행할 수 있으나, 물과 불은 서로 없애니 오히려 대번에 변해서는 안 된다. 반드시 시일이 지난 뒤에 변혁한다면 가면 길하여 허물이 없을 것이다.

○ 離爲日. 初至二, 已日之象. 卦曰已日乃孚者, 孚在已日之前也, 爻曰已日乃革者, 革在已日之後也. 二與五爲應. 而五變則爲豊, 豊之二曰日中見斗, 往得疑疾. 故此取已日而後, 革之之象也. 征者行也. 二三皆言征, 而吉凶之不同者, 得中與過剛之辨也. 征則金火相遇, 有鎔金合土之功也. 胡煦函書, 卦有兩陰爲主, 兌陰窮亢, 故專主離陰. 全言火土之用, 此以已字, 作己土之己. 卽來註意也
리괘는 '날'이다. 초효에서 이효에 이르니 시일이 지난 상이다. 괘사에서 "시일이 지나야 믿을 것이다"고 한 것은 믿음이 시일이 지나기 전에 있는 것이고, 효사에서 "시일이 지나서야 변혁할 수 있다"고 한 것은 변혁이 시일이 지난 뒤에 해당하는 것이다. 이효는 오효와 호응한다. 오효가 변하면 풍괘(豊卦䷶)이니, 풍괘의 이효에 "대낮에도 북두성을 보며, 가면 의심과 미움을 받을 것이다"[65]고 하였다. 그러므로 여기에서도 '시일이 지난 뒤'를 취한 것이니 혁괘의 상이다. 정(征)은 감이다. 이효 · 삼효에서 모두 감을 말하였으나 길흉이 같지 않은 것은 '알맞음을 얻음'과 '지나치게 굳셈'을 분별한 것이다. 가면 쇠와 불이 서로 만나니 쇠가 녹아 흙과 합하는 공이 있다. 호조(胡煦)[66]의 『주역함서(周易函書)』에 "괘는 두 음이 주인인데 태괘(兌卦)의 음은 꼭대기에서 다하였으므로, 오로지 리괘(離卦)의 음이 주인이다"고 하였다. 전부 불과 흙의 쓰임을 말했으니, 여기의 기(己)자는 기토(己土)의 '기(己)'로 써야 한다. 바로 래지덕이 설명한 뜻이다.

박제가(朴齊家) 『주역(周易)』

六二, 已日, 乃革之.
육이는 시일이 지나야 변혁할 수 있다.

傳曰, 使[67]賢才不失可爲之時也, 本義曰, 猶未可遽變. 傳似勸其征, 本義似止其征, 以下革言推之, 本義爲得. 然於三就, 則卻曰可革, 蓋看三就謂已成故也. 雲峯胡氏曰, 卦曰已日乃孚, 爻曰已日乃革, 君之革, 不待已日, 其所革, 已日而後孚耳. 臣待君之造始而後代終, 故已日乃革之. 案, 胡氏熟於易, 然如此等說, 終未達. 卦首言革字, 故不更言革, 而但言孚. 言革之爲道, 已日而孚也, 非徒既革而說也. 爻不可首言革, 故直曰已日乃革. 若曰乃孚, 則不知何物之孚矣. 又必曰革之言治革之道也, 文義自然, 何必卦爲君而爻爲臣耶.

『정전』에서는 "유능한 인재에게 할 수 있는 시기를 잃지 않게 한 것이다"고 하였고, 『본의』에서는 "아직 선뜻 변해서는 안 된다"고 하였다. 『정전』은 가기를 권장한 듯하고 『본의』는 가기를 저지하는 듯하니, 이하 혁괘의 말로 미루어 보면 『본의』가 맞는 듯하다. 그러나 '세 번 합하면'을 도리어 '변혁할 만하다'고 하였으니, 대개 '세 번 합하는 것'은 이미 이루어짐을 이른다고 간주할 수 있기 때문이다. 운봉호씨는 "괘사에서 '하루[시일]가 지나야 믿을 것이다'라 하였고, 효사에서 '하루가 지나서 변혁하면'이라 한 것은 임금의 변혁은 하루가 지나기를 기다릴 필요가 없고, 변혁한 것을 하루가 지난 뒤 믿을 뿐이다. 신하는 임금이 시작을 만들기를 기다린 뒤에 대신 마쳐야 하기 때문에 하루가 지나야 변혁하는 것이다"라고 하였

65) 『周易 · 豊卦』: 六二, 豊其蔀, 日中見斗, 往得疑疾, 有孚發若, 吉.
66) 호조(胡煦: 1655~1736): 청나라의 역학자이며, 그의 대표작이 『주역함서(周易函書)』이다.
67) 使: 경학자료집성DB에 '便'으로 되어 있으나, 경학자료집성 영인본을 참조하여 '使'로 바로잡았다.

다. 살펴보건대 호씨는 『역』에 조예가 깊으나 이와 같은 설은 끝내 깨닫지 못한 것이다. 괘사에서는 먼저 '변혁'을 말하였기 때문에 다시 '변혁'을 말하지 않고 다만 '믿음'만을 말했다. 변혁의 도는 시일이 지나야 믿는 것이니, 변혁한 뒤에 기뻐할 뿐만이 아니라는 말이다. 효에서는 먼저 '변혁'을 말할 수 없기 때문에 다만 "시일이 지나서야 변혁할 수 있다"고 하였다. "믿을 것이다"고 한 것은 무엇을 믿을 것이라고 했는지 모르겠다. 또 반드시 "혁괘는 변혁을 다스리는 도를 말하였다"고 한 것은 글의 뜻이 자연스럽기는 하나, 어찌 꼭 괘는 임금이 되고 효는 신하가 되는 것이겠는가?

강엄(康儼) 『주역(周易)』

本義, 於是可以革矣.
『본의』에서 말하였다: 이에 변혁할 수 있다.

按, 本義於是二字, 乃承初爻之義而言. 初爻居下无應, 故不可以有爲. 此爻柔順中正, 而有應於上, 則初之不可有爲者, 於是而可以革矣.
내가 살펴보았다: 『본의』에서 '이에'라는 말은 초효의 뜻을 이어 말한 것이다. 초효는 아래에 있으면서 호응이 없기 때문에 큰일을 할 수 없다. 이효는 유순하고 중정하면서 위에 호응이 있으니 초효에서는 큰일을 할 수 없었던 것이 '여기에 와서[於是]' 변혁할 수 있는 것이다.

又按, 雲峯以卦辭已日乃孚, 及六二已日乃革之, 分君臣說. 然竊謂卦辭已日乃孚, 是言革而得其正, 則已日而後人信之也, 六二已日乃革之, 是言將革之際, 必十分愼重, 待已日而後革之也. 蓋改革重事, 人未能遽信, 而又不可以輕改, 故皆以已日言之. 雖以人君之尊, 而改革之際, 如或輕遽, 則是乃不正也, 是乃不當也, 雖待已日, 而人其可信之乎. 觀其已日乃孚, 而可見人君之改革, 亦待已日而後可也. 故卦辭又言利貞二字, 卽已日乃革之意也. 蓋已日乃孚, 要其終而言也, 已日乃革之, 原其始[68]而言也, 恐非以君臣之革有遲速之不同也.
또 살펴보았다: 운봉호씨는 괘사의 "시일이 지나야 믿을 것이다"와 "육이는 시일이 지나야 변혁할 수 있다"로써 군신을 나누어 설명하였다. 그러나 나는 아래와 같이 생각한다. 괘사의 "시일이 지나야 믿을 것이다"는 변혁하여 바름을 얻으면 시일이 지난 뒤에 사람들이 믿을 것이라는 말이고, 육이에서 "시일이 지나야 변혁할 수 있다"는 변혁하려는 때에 반드시 충분히 신중하여 시일이 되기를 기다린 뒤에 변혁해야 한다는 말이다. 변혁은 중요한 일이니

68) 始: 경학자료집성DB에 '姤'로 되어 있으나, 경학자료집성 영인본을 참조하여 '始'로 바로잡았다.

사람들이 대번에 믿을 수가 없고 또 가벼이 변혁해서도 안 되기 때문에 '시일이 지나야'로 말한 것이다. 비록 존귀한 임금이라도 변혁의 즈음에 혹시라도 경솔하게 갑자기 한다면 이것은 바로 바르지 못함이고 이것은 바로 마땅하지 못함이니, 비록 시일을 기다린다고 한들 사람들이 믿을 수 있겠는가? 시일이 지나야 믿어줌을 관찰해봄에 임금의 변혁도 시일을 기다린 뒤에야 가능함을 알 수 있다. 그러므로 괘사에 또 '바름이 이롭다'고 하였으니 곧 시일이 지나야 변혁할 수 있다는 뜻이다. '시일이 지나야 믿어 줌'은 마침을 중요하게 여겨 말한 것이고 '시일이 지나야 변혁함'은 처음을 근원하여 말한 것이니, 군신의 변혁에 더딤과 빠름의 차이가 있는 것은 아닌 듯하다.

박문건(朴文健) 『주역연의(周易衍義)』

困而得正, 故有已日乃革之象. 征吉云者, 勉其進也.
곤란하나 바름을 얻었기 때문에 '시간이 지나서야 변혁할 수 있는' 상이 있다. '그대로 가면 길하다'고 한 것은 나아가기를 권면한 것이다.

이지연(李止淵) 『주역차의(周易箚疑)』

柔順中正, 而又有文明之德, 可謂位與時相稱者也. 然而猶不失臣節, 此爻之義, 惟文王當之. 已日者, 指九四也. 至武王, 而當九四之位, 然後乃可行革天下之事.
유순하고 중정하면서 또 밝고 빛나는 덕까지 있으니, 자리와 때가 서로 걸맞은 자라고 이를 만하다. 그런데도 여전히 신하의 절개를 잃지 않으니 이효의 뜻은 오직 문왕이 여기에 해당한다. '시일이 지남'은 구사를 가리킨다. 무왕에 이르러 구사의 지위에 해당한 뒤에 천하를 변혁하는 일을 행할 수 있다.

김기례(金箕澧) 「역요선의강목(易要選義綱目)」

文明順正, 上應五剛, 則可革之時也.
밝고 빛나며 순하고 바르면서 위로 굳센 오효와 호응하니, 변혁할 수 있는 때이다.

○ 已日而革者, 待君[69]命愼審之意.
시일이 지나야 변혁하는 것은 임금의 명을 기다려 신중히 살피는 뜻이다.

---

69) 君: 경학자료집성DB와 영인본에는 모두 '尹'으로 되어 있으나, 문맥을 살펴 '君'으로 바로잡았다.

○ 二五雖有澤火之異, 陰陽中正之位相應, 故往必合而吉. 行有嘉. 易中稱嘉, 皆取二五之應.
이효와 오효는 비록 못과 불의 차이가 있으나, 음·양이 중정의 자리에서 서로 호응하기 때문에 가면 반드시 합하여 길하여 '감에 아름다운 경사'가 있다. 『주역』중에 '아름답다'고 칭한 곳은 모두 이효와 오효가 호응함을 취하였다.

심대윤(沈大允) 『주역상의점법(周易象義占法)』

革之夬䷪, 明決也. 六二以柔中居柔, 承意伺色, 而溫言諷導, 位卑而交淺. 上有九五人主之察其忠誠, 而爲三四所隔, 二之時, 但可明決其利害禍福, 而不可盡言力勸, 故曰已日乃革之. 离應乎兌有其象, 以是而從五則可矣. 故曰征吉无咎.
혁괘가 쾌괘(夬卦䷪)로 바뀌었으니, 밝게 결단하는 것이다. 육이는 알맞은 부드러움으로서 가운데 자리에 있어서 뜻을 받들고 안색을 살펴 온화한 말로 넌지시 이끌지만 자리가 낮아 교제가 미천하다. 위에 구오의 임금이 그의 충심과 정성을 살피지만 삼효·사효에 막히니, 이효의 때는 이해와 화복을 밝게 결단만 할 수 있을 뿐, 극진하게 말하고 힘써 권면할 수 없기 때문에 '시일이 지나야 변혁할 수 있다'고 말하였다. 리괘(離卦)가 태괘(兌卦)에 호응하여 그런 상이 있으니 이 때문에 오효를 따르면 괜찮다. 그러므로 "가면 길하여 허물이 없을 것이다"고 하였다.

오치기(吳致箕) 「주역경전증해(周易經傳增解)」

六二, 柔順中正, 以文明之德, 上應九五剛中之君, 當革之時, 乃於人心信孚之日, 可以革其舊弊. 故言以此而往, 則得吉而无妄動之咎也. 大義則傳義已備矣.
육이는 유순하고 중정하여 밝고 빛나는 덕으로 위로 굳세고 알맞은 구오인 임금과 호응하니, 변혁의 때에는 인심이 믿어주는 날에 오래된 폐단을 변혁할 수 있다. 그러므로 이런 마음가짐으로 간다면 길하여 함부로 움직이는 허물이 없을 수 있다고 말한 것이다. 대의는 『정전』과 『본의』에 갖추어 있다.

○ 已日取象與彖同, 而言人心信孚之日也. 此爻正當彖所言已日乃孚者也.
'시일이 지남'은 상을 취한 것이 단사와 같으니, 인심이 믿어주는 날을 말한다. 이효가 바로 단사에서 말한 '시일이 지나야 믿어줌'에 해당하는 자이다.

이진상(李震相)『역학관규(易學管窺)』

經一爻是已一日也. 陽變陰又革義也. 變乾故征爲吉, 化夬故革之易也.
경문의 한 효는 하루가 지난 것이다. 양이 음으로 변하였으니 또 변혁의 뜻이다. 건괘(乾卦)에서 변하였기 때문에 가면 길하다고 하였고, 쾌괘(夬卦䷪)로 바뀌기 때문에 변혁하여 바꿈이다.

박문호(朴文鎬)「경설(經說)·주역(周易)」

已日乃革, 亦取卦辭以作爻辭, 雖不言孚, 而孚在其中. 故程傳以信言之. 蓋六二之臣, 上應九五之君, 而任革之始事, 故爲卦主耳.
'시간이 지나야 변혁함'도 괘사에서 취하여 효사로 삼은 것이니, 비록 '믿어줌'을 언급하지 않았으나 '믿어줌'이 그 안에 있다. 그러므로『정전』에서 믿음으로 말하였다. 육이의 신하가 위로 구오의 임금과 호응하여 변혁하는 초기의 일을 맡았기 때문에 괘의 주인이 되었을 뿐이다.

이병헌(李炳憲)『역경금문고통론(易經今文考通論)』

本義曰, 六二柔順中正而爲文明之主, 有應於上, 可以革矣. 然必已日然後革之, 則征吉而旡咎.
『본의』에서 말하였다: 육이는 유순하고 중정하며 문명의 주체가 되고, 위에 호응이 있으니 변혁할 수 있다. 그러나 반드시 시일이 지난 뒤에 변혁한다면 감에 길하여 허물이 없을 것이다.

正義曰, 行有嘉慶也.
『주역정의』에서 말하였다: 감에 아름다운 경사가 있는 것이다.

象曰, 已日革之, 行有嘉也.

「상전」에서 말하였다: "시일이 지나서야 변혁함"은 감에 아름다운 경사가 있는 것이다.

中國大全

傳

已日而革之, 征則吉而无咎者, 行則有嘉慶也. 謂可以革天下之弊, 新天下之事. 處而不行, 是无救弊濟世之心, 失時而有咎也.

시일이 지나서 변혁하니, 가면 길하여 허물이 없다는 것은 가면 아름다운 경사가 있다는 것이다. 이는 천하의 폐해를 변혁하고 천하의 일을 혁신할 수 있음을 이른다. 그대로 있으면서 가지 않는다면, 폐해를 구제하고 세상을 구제할 마음이 없는 것이니, 시기를 놓쳐 허물이 있게 된다.

小註

進齋徐氏曰, 六二當革之時, 上應九五, 其才文明, 其體柔順, 其位中正. 備此三者, 處革之至善者也, 然猶已日而後革者, 示不輕變也. 故以之征行, 則吉而无咎, 而有可嘉之功也. 凡卦中言嘉者, 皆二與五應, 如隨之孚于嘉, 遯之嘉遯是也.

진재서씨가 말하였다: 육이는 변혁의 때를 맞이하여 위로 구오와 호응하니, 재질이 밝고 빛나고 몸체가 유순하며 지위가 중정하다. 이 세 가지를 갖춘 자는 혁(革)에 대처하기를 지극히 잘하는 자이다. 그러나 오히려 시일이 지난 뒤에야 변혁할 수 있는 것은 변혁을 경솔히 하지 않음을 보인 것이다. 그러므로 그런 마음가짐으로 가면 길하여 허물이 없을 것이고 아름답게 여길 만한 공이 있을 것이다. 괘 인에 아름다움[嘉]을 말한 것은 모두 이효와 오효가 호응해서이니, 이를테면 수괘(隨卦䷐)의 "아름다움에 정성스럽다"[70]와 돈괘(遯卦䷠)의 "아름다운 은둔"[71]이라고 한 것이 이것이다.

---

70)『周易傳義大全·隨卦』: 嘉, 善也.

71)『周易·遯卦』: 九五, 嘉遯, 貞, 吉.

‖韓國大全‖

김상악(金相岳) 『산천역설(山天易說)』[72]

行者, 行革之事也. 嘉卽卦之亨也. 鞏用黃牛, 遯革同象, 而革則與初相比, 故二曰行有嘉也, 遯則與二爲應, 故五曰嘉遯貞吉.

'감[行]'은 변혁의 일을 행함이다. '아름다움'은 곧 괘가 형통함이다. '황소 가죽으로 묶음'[73]은 돈괘(遯卦䷠)와 혁괘가 같은 상인데 혁괘는 초효와 서로 가깝기 때문에 이효의 「상전」에서 "가면 아름다운 경사가 있다"고 하였고, 돈괘는 이효와 호응하기 때문에 오효에서 "아름다운 도피이니 곧아서 길하다"[74]고 하였다.

서유신(徐有臣) 『역의의언(易義擬言)』[75]

時當矣, 革當矣, 所以有功也.

때가 합당하여 변혁이 합당하니 이 때문에 공이 있게 되는 것이다.

박문건(朴文健) 『주역연의(周易衍義)』[76]

行有嘉, 言行進則必有嘉吉之道也.

'감에 아름다운 경사가 있음'은 나아가면 반드시 아름답고 길한 도가 있다는 말이다.

김기례(金箕澧) 「역요선의강목(易要選義綱目)」[77]

易中稱嘉, 皆取二五之應.

『주역』 중에 '아름다움'을 칭한 것은 모두 이효와 오효가 호응함에서 취하였다.

---

72) 경학자료집성DB에 육이효사에 편집되어 있으나, 영인본의 체재에 의거하여 육이 「상전」으로 옮겨 해석하였다.
73) 『周易·遯卦』: 六二, 執之用黃牛之革. 莫之勝說.
74) 『周易·遯卦』: 九五, 嘉遯, 貞吉.
75) 경학자료집성DB에 육이효사에 편집되어 있으나, 영인본의 체재에 의거하여 육이 「상전」으로 옮겨 해석하였다.
76) 경학자료집성DB에 육이효사에 편집되어 있으나, 영인본의 체재에 의거하여 육이 「상전」으로 옮겨 해석하였다.
77) 경학자료집성DB에 육이효사에 편집되어 있으나, 영인본의 체재에 의거하여 육이 「상전」으로 옮겨 해석하였다.

오치기(吳致箕) 「주역경전증해(周易經傳增解)」[78]

人心信孚之日, 革其舊弊以濟天下, 故行其事而有嘉功也.
인심이 믿어주는 날은 오래된 폐단을 변혁하여 천하를 구제하는 것이기 때문에 일을 행하여 아름다운 공이 있는 것이다.

78) 경학자료집성DB에 육이효사에 편집되어 있으나, 영인본의 체재에 의거하여 육이 「상전」으로 옮겨 해석하였다.

九三, 征凶. 貞厲, 革言三就, 有孚.

정전 구삼은 가면 흉하니, 바름을 지키고 위태로운 마음을 가져야 한다. 변혁해야 한다는 말이 세 번 합하면 믿음이 있을 것이다.

본의 구삼은 가면 흉하고 바름을 지키면 위태로우니, 변혁해야 한다는 말이 세 번 합하면 믿음이 있을 것이다.

中國大全

傳

九三, 以剛陽爲下之上, 又居離之上, 而不得中, 躁動於革者也. 在下而躁於變革, 以是而行, 則有凶也. 然居下之上, 事苟當革, 豈可不爲也. 在乎守貞正而懷危懼, 順從公論, 則可行之不疑. 革言, 猶當革之論. 就, 成也合也, 審察當革之言, 至於三而皆合, 則可信也. 言重愼之至能如是, 則必得至當, 乃有孚也, 己可信, 而衆所信也如此, 則可以革矣. 在革之時, 居下之上, 事之當革, 若畏懼而不爲, 則失時爲害. 唯當愼重之至, 不自任其剛明, 審稽公論, 至於三就, 革之, 則无過矣.

구삼은 굳센 양으로 하괘의 위가 되었고 또 리괘(離卦☲)의 위에 있어 중(中)을 얻지 못했으니, 변혁에 조급히 움직이는 자이다. 아래에 있으면서 변혁에 조급하니, 이런 마음으로 가면 흉함이 있다. 그러나 하괘의 위에 있으니, 진실로 마땅히 변혁해야 할 일이라면 어찌 하지 않을 수 있겠는가? 곧고 바름을 지키고 위태롭고 두려워하는 마음을 품으며 공론(公論)을 순히 따르면 행할 수 있음을 의심할 것이 없다. '혁언(革言)'은 마땅히 변혁해야 한다는 의론과 같다. '취(就)'는 이룸이며 합함이니, 마땅히 변혁해야 한다는 말을 살펴보아 세 번 모두 합한다면 믿을 수 있는 것이다. 신중함의 지극함이 이와 같을 수 있다면, 반드시 지극히 타당하여 이에 믿음이 있음을 말한 것이니, 자신할 수 있고 사람들이 믿는 것이 이와 같다면 변혁할 수 있다. '혁'의 때에 있어 하괘의 위에 있으니, 만일 변혁해야 할 일을 두려워하여 하지 않는다면 때를 놓쳐 해가 될 것이다. 오직 신중함을 지극히 하여 자신의 굳세고 밝음을 믿지 말고, 공론을 살피고 상고하여 세 번 합하게 된 뒤에 변혁하면 허물이 없을 것이다.

本義

過剛不中, 居離之極, 躁動於革者也. 故其占有征凶貞厲之戒. 然其時則當革, 故至於革言三就, 則亦有孚而可革也.

지나친 굳셈으로 알맞지 않고 리괘(離卦☲)의 끝에 있으니, 변혁에 조급히 움직이는 자이다. 그러므로 그 점이 가면 흉하고 바름을 지키면 위태롭다는 경계가 있는 것이다. 그러나 그 때가 마땅히 변혁해야 할 시기이므로 변혁하자는 말이 세 번 합하게 되면 또한 믿음이 있어 변혁할 수 있는 것이다.

小註

朱子曰, 革言三就, 言三番結裏成就. 如第一番商量這個是當革不當革, 說成一番, 又更如此商量一番, 至於三番然後說成了, 卻不是三人來說.
주자가 말하였다: "변혁해야 한다는 말이 세 번 합하면"은 세 번 살펴보아 합하여 성취한다는 말이다. 첫 번째로 이것을 변혁해야 되는지 그렇지 않은지 헤아려보았을 때 한 번 말이 합하고, 또 다시 한 번 더 이와 같이 헤아려보고, 세 번에 이른 뒤에 말이 이루어진 것이니, 세 사람이 와서 말하는 것은 아니다.

○ 瀘川毛氏曰, 火居澤下, 能无危乎. 往則凶, 而居則危, 本爻適當其會也.
노천모씨가 말하였다: 불이 못 아래에 있으니 위험이 없을 수 있겠는가? 가면 흉하고 그대로 있으면 위태로우니 구삼효는 마침 기회를 만났다.

○ 建安丘氏曰, 革之征一也, 而二征吉, 三征凶者, 蓋以六居二, 其才順而位中, 及時而革, 革而當者也, 故以征則吉. 以九居三, 其才剛而位偏, 過時而革, 革之不當者也, 故以征則凶. 革雖同而時位異也.
건안구씨가 말하였다: 혁괘의 '감[征]'이 한 가지이나, 이효는 가는 것이 길하고 삼효는 가는 것이 흉한 것은 이효는 음[六]이 이효의 자리에 있어 재질이 순하고 자리가 가운데이니 때에 미쳐 변혁하고, 변혁하여 마땅하게 하는 자이기 때문에 가면 길하다. 삼효는 양[九]이 삼효의 자리에 있어 재질이 굳세고 자리가 치우치니 때를 지나서 변혁하고 변혁이 마땅하지 않은 자이기 때문에 가면 흉하다. 변혁은 비록 같지만 때와 자리가 다르다.

○ 雲峰胡氏曰, 革貴乎中. 初九不及乎中, 故勉以鞏用黃牛之革. 九三過乎中, 故戒以征凶貞厲. 以其過剛也, 故恐其征而不已則凶, 以其不中也, 又恐其一於貞固而失. 變革之義則厲, 故必革之言至三就, 審之屢, 則有孚而可革矣. 兌爲口, 有言象, 第三爻, 有三就象.

운봉호씨가 말하였다: 혁괘는 가운데 자리를 귀하게 여긴다. 초구는 가운데 자리에 미치지 못하기 때문에 "황소의 가죽으로 묶음"으로 권면하고, 구삼은 가운데 자리를 지나치기 때문에 '가는 것이 흉하고 바름을 지키면 위태로운 것'으로 경계하였다. 지나치게 굳세기 때문에 가기만 하고 그만두지 않는다면 흉할까 두렵고, 가운데 자리가 아니어서 또 한결같이 바르고 굳세기만 하여 잘못될까 두렵다. 변혁의 뜻은 위태롭기 때문에 반드시 변혁한다는 말이 세 번 합하여 자주 살피면 믿음이 있어서 변혁할 수 있다. 태괘(兌卦)는 입이니 말[言]의 상이 있고, 세 번째 효이므로 세 번 합하는 상이 있다.

‖韓國大全‖

조호익(曺好益) 『역상설(易象說)』

九三, 有孚.
믿음이 있을 것이다.

彖言有孚, 指卦中實. 故三四五皆言孚.
단사에서 말한 '믿음[有孚]'은 괘 전체 모양이 가운데가 차 있는 것을 가리킨다. 그러므로 삼효 · 사효 · 오효에서 모두 '믿음'을 말하였다.

송시열(宋時烈) 『역설(易說)』

征凶, 以陽從陰則凶故也, 言所當貞固而亦有危厲也. 革言者, 兌爲言也, 三爲離數. 就者進也, 有孚者有合也. 言三爻重剛, 故有凶貞厲之象. 然當革之時, 與兌之言, 相爲正應, 凡三次進就, 終有孚合. 小象又何之者, 他何可適之謂也.
'가면 흉함'은 양으로서 음을 따르면 흉하기 때문이니, 바르고 굳세게 해야 하고 또 위태로운 마음을 가져야 한다는 말이다. '변혁해야 한다는 말'은 태괘(兌卦☱)가 말이고 리괘(離卦☲)의 수가 삼이기 때문이다. '취(就)'는 나아감이니 믿음이 있는 자는 합함이 있다. 삼효는 거듭된 굳센 양이기 때문에, 흉하니 바르게 하고 위태롭게 여겨야 하는 상이 있음을 말하였다. 그러나 변혁의 때에 말인 태괘와 서로 정응이니 무릇 세 차례 나아가면 마침내 믿어 합함이 있을 것이다. 「소상전」에서 "또 어디로 가겠는가?"라고 한 것은 '달리 갈 만한 곳이 어디인가?'를 말한다.

이익(李瀷) 『역경질서(易經疾書)』

九三時, 可以革而未革時. 君雖無道, 天命一日未絶, 不可以有征. 征則犯義, 凶孰大焉. 雖成亦厲也, 此卽武王觀兵時也. 盟津之會, 諸侯皆曰紂可伐, 武王曰汝未知天命未可也, 乃還師歸, 傳所謂又何之矣者, 乃以武王之心爲言也. 據郊特牲, 三就先路之飾, 鞏車而益. 就文章也, 先路者車之先行也. 車旣鞏矣, 纓旣三就矣. 然而曰不可以有爲, 周德之所以爲至也.
구삼의 때는 변혁할 수 있으나 아직 변혁하지 않은 때이다. 임금이 무도하더라도 천명은 하루도 끊어짐이 없으니 갈 수가 없다. 가면 의를 범한 것이니 흉함이 어느 것이 이보다 크겠는가? 성공하더라도 위태로울 것이니 이것은 무왕이 군대를 사열할 때이다. 맹진의 회합에 제후들이 모두 "주왕를 칠만 합니다"고 하였으나 무왕은 "그대들은 천명이 아직 가하지 못함을 모른다"고 하고 군대를 돌렸으니 「상전」에서 말한 "또 어디로 가겠는가?"는 바로 무왕의 심정으로 말한 것이다. 「교특생(郊特牲)」에 의하면 삼취(三就)는 선로(先路)의 수식이니[79] 가죽수레에 더 꾸민 것이다. 취(就)는 문장이고 선로(先路)는 앞장 서 가는 수레이다. 수레가 이미 가죽으로 만들어졌고 가슴걸이 끈이 세 가닥이다. 그런데도 '큰일을 할 수 없다'고 하였으니 주나라의 덕이 지극함이 되는 이유이다.

심조(沈潮) 「역상차론(易象箚論)」

九三, 三就.
'구삼의 세 번 합함'에 대하여.

互乾直成三字, 非但取離數與三爻也.
호괘인 건괘(乾卦)가 곧바로 '삼(三)'자를 이루었으니, 리괘(離卦)의 수 및 삼효에서 취했을 뿐만이 아니다.

유정원(柳正源) 『역해참고(易解參攷)』

正義, 征凶致危者, 正以水火相息之物. 火極三爻, 水在火上, 從革者也. 自四至上, 從命而變, 不敢有違, 則從革之言, 三爻竝就, 故曰革言三就. 其言實誠, 故曰有孚也. 旣

---

79) 『禮記 · 郊特牲』: 大路繁纓一就, 先路三就, 次路五就.

革言三就有孚從革, 而猶征之則凶.
『주역정의』에서 말하였다: 가면 흉하여 위험에 이르는 이유는 바로 물과 불은 서로 없애는 물건이기 때문이다. 불이 궁극인 삼효에 거하고 물이 불 위에 있으니, 변혁을 따르는 자이다. 사효부터 상효까지 명을 따라 변하고 감히 어기지 않으니 변혁을 따르는 말이 세 효에서 아울러 합하기 때문에 "변혁해야 한다는 말이 세 번 합함"이라고 하였다. 그 말이 성실하기 때문에 "믿음이 있을 것이다"라고 하였다. 이미 "변혁해야 한다는 말이 세 번 합하여 믿음이 있다"고 하고 "변혁을 따른다"고 하였는데도 간다면 흉하다.

○厚齋馮氏曰, 六二應九五之君, 革於已日之後, 故征則吉, 九三應上六之窮, 革道已成, 故征則有凶也.
후재풍씨가 말하였다: 육이는 임금인 구오와 호응하여 시일이 지난 뒤에 변혁하기 때문에 가면 길하고, 구삼은 궁극인 상육과 호응하여 변혁의 도가 이미 이루어졌기 때문에 가면 흉함이 있다.

김상악(金相岳) 『산천역설(山天易說)』

三之過剛不中, 居離之極, 躁動於革者, 故征則凶矣. 有乘應之助, 而貞固亦危矣. 必議革之言, 至於三就, 則可以見孚於上下也.
삼효는 지나친 굳센 양으로 가운데 자리가 아니고 리괘(離卦)의 끝에 있으니 변혁함에 조급히 움직이는 자이기 때문에 가면 흉하다. 타고 있는 상대와 호응하는 상대의 도움이 있어 바르고 굳세더라도 위태롭다. 반드시 변혁을 의론하는 말이 세 번 합하게 된다면 윗사람·아랫사람에게 믿음을 받을 수 있을 것이다.

○ 三上兩爻, 皆言征貞, 而三則革之將行也, 上則革之已成也, 故厲吉. 不同言者. 離之象, 洪範五事, 以言配火也. 三就者, 離之居三也. 又言者乾象, 三互乾體, 而三至五爲三就也. 虞仲翔云, 將革而謀謂之言, 革而行之謂之命是也. 革蒙爲對. 蒙彖曰 再三瀆者, 言其養蒙之道, 故曰蒙生之始, 革舊之終也. 三之孚離之中虛也, 四之孚得互乾之中也, 五之孚兌之中實也. 不孚則不可以革矣, 所以已日乃孚.
삼효와 상효 두 효는 모두 '감'과 '바름'을 말했는데 삼효는 장차 변혁이 행해지려 함이고, 상효는 변혁이 이미 이루어졌기 때문에 삼효는 '위태로운 마음을 가져야' 하고 상효는 '길'하다. 그 말이 다른 이유는 리괘(離卦)의 상은 「홍범」의 '오사(五事)'에 말을 불에 배치[80]하였

80) 『書經·洪範』: 一五行, 一曰水, 二曰火, 三曰木, 四曰金, 五曰土. 二五事, 一曰貌, 二曰言, 三曰視,

기 때문이다. '세 번 합함'은 리괘(離卦)가 '삼'에 해당하기 때문이다. 또 '말'은 건괘(乾卦)의 상이고 삼효는 호체로 건괘(乾卦)이니 삼효부터 오효까지가 세 번 합함이 된다. 우번이 "변혁하려 함에 도모하는 것을 '말'이라 하고 변혁하여 행하는 것을 '명'이라 한다"고 한 것이 이것이다. 혁괘(革卦䷰)와 몽괘(蒙卦䷃)는 음양이 바뀐 괘이다. 몽괘의 단사[81]에 "두 번 세 번 점치면 욕되게 하는 것이다"라고 한 것은 몽매함을 기르는 도를 말하였기 때문에 몽은 태어난 초기이고 혁은 오래된 것을 마침이라고 하였다. 삼효의 믿음은 리괘(離卦)의 가운데가 비었기 때문이고, 사효의 믿음은 호괘인 건괘(乾卦)의 가운데자리를 얻었기 때문이며, 오효의 믿음은 태괘(兌卦)의 가운데가 채워졌기 때문이다. 미덥지 않으면 변혁할 수 없으니 이 때문에 '시일이 지나야 믿는' 것이다.

서유신(徐有臣)『역의의언(易義擬言)』

三處兩體變易之際, 故復之三爲頻復, 巽之三爲頻巽, 革之三爲屢變之象也. 九三一變而過中, 故征而凶也, 再變而不及, 故雖貞亦厲也. 及其三變, 始乃得當, 故曰革言三就有孚也. 在下卦爲過中也, 視上卦爲不及也. 貞得正也, 言助辭也.

삼효는 두 몸체가 바뀌는 때에 처했기 때문에 복괘(復卦䷗)의 삼효[82]에서는 "돌아오기를 자주 한다"고 하였고 손괘(巽卦䷸)의 삼효[83]에서는 "자주 겸손하다"고 하였으니 혁괘의 삼효는 자주 변하는 상이 된다. 구삼이 한번 변하여 알맞음을 지나치기 때문에 가면 흉하고, 두 번 변하여 미치지 못하기 때문에 바름을 지키더라도 위태롭다. 세 번 변하는 데 미쳐야 비로소 마땅함을 얻을 것이기 때문에 "변혁이 세 번 합하면 믿음이 있다"고 말하였다. 하괘에 있어서 알맞음을 지나친 것이 되고, 상괘에 견주어 미치지 못함이 된다. '정(貞)'은 바름을 얻음이고, '언(言)' 조사이다.

박제가(朴齊家)『주역(周易)』

革者, 獸皮去毛之名. 凡去毛之道, 必置之水中, 熟之而後, 可鞹. 必終日經宿而後熟, 此所以爲澤中有火之象, 而彖之已日乃孚者也. 風爐之說, 從從革之金一邊說, 但從本字可矣. 夫去毛而鞹, 則本質改矣, 故爲變革之革. 故卦雖從變, 爻或言鞹, 初之黃牛之革是也. 二旣熟而革之矣, 行亦有嘉矣, 三又曰征凶, 又曰三就者, 何也. 蓋雖已去毛爲

四曰聽, 五曰思.

81) 『周易 · 蒙卦』: 蒙亨, 匪我求童蒙, 童蒙求我. 初筮告, 再三瀆, 瀆則不告. 利貞.

82) 『周易 · 復卦』: 六三, 頻復, 厲无咎.

83) 『周易 · 巽卦』: 九三, 頻巽, 吝.

革, 又必臘而柔之, 然後可用, 所謂三就也. 言在三, 猶剛也, 亦不可征之義. 傳謂審察當革之言, 朱子謂三番結裏成就者, 大意固得之. 然又何之者, 從征凶而言者也, 謂本爻旣征凶. 革言三就, 則尙未成者也. 故曰又何往耶, 非傳所謂俗語必得之義.
혁(革)이란 짐승의 가죽에서 털을 제거한 이름이다. 털을 제거하는 도는 반드시 물속에 담가두어 익힌 뒤에 털을 제거할 수 있다. 반드시 하루가 다하도록 묵힌 뒤에 익히므로 이 때문에 못 안에 불이 있는 상이 되니 단사의 '시일이 지나야 믿는다'는 것이다. 풍로의 설은 '바꿈을 따르는 쇠'라는 한 쪽의 설을 따랐으나 본래의 글자대로 읽는 것이 좋다. 털이 제거되어 날가죽이 되면 본바탕이 바뀐 것이기 때문에 '변혁'의 '혁'이 된다. 그러므로 괘사에서 변함을 따랐을지라도 효에서는 때로 날가죽을 말하였으니 초효의 '황소가죽'이 이것이다. 이효는 익은 뒤에 변혁하는 것이니 감에 또한 아름다움이 있는데 삼효에서 또 "가면 흉하다"고 하고 또 "세 번 합하면"이라고 한 것은 어째서인가? 이는 이미 털을 제거한 것이 '혁'이나 또 반드시 말려서 부드럽게 한 뒤에 쓸 수 있기 때문에 이른바 '세 번 합함'이다. 말이 세 번에 해당함은 굳셈과 같으니 또한 가면 안 되는 뜻이다. 『정전』에서 "마땅히 변혁해야 한다는 말을 살펴본다"고 말한 것과, 주자가 "세 번 합하여 맺은 것이다"고 한 것은 진실로 대의를 잘 파악한 것이다. 그러나 "또 어디로 가겠는가?"는 '가면 흉하다'는 입장에서 말한 것이니 삼효는 이미 가면 흉하다는 것에 근본하였음을 이른다. '변혁해야 한다는 말이 세 번 합함'은 아직 이루어지지 않은 것이다. 그러므로 "또 어디로 가겠는가?"라고 말한 것이니 『정전』에서 말한 "흔히 하는 말이 반드시 이치를 얻었다"는 뜻은 아니다.

강엄(康儼) 『주역(周易)』

按, 當革而輕革者非也, 當革而不革者亦非也. 故有征凶貞厲之戒. 而其義則雲峯以本義過剛不中分而言之, 恐得之. 然雖以當革而不革爲戒, 而其所革之者, 又必待革言之三就, 聖人之重改革也如是夫.
내가 살펴보았다: 변혁해야 하더라도 경솔히 변혁하는 것은 잘못이고, 변혁해야 하는데 변혁하지 않는 것도 잘못이다. 그러므로 가면 흉하니 바름을 지키고 위태로운 마음을 가져야 하는 경계가 있다. 그 뜻에 있어서는 운봉이 『본의』에서 '지나치게 굳셈'과 '중도를 지나침'으로 나누어 말하였으니 타당한 듯하다. 그러나 비록 변혁해야 하더라도 변혁하지 못하는 것으로 경계를 삼고, 또 변혁하는 자는 반드시 '변혁해야 한다는 말이 세 번 합하기'를 기다려야 하니 성인이 변혁을 중히 여기는 것이 이와 같도다.

박문건(朴文健) 『주역연의(周易衍義)』

飾辭苟進, 故有革言三就之象. 就進也.

말을 꾸며 구차히 나아가기 때문에 '변혁해야 한다는 말이 세 번 합하는' 상이 있다. 취(就)는 나아감이다.

〈問, 征凶貞厲以下. 曰, 三上志不相得, 故往征則有凶, 剛貞則有厲也. 然變革其言, 而至於三進者, 志在苟合而已. 如是而不相疑者, 未之有也, 故勉其有孚於其上也.
물었다: '가면 흉하니 바름을 지키고 위태로운 생각을 가져야' 이하는 무슨 뜻입니까?
답하였다: 삼효와 상효는 뜻이 서로 믿지 않기 때문에 가면 흉함이 있으니 굳세게 지키면 위태로운 생각을 가집니다. 그러나 그 말을 바꾸어 세 번 나아오는 자는 뜻이 구차히 합하는 데에 있을 뿐입니다. 이와 같으면서도 서로 의심하지 않을 자는 없기 때문에 윗사람에게 신임을 얻기를 힘씁니다.〉

이지연(李止淵) 『주역차의(周易箚疑)』

位雖得正, 而時過中矣, 不可无愼重之意. 革言三就, 如漢光武初不從馬武卽尊位之說, 行至中山, 又不聽行之鄗, 諸將又陳天意人心, 然後乃從之, 深得革九三之義乎.
자리가 바름을 얻었으나 때가 중도에서 지나치니 신중해야하는 뜻이 없어서는 안 된다. "변혁해야 한다는 말이 세 번 이름"은 예컨대 한나라 광무제가 처음에 존위에 나아가야 한다는 마무(馬武)[84]의 말을 따르지 않고 중산(中山)에 갔고, 또 듣지 않고 호(鄗)로 갔는데 여러 장수들이 또 천의와 인심을 진언한 뒤에야 따랐으니, 혁괘 구삼의 뜻을 깊이 터득한 것이다.

김기례(金箕澧) 「역요선의강목(易要選義綱目)」

三爲過剛而多凶之地, 故往則凶, 貞亦危. 但共公之論三至, 則可革而有孚, 蓋言謹也.
삼효는 굳셈이 지나쳐서 흉함이 많은 처지가 되기 때문에 가면 흉하니 바름을 지키고 위태로운 마음을 가져야한다. 다만 공공의 의론이 세 번 이르면 변혁할 수 있어 미더움이 있는 것이니 이는 삼간다는 말이다.

○兌爲口故曰言
태괘(兌卦)는 입이 되기 때문에 말이라고 하였다.

심대윤(沈大允) 『주역상의점법(周易象義占法)』

革之隨䷐. 九三以剛居剛, 據理直言, 而力諫深陳. 以是而自主己見以往, 則凶之道也,

---

84) 마무(馬武) : 자는 자장(子張)이고 남양(南陽) 사람이다. 왕망(王莽)의 말년에 도적이 되었다가 후에 광무(光武)를 도와 공을 세우고 양허후(楊虛侯)에 봉해졌다.

故曰征凶. 以是而不自主己見而往, 然猶貞而危矣, 故曰貞厲. 三之才與時可以諫, 而以位則在外, 以交則未信, 但可隨其君之所尊敬, 其友之所親信而助之諫也, 不可自主己見而發言也. 夫其尊敬親信者, 未之進言, 而疏外嫌疑之人, 越次主論, 極力諫爭, 其危甚矣.

혁괘가 수괘(隨卦䷐)로 바뀌었다. 구삼은 굳센 양으로 굳센 양의 자리에 있으니 이치에 근거하여 직언하고 간언하기를 힘써 깊이 진언한다. 이로써 스스로 주관하여 자신을 드러내어 간다면 흉한 도이기 때문에 "가면 흉하다"고 하였다. 이로써 스스로 주관하여 자신을 드러내어 가는 것은 아니나, 그래도 오히려 바름을 지키고 위태롭다고 여겨야 하기 때문에 "바름을 지키고 위태로운 마음을 갖는다"고 하였다. 삼효의 재질과 때는 간언할 수 있으나 자리는 밖에 있고 교제는 미덥지 못하니 다만 임금이 존경하는 것을 따르고 벗이 친애하고 믿는 것을 따라 도와 간언할 뿐이지 스스로 주관하여 자신을 드러내어 발설해서는 안 된다. 저 존경하고 친애하며 미더운 자는 진언하지 못하고, 소외되고 혐의를 받는 사람은 차례를 넘어 주장하는 논의를 하고 극력으로 간쟁하니, 매우 위태로울 것이다.

上六居五之上, 五之所尊信者, 而應于三. 然二剛隔之援助之力, 亦未可專恃. 必待上六之言, 至再至三, 然後九三乃助而進諫則有孚也. 侯牧之諫君, 當如是矣. 革言, 上六之言也. 兌艮爲革言, 三六同言, 故兼之也. 三就三進也. 巽爲三, 坎离爲成互巽, 進爲就, 离爲孚. 凡他卦上爻, 五之所尊信而同意, 獨革之世, 上六亦爲諫臣也. 諸侯居嫌疑之地, 而在外不任諫諍之內事. 故康王之誥, 諸侯與內臣同辭, 而不敢有所自進也.

상육은 오효의 위에 있으니 오효가 높이고 믿는 자로서 삼효와 호응한다. 그러나 두 굳센 양이 구원하고 돕는 힘을 막고 있으니 또한 전적으로 믿어서는 안 된다. 반드시 상육의 말이 두 번 이르고 세 번 이르기를 기다린 뒤에 곧 구삼이 도와 간언을 올린다면 믿음이 있을 것이다. 방백(方伯)이 임금에게 간언하는 것은 마땅히 이와 같아야 한다. '변혁한다는 말'은 상육의 말이다. 태괘(兌卦)와 간괘(艮卦)가 '변혁한다는 말'이 되니 삼효와 상효가 같이 말하기 때문에 겸한 것이다. '세 번 합함'은 세 번 나아감이다. 손괘(巽卦)는 '삼'이고, 감괘(坎卦)·리괘(離卦)는 호괘인 손괘를 이룬다. 나아감이 취(就)이고 리괘는 믿음이다. 무릇 다른 괘의 상효는 오효가 높이고 믿으며 뜻을 함께하는데 유독 혁괘의 세상에서는 상육도 간신(諫臣)이다. 제후가 혐의가 있는 자리에 있을 때에는 밖에 있는 신하가 안의 일에 대한 간쟁을 맡지 않는다. 그러므로 『서경(書經)·강왕지고(康王之誥)』에서 제후는 안에 있는 신하와 같이 말은 하지만, 감히 스스로 나아오는 바가 없었다.

오치기(吳致箕) 「주역경전증해(周易經傳增解)」

九三, 過剛不中, 而居離體之終, 當革之時, 性燥不能詳審者也. 故戒言以此而往則必凶. 所革之事, 雖得其正, 而亦爲危厲矣, 當詳論其可否利害, 至于三之屢而愼重以之成就, 然後人皆孚信而可以革也.
구삼은 지나치게 굳센 양으로 가운데 자리에 있지 않으면서 리괘(離卦) 몸체의 끝에 있으니, 변혁의 때에 성질이 조급하여 자세히 살필 수 없는 자이다. 그러므로 이것으로 가면 반드시 흉하게 됨을 경계하여 말하였다. 변혁의 일은 바름을 얻었더라도 위태로우니, 마땅히 이로운지 해로운지를 자세히 논하여 세 번이나 여러 번 신중하게 하여 나아간 뒤에야 사람들이 모두 믿어서 변혁할 수 있다.

○ 革言者, 革之公論也. 言取於應兌, 三取於離數三也. 就成也, 取於爻變互艮也.
"변혁해야 한다는 말"은 변혁해야 한다는 공론이다. '말'은 호응하는 태괘(兌卦)에서 취하였고 '세 번'은 리괘(離卦)의 수가 삼인 데서 취하였다. '합함[就]'은 이룸으로 본효가 변한 괘인 수괘(隨卦䷐)의 호괘인 간괘에서 취하였다.

이진상(李震相) 『역학관규(易學管窺)』

在下體之上, 重剛不中, 故征則匈也. 日是象. 上有兌口言象. 離位在三, 三又居終, 故曰三就. 上接厚坎, 故有孚.
하체의 위에 있으며 거듭된 굳센 강으로 가운데 자리가 아니기 때문에 가면 흉하다. 해가 상이다. 상괘에 태괘(兌卦)인 입과 말의 상이 있다. 리괘(離卦)의 자리는 삼에 해당하고 삼효는 또 끝에 있기 때문에 "세 번 합하면"이라고 하였다. 위로 두터운 감괘(坎卦)와 연접해 있으므로 믿음이 있다.

채종식(蔡鍾植) 「주역전의동귀해(周易傳義同歸解)」

革九三貞厲, 傳云守貞正而懷危懼, 本義作貞固則厲. 蓋守貞而懷懼, 所以勉之之辭也, 貞則厲, 所以戒之之辭也. 勉之, 欲審其當革之事也, 戒之, 恐失其當革之時也. 然則恐其失革而愼其可革者, 此傳義之所以同歸也.
혁괘 구삼의 "바름을 지키고 위태로운 마음을 가짐"에 대하여 『정전』에서는 "곧고 바름을 지키고 위태롭고 두려워하는 마음을 품음"이라고 하였고 『본의』에서는 "굳게 바름을 지키고 위태롭다"고 하였다. '바르게 지키고 두려워하는 생각을 품는 것'은 힘쓰게 하는 말이고, '바름을 지키고 위태로움'은 경계하는 말이다. '힘쓰게 함'은 변혁해야 할 일을 살피게 하고자

함이고, '경계함'은 변혁해야 할 때를 잃을까 두려워하는 것이다. 그렇다면 변혁할 때를 놓칠까 두려워하여 변혁할 만한 것을 신중히 하는 것이니, 이것이 『정전』과 『본의』가 귀결점이 같은 이유이다.

박문호(朴文鎬) 「경설(經說)·주역(周易)」

征凶貞厲, 與上六征凶居貞吉, 文勢相類. 故本義依而釋之, 程傳則以貞厲二字之義, 屬下句釋之, 更詳可也.
"가면 흉하니 바름을 지키고 위태로운 마음을 가짐"은 상육의 "가면 흉하고 바름에 거처하면 길할 것이다"와 문장의 기세가 서로 유사하다. 그러므로 『본의』에서는 관련하여 해석하였고, 『정전』에서는 "바름을 지키고 위태로운 마음을 가짐[貞厲]"이라는 두 글자를 아래 구절에 연결하여 해석하였으니, 더욱 상세하다.

又何之矣, 猶言此之不爲, 而又何爲也. 以矣易也者, 再見於此, 而之字爲韻.
'우하지의(又何之矣)'는 이것을 하지 않고 또 무엇을 하겠느냐고 말하는 것과 같다. '의(矣)'로 '야(也)'를 바꾼 것은 여기에 두번 보이며 '지(之)'자로 운을 삼은 것이다.

이병헌(李炳憲) 『역경금문고통론(易經今文考通論)』

姚曰, 動而失位, 故征凶, 剛而不中, 故貞厲. 革言謂革四兌口爲言, 所謂改命也.
요신이 말하였다: 움직이면 자리를 잃기 때문에 가면 흉하다고 하였고, 강하나 가운데 자리가 아니기 때문에 바름을 지키고 위태롭다는 마음을 가진다. '변혁해야 한다는 말'은 혁괘의 사효는 '입'인 태괘로서 '말'이 됨을 이르니 이른바 "명(命)을 고침"[85]이다.

程傳曰, 必得其宜矣.
『정전』에서 말하였다: 반드시 그 마땅함을 얻는다.

---

85) 『周易·革卦』: 九四, 悔亡, 有孚, 改命吉.

象曰, 革言三就, 又何之矣.

「상전」에서 말하였다: "변혁해야 한다는 말이 세 번 합했으니", 또 어디로 가겠는가?

中國大全

傳

稽之衆論, 至於三就, 事至當也. 又何之矣, 乃俗語更何往也, 如是而行, 乃順理時行, 非己之私意所欲爲也, 必得其宜矣.

여러 사람의 의논을 살펴보아 세 번 합하였다면 일이 지극히 마땅한 것이다. '또 어디로 가겠는가?[又何之矣]'는 곧 흔히 하는 말로 '어디로 가겠느냐'는 말이다. 이와 같이 하여 행한다면 바로 이치를 따라 제때에 행함이고, 자신의 사사로운 마음으로 하고자 함이 아니니, 반드시 그 마땅함을 얻을 것이다.

本義

言已審.

이미 자세히 살폈음을 말한 것이다.

小註

進齋徐氏曰, 初未可革, 二乃革之, 三則有孚, 而變革之事成矣. 凡事詳審, 至再至三則止矣. 革至於就, 又何往焉.

진재서씨가 말하였다: 초효는 변혁할 수 없고, 이효는 곧 변혁하고, 삼효는 믿음이 있어 변혁의 일이 이루어졌다. 모든 일은 상세히 살피기를 두 번 하고 세 번 하면 그만이다. 변혁이 합하게 되었으니 또 어디로 가겠는가?

‖韓國大全‖

김상악(金相岳) 『산천역설(山天易說)』[86)]

已審而无所之則征凶, 貞厲, 皆不足言.
이미 살펴보아 갈 곳이 없다면 가는 것이 흉하니, 바름을 지키고 위태로운 마음을 가져야 함은 모두 말할 것도 못된다.

○ 鼎九二則巽性入, 故曰愼所之也, 革則離性上, 故曰又何之矣, 皆誠辭也.
정괘(鼎卦)의 구이에서는 손괘(巽卦)의 성질이 들어가는 것이기 때문에 "가는 것을 삼간다"고 하였고, 혁괘에서는 리괘(離卦)의 성질이 올라가는 것이기 때문에 "또 어디로 가겠는가?"라고 하였으니, 모두 경계하는 말이다.

서유신(徐有臣) 『역의의언(易義擬言)』[87)]

旣矯其過, 又矯其不及, 必得其當矣. 又何之者, 無疑之辭也.
이미 지나침을 바로잡고 또 미치지 못함을 바로 잡았으니, 반드시 마땅함을 얻은 것이다. '또 어디로 가겠는가?'는 의심의 여지가 없는 말이다.

김기례(金箕澧) 「역요선의강목(易要選義綱目)」[88)]

言不自主而有別論也, 但隨上六之所言而言之也. 无妄之无異志, 亦曰何之矣.
말을 함에 스스로 주관하여 별도로 논의하지 않고, 다만 상육이 말하는 것을 따라 말할 뿐이다. 무망괘(无妄卦䷘)의 다른 뜻이 없음도 "어디로 가겠는가?"[89)]라고 하였다.

오치기(吳致箕) 「주역경전증해(周易經傳增解)」[90)]

革之公論, 至于三而可就矣. 三就之前, 則不可有往也.

---

86) 경학자료집성DB에 구삼효사에 편집되어 있으나, 영인본의 체재에 의거하여 구삼 「상전」으로 옮겨 해석하였다.
87) 경학자료집성DB에 구삼효사에 편집되어 있으나, 영인본의 체재에 의거하여 구삼 「상전」으로 옮겨 해석하였다.
88) 경학자료집성DB에 구삼효사에 편집되어 있으나, 영인본의 체재에 의거하여 구삼 「상전」으로 옮겨 해석하였다.
89) 『周易·无妄卦』: 其匪正有眚不利有攸往, 无妄之往, 何之矣. 天命不祐, 行矣哉.
90) 경학자료집성DB에 구삼효사에 편집되어 있으나, 영인본의 체재에 의거하여 구삼 「상전」으로 옮겨 해석하였다.

변혁해야 한다는 공론이 세 번에 이르러야 합할 수 있다. 세 번 합해지기 전에는 가서는 안 된다.

박문호(朴文鎬) 「경설(經說)・주역(周易)」[91]

又何之矣, 猶言此之不爲而又何爲也. 以矣易也者, 再見於此, 而之字爲韻.
"또 어디로 가겠는가?"는 '이것을 하지 않고 또 무엇을 하겠는가?'라고 말하는 것과 같다. 의(矣)로써 야(也)를 바꿔 쓴 것이 여기에서 두 번 보이며 지(之)자로 운을 삼았다.

91) 경학자료집성DB에 구삼효사에 편집되어 있으나, 영인본의 체재에 의거하여 구삼 「상전」으로 옮겨 해석하였다.

九四, 悔亡, 有孚, 改命吉.

구사는 후회가 없으니 믿음이 있으면 명(命)을 고쳐 길할 것이다.

中國大全

傳

九四, 革之盛也, 陽剛, 革之才也. 離下體而進上體, 革之時也, 居水火之際, 革之勢也. 得近君之位, 革之任也, 下无係應, 革之志也, 以九居四, 剛柔相際, 革之用也. 四旣具此, 可謂當革之時也. 事之可悔而後革之, 革之而當, 其悔乃亡也. 革之旣當, 唯在處之以至誠. 故有孚則改命吉. 改命, 改爲也, 謂革之也. 旣事當而弊革, 行之以誠, 上信而下順, 其吉可知. 四非中正而至善, 何也. 曰, 唯其處柔也, 故剛而不過, 近而不逼, 順承中正之君, 乃中正之人也. 易之取義无常也, 隨時而已.

구사는 변혁의 성대함이고, 굳센 양은 변혁할 수 있는 재질이다. 하체를 떠나 상체로 나아감은 변혁할 시기이고, 수(水)·화(火)의 사이에 있음은 변혁할 형세이다. 군주와 가까운 지위를 얻음은 변혁의 임무를 맡음이고, 아래로 관계된 호응이 없음은 변혁할 의지이며, 양[九]으로서 사효의 자리에 있어 강·유가 서로 교제함은 변혁의 쓰임이다. 사효는 이미 이런 것들을 갖추고 있으니, 변혁할 때를 당면했다고 이를 만하다. 일은 후회할만한 뒤에 변혁하니, 변혁하여 마땅하게 하면 이에 그 후회가 없어진다. 변혁함이 이미 마땅하면 오직 지극한 정성으로 처신함에 달려있기 때문에 믿음이 있으면 명(命)을 고쳐 길하다. '명을 고침[改命]'은 고쳐 만드는 것이니, 변혁함을 이른다. 일이 마땅하고 폐해가 변혁된 뒤에 정성으로써 행하여 윗사람이 믿어주고 아랫사람이 순종하면 길함을 알 수 있다. 사효가 중정이 아닌데도 지극히 선(善)함은 어째서인가? 답하였다: 이는 오직 부드러움으로 처신하기 때문에 굳세나 지나치지 않고 가까우나 핍박하지 않아 중정한 군주를 순히 받드니, 바로 중정한 사람이다. 『주역』에서 뜻을 취함은 일정함이 없고 때에 따라 할 뿐이다.

本義

以陽居陰, 故有悔. 然卦已過中, 水火之際, 乃革之時, 而剛柔不偏, 又革之用也. 是以悔亡, 然又必有孚然後, 革乃可獲吉, 明占者有其德, 而當其時, 又必有信, 乃悔亡而得吉也.

양으로서 음의 자리에 있기 때문에 후회가 있다. 그러나 괘가 이미 가운데를 지났고, 수(水)·화(火)의 사이는 바로 변혁할 시기인데 강·유가 편벽되지 않으니, 또 변혁의 쓰임이다. 이 때문에 후회가 없지만 또 반드시 믿음이 있은 뒤에 고쳐야 길함을 얻을 수 있으니, 점치는 자가 이러한 덕이 있고 때에 마땅하며 또 반드시 믿음이 있어야 후회가 없어 길함을 얻음을 밝혔다.

小註

節齋蔡氏曰, 革則有悔, 悔亡, 革而當也. 當則人心, 皆信之矣, 故可改前之命令, 湯武革命是也.

절재채씨가 말하였다: 변혁하면 후회가 있다. 후회가 없는 것은 변혁하여 마땅하게 하기 때문이다. 마땅하면 사람들이 마음으로 모두 믿기 때문에 이전(以前)의 명령을 고칠 수 있으니 탕왕·무왕이 여기에 해당한다.

○ 雲峰胡氏曰, 三剛居剛, 故征凶. 四剛柔不偏, 故悔亡. 然必有孚, 則有改命之吉. 下三爻, 方欲革故而爲新, 故有謹重不輕改之意. 上三爻, 則故者已革, 而爲新矣, 故不言革, 直言改命. 至鼎則曰凝命, 革而後可改, 改而後可凝也. 爻在離火兌澤之交, 其夏令改, 而爲秋令之時乎. 九四, 有其時有其德, 亦旣改命矣, 必有孚乃吉. 甚矣. 天下事, 不可輕改也, 其謹重之意可見. 自三至五, 皆言有孚, 三議革而後孚, 四有孚而後改, 淺深之序也. 未占而有孚, 積孚之素也.

운봉호씨가 말하였다: 삼효는 굳셈이 굳센 자리에 있기 때문에 가면 흉하고, 사효는 굳셈과 부드러움이 치우치지 않기 때문에 후회가 없다. 그러나 반드시 믿음이 있으니 명을 고치는 길함이 있다. 하괘의 세 효는 옛 것을 고쳐 새 것을 만들고자 하기 때문에 삼가고 신중하며 경솔히 고치지 않는 뜻이 있다. 상괘의 세 효는 옛것을 이미 고쳐서 새것을 만들었기 때문에 변혁을 말하지 않고 곧바로 '명을 고침[改命]'을 말하였다. 정괘(鼎卦䷱)에서는 "천명을 모은다[凝命]"[92]고 하였으니 변혁한 뒤에 고칠 수 있고 고친 뒤에 모을 수 있다. 구사는 리괘(離卦☲)의 불과 태괘(兌卦☱)의 못이 사귀는 데에 있으니 아마도 여름절기가 바뀌어 가을

92)『周易·鼎卦』: 象曰, 木上有火鼎, 君子以, 正位凝命.

절기가 되는 때일 것이다. 구사에 그런 때가 있고 그런 덕이 있는 것도 명을 고친 다음이니, 반드시 믿음이 있어야 길할 것이다. 심하도다. 천하의 일은 가벼이 고쳐서는 안 됨이여! 여기에서 삼가고 신중히 하는 뜻을 볼 수 있다. 삼효에서 오효까지는 모두 믿음이 있다고 말하였는데, 삼효는 변혁을 의론한 뒤에 믿고, 사효는 믿은 뒤에 고치니, 깊고 얕음에 순서가 있다. 점치기 전에 믿음이 있는 것은 평소에 믿음이 쌓였기 때문이다.

韓國大全

조호익(曺好益)『역상설(易象說)』

九四, 改命.
구사는 명을 고친다.

命巽象. 改命, 離下體而進上體, 故取象.
'명(命)'은 손괘(巽卦)의 상이다. '명을 고친다[改命]'는 하체를 떠나 상체로 나아가기 때문에 상을 취하였다.

송시열(宋時烈)『역설(易說)』

旡悔有孚者, 以陽處陰, 是以旡悔, 同類相應, 是以有孚. 將革改, 互巽之命令, 與初爻以志相信 所以吉也. 互爲巽, 而不用巽, 與初應, 是爲改命也.
"후회가 없으니 믿음이 있다"는 것은 양으로서 음의 자리에 있기 때문에 후회가 없고, 동류가 서로 호응하기 때문에 믿음이 있다. 장차 변혁하려함에 호괘인 손괘(巽卦)가 명령하나 초효와 더불어 뜻으로서 서로 믿으니 이 때문에 길하다. 호괘가 손괘(巽卦)이나 손괘(巽卦)를 쓰지 않고 초효와 호응하니 이것이 "명을 고친다"는 것이다.

이익(李瀷)『역경질서(易經疾書)』

九四先言悔亡, 卽象之乃孚元亨利貞悔亡也. 於是乃以改命吉明之, 卽天命已改, 而武王伐之也. 於是天命屬周矣, 命之改不改, 不容絲髮, 纔絶於彼, 已屬於此也. 不然豈有孚之謂乎.
구사에서 먼저 "후회가 없다"고 말한 것은 곧 단사의 "믿을 것이니 크게 형통하고 바름이 이로워 후회가 없다"의 뜻이다. 이에 "명을 고치는 것이 길함"으로 밝혔으니 바로 천명이 고쳐지자 무왕이 정벌했다는 것이다. 이에 천명이 주나라에 속하게 되었으니 명을 고침과 고치지 않음의 사이는 실오라기나 머리카락 하나도 용납하지 않으므로, 잠깐 저쪽에서 끊어지자마자 이미 이쪽에 속하는 것이다. 그렇지 않다면 어찌 "믿음이 있다"고 이르겠는가?

유정원(柳正源) 『역해참고(易解參攷)』

王氏曰, 初九處下卦之下, 九四處上卦之下. 水火相比, 能變者也. 是以悔亡.
왕필이 말하였다: 초구는 하괘의 아래에 있고 구사는 상괘의 아래에 있으니, 물과 불이 서로 나란하여 변할 수 있는 자이다. 이러므로 후회가 없다.

○ 雷氏曰, 旡應悔也, 九五同心同德, 信之不疑, 故悔亡.
뇌씨가 말하였다: 호응함이 없어 후회하나 구오가 같은 마음과 같은 덕으로 믿어 의심하지 않기 때문에 후회가 없다.

○ 梁山來氏曰, 改命者, 到此已革矣. 離交于兌, 改夏之命, 令于秋矣. 所以不言革而言改命, 如湯改夏之命而爲商, 武改商之命而爲周是也. 九四之位, 則改命之大臣, 如伊尹太公是也. 有孚者, 上而孚于五, 下而孚于民也.
양산래씨가 말하였다: "명을 고친다"는 것은 여기에 이르러 이미 변혁된 것이다. 리괘(離卦)가 태괘(兌卦)와 사귀어 여름의 명을 고쳐 가을에 호령한다. 이 때문에 변혁을 말하지 않고 "명을 고침"을 말하였으니, 예컨대 탕왕이 하나라의 명을 고쳐 상나라가 되게 한 것과 무왕이 상나라의 명을 고쳐 주나라가 되게 한 것이 여기에 해당한다. 구사의 지위는 명을 고치는 대신이니 이윤과 태공 같은 이가 이에 해당한다. "믿음이 있다"는 것은 위로 오효에게 믿음을 받고 아래로 백성에게 믿음을 받는 것이다.

○ 案, 革之時, 剛則失於輕遽, 柔則失於遲緩. 而以九居四, 剛柔不偏, 居說之初, 而人心和順, 近五之位而君德孚信. 此所以悔亡而吉.
내가 살펴보았다: 변혁의 때는 굳세면 경솔하게 갑자기 행하는 잘못이 있게 되고, 부드러우면 늦고 천천히 하는 잘못이 있게 된다. 구(九)인 양으로서 사효의 자리에 있으니 굳셈과 부드러움이 치우치지 않고, 기뻐하는 초기에 있으니 인심이 화합하면서 따르며, 구오의 자리에 가까워 임금의 덕이 믿고 신임한다. 이것이 후회가 없어 길하게 되는 이유이다.

김상악(金相岳)『산천역설(山天易說)』

上三爻, 皆主革, 而九四以陽居陰, 爲有悔. 然水火之際, 剛柔不偏, 所以悔亡也. 又與五互爲巽體, 故有孚改命而吉也. 伊尹太公, 相湯武, 改夏商之命, 此爻之義也.
상괘의 세 효는 모두 변혁을 위주로 하는데 구사는 양으로서 음의 자리에 있으므로 후회가 있다. 그러나 물과 불의 사이에 있어서 굳셈과 부드러움이 치우치지 않으니 이 때문에 후회가 없다. 또 오효와 서로 호괘인 손괘(巽卦)의 몸체가 되기 때문에 믿음이 있어 명을 고쳐 길하다. 이윤과 태공이 탕왕과 무왕을 도와 하나라와 상나라의 명을 고친 것이 이 효의 뜻이다.

○ 卦言方革之時, 故悔亡在後, 四爲已革之後, 故先言悔亡也. 有孚謂變革之前, 其志孚於上下也. 命巽象. 離交乎兌, 是改夏令爲秋令也. 鼎大象曰凝命卽革所改之命也. 又四變爲旣濟, 水火之相息, 變而相交, 故改命而吉矣. 改與變, 皆革之義也. 故二三皆言革, 四言改, 五言變, 上六則革道已成, 故兼言變革.
괘사에서는 바야흐로 변혁할 때를 말하였기 때문에 "후회가 없음"이 뒤에 있으나, 사효는 이미 변혁한 뒤가 되기 때문에 "후회가 없음"을 먼저 말하였다. "믿음이 있음"은 변혁하기 전에 그 뜻이 윗사람과 아랫사람에게 믿음을 받는 것을 말한다. '명'은 손괘(巽卦)의 상이다. 리괘(離卦)가 태괘(兌卦)와 사귐은 여름을 고쳐 가을이 된 것이다. 정괘(鼎卦䷱)「대상전」의 '응명(凝命)'은 바로 고친 명을 혁신한 것이다. 또 사효가 변하면 기제괘(旣濟卦䷾)가 되니 물과 불은 서로 멸식하고 변하여 서로 사귀기 때문에 명을 고침에 길한 것이다. 고침[改]과 변함[變]은 모두 변혁[革]의 뜻이다. 그러므로 이효 · 삼효에서는 모두 변혁을 말했고, 사효에서는 고침을 말했으며, 오효에서는 변함을 말했고, 상육에서는 변혁의 도가 이미 이루어졌으므로 변함[變]과 변혁[革]을 아울러 말하였다.

서유신(徐有臣)『역의의언(易義擬言)』

不當位而有悔, 革而當而悔亡也. 九三則終日, 九四則翌日, 故有孚, 已日乃孚也. 睽變爲革, 而四得公侯之位, 是爲開國承家. 如太公之齊, 召公之燕也, 受新命於天子, 布新令於百姓, 故曰改命也.
자리가 마땅하지 않아서 후회가 있으나, 변혁함에 마땅하게 하여 후회가 없다. 구삼은 하루를 마침이고 구사는 다음 날이기 때문에 믿음이 있으니 시일이 지나 믿는 것이다. 규괘(睽卦䷥)의 위아래가 바뀐 괘가 혁괘이고 사효는 공후의 자리이니, 나라를 열고 집안을 이음이 된다. 마치 태공이 제나라에 가고 소공이 연나라에 감에 천자에게서 새로운 명을 받아 새 정령을 백성에게 반포함과 같으므로 "명을 고침"이라고 하였다.

박제가(朴齊家) 『주역(周易)』

九四, 改命吉.
구사는 명(命)을 고쳐 길할 것이다.

未至於五, 而已可改而吉矣. 然而此爻之云, 非已改者也, 正文王之事者也, 五之虎變, 乃武王之事. 而曰未占有孚者, 言自四而已可改也, 聖人之微義見矣.
아직 오효에 이르지는 않았으나 이미 고칠 수 있어서 길하다. 그러나 이 효에서 말한 것은 이미 고친 것이 아니니, 바로 문왕의 일이고, 오효의 호랑이가 "변하듯 함"은 곧 무왕의 일이다. 점치지 않고도 믿음이 있다고 말한 것은 사효에서부터 이미 고칠 수 있음을 말한 것이니, 성인의 은미한 뜻을 알 수 있다.

박문건(朴文健) 『주역연의(周易衍義)』

先信後革, 故有有孚改命之象. 改命猶言革命也.
먼저 신임을 받고 뒤에 변혁하기 때문에 믿음이 있은 뒤에 명을 고치는 상이 있다. 개명(改命)은 혁명(革命)이라고 말하는 것과 같다.
〈問, 悔亡以下. 曰, 外內勢敵, 故悔存, 然能柔能剛, 故悔亡也. 先有孚而後革, 初九之命則吉也. 蓋有孚者用柔也, 改命者用剛也. 不孚則无以成改命之功也, 非有湯武之德桀紂之暴, 則不可行也.
물었다: "후회가 없다" 이하는 무슨 뜻입니까?
답하였다: 안팎의 세력이 대적하기 때문에 후회가 있으나, 능히 부드럽고 능히 굳세기 때문에 후회가 없습니다. 먼저 믿음이 있고 뒤에 변혁하니 초구의 명이 길합니다. 믿음이 있는 자는 부드러움을 쓰고, 명을 고치는 자는 굳셈을 씁니다. 믿지 않으면 명을 고치는 공효를 이룰 수 없으니 탕·무의 덕과 걸·주의 폭정이 있는 것이 아니면 행해질 수 없습니다.〉

이지연(李止淵) 『주역차의(周易箚疑)』

離之終矣. 今日乃前日之已也, 所謂已日也. 在當革之時, 處當革之位, 以能革之才, 革宜革之事, 而首云悔亡者, 言猶有慚德也. 但其上應天命, 下順人心, 改命則吉, 而德則未能无悔也.
리괘(離卦)의 끝이다. '오늘'은 곧 전날이 지난 것이니 이른바 시일이 지남이다. 변혁해야 할 때에 변혁하는 자리에 처하여 변혁할 수 있는 재주로서 변혁해야 할 일을 변혁하되 먼저 후회가 없다고 말한 것은 오히려 부끄러운 덕이 있다는 말이다. 다만 위로 천명에 부응하고 아래로 인심에 따라 명을 고치면 길하지만, 덕에 있어서는 후회가 없을 수 없다.

김기례(金箕澧) 「역요선의강목(易要選義綱目)」

陽居陰位, 當有悔, 然離下體, 而中居水火之際, 當革之時, 故曰悔亡. 亦當誠信改爲而得吉者, 以不偏而承中正之君也.

양이 음 자리에 있으니 당연히 후회가 있을 것이나 리괘가 하체이고 가운데 물·불의 사이에 있으니 변혁의 때를 당하였기 때문에 "후회가 없다"라고 하였다. 또한 마땅히 '성실과 미더움으로 고쳐서 길함을 얻을 것'이라는 것은, 치우치지 않고 중정(中正)의 임금을 받들기 때문이다.

심대윤(沈大允) 『주역상의점법(周易象義占法)』

革之既濟䷾. 九四以剛居柔, 理明而言溫, 位近而交密, 可以盡言而見信, 能有革變之功, 故曰悔亡有孚. 无應而居坎, 不藉力於外援而匡救於隱暗之地, 不爲宣露暴揚而自賢也. 近臣親友之進諫, 當如是矣. 改命, 言改其成命也. 巽爲改爲命, 言巽諫也.

혁괘가 기제괘(既濟卦䷾)로 바뀌었다. 구사는 굳센 양으로 부드러운 음의 자리에 있어서 이치가 밝고 말이 온화하며 오효와 자리가 가깝고 사귐이 긴밀하여 말을 극진히 하여 믿음을 받을 수 있으니, 변혁의 공을 이룰 수 있기 때문에 "후회가 없으니 믿음이 있으면"이라고 하였다. 호응이 없이 감괘(坎卦)에 있으니 밖의 구원에 힘입어 '숨어있고 어두운 지경'에서 널리 구제할 수 없고, 드러내고 드날려서 스스로 현명하게 하지도 못한다. 가까운 신하나 친한 벗의 간언은 이와 같아야 한다. "명을 고침"은 이루어진 명을 고침을 말한다. 손괘(巽卦)는 고침이 되고 명이 되니 공손히 간언함을 말한다.

오치기(吳致箕) 「주역경전증해(周易經傳增解)」

九四剛不中正, 下無應與. 而居近君之位, 以佐改命之事者也, 所係甚重, 而居不得正, 恐有其悔. 故戒言必待无所疑悔而人心相孚, 然後改命則獲吉矣.

구사는 굳센 양으로 중정하지 않고 아래로 호응하여 도와주는 이가 없다. 그러나 임금과 가까운 자리에 있어서 명을 고치는 일을 돕는 자이니 관계됨이 매우 중하나, 거처가 바르지 못하니 후회가 있을까 두렵다. 그러므로 반드시 의심과 후회가 없고 인심이 서로 믿어주기를 기다린 뒤에 명을 고치면 길함을 얻으리라고 경계하여 말하였다.

○ 有孚取於變坎, 命取於互巽. 改命如彖傳之言湯武革命也. 九四獨於卦內不得其正, 故其戒如此.
"믿음이 있음"은 본 효가 변하면 상괘인 감괘(坎卦)에서 취하였고 '명(命)'은 호괘인 손괘(巽卦)에서 취하였다. "명을 고침"은 「단전」에서 "탕왕과 무왕이 혁명하다"고 말한 것과 같다. 구사만 혁괘 중에서 바른 자리를 얻지 못하였기 때문에 이와 같이 경계한 것이다.

이진상(李震相) 『역학관규(易學管窺)』

无應故悔, 而居柔故悔亡. 巽體故言命, 而變坎故言改. 有孚亦坎象也. 象言信志, 於其剛斷之中,信其柔靜之志也. 才剛而志靜者, 方能改命.
호응이 없기 때문에 후회하나 부드러운 자리에 있기 때문에 후회가 없다. 손괘(巽卦)의 몸체이므로 "명"을 말하였고, 본 효가 변하면 상괘가 감괘(坎卦)이기 때문에 '고침'을 말하였다. "믿음이 있음"도 감괘(坎卦)의 상이다. 「상전」에서 말한 "뜻을 믿어줌"은 굳세고 결단하는 중에 부드럽고 고요한 뜻을 믿음이다. 재질이 굳세고 뜻이 고요한 자라야 명을 고칠 수 있다.

이병헌(李炳憲) 『역경금문고통론(易經今文考通論)』

虞曰, 革而當其悔乃亡. 孚謂五也.
우번이 말하였다: 변혁함에 으레 후회가 있으나 곧 없어진다. 믿음은 오효를 이른다.

干曰, 白魚入舟, 天命信矣, 故曰有孚.
간보가 말하였다: "흰 물고기가 왕의 배로 들어왔다"[93]는 것은 천명이 믿은 것이다. 그러므로 "믿음이 있다"고 하였다.

---

93) 『尙書大傳 · 大誓』

象曰, 改命之吉, 信志也

「상전」에서 말하였다: "명(命)을 고치는 길함"은 뜻을 믿어주기 때문이다.

中國大全

傳

改命而吉, 以上下信其志也, 誠旣至, 則上下信矣. 革之道, 以上下之信爲本. 不當不孚, 則不信. 當而不信, 猶不可行也, 況不當乎.

명(命)을 고쳐 길한 것은 윗사람 · 아랫사람이 그의 뜻을 믿어주기 때문이니, 정성이 이미 지극하면 윗사람 · 아랫사람이 믿는다. 변혁의 도는 윗사람 · 아랫사람의 믿음을 근본으로 삼으니, 마땅하지 않고 정성이 없으면 믿지 않는다. 마땅한데도 믿어주지 않으면 오히려 행할 수 없는데 하물며 마땅하지 않음에 있어서이겠는가.

小註

中溪張氏曰, 革至於四, 則革者當矣. 彖所謂革而當其悔乃亡是也. 故乾九四, 亦曰乾道乃革. 有孚謂上下信之也.

중계장씨가 말하였다: 혁괘가 사효에 이르러 변혁하는 것은 마땅하다. 「단전」에 이른바 "변혁하여 마땅하게 하니 후회가 없다"는 것이 이것이다. 그러므로 건괘(乾卦☰)의 구사에도 "건도가 바뀐다"[94]라고 하였다. "믿음이 있음"은 윗사람과 아랫사람이 믿는 것을 이른다.

94) 『周易 · 乾卦』: 或躍在淵, 乾道乃革.

韓國大全

김상악(金相岳) 『산천역설(山天易說)』[95]

有孚而改之, 故上下信九四之志也. 三四之有孚, 孚乎五之大人, 五之有孚, 孚乎三四之大臣也. 上下交孚, 所以革而信之.
믿음이 있으면서 고치기 때문에 윗사람과 아랫사람이 구사의 뜻을 믿는다. 삼효·사효의 "믿음이 있음"은 오효의 대인에게 믿음을 받는 것이고, 오효의 "믿음이 있음"은 삼효·사효의 대신에게 믿음을 받는 것이다. 윗사람·아랫사람이 서로 믿으니 이 때문에 변혁함에 믿는 것이다.

서유신(徐有臣) 『역의의언(易義擬言)』[96]

信者, 有孚也, 志則見於應與也.
'믿음'이란 믿음이 있음이고 '뜻'은 호응하여 함께 함에서 드러난다.

심대윤(沈大允) 『주역상의점법(周易象義占法)』[97]

言信其忠誠之心也.
충실하고 정성스런 마음을 믿는다는 말이다.

오치기(吳致箕) 「주역경전증해(周易經傳增解)」[98]

改命而得吉者, 以上下之皆信其志也. 若不信則不可行也.
명을 고쳐 길함을 얻은 것은 윗사람·아랫사람이 모두 그의 뜻을 믿은 것이다. 믿지 않았다면 행할 수 없다.

---

95) 경학자료집성DB에 구사효사에 편집되어 있으나, 영인본의 체재에 의거하여 구사 「상전」으로 옮겨 해석하였다.
96) 경학자료집성DB에 구사효사에 편집되어 있으나, 영인본의 체재에 의거하여 구사 「상전」으로 옮겨 해석하였다.
97) 경학자료집성DB에 구사효사에 편집되어 있으나, 영인본의 체재에 의거하여 구사 「상전」으로 옮겨 해석하였다.
98) 경학자료집성DB에 구사효사에 편집되어 있으나, 영인본의 체재에 의거하여 구사 「상전」으로 옮겨 해석하였다.

九五, 大人虎變, 未占, 有孚.

정전 구오는 대인이 호랑이가 변하듯 변하니, 점치지 않고도 믿음이 있다.
본의 구오는 대인이 호랑이가 변하듯 변하니, 점치기 전에 믿음이 있다.

中國大全

傳

九五, 以陽剛之才, 中正之德, 居尊位, 大人也. 以大人之道, 革天下之事, 无不當也, 无不時也, 所過變化, 事理炳著, 如虎之文采, 故云虎變. 龍虎, 大人之象也. 變者, 事物之變. 曰虎, 何也. 曰, 大人變之, 乃大人之變也. 以大人中正之道, 變革之, 炳然昭著, 不待占決, 知其至當, 而天下必信也. 天下蒙大人之革, 不待占決, 知其至當而信之也.

구오는 굳센 양의 재질과 중정의 덕으로 높은 자리에 있으니, 대인이다. 대인의 도로써 천하의 일을 변혁하면 마땅하지 않음이 없고 때에 맞지 않음이 없어, 지나는 곳이 변화되고 사리가 밝게 드러나는 것이[99] 호랑이의 문채와 같으므로, "호랑이가 변하듯 변함[虎變]"이라고 말했다. 용과 호랑이는 대인의 상이고 '변(變)'은 사물의 변화이다. 호랑이라고 말함은 어째서인가? 대인이 변혁하니, 바로 '대인의 변혁'이다. 대인의 중정한 도로써 변혁하는 것은 밝게 드러나니, 점쳐 결단할 필요 없이 그것이 지극히 마땅함을 알아 천하가 반드시 믿는다. 천하가 대인의 변혁을 입는 것은 점쳐 결단할 필요 없이 그것이 지극히 마땅함을 알아 믿는다.

小註

朱子曰, 未占有孚, 伊川於爻中占字, 皆不把做卜筮尙其占說.

주자가 말하였다: "점치기 전에 믿음이 있음[未占有孚]"이니, 이천은 효사의 '점' 자에 대해

99) 『孟子 · 盡心』: 孟子曰, 霸者之民驩虞如也, 王者之民皞皞如也. 殺之而不怨, 利之而不庸, 民日遷善而不知爲之者. 夫君子所過者化, 所存者神, 上下與天地同流, 豈曰小補之哉.

서 모두 "점치는 사람은 그 점을 숭상한다"[100]는 말을 전혀 파악하지 못한 것이다.

○ 伊川言所過變化, 事理炳著, 所過, 謂身所經歷處也.

이천이 "대인이 지나는 곳은 변화되고 사리가 밝게 드러나니[所過變化 事理炳著]"라고 한 것에서 '지나는 곳'은 대인 자신이 지나가는 곳을 이른다.

本義

虎, 大人之象, 變, 謂希革而毛毨也. 在大人, 則自新新民之極, 順天應人之時也. 九五, 以陽剛中正, 爲革之主, 故有此象. 占而得此, 則有此應, 然亦必自其未占之時, 人已信其如此, 乃足以當之耳.

호랑이는 대인의 상이고, '변(變)'은 가죽에 털이 빠지면서 털갈이함을 이른다. 대인에게는 자신을 새롭게 하고 백성을 새롭게 하는 지극함이니, 하늘에 순응하고 사람에 부응하는 때이다. 구오가 굳센 양과 중정으로 변혁의 주체가 되었으므로 이러한 상이 있다. 점쳐서 이것을 얻으면 이러한 응험(應驗)이 있을 것이나 또한 반드시 점치지 않았을 때부터 사람들이 이미 이와 같음을 믿고 있어야 이에 해당할 것이다.

小註

或問, 大人虎變, 是就事上變, 君子豹變, 是就身上變. 朱子曰, 豈止是事上也. 從裏面做出來. 這個事卻不只是空殼子做得, 文王, 其命維新, 也是他自新後如此, 堯, 克明俊德, 然後黎民於變. 大人虎變, 正如孟子所謂所過者化, 所存者神, 上下與天地同流, 豈曰小補之哉. 補只是這個裏破, 補這一些, 如世人些小功, 只是補. 如聖人直是渾淪都換過了, 如鑪鞴相似. 補底只是銅露, 聖人卻是渾淪鑄過.

어떤 이가 물었다: "대인이 호랑이가 변하듯 변함"은 '일'에서 변하는 것이고, "군자가 표범이 변하듯 변함"은 '몸'에서 변하는 것입니까?

주자가 답하였다: 어찌 '일'에서만 변하는 것이겠습니까? 내면에서부터 나온 것입니다. '일'에서만 변한다면 빈껍데기일 뿐입니다. 문왕의 "명이 오직 새롭네"[101]는 또한 문왕이 스스로 새롭게 한 다음에 그렇게 된 것이고, 요임금이 "능히 큰 덕을 밝힌" 뒤에 "아! 백성이

---

100) 『周易·繫辭上』: 易有聖人之道四焉, 以言者, 尙其辭, 以動者, 尙其變, 以制器者, 尙其象, 以卜筮者, 尙其占.

101) 『詩經·文王』: 文王在上, 於昭于天, 周雖舊邦, 斯命維新.

변하였다"[102]는 것입니다. "대인이 호랑이가 변하듯 변함"은 바로 『맹자』에 이른바 "성인이 지나는 곳은 교화되고 마음에 두고 있으면 신묘해진다. 그러므로 상하가 천지와 함께 흐르니, 어찌 조금 보탬이 있다고 하겠는가?"[103]에 해당합니다. '보탬'은 다만 여기가 파손되면 여기만 보태는 것이니 마치 세상 사람의 작은 일이 단지 보탬인 것과 같습니다. 성인은 바로 조화롭게 모두 변환되니 풀무와 같습니다. '보탬'은 새는 곳을 땜질하는 것일 뿐이고, 성인은 조화롭게 주조하는 것입니다.

○ 漢上朱氏曰, 兌爲虎, 虎具天地之文, 然未著也. 變則其文炳然.
한상주씨가 말하였다: 태괘(兌卦)는 호랑이이다. 호랑이는 천지의 문양을 갖추었으나 아직 드러나지 않았다. 변하면 문채가 찬란하다.[104]

○ 雲峰胡氏曰, 乾九五飛龍, 革九五虎變, 皆大人造之象. 下卦言革, 上卦言改言變, 革道愈進而愈成也. 虎變則希革而毛毨, 蓋仲夏毛希而革易, 仲秋毛落更生, 潤澤而鮮好. 卦體離夏革爲兌秋, 故有此象. 此所謂變, 卽孟子所謂存神過化, 與天地同流, 而非區區小補之事也. 未占有孚, 諸家皆以爲不待占決, 而人自信之, 本義亦然. 蓋革重事也. 占當在未革之先, 而孚又在未占之先, 則其孚也久矣. 必如成湯未革夏命, 而室家已相慶, 於來蘇之先, 乃應此占. 不然, 湯武之事, 未易學也. 如此則九五象占, 雖若美之之辭, 而中實含戒之之意.
운봉호씨가 말하였다: 건괘(乾卦☰)의 구오는 '날아다니는 용'이고, 혁괘의 구오는 '호랑이가 변하듯 변함'이니 모두 대인이 나아가는 상이다. 하괘에서는 '혁(革)'을 말하고 상괘에서는 '고침[改]'과 '변함[變]'을 말하였으니 혁의 도는 나아갈수록 더욱 이룬다. '호랑이가 변하듯 함'은 가죽의 털이 빠지면서 털갈이 하는 것이니, 대체로 음력 오월에 털이 빠지면서 가죽이 바뀌고 음력 팔월인 중추(仲秋)에 털이 다 빠져 다시 나면서 윤이 나고 곱다. 괘의 몸체는 리괘(離卦☲)인 여름이 변하여 태괘(兌卦☱)인 가을이 되기 때문에 이런 상이 있다. 여기에서 이른바 변함은 바로 맹자의 이른바 '성인이 지나는 곳은 교화되고 마음에 두고 있으면 신묘해지므로 상하가 천지와 함께 흐른다'는 것이니, 보잘 것 없이 조금 보태는 일이 아니다. "점치기 전에 믿음이 있다"에 대하여 여러 학자들이 모두 '점쳐 결단할 필요 없이 사람들이 스스로 믿는다'고 하였고, 『본의』에서도 그렇게 말하였다. '변혁'은 중요한 일이다. 점이 마땅히 변혁하기 전에 있고, 믿음이 또 점치기 전에 있다면 그 믿음이 오래갈 것이다.

102) 『書經 · 堯典』: 克明俊德, 以親九族, 九族旣睦, 平章百姓, 百姓昭明, 協和萬邦, 黎民於變時雍.
103) 『맹자 · 진심』.
104) 『漢上易傳』: 兌爲虎, 虎生而具天地之文, 然未著也. 旣變則其文炳然.

반드시 탕왕이 하나라의 천명을 변혁하기 전에 집집마다 먼저 탕왕이 와서 소생하게 되었음을 경하한 것과 같이 해야[105] 바로 이 점과 부응하는 것이다. 그렇지 않다면 탕왕·무왕의 일이 쉽게 거론되지 못하였을 것이다. 이와 같으니 구오의 상과 점이 찬미하는 말인 듯하나 그 속에는 실로 경계의 뜻을 머금고 있다.

○ 蘭氏廷瑞曰, 乾之飛則曰龍, 革之變則曰虎, 要之爲大人則一也. 堯舜之揖遜天下, 唯德之見, 故曰龍. 湯武之征伐, 則有威存焉, 故曰虎.
난정서가 말하였다: 건괘(乾卦䷀)에서는 '나는 것'을 '용'이라 했고 혁괘에서는 '변하는 것'을 '호랑이'라 했으나 요컨대 대인이 되는 것은 마찬가지이다. 요·순이 천하를 양보한 것은 오직 덕의 드러남이기 때문에 '용'이라고 하였고, 탕·무가 정벌한 것은 위엄이 존재하기 때문에 '호랑이'라고 하였다.

○ 雙湖胡氏曰, 文王卦辭於蒙比發筮義, 周公又於此爻發占義. 不但可見易爲卜筮作, 又可以見聖人於君師變革等事, 謹重不敢輕如此.
쌍호호씨가 말하였다: 문왕은 몽괘·비괘의 괘사[106]에서 시초점[筮]의 뜻을 말하였고, 주공은 또 혁괘 구오효에서 점치는 뜻을 말했다. 이것으로써 『주역』을 점치기 위해 지었음을 알 수 있을 뿐만 아니라, 또 성인이 천자[君師][107]의 변혁 등의 일에 대하여 신중히 하고 감히 경솔히 해서는 안 된다고 한 것이 이와 같음을 알 수 있다.

‖韓國大全‖

송시열(宋時烈)『역설(易說)』

大人者, 君位也. 虒者, 兌錯艮虒也. 變者, 當革之時也. 未占有孚者, 雖不占之, 已有

105)『書經·仲虺之誥』: 乃葛伯仇餉, 初征自葛, 東征西夷怨, 南征北狄怨, 曰, 奚獨後予. 攸徂之民, 室家相慶, 曰, 徯予后, 后來, 其蘇. 民之戴商, 厥惟舊哉.

106)『周易·比卦辭』: 比, 吉, 原筮, 元永貞, 无咎.『周易·蒙卦辭』蒙, 亨, 匪我求童蒙, 童蒙求我, 初筮, 告, 再三, 瀆. 瀆則不告, 利貞.

107) 군사(君師): 고대에는 임금과 스승이 모두 존경받는 대상이므로 천자를 군사라고 일컬었다.

孚於六二也. 小象其文炳者, 言離之文彩炳然, 應於六二爻也.
대인이란 임금의 지위에 있는 자이다. "호랑이"는 태괘(兌卦)의 음양이 바뀐 괘인 간괘(艮卦)가 '호랑이'이다. '변함'은 혁괘의 때에 해당한다. "점치지 않고도 믿음이 있다"는 비록 점을 치지 않았을지라도 이미 육이를 믿는 마음이 있는 것이다. 「소상전」의 "문채가 빛남"은 리괘(離卦)의 문채가 빛나 육이효에 호응함을 말한다.

석지형(石之珩) 『오위귀감(五位龜鑑)』

臣謹按, 革之九五, 以兌變爲艮, 艮爲猛獸, 故取虎變之象. 如湯武之革命者, 可以當之, 若世之狐媚取天下者, 不足以語此也. 姑以今世之事言之. 所可革者在事上, 隨事革弊, 俾皆當理, 則治道炳然如虎之文, 豈待占決而有孚乎. 伏願殿下, 因時善革, 以孚于化邦焉.
신은 삼가 살펴보았습니다: 혁괘의 구오는 태괘(兌卦☱)가 변하여 간괘(艮卦☶)가 되었으니 간괘는 맹수이기 때문에 호랑이가 변하듯 변한 상을 취하였습니다. 예를 들면 탕왕과 무왕이 혁명한 것이 여기에 해당할 수 있으니, 세상에 여우같은 아첨으로 천하를 취하는 자들은 이것을 말하기에 부족합니다. 우선 요즘 세상의 일로 말씀드리겠습니다. 변혁할 수 있는 자가 윗사람을 섬기는 자리에 있어 일에 따라 폐단을 변혁하여 모두 이치에 합당하게 할 수 있다면 나스리는 도가 호랑이 문채처럼 빛날 것이니 어찌 점친 결과를 기다린 뒤에야 믿음이 있겠습니까? 삼가 바라건대 전하께서는 때에 맞게 변혁을 잘 하셔서 나라를 교화하는 데에 믿음을 가지십시오.

이현석(李玄錫) 「역의규반(易義窺斑)」

九五居革之時, 有陽剛之才, 中正之德, 而又臨君位. 其所宜革者, 乃政令事, 爲更改損益之類也. 虎之變也, 希革毛毨, 而其體則不變, 故此爻取象焉. 蓋革至君位, 則疑於湯武之事矣. 湯武革命, 雖見於彖辭, 而終非所以訓世, 故此爻所取, 乃在於身不變. 而文變之物, 其所革者炳然易見之, 文章制度也. 人皆見而信之, 故未占有孚, 聖人之旨微矣. 緝註中, 先儒說爻或擧湯武, 恐非也.
구오는 변혁의 때에 있으면서 굳센 양의 재질과 중정의 덕이 있고 또 임금자리에 임하였다. 그가 변혁하기에 마땅한 것이란 곧 정령의 일로서 '고치고 바꾸며 덜어내고 더하는' 따위이다. 호랑이가 변하는 것은 가죽에 털이 빠져 털갈이를 하면서도 몸체는 변하지 않기 때문에 본효에서 이것을 상으로 취하였다. 변혁이 임금의 자리에 이르렀으니 탕왕·무왕의 일에 비견된다. 탕왕과 무왕의 혁명은 단사에 보이지만 끝내 세상을 훈도하는 것은 아니기 때문에 본효에서 취한 것은 곧 몸이 변하지 않는 데에 있다. 문채가 변하는 물건은 바뀌는 것이 빛나서 보기 쉬우니, 문장과 제도이다. 사람들이 모두 보고 믿기 때문에 점치지 않고도 믿음이 있는 것이니 성인의 뜻이 은미하다. 엮어놓은 주석 가운데 선유들이 본효를 설명하면서 혹 탕왕과 무왕을 거론하였으니, 잘못된 듯하다.

이익(李瀷)『역경질서(易經疾書)』

龍者神變之物. 乾九五飛龍在天, 堯舜御極之象, 四嶽群牧, 雲從龍也. 虎者威武之物. 革九五大[108]人虎變, 湯武革命之象, 亂臣十人, 風從虎也. 威從乎內, 文炳乎外, 喩天下之利見也. 其爲孚. 奚待乎占決.
용은 변화가 신묘한 동물이다. 건괘(乾卦䷀) 구오에서 "나는 용이 하늘에 있다"는 요·순이 임금자리에 오른 상이니 '사악(四嶽)과 군목(群牧)'은 구름이 용을 따름에 해당한다. 호랑이는 위엄과 무용이 있는 동물이다. 혁괘 구오에서 "대인이 호랑이가 변하듯 변한다"다고 한 말은 탕왕과 무왕이 혁명하는 상이니 '다스리는 신하 열 명'은 바람이 호랑이를 따름에 해당한다. 위엄은 안으로부터 따르고, 문채는 밖에서 밝게 빛나니, '천하 사람들이 보기를 이롭게 여김'에 비유된다. 믿음을 받음이 어찌 점쳐서 결정하기를 기다리겠는가?

심조(沈潮)「역상차론(易象箚論)」

九五, 虎變.
호랑이가 변하듯 변하니.

朱氏曰, 兌爲虎. 蓋取有口而主肅殺之象.
주씨가 말하였다: 태괘(兌卦)는 호랑이이다. 대체로 입이 있고 숙살(肅殺)을 주관하는 상을 취하였다.

유정원(柳正源)『역해참고(易解參攷)』

王氏曰, 未占而孚, 合時心也.
왕필이 말하였다: 점치지 않고도 믿음은 때의 마음에 부합하는 것이다.

108) 大: 경학자료집성DB에 '六'으로 되어 있으나, 경학자료집성 영인본을 참조하여 '大'로 바로잡았다.

○ 正義, 九五居中處尊, 以大人之德爲革之主. 損益前王之法, 有文章之美, 煥然可觀, 有似虎變, 其文彪炳.
『주역정의』에서 말하였다: 구오는 가운데 자리에 있으면서 높은 자리에 처했으니 대인의 덕으로서 변혁의 주체가 된다. 선왕의 법을 손익하여 문장의 아름다움이 있어서 빛나게 볼 만하고, "호랑이가 변하듯 변함"과 유사하여 그 문채가 빛남이 있다.

○ 節齋蔡氏曰, 剛居中正, 故曰大人. 虎兌象. 虎變, 威德變動, 自然變化之義.
절재채씨가 말하였다: 굳센 양이 중정의 자리에 있기 때문에 '대인'이라고 하였다. '호랑이'는 태괘(兌卦)의 상이다. "호랑이가 변하듯 변함"은 위엄과 덕이 변동함이니 저절로 변화하는 뜻이다.

○ 厚齋馮氏曰, 大人虎變, 湯武革命, 卽位之象. 虎言其威武, 變言其爲大君也. 凡大事必假卜筮, 然後占其吉凶, 舜之命禹亦曰, 官占, 唯先蔽志, 昆命于元龜. 有如室家相慶於來蘇之先, 未占而已有孚矣. 蓋孚之有素也, 與政令之革, 已日乃孚之義不同.
후재풍씨가 말하였다: "대인이 호랑이가 변하듯 변함"은 탕왕과 무왕이 혁명하여 즉위한 상이다. '호랑이'는 위엄과 무용을 말하고 '변함'은 대군이 됨을 말한다. 무릇 큰일은 반드시 거북점과 시초점에 가탁한 뒤에 길흉을 점치니, 순임금이 우에게 명할 때에도 "관점(官占)은 먼저 자기의 뜻을 결정하고 나서 큰 거북에게 명한다"[109]고 하였다. 임금이 은혜를 베풀기 전에 집안 식구들이 서로 경사로 여긴다면 점치지 않고도 이미 믿음이 있는 것이다. 믿음은 평소에 있는 것이니 정령을 변혁함에 시일이 지나야 믿는다는 뜻과는 다르다.

김상악(金相岳) 『산천역설(山天易說)』

九五陽剛中正, 爲革之主, 應二而文明. 在中比上, 而說見于外, 虎變之象, 文彩之炳, 人皆信服, 故未占而有孚.
구오는 굳센 양으로 중정하니 혁괘의 주인으로서 이효에 호응하며 밝고 빛난다. 가운데 자리에 있고 상효와 비(比)의 관계에 있어서 기쁨이 밖에 드러나니 호랑이가 변하듯 변하는 상이며, 문채가 빛나 사람들이 믿고 복종하기 때문에 점치지 않고도 믿음이 있다.

○ 大人見蒙六五. 兌爲虎, 虎豹之象. 揚子曰, 狸變則豹, 豹變則虎, 故五言虎, 上言豹. 乾曰飛龍, 堯舜之揖遜, 革曰虎變, 湯武之征伐也. 故皆以大人言也. 變謂希革而

---

109) 『書經·大禹謨』: 帝曰, 禹, 官占, 惟先蔽志, 昆命于元龜, 朕志先定, 詢謀僉同, 鬼神其依, 龜筮協從, 卜不習吉.

毛毨也. 仲夏毛希而革易, 仲秋毛毨而鮮好也. 占者卜筮以占之, 決其疑者也. 離爲龜, 兌爲決占之象也. 占筮爲易中一事, 故蒙言筮, 革言占. 蓋大人虎變, 自新新民之極, 應天順人之時也, 故曰未占有孚. 如湯武未革命之前, 四海有徯后之思也. 九三剛而不中, 故革言三就而後有孚, 九四剛而不正, 故悔亡而後有孚, 九五則中正相應, 故未占有孚, 如益之五曰有孚惠心, 有孚, 惠我德, 勿問元吉.
대인은 몽괘(蒙卦) 육오에 보인다. 태괘(兌卦)는 호랑이이니 호랑이와 표범의 상이다. 양자가 "삵괭이가 변하면 표범이 되고 표범이 변하면 호랑이가 되기 때문에 오효에서는 호랑이를 말하고 상효에서는 표범을 말하였다"고 하였다. 건괘(乾卦䷀)에서 '나는 용'이라고 한 것은 요 · 순이 선양한 것에 해당하고 혁괘에서 "호랑이가 변하듯 변함"은 탕왕 · 무왕이 정벌한 것에 해당한다. 그러므로 모두 대인을 말하였다. '변함'은 털이 빠져서 털갈이를 함이다. 중하(仲夏)에 털이 빠져서 바뀌고 중추(仲秋)에 털갈이를 하여 아름답게 된다. '점'이란 거북점과 시초점으로 점을 쳐서 의심나는 것을 결정하는 것이다. 리괘(離卦)는 거북이고 태괘(兌卦)는 점을 결정하는 상이다. 점과 시초점은 『주역』안의 한 가지이기 때문에 몽괘(蒙卦䷃)에서는 시초점을 말하였고 혁괘에서는 점을 말하였다. 대인이 호랑이가 변한 것처럼 변함은 스스로 새로워지고 백성을 새롭게 함의 지극함이니 하늘에 순응하고 사람을 따르는 때이기 때문에 "점치지 않고도 믿음이 있다"고 하였다. 예컨대 탕왕 · 무왕이 혁명하기 전에 천하 사람들이 우리 임금을 기다리려는 생각을 가지고 있음과 같다. 구삼은 굳센 양이나 알맞지 않기 때문에 변혁한다는 말이 세 번 합한 뒤에 믿음이 있고, 구사는 굳센 양이나 바르지 않기 때문에 후회가 없은 뒤에 믿음이 있으며, 구오는 중정하고 서로 호응하기 때문에 점치지 않고도 믿음이 있으니, 예컨대 익괘(益卦䷩)의 오효에서 말한 "은혜로운 마음에 믿음이 있다. 믿음이 있어서 나의 덕을 은혜롭게 여기니 묻지 않아도 크게 선해서 길하다."[110]와 같다.

서유신(徐有臣) 『역의의언(易義擬言)』

睽之九二變爲革之九五, 中正居尊, 得其革之大且善者. 故曰大人虎變, 有文章神威之稱也. 此湯武之事, 非蓍龜之可占, 唯視人心之向背, 故曰未占有孚也. 九四上六皆言吉, 九五之吉, 寧不較大乎.
규괘(睽卦䷥)의 구이가 변하여 혁괘의 구오가 되었으니, 중정하고 높은 자리에 있어서 변혁의 크고 훌륭함을 얻은 것이다. 그러므로 "대인이 호랑이가 변한 듯 변함"이라고 하였으니 밝고 빛나며 신묘하며 위엄이 있는 것에 대한 칭찬함이 있다. 이것은 탕왕 · 무왕의 일이니

110) 본래 『周易 · 益卦』 九五 효사는 "有孚惠心. 勿問, 元吉, 有孚, 惠我德"으로서 이 글과 순서가 다르다.

시초나 거북점으로 점칠 수 있는 것이 아니라, 오직 사람의 마음이 향하는 바에서 볼 수 있기 때문에 "점치지 않고도 믿음이 있다"고 하였다. 구사와 상육에서 모두 길함을 말하였으나, 구오의 길함은 정녕 큼을 비교할 수 없구나!

이지연(李止淵) 『주역차의(周易箚疑)』

武成篇末, 有堯舜氣象. 革命至此, 而乃位乎天位, 郁郁乎文哉. 未占有孚, 程傳似當.
『서경 · 무성』편 끝에 요 · 순의 기상이 있다. 천명을 바꿈이 여기에 이르자 천자의 자리에 자리하니 빛나고 빛나는 문채로다. 점치지 않고도 믿는 것이니 『정전』의 설명이 타당한 듯하다.

윤종섭(尹鍾燮) 『경(經) · 역(易)』

取虎, 兌變爲艮也.
호랑이를 취한 것은 태괘(兌卦)가 변하여 간괘(艮卦)가 되기 때문이다.

김기례(金箕澧) 「역요선의강목(易要選義綱目)」

朱漢上曰, 兌爲虎, 五以大人之位, 爲革主, 如虎之希革而炳著. 乾曰龍飛, 堯舜揖遜之象, 革曰虎變, 湯[111]武征伐之威, 不待卜筮而人可信.
주한상이 말하였다: 태괘(兌卦)는 호랑이이고 오효는 대인의 자리로서 혁괘의 주인이니 호랑이의 털이 빠졌으나 빛나게 드러남과 같다. 건괘(乾卦☰)에서 '나는 용'이라고 한 것은 요 · 순이 선양하는 상이고 혁괘에서 "호랑이가 변하듯 변함"이라고 한 것은 탕왕 · 무왕이 정벌하는 위엄이니 거북점 시초점을 치지 않더라도 사람들이 믿을 수 있다.

심대윤(沈大允) 『주역상의점법(周易象義占法)』

革之豊䷶, 明盛也. 九五以剛中居剛, 明理而直言, 德威明盛, 人之所敬憚畏服, 於其所不可, 人不敢不從而革焉. 故曰大人虎變. 大人言其剛中也, 虎變言其威德之明盛, 人所敬畏而革變也. 乾互兌爲虎. 下有六二之應援, 而二剛隔之, 在下援助者, 雖其心之所未通, 而巽信以和應, 故曰未占有孚. 兌坎爲決疑曰占, 未占言其心有疑而未決可否也. 二居离心, 而三四爲坎疑隔之, 有其象. 二居离信而連于巽, 有巽信和應之象.

111) 湯: 경학자료집성DB와 영인본에는 모두 '陽'으로 되어 있으나, 문맥을 살펴 '湯'으로 바로잡았다.

혁괘가 풍괘(豊卦䷶)로 바뀌었으니, 밝음이 성한 것이다. 구오는 굳센 양으로 가운데 자리에 있으면서 굳센 양의 자리에 있어서 이치를 밝히고 곧게 말하니, 덕과 위엄이 밝고 성하여 사람들이 공경하면서도 꺼리고 두려워하여 복종하여 불가한 것에 대하여 사람들이 감히 따라서 변혁하지 않을 수 없다. 그러므로 "대인이 호랑이가 변하듯 변함"이라고 하였다. '대인'은 굳세며 알맞은 중도를 지킴을 말하고 "호랑이가 변하듯 변함"은 위엄과 덕이 밝고 성하여 사람들이 공경하고 두려워해서 변혁함을 말한다. 건괘(乾卦)와 호괘인 태괘(兌卦)는 호랑이이다. 아래에는 호응하여 돕는 육이가 있지만 굳센 두 양이 막고 있으며, 아래에서 돕는 자가 비록 마음이 통하지는 못하더라도 공순하게 믿어 화합하며 호응하기 때문에 "점치지 않고도 믿음이 있다"고 하였다. 태괘(兌卦)와 감괘(坎卦)는 의심을 결단하기 때문에 '점'을 말하였으니, "점치지 않음"은 그 마음이 의심이 있어 아직 가부를 결정하지 못함을 말한다. 이효는 리괘(離卦)의 중심에 있는데 삼효・사효가 감괘(坎卦)가 되어 의심하여 그를 막으니, 그런 상이 있다. 이효는 믿음인 리괘(離卦)에 있고 손괘(巽卦)에 연결되어 있으니 공손하게 믿고 화합하며 호응하는 상이 있다.

以位則人君也, 以交則畏友也, 以時則人之所畏信也, 至五然後乃可以言矣. 可以言而不言, 不仁也, 不可以言而言, 不知也. 不仁則賊其君, 不知則禍其身, 君子時然後言. 故言无不入, 能保其身而匡其君, 身享其福而民受其澤, 後之事君者, 何莫鑑焉.
자리로서 말하면 임금이고 교제로 말하면 두려운 벗이며 때로서 말하면 사람이 두려워하고 믿는 바이니, 오효에 이른 뒤에 말할 수 있다. 말할 수 있는데 말하지 않으면 어질지 못한 것이고, 말해서는 안 되는데 말하는 것은 지혜롭지 못한 것이다. 어질지 못하면 그 임금을 해치고 지혜롭지 못하면 자신이 화에 미치니 군자는 때가 된 뒤에 말한다. 그러므로 말하면 받아들여지지 않음이 없어 그 자신을 보전하고 임금을 바르게 할 수 있으며, 자신은 복을 누리고 백성은 은택을 받으니 후대의 임금을 섬기는 자가 어찌 거울로 삼지 않겠는가?

오치기(吳致箕)「주역경전증해(周易經傳增解)」

九五陽剛, 中正而居尊, 爲革之君. 乘兌秋肅殺之氣, 行順天應人之事, 宇宙一新, 而登九五之位, 故有大人虎變之象. 而四海人心, 已附於改命之前, 不待占決, 而其孚信可知, 故其辭如此.
구오는 굳센 양으로 중정하면서 높은 자리에 있으니 변혁하는 임금이 된다. 가을인 태괘(兌卦)의 숙살한 기운을 타고 천명을 따르고 인사에 부응하는 일을 행하여 온 세상을 한번 혁신함에 구오의 자리에 올랐으므로 대인이 호랑이가 변하듯 변하는 상이 있다. 천하 사람들의 마음이 이미 명을 고치기 전에 따르니 점쳐서 결정하지 않고도 믿음을 알 수 있기 때문에 말이 이와 같다.

○ 大人指九五之君也. 艮爲虎而對艮變爲兌, 卽虎變之象也. 革事最大故言占. 而有孚取於對體互坤也.
대인은 구오의 임금을 가리킨다. 간괘(艮卦)는 호랑이이고 간괘(艮卦)에서 음양이 바뀐 괘로 변하여 태괘(兌卦)가 되었으니 호랑이가 변하는 상이다. 변혁의 일은 가장 중대하기 때문에 점침을 말하였다. 믿음이 있음은 음양이 바뀐 괘의 몸체에서 호괘인 곤괘(坤卦)에서 취하였다.

이진상(李震相) 『역학관규(易學管窺)』

大人乾象, 革之九五, 正當乾道. 乃革之時, 四五月之交, 鳥獸希革, 故取虎變義. 虎乾象, 下有互巽, 風從虎也. 有孚厚坎象.
대인은 건괘(乾卦)의 상이니 혁괘의 구오는 바로 건도(乾道)에 해당한다. 혁괘의 때는 4월과 5월이 교차하는 때이니, 조류나 짐승이 털이 드물기 때문에 호랑이가 변하듯 변한다는 뜻을 취하였다. 호랑이는 건괘(乾卦)의 상이니 아래에 호괘인 손괘(巽卦)가 있어 바람이 호랑이를 따른다. 믿음이 있음은 두터운 감괘(坎卦)의 상이다.

박문호(朴文鎬) 「경설(經說)·주역(周易)」

變者, 事物之變, 曰虎, 何也. 按, 易之假象於物者, 皆不必指實事. 而於此特言之, 未詳. 又此事物之物字, 亦不必泥看也. 大人變之, 亦大人之變, 此亦未詳. 抑謂非虎之變, 乃大人之變也耶.
'변함'이란 사물이 변하는 것인데 호랑이라고 한 것은 어째서인가?
내가 살펴보았다: 『주역』에서는 사물에서 상을 가탁한 것이 모두 굳이 실제의 일을 가리키는 것은 아니다. 여기에서도 특별히 말한 것으로 자세히 알 수 없다. 또 여기서의 사물의 '물'도 굳이 고착시켜 볼 필요가 없다. 대인이 변화시키는 것도 대인의 변화이니 이것 또한 자세히 알 수 없다. 아니면 호랑이의 변화가 아니라 곧 대인의 변화를 이르는 것인가?

이용구(李容九) 「역주해선(易註解選)」

蘭氏曰, 乾之飛曰龍, 革之變曰虎. 堯舜揖遜, 天下惟德之見, 故龍, 湯武之征伐, 則有威存焉, 故曰虎.
난씨가 말하였다: 건괘(乾卦☰)에서 나는 것을 '용'이라 하였고 혁괘에서 변하는 것은 '호랑

이'라 하였다. 요·순은 선양하여 천하에 오직 덕을 드러내었으므로 '용'이라 하였고, 탕·무의 정벌은 위용이 있었으므로 '호랑이'라 하였다.

이병헌(李炳憲) 『역경금문고통론(易經今文考通論)』

〈變京作辨古通.
'변(變)'은 경방본에 '변(辨)'으로 되어 있으니 옛날에는 통용되었다.〉

宋曰, 五以陽居中, 故曰大人. 兌爲白虎.
송충(宋衷)이 말하였다: 오효는 양으로서 가운데 자리에 있으므로 대인이라고 하였다. 태괘(兌卦)는 백호이다.

京曰, 虎文疏而著.
경방이 말하였다: 호랑이의 무늬는 성글면서 드러난다.

象曰, 大人虎變, 其文炳也.

「상전」에서 말하였다: “대인이 호랑이가 변하듯 변함”은 그 문채가 빛남이다.

中國大全

傳

事理明著, 若虎文之炳煥明盛也, 天下有不孚乎.

사리가 밝게 드러나서 호랑이의 문채가 빛남과 같이 밝음이 성하니, 천하에 믿지 않는 자가 있겠는가?

小註

張子曰, 虎變文章大, 故炳. 豹變文章小, 故蔚.

장자가 말하였다: 호랑이의 털의 문채가 변함은 크기 때문에 빛나고[炳], 표범의 털이 변하는 무늬는 작기 때문에 성하다[蔚].

○ 臨川吳氏曰, 炳者, 如火日之光明也.

임천오씨가 말하였다: 빛남[炳]은 불과 해의 광명과 같다.

❙韓國大全❙

유정원(柳正源) 『역해참고(易解參攷)』112)

其文炳.
그 문채가 빛남이다.

梁山來氏曰, 文炳以人事論. 改正朔, 易服色, 殊徽號, 變犧牲, 制禮作樂, 煥乎其有文章.
양산래씨가 말하였다: 문채가 빛남은 인사(人事)로 논한 것이다. 정삭(正朔)을 고치고 의복의 색을 바꾸며 휘호(徽號)를 달리하고 희생을 변경하니, 예악을 제작함에 빛나는구나! 문장이 있음이여!

김상악(金相岳) 『산천역설(山天易說)』113)

炳, 明盛貌.
병(炳)은 밝고 성한 모양이다.

○ 革所以與民變革也. 故大象曰治歷明時, 改正朔也, 初曰鞏用黃牛, 變犧牲也, 五曰虎變, 殊徽號也, 上曰豹變, 易服色也. 小象曰其文炳也, 其文蔚也, 考文章也. 王者革世制禮作樂, 炳乎其有文章者如此.
혁(革)은 백성과 함께 변혁하는 것이다. 그러므로 「대상전」에서 "역수를 계산하여 때를 밝힌다"고 한 것은 정삭(正朔)을 고침이고, 초효에서 "황소가죽으로 묶는다"고 한 것은 희생을 바꾼 것이며, 오효에서 "호랑이가 변한 듯 변함"이라고 한 것은 휘호(徽號)를 달리 한 것이고, 상효에서 "표범이 변하듯 변함"이라고 한 것은 의복의 색을 바꾼 것이며, 소상전에서 "그 문채가 빛남"·"그 문채가 성함"이라고 한 것은 문장을 살핀 것이다. 왕이 세상을 변혁하고 예악을 제정함에 빛나게 문장이 있는 것이 이와 같다.

---

112) 경학자료집성DB에 구오효사에 편집되어 있으나, 영인본의 체재에 의거하여 구오 「상전」으로 옮겨 해석하였다.
113) 경학자료집성DB에 구오효사에 편집되어 있으나, 영인본의 체재에 의거하여 구오 「상전」으로 옮겨 해석하였다.

서유신(徐有臣) 『역의의언(易義擬言)』114)

威德炳煥也.
위엄과 덕이 빛남이다.

오치기(吳致箕) 「주역경전증해(周易經傳增解)」115)

大人革天下之事, 而旡不當理, 煥然昭著, 如虎文之炳明也.
대인은 천하의 일을 변혁하나 이치에 마땅하지 않음이 없어 빛나서 밝게 드러남이 호랑이 무늬가 빛나고 밝음과 같다.

114) 경학자료집성DB에 구오효사에 편집되어 있으나, 영인본의 체재에 의거하여 구오 「상전」으로 옮겨 해석하였다.
115) 경학자료집성DB에 구오효사에 편집되어 있으나, 영인본의 체재에 의거하여 구오 「상전」으로 옮겨 해석하였다.

上六, 君子豹變, 小人革面, 征凶, 居貞吉.

상육은 군자는 표범이 변하듯 변하고 소인은 얼굴만 바뀌니, 가면 흉하고 바름에 거처하면 길할 것이다.

‖中國大全‖

傳

革之終, 革道之成也. 君子謂善人. 良善, 則已從革而變, 其著見若豹之彬蔚也. 小人, 昏愚難遷者, 雖未能心化, 亦革其面, 以從上之敎令也. 龍虎, 大人之象, 故大人云虎, 君子云豹也. 人性本善, 皆可以變化, 然有下愚, 雖聖人不能移者. 以堯舜爲君, 以聖繼聖, 百有餘年, 天下被化, 可謂深且久矣. 而有苗有象, 其來格烝乂, 蓋亦革面而已. 小人旣革其外, 革道可以爲成也. 苟更從而深治之, 則爲已甚, 已甚非道也. 故至革之終, 而又征則凶也, 當貞固以自守. 革至於極, 而不守以貞, 則所革隨復變矣. 天下之事, 始則患乎難革, 已革則患乎不能守也. 故革之終, 戒以居貞, 則吉也. 居貞, 非爲六戒乎. 曰, 爲革終言也, 莫不在其中矣.

혁의 마침은 혁의 도(道)가 완성된 것이다. 군자는 선인(善人)을 이른다. 선량한 사람은 이미 변혁을 따라 변하니 그 드러남이 표범의 성한 문채와 같고, 소인은 어리석어 고치기 어려운 자이니, 비록 마음은 교화되지 못하나 또한 얼굴을 고쳐 윗사람의 명령과 가르침을 따른다. 용과 호랑이는 대인의 상이므로 대인을 '호랑이[虎]'라 이르고 군자를 표범[豹]이라 이른다. 사람의 성(性)은 본래 선하여 다 변화할 수 있으나 비록 성인이라도 바꿀 수 없는 '하우(下愚)'가 있다.[116] 요 · 순을 임금으로 삼아 성인으로 성인을 잇기를 백여 년을 하였으니, 천하가 교화를 입음이 깊고 또 오래라고 이를 만하다. 그러나 유묘(有苗)와 상(象)이 와서 조회하고 점점 다스려 짐은 얼굴만 고쳤을 뿐이다.[117] 소인이 이미 그 외모를 고쳤으면 혁의 도(道)가 이루어진 것이다. 만일 다시 따라서 깊이 다스리려고 하면 너무 심하게 되니, 너무 심한 것은 도(道)가 아니다. 그러므로 혁(革)의 마침에 이르러 또다시 가면

116)『論語 · 陽化』: 子曰, 唯上知與下愚不移.

117)『書經 · 堯典』: 師錫帝曰, 有鰥在下, 曰虞舜. 帝曰, 兪, 予聞如何. 岳曰, 瞽子, 父頑母嚚, 象傲. 克諧以孝, 烝烝乂, 不格姦. 帝曰我其試哉. 女于時, 觀厥刑于二女. 釐降二女于嬀汭, 嬪于虞, 帝曰欽哉.

흉한 것이니, 마땅히 굳게 바름으로써 스스로 지켜야 한다. 혁이 궁극에 이르렀는데 바름으로써 지키지 않으면 변혁한 것이 그 때문에 다시 변하게 된다. 천하의 일은 처음에는 변혁하기 어려움을 걱정하고, 변혁한 뒤에는 지키지 못할까 염려한다. 그러므로 변혁의 끝에는 바르게 하면 길하다고 경계하였으니, 바르게 함은 상육을 위하여 경계한 것이 아니겠는가? 이것은 변혁의 끝이기 때문에 말한 것이 그 안에 들어 있지 않음이 없다고 생각한다.

人性本善, 有不可革者, 何也. 曰, 語其性, 則皆善也, 語其才, 則有下愚之不移. 所謂下愚有二焉, 自暴也自棄也. 人苟以善自治, 則无不可移者, 雖昏愚之至, 皆可漸磨而進也. 唯自暴者, 拒之以不信, 自棄者, 絶之以不爲, 雖聖人與居, 不能化而入也, 仲尼之所謂下愚也. 然天下自棄自暴者, 非必皆昏愚也. 往往强戾而才力有過人者, 商辛是也. 聖人以其自絶於善, 謂之下愚. 然考其歸, 則誠愚也.

사람의 본성은 본래 선한데 변혁할 수 없는 자가 있음은 어째서인가? 본성으로 말하면 모두 선하나 재질로 말하면 변할 수 없는 '아주 어리석은 사람[下愚]'이 있기 때문이다. 이른바 '아주 어리석은 사람'은 두 종류가 있으니, '스스로 해치는 자[自暴]'와 '스스로 포기하는 자[自棄]'이다. 사람이 만일 선으로써 자신을 다스린다면 고칠 수 없는 자가 없으니, 비록 어리석음이 지극하더라도 모두 점점 연마하여 나아갈 수 있다. 그러나 오직 '스스로 해치는 자'는 거절하여 믿지 않고 '스스로 포기하는 자'는 체념하고 하지 않아 성인이 함께 있을지라도 교화시켜 선으로 들어오게 할 수 없으니, 공자가 말한 아주 어리석은 사람이다. 그러나 천하에 스스로 스스로를 해치고 스스로 포기하는 자가 반드시 다 어리석은 것은 아니고, 종종 강하고 사나우며 재주와 힘이 남보다 뛰어난 자가 있으니, 상신(商辛, 紂王)이 여기에 해당한다. 성인이 스스로 선(善)을 체념한다 하여 '아주 어리석은 사람'이라고 하였으니, 그 귀결을 살펴보면 참으로 어리석다.

旣曰下愚, 其能革面, 何也. 曰, 心雖絶於善道, 其畏威而寡罪, 則與人同也. 唯其有與人同, 所以知其非性之罪也.

이미 '아주 어리석은 사람'이라고 말했는데 얼굴을 고칠 수 있음은 어째서인가?
나는 다음과 같이 생각한다: 마음은 비록 선한 도[善道]를 끊었으나 위엄을 두려워하여 죄를 적게 하면 보통사람과 동일해진다. 보통사람과 동일해짐이 있을 뿐이니, 이 때문에 본성의 탓이 아님을 안다.

本義

革道已成, 君子如豹之變, 小人亦革面, 以聽從矣. 不可以往, 而居正則吉. 變革

之事, 非得已者, 不可以過, 而上六之才, 亦不可以有行也, 故占者如之.

변혁하는 도가 이미 이루어졌으니, 군자는 표범이 변하듯 변할 것이고, 소인도 얼굴을 바꾸어 받아들이고 따른다. 나아갈 수는 없으나 바르게 자처하면 길하다. 변혁의 일은 부득이한 경우라 지나치게 해서는 안 되고, 상육의 재질로는 또한 갈 수가 없기 때문에 점치는 자도 이와 같다.

小註

王氏湘卿曰, 豹, 虎之小者, 文次於虎, 均爲能變. 特其文有炳蔚不同, 虎文疏而著, 故曰炳. 豹文密而理, 故曰蔚. 五與上, 革道成矣, 故皆言變. 九居五者, 皆陽也, 大人虎變之象. 六居上者, 皆陰也, 君子豹變之象.
왕상경이 말하였다: 표범은 호랑이 보다 작은 것으로 무늬가 호랑이보다는 못하나, 둘 다 변할 수 있다. 무늬의 빛남과 성함이 같지 않을 뿐이니, 호랑이의 무늬는 성글면서 또렷하기 때문에 빛난다고 하였고, 표범의 무늬는 빽빽하면서 결이 있기 때문에 성하다고 하였다. 오효와 상효에서는 변혁의 도가 이루어지기 때문에 모두 '변함'을 말하였다. 양[九]이 오효의 자리에 있을 경우 자리와 효 둘 다 양이니 대인이 호랑이가 변하듯 변하는 상이고, 음[六]이 상효의 자리에 있을 경우 자리와 효 둘 다 음이니 군자가 표범이 변하듯 변하는 상이다.
○ 臨川吳氏曰, 處革之極, 革道終矣. 君子變革其外, 而有文, 小人變革其外, 而順君, 復何求哉. 靜守可也, 征行則凶矣.
임천오씨가 말하였다: 변혁의 끝에 있으니 혁의 도가 끝나는 것이다. 군자가 겉모양을 변혁하면 문채가 나고, 소인이 겉모양을 변혁하면 임금을 따르니 다시 무엇을 구하겠는가? 고요히 지켜야 되고, 가서 행하면 흉하다.

○ 雲峰胡氏曰, 虎豹皆兌象, 豹小於虎. 兌說見於上, 有革面象. 二三四五皆革者, 上則從革者也. 君子小人, 以位則有上下, 以德則有正邪. 今旣无不革矣, 此時豈可復有往哉. 惟居貞不動則吉. 革非得已之事, 初未可革, 當中順以自守, 上旣已革, 當靜正以自居.
운봉호씨가 말하였다: 호랑이와 표범은 모두 태괘(兌卦)의 상인데 표범은 호랑이보다 작다. 태괘(兌卦)인 기쁨이 위에 나타나니 일굴을 바꾸는 상이 있다. 이효 · 삼효 · 사효 · 오효는 모두 변혁하는 자이고, 상효는 변혁을 따르는 자이다. 군자와 소인은 지위로는 위 · 아래가 있고 덕으로는 바름 · 부정이 있다. 지금 이미 변혁하지 않을 수 없는데 이런 때에 어찌 다시 '감'이 있을 수 있겠는가? 오직 바르게 처신하고 움직이지 않으면 길하다. '변혁'은 부득이한 일이니 초효에서는 아직 변혁하지 못하므로 알맞음과 유순함으로 스스로를 지켜야하고, 상효에서는 이미 변혁을 하였으므로 고요함과 바름으로 자처해야 한다.

▌韓國大全▐

조호익(曺好益)『역상설(易象說)』

面上象. 上居正, 有君子象, 陰小, 有小人象. 征凶, 上終象, 居貞, 陰居陰象.
'얼굴[面]'은 상효의 상이다. 상효가 바른 자리에 있으니 '군자'의 상이 있는 것이고, 음(陰)은 소(小)이니 '소인'의 상이 있는 것이다. '가면 흉하다[征凶]'는 상효가 끝에 있는 상이고, '바름에 거처함[居貞]'은 음효가 음의 자리에 있는 상이다.

송시열(宋時烈)『역설(易說)』

傳義皆以吉字爲衍, 然若以元亨吉看, 則不必爲衍. 豹者虎之小者, 而驍勇則過之. 五爻旣言虎, 故上六以豹言之, 非有他象也. 言君子居此, 則如豹之變, 小人居此, 則如面之革. 往從於九三則凶, 居此而貞固則吉也. 其文蔚者, 亦以光彩之過於炳也, 蓋叢萃之意. 來云蔚本益母草, 對節開花, 如公侯相對竝列. 炳字從虎, 蔚字從草, 文之大小不同, 未詳是否. 順者兌也, 從君者從五也.
『정전』과 『본의』에서는 모두 '길(吉)'을 쓸데없는 글자[衍字]로 여겼으나[118] "크게 형통하여 길하다"는 쪽에서 보면 굳이 쓸데없는 글자일 필요는 없다. 표범은 호랑이 중에 작은 것이나 호랑이보다 더 날래고 용감하다. 오효에서 이미 호랑이를 언급했기 때문에 상육에서는 표범으로 말한 것이지 다른 상이 있어서가 아니다. 군자가 여기에 있으면 표범이 변하듯 변하고 소인이 여기에 있으면 얼굴만 바뀌듯 한다. 가서 구삼을 따르면 흉하고 여기에 있으면서 굳게 바름을 지키면 길하다. "문채가 성함"은 '빛남'보다 더 광채가 있는 것이니 총괄한 뜻이다. 래지덕이 "'성함[蔚]'은 본래 익모초이니 줄기가 마주하면 꽃이 피는 것이 마치 공후가 서로 대하여 줄지어 있는 것과 같다"고 하였다. 병(炳)자는 호(虎)자에 속해있고 위(蔚)자는 초(草)를 부수로 하니 글의 규모가 같지 않으나 옳은지는 자세히 알 수 없다. "순순히 따름"은 태괘(兌卦)의 의미이고 "임금을 따름"은 오효를 따름이다.

이익(李瀷)『역경질서(易經疾書)』

上六卽師尙父之類也. 君子小人以位言. 豹比於虎則小, 故其文蔚也. 蔚者繁而茂也, 可近玩而不可遠觀. 天位旣定, 其扳附者亦爲衆, 人之瞻仰如此. 小人則只革面而從

118) 혁괘 상육효사의 『정전』과 『본의』에 보이지 않는다.

君. 君指九五大人也, 至是殷頑, 亦去舊從新也. 此不可威惕而騷擾, 惟在綏而處之, 故曰征凶居貞吉.
상육은 스승인 상보(尙父)[119]와 같은 부류이다. 군자와 소인은 자리로서 말했다. 표범은 호랑이에 비해 작기 때문에 "문채가 성하다"고 하였다. 위(蔚)는 많고 무성함이니 가까이서 완미할 수는 있으나 멀리서 관망할 수는 없다. 천위(天位)는 정해져 있어서 따르는 자도 많으니 사람들이 우러러보는 것이 이와 같다. 소인은 얼굴만 바꾸어 임금을 따른다. 임금은 대인인 구오를 가리키니 여기에 이르러 완악한 은나라도 옛것을 버리고 새것을 따랐다. 이것은 위협하여 어지럽게 해서는 안 되고 오직 편안하게 처하기 때문에 "가면 흉하고 바름에 거하면 길하다"고 말하였다.

심조(沈潮) 「역상차론(易象箚論)」

兌爲虎則一也, 而五言虎, 六言豹者, 陽大而陰小也. 征凶居貞吉, 卽中庸所謂以人治人, 改而止之意, 亦與蒙之初六以往吝之意一般.
태괘(兌卦)가 호랑이인 것은 마찬가지인데 오효에서는 호랑이라 하고 상효에서는 표범이라 한 이유는 양이 크고 음이 작기 때문이다. 가면 흉하고 바름에 거하면 길함은, 바로 『중용』에서 이른바 "사람의 도리로 사람을 다스려 고치면 그친다"는 뜻이니, 몽괘 초육에 "해나가면 부끄러울 것이다"[120]고 한 뜻과 같다.

유정원(柳正源) 『역해참고(易解參攷)』

上六 [至] 革面.
상육은 군자는 표범이 변하듯 변하고 소인은 얼굴만 바뀌니.

王氏曰, 居變之終, 變道已成. 君子處之, 能成其文, 小人樂成, 則變面以順上也.
왕필이 말하였다: 변혁의 끝에 있어서 변하는 도가 이미 이루어졌다. 군자가 이에 처하여 문채를 이룰 수 있고, 소인은 즐거움을 이루니 얼굴을 바꾸어 윗사람을 따른다.

○ 誠齋楊氏曰, 不得尊位大中而變者. 其文蔚然, 非若虎變之炳也. 上六居過中之位, 時位不及於九五, 故所變者革面而已.
성재양씨가 말하였다: 높은 자리에서 크게 알맞게 변할 수 없는 자이다. 그 문채가 성한

---

119) 상보(尙父): 태공망(太公望) 여상(呂尙)을 이른다.
120) 『周易·蒙卦』: 初六, 發蒙, 利用刑人, 用說桎梏, 以往吝.

것은 호랑이가 변한 것이 빛남만 못하다. 상육은 가운데 자리를 지나간 자리에 있어 때와 자리가 구오에 미치지 못하기 때문에 변한 것이 얼굴이 바뀌었을 뿐이다.

○ 縉雲馮氏曰, 牛虎豹皆有革. 當革卦而取皮革之義, 牛革取其固, 虎豹之革取其文.
진운풍씨가 말하였다: 소 · 호랑이 · 표범은 모두 가죽이 있다. 혁괘를 만나 가죽의 의미를 취하였으니, 소의 가죽은 견고함을 취한 것이고 호랑이 · 표범의 가죽은 무늬를 취한 것이다.

○ 案, 居革之終, 不以正而又有往則凶. 如漢唐之天下已定, 而又遠征冒頓與高麗, 凶之道也. 傳自暴自棄. 案, 强者拒之而不信, 是陽病也, 柔者絶之而不爲, 是陰病也. 陽變爲陰, 陰變爲陽, 故人之氣質, 亦有變化之理.
내가 살펴보았다: 혁괘의 끝에 있어서 바르게 하지 않고 또 가면 흉함이 있다. 예컨대 한나라 · 당나라가 천하를 평정한 뒤에 또 멀리 흉노인 묵돌과 고려를 정벌한 것이 흉한 도인 것과 같다. 『정전』에서는 "자포자기(自暴自棄)"라고 하였다.
내가 살펴보았다: 강포한 자는 거절하여 믿지 아니하니 이것은 양의 병통이고, 유약한 자는 체념하여 하지 아니하니 이것은 음의 병통이다. 양이 변하여 음이 되고 음이 변하여 양이 되기 때문에 사람의 기질도 변화하는 이치가 있는 것이다.

김상악(金相岳) 『산천역설(山天易說)』

上六, 居兌之終, 比五應三, 水火交而革道成矣. 故有君子豹變小人革面之象. 征凶居貞吉, 卽洪範用作凶用靜吉之意也.
상육은 태괘(兌卦)의 끝에 있고 오효와 비(比)의 관계에 있으며 삼효와 호응하니 물과 불이 사귀어 혁의 도가 이루어졌다. 그러므로 군자는 표범이 변하듯 변하고 소인은 얼굴만 바뀌는 상이 있다. "가면 흉하고 바름에 거처하면 길함"은 곧 「홍범」에서 "작위에 사용하면 흉하고 고요함에 사용하면 길할 것이다"[121]는 뜻이다.

○ 革道已成, 君子則遷善敏德, 輝光外見, 故曰豹變, 小人則畏威遠罪, 詐僞不作, 故曰革面. 乾爲首而兌說, 見于上, 革面之象. 之卦對師, 師之大君, 卽虎變之大人也. 所以開國承家者, 爲豹變之君子, 革面之小人. 然小人雖革面從君, 其中心則未必能化也, 故又曰小人勿用. 征凶居貞吉者, 革道成於上, 而不復紛更也. 故蒙之上曰, 不利爲寇利禦寇. 又征居二字, 猶蹇之往來也. 故與蹇上六曰往蹇來碩利見大人相似, 來則可

---

121) 『書經 · 洪範』: 龜筮共違于人, 用靜吉, 用作凶.

以見五之大人也.
변혁의 도가 이미 이루워지니 군자는 선으로 옮기고 덕에 민첩하여 광휘가 겉에 드러나기 때문에 "표범이 변하듯 변함"이라고 하였고, 소인은 위엄이 두려워 죄를 멀리하여 거짓된 짓을 하지 않기 때문에 "얼굴만 바뀜"이라고 하였다. 건괘(乾卦)는 머리이고 태괘(兌卦)는 기뻐함이니 위로 나타나 얼굴이 바뀐 상이다. 지괘인 동인괘(同人卦䷌)의 음양이 바뀐 괘가 사괘(師卦䷆)인데 사괘의 대군[122]이 바로 호랑이가 변하듯 변한 대인이다. 나라를 열고 가문을 잇는 자는 표범이 변하듯 변한 군자와 얼굴이 바뀐 소인이다. 그러나 소인은 얼굴을 바꾸어 임금을 따르더라도 속마음은 아직 반드시 교화될 수 있는 것은 아니기 때문에 또 "소인은 쓰지 말아야 한다"고 하였다. "가면 흉하고 바름에 거처하면 길하다"는 변혁의 도가 위에서 이루어져 더 이상 어지럽게 변경되지 않는다. 그러므로 몽괘(蒙卦䷃)의 상효에서 "도적이 됨은 이롭지 않고 도적을 막음이 이롭다"고 하였다. 또 '가다[征]·거처하다[居]'는 건괘(蹇卦䷦)의 '가다[往]·오다[來]'[123]와 같다. 그러므로 건괘 상육에 "가면 어렵고 오면 크므로 길하리니, 대인을 보는 것이 이롭다"[124]라고 말한 것과 서로 흡사하여 오면 오효의 대인을 볼 수 있다.

서유신(徐有臣)『역의의언(易義擬言)』

至此治具畢張, 革道大成也. 兌有虎豹象, 故曰豹變. 外面和說, 故曰革面也. 革旣成矣, 復進, 於是, 則文勝而滅質, 故征凶也. 上六貞矣. 正應相與貞矣, 革而當貞矣, 守而不失, 是以爲吉也.
여기에 이르러 다스리는 도구가 다 펼쳐지고 변혁의 도가 크게 이루어졌다. 태괘(兌卦)는 호랑이와 표범의 상이 있기 때문에 표범과 호랑이라고 하였다. 외면이 온화하면서 기뻐하기 때문에 얼굴을 바꾼다고 하였다. 변혁이 이미 이루어졌는데 다시 나아가니 이에 문채가 지나치고 바탕이 없어졌으므로 가면 흉하다. 상육은 바르다. 정응이면서 서로 돕는 것이 바름이고, 변혁하되 마땅하게 하는 것이 바름이니 이러므로 지켜서 잃지 않기 때문에 길함이 된다.

박제가(朴齊家)『주역(周易)』

言虎言豹, 皆言革之文也. 本義希革毛毨, 正合卦義. 曰虎曰豹, 以大小而言. 節齋蔡

122)『周易·師卦』: 上六, 大君有命, 開國承家, 小人勿用.
123)『周易·蹇卦』: 初六, 往蹇, 來譽. / 九三, 往蹇, 來反. / 六四, 往蹇, 來連.
124)『周易·蹇卦』:上六, 往蹇來碩, 吉, 利見大人.

氏曰, 蔚者隱然有文之謂, 柔暗故如此者, 失之矣. 豹雖小, 其文則尤分明斑斑如錢, 虎則長文如鬣而已, 蔡氏看豹不詳. 又不當以從化丕變之六爲柔暗耳. 傳又曰革面而已, 以有苗有象實之. 然此從皮革言, 故言虎豹, 而小人則无文, 故曰革面. 然則豹變者, 其心亦可測耶. 下段下愚不移, 見論語. 只說其曰心雖絶於善道, 其畏威而寡罪, 則與人同者, 又不出韓子三品之說矣.
호랑이를 말하고 표범을 말한 것은 모두 가죽의 문채를 말한 것이다. 『본의』에서 "가죽에 털이 빠지면서 털갈이함"은 바로 괘의 뜻과 합치된다. '호랑이'라 하고 '표범'이라 한 것은 크기로써 말한 것이다. 절재채씨가 "성함[蔚]은 무성하게 문채남을 이른다. 부드럽고 그윽하기 때문에 이와 같다"고 한 것은 잘못이다. 표범은 작으나 무늬는 더욱 동전처럼 분명하고 알록달록하며, 호랑이는 갈기처럼 긴 무늬일 뿐이니, 채씨가 표범을 본 것은 자세하지 않다. 또 변화를 따라 크게 변화한 상효를 부드럽고 그윽하다고 여긴 것은 마땅하지 않다. 『정전』에서는 또 "얼굴만 바꾸었을 뿐"이라고 하여 유묘(有苗)와 상(象)으로서 실증하였다. 그러나 여기에서는 가죽으로 말한 것이기 때문에 호랑이 · 표범을 말하였고, 소인은 문채가 없기 때문에 얼굴만 바꾸었다고 한 것이다. 그렇다면 "표범이 변하듯 변함"은 그 마음도 헤아릴 수 있을 것이다. 『정전』 하단에 "바꿀 수 없는 매우 어리석은 자"는 『논어』에 보인다. 다만 "마음은 비록 선한 도[善道]를 끊었으나 위엄을 두려워하여 죄를 적게 하면 보통사람과 동일해진다"고 말한 것은 또 한유(韓愈)의 '성삼품설(性三品說)'을 벗어나지 않는다.

강엄(康儼) 『주역(周易)』

本義, 以大人虎變, 爲自新新民之極, 順天應人之時, 則君子豹變, 當以何事言耶. 或曰, 大人與君子, 德有大小, 位有貴賤, 則君子豹變, 似當只以自新言, 是否.
구오효의 『본의』에서 "대인이 호랑이가 변하듯 변함을 자신을 새롭게 하고 백성을 새롭게 하는 지극함과 하늘에 순응하고 사람에 부응하는 때이다"라고 여겼으니 군자가 표범이 변하듯 함은 무슨 일로 말할 수 있겠습니까?
어떤 이가 물었다: 대인과 군자는 덕의 크기가 다르고 자리의 귀천이 다르니 군자가 표범이 변하듯 변함은 마땅히 자신을 새롭게 함으로 말하는 듯합니다. 맞습니까?

又按, 變革之事, 不可輕也, 故文王繫象, 已有愼重之意, 其曰利貞, 曰悔亡是也. 所謂利貞者, 非但謂革之得其當也. 改革之際, 審愼持重者, 亦是利貞也. 如是然後可以得其當而悔亡. 一有不敬, 則不當而有悔必矣. 是以周公繫六爻, 而愼重之義无乎. 不在若初六之鞏用黃牛之革, 固不待言. 自六二以後, 皆有可革之時可革之才, 而猶欲其不敢遽革. 故六二曰已日乃革, 九三曰革言三就有孚, 九四曰有孚改命, 九五曰未占有孚, 上六曰征凶居貞吉. 蓋雖有其德有其時, 而可以革之, 然必以敬謹而革之, 然後所革者得其正, 而有已日乃孚元亨悔亡之應矣. 他卦卦辭與爻辭, 多不相應, 此卦則六爻之中, 莫不有卦辭之意, 讀者宜詳玩也.

또 내가 살펴보았다: 변혁의 일은 가벼이 할 수 없기 때문에 문왕이 단사를 붙임에 이미 신중한 뜻이 있으셨으니, "바름이 이롭다"라고 말하고 "후회가 없다"고 말한 것이 이것이다. 이른바 "바름이 이롭다"는 것은 혁괘가 마땅함을 얻은 것만을 이르는 것이 아니다. 변혁의 즈음에 삼가 살피고 신중히 행하는 것이 또한 바름이 이로운 것이다. 이와 같은 뒤에 마땅함을 얻을 수 있어서 후회가 없을 것이다. 하나라도 불경한 것이 있으면 합당하지 못하여 반드시 후회가 있을 것이다. 이러므로 주공이 육효를 붙였으니 신중한 뜻이 없겠는가? 초육의 황소가죽으로 묶는 변혁과 같은 것에 있지 않더라도 진실로 말을 할 필요도 없다. 육이 이후로는 모두 변혁할 만한 때가 있고 변혁할 만한 재주가 있으나 오히려 감히 갑자기 변혁하지 않고자 하였다. 그러므로 육이에서는 "시일이 지나야 변혁함"이라 하였고, 구삼에서는 "변혁하는 말이 세 번 합하면 믿음이 있다"고 하였으며, 구사에서는 "믿음이 있으면 명을 고침"이라 하였고, 구오에서는 "점치지 않고도 믿음이 있음"이라 하였으며, 상육에서는 "가면 흉하고 바름에 거처하면 길하다"고 하였다. 비록 덕이 있고 때가 있어서 변혁할 수 있더라도 반드시 공경과 삼감으로써 변혁한 뒤에야 '변혁하는 것이 바름을 얻어 시일이 지나야 크게 형통하고 후회가 없는 호응'이 있을 것이다. 다른 괘의 괘사와 효사는 대부분 서로 호응하지 않지만 혁괘에서는 여섯 효 안에 괘사의 뜻이 없는 것이 없으니 독자는 잘 완미해야 한다.

하우현(河友賢) 『역의의(易疑義)』

或問, 上六豹變, 小人革面. 曰, 九五以陽剛中正, 爲革之主, 是大人之在上, 故有虎變之象. 若上六則以陰柔之才, 處革之極, 故其象在君子則如豹之變, 在小人則革面以聽從矣. 蓋豹變其文蔚. 蔚有幽隱之意, 比虎有間也. 革面革其外以從上也, 其革淺矣. 蓋君子豹變小人革面兩句是象, 征凶居貞吉兩句是占. 必從象看, 今上六之象如此, 則其占又安可征而不凶哉. 但當貴貞固以自守也,

어떤 이가 물었다: 상육에서 말한 "표범이 변하듯 변하고 소인이 얼굴만 바뀐다"는 것은 무슨 뜻입니까?

답하였다: 구오는 굳센 양으로 중정하여 혁괘의 주인이니 이는 윗자리에 있는 대인이기 때문에 호랑이가 변하듯 변하는 상이 있습니다. 상육의 경우에는 부드러운 음의 재질로 변혁의 극단에 처하였기 때문에 그 상이 군자에게 있어서는 표범이 변하듯 변하고 소인에게 있어서는 얼굴만 바꾸어 듣고 따릅니다. 표범이 변하듯 변함은 그 문채가 성한 것입니다. '성함'은 그윽하다는 뜻이니 호랑이에 비해 차이가 있습니다. 얼굴만 바꾸는 것은 외면

만 바꾸어 윗사람을 따르는 것이니 변혁함이 얕습니다. 군자는 표범이 변하듯 변하고 소인은 얼굴만 바뀐다는 두 구절은 상이고 감이 흉하고 바름에 거처하면 길하다는 두 구절은 점사입니다. 반드시 상으로부터 봐야 하니 지금 상육의 상이 이와 같다면 그 점이 또 어찌 갈 수 있다고 해서 흉함이 안 되겠습니까? 다만 굳고 바름으로 스스로 지키는 것이 귀할 뿐입니다.

박문건(朴文健) 『주역연의(周易衍義)』

柔德發外, 故有君子豹變之象. 豹虎之小者也.

부드러운 덕이 겉에 드러나기 때문에 군자가 표범이 변하듯 변하는 상이 있다. 표범은 호랑이 중에 작은 것이다.

〈問, 君子豹變以下. 曰, 上六革舊而用順, 故蔚然見於體, 怡然見於面也. 若往行則致疑而有凶, 退居而用[125]貞則有吉也. 革面云者, 取在上之義也.

물었다: '군자가 표범이 변하듯 변함' 이하는 무슨 뜻입니까?

답하였다: 상육은 옛것을 바꿈에 순함을 쓰기 때문에 성하게 몸에 드러나고 부드럽게 얼굴에 나타납니다. 가서 행한다면 의심을 받아 흉하게 되고 물러가 거처하여 바름을 쓰면 길함이 있을 것입니다. '얼굴만 바꿈' 운운 한 것은 상효에 있는 뜻을 취한 것입니다.〉

이지연(李止淵) 『주역차의(周易箚疑)』

武亂皆坐, 周召之治, 此乃大人豹變之象也, 小人革面, 乃殷頑民也, 寬柔以教, 不報无道, 卽征凶之戒也. 上六以柔得正而居上, 所謂柔能勝剛者也.

『예기(禮記)·악기(樂記)』에 "무악(武樂)의 마지막 장에 무인(舞人)들이 모두 무릎을 꿇는 것은 주공과 소공이 세상을 다스리는 것을 표현한다"[126]고 한 것은 바로 대인이 표범이 변하듯 변하는 상이고, 소인이 얼굴을 바꿈은 곧 은나라의 완악한 백성에게는 너그러움과 부드러움으로 가르쳐주고 무도함에 보복하지 않는 것이니[127] 바로 가면 흉하게 된다는 경계이다. 상육은 부드러움으로 바른 자리를 얻고 윗자리에 있으니 이른바 부드러움으로 굳셈을 이길 수 있는 자이다.

---

125) 用: 경학자료집성DB에 '川'으로 되어 있으나, 경학자료집성 영인본을 참조하여 '用'으로 바로잡았다.

126) 『禮記·樂記』: 武亂皆坐, 周召之治也。

127) 『中庸』: 寬柔以教, 不報無道, 南方之强也, 君子居之.

김기례(金箕澧) 「역요선의강목(易要選義綱目)」

革道至五與上已成. 五以陽居陽, 有虎變之大, 上以陰居陰, 有豹變之小.
변혁의 도가 오효와 상효에 이르러 이미 이루어졌다. 오효는 양으로서 양의 자리에 있어서 호랑이가 변하듯 변하는 큼이 있고 상효는 음으로서 음의 자리에 있어서 표범이 변하듯 변하는 작음이 있다.

○ 君子以位言. 有位君子, 當革時, 革其外而文蔚也. 小人雖未能心化, 亦能革外而順.
군자는 지위로써 말하였다. 지위가 있는 군자는 변혁의 때에 외면을 변혁하여 문채가 성하다. 소인은 마음까지 교화할 수는 없더라도 외면을 바꾸어 따를 수는 있다.

○ 革終則當自貞, 不可往而更變. 下三爻方欲革, 故曰革, 而戒其謹愼.
변혁의 끝에 있으니 마땅히 스스로 바르게 해야지 가서 고치고 바꾸면 안 된다. 하괘의 세 효는 한창 변혁하고자하기 때문에 "변혁"을 말하여 삼가고 신중히 해야 함을 경계하였다.

○ 上三爻舊已革而新, 故曰改曰變, 而有信有吉也.
상괘의 세 효는 오래된 것을 이미 변혁하고 새롭게 하였기 때문에 '고침'을 말하고 '변함'을 말하였으니 믿음이 있고 길함이 있다.

贊曰, 革舊維何, 惟在元亨. 向新維何, 唯在利貞. 四時不革, 萬物不成. 人道不革, 邪正竝行.
찬미하여 말하였다: 어떻게 옛것을 고치는가? 크게 형통하고 바름에 달려 있다네. 어떻게 새것으로 나아가는가? 바름이 이로운 데에 달려있다네. 사시가 바뀌지 않으면 만물이 성장할 수 없네. 인도가 바뀌지 않으면 간사함과 정의가 함께 행해진다네.

심대윤(沈大允) 『주역상의점법(周易象義占法)』

革之同人䷌, 同類也. 上六以柔道居柔, 而處革之終, 擇其可言而溫諭之, 擇其可敎而善導之. 其不可言不可敎者, 置之而不强焉, 同人之義也. 以其才柔居柔, 畏敬不如五, 而德化之明著過之, 故曰君子豹變. 以其得規諫之道, 而盡革化之功, 故特言君子也. 豹小於虎, 而文章過之. 規諫革化之道, 不尙嚴憚, 而貴溫和也.
혁괘가 동인괘(同人卦䷌)로 바뀌었으니, 동류와 함께하는 것이다. 상육은 부드러운 도로 부드러운 자리에 있으면서 변혁의 끝에 있으니 말할 만한 것을 골라 온화하게 일깨워주고 가르칠 만한 것을 골라 선으로 인도한다. 말할 수 없는 것과 가르칠 수 없는 것은 버려두고 억지로 하지 않으니 남과 함께하는 뜻이다. 부드러운 재질로 부드러운 자리에 있어서 다른 사람이 두렵고 공경함이 오효만 못하고 덕화가 밝게 드러남이 지나치기 때문에 "군자가 표범이 변하듯 변한다"라 하였다. 살피고 간언하는 도를 얻어 변혁의 공효를 극진히 할 수 있기 때문에 특별히 '군자'라고 말하였다. 표범은 호랑이보다 작으나 문채는 더 뛰어나다. 간언을 살피고 변혁하는 도는 엄하게 하여 두려워하게 함을 높이는 것이 아니라 온화함을 귀하게 여긴다.

下有九三之應援,128) 而二剛隔之, 亦爲其心未通, 而外相巽信和應之象. 以六之人所畏敬而和悅, 故小人愚悍之類, 亦皆和應而從化矣. 故曰小人革面. 以三之居下, 而心未通, 故謂之小人. 對蒙有坤, 互离爲小人. 三居乾首之下, 而互离目, 兌口, 艮鼻, 坎耳, 曰面, 革之道極矣. 而又欲進焉, 則凶也, 居貞則吉也.
아래에 구삼의 호응과 도움이 있으나 두 굳센 양효가 막고 있어 또한 그 마음이 통하지 않아 겉으로만 서로 공손히 믿고 화합하여 호응하는 상이다. 상육은 사람들이 두려워하면서도 공경하여 화합하고 기뻐하기 때문에 어리석고 사나운 소인들도 모두 화합하고 호응하여 따라서 변한다. 그러므로 "소인은 얼굴만 바꾸다"고 하였다. 삼효는 아래에 있어서 마음으로 통하지 못하기 때문에 '소인'이라 하였다. 음양이 바뀐 괘인 몽괘(蒙卦䷃)에 곤괘(坤卦)가 있고 호괘인 리괘(離卦)는 소인이다. 삼효는 머리인 건괘(乾卦)의 아래에 있고 호괘인 리괘(離卦)는 눈이고 태괘(兌卦)는 입이며 간괘(艮卦)는 코이고 감괘(坎卦)는 귀이므로 "얼굴"이라고 하였으니 변혁의 도가 극에 달한 것이다. 그러나 또 나아가고자 한다면 흉할 것이고 바름에 거처하면 길할 것이다.

居貞取對者, 革志爲本, 而居貞爲對也. 六二與上六, 雖以柔居柔而應剛, 故言征也. 九三以剛居剛, 故有征凶之戒, 而應柔, 故有革言三就之孚也. 革之道貴溫諷, 而不貴犯顔力爭, 故居剛者无吉, 而居柔皆吉也.
'바름에 거처함'은 반대로 취한 것이니 변혁하려는 뜻이 본래의 마음이고 바름에 거처함은 반대이다. 육이와 상육은 부드러운 음으로서 부드러운 자리에 있으면서 굳센 양과 호응하기 때문에 '감'을 말하였다. 구삼은 굳센 양으로 굳센 양의 자리에 있기 때문에 가면 흉하다는 경계가 있으나, 부드러운 음이 호응하기 때문에 '변혁해야 한다는 말이 세 번 합한' 믿음이 있다. 변혁의 도는 온화하게 풍자함을 귀하게 여기고 얼굴을 범하여 힘써 간쟁함은 귀하게 여기지 않기 때문에 굳센 양의 자리에 있는 자는 길함이 없고 부드러운 음의 자리에 있는 자가 모두 길하다.

---

128) 援: 경학자료집성DB에 '掇'로 되어 있으나, 경학자료집성 영인본을 참조하여 '援'으로 바로잡았다.

오치기(吳致箕) 「주역경전증해(周易經傳增解)」

上六當革道旣成之後. 故言君子則開國承家, 變舊日之衣裳而有豹變之象, 小人則誠心向化而革其面從之僞. 然在下者昏愚, 猶恐未明於向背之義, 故又戒言當此改命之時若有所往, 則是爲梗化而凶矣, 能守其正而不變則吉也.

상육은 변혁의 도가 이미 이루어진 뒤이다. 그러므로 군자는 나라를 열고 가문을 이어 예전의 의상을 바꾸어 입어 표범이 변하듯 변하는 상이 있고, 소인은 진심으로 교화를 향하여 얼굴로만 따르는 거짓을 바꿈을 말하였다. 그러나 아래에 있는 자는 어둡고 어리석어 오히려 향하여야 할 뜻에 밝지 못할까 걱정되기 때문에, 명을 고치는 때에 갈 바가 있다면 교화가 막혀 흉할 것이고 바름을 지켜 변하지 않으면 길할 것이라고 경계하여 말하였다.

○ 豹者虎之次, 故虎言大人, 豹言君子, 而有位曰君子, 无位曰小人也. 上六以柔說而乘剛, 故終乃有戒小人之辭也.

표범은 호랑이 다음이기 때문에 호랑이는 대인을 말하고 표범은 군자를 말하며 지위가 있는 자를 군자라고 하고 지위가 없는 자를 소인이라고 한다. 상육은 부드러운 음으로서 기뻐하며 굳센 양을 타고 있기 때문에 마침내 소인을 경계하는 말이 있는 것이다.

이진상(李震相) 『역학관규(易學管窺)』

乾變爲兌, 故只稱君子, 上六陰爻, 故兼言小人. 乾爲虎而兌似乾, 乾陽而兌陰, 虎陽而豹陰. 豹者虎之似也, 故以豹取兌象. 已在厚坎之上, 故不能革心, 而只革其面. 面乃乾象也. 革道已成變乾, 而非乾, 故征匈居吉. 乘剛而猶說體也.

건괘(乾卦)가 변하여 태괘(兌卦)가 되었기 때문에 단지 군자를 말하고, 상육이 음효이기 때문에 아울러 소인을 말하였다. 건괘(乾卦)는 호랑이이고 태괘(兌卦)는 건괘(乾卦)와 비슷하며, 건괘(乾卦)는 양이고 태괘(兌卦)는 음이니 호랑이는 양이고 표범은 음이다. 표범은 호랑이와 비슷하기 때문에 표범으로 태괘(兌卦)의 상을 취하였다. 이미 두터운 감괘(坎卦)의 위에 있기 때문에 마음은 바꿀 수 없고 얼굴만 바꾼다. 얼굴은 바로 건괘(乾卦)의 상이다. 변혁의 도가 이미 이루어져 건괘로 변하였으나 건괘는 아니기 때문에 가면 흉하고 거처하면 길하다. 굳센 양을 타고 있으나 여전히 기뻐하는 몸체이다.

박문호(朴文鎬) 「경설(經說)·주역(周易)」

上知其至當是大人自知也, 下知其至當是天下皆知也. 君子小於大人者也, 豹小於虎者也. 故君子云豹.

위에서 지극히 합당함을 아는 것은 대인이 스스로 아는 것이고, 아래에서 지극히 합당함을 아는 것은 천하가 모두 아는 것이다. 군자는 대인보다 작은 자이고 표범은 호랑이보다 작은 것이다. 그러므로 군자에 대하여 표범이라고 했다.

烝乂是舜事, 非象事, 而此直作象事, 蓋象之變化, 如瞽瞍底豫者. 經无其文, 故姑借以爲說歟. 炳蔚君不爲韻, 未詳是必. 古韻之用與今異矣, 凡易中失韻者, 皆放此.
'나아가 선으로 다스려진' 일은 순임금의 일이지 상(象)의 일이 아닌데도 『정전』에서는 다만 상의 일이라고 하였으니 이는 아마도 상의 변화가 '고수가 기쁨에 이름'과 같아서인 듯하다. 그러나 경문에는 없는 말이기 때문에 우선 빌어서 설명하였을 것이다. 병(炳)・위(蔚)・군(君)은 운이 아니니, 반드시 그런지는 자세히 알 수 없다. 옛날에 운을 사용하는 것이 지금과 다르니 『주역』 안에 운이 잘못된 것은 모두 이와 같다.

이용구(李容九) 「역주해선(易註解選)」

上六小人革面, 如有苗有象, 其來格烝乂.
상육에서 "소인은 얼굴만 바꿈"이란 유묘(有苗)와 상(象)을 선한 방향으로 인도함과 같다.

이병헌(李炳憲) 『역경금문고통론(易經今文考通論)』

陸曰, 兌之陽爻稱虎, 陰爻稱豹. 豹虎類而小者也.
육적(陸績)이 말하였다: 태괘(兌卦)의 양효를 호랑이라 칭하고 음효를 표범이라 칭한다. 표범은 호랑이 종류이면서 호랑이보다 작은 짐승이다.

孟曰, 斐分別文也.
맹희가 말하였다: '문채남[斐]'은 '문채[文]'와 다르다.

王曰, 居變之終, 君子處之, 能成其文, 小人樂成, 變面以順上, 征則躁擾而凶, 居而得正則吉.
왕필이 말하였다: 변화의 끝에 있어서 군자는 처하여 문채를 이룰 수 있고 소인은 이룸을 즐거워하여 얼굴을 바꾸고 윗사람을 따르니, 가면 조급하고 어지러워 흉하고, 거처하면 바름을 얻어 길하다.

虞曰, 君謂五也.
우번(虞翻)이 말하였다: 군주는 오효를 이른다.

象曰, 君子豹變, 其文蔚也. 小人革面, 順以從君也.

「상전」에서 말하였다: "군자는 표범이 변하듯 변함"은 문채가 성한 것이고,"소인은 얼굴만 바꿈"은 순순히 군주를 따르는 것이다.

中國大全

傳

君子, 從化遷善, 成文彬蔚, 章見於外也. 中人以上, 莫不變革, 雖不移之小人, 則亦不敢肆其惡, 革易其外, 以順從君上之敎令, 是革面也. 至此, 革道成矣. 小人勉而假善, 君子所容也, 更往而治之, 則凶矣.

군자는 교화하는 대로 선하게 되어 문채를 이룸이 빛나고 성하여 아름다움이 겉모습으로 드러난다. 중간 정도의 자질을 가진 사람은 변혁하지 않는 이가 없을 것이고, 비록 고치지 못하는 소인이라도 감히 마음대로 악하게 행동하지 못하여 겉모습을 바꾸어 임금의 가르침과 명령에 순종할 것이니, 이것이 '얼굴을 바꿈'이다. 이렇게 되면 변혁의 도(道)가 이루어진 것이다. 소인이 억지로 힘써 선행을 꾸밈은 군자가 용납해 주는 것이니, 다시 가서 다스리면 흉하다.

小註

節齋蔡氏曰, 蔚者, 隱然有文之謂. 柔順故如此.
절재채씨가 말하였다: 성함[蔚]은 무성하게 문채남을 이른다. 유순하기 때문에 이와 같다.

○ 或問, 下三爻, 有謹重難改之意. 上三爻, 則革而善. 蓋事有新故, 革者變故而新也. 下三爻, 則故事也, 未變之時, 必當謹審於其先. 上三爻, 則變而爲新事矣, 故漸漸好. 朱子曰, 然.
어떤 이가 물었다: 아래 세 효는 신중히 하여 고치기를 어렵게 여기는 뜻이고, 위의 세 효는 변혁하여 좋게 된 것입니다. 일에는 새것과 옛것이 있으니 변혁이란 옛것을 새것으로 변혁하는 것입니다. 아래 세 효는 옛일이니 변혁하기 전에는 반드시 먼저 한 것을 삼가 살펴야합

니다. 위 세 효는 변혁하여 새 일을 하는 것이기 때문에 점점 좋아지는 것입니다.
주자가 답하였다: 그렇습니다.

○ 建安丘氏曰, 革之彖曰已日乃孚, 又曰革而當其悔乃亡, 孚謂信于人心, 當謂合乎天理. 此革之道也. 在革六爻, 初未可革, 故曰鞏用黃牛之革, 而象言其不可有爲. 二之時, 可革矣, 故曰已日乃革, 而象稱其行有嘉. 三革道已成, 无所事革, 故曰革言三就有孚, 而象以又何之釋之. 此革三爻之序也. 至六四, 則因下卦革之未善者, 而更改之, 故曰有孚改命吉, 改則輕於革矣. 五言大人虎變, 上言君子豹變, 則論從革之效. 變者革之成, 改又不足論矣.
건안구씨가 말하였다: 혁괘의 「단전」에 "시일이 지나서야 믿는다"라고 하고 또 "변혁하여 마땅하게 하니 후회가 없다"라고 하였으니, '믿음'은 인심에 믿음이 있는 것을 이르고 '마땅하게 함'은 천리에 합당하게 함을 이른다. 이것이 변혁의 도이다. 혁괘의 여섯 효 가운데 초효는 변혁할 수 없기 때문에 "황소 가죽으로 묶는다"라고 하였고, 「상전」에서 "일을 함이 있어서는 안 되기 때문이다" 라고 하였다. 이효의 때는 변혁할 수 있기 때문에 "시일이 지나서야 변혁할 수 있다"라고 하였고, 「상전」에서 "감에 아름다운 경사가 있는 것이다"라고 일컬었다. 삼효는 변혁의 도가 이미 완성되어 일에 변혁할 것이 없기 때문에 "변혁해야 한다는 말이 세 번 합하면 믿음이 있을 것이다"라고 하였고, 「상전」에서 "또 어디로 가겠는가?"로 풀이하였다. 이것이 혁괘 세 효의 순서이다. 육사에서는 하괘에서의 변혁이 잘 되지 않아 다시 변혁하기 때문에 "믿음이 있으면 명(命)을 고쳐 길할 것이다"라고 하였으니 고치는 것은 변혁보다 쉽다. 오효에서 "대인이 호랑이가 변하듯 변함"으로 말하고 상효에서 "군자가 표범이 변하듯 변함"으로 말한 것은 변혁을 따르는 공효를 논한 것이다. '변(變)'은 혁(革)의 완성이니 고침[改]은 논할 필요도 없다.

○ 中溪張氏曰, 彖言已日乃孚, 革而信之. 而爻之三四五, 皆曰有孚, 則知變革之道, 非有人心之孚, 信不可爲也. 下卦三爻, 皆言革, 上卦三爻, 或言改, 或言變, 蓋變乃革之成, 而改猶未也.
중계장씨가 말하였다: 「단전」에서 "시일이 지나서야 믿음 변혁하여 믿게 하는 것이다"이라고 말한 것은 변혁한 것을 믿는 것이다. 삼효 · 사효 · 오효에 "모두 믿음이 있다"고 말하였으니, 진실로 변혁의 도는 인심의 믿음이 있지 않으면 진실로 할 수 없음을 알 수 있다. 하괘 세 효에서는 모두 '혁(革)'을 말하고, 상괘 세 효에서는 '고침[改]'을 말하기도 하고 '변함[變]'을 말하기도 하였으니, '변'은 '혁'의 완성이나, '고침[改]'은 아직 변혁된 것이 아니다.

‖韓國大全‖

조호익(曺好益) 『역상설(易象說)』[129)]

象曰, 君子豹變, 其文蔚也.
「상전」에서 말하였다: "군자는 표범이 변하듯 변함"은 문채가 성한 것이다.

炳陽明象, 蔚陰暗象.
'빛남[炳]'은 밝은 양(陽)의 상이고, '성함[蔚]'은 어두운 음(陰)의 상이다.

유정원(柳正源) 『역해참고(易解參攷)』[130)]

正義, 其文蔚者, 明其不能大變, 故文細而相映蔚也, 順以從君者, 明其不能潤色立制, 但順面從君也.
『주역정의』에서 말하였다: "그 문채가 성함"은 크게 변할 수 없기 때문에 밝게 빛나 서로 성하게 비취는 것임을 밝혔고, "순순히 군주를 따름"은 윤색하여 제도를 세울 수는 없고 다만 순순히 군주를 따를 뿐임을 밝혔다.

○ 梁山來氏曰, 其文蔚者, 冠裳一變, 人物一新也. 順以從君者, 兌爲說. 說則順, 中心悅而誠服也.
양산래씨가 말하였다: "그 문채가 성함"은 관과 의상이 한번 변함이며, 사람과 사물이 한번 새로워진 것이다. "순순히 군주를 따름"은 태괘(兌卦)가 기뻐함이 되기 때문이다. 기쁘면 따르니 마음속으로 기뻐하여 진심으로 복종한다.

김상악(金相岳) 『산천역설(山天易說)』[131)]

蔚者 文細而相暎蔚也
'위(蔚)'는 문채가 자잘하고 서로 성하게 비춤이다.

---

129) 경학자료집성DB에 상육효사에 편집되어 있으나, 영인본의 체재에 의거하여 상육 「상전」으로 옮겨 해석하였다.
130) 경학자료집성DB에 상육효사에 편집되어 있으나, 영인본의 체재에 의거하여 상육 「상전」으로 옮겨 해석하였다.
131) 경학자료집성DB에 상육효사에 편집되어 있으나, 영인본의 체재에 의거하여 상육 「상전」으로 옮겨 해석하였다.

○ 離互巽體, 故五言炳, 從離之火, 上言蔚, 從巽之草.
리괘(離卦)와 호괘인 손괘(巽卦)의 몸체이기 때문에 오효에서 "빛남"을 말한 것이니 리괘의 불을 따른 것이고, 상효에서 "성함"을 말한 것은 손괘의 풀을 따른 것이다.

서유신(徐有臣) 『역의의언(易義擬言)』132)

虎文, 炳朗濶大, 大人之象, 豹文, 蔚縟稠密, 君子之象. 虎豹有別, 炳蔚不同. 蓋君有虎炳之業而後, 臣有豹蔚之化也, 小人亦非頑悍不變者, 故曰順以從君也.
호랑이 무늬는 밝고 크니 대인의 상이고, 표범의 무늬는 성하고 빽빽하니 군자의 상이다. 호랑이와 표범은 구별되나 빛남[炳]과 성함[蔚]은 차이가 없다. 임금에게 호랑이처럼 빛나는 공업이 있어야 신하에게 표범처럼 성한 변화가 있고, 소인도 완악하고 사나움이 변하지 않는 자가 아니기 때문에 "순순히 군주를 따름"이라고 말하였다.

박문건(朴文健) 『주역연의(周易衍義)』133)

蔚盛也. 從君言從君之命也.
'위(蔚)'는 성함이다. "군주를 따름"은 군주의 명을 따름을 이른다.

심대윤(沈大允) 『주역상의점법(周易象義占法)』134)

觀化而從君也. 上六革之道終, 有所不可諫而不諫也. 革之位卑, 與高而无位者, 以柔居之, 餘皆以剛居之. 小人有讒毁而无面爭, 以其惟柔懦而不能犯人之顔, 且无忠告之心也.
교화를 보고 임금을 따른다. 상육은 변혁의 도가 끝에 있어 간언해서는 안 되는 것이 있어서 간언하지 않음이다. 변혁의 자리가 낮은 자와 높지만 지위가 없는 자는 부드러움으로 거처하고 나머지는 모두 굳셈으로 거처한다. 소인이 남을 헐뜯고 훼방은 하나 대면하여 간쟁하지는 못함은 오직 유약하여 남의 얼굴을 범할 수 없기 때문이니 또한 충심으로 고하는 마음도 없다.

---

132) 경학자료집성DB에 상육효사에 편집되어 있으나, 영인본의 체재에 의거하여 상육 「상전」으로 옮겨 해석하였다.
133) 경학자료집성DB에 상육효사에 편집되어 있으나, 영인본의 체재에 의거하여 상육 「상전」으로 옮겨 해석하였다.
134) 경학자료집성DB에 상육효사에 편집되어 있으나, 영인본의 체재에 의거하여 상육 「상전」으로 옮겨 해석하였다.

오치기(吳致箕) 「주역경전증해(周易經傳增解)」[135]

在位者, 變舊從新, 而如豹文之蔚密. 在下者, 革其面僞, 而以順心從君也.
지위에 있는 자는 옛것을 바꾸어 새것을 따르니 마치 표범의 무늬가 성하고 빽빽한 것과 같다. 아래에 있는 자는 얼굴로만 따랐던 거짓을 바꾸어 유순한 마음으로 군주를 따른다.

135) 경학자료집성DB에 상육효사에 편집되어 있으나, 영인본의 체재에 의거하여 상육 「상전」으로 옮겨 해석하였다.

50

정괘

鼎卦䷱

中國大全

傳

鼎, 序卦, 革物者, 莫若鼎, 故受之以鼎. 鼎之爲用, 所以革物也, 變腥而爲熟, 易堅而爲柔. 水火不可同處也, 能使相合爲用, 而不相害, 是能革物也, 鼎所以次革也. 爲卦上離下巽, 所以爲鼎, 則取其象焉, 取其義焉. 取其象者有二, 以全體言之, 則下植爲足, 中實爲腹, 受物在中之象, 對峙於上者耳也, 橫亘乎上者鉉也, 鼎之象也. 以上下二體言之, 則中虛在上, 下有足以承之, 亦鼎之象也. 取其義, 則木從火也. 巽, 入也, 順從之義, 以木從火, 爲然之象. 火之用, 唯燔與烹, 燔不假器, 故取烹象, 而爲鼎, 以木巽火, 烹飪之象也. 制器, 取其象也, 乃象器以爲卦乎. 曰, 制器, 取於象也, 象存乎卦, 而卦不必先器. 聖人制器, 不待見卦而後知象, 以衆人之不能知象也, 故設卦以示之, 卦器之先後, 不害於義也. 或疑鼎非自然之象, 乃人爲也. 曰, 固人爲也, 然烹飪可以成物, 形制如是, 則可用. 此非人爲自然也, 在井亦然. 器雖在卦先, 而所取者, 乃卦之象, 卦復用器以爲義也.

정괘(鼎卦)는 「서괘전」에 "물건을 변혁하는 것은 솥 만한 것이 없다. 그러므로 정괘로 받았다"고 하였다. 솥의 쓰임은 물건을 변혁하는 것이니, 날고기를 변하여 익게 하고 단단한 것을 바꾸어 부드럽게 만든다. 물과 불은 함께 처할 수 없는데 서로 합하여 쓰임이 되어 서로 해치지 않게 하면 이는 물건을 변혁하는 것이니, 정괘가 이 때문에 혁괘의 다음이 되었다. 정괘는 위는 리(離)이고 아래는 손(巽)이니, 솥이 된 까닭은 그 상을 취하고 그 뜻을 취한 것이다. 상을 취한 것이 두 가지가 있으니, 전체로 말하면 아래에 세워진 것은 발이 되고 가운데 채워진 것은 배가 되니 물건을 받아 가운데에 두는 상이고, 위에 짝으로 솟아있는 것은 귀이고, 위에 가로로 뻗어있는 것은 현(鉉)이니 솥의 상(象)이며, 위 · 아래의 두 몸체로써 말하면 가운데가 빈 것이 위에 있고 아래에 발이 있어 받드니, 또한 솥의 상이다. 그 뜻을 취하면 나무가 불을 따른 것이다. 손(巽)은 들어감이니 순종하는 뜻이다. 나무가 불에 순종함은 불태우는 상이 된다. 불의 쓰임은 오직 굽는 것과 삶는 것인데, 굽는 것은 그릇을 빌리지 않으므로 삶는 상을 취하여 솥이라고 하였으니, 나무로써 불에 순종함은 삶아 익히는 상이다. 그릇을 만듦은 그 상을 취하였는데, 도리어 그릇을 형상하여 괘를 만들었단 말인가? 그릇을 만듦은 상에서 취하였으나 상이 괘에 있는 것이고 괘가 반드시 그릇보다 먼저 있었던 것은 아니다. 성인이 그릇을 만들 적에 괘를 본 뒤에 상을 안 것이 아니나 사람들이 상을 모르기 때문에 괘를 만들어 보여준 것이니, 괘와 그릇 중에 어느 것이 먼저이든 의리에 해롭지 않다. 어떤 이는 "솥은 자연적인 상이 아니고 바로 사람이 만들어낸 상이다."라고 의심하는데, 나는 다음과 같이 생각한다. 진실로 사람이 만들어낸 것이나 '삶아 익히면' 물건을 만들 수 있고 만들어진 그릇의 형상이 이와 같으면 쓸 수 있으니, 이는 사람이 만든 것이 아니고 자연적인 것이니, 정괘(井卦)에 있어서도 그렇다. 그릇이 비록 괘보다 먼저 있었으나 취한 것은 바로 괘의 상이고, 괘는 다시 그릇을 사용하여 뜻을 삼은 것이다.

小註

朱子曰, 鄭少梅說易象, 亦有是者. 如鼎卦分明是鼎之象.
주자가 말하였다: 정소매(鄭少梅)가 『주역(易)』의 상(象)을 설명한 것에 이와 같은 것이 있다. 예컨대 정괘(鼎卦)는 분명히 솥의 상이라는 것이다.

○ 兼山郭氏曰, 聖人名卦, 必以道, 獨井鼎以器者, 道器一也. 由道可見器, 由器可推道也.
겸산곽씨가 말하였다: 성인은 반드시 도(道)로써 괘를 명명하는데 정괘(井卦)와 정괘(鼎卦)에서만 그릇으로써 한 것은 도와 그릇이 한 가지이기 때문이다. 도로 말미암아 그릇을 알 수 있고 그릇으로 말미암아 도를 추정할 수 있다.

○ 雙湖胡氏曰, 易六十四卦, 取象凡三, 頤井鼎是也. 頤則象在卦先, 井鼎則制器必在卦後. 卦, 伏羲所作, 凡天下之器, 寧有先於卦者乎. 鼎以形言, 則足腹耳鉉已具, 以質言, 則乾兌皆金, 巽亦兌金反體. 又有巽木離火兌水, 以致烹飪之用, 而巽雞乾亥豕, 伏坤牛兌羊, 離雉黿鼉之屬, 亦皆足充鼎之實, 而成其致養之功矣.
쌍호호씨가 말하였다: 『주역』 64괘 가운데 상을 취한 것이 모두 셋인데, 이괘(頤卦) · 정괘(井卦) · 정괘(鼎卦)가 그것이다. 이괘는 상이 괘가 있기 전이고, 정괘(井卦) · 정괘(鼎卦)는 괘가 있은 뒤에 그릇이 만들어졌다. 괘는 복희씨가 지은 것이니, 천하의 그릇이 어찌 괘보다 앞선 것이 있겠는가? 솥은 형체로 말하면 발 · 배 · 귀 · 현(鉉)[1]이 이미 갖추어졌고, 재질로 말하면 호괘인 건괘(☰) · 태괘(☱)가 모두 쇠이고, 손괘(☴)도 거꾸로 된 괘가 태괘(☱)인 쇠이다. 또 나무인 손괘 · 불인 리괘 · 물인 태괘가 있어 삶아 익히는 쓰임을 이루고, 닭인 손괘 · 돼지[亥 · 豕]인 건괘 · 복괘(伏卦)[2]이면서 소인 곤괘 · 양인 태괘 · 꿩과 자라인 리괘의 종류가 모두 솥 안을 채우기에 충분하여 봉양할 수 있는 공효를 이룬다.

○ 雲峯胡氏曰, 人所需者飮食, 飮食所需者鼎與井. 革茹毛而爲火食, 包羲有取於鼎也, 尙矣. 後世制器, 尙易之象, 而伏羲畫井鼎之象, 則已取諸井鼎之器矣.
운봉호씨가 말하였다: 사람이 필요한 것은 음식이고 음식이 필요한 것은 솥과 우물이다. 풀을 뜯어 먹는 것을 바꾸어 화식(火食)을 하였으니, 복희씨가 솥에서 취한 것은 숭상한 것이다. 후세에서 그릇을 만듦에 『주역』의 상을 숭상하였으니, 복희씨가 정괘(井卦) · 정괘(鼎卦)의 상을 그은 것은 이미 우물과 솥의 그릇에서 취한 것이다.

---

1) 현(鉉): 정(鼎)의 양쪽 솥귀 구멍에 넣어서 들어 올리는 도구이다. 본래 빗장처럼 생겼으므로 경(扃)이라고 하였다. 경(扃)의 양쪽 끝 부분에 옻칠을 해서 붉게 만드는데, 천자의 경우에는 옥으로 장식을 했고, 제후는 금으로 장식을 했다. 『의례주소(儀禮注疏)』에 "지금의 글자는 경(扃)을 현(鉉)이라고 한다[今文扃爲鉉]"라고 하였다.
2) 복괘(伏卦): 음양이 반대인 괘이다.

鼎, 元(吉)亨.

정(鼎)은 크게 형통하다.

中國大全

傳

以卦才言也, 如卦之才, 可以致元亨也. 止當云元亨, 文羨吉字. 卦才可以致元亨, 未便有元吉也. 彖復止云元亨, 其羨明矣.

괘의 재질로 말하였으니, 괘의 재질과 같으면 크고 형통함[元亨]을 이룰 수 있다. 다만 '원형(元亨)'이라고 말해야 하니, 길(吉)은 군더더기 글자이다. 괘의 재질이 크게 형통함을 이룰 수 있으니, 곧 크게 길함[元吉]이 있는 것은 아니다. 「단전」에 다시 '원형'이라고만 하였으니, 군더더기 글자임이 분명하다.

本義

鼎, 烹飪之器. 爲卦下陰爲足, 二三四陽爲腹, 五陰爲耳, 上陽爲鉉, 有鼎之象. 又以巽木 入離火, 而致烹飪, 鼎之用也. 故其卦爲鼎, 下巽巽也, 上離爲目, 而五爲耳, 有內巽順而外聰明之象, 卦自巽來, 陰進居五, 而下應九二之陽. 故其占曰元亨, 吉, 衍文也.

솥[鼎]은 삶아 익히는 그릇이다. 정괘(鼎卦)의 아래의 음은 발이 되고, 이효 · 삼효 · 사효의 양은 배가 되며, 오효의 음은 귀가 되고, 상효의 양은 현(鉉)이 되니, 솥의 상(象)이 있다. 또 목(木)인 손괘(巽卦)가 불인 리괘(離卦)로 들어가 '삶아 익힘'을 이루니, 솥의 쓰임이다. 그러므로 그 괘(卦)가 정(鼎)이 된 것이다. 아래의 손(巽)은 손순(巽順)함이고, 위의 리(離)는 눈이 되며, 오효는 귀가 되니, 안은 손순(巽順)하고 밖은 총명한 상이 있으며, 괘(卦)가 손(巽)으로부터 와서 음이 나아가 오효에 있어 아래로 구이의 양에 호응한다. 그러므로 그 점에 크게 형통하다고 한 것이다. 길(吉)은 군더더기 글자이다.

小註

雙湖胡氏曰, 卦辭元亨之占, 凡四, 大有蠱升鼎是也. 自元亨外无餘辭, 唯大有與鼎. 大有以一陰有五陽, 而爲大亨, 鼎有天下之重器, 其占固宜與大有同矣, 又非蠱升所可同日語也. 若常人占得二卦, 隨其高下, 亦有元亨之義.
쌍호호씨가 말하였다: 괘사에 원형(元亨)의 점사가 있는 것은 모두 네 개이니, 대유괘 · 고괘 · 승괘 · 정괘가 그것이다.[3] 원형(元亨) 이외에 다른 말이 없는 것은 대유괘 · 정괘 뿐이다. 대유괘는 한 음이 다섯 양을 소유하고 있어 크게 형통함이 되고, 정괘는 천하의 소중한 그릇이니 그 점이 본래 대유괘와 같아서 고괘 · 승괘와 동등하게 말할 수 있는 것이 아니다. 만약 보통 사람이 점쳐서 이 두 괘를 얻었다면 그 사람의 높고 낮음에 따라 '원형'의 의미가 있을 것이다.

○ 雲峯胡氏曰, 大有與鼎, 卦名下直言元亨, 孔子以卦才言之. 文王之初意, 謂大有六五虛中在上, 而能有衆陽之大, 所以大亨. 鼎變生而熟, 化剛而柔, 水火不同處, 而能使相爲用, 可以養人, 亨亦大矣.
운봉호씨가 말하였다: 대유괘와 정괘는 괘 이름 밑에 곧바로 '원형'이라고 하였으니, 공자가 괘의 재질로 설명한 것이다. 문왕의 처음 생각은 대유괘의 육오가 허중(虛中)으로 위에 있어서 큰 여러 양들을 소유할 수 있으므로 '크게 형통'하고, 정괘는 날것을 변하여 익히고 굳셈을 변하여 부드럽게 하며 물 · 불은 함께 있을 수 없는 것인데 서로 쓰임이 되게 하여 사람을 기를 수 있으니, 형통함이 또한 크다는 것이었다.

韓國大全

조호익(曺好益)『역상설(易象說)』

二五相應皆曰元亨, 李隆山說.
이효와 오효가 서로 호응함을 다 "크게 형통하다"고 한 것은 이융산의 설명이다.

---

3)『周易 · 大有卦』: 大有, 元亨. /『周易 · 蠱卦』: 蠱, 元亨, 利涉大川, 先甲三日, 後甲三日 /『周易 · 升卦』: 升, 元亨, 用見大人, 勿恤, 南征, 吉

김장생(金長生)『주역(周易)』

諺解, 釋以元且吉, 非也. 程傳亦無此意, 當曰大也.

언해에서 "크게 선하고 길하다"한 것은 틀렸다.『정전』에도 이런 뜻은 없으니, 마땅히 '크다'고 해야 한다.

송시열(宋時烈)「역설(易說)」

元吉亨者, 大吉而有亨通義.

'원길형(元吉亨)'이란 크게 길하고 형통하다는 뜻을 갖고 있다.

이현익(李顯益)「주역설(周易說)」

井之木上有水, 朱子固以津液上行言. 此木上有火, 何嘗作木抄華實之結乎. 且津液上行, 固是木上之水, 以華實之結爲火, 則未知如何.

정괘(井卦䷯)의 '나무위의 물'에 대해서 주자는 진액이 위로 올라가는 것으로 말했다. 여기의 '나무위의 불'에 대해서 어찌 나무 끝에 꽃과 열매가 맺는 것이라 하겠는가? 진액이 위로 올라가는 것은 정말 나무위의 물이지만, 꽃과 열매가 맺는 것을 불이라 하는 것은 어떤지 모르겠다.

유정원(柳正源)『역해참고(易解參攷)』

王氏曰, 革去故而鼎取新, 鼎者成變之卦也. 革旣變矣, 則制器立法, 法制應時然後乃吉, 賢愚有別, 尊卑有序然後乃亨.

왕필이 말하였다: 혁괘(革卦䷰)는 옛것을 고치고 정괘는 새것을 취함이니,[4] 정괘는 변화를 완성하는 괘이다. 혁으로 이미 변화하였으면 기구를 만들고 법을 정립하여 법제(法制)가 때에 호응한 뒤라야 길하고, 현명함과 어리석음은 구별이 있어서 높고 낮음에 질서가 있은 뒤라야 형통하다.

김상악(金相岳)『산천역설(山天易說)』

鼎之爲卦, 巽而聰明, 柔進應剛, 故元亨. 吉, 傳義皆曰衍文. 卦辭之元亨與大有同, 大有曰應乎天而時行, 鼎曰得中而應乎剛, 故皆云是以元亨.

---

4)『周易·雜卦傳』: 革去故也, 鼎取新也.

정괘는 공손하고 이목이 총명하며 부드러운 음이 나아가 굳센 양에 호응하기 때문에 크게 형통하다. '길(吉)'은 『정전』과 『본의』에서 모두 군더더기 글자라고 하였다. 괘사의 '크게 형통함'은 대유괘(大有卦䷍)와 동일한데, 대유괘에서는 "하늘에 호응하여 때에 맞게 행한다"하였고, 정괘에서는 "가운데를 얻었으며 굳센 양에 호응한다"고 하였기 때문에 모두 "이 때문에 크게 형통하다"고 하였다.

서유신(徐有臣) 『역의의언(易義擬言)』

其體也, 象而重, 故曰鼎, 聖人之器也, 其用也, 養而大, 故曰元亨, 聖人之功也.
그 몸체는 형상으로서 무겁기 때문에 '솥'이라 했으니 성인의 도구이고, 그 작용은 기름으로 크기 때문에 "크게 형통하다"라고 하였으니 성인의 공이다.

김기례(金箕灃) 『역요선의강목(易要選義綱目)』

鼎熟生化剛, 革物莫如鼎. 內巽外明, 木入火而烹, 元亨. 易中元亨, 卦凡四, 大有蠱升鼎. 鼎爲天下重器, 與大有同得大亨, 非蠱升之比也.
솥은 날것을 익히고 굳센 것을 변화시키니, 물건을 변혁함에 솥만한 것이 없다. 안으로는 공손하고 밖으로는 밝으며 나무가 불 속에 들어가 삶으니 크게 형통하다. 『주역』에 "크게 형통하다"는 괘가 넷이 있는데 대유괘(大有卦䷍)·고괘(蠱卦䷑)·승괘(升卦䷭)·정괘(鼎卦䷱)이다. 정괘의 솥은 천하의 중요한 도구이기에 대유와 함께 크게 형통하니, 고괘나 승괘와 비교할 바가 아니다.

윤종섭(尹鍾燮) 『경-역(經-易)』

鼎井皆用上, 是以上皆吉也.
정괘와 정괘(井卦䷯)는 모두 위를 사용하기 때문에 상효가 모두 길하다.

심대윤(沈大允) 『주역상의점법(周易象義占法)』

欲以一人之聰明知力, 辨天下萬幾, 勞而无成. 苟能器人而任功, 則可以垂拱而成天下之務, 故曰元吉. 任人則可大, 故曰亨. 蠱之事人, 人道之始, 故曰元, 鼎之任人, 先事人而後乃得, 故不曰元. 事人任人, 俱不可成而終之, 故不曰利貞.
한 사람의 총명함과 지혜로 천하의 많은 기미를 처리한다면 수고롭기만 하고 이루어지지 않는다. 사람을 능력대로 써서 일을 맡길 수 있다면 팔짱을 꽂은 채 천하의 일을 이룰 수 있기 때문에 "크게 길하다"고 하였다. 사람에게 맡기면 크게 되기 때문에 "형통하다"고 하였다. 고괘(蠱卦䷑)에서 사람을 섬김은 인도의 시작이기 때문에 '원(元)'이라 하였고, 정괘(鼎卦䷱)에서 사람에게 맡김은 먼저 사람을 섬긴 후에 얻을 수 있기 때문에 '원(元)'이라고 하지 않았다. 사람을 섬기거나 사람에게 맡김은 모두 이루었다고 해서 마칠 수 없기 때문에 '이정(利貞)'이라고 하지 않았다.

오치기(吳致箕) 『주역경전증해(周易經傳增解)』

鼎者, 烹飪之器也. 下柔爲足, 二三四剛爲腹, 而又爲鼎實, 五柔爲耳, 上剛爲鉉, 此爲鼎之象也. 巽木入于下, 離火炎于上, 卽烹飪之象也. 卦體則柔得中而應乎剛, 卦義則鼎以享上帝養聖賢, 其用甚大, 故言元亨.
솥은 삶아서 익히는 도구이다. 맨 아래의 부드러운 음은 발이 되고, 이효와 삼효와 사효의 굳센 양은 배가 되면서 솥 안의 실물도 되고, 오효의 부드러운 음은 귀가 되고, 상효의 굳센 양은 '현(鉉)'이 되니, 이것이 솥의 상이다. 손괘(☴)의 나무는 아래로 들어가고 리괘(☲)의 불은 위로 타오르니, 삶아 익히는 상이다. 괘의 몸체는 부드러운 음이 가운데를 얻어 굳센 양에 호응하며, 괘의 의미는 솥으로 상제께 제향하고 성현을 길러 그 쓰임이 매우 크기 때문에 "크게 형통하다"라고 하였다.

○ 程傳云, 當曰鼎元亨而吉字羡文也. 離巽二柔皆失正位, 故不言貞.
『정전』에서 이르길, "정괘는 '원형(元亨)'이라고 말해야 하니, 길(吉)은 군더더기 글자이다"라고 하였다. 리괘(☲)와 손괘(☴)의 두 부드러운 음이 바른 자리를 잃었기 때문에 '바름'을 말하지 않았다.

이진상(李震相) 『역학관규(易學管窺)』

卦體革之反也. 中女在上而長女順之, 成人之道也.
괘의 몸체는 혁괘(革卦䷰)가 거꾸로 되었다. 둘째 딸이 위에 있고 맏딸이 따르니, 사람의 도리를 이루는 것이다.

박문호(朴文鎬) 『경설-주역(經說-周易)』

以六五爲鼎口之虛, 則上九當爲鼎之蓋, 此亦其一象也.
육오를 솥의 입이 비어있는 것으로 삼으면 상구는 솥의 뚜껑이 되어야 하니, 이 또한 한 가지의 상이다.

彖曰, 鼎, 象也,

「단전」에서 말하였다: 정(鼎)은 상(象)이니,

中國大全

傳

卦之爲鼎, 取鼎之象也, 鼎之爲器, 法卦之象也. 有象而後有器, 卦復用器而爲義也, 鼎大器也重寶也, 故其制作形模, 法象尤嚴. 鼎之名正也. 古人訓方, 方實正也 .以形言, 則耳對植於上, 足分峙於下, 周圓內外, 高卑厚薄, 莫不有法, 而至正, 至正然後, 成安重之象, 故鼎者, 法象之器, 卦之爲鼎, 以其象也.

괘가 정(鼎)이 됨은 솥의 상(象)을 취한 것이고, 솥이 그릇이 됨은 괘의 상을 본받은 것이니, 상(象)이 있은 뒤에 그릇이 있게 되었고 괘(卦)는 다시 그릇으로써 뜻을 삼았다. 정(鼎)은 큰 그릇이고, 중한 보물이다. 그러므로 제작하는 모형에 법(法)과 상(象)이 더욱 엄격하다. 솥[鼎]이란 이름은 바르다[正]는 뜻이다. 옛 사람은 '방(方)'으로 새겼으니, 방(方)은 실제로 바른 것이다. 형체로써 말하면 귀가 위에 대치해 있고 발이 아래에 나누어 버티고 있어서, 둥근 둘레의 안팎의 높고 낮음과 두껍고 얇은 것이 모두 법도가 있고 지극히 바르지 않음이 없으니, 지극히 바른 뒤에 안정되고 후중한 상을 이룬다. 그러므로 솥이란 본받고 본떠서 만들어진 그릇이니, 괘가 정(鼎)이 된 것은 상 때문이다.

小註

縉雲馮氏曰, 六十四卦皆象, 而鼎獨言象, 孔穎達曰, 鑄金爲之, 而有法象也.
진운풍씨가 말하였다: 64괘가 모두 상인데 정괘에서만 '상'을 말한 것에 대하여 공영달이 "쇠를 주물하여 솥을 만드니, 본받는 상이 있다"라고 하였다.

○ 鄱陽董氏曰, 子夏傳云, 初分趾也, 次實腹也, 中虛耳也, 上剛鉉也, 故曰鼎象也.
파양동씨가 말하였다: 『자하전』에 "처음에 갈라진 것은 발이고, 다음에 채워진 것은 배이며,

가운데가 빈 것은 귀이고, 꼭대기의 강한 것은 현(鉉)이기 때문에 솥의 상이라고 하는 것이다"라고 하였다.

‖韓國大全‖

양응수(楊應秀) 『곤괘강의 · 역본의차의(坤卦講義 · 易本義箚疑)』

鼎象也ㅣ니
ㅣ니 恐當改ㅣ오
'이니'는 마땅히 '이오'로 고쳐야 할 것 같다.

○ 象이오 柔進而上行ᄒᆞ고
ᄒᆞ고 恐當改ᄒᆞ야
'하고'는 마땅히 '하여'로 고쳐야 할 것 같다.

○ 上行ᄒᆞ야 九二我仇有疾이니
이니 恐當改이나
'이니'는 마땅히 '이나'로 고쳐야 할 것 같다.

○ 疾이 잇시나
질이 있으나

以木巽火, 亨飪也, 聖人亨, 以享上帝, 而大亨, 以養聖賢.

나무가 불에 공손함은 삶아 익힘이니, 성인이 삶아서 상제께 제향하고, 크게 삶아 성현을 기른다.

中國大全

傳

以二體, 言鼎之用也. 以木巽火, 以木從火, 所以亨飪也. 鼎之爲器, 生人所賴至切者也, 極其用之大, 則聖人亨以享上帝, 大亨以養聖賢. 聖人古之聖王, 大言其廣.

두 몸체로써 솥의 쓰임을 말하였다. '나무가 불에 공손함'은 나무가 불을 따르는 것이니, 삶아 익히는 것이다. 솥이라는 그릇은 살아있는 사람들이 의뢰하는 바가 지극히 간절한 것이니, 그 쓰임의 큼을 지극히 하면 성인이 삶아 익혀 상제께 제향하고, 크게 삶아 익혀 성현을 기른다. 성인은 옛날 훌륭한 왕(王)이고, 대(大)는 그 넓음을 말한 것이다.

本義

以卦體二象, 釋卦名義, 因極其大而言之. 享帝, 貴誠, 用犢而已, 養賢, 則饔飧牢禮, 當極其盛, 故曰大亨.

괘의 몸체의 두 상(象)으로 괘의 이름을 해석하고 따라서 그 큼을 지극하게 말하였다. 상제께 제향함은 정성을 귀중히 여기니 송아지를 쓸 뿐이다. 어진 이를 봉양함은 옹손(饔飧)과 뇌례(牢禮)[5]를 매우 성대하게 해야 하므로 '크게 삶음[大亨]'이라고 말하였다.

---

5) 옹손(饔飧)과 뇌례(牢禮): 빈객이 처음 당도했을 때 대접하는 예를 옹(饔)이라고 하고, 폐백을 마치고 대접하는 예를 손(飧)이라고 한다. 『周禮』 정현(鄭玄)의 주(注)에서는 옹손(饔飧)이 곧 뇌례(牢禮)라고 하였다. 뇌례(牢禮)는 소·양·돼지의 세 가지 희생을 갖추어 빈객을 대접하는 예이다.

小註

開封耿氏曰, 巽乎水而上水者, 非井也, 井汲引之用也. 以木巽火者, 非鼎也, 鼎烹飪之用也.
개봉경씨가 말하였다: 물에 공손하여 물을 위로 하는 것이 정(井)이 아니라 '정'은 물을 길어 올리는데 쓰이고, 나무가 불에 공손한 것이 정(鼎)이 아니라 '정'은 삶아 익히는 데에 쓰인다.

○ 中溪張氏曰, 鼎者, 所以制器而取象也. 以木巽火, 巽入也. 木入火然, 則可以成烹飪之用, 聖人制器, 豈自爲口體之奉而已. 享上帝尙質, 故止曰亨, 養聖賢貴豊盛, 故曰大亨.
중계장씨가 말하였다: 정괘는 그릇을 만들고 나서 상을 취한 것이다. 나무가 불에 공손하니 손(巽)은 들어감이다. 나무가 불에 들어가 타면 삶아 익히는 쓰임을 이룰 수 있으니 성인이 그릇을 만듦에 어찌 스스로 육체의 봉양을 위할 뿐이겠는가? 상제께 제향하는 것은 정성을 숭상하기 때문에 "형통하다[亨]"라고만 하였고, 성현을 기르는 것은 풍성함을 귀히 여기기 때문에 "크게 형통하다[大亨]"라고 하였다.

○ 節齋蔡氏曰, 亨飪, 不過祭祀賓客二事. 而祭之大者, 无出於上帝, 賓客之重者, 无過於聖賢.
절재채씨가 말하였다: '삶아 익히는 일'은 제사와 빈객 두 가지 일에 불과하다. 제사 중에 중대한 것은 상제께 제사하는 일에서 벗어나지 않고, 빈객을 대접하는 일 중에 중요한 것은 성현을 대우하는 일에서 넘지 않는다.

○ 雲峯胡氏曰, 剝曰觀象也, 卽畫是象, 此曰鼎象也, 又於畫中取器之象. 享帝養聖賢, 鼎之用, 莫大於此矣, 故極言之.
운봉호씨가 말하였다: 박괘에서 "상을 봄이다"라고 한 것은 곧 획이 상이고, 여기에서 "정(鼎)은 상(象)이다"라고 한 것은 또 획 안에서 그릇의 상을 취한 것이다. '정'의 쓰임이 상제께 제향하고 성현을 봉양하는 것보다 큰 것이 없기 때문에 지극하게 말하였다.

▌韓國大全▐

권만(權萬) 『역설(易說)』

鼎象也, 以木巽火亨飪也.
정(鼎)은 상(象)이니, 나무가 불에 공손함은 삶아 익힘이다.

象, 似言初爻之坼, 象鼎足. 五爻之坼, 象鼎耳. 然文王之意, 則不過曰鼎之上離下巽, 象木在火下, 有火傅木亨飪之象. 故象也下繫之曰, 以木巽火亨飪也.
'상(象)'은 초효가 벌어진 것이 솥의 발을 상징하는 것을 말하는 듯하다. 오효가 벌어진 것은 솥의 귀를 상징한다. 그러나 문왕의 뜻은 정괘의 위가 리괘이고 아래가 손괘인 것이 나무가 불 아래 있는 것을 상징하여, 불이 나무에 붙어서 삶아 익히는 상이 있다고 말한 것에 불과하다. 그러므로 "상(象)이니"라는 말 아래에 "나무가 불에 공손함은 삶아 익힘이다"라는 말을 달았다.

聖人亨, 而亨上帝, 而大亨, 以養聖賢.
성인이 삶아서 상제께 제향하고, 크게 삶아 성현을 기른다.

亦廣鼎亨之義, 非取象而言之. 如革彖天地革, 湯武革命之義.
이 또한 솥으로 삶는다는 뜻을 넓힌 것이지, 상을 취하여 말한 것이 아니다. 예를 들어 혁괘 「단전」의 "천지가 변혁하여"라는 말은 탕왕과 무왕이 혁명한 뜻과 같다.

유정원(柳正源) 『역해참고(易解參攷)』

以木 [至] 聖賢.
나무가 ... 성현을 기른다.

○ 鄭氏玄曰, 互乾爲金, 兌爲澤, 金含水而爨之, 以木熟物之象.
정현이 말하였다: 호괘인 건괘(☰)가 쇠이고 태괘(☱)는 못인데 쇠가 물을 머금었는데 불을 때니 나무로 물건을 익히는 상이다.

○ 荀氏爽曰, 巽入離下, 中有乾象. 木火在外, 金在內, 亨飪之象.
순상이 말하였다: 손괘로(☴)가 리괘(☲)의 아래에 들어가고 가운데 건괘(☰)의 상이 있다.

나무와 불은 밖에 있고 쇠는 안에 있으니 삶아 익히는 상이다.

○ 正義, 此明鼎用之美. 亨飪所須不出二種, 一供祭祀二當賓客. 若祭祀則天神爲大, 賓客則聖賢爲重, 故擧其重大則輕小可知. 享帝直言亨, 養人則言大亨者, 享帝尙質, 特牲而已, 故直言亨, 聖賢旣多, 養須飽飫, 故亨上加大字也.
『주역정의』에서 말하였다: 이는 솥의 쓰임이 아름답다는 것을 밝힌 것이다. '삶아 익힘'이 필요한 것은 두 가지를 벗어나지 않으니, 하나는 제사를 드리는 경우이고 하나는 빈객을 맞은 경우이다. 제사는 천신이 크고 빈객은 성현이 중요하기 때문에 그 중요하고 큰 것을 거론하면 가볍고 작은 것은 알 만하다. "상제께 제향한다"에서는 곧바로 '삶는다[享]'고 했는데, 사람을 기른다는데 있어서는 '크게 삶는다[大亨]'라고 한 것은 "상제께 제향함"은 본질을 숭상하여 희생만 있으면 될 뿐이기에 곧바로 '삶는다[享]'고 했지만, 성인과 현인은 많기 때문에 기르려면 배불리 먹어야 하기 때문에 '삶는다[享]'는 글자 위에 '대(大)'를 더했다.

○ 漢上朱氏曰, 乾爲天爲帝, 指上九也. 在下爲聖人, 指二三四也. 然則六五用鼎之主也.
한상주씨가 말하였다: 건괘(☰)는 하늘이 되고 상제가 되는데 상구(上九)를 가리킨다. 아래에 있어서는 성인이 되니 이효와 삼효와 사효를 가리킨다. 그렇다면 육오가 솥을 사용하는 주인이다.

本義, 用犢.
『본의』에서 '송아지를 씀'에 대하여.
〈陳氏曰, 犢未有牝牡之情, 故貴其誠慤.
진씨가 말하였다: 송아지는 아직 암수의 정이 없기 때문에 그 정성을 귀하게 여긴다.〉

饔飧牢禮.
빈객을 대접하는 예인 '옹손'과 '뇌례'에 대하여.
〈周禮, 掌客, 掌四方賓客之牢禮, 餼飲食之等數. 凡諸侯之禮, 上公五積, 皆眡飧牢, 三問皆脩, 群介行人宰史, 皆有牢. 飧五牢, 食四十, 簠十, 豆四十, 鉶四十有二, 壺四十, 鼎簋十有二, 牲三[6]十有六, 皆陳. 饔餼(九牢).
『주례(周禮)·장객(掌客)』에서 말하였다: 『주례』에서 장객(掌客)은 사방에서 오는 빈객들의 뇌례(牢禮)와 선물과 음식의 등수를 관장한다. 제후의 예에서는 상공(上公)은 오자(五積: 25뇌)로 대우하는데 저녁식사에는 모두 희생을 끌고 가고 3번 불편이 없는가를 묻고

6) 牲三: 경학자료집성DB와 영인본에는 모두 '腥四'로 되어 있으나, 『주례』 원문에 따라 '牲三'으로 바로잡았다.

다 육포를 대접한다. 모든 보좌관이나 행인(行人)이나 재(宰)나 사(史)는 다 뇌(牢)가 있다. 저녁식사에는 5뇌(牢)로 하고 40가지 찬이 있으며 보(簠: 서직 담는 그릇) 10개, 두(豆: 김치나 젓갈 담는 그릇) 40개, 형(鉶: 국그릇) 42개, 호(壺: 술그릇) 40개, 정(鼎: 희생 담는 그릇) 12개, 궤(簋: 서직 담는 그릇) 12개, 희생 36가지를 다 진열한다. 옹희(饔餼: 성대한 접대)에는 9뇌(牢)로 한다.〉

김상악(金相岳) 「산천역설(山天易說)」

彖曰, 鼎象也. 以木巽火亨飪也, 聖人亨以享上帝, 而大亨以養聖賢.
「단전」에서 말하였다: 정(鼎)은 상(象)이니, 나무가 불에 공손함은 삶아 익힘이니, 성인이 삶아서 상제께 제향하고, 크게 삶아 성현을 기른다.

以卦體二象釋卦名義. 極其大而言象者, 卦之六爻有鼎之象也. 巽者入也, 飪熟食也. 享帝貴誠, 故止曰亨, 養賢貴豊, 故曰大亨.
괘의 몸체의 두 상으로 괘의 이름을 풀이하였다. 그 큼을 지극히 하여 상을 말한 것은 괘의 여섯 효가 솥의 상을 갖고 있기 때문이다. 손괘는 들어가는 것이고, '임(飪)'은 익혀서 먹는 것이다. 상제를 제향하는 것은 정성을 귀하게 여기기 때문에 단지 "삶는다"고 하였고, 성현을 기르는 것은 풍성함을 귀하게 여기기 때문에 "크게 삶는다"고 하였다.

○ 鼎曰, 鼎象也. 小過曰, 有飛鳥之象, 皆取卦畫之剛柔也. 初至五互坎體, 離火巽木得坎水於中, 故能成精而致亨飪也. 祭天曰享, 帝見益六二. 乾之德爲聖爲賢, 在君則謂之聖人, 在臣則謂之聖賢. 巽鷄離牛坎豕兌羊, 皆充鼎之實而成其致養者也. 井以木巽水爲子從母之象, 鼎以木巽火爲母從子之象, 故皆言養.
정괘(鼎卦)에서는 "정(鼎)은 상(象)이니"라고 하였고, 소과괘(小過卦)에서는 "나는 새의 상이 있다"고 하였으니, 모두 괘획의 굳셈과 부드러움을 취한 것이다. 초효로부터 오효까지의 호괘가 감괘의 몸체인데, 리괘의 불과 손괘의 나무가 가운데에서 감괘인 물을 얻었기 때문에, 정성을 이루어 삶아 익힐 수 있다. 하늘에 제사하는 것을 '향(享)'이라고 하니, '제(帝)'는 익괘 육이에 보인다. 건괘의 덕이 성인이 되고 현인이 되니, 임금에 대해서는 성인이라고 말하고, 신하에 대해서는 성현이라고 말한다. 손괘인 닭, 리괘인 소, 감괘인 돼지, 태괘인 양은 모두 솥을 채우는 음식물로서 길러줌[養]을 이루는 것이다. 정괘(井卦)는 나무가 물로 들어가는 것을 아들이 어머니를 따르는 상으로 삼았고, 정괘(鼎卦)는 나무가 불로 들어가는 것을 어머니가 아들을 따르는 상으로 삼았기 때문에, 모두 '길러줌'을 말하였다.

巽而耳目聰明, 柔進而上行, 得中而應乎剛, 是以元亨.

공손하고 이목이 총명하며, 부드러운 음이 나아가 위로 올라가고, 가운데를 얻었으며 굳센 양에 호응하니, 이 때문에 "크게 형통하다".

中國大全

傳

上旣言鼎之用矣, 復以卦才言. 人能如卦之才, 可以致元亨也. 下體巽, 爲巽順於理. 離明而中虛於上, 爲耳目聰明之象. 凡離在上者, 皆云柔進而上行, 柔在下之物, 乃居尊位, 進而上行也, 以明居尊, 而得中道, 應乎剛, 能用剛陽之道也. 五居中, 而又以柔而應剛, 爲得中道, 其才如是, 所以能元亨也.

위에서 이미 솥의 쓰임을 말하였고 다시 괘의 재질로써 말하였다. 사람이 괘의 재질과 같이 한다면 크고 형통함을 이룰 수 있다. 하체(下體)는 손(巽)이니 이치에 손순(巽順)함이 되고, 이(離)는 밝고 위에서 가운데가 비어 있으니 이목(耳目)이 총명한 상이 된다. 리괘(離卦☲)가 위에 있는 것은 모두 "부드러움이 나아가 위로 갔다"고 말하였으니, 부드러움은 아래에 있는 물건인데 높은 자리에 있으니, 이는 나아가 위로 올라간 것이다. 밝음으로 높은 자리에 있고 가운데를 얻어 굳셈에 호응하니, 굳센 양의 도를 쓴 것이다. 오효가 가운데에 있고 또 부드러움으로 굳셈에게 호응하니, 중도(中道)를 얻음이 된다. 그 재질(才質)이 이와 같으니, 이 때문에 크게 형통한 것이다.

本義

以卦象卦變卦體, 釋卦辭.

괘의 상, 괘의 변화, 괘의 몸체로 괘사를 해석하였다.

小註

西溪李氏曰, 下巽上離, 離爲目, 五爲鼎耳, 故曰巽而耳目聰明.
서계이씨가 말하였다: 아래는 손괘이고 위는 리괘이니, 리괘는 눈이 되고 오효는 솥귀가 되기 때문에 "공손하고 이목이 총명하다"고 하였다.

○ 中溪張氏曰, 上體離也, 離爲目, 而兼耳言之者, 蓋以六五爲鼎耳而取也. 五以柔進而上行, 得上卦之中, 而下應九二之剛. 是以能大善而亨通也.
중계장씨가 말하였다: 상체는 리이니 리는 '눈'이 되는데 '귀'를 겸하여 말한 것은 육오를 '솥귀'로 여겨 취한 것이다. 오효는 부드러움으로 나아가 위로 가서 상괘의 가운데를 얻고 아래로 굳센 구이와 호응한다. 이러므로 크게 선하여 형통한 것이다.

○ 雲峯胡氏曰, 柔進而上行, 得中而應乎剛, 雖與睽同, 然在鼎, 則巽巽也, 上離爲目而五爲耳, 有內巽順, 而外聰明之象. 在睽, 則說而麗乎明, 與巽而耳目聰明者不同, 故彼特曰小事吉, 此則元亨, 雖其時之不同, 亦其德之異也.
운봉호씨가 말하였다: "부드러움이 나아가 위로 가서 가운데를 얻어 굳셈에 호응하는 것"은 규괘와 같다. 그러나 정괘는 손은 공손함이고 위의 리가 눈이 되며 오효가 귀가 되니 안에 손순함이 있고 밖에 총명한 상이 있다. 규괘는 기쁨으로 밝음에 걸렸으니 손순하여 이목(耳目)이 총명한 것과는 다르기 때문에 저 규괘에서는 단지 "작은 일에 길하다"고 하였고, 여기에서는 "크게 길하다"라고 하였으니 비록 때가 다르나 덕도 다른 것이다.

韓國大全

조호익(曺好益) 『역상설(易象說)』

巽而耳目聰明, 耳目或曰離伏坎象.
'공손하고 이목이 총명한 것'의 이목을 어떤 이는 리괘가 감괘에 엎드려있는 상이라고 하였다.

송시열(宋時烈) 「역설(易說)」

卦爲鼎象. 巽而耳目聰明者, 離爲目, 錯坎爲耳, 下又有大坎象, 故通言耳目也.

괘가 솥의 모습이 된다. '공손하고 이목이 총명한 것'은 리괘가 눈이 되고, 음양이 바뀐 감괘가 귀가 되며, 아래에 또한 큰 감괘의 상이 있기 때문에 '이목'이라고 통틀어 말하였다.

권만(權萬)『역설(易說)』

巽而耳目聰明.
공손하고 이목이 총명하며.

離爲目而其坼象鼎耳, 故湊泊言之.
리괘가 눈이 되고, 벌어진 것이 솥의 귀를 상징하기 때문에 주박(湊泊)으로 말했다.

이익(李瀷)『역경질서(易經疾書)』

鼎制器而尙象也. 天地一鼎也, 氣盈兩間, 淸者上而濁者下, 絪緼化醇, 萬物生, 如水濁而烹煎, 則形凝也. 其所以化醇, 非溫煖則不成, 溫煖生於火, 火生於木, 天地之化成, 莫非木火二氣之爲之也. 聖人象以爲器, 以木巽火, 爲烹飪之材具. 火生於木, 非木不燃, 巽者入之也, 火之巽木爲烹飪也. 烹飪爲事鬼與養人也, 事鬼則上帝爲尊, 養人則聖賢爲貴, 養道之最大也. 頤彖云, 聖人養賢以及萬民, 此國君養賢之禮也. 此竝聖賢爲言君臣包之矣. 聖卽上文享上帝之聖, 賢卽頤彖及萬民之賢, 於是天下莫不得其養, 是爲大烹. 易擧正無而大烹三字.
솥은 기구를 만들 때 형상을 숭상한 것이다.7) 천지는 하나의 솥이고 그 사이에 기(氣)가 차 있다가 맑은 기는 올라가고 흐린 기는 내려와 얽히고설킴에 변화하여 엉겨 만물이 나오니,8) 마치 물이 흐린데 끓여서 달이면 형체가 엉기는 것과 같다. 이렇듯 변화하여 엉기는 것은 따뜻하게 하지 않으면 이루어지지 않는데, 따뜻하게 함은 불에서 나오고 불은 나무에서 나오니, 천지가 [만물을] 변화하며 이룸은 나무와 불의 두 기운이 하는 것이 아님이 없다. 성인이 본떠서 기구를 만드는데, 나무가 불에 들어가는 것으로 삶아 익히는 기구를 만들었다. 불은 나무에서 생하니 나무가 아니면 태울 수 없고, 손(巽)은 들어감인데 불이 나무에 붙어 삶아서 익힌다. 삶아 익혀서 귀신을 섬기고 사람을 기르는데, 귀신을 섬김에는 상제가 높고 사람을 기름에는 성현이 귀하니, 기르는 도의 가장 큰 경우이다. 이괘(頤卦䷚)의 「단전」에 이르길, "성인이 현인을 길러 만 백성에게 보급한다"고 하였으니 이는 나라의 임금이

7)『周易·繫辭傳』: 以制器者, 尙其象.
8)『周易·繫辭傳』: 天地絪緼, 萬物化醇.

현인을 양성하는 예이다. 여기에서 성인과 현인을 아울러 말함은 임금과 신하를 포함한 것이다. 성인은 윗 글의 "상제께 제향한다"는 성인이고 현인은 이괘(頤卦䷚)의 「단전」의 "만민에게 보급한다"는 현인인데, 이에 천하가 그 기름을 얻지 못함이 없으니 이것이 '크게 삶음'이다. 『주역거정』에는 '이대팽(而大烹)'의 세 글자가 없다.

巽而耳目聰明承上文言. 言巽則木與火擧之矣. 推之人事, 巽木入也, 離火明也. 入則受耳之於聲是也, 明則照目之於色是也. 故有耳目之象.
'공손하고 이목이 총명한 것'은 윗글을 이어 말한 것이다. 손괘를 말하면 나무와 불은 다 거론하는 것이다. 사람에게 비유하면 손괘의 나무는 '들어감'이고 리괘의 불은 '밝음'이다. 들어감은 귀로 소리를 듣는 것이고 밝음은 눈으로 비추어 색깔을 보는 것이다. 그러므로 이목의 상이 있다.

유정원(柳正源) 『역해참고(易解參攷)』

巽而 [至] 元亨.
공손하고 … 크게 형통하다.

單氏曰, 有象必有用, 用必有功, 有象有用而有功, 鼎之道盡矣. 以二體之才言之, 巽卑順也, 離聰明也, 卑巽以養下, 則達聰而明目者也. 以六五之才言, 柔進而上行, 則不爲驕亢者也, 得中而應剛, 則能養聖賢者也.
단씨가 말하였다: 형상이 있으면 쓰임이 있고 쓰임이 있으면 일이 있으니 상이 있고 쓰임이 있고 공이 있게 되면 정괘(鼎卦䷱)의 도를 다한다. 두 괘체의 재질로 말하면 손괘(☴)는 낮추어 따르고 리괘(☲)는 총명한데, 낮추어 따름으로 아래를 기른다면 귀도 밝아지고 눈도 밝아진다. 육오의 재질로 말하면 부드러운 음으로 나아가 위로 올라가니 교만하게 높이 있으려 하지 않고, 가운데를 얻어 굳센 양에 호응하니 성인과 현인을 기를 수 있는 사람이다.

○ 雙湖胡氏曰, 柔進上行, 卦變也.
쌍호호씨가 말하였다: 부드러운 음이 나아가 위로 올라감은 괘의 변화이다.

本義, 謂自巽來, 六四之柔進而五也. 看來, 自訟變則六三進五, 自遯變則六二進五, 皆通. 四五上坎位有耳象, 離體有目象, 虛中有聰明象.
『본의』에서 이르길, "손괘(巽卦䷸)에서 왔으니 육사의 음이 나아가 오효가 되었다"[9]고 하

9) 『본의』의 원문은 "卦自巽來, 陰進居五"이다.

였다. 살펴보니, 송괘(訟卦䷅)에서 변화하면 육삼(六三)이 오효로 나아가고, 돈괘(遯卦䷠)에서 변화하면 육이(六二)가 오효로 나아가니 모두 상통한다. 사효와 오효와 상효는 감괘(☵)의 자리로 귀의 형상이 있고, 리괘(☲)의 몸체로 눈의 상이 있고, 가운데가 비어 총명한 상이 있다.

○ 案, 離之中虛兼耳象. 取坎位太深, 恐從西溪五爲鼎耳之說.
내가 살펴보았다: 리괘(☲)의 가운데가 비어 귀의 상을 겸한다. 감괘(☵)의 자리를 취함은 너무 심하니, 아마도 서계의 오효가 솥의 귀가 된다는 설을 따라야할 듯하다.

正位凝命.
자리를 바르게 하여 중후하게 명한다.

王氏曰, 凝者嚴齋之貌. 鼎者取新成變者也, 革去故而鼎成新. 正位者, 明尊卑之序也, 凝命者, 成教命之嚴也.
왕필이 말하였다: 응(凝)은 엄숙하고 정제된 모습이다. 정괘(鼎卦䷱)는 새것을 취하여 변화를 이룸이니 혁괘(革卦䷰)로 옛것을 버리고 정괘로 새것을 이룬다. 자리를 바르게 함은 높고 낮은 차례를 밝힘이고 중후하게 명함은 명령을 엄중히 함이다.

○ 梁山來氏曰, 正位者, 端莊安定之謂, 卽齊明盛服非禮不動也. 凝者, 成堅也, 命者, 天之命也, 凝命者, 天命凝成堅固, 國家安于磐石, 所謂協于上下以承天休也.
양산래씨가 말하였다: 자리를 바로 함은 단정하고 장엄하게 안정함을 이르니 "재계하여 옷을 입고 예가 아니면 움직이지 않음"이다. '응(凝)'은 견고히 이룸이고 '명(命)'은 하늘의 명이니, '응명(凝命)'은 천명을 견고하게 이루어 국가를 반석에 안정시킴이니 이른바 "상하에 화합하여 하늘의 아름다움을 받든다"는 것이다.

김상악(金相岳) 「산천역설(山天易說)」

以卦象卦變卦體釋卦辭. 柔謂五也, 六五自四而上爲得中. 巽而聰明, 所以爲元, 柔進應剛, 所以爲亨. 合二體以釋之, 故曰是以元亨.
괘의 상과 괘의 변화와 괘의 몸체로 괘사를 해석하였다. '유(柔)'는 오효를 이르니 육오가 사효로부터 위로 가서 가운데를 얻었다. 공손하고 총명하기 때문에 크고, 부드러운 음이 나아가 굳센 양에 호응하기 때문에 형통하다. 두 괘체를 합하여 해석하였기 때문에 "이 때문에 '크게 형통하다'"라고 하였다.

○ 耳目離之互坎也. 或曰五爲鼎耳, 然无坎則不成鼎, 丹家鼎器之說, 亦以坎離爲本. 睽與鼎, 巽兌之反, 鼎則木生火, 睽則火澤相違. 故說而麗明, 分二體言, 巽而聰明, 合全體言. 故元亨與小事吉不同.
귀와 눈은 리괘(☲)와 호괘인 감괘(☵)이다. 어떤 이가 말하길, "오효가 솥의 귀가 된다"고 하였지만 감괘(☵)가 없으면 솥을 이룰 수 없고 단가(丹家)의 정기(鼎器)의 설 또한 감리(坎離)를 근본으로 삼았다. 규괘(睽卦䷥)와 정괘(鼎卦䷱)는 손괘(☴)와 태괘(☱)로 거꾸로 여서 정괘는 나무가 불을 내고 규괘는 불과 못이 서로 어긋난다. 그렇기 때문에 "기뻐하고 밝음에 걸림"은 두 몸체를 나누어 말한 것이고 "공손하고 이목이 총명함"은 온 몸체를 합하여 말한 것이다. 그렇기 때문에 "크게 형통하다"와 "작은 일은 길하다"로 다르다.

이병헌(李炳憲) 「역경금문고통론(易經今文考通論)」

王曰, 吉然後乃亨, 故先元吉而後亨也.
왕필이 말하였다: 길한 뒤에 형통하기 때문에 먼저 크게 길한 뒤에 형통하다.

象法也, 烹飪, 〈烹, 現行諸本作亨, 然古本作烹. 孟作孰, 王固作亨而看作烹.〉 鼎之用也.
〈冠禮注, 煮於鑊曰亨, 與烹通〉 飪, 孰〈同熟〉也.
상(象)은 본받음이고 삶아서 익히는 것은〈팽은 현행본에 형(亨)으로 되어있지만 고본에는 팽(烹)으로 되어있다. 맹씨는 숙(孰)이라 하였고 왕고는 형(亨)이라고 쓰고 팽(烹)의 뜻으로 보았다.〉 솥의 용도이다. 〈사관례 주에 "솥에서 삶는 것을 형이라 한다"고 했으니 팽(烹)과 상통한다.〉 임(飪)은 익히는 것〈숙(熟)과 같다〉이다.

程傳曰, 下體巽, 離明而中虛於上爲耳目聰明之象也.
『정전』에서 말하였다: 하체(下體)는 손(巽)이니 이치에 손순(巽順)함이 되고, 이(離)는 밝고 위에서 가운데가 비어 있으니 이목(耳目)이 총명한 상이 된다.

按, 鼎以木巽火取象, 烹飪以享上帝養聖賢, 聰明上達于天德. 右一對往來策數, 準家人睽.
내가 살펴보았다: 정괘는 나무로 불을 지피는 상을 취했는데 삶아 익혀서 상제께 제향하고 성현을 길러 총명함이 위로 하늘의 덕에 이른다. 이상은 하나의 짝으로 왕래하는 책수가 가인괘과 규괘와 같다.

象曰, 木上有火, 鼎, 君子以, 正位凝命.

정전 「상전」에서 말하였다: 나무 위에 불이 있음이 정(鼎)이니, 군자가 그것을 본받아 자리를 바르게 하여 중후하게 명한다.

본의 「상전」에서 말하였다: 나무 위에 불이 있음이 정(鼎)이니, 군자가 그것을 본받아 자리를 바르게 하여 천명을 모은다.

中國大全

傳

木上有火, 以木巽火也, 烹飪之象. 故爲鼎, 君子觀鼎之象, 以正位凝命. 鼎者, 法象之器, 其形端正, 其體安重. 取其端正之象, 則以正其位, 謂正其所居之位. 君子所處必正, 其小至於席不正不坐, 毋跛毋倚. 取其安重之象, 則凝其命令, 安重其命令也. 凝, 聚止之義, 謂安重也. 今世俗有凝然之語, 以命令而言耳. 凡動爲皆當安重也

나무 위에 불이 있음은 나무가 불에 공손함이니, 삶아 익히는 상이다. 그러므로 정(鼎)이라고 하였으니, 군자가 정(鼎)의 상을 보고서 자리를 바르게 하여 중후하게 명한다. 정(鼎)은 본받고 본뜨는 그릇이니, 그 모양이 단정하고 몸체가 안정되고 묵직하다. 단정한 상을 취하면 그 자리를 바르게 하니, 거처하는 바의 지위(地位)를 바르게 함을 이른다. 군자는 처하는 바를 반드시 바르게 하니, 작게는 '바르지 않은 자리에 앉지 않으며[10] 한쪽 발로만 기울게 서지 않고 기대지 않음[11]'에 이른다. 안정되고 묵직한 상을 취하면 중후하게 명하니, 그 명령을 안정되고 중후하게 하는 것이다. '응(凝)'은 모이고 그친다는 뜻이니, 안정되고 중후함을 이른다. 지금 세속에 '응연(凝然)'이란 말이 있는데, 명령을 가지고 말한 것이다. 움직이고 행함을 모두 마땅히 안정되고 중후하게 해야 한다.

小註

朱子曰, 正位凝命, 恐伊川說得未然. 此言人君臨朝也, 須端莊安重, 一似那鼎相似. 安

10)『論語 · 鄕黨』: 席不正, 不坐.

11)『禮記 · 曲禮』: 遊毋倨, 立毋跛, 坐毋箕, 寢毋伏, 斂髮毋髢, 冠毋免, 勞毋袒, 暑毋褰裳.

在這裏不動, 然後可以凝住那天之命, 如所謂協于上下以承天休.
주자가 말하였다: '정위응명(正位凝命)'에 대한 이천의 설명은 그렇지 않은 듯하다. 이것은 임금이 조회에 임할 때에 반드시 단정하고 안정됨을 솥처럼 해야 함을 말하였다. 이렇게 안정되어 움직이지 않아야 하늘의 명을 모을 수 있는 것이니 예컨대 이른바 "상하(上下)에 화합하여 하늘의 아름다움을 받든다"는 것이다.

○ 童溪王氏曰, 夫鼎之爲器也, 其形端正, 其體鎭重, 其用日新, 故鼎之奠於此也, 而木上之火, 亦凝然於此而後, 烹飪之功見焉. 君子之觀此象也, 則亦正其位而已矣. 其位旣正, 其命令遂於此而凝焉, 如木火之凝然於鼎也, 則造化之功, 亦於此見矣. 蓋木火相資, 以成造化, 有凝命之象. 凝聚也. 中庸曰苟不至德, 至道不凝焉, 予亦曰, 苟不木火, 鼎之用不凝焉. 然則鼎之用不凝, 則鼎也者, 无用之器也, 君子之命不凝, 則位也者, 亦豈非无用之器乎.
동계왕씨가 말하였다: '솥'이라는 그릇은 모양이 단정하고 몸집이 묵직하며 쓰임이 날로 새롭기 때문에 '솥'의 존귀함이 이 점에 있으며, 나무 위의 불도 여기에 모인 뒤에 삶아 익히는 공이 드러난다. 군자가 이 상을 보면 자리를 바르게 할 뿐이다. 자리가 바르게 되고 명령이 여기에서 이루어져 모이는 것이 나무와 불이 솥에서 엉기는 것과 같으면 조화의 공도 여기에 나타난다. 이는 나무와 불이 서로 의지하여 조화를 이룸이니 명령이 모이는 상이 있다. 응(凝)은 모음이다. 『중용』에 "만일 지극한 덕(德)이 아니면 지극한 도(道)가 모이지 않는다" 라고 하였으니, 나도 "만일 나무와 불이 아니면 솥의 쓰임이 모이지 않는다"라고 말하는 것이다. 그렇다면 솥의 쓰임이 모이지 않는다면 솥이라는 것이 쓸모없는 그릇일 것이니, 군자의 명령이 모이지 않으면 지위라는 것이 어찌 쓸모없는 그릇이 아니겠는가?

本義

鼎, 重器也, 故有正位凝命之意. 凝猶至道不凝之凝, 傳所謂協于上下以承天休者也.

솥은 무거운 그릇이므로 지위를 바르게 하여 천명을 모은다는 뜻이 있다. "응(凝)"은 "지극한 도(道)가 모이지 않는다"의 모임[凝]과 같으니, 『춘추좌씨전』에 이른바 "상하(上下)에 화합하여 하늘의 아름다움을 받든다"[12]는 뜻이다.

---

12) 『春秋左傳 · 宣公』: 在德, 不在鼎. 昔夏之方有德也, 遠方圖物, 貢金九牧, 鑄鼎象物, 百物而爲之備, 使民知神姦. 故民入川澤山林, 不逢不若, 螭魅罔兩, 莫能逢之. 用能協于上下, 以承天休.

小註

平庵項氏曰, 鼎之木上有火, 猶井之木上有水, 非井鼎本形, 特象之耳. 草木皆具水火之氣, 其生也, 水氣升於上, 水至木杪, 則爲滋液, 象井泉之上出也. 其成也, 火氣見於上, 火至木杪, 則爲華實, 象鼎氣之上蒸也. 君子觀井象, 則當務民於下, 以豊其液, 觀鼎象, 則當恭己於上, 以凝其氣. 存神以息氣, 人所以凝壽命, 中心无爲, 以守至正, 君所以凝天命. 火之光, 雖在木上, 而其命必藏於木, 木盡則火亡矣. 正位象離, 離爲聽政之位, 凝命象巽, 巽爲命.
평암항씨가 말하였다: 정괘(鼎卦)에서 나무 위에 불이 있는 것은 정괘(井卦)에서 나무 위에 물이 있는 것과 같으나, 이것은 우물과 솥의 본래 형태가 아니라 상징만 하였을 뿐이다. 초목은 모두 물과 불의 기운을 갖추어 생겨날 때에는 물 기운이 위로 올라가 물이 나무 끝에 이르면 진액이 불어나니, 우물의 샘물이 위로 솟아 나옴을 상징한 것이고, 결실을 이룰 때에는 불의 기운이 위에 드러나 불 기운이 나무 끝에 이르면 꽃이 피고 열매가 되니, 솥의 기운이 위로 수증기가 되어 나오는 것을 상징한 것이다. 군자가 우물의 상을 보면 아래로 백성을 다스림에 힘써 진액을 풍성히 하고, 솥의 상을 보면 위로 자기를 공경히 하여 기운을 모은다. 정신을 보존하여 기운을 쉬게 하는 것은 사람 이 수명(壽命)을 모으는 것이고, 마음 속에 사심이 없어 지극히 바름을 지킴은 군주가 천명을 모으는 것이다. 불의 빛남이 비록 나무 위에 있으나 생명은 반드시 나무속에서 보존되니 나무의 생명이 다하면 불도 없어진다. "바른 자리[正位]"는 리(☲)를 상징한 것이니 리는 정사를 듣는 자리이고, "천명을 모음[凝命]"은 손(☴)을 상징한 것이니 손은 천명이다.

○ 東谷鄭氏曰, 革以改命, 鼎以凝命, 知革而不知鼎, 則天下之亂滋矣.
동곡정씨가 말하였다: 혁괘는 천명을 고치는 것이고 정괘(鼎卦)는 천명을 모으는 것이니, 혁괘만 알고 정괘를 모르면 천하의 어지러움이 불어날 것이다.

○ 建安丘氏曰, 革者變也. 聖人於革九四言改命, 而受革以鼎. 鼎象又以凝命言之, 蓋凝其已改之命也, 以鼎繼革, 所以示變革之後, 當端重以守之, 其旨微矣.
건안구씨가 말하였다: 혁은 변혁이다. 성인이 혁괘의 구사에서 '천명을 고침[改命]'을 말하고 정괘(鼎卦)로써 혁괘를 받았다. 또 정괘의 「상전」에서 '천명을 모음[凝命]'을 말하였으니 이는 이미 고친 천명을 모으는 것이고, 정괘로써 혁괘를 이은 것은 변혁의 뒤에는 단정하고 신중함으로써 지켜야함을 보인 것이니 그 뜻이 은미하다.

○ 雲峯胡氏曰, 釋者, 皆以命爲命令, 本義獨以爲天命. 鼎之器正, 然後可凝其所受之實, 君之位正, 然後可凝其所受之命, 正者, 端莊安重之謂也.
운봉호씨가 말하였다: 해석하는 자들이 모두 '명(命)'을 '명령(命令)'으로 여겼으나 『본의』에서만 천명(天命)이라고 하였다. 정(鼎)의 그릇이 바르게 된 뒤에야 받은 음식이 모여질 수 있고, 임금의 자리가 바르게 된 뒤에야 받은 천명이 모여질 수 있는 것이니, 바름[正]은 단정하고 엄숙하며 안정되고 중후함을 이른다.

韓國大全

송시열(宋時烈) 「역설(易說)」

位者, 離爲南也, 命者巽爲命也. 正與凝, 以端重象也, 以君子道言也.
'자리'란 리괘가 남쪽이 되는 것이고, '천명'이란 손괘가 명령이 되는 것이다. '바르게 하는 것'과 '모으는 것'은 단정하고 진중한 상이니, 군자의 도를 가지고 말한 것이다.

김도(金濤) 「주역천설(周易淺說)」

愚按, 程傳下所釋, 朱子惟一條, 王氏惟一條, 本義下諸儒凡四條而皆合於大象之旨矣. 蓋鼎者法象之器也. 耳對植於上, 足分峙於下, 而有腹有鉉, 則可以致烹飪而享上帝養聖賢矣. 以此言之, 其爲物象, 豈不重哉. 其形端正, 其體安重, 故君子法其象而正其位凝其命, 以爲施政令之所出, 其爲取象之意, 可謂嚴且正矣. 大槪人君位不正則无以出令命, 不凝則无以使民, 二者之於人君大矣哉. 鼎之位不正, 則不能出否而必有覆餗之患, 君之位不正, 則不能出令而終致亂亡之禍. 然則爲人君者當何以哉. 凡動作起居, 莫不一出於正而端莊安重, 一似乎鼎之形體, 則其所以命令之出者, 必合於義理之正, 而致天下民物於泰山之安, 可不敬哉, 可不愼哉.
내가 살펴보았다: 『정전』아래의 주석은 주자가 한 조목이고 왕씨가 한 조목이며 『본의』의 아래에는 학자들의 네 조목이 있는데 모두 「대상전」의 뜻에 맞는다. 정괘는 형상을 본뜬 도구이다. 귀가 위에서 마주하고 있고 다리가 아래로 나뉘어 마주하고 있으며 배도 있고 현(鉉)도 있어서 삶아 익혀서 상제께 제향하고 성현을 기른다. 이것으로 말하면 그 물건의 상징이 어찌 중요하지 않겠는가! 그 형상이 단정하고 그 형체가 중후하기 때문에 군자가 그 형상을 본받아 그 자리를 바르게 하여 중후하게 명함으로써 명령을 베푸니, 형상을 취한

뜻이 엄중하며 바르다고 할 만 하다. 임금의 자리가 바르지 못하면 명령을 내릴 수 없고 엄중하게 하지 않으면 백성을 부리지 못하니, 두 가지가 임금에게는 중대하다. 그렇기 때문에 솥의 자리가 바르지 않으면 나쁜 것을 나오게 하지 못하거나 공에게 바칠 음식을 엎는 근심이 있고, 임금의 자리가 바르지 않으면 명령을 내릴 수 없어 마침내 어지러워지거나 망하게 되는 근심에 이른다. 그렇다면 임금이 된 사람은 어떻게 해야 하겠는가! 움직이거나 거처함에 한결같이 바름에서 나와 단정하고 중후하지 않음이 없어서 솥의 형체와 같게 하면 명령을 내리는 것이 반드시 의리의 바름에 합치되어 천하의 백성과 생물을 태산처럼 편안하게 할 것이니 공경하지 않을 수 있겠는가! 신중하지 않을 수 있겠는가!

이만부(李萬敷) 「역통 · 역대상편람 · 잡서변상(易統 · 易大象便覽 · 雜書辨上)」

君道.
임금의 도리.
火木.
불과 나무.

鼎之象曰, 木上有火, 鼎, 君子以, 正位凝命.
정(鼎)괘의 「상전」에서 말하였다: 나무 위에 불이 있음이 정(鼎)이니, 군자가 그것을 본받아 자리를 바르게 하여 중후하게 명한다.

傳曰, 云云.
『정전』에서 말하였다: 운운.
本義曰, 鼎, 重器也, 故有正位凝命之意. 凝猶至道不凝之凝, 傳所謂協于上下以承天休者也.
『본의』에서 말하였다: 솥은 무거운 그릇이므로 지위를 바르게 하여 천명을 모은다는 뜻이 있다. "응(凝)"은 "지극한 도(道)가 모이지 않는다"의 모임[凝]과 같으니, 『춘추좌씨전』에 이른바 "상하(上下)에 화합하여 하늘의 아름다움을 받든다"[13]는 뜻이다.

臣謹按, 程傳以安重命令釋凝命, 本義所釋旣不同. 朱子又曰, 正位凝命, 此言人君臨朝也, 湏端莊安重, 一似那鼎相似, 安在這裏不動然後, 可以凝住那天命. 今以此說觀之, 則於取鼎之象, 及人君執德之理, 尤親切. 故敢獨取朱子說, 錄于君道章之首, 僭越

13) 『春秋左傳 · 宣公』: 在德, 不在鼎. 昔夏之方有德也, 遠方圖物, 貢金九牧, 鑄鼎象物, 百物而爲之備, 使民知神姦. 故民入川澤山林, 不逢不若, 螭魅罔兩, 莫能逢之. 用能協于上下, 以承天休.

之罪無所逃矣.
신이 삼가 살펴보았습니다: 『정전』에서는 안정되고 중후하게 명하는 것으로 '응명(凝命)'을 해석하였는데, 『본의』에서 해석한 것은 이미 다릅니다. 주자는 또 말하길, "'정위응명(正位凝命)'은 임금이 조회에 임할 때에 반드시 단정하고 안정됨을 솥처럼 해야 함을 말하였다. 이렇게 안정되어 움직이지 않아야 하늘의 명을 모을 수 있다"고 하였습니다. 이 설명으로 본다면 솥의 상을 취함과 임금이 덕을 잡아야 하는 이치에 더욱 맞습니다. 그렇기 때문에 주자의 설만을 취하여 서두에 '군도(君道)'라 기록하였으니, 참람하게 뛰어넘는 죄를 피할 수 없습니다.

이익(李瀷) 「역경질서(易經疾書)」

木上有火, 火巽木也. 火者氣焚於鼎而焫入於木也. 非鼎則焫爲無用, 非烹則鼎爲虛器. 食遍于人而鼎居其所則正位是也. 受物於人而無不成就, 則凝命是也.
나무위에 불이 있음은 불이 나무에 들어가는 것이다. 불은 불기운이 솥에 더해지면서 나무에 타들어간다. 솥이 아니면 타들어가도 쓸 데가 없고 삶지 않으면 솥도 빈 그릇일 뿐이다. 음식이 사람들에게 고루 미쳐 솥이 있을 데 있으니, '자리를 바로 함'이 이것이다. 사람들에게 물건을 받아 성취하지 않음이 없으니, '천명을 모음'이 이것이다.

심조(沈潮) 「역상차론(易象箚論)」

正位凝命.
자리를 바르게 하여 중후하게 명한다.

以離在上, 便是南面聽政象, 以巽居下, 便是威風下行之象. 巽爲股, 故位字從立.
리괘(☲)가 위에 있는 것이 곧 남쪽을 향하여 정사를 듣는 상이고, 손괘(☴)가 아래에 있는 것이 곧 위엄 있는 풍속이 아래로 행해지는 상이다. 손괘(☴)는 넓적다리가 되기 때문에 '위(位)'자에 립(立)자를 썼다.

김상악(金相岳) 「산천역설(山天易說)」

鼎重器也, 寘諸安處則安, 寘諸危處則危, 故曰正位. 鼎之位正而後可凝其所受之物, 君之位正而後可凝其所受之命也.
솥은 무거운 그릇이다. 안정된 곳에 놓으면 안정되고 위태로운 곳에 놓으면 위태롭기 때문에 "자리를 바르게 한다"고 하였다. 솥의 자리가 바른 뒤라야 받아들이는 음식물을 모을 수 있, 임금의 자리가 바른 뒤라야 받아들이는 명을 모을 수 있다.

○ 野同[14]錄, 鼎井皆以生氣爲命. 井木上有水, 津液自木出, 鼎木上有火, 英華自木生也.
『야동록(野同錄)』[15]에서 말하였다: 정괘(鼎卦䷱)와 정괘(井卦䷯)는 모두 생기(生氣)로 명을 삼는다. 정괘(井卦䷯)의 나무위의 물은 진액이 나무에서 나오는 것이고, 정괘(鼎卦䷱)의 나무위의 불은 아름다운 꽃이 나무에서 나오는 것이다.

서유신(徐有臣) 「역의의언(易義擬言)」

烹煮者鼎而木上有火其象也. 巽正立而外嚮明, 正位之象, 離虛中而內含風, 凝命之象, 皆取鼎之端重也.
삶는 것은 솥이고 나무위에 불이 있음은 그 형상이다. 손괘(☴)로 바로 서서 밖으로 밝음을 향하니 자리를 바르게 하는 상이고, 리괘(☲)로 속을 비워 안으로 바람을 머금으니 중후하게 명하는 상이니 모두 솥의 단정하고 중후함을 취하였다.

박제가(朴齊家) 『주역(周易)』

大象正位凝命, 傳安重其命令. 朱子曰, 人君臨朝也, 須端莊安重, 一似那鼎相似, 可以凝住那天之命, 故本義引至道不凝以承天休二語.
「대상전」의 '정위응명(正位凝命)'에 대해서 『정전』에서는 "그 명령을 안정되고 중후하게 하는 것"이라 하였다. 주자는 "임금이 조회에 임할 때에 반드시 단정하고 안정됨을 솥처럼 해야 하늘의 명을 모을 수 있다"고 하였다. 그렇기 때문에 『본의』에서는 "지극한 도(道)가 모이지 않는다"와 "상하(上下)에 화합하여 하늘의 아름다움을 받든다"는 두 말을 인용하였다.

案, 君子當通上下, 未必專屬人君, 若命之爲天命, 則亦上下皆通. 然則必合傳義然後爲完耳.
내가 살펴보았다: 군자는 위아래에 통용되어야지 임금에게만 속할 필요가 없으니, 만약 '명(命)'을 '천명(天命)'으로 여긴다면 위아래에 다 통용된다. 그렇다면 반드시 『정전』과 『본의』를 합한 뒤에야 완전해진다.

---

14) 同: 경학자료집성DB와 영인본에는 모두 '東'로 되어 있으나, 사고전서를 참조하여 '同'으로 바로잡았다.
15) 『周易函書約存』: 野同録曰, 井鼎皆以生氣爲命, 井木上有水, 津液自木出, 鼎木上有火, 英華自木生也.

이지연(李止淵) 「주역차의(周易箚疑)」

木以燥而引火, 稟受天命, 火以炎而上燥, 稟受天命. 而火非木, 則无以凝炎上之命, 无以正炎火之位. 木者在下而受火之物也, 火者在上而燔木之物也. 木上有火, 乃火與木各正其位, 凝其所受之命, 命之凝者, 凝成之謂也.
나무가 말라서 불을 끌어들임이 천명을 받아들임이고 불이 타올라가며 말림도 천명을 받아들임이다. 불은 나무가 아니면 위로 타오르는 명을 모을 수 없고 위로 타오르는 자리를 바르게 할 수 없다. 나무는 아래에 있어 불을 받아들이는 물건이고 불은 위에 있어 나무를 사르는 물건이다. 나무위에 불이 있으면 불과 나무가 각각 그 자리를 바르게 하여 받은 명을 모으니, 명을 모은다는 것은 모아서 이룸을 말한다.

김기례(金箕澧) 「역요선의강목(易要選義綱目)」

君子以, 正位凝命.
군자가 그것을 본받아 자리를 바르게 하여 중후하게 명한다.

鼎得正而後凝烹飪, 君位正而後凝天命, 此君子謂君位.
솥은 바름을 얻은 뒤에야 밥을 삶아서 익히고 임금의 자리를 바르게 한 뒤에야 천명을 모으니 여기의 군자는 임금이다.

이항로(李恒老) 「주역전의동이석의(周易傳義同異釋義)」

傳, 鼎者法象之器, 其形端正其體安重. 云云.
『정전』: 정(鼎)은 본받고 본뜨는 그릇이니, 그 모양이 단정하고 몸체가 안정되고 묵직하다. 운운.

本義, 鼎重器也, 故有正位凝命之意. 云云.
『본의』: 솥은 중후한 그릇이므로 지위를 바르게 하여 천명을 모은다는 뜻이 있다. 운운.

按, 正位凝命, 傳言君子之學, 本義言王者之事, 兩釋不同. 序卦曰, 主器者莫若長子故受之以震, 彖曰, 聖人烹以享上帝而大烹以養聖賢. 觀此則皆以王者事當之, 本義所以不從傳釋也.
내가 살펴보았다: "자리를 바르게 하여 중후하게 명한다"에 대해서 『정전』에서는 군자의 배움으로 말하였고 『본의』에서는 임금의 일로 말하여 두 해석이 같지 않다. 「서괘전」에서는,

"그릇을 주관하는 자는 맏아들만한 자가 없기 때문에 진괘(震卦)로써 받았다"고 하였고, 「단전」에서는 "성인이 삶아서 상제께 제향하고, 크게 삶아 성현을 기른다"고 하였다. 이런 것을 보면 다 임금의 일에 해당하기 때문에 『본의』에서는 『정전』의 해석을 따르지 않았다.

심대윤(沈大允) 「주역상의점법(周易象義占法)」

木上有火, 以木巽火也, 凝, 精神凝合也. 巽爲正直爲位爲命, 巽坎爲精神專一曰凝. 主人而言任使, 故不取离象.

나무위에 불이 있음은 "나무가 불에 공손함"이고, 응(凝)은 정신이 합함이다. 손괘(☴)로 정직과 자리와 명이 된다. 손괘(☴)와 감괘(☵)로 정신을 한결같이 함을 '응(凝)'이라 한다. 사람을 주로 하여 맡기고 부리는 것을 말했기 때문에 리괘의 상은 취하지 않았다.

오치기(吳致箕) 「주역경전증해(周易經傳增解)」

木上有火爲鼎亨飪之象, 而亦以卦體自足至鉉, 有全鼎之象. 其形端正其體安重, 故君子觀鼎之象, 取其端正, 以正其所居之位而无所偏倚, 取其安重, 以凝其命令之際而有所愼重也. 正位, 取於柔得中也, 凝命取於巽爲命也.

나무위에 불이 있음이 솥으로 삶아 익히는 상이고, 괘의 몸체가 발에서 현(鉉)에 이르기까지 온전한 솥의 상이 있다. 그 형상이 단정하고 형체가 안정되고 중후하기 때문에 군자가 솥의 상을 보고 그 단정함을 취해서 거처하는 자리를 바로 하여 기울어짐이 없게 하고, 그 안정되고 중후함을 취하여 명령을 내릴 때 중후하게 하여 신중함을 유지한다. 자리를 바르게 함은 부드러움이 가운데를 얻음을 취하였고, 명을 중후하게 함은 손괘(☴)가 명령이 됨을 취하였다.

이진상(李震相) 「역학관규(易學管窺)」

正位凝命.

자리를 바르게 하여 중후하게 명한다.

鼎體端正而凝其所受之實, 王位居正而凝其所受之命者, 已盡立象之意, 而中含乾體又其居天位, 膺天命者也. 初不取義於離巽者, 以其木火之非鼎也. 先儒多以井之木水爲比, 然井則水也而鼎則非木非火, 烏可同也. 平庵旣以非鼎本形爲言, 而又以木盡火亡之說繼之, 旣以壽命天命爲言, 而又以凝命本巽之說亂之, 似相牴牾. 況離爲聽政之位, 未必是文王本意耶.

솥의 몸체는 단정해서 받아들인 음식을 모으고 임금의 자리는 바르게 있어 받은 명을 모으는 것으로 이미 상을 세운 뜻을 드러냈고, 가운데 건괘(☰)의 몸체를 포함하고 하늘의 자리에 있으니 천명을 받은 자이다. 처음부터 리괘(☲)와 손괘(☴)로 뜻을 취하지 않은 것은 나무와 불이 솥이 아니기 때문이다. 선배 학자들은 대부분 정괘(井卦䷯)와 비교했지만 정괘(井卦䷯)는 물이지만 정괘는 나무나 불이 아닌데 어떻게 같은가? 평암(平庵)이 이미 정(鼎)괘는 본래의 형상으로 말한 것이 아니라고 하면서 또 "나무의 생명이 다하면 불도 없어진다"는 설명으로 이어나갔다. 이미 수명과 천명으로 말해놓고 천명을 모음[凝命]은 손괘(☴)에 근본한 설이라고 하면서 어지럽혔으니 서로 모순인 것 같다. 하물며 리괘(☲)가 정사를 듣는 자리라는 것이 반드시 문왕의 본 뜻이 아님에랴!

박문호(朴文鎬) 「경설-주역(經說-周易)」

井鼎皆象也, 而特言於鼎者, 以鼎之象比井尤爲明故也.
정괘(井卦䷯)와 정괘(鼎卦䷱)는 모두 상인데 정괘(鼎卦䷱)에서만 말한 것은 정괘(鼎卦䷱)의 상이 정괘(井卦䷯)에 비해 더욱 분명하기 때문이다.

이정규(李正奎) 「독역기(讀易記)」

鼎之大象曰, 木上有火鼎君子以正位凝命. 鼎以下足中腹傍耳上鉉之象, 位于火木之際, 則凡享上帝養聖賢, 變腥爲熟, 易堅爲柔, 烹飪之用凝焉. 君以剛柔聰明, 得中之德, 位于君子之位, 則凡可以協上下承天休之道凝焉, 是則天命之凝也.
정괘(鼎卦䷱)의 「대상전」에서 이르길, "나무 위에 불이 있음이 정(鼎)이니, 군자가 그것을 본받아 자리를 바르게 하여 중후하게 명한다"고 하였다. 정괘의 아래의 발과 가운데의 배와 곁의 귀와 상효의 현(鉉)의 상으로 불과 나무의 사이에 위치하고 있으면 상제께 제향하고 성현을 기르고 날 것을 변화시켜 익히고 견고한 것을 바꾸어 부드럽게 만들어 삶아 익히는 용도가 응집된다. 임금의 굳세고 부드럽고 총명함으로 알맞은 덕을 얻어 군자의 자리에 있게 되면 상하(上下)에 화합하여 하늘의 아름다움을 받드니 이는 곧 천명을 모으는 것이다.

이병헌(李炳憲) 「역경금문고통론(易經今文考通論)」

鄭曰, 凝, 成也.
정현이 말하였다: '응(凝)'은 이룸이다.

按, 鼎長子之器, 故當正其位而奠天命也.
내가 살펴보았다: 솥은 맏아들의 그릇이기 때문에 그 자리를 바로 하여 천명을 높인다.

初六, 鼎顚趾, 利出否, 得妾, 以其子, 无咎.

정전 초육은 솥이 발이 넘어졌으나 나쁜 것이 나와 이로우니, 첩을 얻으면 그 남자를 도와서 허물이 없게 할 것이다.

본의 초육은 솥이 발이 넘어졌으나 나쁜 것이 나와 이롭고 첩을 얻어 자식까지 얻으니 허물이 없을 것이다.

中國大全

傳

六在鼎下, 趾之象也, 上應於四, 趾而向上, 顚之象也. 鼎覆則趾顚, 趾顚則覆其實矣, 非順道也. 然有當顚之時, 謂傾出敗惡, 以致潔取新則可也. 故顚趾, 利在於出否, 否惡也. 四,近君, 大臣之位, 初, 在下之人, 而相應, 乃上求於下, 下從其上也. 上能用下之善, 下能輔上之爲, 可以成事功, 乃善道, 如鼎之顚趾, 有當顚之時, 未爲悖理也. 得妾以其子无咎, 六陰而卑, 故爲妾, 得妾, 謂得其人也. 若得良妾, 則能輔助其主, 使无過咎也. 子主也, 以其子, 致其主於无咎也. 六陰居下而卑巽從陽, 妾之象也. 以六上應四, 爲顚趾, 而發此義. 初六, 本无才德可取, 故云得妾, 言得其人則如是也.

음[六]이 솥 아래에 있으니 발의 상이고, 위로 사효와 호응하여 발이 위로 향하니 넘어지는 상이다. 솥이 엎어지면 발이 넘어지고, 발이 넘어지면 그 안에 담긴 것을 엎어 놓으니, 순한 도(道)가 아니다. 그러나 마땅히 넘어져야 할 때가 있으니, 부패한 것과 나쁜 것을 기울여 꺼내어서 깨끗함을 이루고 새로움을 취해야 한다. 그러므로 발이 넘어짐은 이로움이 나쁜 것이 나옴에 있으니, 비(否)는 나쁜 것이다. 사효는 군주와 가까우니 대신(大臣)의 지위이고, 초효는 아래에 있는 사람인데 서로 호응하니, 위는 아래에게 구하고 아래는 위를 따르는 것이다. 윗사람이 아랫사람의 선(善)을 쓰고 아랫사람이 윗사람의 하는 일을 보필하면 일의 공(功)을 이룰 수 있다. 이는 좋은 도(道)이니, 마치 솥의 발이 넘어진 것이 마땅히 넘어져야 할 때가 있어서 패역(悖逆)이 되지 않는 것과 같다. "첩을 얻으면 그 남자를 도와서 허물이 없게 할 것이다[得妾以其子无咎]"는 육(六)이 음(陰)이고 낮으므로 첩(妾)이라고 한 것이니, 첩(妾)을 얻음은 훌륭한 사람을 얻음을 이른다. 만일 어진 첩을 얻으면 그 주인을 보좌하여 허물이 없게 할 것이다. 자(子)는 주인이니, "이기자(以其子)"는 그 주인을 허물이 없는데 이르게 하는 것이다. 초육의 음이 아래에 거하여 낮추고 공손하여 양을 따르니, 첩의 상이다. 음[六]으로써 위로 사효과 호응하니, 발이 넘어짐이 되므로 이 뜻을 발한 것이다. 초육은 본래 취할 만한 재주와 덕이 없으므로 첩을 얻었다고 말했으니, 훌륭한 사람을 얻으면 이와 같음을 말한 것이다.

本義

居鼎之下, 鼎趾之象也, 上應九四, 則顚矣. 然當卦初, 鼎未有實, 而舊有否惡之積焉. 因其顚而出之, 則爲利矣. 得妾而因得其子, 亦由是也. 此爻之象如此, 而其占无咎, 蓋因敗以爲功, 因賤以致貴也.

솥의 아래에 있음은 솥발의 상이니, 위로 구사에 호응하면 넘어진다. 그러나 괘의 초기를 당하여 솥에 담겨진 물건이 없으며 예전에 쌓인 나쁜 것이 있으니, 넘어짐으로 인하여 나쁜 것이 나오면 이로움이 된다. 첩을 얻고 그로 인하여 아들을 얻음도 또한 이와 같다. 이 효의 상이 이와 같고 그 점은 허물이 없으니, 실패로 인하여 성공을 삼고 천함으로 인하여 귀함을 이룬다.

小註

或問, 鼎顚趾利出否无咎, 據此爻, 是凡事須用與他翻轉了, 卻能致利. 朱子曰, 不然, 只是偶然如此. 此本是不好底爻, 卻因禍致福, 所謂不幸中之幸. 蓋鼎顚趾, 本是不好, 卻因顚仆而傾出鼎中惡穢之物, 所以反得利而无咎. 非是故意欲翻轉鼎趾而求利也. 得妾以其子, 得妾是无緊要, 其重卻在以其子處, 顚趾利出否, 伊川說是, 得妾以其子无咎, 彼謂子爲王公在喪之稱者, 恐不然.

어떤 이가 물었다: "솥이 발이 넘어졌으나 나쁜 것이 나옴이 이로우니 허물이 없다"고 하였는데 이 효에 근거해보면 모든 일이 그것과 반대로 하면 도리어 이로움에 이를 수 있다는 말입니까?

주자가 답하였다: 그렇지 않습니다. 다만 우연히 이와 같을 뿐입니다. 이 효는 본래 좋지 않은 효이지만 도리어 화로 인하여 복을 이루는 것은 이른바 불행 가운데 다행이라는 것입니다. 대체로 "솥발이 넘어짐"은 본래 좋지 않으나 넘어짐으로 인하여 도리어 솥 안의 나쁘고 더러운 물건이 기울어져 나오니, 이 때문에 도리어 이롭게 되고 허물이 없는 것입니다. 고의로 솥의 발을 넘어뜨려 이로움을 구하고자 하는 것이 아닙니다. "첩을 얻어 자식까지 얻음"에서 '첩을 얻음'은 중요할 것이 없고 중요한 것은 '자식까지 얻음'에 있습니다. "솥이 발이 넘어졌으나 나쁜 것이 나옴이 이롭다"는 이천의 설명이 옳으나, "첩을 얻으면 그 남자를 도와서 허물이 없게 할 것이다"에서 '자(子)'를 '왕공이 상을 당했을 때의 칭호'로 여긴

것은 맞지 않은 듯하다.

○ 臨川吳氏曰, 否, 不善之物, 謂鼎中之穢惡也. 當鼎之初, 未實牲體, 正當洗濯之時, 顚其趾, 以傾出其穢惡, 故趾雖顚, 而於出否, 則爲利也.
임천오씨가 말하였다: '나쁜 것[否]'은 좋지 않은 물건이니 솥 안의 더럽고 나쁜 물건을 이른다. 정괘의 초기는 희생이 채워지기 전에 바로 씻어내야 할 때이니, 발을 뒤집어 더럽고 나쁜 것을 쏟아내기 때문에 발이 비록 뒤집어졌으나 나쁜 것을 쏟아 내는 것은 이로움이 된다.

○ 雙湖胡氏曰, 初, 位之剛, 六, 爻之柔, 以初得六, 得妾之象也. 爻不正, 故稱妾. 下巽伏震, 長子之象也. 主器有人. 无咎之道也.
쌍호호씨가 말하였다: '초'는 자리가 굳세고 '육'은 효가 부드러우니 굳센 초효가 부드러운 육을 얻음이 첩을 얻은 상이다. 효가 제자리가 아니므로 '첩'이라고 하였다. 하괘인 손(☴)은 음양이 바뀐 괘가 진(☳)이니 맏아들의 상이다. 그릇을 주관하는 데 사람이 있으니 허물이 없는 도이다.

○ 雲峯胡氏曰, 此爻象中取象, 顚趾非利, 出否則爲利, 得妾未爲重, 有子則可重矣. 陰柔在下, 於鼎爲趾象, 於人則又爲妾象, 鼎偶顚趾而有出否之利, 是因敗以爲功也. 又因得妾, 而遂有得子之慶, 是因賤以致貴也, 天下事固自有偶如此者, 非可有心以致之也.
운봉호씨가 말하였다: 이 효는 상(象)안에서 상을 취하였으니, 발이 뒤집어진 것이 '이로움'이 아니라 '나쁜 것이 나옴'이 '이로움'이 되고, 첩을 얻음이 중요한 것이 아니라 자식을 둠이 중요한 것이다. 부드러운 음이 아래에 있는 것은 솥에서는 발이 되는 형상이고 또 사람에게서는 첩이 되는 상이니, 솥이 우연히 발이 뒤집어져 나쁜 것이 나오는 이로움이 있음은 실패로 인하여 성공하게 되는 일이다. 또 첩을 얻음으로 인하여 마침내 자식을 얻는 경사가 있음은 천함으로 인하여 귀함을 이루는 것이니, 천하의 일은 본래 이처럼 우연한 것이 있는 것이지 의식적으로 이루어지는 것이 아니다.

○ 西溪李氏曰, 全體一鼎, 分上下體爲二鼎. 上體之鼎, 有兩耳而无足, 故九四之鼎折足. 下體之鼎, 有足而无耳, 故九三之鼎耳革. 六爻皆取鼎象, 故曰鼎象也.
서계이씨가 말하였다: 정괘의 전체는 하나의 솥이고, 상체와 하체로 나누어보면 두 개의 솥이다. 상체의 솥은 두 귀는 있으나 발이 없으므로 구사는 '솥발이 부러짐'이고, 하체의 솥은 발은 있으나 귀가 없으므로 구삼은 '솥귀가 변함'이다. 여섯 효가 모두 솥의 상을 취하였기 때문에 '솥의 상'이라고 하였다.

韓國大全

권근(權近) 『주역천견록(周易淺見錄)』

顚趾, 出否, 程傳盡矣. 得妾以其子无咎者, 鼎爲長子所主之重器, 而此卦下巽上離, 中長二女, 合以成卦而無子, 重器莫可以傳也. 故嫡若無後, 當求良妾, 以祈其有子也. 初六之陰, 卑巽在下, 妾之象也. 上應九四, 有出否從貴, 去故納新之象. 人於妻妾, 去其故而納其新, 苟無其故, 則有其咎. 若以無後, 求子之故而得妾, 則無咎也. 在下之陰, 不安其分, 顚趾而向上, 本當有咎, 然以鼎則利於出否, 以妾則欲以其子, 故皆無咎. 若陽居鼎初, 當言長子主器之道. 以陰居下, 而應在於上, 又卦象無子, 故因發得妾以子之義, 以主器不可以無子也. 序卦亦以震次之, 聖人之慮遠矣.

"솥의 발이 넘어진다", "나쁜 것이 나온다"는 것에 대해서는 『정전』에 다 잘 해석하였다. "첩을 얻어 자식까지 얻는다"라는 것은, 솥은 맏아들이 주관하는 중요한 그릇이고, 이 괘가 아래는 손괘(巽卦)이고 위는 리괘(離卦)여서 둘째딸과 맏딸이 모여 괘를 이루고, 아들이 없으므로 중요한 그릇을 전할 수가 없다. 그 때문에 정처(正妻)에게 후사가 없으면 좋은 첩을 구해 자식 얻기를 바라야 한다. 초육의 음은 몸을 낮추어 공손하게 아래 있으니, 첩의 상이다. 위로 구사에 응하니, 비색한 곳에서 나와 귀한 이를 따르고, 옛 것을 버리고 새로운 것을 받아들이는 상이다. 사람들이 처와 첩에 대하여 옛 사람을 버리고 새로운 사람을 받아들이는 경우, 정말로 정당한 이유가 없다면 그에 따른 허물이 있게 된다. 만약 후사가 없어 자식을 얻으려는 것 때문에 첩을 얻는다면 허물이 없다. 아래 있는 음이 자기의 직분에 편안하지 못하고 발이 뒤집혀 위로 향하니 본래 허물이 있어야 하나, 솥의 경우는 나쁜 것을 쏟아내어 이롭고 첩의 경우는 자식을 얻고자 하는 것이므로 모두 허물이 없다. 만일 양이 정괘의 첫 자리에 거한다면 맏아들이 그릇을 주관하는 도리를 언급해야 한다. 음이 아랫자리에 거하고 윗자리에 호응이 있으며, 또 괘의 상에 아들이 없기 때문에, 자식을 얻기 위해 첩을 얻는다는 의미를 표현하여 그릇을 주관하기 위해 아들이 없어서는 안 된다고 한 것이다. 괘의 순서도 진괘(震卦)를 다음에 놓았으니, 성인의 배려가 심원하다.

조호익(曺好益) 「역상설(易象說)」

初六, 鼎顚趾得妾.

초육은 솥이 발이 넘어졌으나 첩을 얻는다.

趾初象, 初分趾也. 傳上應於四, 趾而向上, 顚之象. 得妾, 或曰, 巽之反兌, 兌爲妾, 初顚而向上, 則成兌, 有得妾之象.
발은 초효의 상이니, 초효는 나뉜 발이다. 『정전』에서는 "위로 사효와 호응하여 발이 위로 향하니 넘어지는 상"이라고 하였다. "첩을 얻음"에 대해 어떤 이가 이르길, "손괘(☴)가 거꾸로 된 것이 태괘(☱)인데 태괘는 첩이며, 초효가 넘어져 위로 향하면 태괘(☱)를 이루어 첩을 얻는 상이 있다"고 하였다.

송시열(宋時烈) 「역설(易說)」

巽錯則爲震足. 然此卦旣以鼎象解之, 則比爻坼而爲兩足, 顚者顚倒也, 革之兌顚倒爲巽, 故有顚趾之象, 便利於去鼎中之汚穢, 故曰利出否. 與四爲應, 四卽互兌中爻也, 兌爲妾, 故曰得妾. 鼎器也, 主器莫如子, 巽又錯震爲長子, 故曰以其子. 以占言之, 爲旡咎之道也. 小象未悖者, 顚趾雖若非道, 然去汚取新亦不悖也. 從貴者陰賤而陽貴, 以初陰從四爻之陽也.
손괘(☴)가 음양이 바뀌면 진괘(☳)로 발이 된다. 그렇지만 이 괘를 이미 정괘의 상으로 풀면 초효는 터져서 두 발이 되고, '전(顚)'은 거꾸로 됨이니 혁괘(革卦䷰)에서 태괘(☱)가 거꾸로 되면 손괘(☴)가 되기 때문에 발이 넘어진 상이 있어 곧 솥 속의 묵은 찌꺼기를 제거하는데 이롭기 때문에 "나쁜 것이 나와 이롭다"고 하였다. 사효와 호응하는데 사효는 호괘인 태괘(☱)의 가운데 효이고 태괘는 첩이 되기 때문에 "첩을 얻으면"이라고 하였다. 솥은 그릇인데 그릇을 주관하는 자는 자식만한 이가 없고 손괘(☴)의 음양이 바뀌면 진괘(☳)의 맏아들이 되기 때문에 "자식까지 얻으면"이라고 하였다. 점으로 말하면 허물이 없는 도가 된다. 「상전」의 "아직 어긋나지 않은 것"은 발이 넘어짐이 도가 아닌 것 같지만 찌꺼기를 버리고 새로움을 취함이 또한 어긋나지 않는 것이다. "귀함을 따름"은 음은 천하고 양은 귀한데 초효의 음이 사효의 양을 따르기 때문이다.

이익(李瀷) 「역경질서(易經疾書)」

初六之鼎, 如大夫士五鼎三鼎, 器之貴者也. 諸侯稱嬪御, 庶人無妾, 下云得妾, 則知其以大夫士言也. 顚趾猶言顚頤, 頤顚則下, 趾顚則上也. 鼎之爲器, 有事則用, 無事則藏, 藏必覆置, 故其足向上, 是謂顚趾也. 無事而顚趾, 宜也, 故曰未悖也. 利出, 猶言利往, 謂利於出以用之也. 否字, 承可則爲不可, 承賢則爲不賢, 此承顚趾, 則爲不顚趾也. 謂雖顚趾而將有待, 故至利出則否也. 利出而用於祭享, 故曰以從貴也. 君之有後宮廣儲嗣也, 大夫士亦理不可絶後, 故許其得妾, 得妾者, 爲子非爲色也. 序卦云, 主器莫若長子, 鼎有主器之象. 初六未爲後也, 謂之莫若, 則無嫡長者. 庶子亦得以主器, 如鼎賤而利出, 則從貴也. 然異於嫡嫡相承, 故只得爲无咎. 傳之從貴字宜諦看. 蓋初陰與大過之末弱同. 在九四爲折足, 在初六爲顚趾, 於初則未悖, 於四則已有實, 故害甚. 卦例以初爲子, 而陰柔非正, 則爲妾之所出. 卦無初九之陽剛, 而有主器之象, 故知妾子之從貴.

초육의 솥은 "대부나 선비의 다섯 솥이나 세 솥"과 같으니 그릇 가운데 귀한 것이다. 제후에게는 빈(嬪)이나 어(御)라고 하며 서민은 첩이 없으니 아래에서 이른 "첩을 얻음"은 대부나 선비를 말했음을 알 수 있다. '발이 넘어짐'은 '거꾸로 길러줌'과 같으니 '거꾸로 길러줌'은 아래로 향하고 '발이 넘어짐'은 위로 향한다. 솥이란 그릇은 일이 있으면 쓰이고 일이 없으면 감추니 감출 때 반드시 엎어놓기 때문에 발이 위로 향하니 이것이 '발이 넘어짐'이다. 일이 없을 때는 발이 넘어져있는 것이 당연하기 때문에 '아직 어긋나지 않은 것'이라 하였다. '나와 이로움'은 '가는 것이 이로움'이라 하는 것과 같으니 나와서 쓰여 지는 것이 이로움을 말한다. '비(否)'자는 가함을 이르면 불가함이 되고 현명함을 이르면 현명하지 못함이 되니, 여기에서는 발이 넘어짐을 이으면 발이 넘이지지 않음이 되니, 비록 발이 넘어졌지만 장차 기다림이 있기 때문에 '나와 이롭게 되면 비(否)[발이 넘어지지 않음]가 됨에 이른다. 나와 이로와서 제향에 쓰여지기 때문에 '귀함을 따른다'고 하였다. 임금이 후궁을 두는 것은 후사를 얻는 기회를 넓히기 위함이며 대부와 선비 또한 이치상 후속을 끊을 수 없기 때문에 첩을 얻는 것을 허락하니 첩을 얻음은 자식을 위한 것이지 여색을 위한 것이 아니다. 「서괘전」에 이르길, "그릇을 주관하는 자는 맏아들만한 자가 없다"고 하였듯이 정괘에는 그릇을 주관하는 상이 있다. '막약(莫若)'이라 하였으니 적장자가 없을 때는 서자도 그릇을 주관할 수 있음은 마치 솥이 천하지만 나와 이롭게 되면 귀함을 따르는 것과 같다. 그렇지만 적장자에서 적장자로 이어지는 것과는 다르기 때문에 다만 허물없음을 얻는다. 「상전」의 "귀함을 따른다"는 구절을 자세히 보아야 한다. 초효의 음은 대과의 "끝이 약하다"는 것과 같다. 구사효에 있어서는 '발이 부러짐'이 되고 초효에 있어서는 '발이 넘어짐'이 되는데 초효에서는 '아직 어긋나지 않음'이고 사효에 있어서는 이미 실물이 있음이 되기 때문에 해로움이 심하다. 괘의 예에서 초효는 자식인데 음으로 부드럽고 바르지 못해 첩에서 나온 자이다. 괘에서 초구의 양으로 굳셈은 없지만 그릇을 주관하는 상이 있기 때문에 첩의 자식이 귀함을 따름을 안다.

유정원(柳正源) 『역해참고(易解參攷)』

林氏曰, 鼎以足奇耳偶而成器, 以初爲趾, 則初畫偶而欠一趾, 趾欠則下以上爲顚, 上以下爲折.

임씨가 말하였다: 솥은 발은 홀수로 귀는 짝수로 만들어 그릇을 이루는데, 초효를 발로 삼으면 초효의 획이 짝수라서 발 하나가 모자라니 발이 모자라면 아래에서는 위에서 넘어졌다고 여기고 위에서는 아래가 부러졌다고 여긴다.

○ 進齋徐氏曰, 妾初也, 子四也. 柔巽處卑, 妾之象也, 從剛應四, 以其子也, 言妾雖賤從子貴也.
진재서씨가 말하였다: 첩은 초효이고 자식은 사효이다. 부드럽고 공손하여 낮게 처신하니 첩의 상이고, 굳셈을 따라 사효와 호응하니 '그 자식까지 얻음'이니, 첩은 비록 천하지만 자식의 귀함을 따른다.

○ 節初齊氏曰, 兌爲妾, 巽顚則兌, 故曰妾.
절초제씨가 말하였다: 태괘(☱)는 첩인데 손괘(☴)가 거꾸로 되면 태괘가 되기 때문에 첩이라고 하였다.

小註朱子說, 子爲在喪, 左僖九年, 宋桓公未葬, 襄公會諸侯, 故曰子凡在喪, 王曰小童, 公侯曰子.
소주의 주자의 설에 "'자식'은 [왕공이] 상중에 있을 때의 명칭"이라는 것은 『춘추좌씨전』 "희공 9년에 송나라 환공을 아직 장사지내지도 않았는데 양공이 제후를 회합했다"고 하였기 때문에 "자식이 상중에 있을 때 왕은 소동(小童)이라 하고 공후는 자(子)라고 한다"고 하였다.

○ 雜記, 君薨太子號稱子.
「잡기」에서 말하였다: 임금이 죽었을 때 태자를 자(子)라고 호칭한다.[16]

김상악(金相岳) 「산천역설(山天易說)」

顚趾, 顚倒其趾也. 初六巽體居下, 鼎之趾也, 從應於上, 則顚矣. 因四五升降, 失陰穢之私, 得陽剛之應, 而四互兌體, 故其象如此, 无咎者, 善補過之辭也.
솥의 발이 넘어짐은 그 발이 뒤집힌 것이다. 초육은 손괘(☴)의 몸체로 아래에 있으니 솥의 발인데 위와 호응하면 넘어진다. 사효와 오효의 오르내림을 통해서 음으로 더러운 사사로움을 잃고 양으로 굳센 호응을 얻고 사효의 호괘가 태괘(☱)의 몸체이기 때문에 그 상이 이와 같으니 "허물이 없음은 허물을 잘 보충한다"는 말이다.

---

16) 『禮記 · 雜記』: 君薨, 大子號稱子, 待猶君也.

○ 子夏傳, 初分趾也. 凡洗鼎以出水, 必顚倒其趾也. 巽之究爲震變而爲噬嗑, 噬嗑之初曰屨校滅趾, 上曰滅耳. 故此曰顚趾, 三曰耳革. 否者惡也, 以巽之臭, 從四之兌口, 出否之象. 革之象爲爐, 初六當爐鼎之際, 將安鼎足于爐口, 正革故鼎新之時, 故曰利出否. 井不可改, 故泥而不食, 鼎可以動, 故否而利出.
『자하역전』에서는 초효를 나뉜 발이라 하였는데 솥을 씻어 물을 버리려면 반드시 그 발을 뒤집어야 한다. 손괘(☴)가 다하면 진괘(☳)로 변하여 서합괘(噬嗑卦䷔)가 되는데 서합괘의 초효에 "형틀을 채워 발꿈치를 상하게 한다"고 하였고, 상효에 "귀를 없어지게 한다"고 하였다. 그렇기 때문에 여기에서 '솥의 발'이라 하였고 삼효에 '귀가 변한다'고 하였다. '비(否)'는 나쁜 것이니 손괘(☴)의 냄새로 사효인 태괘(☱)의 입을 따르니 나쁜 것을 내는 상이다. 혁괘(革卦䷰)의 상은 화로인데 초육은 화로와 솥의 사이에 속하니 화로의 입구에 솥의 발을 안정시킴이니 바로 옛것을 바꾸어 새것을 취하는 때이기 때문에 "나쁜 것이 나와 이롭다"고 하였다. 우물은 고칠 수 없기 때문에 진흙이 있으면 먹지 못하지만 솥은 움직일 수 있기 때문에 나쁜 것이 있으면 나와 이롭다.

或曰, 否者卦名, 顚字與否上九傾字同, 否傾則爲泰, 出否則從貴. 妾指初也.
어떤 이가 말하였다: '비(否)'는 괘의 이름으로 '전(顚)'자는 비괘 상구효의 '경(傾)'자와 같으니, 비색함이 넘어지면 태평함이 되고 나쁜 것을 내보내면 귀함을 따른다. 첩은 초효를 가리킨다.

陳白沙云, 爻見二陰而五貴初賤妾也. 鼎者家人之交也, 以巽之長女, 居離中女之下, 巽又反兌, 兌爲妾也, 故歸妹初九曰, 歸妹以娣. 子者震象, 主器莫若長子, 所以震次鼎也.
진백사가 말하였다: 효에 두 음이 보이는데 오효는 귀하고 초효는 천한 첩이다. 정괘는 가인괘(家人卦䷤)가 교착된 괘로 손괘(☴)인 장녀가 이괘(☲)인 중녀의 아래에 있는데 손괘가 거꾸로 되면 또 태괘(☱)가 되니 태괘는 첩이 되기 때문에 귀매괘(歸妹卦䷵)의 초구에 "소녀를 시집보내되 잉첩으로서 보낸다"고 하였다. '자(子)'는 진괘(☳)의 상인데 그릇을 주관함에 맏아들만한 자가 없기 때문에 진괘(震卦䷲)가 정괘 다음에 왔다.

조유선(趙有善) 「경의-주역본의(經義-周易本義)」

鼎初六曰, 鼎顚趾, 傳義, 皆以爲應四故顚矣. 然竊詳其文義, 恐或未然. 九四曰鼎折足, 卽此顚趾之意也. 本義曰, 下應初六之陰, 則不勝其任矣, 故其象如此. 不勝任雖指九四而折足, 則是初六陰柔故也. 且象曰, 利出否以從貴也, 本義曰, 從貴謂應四, 應四旣爲從貴之利, 又何以爲顚趾之象也. 竊謂顚趾以其陰柔出否以其應四也. 如此則文義通順, 但傳義及小註說俱無此意, 不敢質言.
정괘의 초육에 "솥이 발이 넘어졌다"에 대해 『정전』과 『본의』에서는 모두 사효에 호응하기 때문에 넘어졌다고 하였다. 그렇지만 글의 의미를 자세히 살펴보면 그렇지 않을 수도 있다. 구사효에서 "솥발이 부러졌다"한 것이 곧 "솥이 발이 넘어졌다"는 뜻이다. 『본의』에서는 "아래로 초육의 음에 호응한다면 그 임무를 감당하지 못할 것이다. 그러므로 상이 이와 같다"고 하였다. "그 임무를 감당하지 못할 것이다"라는 것은 구사에서의 솥발이 부러짐이 곧 초육이 음으로 유약하기 때문임을 가리킨다. 또 "나쁜 것이 나와 이로움"은 귀함을 따르기 때문이다. 또 「상전」에서 말하길, "나쁜 것이 나와 이로움은 귀함을 따르기 때문이다"라고 하였다. 『본의』에서 말하길, "귀함을 따름은 사효에 호응함을 이른다"고 하였는데 사효에 호응하여 이미 귀함을 따르는 이로움이 되었는데 또 어떻게 솥의 발이 넘어지는 상이 되겠는가! 내가 생각하기에는 솥의 발이 넘어짐은 유약한 음으로 나쁜 것을 나오게 하여 사효와 호응하기 때문이라고 해야 한다. 이와 같이 한다면 문장의 의미가 순하게 통하는데, 다만 『정전』과 『본의』 그리고 소주에는 모두 이런 뜻이 없으니 확언하지는 못하겠다.

서유신(徐有臣) 「역의의언(易義擬言)」

初六, 鼎足也. 鼎之爲用必須傾倒, 故顚趾所以爲用也. 鼎足之動止必聽於耳, 故出於三剛否隔之外而從於六五爲利也. 妾在下卑賤, 其行上聽於君, 猶鼎足也. 妾之有子, 猶鼎之有美食, 故爲妾亦无咎也.
초육은 솥의 발이다. 솥의 쓰임은 반드시 뒤집어져야 하므로 발의 넘어짐이 쓰임이 된다. 솥 발의 움직임은 반드시 귀에서 들리므로 세 굳센 양의 막힘에서 밖으로 나와 육오를 따르는 것이 이롭다. 첩은 아래에 비천한 데 있지만 그 행함은 위로 임금에게서 들어야 하니 솥의 발과 같다. 첩에 자식이 있음은 솥에 맛있는 음식이 있는 것과 같으므로 첩이 되는 것도 허물이 없을 것이다.

박제가(朴齊家) 「주역(周易)」

本義, 得妾而因得其子.
『본의』에서 말하였다: 첩을 얻고 그로 인하여 아들을 얻는다.

朱子曰, 得妾是无緊要, 其重卻在以其子處.
주자가 말하였다: 첩을 얻어 자식까지 얻음에서 '첩을 얻음'은 중요할 것이 없고 중요한 것은 '자식까지 얻음'에 있다.

雲峯胡氏曰, 又因得妾而遂有得子之慶.
운봉호씨가 말하였다: 또 첩을 얻음으로 인하여 마침내 자식을 얻는 경사가 있다.

案, 因得其子, 有若帶其已生之子而來者. 胡氏之說則又與本義不同. 各言等候幾年以後事, 與目下得妾之爻辭不類. 恐是其子爲主人無母之兒, 而得妾者乃爲此子之故也. 鼎顚而因以洗滌, 子無養而因以得妾, 此正因敗爲功之意也. 象傳曰從貴者, 乃妾之從初, 謂非應四也.
내가 살펴보았다: "그로 인하여 아들을 얻는다"는 말은 마치 이미 난 아들을 데리고 온다는 것 같다. 호씨의 설은 『본의』와는 또 다르지만 각각의 말은 모두 몇 년 뒤의 일을 기다려 말한 것으로 당장 첩을 얻는다는 효사와는 다른 경우이다. 생각컨데 여기의 '아들'은 어미가 없는 주인의 아이인데 첩을 얻은 것은 여기의 자식 때문일 것이다. 솥이 넘어지면 그로 인해 세척하고 아들이 양육됨이 없다가 그로 인해 첩을 얻으니, 이는 실패로 인하여 성공을 하게 된다는 의미이다. 「상전」에 말한 '귀함을 따름'은 첩이 초효를 따름이니, 사효에 호응함이 아니라는 말이다.

윤행임(尹行恁) 「신호수필-역(薪湖隨筆-易)」

革舊鼎新元不相離. 大禹平水革之大者, 故收九牧之金而爲鼎. 楚子問鼎輕重, 而周命未革, 故楚不敢有焉.
옛 것을 바꾸어 새것을 취함이 원래 서로 분리된 일이 아니다. 우임금이 물을 다스린 것은 바꾼 것 가운데 큰 것이기 때문에 전국 아홉 지역에서 쇠를 거두어서 솥을 만들었다. 초나라 임금이 솥의 경중을 물었지만[17] 주나라의 천명이 아직 바뀌지 않았기 때문에 초나라가 감히 솥을 차지하지 못했다.

이지연(李止淵) 「주역차의(周易箚疑)」

妻者中正之應也, 妾者昵比之陰也. 初六乃昵比於九二者, 卽九二之妾也. 蒙之九二, 以六五爲納婦之象, 此卦六五, 爲九二中正之正應而爲妻者也, 初六則爲妾也明矣. 大抵妾之於丈夫, 未嘗不爲否惡之仇也. 但以昵比之情近之而已, 其承奉丈夫, 終不如妻之中正也.
아내는 중정으로 호응하고 첩은 친하고 가까운 음이다. 초육은 구이와 친하고 가까우니 구

17) 『춘추좌전 · 선왕』.

이의 첩이다. 몽괘(蒙卦䷃)의 구이는 육오를 부인으로 받아들이는 상이고 이 괘의 육오는 중정한 구이의 정응이 되어 처가 되는 경우이니 초육이 첩이 됨은 분명하다. 첩이 장부에게는 나쁜 짝이 되지 않은 적이 없다. 다만 친하고 가까울 뿐이니, 장부를 이어 받듦은 끝내 아내의 중정만 같지 못하다.

김기례(金箕澧) 「역요선의강목(易要選義綱目)」

初應四而往居四之下, 則有鼎覆趾之象.
초효가 사효에 호응하여 가서 사효의 아래에 있게 되면 솥의 발이 엎어지는 상이 있다.

○ 鼎不宜伏而在初則洗鼎之時也. 去其舊穢, 故曰利出否.
솥은 엎어지면 안 되지만 초효는 솥을 씻는 때이다. 옛 찌꺼기를 버리기 때문에 "나쁜 것이 나와 이롭다"고 하였다.

○ 巽伏則爲兌, 兌爲妾, 故曰得妾.
손괘(☴)가 거꾸로 되면 태괘(☱)가 되는데 태괘는 첩이 되기 때문에 '첩을 얻으면'이라고 하였다.

○ 巽變亦有震象, 震爲長子, 故曰以其子.
손괘(☴)가 변하면 진괘(☳)의 상이 있는데 진괘는 맏아들이 되기 때문에 '그 남자를 도와서'라고 하였다.

○ 此爻陰柔在下, 本非善, 而因敗致福, 以賤得貴, 出否得妾有子, 皆善變處也.
이 효는 부드러운 음으로 아래에 있어서 본래는 좋지 않은데, 실패로 말미암아 복을 이루고 천함으로 귀함을 얻고 나쁜 것을 나오게 하여 첩을 얻어 아들을 두니, 모두 좋게 변하는 것이다.

이항로(李恒老) 「주역전의동이석의(周易傳義同異釋義)」

傳, 子主也, 以其子致其主於旡咎也.
『전의』에서 말하였다: 자(子)는 주인이니, "이기자(以其子)"는 그 주인을 허물이 없는데 이르게 하는 것이다.

本義, 得妾而因得其子.
『본의』에서 말하였다: 첩을 얻고 그로 인하여 아들을 얻는다.

按, 朱子曰, 伊川說恐不然, 見小註.
내가 살펴보았다: 주자가 "이천의 설명은 옳지 않은 것 같다"고 했는데 소주에 보인다.

심대윤(沈大允) 「주역상의점법(周易象義占法)」

鼎有變惡爲善之義, 以寒爲溫, 以生爲熟, 是也. 用人者, 敎導以任使之, 則鈍者俟而生者熟矣. 夫天下无不可用之物, 亦无不可用之人, 在用之, 當其才適其用而已, 是故鼎不言擇人揀用也. 鼎之有應于上者, 有所係而未自主也, 有應于下者, 得天下之專係也. 應爻皆有两剛之隔者, 係乎上者亦有所自主不盡係也, 爲下所係者, 亦有所不能惟意, 是使不盡係也. 鼎之爻位, 居剛, 嚴責也, 居柔, 緩縱也.
솥에는 악을 변화시켜 선으로 만드는 의미가 있으니 찬 것을 따뜻하게 하고 날것을 익힘이 그것이다. 사람을 쓰는 자가 가르치고 이끌어서 맡기면 둔한 자도 재능이 생기고 생소한 것도 익숙해진다. 천하에 사용할 수 없는 물건이 없고 사용하지 못할 사람도 없으니 쓰는데 그 재주에 마땅하게 하고 그 쓰임에 적합하게 할 뿐이기 때문에 정괘에서는 사람을 택해 가려서 씀을 말하지 않았다. 솥이 위로 호응함이 있으면 매이게 되어 스스로 주장하지 못하고 아래에 호응함이 있으면 천하에 전적으로 매이게 된다. 응하는 효에는 모두 두 굳센 효가 가로막음이 있고, 위에 매인 것 또한 스스로 주장함이 있어 전부 매이지는 않았고, 아래에 매인 것 또한 뜻한 대로 할 수 없음이 있으니 이 때문에 다 매이지 못하게 한다. 정괘의 효의 자리는 굳셈에 있으면 엄하게 꾸짖고 부드러움에 있으면 느슨하게 풀어준다.

鼎之大有䷍, 凡有任使者必冨且貴者也. 鼎之道, 必先爲人任使然後乃得任使人, 故彖傳分人與鼎而言也. 爲人任使者鼎也. 任使人者人也.
정괘가 대유괘(大有卦䷍)로 바뀌었으니, 맡겨 부리는 자가 반드시 부하고 귀한 자이다. 솥의 도는 반드시 남에게 맡겨져 부림이 된 뒤에야 남을 맡아 부림을 얻기 때문에 「단전」과 「상전」에서 사람과 솥을 구분하여 말했다. 남에게 맡겨져 부림이 되는 것은 솥이고 남을 맡아서 부리는 것은 사람이다.

此爻有两重義. 初六才柔居卑, 爲人所任使者多而任使人者少, 應四而服上之任使, 自變於善, 以去其不善, 故曰鼎顚趾利出否. 巽爲伏兌爲顚趾在下象. 四居兌體, 初以趾而向上以從四爲顚也. 否不善也. 鼎之將炊必先滌去塵垢不善然後內實也. 對噬嗑震爲出. 初六之從上居卑處, 初可以居剛而用力矣, 此一義也. 夫鼎非自顚也, 人顚之也. 初六旣爲四所顚以出其否, 而亦以是道施之於其所仕使之人, 能敎訓洗滌而用之, 使其變惡爲善, 去下就上也, 此一義也.
이 효에는 두 가지 중요한 뜻이 있다. 초육은 재질이 부드럽고 낮은 곳에 있는데 남에게 맡겨져 부림이 되는 자는 많고 남을 맡아서 부리는 자는 적으니, 사효에 호응하여 윗 사람의 맡겨 부림에 따르는데 스스로 선으로 변화하여 선하지 못함을 버리기 때문에, "솥이 발이 넘어졌으나 나쁜 것이 나와 이롭다"고 하였다. 손괘(☴)는 '엎드림'이고 태괘(☱)는 '넘어짐'이고 '발'은 아래에 있는 상이다. 사효가 태괘의 몸체에 있는데 초효가 발을 위로 향해서 사효를 따르니 '넘어짐'이 된다. '나쁜 것'은 선하지 못함이다. 솥으로 취사를 할 때 반드시 먼저 찌꺼기의 불선함을 씻은 뒤에 속을 채운다. 음양이 반대인 서합괘(噬嗑卦䷔)의 진괘(☳)가 '나옴'이 된다. 초육은 위를 따르며 낮은 곳에 있지만 초효는 굳센 자리에 있으면서 힘을 쓸 수 있으니 이것이 한 가지 뜻이다. 솥은 스스로 넘어질 수 없고 사람이 넘어뜨려야 한다. 초육은 이미 사효에게 넘어진 바가 되어 나쁜 것을 나오게 하니 또한 이런 방도를 맡기어 부리는 사람에게 베풀어 가르치고 씻어 써서 악을 변화시켜 선으로 만들고 아래를 떠나 위로 나가니 이것이 또 한 가지 뜻이다.

初六志欲上就乎四, 而二剛隔之不能便進, 而姑守九二之比近. 凡人之始有任使不能及於民庶, 而止於其子侄奴僕而已. 使令不足而官具未備, 如器之饘於是羹於是, 一器而兼十器之用, 一人而攝十人之事, 故曰得妾以其子. 妾臣也, 子私屬也, 言得臣使者由其私屬也, 言由其親屬而兼臣使也. 此一句而兼以親得臣以子兼臣二義也.
초육의 뜻은 위로 사효에 나아가고자 하나 두 굳센 양이 가로막아 더 나아갈 수 없어서 임시로 구이와 가깝게 친함을 우선 지킨다. 사람이 처음으로 맡기어 부릴 때에는 백성들에게까지는 미치지 못하고 그 자식과 노비들에 그칠 뿐이다. 사령(使令)이 부족하고 관구(官具)도 완비되지 않음이 마치 그릇으로 어떤 경우는 죽을 쓰고 어떤 경우는 국을 끓이는 것과 같아서 하나의 그릇이 열 그릇의 용도를 겸하고 한 사람이 열 사람의 일을 통섭하기 때문에 "첩을 얻음을 자식으로써 한다"고 하였다. '첩'은 신하이고 '자식'은 사적인 소속이니, 신하를 얻는데 사적인 소속을 통해서 함을 말하며, 친한 소속을 통하여 신하를 겸한다는 말이다. 이 한 구절은 가까운 사람으로 신하를 얻고 자식으로 신하를 겸한다는 두 가지 뜻을 겸하였다.

對艮爲得, 兌爲妾, 巽兌爲子, 謂九二也. 此姑據爻象而借喩也, 其實初六任使之人, 亦如初六之從於九二, 而爲其妾子者也. 其時位當然, 故无咎. 初六之任使, 止於私屬, 則可以居剛而嚴責矣.

음양이 반대인 간괘(☶)가 얻음이고 태괘(☱)가 첩이고 손괘(☴)와 태괘(☱)가 자식인데 구이효를 말한다. 이는 효상에 근거해서 비유한 것으로 실제는 초육의 맡겨 부리는 사람이고 또한 초육이 구이를 따라서 그의 첩과 자식이 됨과 같다. 그 때와 자리가 합당하기 때문에 허물이 없다. 초육이 맡겨 부리는 것이 사적인 소속에 그친다면 굳센 자리에 있어서 엄하게 꾸짖는다.

오치기(吳致箕) 「주역경전증해(周易經傳增解)」

初六, 陰柔在下爲鼎之趾, 而當鼎之初將行烹飪, 故洗鼎而顚其趾, 以利於出否, 亦有得妾而用子, 以從其貴之象. 顚趾得妾, 雖若匪正而有咎, 然出否用子, 皆爲未悖於道, 故言无咎.
초육은 부드러운 음으로 아래에 있어서 솥의 발이고 정괘의 처음에 해당하여 막 삶아서 익히려고 한다. 그렇기 때문에 솥을 씻고 발을 넘어뜨려 나쁜 것을 나오게 하고 첩을 얻어 자식을 써서 그 귀함을 따르는 상이다. 솥의 발이 넘어져 첩을 얻음은 바르지 않아 허물이 있는 것 같지만, 나쁜 것이 나오고 자식을 씀은 모두 도에 어긋나는 것이 아니기 때문에 허물이 없다고 하였다.

○ 對震爲足趾之象. 汚穢在中塞而不通曰否, 而顚其趾則順出也. 顚取於卦反之象, 剛柔相應曰得, 而應體互兌爲妾也. 以者用也, 子取對體之震, 而鼎爲宗廟祭祀之器, 故言主器之長子也. 鼎雖顚而出否以致潔, 妾雖賤而用子以從貴, 故同爲取象而明其義也.
음양이 바뀐 진괘(☳)가 발의 상이 된다. 더러운 찌꺼기가 속에 막혀서 통하지 않음을 '비(否)'라고 하는데 발을 넘어뜨리면 순하게 나온다. '전(顚)'은 괘를 거꾸로 한 상에서 취하였는데, 굳셈과 부드러움이 서로 호응함을 '득(得)'이라 하고, 호응하는 몸체의 호괘인 태괘(☱)는 '첩'이 된다. '이(以)'는 쓰임이고 '자(子)'는 음양이 바뀐 몸체인 진괘(☳)에서 취하였는데, 솥은 종묘에서 제사하는 그릇이기 때문에 그릇을 주관하는 맏아들을 말한다. 솥이 비록 넘어졌지만 나쁜 것을 나오게 하여 깨끗함을 이루고 첩이 비록 천하지만 아들을 써서 귀함을 따르기 때문에 함께 상을 취하여 그 뜻을 밝혔다.

이진상(李震相) 「역학관규(易學管窺)」

得妾以其子.
첩을 얻으면 자식까지 얻으니.

初應於四, 鼎趾向上, 則巽變爲兌, 兌爲妾, 巽伏以震, 震爲子. 且卦有上陰, 初爲最卑, 亦妾象也.
初爻가 사爻에 호응하여 솥의 발이 위로 향하면 손괘(☴)가 변하여 태괘(☱)가 되는데, 태괘는 첩이 되고 손괘의 음양이 바뀐 괘는 진괘(☳)이니, 진괘는 아들이 된다. 또 괘에는 위에 음이 있고 초효가 가장 낮으니, 역시 첩의 상이다.

○ 以從貴也.
귀함을 따르기 때문이다

未悖兼得妾而言, 從貴兼以其子而言. 蓋家有賤妾, 易於悖道, 而意在得子, 未爲悖也. 以妾生子, 子乃主器, 則妾爲室主, 從子貴也.
'아직 어긋나지 않음'은 '첩을 얻음'을 겸하여 말하였고 '귀함을 따름'은 '자식까지 얻음'을 겸하여 말하였다. 집안에 천한 첩이 있으면 어긋난 도가 되기 쉬운데, 뜻이 자식을 얻음에 있어서 아직 어긋나지 않은 것이다. 첩을 통해 아들을 낳고 아들이 그릇을 주관한다면 첩이 내실의 주인이 되어 자식의 귀함을 따른다.

채종식(蔡鍾植) 「주역전의동귀해(周易傳義同歸解)」

鼎初六得妾以其子无咎, 傳子字解作主字, 言若得良妾, 則能輔助其主使无過咎也. 本義云得妾而因得其子, 言因賤而致貴也. 蓋程子之意, 以初六爲妾象, 以九四爲主象, 初六陰卑, 本無才德之可取, 故若得其良妾, 則致其主於无咎也. 朱子之意, 以初得六爲得妾之象, 巽變爲震則爲長子之象, 因其賤妾之得而致有長子之貴也. 然長子之所以爲貴者, 以其主器也. 然則今日妾主之无咎, 乃異日主器子之无咎也, 兩釋何妨.
정괘 초육의 "첩을 얻으면 자식까지 얻으니 허물이 없다"에 대해서 『정전』에서는 '자(子)'를 주인[主]으로 해석해서 "만일 어진 첩을 얻으면 그 주인을 보좌하여 허물이 없게 할 것이다"라고 하였다. 『본의』에서는 "첩을 얻고 그로 인하여 아들을 얻는다"고 하였으니, "천함으로 인하여 귀함을 이룸"을 말하였다. 정자의 뜻은 초육은 첩의 상이고 구사는 주인의 상인데, 초육은 음으로 낮아서 본래는 취할 만한 덕이 없지만, 만약 어진 첩을 얻으면 그 주인을 허물이 없게 할 것이라는 것이다. 주자의 뜻은 초효가 음인 육(六)을 얻어 첩의 상인데, 손괘(☴)가 변해 진괘가 되면 맏아들의 상이 되니, 천한 첩을 인하여 맏아들의 귀함을 이루었다는 것이다. 그러나 맏아들이 귀한 이유는 그릇을 주관하기 때문이다. 그렇다면 지금의 첩과 주인의 허물이 없음은 훗날의 그릇을 주관하는 아들의 허물이 없음이니, 두 가지 해석이 어찌 방해가 되겠는가!

윤행임(尹行恁) 「신호수필-역(新湖隨筆-易)」

革舊鼎新, 元不相離. 大禹平水革之大者, 故收九牧之金而爲鼎. 楚子問鼎輕重, 而周命未革, 故楚不敢有焉鼎.
옛것을 개혁해 새것을 만드는 것은 원래는 서로 떨어져있는 일이 아니다. 우임금이 물을 다스린 것은 개혁의 큰 것이기 때문에 구주의 쇠를 모아 솥을 만들었다. 초나라에서 솥의 경중을 물었지만 주나라 명이 바뀌지 않았기 때문에 초나라에서 감히 솥을 소유하지 못했다.

박문호(朴文鎬) 「경설-주역(經說-周易)」

顚趾折足其事均也, 而在卦之初則爲出薦水, 在卦之中則爲覆餗實, 易之隨地取義如此.
발이 넘어짐과 발이 부러짐은 그 일이 균등한데 괘의 처음에 있어서는 씻는 물을 나오게 함이고 괘의 가운데 있어서는 실물을 엎는 것이 되니, 『주역』에서 처지를 따라 뜻을 취함이 이와 같다.

子主也, 或稱夫子, 或稱夫主, 此子之爲主者然也. 下句以其子不言无咎, 省文也.
'자(子)'는 주인인데 혹은 '부자(夫子)'라 하고 혹은 '부주(夫主)'라 부르니 이는 '자(子)'가 주인이기 때문에 그렇다. 아랫 구절에서 '자식까지 얻으니'라 하고 '허물이 없다'고 말하지 않은 것은 생략된 문장이다.

象傳之鼎有實, 諺讀更詳之.
「상전」의 "솥에 담겨진 물건이 있으나"라는 언해의 구두를 더욱 상세히 살펴보아야 한다.

이정규(李正奎) 「독역기(讀易記)」

爻有兩象而辭有兩意. 顚趾置鼎之不幸也, 而傾出否惡, 則利也. 得妾居室之不利也, 而得子則利也. 本義之言似是此意.
효에는 두 가지 상이 있고 말에는 두 가지 뜻이 있다. 솥의 발이 넘어짐은 설치된 솥의 불행이지만 기울어져 나쁜 것이 나오면 이롭다. 첩을 얻음은 거처하는 집의 이롭지 못함이지만 아들을 얻으면 이롭다.

象曰，鼎顚趾，未悖也.

「상전」에서 말하였다: "솥이 발이 넘어짐"은 아직 어긋나지 않은 것이다.

中國大全

傳

鼎覆而趾顚, 悖道也. 然非必爲悖者, 蓋有傾出否惡之時也.

솥이 엎어져 발이 넘어진 것은 패역(悖逆)의 도(道)이나, 반드시 패역이 되지 않음은 나쁜 것이 기울어져 나올 때가 있기 때문이다.

利出否, 以從貴也.

"나쁜 것이 나와 이로움"은 귀함을 따르기 때문이다.

中國大全

傳

去故而納新, 瀉惡而受美, 從貴之義也, 應於四, 上從於貴者也.

옛것을 버리고 새것을 들이며, 나쁜 것을 쏟아내고 아름다운 것을 받음은 귀함을 따르는 뜻이니, 사효에 호응함이 위로 귀한 자를 따르는 것이다.

本義

鼎而顚趾, 悖道也, 而因可出否, 以從貴, 則未爲悖也. 從貴, 謂應四, 亦爲取新之意.

솥인데 발이 넘어짐은 패역의 도이나 그로 인하여 나쁜 것이 나오고 귀함을 따를 수 있으니 패역이 되지 않는다. 귀함을 따름은 사효에 호응함을 이르니, 또한 새로움을 취하는 뜻이다.

小註

建安丘氏曰, 鼎而顚倒其趾, 似悖理矣. 然物忌顚覆, 惟鼎則以顚覆而除惡, 故亦未爲悖也.

건안구씨가 말하였다: 솥인데 발이 뒤집어짐은 이치를 어기는 것과 흡사하다. 그러나 물건은 뒤집어지는 것을 꺼리지만 솥만은 뒤집어지면 나쁜 것을 제거할 수 있기 때문에 패역이 되지 않는다.

○ 白雲郭氏曰, 從貴者, 否爲賤而潔新爲貴也.
백운곽씨가 말하였다: '귀함을 따름'은 '나쁜 것'은 천함이 되고 '깨끗하며 새것'은 귀함이 된다.

韓國大全

유정원(柳正源) 『역해참고(易解參攷)』

正義, 舊穢也, 新貴也. 棄穢納新, 所以從貴也. 然則去妾之賤名而爲室主, 亦從子貴也.
『주역정의』에서 말하였다: 옛것은 더럽고 새것은 귀하다. 더러운 것을 버리고 새것을 들이기 때문에 귀함을 따른다. 그렇다면 첩이라는 천한 이름을 버리고 집의 주인이 되는 것도 자식의 귀함을 따르는 것이다.

○ 案, 未悖, 恐兼顚趾出否看, 從貴, 恐兼得妾以子看.
내가 살펴보았다: '아직 어긋나지 않은 것'은 아마도 '발이 넘어져 나쁜 것이 나옴'을 겸해서 보아야 하고, '귀함을 따름'은 아마도 '첩을 얻어서 그 자식까지 얻음'을 겸해서 보아야 할 듯하다.

김상악(金相岳) 「산천역설(山天易說)」

鼎覆而顚趾, 本悖道也. 然從應於上, 未必爲悖也. 從貴, 對出否而言也.
솥이 엎어지고 발이 뒤집힘은 본래 어긋난 도이다. 그렇지만 위를 따라 호응하니 꼭 어긋난 것만은 아니다. '귀함을 따름'은 '나쁜 것이 나옴'과 상대해서 말한 것이다.

서유신(徐有臣) 「역의의언(易義擬言)」

顚趾所以爲用, 非失道也, 六五崇高爲貴也.
솥발이 넘어졌지만 쓰이기 때문에 도를 잃은 것이 아니고 육오의 높음이 '귀함'이 된다.

심대윤(沈大允) 「주역상의점법(周易象義占法)」

未悖, 主鼎而言, 從上也. 從貴, 主人而言, 洗滌任使也.
'아직 어긋나지 않음'은 솥을 주로해서 말하였으니 위를 따름이고, 귀함을 따름은 사람을 주로해서 말하였으니 씻고 맡아 부리는 것이다.

오치기(吳致箕) 「주역경전증해(周易經傳增解)」

鼎雖顚而出其否, 故未悖於義也. 去舊穢而取其新, 卽以從貴之道也. 貴, 指鼎中美實也.
솥이 비록 넘어졌지만 나쁜 것을 나오게 하기 때문에 뜻에 있어서 어긋나지 않는다. 옛날의 찌꺼기를 버리고 새것을 취함은 귀함을 따르는 도를 쓰는 것이다. 귀함이란 솥 속의 감미로운 음식물을 가리킨다.

이병헌(李炳憲) 「역경금문고통론(易經今文考通論)」

鄭曰, 巽爲股, 初爻在下足之象也.
정현이 말하였다: 손괘(☴)는 넓적다리가 되는데 초효가 아래에 있어서 발의 상이다.

王曰, 否, 不善之物, 倒以寫否, 故未悖也.
왕필이 말하였다: '비(否)'는 좋지 않은 물건인데 넘어져 나쁜 것을 쏟아 내기 때문에 아직 어긋나지 않은 것이다

荀曰, 以陰承陽, 故未悖也.
순상이 말하였다: 음으로 양을 잇기 때문에 아직 어긋나지 않은 것이다

按, 微子立則母以子貴矣. 姚氏謂殷失養人之道, 將革命而莫能守重器者, 是也.
내가 살펴보았다: 미자(微子) 계(啓)가 태자로 세워졌다면 어미는 자식으로 인해 귀하게 되었을 것이다. 요배중(姚配中)이 말한 "은나라가 사람 기르는 도를 잃어 장차 혁명이 나 중요한 그릇은 지키지 못하였다"는 것이 이것이다.

九二, 鼎有實, 我仇有疾, 不我能卽, 吉.

정전 구이는 솥에 담겨진 물건이 있으나 나의 상대가 병이 있으니, 나에게 오지 못하게 하면 길할 것이다.

본의 구이는 솥에 담겨진 것이 있다. 나의 원수가 병이 있으니 나에게 오지 못하게 할 수 있으므로 길한 것이다.

中國大全

傳

二以剛實居中, 鼎中有實之象, 鼎之有實, 上出則爲用. 二陽剛, 有濟用之才, 與五相應, 上從六五之君, 則得正而其道可亨. 然與初密比, 陰從陽者也. 九二, 居中而應中, 不至失正, 己雖自守, 彼必相求. 故戒能遠之, 使不來卽我則吉也. 仇對也. 陰陽相對之物, 謂初也, 相從, 則非正而害義, 是有疾也. 二當以正自守, 使之不能來就己, 人能自守以正, 則不正不能就之矣, 所以吉也.

이효가 실한 굳셈으로 가운데에 있음은 솥 가운데 담겨진 것이 있는 상이니, 솥에 담겨진 것이 위로 나오면 쓰임이 된다. 이효는 굳센 양으로 구제하고 쓰여지는 재주가 있고 오효와 서로 호응하니, 위로 육오의 군주를 따르면 바름을 얻어 그 도가 형통할 수 있다. 그러나 초육과 매우 가까이 있으니, 음은 양을 따르는 자이다. 구이는 하괘의 가운데에 있으면서 상괘의 가운데와 호응하니 바름을 잃음에 이르지 않을 것이나, 자신은 비록 스스로 지키더라도 저 초육이 반드시 요구할 것이다. 그러므로 그를 멀리하여 자신에게 오지 못하게 하면 길하다고 경계하였다. 구(仇)는 상대(相對)이니, 음과 양은 상대하는 물건이니, 초육을 이른다. 서로 따르면 바름이 아니어서 의(義)를 해치니, 이것이 병이 있는 것이다. 이효는 정도(正道)로써 스스로 지켜 초육이 자신에게 오지 못하게 해야 하니, 사람이 스스로 정도로써 지키면 부정한 자가 찾아오지 못한다. 이 때문에 길한 것이다.

本義

以剛居中, 鼎有實之象也. 我仇謂初. 陰陽相求, 而非正則相陷於惡而爲仇矣. 二

能以剛中自守, 則初雖近, 不能以就之矣. 是以其象如此, 而其占爲如是則吉也.

굳셈으로 가운데 자리에 있으니, 솥에 담겨진 물건이 있는 상이다. '나의 상대[我仇]'는 초효를 이른다. 음·양은 서로 구하나 정(正)이 아니면 서로 악(惡)에 빠져 원수가 된다. 이효가 강중(剛中)으로 스스로 지키면 초효가 비록 가까이 있으나 나아올 수 없다. 이 때문에 그 상(象)은 이와 같고, 그 점(占)은 이렇게 하면 길한 것이다.

小註

進齋徐氏曰, 怨耦曰仇, 不善之匹也. 謂二五爲正應, 而密比初柔, 陰陽相匹而非正, 是初爲我仇也. 卽就也. 初自顚趾有疾也, 不能就二. 是我仇有疾, 不我能卽也故吉.
진재서씨가 말하였다: 원수끼리의 짝을 '상대[仇]'라 하니 좋지 않은 짝이다. 이는 이효와 오효가 정응이나 부드러운 초효를 은밀히 가까이하니, 음·양이 서로 짝이 되나 정이 아님을 이르니 초효가 '나의 상대'이다. 즉(卽)은 나아감이다. 초효는 본래 발이 넘어져 병이 있는 것이니, 이효에 나아갈 수 없다. 내 상대가 병통이 있으니, 나에게 나아올 수 없기 때문에 길하다.

○ 雲峯胡氏曰, 鼎諸爻, 與井相似, 井以陽剛爲泉, 鼎以陽剛爲實. 井九二有泉象, 下比初六, 則有射鮒之象, 鼎九二有實象, 下比初六, 則有我仇之象. 井初爲泥, 二視之爲鮒, 鼎初爲否, 二視之爲疾, 皆陰惡之象也. 井二无應, 故其功終不上行, 鼎二有應, 而能以剛中自守, 故初雖近, 不能就之而吉.
운봉호씨가 말하였다: 정괘(鼎卦)의 여러 효는 정괘(井卦)와 비슷하니, 정괘(井卦)는 굳센 양을 '샘물'이라고 하였고, 정괘(鼎卦)는 굳센 양을 '담겨진 것'이라고 하였다. 정괘(井卦)의 구이는 샘물의 상이 있고 아래로 초육을 가까이 하니 두꺼비에게 물을 대는 상이 있고, 정괘(鼎卦)의 구이는 담겨진 상이 있고 아래로 초육과 가까우니 '나의 상대'인 상이 있다. 정괘(井卦)의 초육은 진흙이니 이효가 그것을 보고 두꺼비라 여기고, 정괘(鼎卦)의 초효는 '나쁜 것'이니 이효가 그것을 보고서 병으로 여기니 모두 음이 나쁜 상이다. 그러나 정괘(井卦)는 이효가 호응이 없으므로 그 공효가 끝내 위로 올라가지 못하고, 정괘(鼎卦)는 이효가 호응이 있고 강중으로 스스로 지킬 수 있기 때문에 비록 초효가 가까우나 나아올 수 없어 길하다.

韓國大全

조호익(曺好益) 「역상설(易象說)」

九二, 我仇有疾, 不我能卽.
구이는 나의 상대가 병이 있으니, 나에게 오지 못하게 한다.

我指二仇指初. 或曰疾艮象, 二變則艮, 不卽亦艮止象. 又卦自初至五, 全體似坎, 有疾之象.
'나'는 구이의 상대인 초효를 가리킨다. 어떤 이가 말하였다: '병'은 간괘(☶)의 상이니 이효가 변하면 간괘이고, 나아가지 않는 것 또한 간괘의 그치는 상이다. 또 괘의 초효에서 오효까지 전체가 감괘와 같으므로 '병[疾]'의 상이 있다.

송시열(宋時烈) 「역설(易說)」

九二實者陽也. 二爻陽實, 如鼎之實中也. 我者, 二爻自我也. 仇者, 卦有大坎象, 離又錯坎, 象亦以坎耳言之, 言坎爲仇敵爲疾病, 言於我不能來卽, 而我將往而求之, 故吉. 小象愼所之者, 言當敵六五, 故戒愼於初爻而不之也. 雖有坎仇之疾, 必與我相應終旡悔尤也. 詩云, 不我能卽, 反以我爲讐, 亦此義耶.
구이의 담겨진 물건은 양이다. 구이 효가 양으로 차있어 솥에 물건이 담겨진 것과 같다. '나'는 구이효 자신이다. '상대'는 괘에 큰 감괘의 상이 있고 또 리괘의 반대괘가 감괘이며 「단전」에서도 감괘의 귀를 말했는데, 감괘가 상대가 되고 질병이 되므로 나에게 오지 못하게 하고 내가 장차 가서 구하기 때문에 길함을 말하였다. 「소상전」의 "갈 바를 삼가야 하는 것"은 합당한 상대가 육오이기 때문에 초효를 삼가서 가지 말라는 뜻이다. 비록 감괘의 상대가 질병이 있지만 반드시 나와 서로 호응하여 끝내 후회할 허물은 없다. 시에 "나를 잘 길러주지 못하고 도리어 나를 원수로 여기는구나"[18]라는 것 역시 이런 뜻이다.

이익(李瀷) 「역경질서(易經疾書)」

九二兩我字爲一人, 仇與卽者爲一人. 傳云愼所之也之與卽相帖, 而愼之者九二, 則我之非九二明矣. 蓋五爲卦主, 故二之我, 三之耳, 四之公, 皆非本爻之稱, 乃指五而言,

18) 『詩經 · 谷風』: 不我能慉, 反以我爲讎.

二與五相應爲匹. 仇者匹也, 詩云公侯好仇. 二五皆失正, 以此卽彼, 此乃有疾憊而就人也. 凡疾多於巽言之, 無妄遯豊兌皆互巽也. 初爲鼎趾則二爲鼎底, 凡鼎之實皆二之所受也. 受而未及乎烹飪, 故有此象. 有待則雖有疾終無尤也.
구이의 두 '아(我)'자가 한 사람이고, '구(仇)'와 '즉(卽)'이 한 사람이다. 「상전」에서 이른 '갈 바를 삼가야 하는 것[愼所之也]'의 '지(之)'는 '즉(卽)'과 서로 통하는데, 삼가야 하는 자가 구이이니 '아(我)'가 구이가 아님은 명백하다. 오효가 괘의 주인이기 때문에 이효의 '아(我)'와 삼효의 '이(耳)'와 사효의 '공(公)'은 다 본 효를 지칭한 것이 아니라 오효를 가리켜 말한 것이니, 이효와 오효가 서로 호응하여 짝이 된다. '구(仇)'는 짝이니 시에 이르길, "공후의 좋은 짝이다"[19]라 하였다. 이효와 오효는 모두 바름을 잃어서 이것으로 저것에 나가면 이는 질병과 피곤함을 지니고 남에게 나아가는 것이다. '병[疾]'은 대부분 손괘(☴)에서 말하였으니 무망괘(无妄卦䷘)와 둔괘(遯卦䷠)와 풍괘(豊卦䷶)와 태괘(兌卦䷹)는 모두 호괘가 손괘(☴)이다. 초효가 솥의 발이 되니 이효는 솥의 바닥이며 솥에 담는 물건은 다 이효가 받아들인다. 받아들였지만 삶아서 익히는 데까지는 이르지 않았기 때문에 이런 상이 있다. 기다림이 있으면 비록 병이 있더라도 끝내 허물이 없다.

유정원(柳正源) 『역해참고(易解參攷)』

雙湖胡氏曰, 橫渠云, 我仇謂九三隔塞己路而爲患者, 使其有疾, 不能加我, 則美實可保而吉可致.
쌍호호씨가 말하였다: 장횡거가 이르길, 나의 상대는 구삼이 나의 길을 막아서 근심이 됨을 말함이니 그 근심거리를 나에게 더하지 않게 하면 아름답고 충실함을 보존해서 길함을 이룰 수 있다고 하였다.

漢上引子夏云, 仇謂四, 以二四爲匹敵, 二據初, 四比五, 二四失應, 故相與爲仇.
한상주씨가 자하의 말을 인용하였다: 상대는 사효를 말하니 이효가 사효를 짝이 되는 상대로 여기는데, 이효는 초효에 앉아있고 사효는 오효와 가까워서 이효와 사효가 호응을 잃었기 때문에 서로 상대가 된다.

胡安定耿希道, 皆以三四間隔六五爲疾.
호안정과 경희도는 모두 삼효와 사효가 육오를 가로막음을 병으로 여겼다.

石守道, 謂九二以陽居鼎中是有實也, 五應於二而乘四是有疾也. 鼎旣有實不可更加

---

19) 『詩經 · 兎罝』.

於人, 是以不我能卽吉.
석수도가 말하였다: 구이가 양으로 솥 가운데 있음이 '담겨진 물건이 있음'이고, 오효가 이효에 호응하지만 사효를 타고 있음이 '병이 있음'이다. 솥에 이미 담겨진 물건이 있으면 남에게 다시 더할 수 없으니, 이 때문에 나에게 오지 못하게 하면 길하다.

諸說不同如此. 除本義程傳外, 石說爲優, 證以豫卦六五貞疾恒不死, 亦以下乘九四之剛取象, 正與鼎六五同.
모든 설이 같지 않음이 이와 같다. 『본의』와 『정전』 이외에서는 석씨의 설이 나으니, 예괘(豫卦䷏)의 육오에 "바르지만 늘 병을 앓고 죽지는 않는다"는 것도 아래로 구사의 굳셈을 탄 것으로 상을 취한 것으로서, 바로 정괘의 육오와 같다는 것으로 증명할 수 있다.

○ 案, 鼎中有實, 烹飪已成, 可以有濟物之功, 而初之切比於我者, 反欲侵撓鼎足, 是其可惡之甚者也. 然二之剛中, 豈爲初六之所侵撓而顚之哉. 終不能來就爲仇, 是以吉也.
내가 살펴보았다: 솥 가운데 담겨진 물건이 있고 삶아 익힘이 이미 이루어지면 물건을 구제하는 공을 둘 수 있는데, 초효가 나에게 매우 가까워서 도리어 솥의 발을 흔들어대니, 이는 심하게 미워할 만한 자이다. 그렇지만 이효가 굳셈으로 가운데 있으니, 어찌 초육이 흔들어댄다고 넘어지겠는가! 끝내 와서 원수가 되지 못하기 때문에 길하다.

김상악(金相岳) 「산천역설(山天易說)」

二以剛中應五, 有鼎有實之象. 仇謂初也, 與初密比, 是我仇有疾也. 然與之不交, 故不我能卽, 終必與五相合而吉矣.
이효가 굳셈으로 가운데 있어 오효에 호응하니 솥에 물건이 담겨진 상이다. 상대는 초효인데 초효와 매우 가까운 것이 "나의 상대가 병이 있음"이다. 그러나 그것과 사귀지 않기 때문에 나에게 오지 못하게 하면 끝내 오효와 서로 합하여 길할 것이다.

○ 陽實陰虛, 九二陽剛實之象, 五雖陰柔, 鼎以得中爲實, 故曰鼎有實也. 仇, 怨耦也, 朱子曰, 陰陽相求而非正, 則陷於惡, 故爲仇是也. 疾者, 陰柔之疾, 陰與陽應, 則曰損疾, 損六四是也. 陽與陰比, 則曰有疾, 曰介疾, 本爻及遯三兌四是也. 无妄九五之疾, 亦以應二而言也. 卽者就也, 二互乾體, 不惡而嚴, 陰邪不敢干, 又乾金克巽木, 故不我能卽. 井以陽爲泉, 鼎以陽爲實, 而井則比初而就下, 鼎則初不能就之, 有應與无與也. 此爻之象, 與需九三相似, 而實相反, 仇卽彼之寇也. 柔上剛下而相交, 則曰致寇至, 剛上柔下而不交, 則曰仇. 不我卽皆戒辭也, 故小象皆言愼.

양은 차고 음은 빈 것인데 구이는 양으로 굳세어 차있는 상이고 오효는 비록 음으로 부드럽지만 솥은 가운데를 채우는 것이기 때문에 "솥에 담겨진 물건이 있다"고 하였다. 구(仇)는 원수이니 주자가 말하길, "음·양은 서로 구하나 정(正)이 아니면 서로 악(惡)에 빠져 원수가 된다"고 함이 이것이다. 병은 음으로 유약한 병이고 음이 양에 호응하면 '병을 덜어낸다'고 하니 손괘(損卦☶)의 육사가 이것이다. 양이 음에 가까이하면 '병이 있다'거나 '병을 미워함'이라고 하니 본 효와 돈괘(遯卦☰)의 삼효와 태괘(兌卦☱)의 사효가 그렇다. 무망괘(无妄卦☰) 구오의 병 또한 이효에 호응함을 가지고 말하였다. '즉(卽)'은 나아감인데 이효의 호괘인 건(☰)의 몸체로 악하게 하지 않고 엄하게 대하니, 음의 삿됨이 감히 오지 못하고 또 건괘(☰)의 금이 손괘(☴)의 목을 극하기 때문에 "나에게 오지 못하게 함"이다. 정괘(井卦☵)는 양으로 샘을 삼고 정괘(鼎卦☲)는 양으로 담겨진 물건으로 삼는데, 정괘(井卦☵)에서는 초효에게 가까이 하여 아래로 흐르고, 정괘(鼎卦☲)에서는 초효가 [나에게] 오지 못하니, 호응하여 함께함이 있느냐 없느냐의 차이이다. 이 효의 상은 수괘(需卦☵)의 삼효와 서로 비슷한데 실상은 반대이니, 원수[仇]는 곧 저기에서의 도적[寇]이다. 부드러운 음이 올라가고 굳센 양이 내려와 서로 사귀면 '도적을 불러들임[致寇至]'이고 굳센 양이 올라가고 부드러운 음이 내려와 사귀지 않으면 원수[仇]이다. 나에게 오지 못하게 함은 경계하는 말이기 때문에 「소상전」에서 모두 '삼감[愼]'을 말하였다.

서유신(徐有臣) 「역의의언(易義擬言)」

實充也, 充於鼎者鉉也. 二應於五爲鉉, 故曰鼎有實也. 仇逑也, 我逑正應也. 三四間之, 故有所疾害而不能相就也. 然終當得合而吉也.

'실(實)'은 채움인데 솥에 채우는 것은 '현(鉉)'이다. 이효가 오효에 호응하여 '현(鉉)'이 되기 때문에 '솥에 채워진 물건'이 있다고 하였다. '구(仇)'는 짝이니 나의 짝은 정응이다. 삼효와 사효가 가로막기 때문에 병의 해로움이 있어서 서로에게 나갈 수 없다. 그러나 끝내 합함을 얻어서 길할 것이다.

하우현(河友賢) 「역의의(易疑義)」

我仇有疾.

나의 상대가 병이 있다.

或曰, 我仇有顚趾之疾, 故不能就已, 是如何. 曰, 先儒已有此說. 然陰陽非正應而密比, 則於義甚有傷害之理, 此非有疾之象乎. 傳訓此甚分明, 本義亦曰初雖近不能以就之矣. 大抵君子在此, 小人居下, 雖非正匹, 所處相近, 彼必有密比來從之意也. 君子若比之使來, 則其凶可知. 今九二以剛居中, 其才足以自守, 故彼雖有密比不正之疾, 終當不敢來就於我矣.
어떤 이가 물었다: 나의 상대에게 발이 넘어지는 병이 있기 때문에 나에게 올 수 없다고 보면 어떻습니까?
답하였다: 선배 학자들이 이미 이것에 관해 설명하였습니다. 그렇지만 음양이 정응이 아닌데 매우 가까이 한다면 의리상 매우 해로운 이치이니, 이것이 병이 있는 상이 아니겠습니까? 『정전』에서 이것을 가르침이 매우 분명하고, 『본의』에서도 "초효가 비록 가까이 있으나 나아올 수 없다"고 하였습니다. 군자가 여기에 있고 소인이 아래에 있으면 비록 바른 짝은 아니더라도 거처가 서로 가까워 소인이 반드시 가깝고 친하게 나아오려는 뜻을 둡니다. 군자가 만약에 가까이 다가오게 하면 흉함을 알 수 있습니다. 지금 구이가 굳셈으로 가운데 있어서 그 재주가 스스로를 지킬만하기 때문에 소인이 비록 매우 가깝게 하려는 바르지 못한 병이 있더라도 끝내 감히 나에게 나아오지 못하게 될 것입니다.

이지연(李止淵) 「주역차의(周易箚疑)」

鼎有實, 乃家有財貨之謂也. 家中之有財貨, 不任其妻而一任其妾, 則如木之任蠹, 身之任疾. 九二以鼎之實, 任其初六, 則乃鼎實之蠹而爲疾於家道者也. 鼎實, 亦女子之所主者也, 在中主饋之道, 不任其妻而任其妾, 亦不可也. 國之用財, 不任中正之大臣而任以陰惡之小人, 則其不爲有國之疾而仇者鮮矣. 九二雖得中之剛陽, 而猶未足於正, 故戒之.
솥에 담겨진 물건이 있음은 집에 재화가 있음을 말한다. 집에 있는 재화를 그 아내에게 맡기지 않고 그 첩에게 맡기는 것은 마치 나무를 좀벌레에게 맡기고 몸을 질병에게 맡기는 것과 같다. 구이의 솥에 담겨진 물건을 초육에게 맡기면 솥에 담겨진 물건을 좀먹게 되고 가정의 도에 있어서 질병이 된다. 솥에 담긴 물건은 또한 여자가 주관하는 것으로, 가운데 있으면서 밥을 주관하는 도를 그 아내에게 맡기지 않고 첩에게 맡겨서도 안 된다. 나라에서 재물을 쓰는데 중정한 대신에게 맡기지 않고 음으로 사특한 소인에게 맡기면 나라에 병이 되고 원수가 되지 않는 경우가 적을 것이다. 구이가 비록 가운데의 굳센 양을 얻었어도 오히려 바름에는 부족하기 때문에 경계하였다.

김기례(金箕澧) 「역요선의강목(易要選義綱目)」

九二, 鼎有實.

구이는 솥에 담겨진 물건이 있다.
陽剛居中爲鼎腹有實之象.
양의 굳셈으로 가운에 있어 솥의 배에 담겨진 물건이 있는 상이다.

我仇有疾, 不我能卽吉.
나의 상대가 병이 있으니, 나에게 오지 못하게 하면 길할 것이다.
仇指初陰, 二近初密比, 舍五正應而配不正, 故曰仇, 言不善之配也. 初顚趾, 故曰有疾.
상대는 초육의 음이니 이효가 초효와 매우 가까워 오효의 정응을 놔두고 바르지 못함과 짝을 삼기 때문에 '구(仇)'라 하였으니, 착하지 못한 짝을 말한다. 초효의 솥발이 넘어졌기 때문에 "병이 있다'고 하였다.

○ 二視初, 若有疾而使不就, 則將配五正得陽實之道而得吉.
이효가 초효를 봄에 병이 있는 것처럼 여겨 나오지 못하게 한다면, 장차 오효의 바름과 짝이 되어 양으로 성실한 도를 얻어 길하다.

이항로(李恒老) 「周易傳義同異釋義(周易傳義同異釋義)」

傳, 仇對也, 陰陽相對之物, 謂初.
『정전』에서 말하였다: 구(仇)는 상대(相對)이니, 음과 양은 상대하는 물건이니, 초육을 이른다.

本義, 我仇謂初, 陰陽根求而非正, 則相陷於惡而爲仇矣.
『본의』에서 말하였다: '나의 상대[我仇]'는 초효를 이른다. 음·양은 서로 구하나 정(正)이 아니면 서로 악(惡)에 빠져 원수가 된다.

按, 韻書仇讎也, 與逑同, 逑匹也. 匹與讐字同而義異, 繫辭傳曰, 凡易之情, 近而不相得, 則凶或害之, 悔且吝, 是也. 左傳曰, 嘉耦爲配, 怨耦爲仇, 亦此意也.
내가 살펴보았다: 운서(韻書)에 '구(仇)'는 '수(讎)'로 '구(逑)'와 같은데 '구(逑)'는 '필(匹)'이라고 하였다. 필(匹)과 수(讐)는 글자는 같지만 뜻은 다른데, 「계사전」에 이르길, "역의 정황은 가깝고도 서로 얻지 못하면 흉하거나 혹 해치며, 후회하면서 또 인색하게 된다"고 한 것이 이것이다. 『춘추좌씨전』에서 말한, "아름다운 짝은 배필이 되고 원망하는 짝은 원수가 된다"는 것이 이런 뜻이다.

심대윤(沈大允) 「주역상의점법(周易象義占法)」

鼎之旅䷷, 无所住着也. 此爻亦有兩重義. 九二才剛而有位鼎之有實也. 人之器用粗備, 任使粗足, 故曰鼎有實.
정괘가 려괘(旅卦䷷)로 바뀌었으니, 정착하여 머무를 곳이 없다. 이 효에도 두 가지 중요한 뜻이 있다. 구이는 재질이 굳세고 맡은 자리가 있어서 솥에 담겨진 물건이 있다. 사람의 그릇이 대략 갖추어지고 맡겨 부림이 대략 충족되었기 때문에 솥에 담겨진 물건이 있다고 하였다.

九二, 以鼎言, 事上則上應于五而无專任, 如鼎之沸騰而无住着. 志欲上溢以就五, 而隔于二陽, 又居柔不用力, 而得中不能便進退, 而納初之附從, 此一義也.
구이를 솥으로 말하면, 윗사람을 섬기려 위로 오효에 호응하지만, 전적으로 맡음이 없는 것이 마치 솥에서 끓어오르지만 정착하여 머무름이 없는 것과 같다. 지향은 위로 넘쳐 오효에게 가고자 하나 두 양에 가로막혀 있고, 부드러운 자리에 있어서 힘을 쓰지 못하며 알맞음을 얻어 다시 나가거나 물러날 수 없어 초효가 따라붙는 것을 받아들인다. 이것이 한 가지 뜻이다.

以人言, 其使人, 則還以是道施之其人與其器用也. 九二之時, 既有實矣, 與初六之乏具而一器兼用者, 不同也. 當辨其才器而適其任用也. 不住着于一人一器, 而隨其所宜. 雖有瑚璉之自來, 材知之願用, 然九二居柔緩縱而得中, 知其才用之雖美, 而亦有器而不通, 乃不適用於此事, 不宜以其多長, 而竝責其短. 故舍之而用瓦缶之器樸□之人 然而用當其才, 故卒以成功.
사람으로 말하면 부리는 사람이 이런 도리를 가지고 그 사람과 그 그릇의 용도대로 베푸는 것이다. 구이의 때에는 이미 실질이 있어서 초육에서 도구가 부족해서 한 그릇으로 용도를 겸했던 것과는 다르다. 그 재주와 그릇을 분별하여 임용을 적합하게 해야 한다. 한 사람이나 한 그릇에만 정착하여 머물지 않고 마땅함을 따른다. 비록 호련(瑚璉)의 그릇이 스스로 와서 재주와 지혜가 쓰여지기를 원하지만, 구이는 부드러운 자리에 있어 느슨하고 너그러우며 알맞음을 얻어 그 재주의 용도가 비록 아름답고, 또한 기량은 있지만 통하지 않음을 알아 이 일에 적합하지 않다고 여기지만, 많은 장점으로 단점을 꾸짖으면 안 된다. 그러므로 버리고 질그릇이나 소박한 사람을 쓴다. 그러나 쓰는 것이 그 재주에 합당해서 마침내 성공한다.

六五應二, 是瑚璉材知之願用, 而隔于二剛, 滯而不通. 故舍之而用初六, 乃姑據爻象而言也. 其實則今之願用於九二者, 亦如九二之以剛中之才, 沸騰上溢而不能便進. 故曰我仇有疾不我能卽. 仇如好仇之仇, 以爻象則謂五, 而以實則九二之人. 如九二者也, 疾滯而不通也. 坎爲疾, 巽離艮爲卽, 九二能知人任使, 故曰吉. 此一義也.
육오가 이효에 호응함은 호련(瑚璉)의 재주와 지혜로 사용되길 원하지만 두 굳센 양에게 사이가 막혀서 통과하지 못한다. 그러므로 포기하고 초육을 사용하니, 우선 효상에 근거해서 말한 것이다. 실제는 지금 구이에게 사용되길 바라는 것 역시 구이가 굳세고 알맞은 재질로 위로 끓어오르지만 더 나아갈 수 없는 것과 같다. 그러므로 "나의 상대가 병이 있으니, 나에게 오지 못하게 하면"이라고 하였다. '구(仇)'는 '좋은 짝'이라는 짝과 같으니 효상으로 보면 오효를 말하고 실제로는 구이라는 사람이다. 구이가 막힌 병 때문에 통하지 못하는 것과 같다. 감괘(☵)가 병이고 손괘(☴)와 리괘(☲)와 간괘(☶)가 오는 것인데, 구이는 사람을 알아보고 맡겨 부리기 때문에 길하다고 하였다. 이것이 한 가지 뜻이다.

오치기(吳致箕) 「주역경전증해(周易經傳增解)」

九二陽剛居中, 卽鼎之實也. 上應六五柔中之君, 下比初六不正之陰, 而鼎有美實, 當愼其所與. 故中德自守, 能遠不正之類, 是以初柔雖密比爲仇, 然自知其不正有疾, 而不能來就以浼我實德, 故言吉.
구이는 양으로 굳세며 가운데 있으니 솥에 담긴 물건이다. 위로는 부드러움으로 가운데 있는 육오의 임금과 호응하고 아래로는 바르지 못한 초육의 음과 가까우니, 솥에 아름다운 물건이 있으면 함께하는 상대를 삼가야만 한다. 그렇기 때문에 알맞은 덕으로 스스로를 지켜 바르지 못한 부류를 멀리 할 수 있으면, 이 때문에 초육의 음이 비록 까까이 하면서 짝이 되려하지만, 스스로 바르지 못해 병이 있음을 알기에 다가와서 나의 성실한 덕을 없앨 수 없기 때문에 길하다고 하였다.

○ 我者二自謂也, 不善之匹曰仇, 而指初也. 以陰柔居不正, 故曰有疾也. 卽就也, 取於變艮.
나는 이효 자신을 말하고 착하지 못한 짝을 원수라 하니 초효를 가리킨다. 부드러운 음으로 바르지 못함에 있기 때문에 '병이 있다'고 하였다. '즉(卽)'은 나아감이니, 변한 간괘(☶)에서 취하였다.

이진상(李震相) 「역학관규(易學管窺)」

我仇有疾.
나의 상대가 병이 있다.

先儒多以九四爲二之仇. 蓋二欲應五而四乃比五反以間我, 是仇讎也. 但有折足之疾, 不能加害於我, 所以吉也.
선배 학자들은 다수가 구사를 구이의 상대[仇]라고 여겼다. 이효가 오효에게 호응하고자 하지만 오효와 가까운 사효가 도리어 나를 이간하니 이것이 원수이다. 단지 발이 부러지는 질병이 있어서 나에게 해를 끼치지 못하기 때문에 길하다.

石守道, 以六五之乘四爲六五之疾, 而雙湖許之. 然六五之於二自是正應, 不可以怨耦之仇當之. 六五有疾而不我卽, 則九二終無應也, 鼎實將安用乎.
석수도가 육오가 사효를 타고 있음이 육오의 병이라 여겼는데, 쌍호가 인정하였다. 그렇지만 육오는 이효에게 있어서 정응이기 때문에 원한이 있는 원수에 해당될 수 없다. 육오에게 병이 있어서 나에게 오지 못하게 한다면 구이에게는 끝내 호응함이 없을 것이니, 솥에 담겨진 물건을 어디에 쓰겠는가?

橫渠以九三之隔塞己路爲仇. 然二三同德相比, 初無刻害之心, 恐亦未然.
장횡거는 구삼이 자기의 길을 격리시켜 막아 원수라고 여겼다. 그러나 이효와 삼효는 같은 덕으로 서로 친해서 처음부터 심각하게 해치려는 마음은 없었으니, 이 설명 또한 그렇지 않은 것 같다.

傳義皆以初六爲仇. 蓋初六之陰邪不正, 非禮相從, 固可謂之仇, 而但以害義爲有疾, 似說不去. 彼雖妄求而我能自守, 則我未必陷於惡, 必待我不能自守而暱比之, 然後可謂相陷於惡. 若爾則彼固不足責而我自有疾矣.
『정전』과 『본의』에서는 모두 초육을 '상대[仇]'라고 보았다. 초육은 음으로 삿되고 바르지 않아서 예가 아닌 것으로 서로 따르기 때문에 정말 원수라 할 만 하지만, 해치는 뜻만 가지고 '병이 있음'이라 여긴다면 말이 안 될 것 같다. 저가 비록 함부로 구하더라도 내가 스스로를 지키면 반드시 악에 빠지지는 것은 아니고, 스스로를 지키지 못하고 가깝고 친하게 된 뒤에야 서로를 악에 빠뜨렸다고 할 만하다. 그렇다면 저를 꾸짖기에는 부족하고, 나 스스로에게 병이 있는 것이다.

惟進齋謂初自顚趾有疾而不能就, 其說稍通. 而爲九二者不能屛去陰邪, 坐待[20]其有疾而[21]不就者, 烏在其有剛中之實乎. 四之近君, 其勢方灼所可畏也, 而初之卑賤, 何難於棄絶之乎.

---

20) 待: 경학자료집성DB에 '衍'으로 되어 있으나 경학자료집성 영인본을 참조하여 '待'로 바로 잡았다.
21) 而: 경학자료집성DB에 '面'으로 되어 있으나 경학자료집성 영인본을 참조하여 '而'로 바로 잡았다.

오직 진재서씨만이 초효가 스스로 발이 넘어지고 병이 있어 나아갈 수 없다고 하였는데, 그 설명이 조금 통한다. 그러나 구이가 음의 삿됨을 막아 버리지 못하고 병이 있음을 앉아서 키우고 나아가지 못한다면, 굳셈으로 알맞은 실질이 어디에 있는 것이겠는가? 사효는 임금과 가까워 그 세력이 성대해서 두려워할 만하지만, 초효는 비천하니 끊어버리는 것이 어찌 어렵겠는가?

象曰, 鼎有實, 愼所之也,

「상전」에서 말하였다: "솥에 담겨진 물건이 있음"은 갈 바를 삼가야 하는 것이니,

中國大全

傳

鼎之有實, 乃人之有才業也, 當愼所趨向. 不愼所往, 則亦陷於非義. 二能不暱於初, 而上從六五之正應, 乃是愼所之也.

솥에 담겨진 물건이 있는 것은 바로 사람이 재주와 일을 소유하고 있는 것이니, 마땅히 나아가는 바를 삼가야 한다. 갈 바를 삼가지 않으면 또한 의롭지 않은 데 빠지게 된다. 이효가 초효와 친압하지 않고 위로 정응(正應)인 육오를 따르는 것이 바로 갈 바를 삼가는 것이다.

小註

雷氏曰, 愼所之者, 物各有量, 可中不可過, 不自知止, 猶往求之, 則至傾覆而喪所有矣.

뇌씨가 말하였다: '갈 바를 삼감[愼所之]'은 사물은 각각 헤아림이 있어서 중도에 맞아야하고 지나쳐서는 안 되니, 스스로 그칠 곳을 모르고 오히려 나아가 구한다면 엎어지는 데에 이르러 소유한 것을 잃어버리게 될 것이다.

我仇有疾, 終无尤也.

정전 "나의 상대가 병이 있음"은 끝내 허물이 없는 것이다.
본의 "나의 원수가 병이 있음"은 끝내 허물이 없는 것이다.

中國大全

傳

我仇有疾, 擧上文也. 我仇, 對己者, 謂初也. 初比己, 而非正, 是有疾也. 旣自守以正, 則彼不能卽我, 所以終无過尤也.

'나의 상대가 병이 있음[我仇有疾]'은 윗글을 인용한 것이다. '아구(我仇)'는 자신과 상대(相對)되는 자이니, 초육을 이른다. 초효가 자신과 가까이 있으나 정응이 아니니, 이는 병이 있는 것이다. 이미 스스로 정도(正道)로써 지키면 저가 나에게 오지 못할 것이니, 이 때문에 끝내 허물이 없는 것이다.

本義

有實, 而不愼所往, 則爲仇所卽, 而陷於惡矣.

담겨진 물건이 있으나 갈 바를 삼가지 않으면 원수가 오게 되어 악(惡)에 빠진다.

韓國大全

유정원(柳正源) 『역해참고(易解參攷)』

愼所之.

갈 바를 삼가야 함.
正義, 之往也, 自此已往, 所宜愼之.
『주역정의』에서 말하였다: '지(之)'는 감이니 이로부터 가면 마땅히 삼가야 한다.

終旡尤.
끝내 허물이 없다.
正義, 五旣有乘剛之疾, 不能加我, 則我終旡尤也.
『주역정의』에서 말하였다: 오효에게 이미 굳셈을 탄 병이 있지만, 나에게 더해지지 못한다면 나에게는 끝내 허물이 없다.

김상악(金相岳) 「산천역설(山天易說)」

比近而應遠, 巽又主入, 故戒以愼所之也. 從比於下, 則易覆公餗, 從應於五, 則可食雉膏也.
비(比)는 가깝고 응(應)은 멀며 손괘(☴)는 또 들어감이 되기 때문에 갈 바를 삼가야 하는 것이다. 아래의 가까움을 따르면 '공에게 바칠 음식'을 엎기 쉽고 오효의 호응을 따르면 '꿩고기'를 먹을 수 있다.

○ 尤者, 人所尤也, 咎者, 我之咎也, 咎大而尤小. 凡言終无尤, 皆在艮體之卦, 賁之四剝之五蹇旅大畜鼎之二是也. 鼎則離之成數爲艮也, 蓋艮之陽居終, 而能止陰之過也.
'우(尤)'는 남이 탓하는 것이고 '구(咎)'는 나의 허물이니, '구(咎)'는 크고 '우(尤)'는 작다. "끝내 허물이 없음"을 말한 것은 다 간괘(☶)의 몸체가 있는 괘에 있으니 비괘(賁卦䷕)의 사효와 박괘(剝卦䷖)의 오효와 건괘(蹇卦䷦)·려괘(旅卦䷷)·대축괘(大畜卦䷙)·정괘(鼎卦䷱)의 이효가 그렇다. 정괘(鼎卦䷱)에서는 이괘(☲)의 성수가 간괘(☶)가 되고, 간괘의 양은 끝에 있어서 음의 지나침을 막을 수 있다.

서유신(徐有臣) 「역의의언(易義擬言)」

九三近比而亦有耳, 故九二之鉉愼其所從也. 无尤有疾之反也, 終无尤終吉也.
구삼에 가까워서 또한 귀가 있기 때문에 구이의 현(鉉)이 따를 바를 삼가야 한다. '허물이 없음'은 '병이 있음'의 반대이니, 끝내 허물이 없음은 마침내 길하다는 것이다.

김기례(金箕澧) 「역요선의강목(易要選義綱目)」

愼所之.
갈 바를 삼간다.

戒舍初就.
초효의 나아옴을 버리라고 경계한 것이다.

심대윤(沈大允) 「주역상의점법(周易象義占法)」

愼所之, 主鼎而言, 九二之愼於從五也. 終无尤, 主人而言, 九二之知人任當也. 初二之事人多而使人少可知. 其事人而不可知其使人, 故爻辭多主任使而言以明之, 象辭亦兩擧以別之也. 九二量材而授任也.
'갈 바를 삼가야 하는 것'은 솥을 주로 해서 말했으니, 구이가 오효에게 감을 삼가는 것이다. '끝내 허물이 없는 것'은 사람을 주로 해시 말했으니, 구이가 사람을 알아보고 합당하게 맡기는 것이다. 초효와 이효에서 섬기는 사람은 많고 부리는 사람은 적다는 것을 알 수 있다. 섬기는 사람은 자기를 부리는 사람을 알 수 없기 때문에 효사에서는 맡겨 부리는 것을 주로 해서 말하여 밝혔고, 상전의 말에서도 두 가지를 들어 구별하였다. 구이는 재주를 헤아려서 임무를 주는 것이다.

오치기(吳致箕) 「주역경전증해(周易經傳增解)」

不暱於初而上從六五, 卽愼其所往也. 初柔自知有疾而不得與我暱, 所以終旡咎尤也. 之者往也, 言往從也.
초효와 가깝게 지내지 않고 위로 육오를 따름이 곧 갈 바를 삼가는 것이다. 초효의 부드러운 음이 스스로 병이 있음을 알아 나에게 가까이 하지 못하기 때문에 끝내 허물이 없다. '지(之)'는 감이니, 가서 따름이다.

이진상(李震相) 「역학관규(易學管窺)」

愼所之也.
갈 바를 삼가야 한다.

易以前進爲往, 自古端士, 不愼所往, 濡跡於董卓失身於曹操者, 亦有之矣.

역은 앞으로 나아감을 '왕(往)'이라 하는데, 예로부터 단정한 선비도 갈 바를 삼가지 않아서 동탁에게 자취를 적시고 조조에게 몸을 잃은 자도 있다.

이병헌(李炳憲) 「역경금문고통론(易經今文考通論)」

姚曰, 二陰仁陽居之, 故有實.
요신이 말하였다: 두 음에 어진 양이 있기 때문에 "담겨진 물건이 있다"고 하였다.

虞曰, 二據四婦, 故相與爲仇.
우번이 말하였다: 이효가 사효의 아내에게 의지하기 때문에 서로 짝이 된다.

按, 有實則不可復加愼所益之. 四雖有覆餗之疾, 終無卽我之尤, 指歸命之臣當愼所之.
내가 살펴보았다: 성실함이 있다면 '삼가야 할 바[愼所]'를 다시 더해서는 안 된다. 사효가 임금의 밥을 엎는 병이 있더라도 끝내 나에게 나오는 허물은 없으니, 귀순하는 신하가 삼가야 함을 가리킨 것이다.

九三, 鼎耳革, 其行塞, 雉膏不食, 方雨, 虧悔, 終吉.

정전 구삼은 솥귀가 변하여 그 가는 것이 막혀서 꿩고기를 먹지 못하나, 장차 비가 내려서 부족하다는 후회가 마침내 길하게 될 것이다.

본의 구삼은 솥귀가 변하였다. 그 가는 것이 막혀서 꿩고기가 먹혀지지 못하나 장차 비가 내려서 후회가 없어지니, 마침내 길하게 될 것이다.

中國大全

傳

鼎耳, 六五也, 爲鼎之主. 三以陽居巽之上, 剛而能巽, 其才足以濟務. 然與五非應, 而不同. 五中而非正, 三正而非中, 不同也, 未得於君者也. 不得於君, 則其道何由而行. 革, 變革爲異也, 三與五異而不合也. 其行塞, 不能亨也. 不合於君, 則不得其任, 无以施其用. 膏, 甘美之物, 象祿位. 雉指五也, 有文明之德, 故謂之雉. 三, 有才用, 而不得六五之祿位, 是不得雉膏食之也. 君子蘊其德久, 而必彰, 守其道, 其終必亨. 五有聰明之象, 而三終上進之物, 陰陽交暢, 則雨. 方雨, 且將雨也, 言五與三, 方將和合. 虧悔終吉, 謂不足之悔, 終當獲吉也. 三懷才而不偶, 故有不足之悔. 然其有陽剛之德, 上聰明而下巽正, 終必相得, 故吉也, 三雖不中, 以巽體, 故无過剛之失, 若過剛, 則豈能終吉.

솥귀는 육오이니, 솥의 주체가 된다. 삼효는 양으로서 손괘(☴)의 위에 있어서 굳세고도 공손하니, 그 재주가 일을 이루기에 충분하다. 그러나 오효와 호응이 아니어서 함께 하지 못한다. 오효는 가운데이나 제자리가 아니고, 삼효는 제자리이나 가운데가 아니어서 같지 않으니, 군주에게 신임을 얻지 못한 자이다. 군주에게 신임을 얻지 못하면 그 도(道)가 어디로 말미암아 행해지겠는가? 혁(革)은 변혁(變革)하여 달라짐이니, 삼효가 오효와 달라져서 합하지 못하는 것이다. 그 감이 막힘은 형통하지 못한 것이다. 군주에게 합하지 못하면 신임을 얻지 못할 것이니, 그 씀을 베풀 수가 없다. 고기[膏]는 달고 맛난 물건이니, 녹(祿)과 지위(地位)를 상징하였다. 꿩은 오효를 가리키니, 문명한 덕이 있으므로 꿩이라고 이른 것이다. 삼효에게 쓰일 수 있는 재주가 있으나, 육오의 녹(祿)과 지위를 얻지 못하니, 이것이 꿩고기를 먹지 못하는 것이다. 군자가 덕을 오래도록 온축하면 반드시 드러나니, 그 도를 지키면 종말에는 반드시 형통한다. 오효는 총명(聰明)의 상이 있고 삼효는 마침내 위로 나아가는 물건이니, 음·양이 사귀어 통하면 비가 내린다. '방우(方雨)'는 장차 비가 내리려 하는 것이니, 오효와 삼효가 바야흐로 장차 화합함을 이른다. '부족하다는 후회가 마침내 길하게 됨[虧悔終吉]'은 부족하다는 후회가 마침내 마땅히 길함을 얻음을 이른다. 삼효는 재주를 간직하고도 때를 만나지 못하였으므로 부족하다는 후회가 있는 것이다. 그러나 굳센 양의 덕을 소유하고 있고, 위가 총명하며 아래가 공손하고 바르니, 마침내 반드시 서로 만나기 때문에 길하다. 삼효가 비록 가운데가 아니나 손체(巽體)이기 때문에 지나치게 굳센 잘못이 없으니, 만일 지나치게 굳세다면 어찌 마침내 길할 수 있겠는가.

小註

林氏栗曰, 上无正應, 而承乘皆剛, 故有行塞之象.
임률이 말하였다: 위에 정응이 없고 위·아래의 효가 모두 굳센 양이기 때문에 감이 막힌 상이 있다.

○ 兼山郭氏曰, 凡物之行以足, 獨鼎待鉉, 故以耳, 耳革則行塞矣.
겸산곽씨가 말하였다: 사물이 가는 것은 발로써 하나, 솥만은 현(鉉)이 필요하기 때문에 '솥귀[耳]'로써 하였으니 솥귀가 변하면 감이 막힌다.

○ 進齋徐氏曰, 雉離象, 膏爻柔象, 謂六五亦以鼎實取象. 三以陽剛之才, 而居巽之上, 其才足以有濟, 而於六五, 无相遇之道, 有革異之情. 故其行則不通, 於雉膏則不食, 猶人有才德而不爲時用, 不得君之祿而食之也. 方雨虧悔終吉, 雨陰陽和合而成, 方雨, 且將雨也. 虧, 失也. 三懷才不遇, 有不足之悔, 然五有聰明之德, 三終上進之物, 方將和合, 而相得. 始雖有不足之悔, 而終獲相遇之吉也.
진재서씨가 말하였다: 꿩은 리괘(☲)의 상이고, 고기[膏]는 부드러운 효의 상이니, 육오도 솥에 담겨있는 것으로 상을 취하였음을 이른다. 삼효는 양강의 재질로 손괘의 위에 있어 그 재질이 구제함이 있기에 충분하지만, 육오에 대하여 서로 만나는 도는 없고 바꾸는 정이 있다. 그러므로 가면 통하지 못하고 꿩고기를 먹지 못하니, 마치 사람이 재주와 덕이 있으나 때의 쓰임이 되지 못하고 임금의 녹을 얻지 못하여 그것을 먹지 못하는 것과 같다. '장차 비가 내려서 부족하다는 후회가 마침내 길하게 됨'은 비는 음양이 화합하여 이루어지는 것이니, 방우(方雨)는 장차 비가 오려하는 것이다. 휴(虧)는 잘못됨이다. 삼효는 재주를 품고도 만나지 못하니 부족하다는 후회가 있다. 오효가 총명한 덕이 있고 삼효는 마침내 위로 올라가는 물건이니, 장차 화합하여 서로 얻게 된다. 처음에는 부족하다는 후회가 있으나, 마침내 서로 만나는 길함을 얻을 것이다.

本義

以陽居鼎腹之中, 本有美實者也. 然以過剛失中, 越五應上, 又居下之極, 爲變革之時. 故爲鼎耳方革, 而不可擧移. 雖承上卦文明之腴, 有雉膏之美, 而不得以爲人之食. 然以陽居陽, 爲得其正, 苟能自守, 則陰陽將和, 而失其悔矣. 占者如是, 則初雖不利, 而終得吉也.

양으로서 솥의 배 가운데에 있으니, 본래 아름다운 실제가 있는 자이다. 그러나 지나치게 굳센 양으로 가운데를 잃고 오효를 건너뛰어 상효의 자리와 호응하며 또 하체의 끝에 있으니, 변혁하는 때가 된다. 그러므로 솥귀가 바야흐로 변혁하여 들어 옮길 수가 없는 것이다. 비록 상괘의 문명한 혜택을 이어서 꿩고기의 아름다움이 있으나 사람이 먹을 거리가 되지 못한다. 그러나 양으로서 양의 자리에 있어서 제자리를 얻음이 되니, 만일 스스로 지키면 장차 음양이 화합하여 후회가 없어질 것이다. 점치는 자가 이와 같이 하면 처음에는 비록 불리하나 종말에는 길함을 얻을 것이다.

小註

或問, 鼎耳革是如何. 朱子曰, 他與五不相應. 五是鼎耳, 鼎无耳則移動不得. 革是換變之義. 他在上下之間, 與五不相當, 是鼎耳變革了, 不可擧移. 雖有雉膏而不食, 此是陽爻, 陰陽終必和, 故有方雨之吉.
어떤 이가 물었다: '솥귀가 변함'은 어떤 것입니까?
주자가 답하였다: 삼효는 오효와 서로 호응하지 않습니다. 오효는 솥귀이니 솥에 귀가 없으면 움직일 수 없습니다. '혁'은 변환의 뜻이 있습니다. 삼효는 위·아래의 사이에 있으면서 오효와 서로 만나지 못하니, 솥귀가 바뀌어 이동할 수가 없습니다. 비록 꿩고기를 먹을 수 없으나 삼효는 양효이니, 음양은 마침내 반드시 화합하기 때문에 장차 비가 오려 하는 길함이 있는 것입니다.

○ 息齋余氏曰, 鼎九三, 越五應上, 故爲耳革而行塞. 然三五同功, 亦有相合之理, 故曰方雨虧悔.
식재여씨가 말하였다: 정괘의 구삼은 오효를 건너뛰어 상효와 호응하기 때문에 솥귀가 변하여 감이 막힘이 된다. 그러나 삼효와 오효는 공효가 같고 또 서로 합하는 이치가 있기 때문에 "장차 비가 내려서 후회가 없어진다"고 말한 것이다.

○ 雲峯胡氏曰, 井鼎九三, 皆居下而未爲時用. 井三如淸潔之泉, 而不見食, 鼎三如鼎中有雉膏, 而不得以爲人食. 然君子能爲可食, 不能使人必食. 六五鼎耳. 三與五不相遇, 如鼎耳方變革而不可擧移, 故其行不通. 然五文明之主, 三上承文明之腴, 必以剛正自守, 五終當求之, 方且如陰陽和而爲雨, 始雖有不遇之悔, 終當有相遇之吉. 井三所謂王明竝受其福者, 亦猶是也.
운봉호씨가 말하였다: 정괘(井卦)와 정괘(鼎卦)의 구삼은 모두 아래에 있으면서 때의 쓰임이 되지 못한다. 정괘(井卦)의 삼효는 맑고 깨끗한 샘과 같으나 먹히지 못하고, 정괘(鼎卦)의 삼효는 솥 안에 꿩고기가 있는 것과 같으나 사람의 먹이가 될 수 없다. 그러나 군자는 먹을 수 있는 것은 될 수 있으나, 반드시 사람에게 먹게 할 수는 없다. 육오는 솥귀이다. 삼효와 오효가 서로 만나지 못하는 것이 마치 솥귀가 변하여 이동할 수 없는 것과 같기 때문에 감에 통하지 못한다. 그러나 오효는 문명의 주인이고 삼효는 위로 문명의 기름진 고기[腴][22]를 받들고 있어 반드시 굳셈과 바름으로 스스로 지켜서 마침내 오효가 찾을 것이니, 처음에는 비록 만나지 못하는 후회가 있으나 마침내 서로 만나는 길함이 있을 것이다. 정괘(井卦)의 삼효에서 말한 "왕이 현명하면 함께 그 복을 받을 것이다"는 것이 또한 이것과 같다.

韓國大全

조호익(曺好益) 『역상설(易象說)』

耳指五.
귀는 오효를 말한다.

雙湖曰, 三變則上下皆坎, 三在上下之間, 有革象.
쌍호호씨가 말하였다: 삼효가 변하면 상하가 모두 감괘인데 삼효가 상하의 사이에 있어서 변하는 상이 있다.

西溪李氏曰, 下體之鼎有足而无耳, 故耳革行塞.
서계이씨가 말하였다: 솥의 하체에는 발만 있고 귀는 없기 때문에 귀가 변하고 가는 것이 막힌다.

---

22) 『상변통고(常變通攷) · 제례(祭禮) · 시제(時祭)』에 "생선[魚]은 붕어[鮒]를 쓰고, 15마리를 조(俎)에 올리는데 가로로 올리며 머리를 오른쪽으로 하여 유(腴: 아랫배)를 드린다[魚用鮒, 十有五而俎, 縮載, 右首, 進腴]"라고 하였고, 주소(注疏)에 "아랫배[腴]는 기가 모인 곳이다[腴是氣之所聚, 故祭祀進腴]"라 고 하였다.

林氏郭氏云云, 膏兌澤象, 不食三互兌體兌爲口, 至五方成口, 三前隔一畫, 有不食象. 雨兌澤象,
凡澤氣蒸潤, 則雨. 五在天位, 三在下而上從五, 有方雨之象. 終三象.
임씨 곽씨가 말하였다: 꿩고기는 태괘 못의 상이고, 먹지 못함은 삼효가 호괘로 태괘의 몸체이고 태괘는 입이 되며, 오효에 이르러야 입을 이루는데, 삼효의 앞에 한 획으로 막혀있기 때문에 먹지 못하는 상이 있다. 비는 태괘인 못의 상인데 못의 기운이 증발되면 비가 내린다. 오효가 하늘 자리에 있고 삼효가 아래에 있다가 위로 오효를 따르면 장차 비가 내리는 상이 있다. '마침내'는 삼효의 상이다.

송시열(宋時烈)『역설(易說)』

九三處大坎中爻, 故曰耳曰塞曰雨也. 三爻在巽木離火之交, 革物之味, 所謂耳革也. 坎爲險, 故其行塞, 離爲雉坎爲膏, 離爲不食坎爲雨, 言互兌昬可食而離坎有不食之象. 方當坎雨之時, 虧亡其悔吝, 終必得吉也. 小象失其義者, 鼎耳革, 不能烹飪雉膏之物也.
구삼이 큰 감괘의 가운데 있기 때문에 귀라고 하고 막힌다고 하고 비라고 하였다. 삼효는 손괘(☴)의 나무와 리괘(☲)의 불이 사귀어 음식물의 맛을 버리니, 귀가 변한다는 것이다. 감괘는 험함이 되기 때문에 가는 것이 막히고 리괘는 꿩이고 감괘는 기름이고 리괘는 먹지 못함이 되고 감괘는 비가 되니, 호괘인 태괘(☱)로 먹을 수 있지만 리괘와 감괘로 먹지 못하는 상이 있다. 장차 감괘의 비가 오는 때가 되어 후회와 곤란함이 없어져 끝내는 반드시 길함을 얻는다. 「소상전」의 뜻을 잃는다는 것은 솥의 귀가 변해서 꿩고기 같은 음식물을 삶아 익힐 수 없음이다.

이익(李瀷)『역경질서(易經疾書)』

初爲趾五爲耳, 則九三安有耳象. 耳指六五之黃耳也. 鼎之用在鉉, 鉉貫耳擧鼎者也, 鼎雖有耳, 失鉉則闕用. 革者變也, 變而不適於用, 故傳云失其義, 彼鼎耳之失, 非鉉而何. 行者貫耳而升鼎也, 塞者廢也. 九三則其實已烹飪矣, 與五非比非應, 不爲五所用, 故有此象.
초효는 발이고 오효는 귀인데 구삼에 어떻게 귀의 상이 있겠는가? 귀는 육오의 누런 귀를 가르킨다. 솥의 쓰임은 현(鉉)에 달려있고 현(鉉)은 귀를 꿰어 솥을 드는 도구인데 솥에 귀가 있지만 현(鉉)을 잃으면 쓸 수 없다. '혁(革)'은 변화이니 변하여 쓸 수 없기 때문에 상전에 "그 뜻을 잃었다"고 하였다. 저 솥이 귀를 잃는다는 것이 현(鉉)이 아니면 무엇이겠는가? '가는 것'은 귀를 꿰어 솥을 드는 것이고 '막힘'은 닫히는 것이다. 구삼은 내용물을 이미 삶아서 익혔지만 오효와 가깝지도 않고 호응하지도 않아 오효에게 쓰여지지 않기 때문에 이런 상이 있다.

鼎既失鉉, 無以貫耳而升, 是謂耳革而行塞也. 雉膏不食, 如井渫不食. 離爲雉巽爲鷄, 卦有雉鷄之象, 而雉亦山鷄也. 雉膏則宜食, 而耳革行塞, 故不爲人所食也. 方雨虧爲句, 雨帖膏, 虧帖不食. 烹雉膏澤方流而虧廢不食也, 與覆餗相類. 意者當去故取新之時, 居兩陽之間, 下卦之上, 又以剛居剛, 傷於躁動, 故曰革曰塞曰不食曰虧, 莫非戒辭. 然得正, 故悔則終吉也.
솥이 이미 현(鉉)을 잃었다면 귀를 꿰어 들 수 없으니, 이것을 귀가 변하고 가는 것이 막혔다고 하였다. "꿩고기를 먹지 못함"은 "우물이 청소되었는데도 먹지 않는 것"과 같다. 리괘는 꿩이 되고 손괘는 닭이 되는데 괘에 꿩과 닭의 상이 있고 꿩은 산에 있는 닭이기도 하다. 꿩고기는 먹어야 하지만 귀가 변해 가는 것이 막혀서 사람들에게 먹히지 못한다. "장차 비가 내려 부족한 후회[方雨虧]"가 구가 되고 우(雨)는 고(膏)에 붙고 휴(虧)는 먹지못함에 붙는다. 꿩을 삶아 꿩 기름이 흘러 없어져 버리면 먹지 못하니, 공에게 바칠 음식을 엎는 것과 같은 종류이다. 생각해보건대, 옛 것을 버리고 새 것을 취하는 때를 당해 두 양의 사이이며 하괘의 위에 있고 굳센 양이 굳센 자리에 있어서 조급한 움직임으로 상처를 받기 때문에 바뀌고 막히고 먹지 못하고 부족하다고 했으니 경계하는 말이 아닌 것이 없다. 그렇지만 바름을 얻었기 때문에 뉘우치면 마침내 길하다.

유정원(柳正源) 『역해참고(易解參攷)』

正義, 鼎之爲義下實上虛, 是空以待物者也. 鼎耳之用, 亦宜空以待鉉. 今九三處下體之上, 當此鼎之耳, 宜居空之地, 而以陽居陽, 是以實處實者也. 既實而不虛, 則變革鼎耳之常義也. 常所納物受鉉之處, 今則塞矣, 故曰鼎耳革, 其行塞也.
『주역정의』에서 말하였다: 솥의 뜻은 아래는 차있고 위에는 비어있어 이것이 비움으로 물건을 기다림이다. 솥 귀의 쓰임도 비움으로 현(鉉)을 기다림이다. 지금 구삼이 하체의 위에 있어 솥의 귀에 해당하므로 비운 곳에 있어야 하지만 양으로 양의 자리에 있으니 이 때문에 차있는 것이 차있는 곳에 있는 것이다. 이미 차있어 비워있지 않다면 솥 귀의 일정한 뜻이 변한 것이다. 늘 물건을 담고 현(鉉)을 들이는 곳인데 지금 막혀있기 때문에 "솥귀가 변하여 그 가는 것이 막혔다"고 하였다.

○ 饒州李氏曰, 雉膏不食, 離明在上而旡應象.
요주이씨가 말하였다: '꿩고기를 먹지 못함'은 리괘의 밝음이 위에 있는데 호응이 없는 상이다.

○ 白雲蘭氏曰, 方者方欲而未必然之辭.
백운란씨가 말하였다: '방(方)'은 장차 그러려고 하지만 꼭 그렇지는 않다는 말이다.

○ 雙湖胡氏曰, 此爻大槪爲四隔塞, 與五睽異之辭. 耳五也, 三變則三五皆坎, 亦耳象. 其行塞, 四隔不通也. 雉膏亦五. 不食亦爲四隔, 不得食, 方雨三若動爲坎雨, 陰陽和合, 而失其悔矣終吉之占也. 兌口在上, 三隔四亦不食象, 兌爲澤亦有雨象.
쌍호호씨가 말하였다: 이 효는 사효에게 막히고 오효와는 어긋나 달리하는 말이다. 귀는 오효인데 삼효가 변하면 삼효에서 오효까지 감괘(☵)이니 또한 귀의 상이다. 그 가는 것이 막힘은 사효에 막혀 통하지 못함이다. 꿩고기도 오효인데 먹지 못하는 것도 사효에게 막혀서 먹지 못한다. 장차 비가 오는 것은 만약 삼효가 변동하면 감괘(☵)의 비가 되어 음양이 화합해 후회가 없어져서 끝내 길한 점이다. 태괘의 입이 위에 있는데 삼효가 사효를 막으니 또한 먹지 못하는 상이고 태괘(☱)는 못이 되니 또한 비가 오는 상이다.

○ 案, 悔者越五應上之悔也. 終與五相合, 則所悔者虧矣.
내가 살펴보았다: 후회는 오효를 넘어 상효에 호응하는 후회이다. 끝내 오효와 함께 합한다면 후회가 없어진다.

김상악(金相岳)『산천역설(山天易說)』

鼎耳五也. 革變革爲異也. 三五異體, 故有耳革行塞之象. 離互兌體而行塞, 則雖雉膏不食, 三能上進與五相合, 則陰陽將和而雨, 故虧悔而終吉矣.
솥귀는 오효이다. 변함은 변하여 달라진 것이다. 삼효와 오효는 다른 몸체이기 때문에 귀가 달라져서 가는 것이 막히는 상이 있다. 리괘(☲)의 호괘인 태괘(☱)의 몸체로 가는 것이 막힌다면 꿩고기가 있어도 먹지 못하는데, 삼효가 위로 나아가 오효와 서로 합할 수 있다면 음양이 장차 화합해서 비가 내리기 때문에 후회가 없어져 마침내 길하다.

○ 六五(⚋)分布於上, 鼎耳之象. 鼎有耳而後可擧移, 而三與五異體不比, 故曰鼎耳革. 乾九四曰乾道乃革, 是也. 或曰, 鼎次革, 革卽革故鼎新之革也. 來註, 鼎之爲器, 承鼎在足, 實鼎在腹, 行鼎在耳, 擧鼎在鉉. 而三居巽木之上, 上居離火之極, 木火相遇, 鼎中沸騰, 併耳亦熾熱變革, 不可擧移. 參互數說, 其義可見.
육오(⚋)가 위에 분포했으니 솥귀의 상이다. 솥은 귀가 있어야 들어서 옮길 수 있는데 삼효는 오효와 다른 몸체로 가깝지 않기 때문에 솥귀가 변했다고 하였다. 건괘의 구사에 "건도(乾道)가 곧 변혁함이다"라 한 것이 이것이다.

어떤 이가 말하였다: 정괘가 혁괘의 다음에 있으니 '혁(革)'이란 옛것을 변화시켜 새것을 취하는 변화이다.
래지덕의 주에 "솥 그릇을 받드는 것은 발이고 물건을 담는 것은 배이고 솥을 옮기는 것은 현이다"라 하였다. 삼효가 손괘인 나무의 위에 있고 상효는 리괘의 끝에 있어 나무와 불이 서로 만나 솥 속에서 끓으면 귀도 함께 열을 받아 변하여 들어 옮길 수 없다. 몇 가지 설명을 참조해보면 그 뜻을 알 수 있다.

或曰, 鼎分上下體爲二鼎, 故下體之鼎, 初言趾三言耳, 上體之鼎, 四言足五言耳, 非也. 三與五爲異體, 故曰耳革, 四與初爲相應, 故曰折足, 恐不可分二體言也. 易旨巽有足而無耳, 故曰耳革, 離有耳而無足, 故曰折足, 是也.
어떤 이가 "정괘는 상하의 두 몸체로 나누어 두 솥이 되기 때문에 하체의 정은 초효의 발을 말하고 삼효에 귀를 말했고 상체의 정은 사효에 발을 말하고 오효에 귀를 말했다"고 했는데 그르다. 삼효와 오효는 몸체가 다르기 때문에 귀가 변했다고 한 것이고 사효와 초효는 서로 호응하기 때문에 발이 부러졌다고 한 것이니, 상하의 몸체로 나누어 말해서는 안 될 것이다. 『주역』의 취지는 손괘는 발만 있고 귀가 없기 때문에 귀가 변했다고 하였고, 리괘는 귀만 있고 발이 없기 때문에 발이 부러졌다고 한 것이다.

鼎之行爲取新而不行, 則爲否爲塞也. 下體似坎, 三五互兌, 有困之象, 故曰行塞. 雉膏, 離互坎體之象, 卽養聖賢之物也. 兌口可以食之而與五不比, 故曰不食. 鼎與屯爲對, 屯之三曰卽鹿无虞, 无虞則不得禽, 无以成亨飪, 故曰雉膏不食.
솥이 새것을 취하여 움직이지 못하면 통하지 못해 막힌다. 하체는 감괘와 비슷하고 삼효에서 오효까지의 호괘는 태괘이어서 곤괘(困卦䷮)의 상이 있기 때문에 "가는 것이 막혔다"고 하였다. 꿩고기는 리괘의 호괘인 감체(坎體)의 상으로 성현을 기르는 음식물이다. 태괘인 입으로 먹으려는데 오효와 가깝지 않기 때문에 '먹지 못한다'고 하였다. 정괘는 준괘(屯卦䷂)와 음양이 반대인데 준괘의 삼효에 "사슴을 추적하는데 길잡이가 없다"고 하였으니 길잡이가 없으면 짐승을 잡을 수 없고 삶아 익힐 수 없기 때문에 "꿩고기를 먹지 못한다"고 하였다.

井之三則爲人所不食, 故象曰行惻, 鼎則三自不食, 故爻曰行塞. 又噬嗑食也, 而曰不食, 所以失其義也. 雨兌坎二象, 故睽之上九, 夬之九三, 皆言遇雨. 小畜與小過, 則雖互兌體, 小過陰過於陽, 小畜陰先陽倡, 故卦辭與爻辭皆言不雨. 坎則居上者爲雲, 居下者爲雨, 故需之象曰雲上於天, 屯曰雲雷屯, 解則坎居下, 故曰雷雨作, 鼎則九三將變未及, 故曰方雨. 虧者兌之毁也, 悔者陽之過也. 互體之三陽雖過矣, 兌陰居上而節之, 故虧失其悔, 而方雨者, 終雨也. 虧卽盈虧之虧, 坎月始虧於巽之辛, 終見于兌之丁, 與離日相對, 盈滿於乾之甲方, 故曰虧悔終吉.
정괘(井卦䷯)의 삼효는 사람들에게 먹히지 못하기 때문에 "길가는 사람이 안타까와한다"고 하였고, 정괘에서는 삼효가 스스로 먹지 못하기 때문에 효사에 "가는 것이 막혔다"고 하였다. 또 서합(噬嗑卦䷔)이 먹는 것인데 "먹지 못한다"고 하였기 때문에 그 뜻을 잃은 것이다. 비는 태괘(☱)와 감괘(☵)의 두 상이기 때문에 규괘(睽卦䷥)의 상구와 쾌괘(夬卦䷪)의 구삼에 모두 "비를 만난다"고 하였다. 소축괘(小畜卦䷈)와 소과괘(小過卦䷽)는 호괘가 태괘(☱)의 몸체이지만 소과는 음이 양보다 지나치고 소축은 음이 양보다 먼저 부르기 때문에 괘사와 효사에서 모두 "비가 오지 않는다"고 하였다. 감괘(☵)는 위에 있으면 구름이 되고 아래에 있으면 비가 되기 때문에 수괘(需卦䷄)의 대상전에 '구름이 하늘로 올라감'이라 했고, 준괘(屯卦䷂)에서는 '구름과 비'라 했고 해괘(解卦䷧)에서는 감괘가 아래에 있기 때문에 "우레와 비가 일어난다"고 하였고, 정괘는 구삼이 장차 변하지만 아직 이르지 못해 "장차 비가 내린다"고 했다. 휴(虧)는 태괘의 이지러짐이고 후회는 양의 지나침이다. 호체인 세 양이 비록 지나치지만 태괘의 음이 위에 있어서 조절하기 때문에 후회가 없어지며 장차 비가 내림은 마침내 비가 오는 것이다. 휴(虧)는 차고 이지러진다는 '휴'이니, 감괘의 달이 손괘(☴)의 신(辛)에서 이지러지기 시작하지만, 끝내는 태괘(☱)의 정(丁)에서 나타나 리괘의 해와 마주하여 건괘(☰) 갑(甲)의 방위에서 가득차기 때문에, 후회가 없어져 마침내 길하다고 하였다.

서유신(徐有臣) 『역의의언(易義擬言)』

九三, 鼎耳革, 其行塞, 雉膏不食, 方雨, 虧悔, 終吉.
구삼은 솥귀가 변하여 그 가는 것이 막혀서 꿩고기를 먹지 못하나, 장차 비가 내려서 부족하다는 후회가 마침내 길하게 될 것이다.

三在下體之上, 宜有耳也. 爲上九玉鉉之應, 宜有耳也. 奇畫連, 巽塞坎, 其耳革也. 鼎之行在耳, 而耳孔塞, 無以受鉉, 其行塞也. 雉離象, 膏互兌象, 雉蒸於上膏注於下, 故三有雉膏也. 其行塞, 故有雉膏而不得爲食也. 不食故如雨之能降而不能上也. 方雨故美味虧損爲可悔也, 然塞有必通之理, 故終吉也.
삼효는 하체의 위에 있어서 귀가 있는 것이 마땅하고 상구인 옥현(玉鉉)과 호응하니 귀가 있는 것이 마땅하다. 양의 획은 이어져 손괘(☴)가 감괘(☵)를 귀가 변했다. 솥이 움직임은 귀에 달렸는데 귀의 구멍이 막혀서 '현(鉉)'을 받아들일 수 없으니 그 옮겨가는 것이 막혔다. 꿩은 리괘(☲)의 상이고 기름은 호괘인 태괘(☱)의 상인데 꿩은 위에서 찌고 기름은 아래로 흐르기 때문에 삼효에 '꿩기름[雉膏]'이라고 하였다. 그 가는 것이 막혔기 때문에 '꿩기름[雉膏]'이 있어도 먹히지 못한다. 먹지 않기 때문에 비가 내릴 수만 있고 위로 오를 수는 없는 것과 같다. 장차 비가 내리기 때문에 아름다운 맛이 부족해서 후회할 수 있다. 그렇지만 막히면 반드시 통하는 이치가 있기 때문에 끝내는 길하다.

윤행임(尹行恁)『신호수필(薪湖隨筆)·역(易)』

鼎所以享祭之器, 殷宗有豊昵之失, 故肜日雉升于鼎, 卽九三爻雉膏不食之象. 意者甘盤遯荒傅說未來之時, 有此雉異, 暗合於此爻歟.
솥은 써서 제사를 지내는 그릇인데 은나라의 종묘에서 가까운 조상들에게만 풍성하게 하는[23] 잘못이 있었기 때문에 고종에게 제사를 지내는 날 꿩이 솥에 날아들었으니 곧 구삼효의 꿩고기를 먹지 못하는 상이다. 아마도 감반이 재야에 있고 부열이 아직 오지 않았을 때 이와 같은 꿩의 기이함이 있었으니 이 효와 부합하는 것일까?

하우현(河友賢)『역의의(易疑義)』

九三, 鼎耳革, 其行塞.
구삼은 솥귀가 변하여 그 가는 것이 막혔다.

傳曰, 革變革爲異也, 言三與五不合.
『정전』에서 말하였다: 혁(革)은 변혁(變革)하여 달라짐이니, 삼효가 오효와 달라져서 합하지 못하는 것이다.

本義曰, 鼎耳方革而不可擧移.
『본의』에서 말하였다: 솥귀가 바야흐로 변혁하여 들어 옮길 수가 없다.

蓋嘗思之, 五是鼎耳而與九三斷非正應, 故於九三有耳革之象. 五在上其耳旣革, 則是無耳也, 九三又安可移動得來乎. 此不可擧移之義. 且本義雖不正釋其行塞三字之意, 然旣曰不可擧移, 則行塞可知也.
생각해보면 오효는 솥의 귀로 삼효와는 단연코 정응이 아니기 때문에 구삼에게는 솥이 변한 상이 있다. 오효는 위에 있으면서 그 귀가 변했으니 이는 귀가 없는 것인데 구삼이 어떻게 옮겨 움직일 수 있겠는가! 이것이 들어옮길 수 없다는 뜻이다. 또 『본의』에서 비록 '그 가는 것이 막힘[其行塞]'의 세 글자를 바로 해석하진 않았지만 이미 들어 옮길 수 없다고 했으니 가는 것이 막혔음을 알 수 있다.

---

23)『書經·高宗肜日』: 嗚呼, 王司敬民, 罔非天胤, 典祀無豊于昵.

或曰, 先儒曰, 凡物之行以足, 獨鼎有鉉故以耳, 耳革則行塞矣, 此說如何. 曰, 亦是如此. 然謂耳革, 是六五耳革, 行塞是九三行塞. 推六五耳革於上, 而九三不能移動, 則是鼎行塞於下矣. 臣之於君有如此, 蓋臣而不能移動君, 則其行道之望塞矣. 是以九三雖有雉膏, 不見食之歎. 然苟能自守以正, 則陰陽將和, 九三之不能擧移者, 乃有方雨虧悔之吉也.
어떤 이가 물었다: 선배학자가 모든 물건은 발을 써서 다니는데 유독 솥만이 현(鉉)이 있어서 귀를 쓰는데 귀가 변하면 다니는 것이 막힌다고 하였습니다. 이 설명이 어떻습니까? 답하였다: 이 또한 그렇습니다. 그러나 "귀가 변한다"는 것은 육오의 귀가 변한 것이고 "가는 것이 막혔다"는 것은 구삼이 가는 것이 막혔다는 것입니다. 위에 있는 육오의 귀가 변해서 구삼이 옮길 수 없다면, 이는 솥의 움직임이 아래에서 막힌 것입니다. 신하가 임금에게 이와 같음이 있어서 신하가 임금을 옮길 수 없다면, 그 도를 행하는 바램이 막히게 됩니다. 이 때문에 구삼에게 비록 꿩고기가 있어도 먹히지 못하는 탄식이 있습니다. 그렇지만 정말로 스스로를 바르게 지키면 음양이 장차 화합할 것이어서 구삼이 들어 옮길 수 없다가 장차 비가 내려 후회가 없어지는 길함이 있을 것입니다.

이지연(李止淵) 『주역차의(周易箚疑)』

革字之義未詳. 內卦之終而外卦之始, 如乾道乃革之革而以鼎革物之際也. 耳者擧鼎之處而在五, 鉉者貫耳之物而在六. 九三所當之位不及於耳而應於鉉, 鉉无貫腹之理, 而腹非附耳之處. 此所謂非耳非鉉着手不得之處也.
'혁(革)'자의 뜻은 자세하지 않다. 내괘의 끝이자 외괘의 시작에 있어 마치 "건도(乾道)가 곧 변혁함"의[24] 혁(革)과 같아서 솥으로 물건을 변혁하는 때이다. 귀는 솥을 드는 곳으로 오효에 있고 '현(鉉)'은 귀에 꿰는 물건으로 상효에 있다. 구삼이 해당한 자리는 귀에는 이르지 못하고 '현(鉉)'에 호응하지만 '현(鉉)'은 배를 꿰는 이치가 없고 배도 귀에 붙는 곳이 아니다. 이는 이른바 귀도 아니고 현도 아니어서 손을 쓸 곳이 없다는 것이다.

故人之擧鼎者, 至此九三, 着手无路, 搖動不得, 故雖其中儲得雉膏而空自沸湧而已, 人不可得而食之也. 故云其行塞也. 革者, 違戾之謂也, 若如九二之與六五爲應, 則以鉉擧耳之時, 亦可隨耳而行, 此則不應於耳, 而應於鉉, 鉉不當於腹, 安在其爲應之效乎. 故曰其所處之位違戾, 所謂半上落下者也. 六五則陰也, 陰陽終有相合之道, 而陽是上進之物, 必不得已而上, 與六五和合然後用其雉膏而見食於人也.

24) 『周易 · 乾卦』: 或躍在淵, 乾道乃革.

그러므로 사람이 솥을 들 때 여기 구삼에 이르면 손을 쓸 방법이 없어서 움직일 수 없기 때문에 그 속에 꿩고기가 들어있어도 헛되이 끓기만 할 뿐 사람이 먹을 수 없다. 그래서 "그 가는 것이 막혔다[其行塞]"고 하였다. 혁(革)은 어그러진 것을 말하니, 만약 구이가 육오와 호응하는 것과 같았다면, 현(鉉)으로 솥을 들 때라 귀를 따라 갈 수도 있었겠지만, 여기는 귀에 호응하지 않고 현(鉉)에 호응하며 현(鉉)은 배를 담당하지 않으니, 어떻게 호응의 효과가 있겠는가? 그러므로 거처한 곳의 자리가 어그러졌다고 하였으니, "반쯤 올라가다 아래로 떨어진 자"[25]이다. 육오는 음이고 음양은 끝내 서로 합하는 도리가 있으며, 양은 위로 나아가는 물건이기에 반드시 부득이 위로 올라 육오와 화합한 뒤라야 그 꿩고기를 써서 사람들에게 먹힐 것이다.

김기례(金箕澧) 「역요선의강목(易要選義綱目)」

鼎非耳則不能擧, 三本非五應, 故越五耳應上鉉則過. 故曰耳革.
솥은 귀가 없으면 들 수 없는데 삼효가 본래 오효와 호응하지 않기 때문에 오효의 귀를 넘어 상효의 현(鉉)에 호응함은 지나치다. 그래서 귀가 변한다고 하였다.

○ 三以過剛, 承乘應皆剛, 而不合五, 故行阻.
삼효는 지나치게 굳센데 받들고 타고 호응함이 모두 굳세고 오효와 합하지 못하기 때문에 가는 것이 막힌다.

○ 五以文明之德有膏澤之施, 而三有剛才足以濟世, 非五正應, 故不得合, 則如賢才不食君祿. 離爲雉, 故曰雉膏不食. 然以五聰明知三不世之才, 則將合矣. 陰陽相和, 則可雨而欠缺之悔終至吉.
오효는 문명한 덕으로 은택을 베풂이 있고 삼효는 굳센 재주로 세상을 구제할 만한데, 오효의 정응이 아니기 때문에 합하지 못한다면, 마치 현명한 신하가 임금의 녹을 먹지 못하는 것과 같다. 리괘(☲)가 꿩이어서 "꿩고기를 먹지 못한다"고 하였다. 그렇지만 오효가 총명하기 때문에 삼효가 세상에 없는 인재임을 알아본다면 장차 합할 것이다. 음양이 서로 화합하면 비가 내려서 부족하다는 후회가 끝내 길함에 이를 것이다.

심대윤(沈大允) 『주역상의점법(周易象義占法)』

鼎之未濟䷿, 鼎之未盡熟而人之器用任使未盡備也. 此爻亦有兩重義.

---

25) 『朱子語類 · 易七』: 若半上落下, 則不濟事, 何以爲君子.

정괘가 미제괘(未濟卦䷿)로 바뀌었으니 솥으로는 완전히 익히지 않았고 사람으로는 그릇이나 부림이 완전히 갖추어지지 않은 것이다. 이 효 또한 두 가지 중요한 뜻이 있다.

九三上下无應係而事人少使人多, 侯牧之鼎也. 以鼎言之, 則不生不熟而半上落下, 漸沸而上進, 從初不可而去之, 又欲從于五, 故曰鼎耳革, 革去故之不善也. 坎爲耳, 言從五也, 兌爲革. 西溪李氏曰, 全體爲一鼎, 分體爲兩鼎, 上體之鼎有耳而無足, 故九四爲折足, 下體之鼎有足而无耳, 故九三爲耳革云. 從初從五皆有坎剛塞之, 故曰其行塞. 巽對艮爲行塞. 九三以剛居剛而用力, 能去之故不善而從其善, 然練事未熟行有不通也. 雉膏不食, 言其質美而未熟也. 离坎爲雉膏. 才剛而用力如此, 不懈而至於有成, 故曰方雨. 坎兌爲雨陰陽和而雨, 五居坎兌, 言與五合也, 雖有少虧之悔而終吉也, 兌巽爲虧悔, 此一義也.
구삼은 위아래로 호응이나 걸림이 없어 섬기는 사람은 적고 부리는 사람은 많으니, 정괘에서 후목(侯牧)에 해당된다. 솥으로 말하면, 날 것도 아니고 익지도 않아서 반쯤 오르다가 아래로 떨어지며 짐차 끓이서 위로 오르는데 초효를 따름이 불가하여 떠나고, 또 오효를 따르려하기 때문에 솥귀가 변한다고 하였으니 옛날의 착하지 못함을 고쳐버리는 것이다. 감괘(☵)가 귀가 되어 오효를 따른다고 하며 태괘(☱)가 변함이 된다. 서계이씨가 말하길, "정괘의 전체는 하나의 솥이고, 상체와 하체로 나누어보면 두 개의 솥인데, 상체의 솥은 두 귀는 있으나 발이 없으므로 구사는 '솥발이 부러짐'이고, 하체의 솥은 발은 있으나 귀가 없으므로 구삼은 '솥귀가 변함'이다"라고 하였다. 초효에서 오효까지 모두 감괘로 굳세게 막고 있어 가는 것이 막힌다고 하였다. 손괘(☴)의 상대괘인 간괘(☶)로 가는 것이 막힘이 된다. 구삼은 굳센 양이 굳센 자리에 있어서 힘을 써서 옛날의 착하지 못함을 버리고 착함을 따를 수 있지만 일을 단련함에 익숙하지 않아서 통하지 못함이 있다. 꿩고기를 먹지 못함은 본질은 아름답지만 아직 익숙하지 못함이다. 리괘와 감괘가 꿩과 기름이 되고 재질이 굳세고 힘을 씀이 이와 같아서 게으르지 않아 성공함에 이르기 때문에 장차 비가 내린다고 하였다. 감괘와 태괘가 비가 되는데 음양이 화합하면 비가 내리니 오효가 감괘와 태괘에 있어 오효와 합함을 말한다. 비록 조금 부족하다는 후회가 있지만 끝내 길하니 손괘와 태괘가 부족하다는 후회가 된다. 이것이 한 가지 뜻이다.

以人言之, 則器用任使, 雖備而尙有未盡, 任用之道雖善而尙未盡合于其宜. 使一人用一器而不可, 則又用他人與器. 以一人一器試於此而不可, 則又以試於彼, 卽鼎耳革, 去故之不善也. 使甲使乙竝无當意, 試東試西俱不稱職, 卽其行塞也. 其器與臣非不備也, 而吾之任使未盡得宜, 其器與臣非不良也, 而彼之鍛鍊未盡精熟, 卽雉膏不食也. 九三居剛嚴責而才又剛, 匪久而未盡者也. 卽方雨也, 雉膏據爻象而言, 則六五居坎离之體是也. 其實則九三之人如九三之才位者是也. 此一義, 而中又有兩段事也.
사람으로 말하면 그릇의 쓰임과 맡겨서 부림이 갖추어졌더라도 아직 완전하지 못하고 임용의 도리가 착하지만 아직 마땅함을 다하진 못하였다. 한 사람이 한 그릇을 쓰는 것이 가능하지 않으면 또 다른 사람과 그릇을 쓴다. 한 사람의 한 그릇을 여기에서 시험해보아 가능하지 않으면 또 저기에서 시험해보는 것이 곧 "솥귀가 변한다"는 것으로 지난 날의 착하지 못함을 버리는 것이다. 갑을 부리고 을을 부려도 모두 뜻에 합당하지 않거나 동쪽에서 시험하고 서쪽에서 시험해도 직분에 걸맞지 않은 것이 곧 '가는 것이 막힘'이다. 그 그릇과 신하가 준비되지 않은 것은 아니지만 내가 맡겨 부림에 마땅함을 얻지 못하고, 그 그릇과 신하가 좋지 않은 것은 아니지만 그들의 단련됨이 정밀하고 익숙하지 않은 것이 곧 "꿩고기를 먹지 못함"이다. 구삼은 굳센 자리에 있어서 엄하게 꾸짖고 재질 또한 굳세어 오래도록 미진한 자는 아닌 것이 곧 "장차 비가 내림'이다. 꿩고기는 효상에 근거해 말하였으니 육오가 감괘와 리괘의 몸체에 있음이 그것이다. 실제로는 구삼과 같은 사람, 구삼의 재질과 자리와 같은 자가 그것이다. 이것이 한 가지 뜻으로 그 가운데 두 가지의 일이 있다.

오치기(吳致箕)「주역경전증해(周易經傳增解)」

九三雖以陽剛得正而未能相應於六五之君, 前又有四剛之隔, 故當鼎耳將革物之時, 其行塞而不遇, 有雉膏不食之象. 然旣得其正, 故言將遇雨而陰陽交和可成其功. 始之有虧悔者, 終得其吉也.
구삼은 비록 양의 굳셈으로 바름을 얻었지만 육오의 임금에게 호응하지 않고 앞에 또 네 양이 막고 있기 때문에 솥귀가 장차 물건을 변화시키는 때에 해당해서 그 가는 것이 막혀 만나지 못하여 꿩고기를 먹지 못하는 상이 있다. 그렇지만 이미 바름을 얻었기 때문에 장차 비를 만나 음양이 사귀고 화합하여 성공할 수 있다. 처음엔 부족함의 후회가 있지만 마침내 길함을 얻는다.

鼎耳六五爲鼎之主, 而主革物之權者也. 革謂革物, 而卽指烹飪也. 離爲雉而互兌爲澤膏之象. 食取於變坎而不與五遇, 故言不食也. 雨亦取坎而遇雨言陰陽和合也. 有欠曰虧, 而虧悔言虧欠之悔也. 始雖不遇而有虧欠之悔, 終能和合而獲吉者, 卽以此爻獨得其正也.
솥의 귀에 해당하는 육오는 정괘의 주인이고 물건을 변화시키는 권한을 주관하는 자이다. '혁(革)'이란 물건을 변화시키는 것으로 삶아 익히는 것이다. 리괘(☲)가 꿩이 되고 호괘인 태괘(☱)가 못으로 기름의 상이다. '식(食)'은 변화된 감괘(☵)에서 취했는데 오효와 함께 하지 못하기 때문에 먹지 못한다고 하였다. '우(雨)'도 감괘(☵)에서 취했는데 비를 만난다는 것은 음양이 화합함을 말한다. 흠결이 있음을 '휴(虧)'라 하니 '휴회(虧悔)'는 흠결이 있는 후회이다. 처음에는 만나지 못해 흠결이 있는 후회가 있었지만 마침내 화합하여 길함을 얻으니 이는 이 효만이 바름을 얻었기 때문이다.

이진상(李震相)『역학관규(易學管窺)』

九三, 鼎耳革.
구삼은 솥귀가 변하여.

六五之耳爲九四所蔽, 而九三重剛不中, 進不得通其耳, 無應於上 又不得動其鉉, 則待鉉而後行者, 其行塞矣. 雖有雉膏之美而不得食之. 然六五離體, 決無塞聰之理, 三以陽剛上進終必有合, 故有方雨之象. 旣往之失雖可悔終當獲吉也. 過剛不中無應於上者, 乃其所虧不能无悔, 而傳以虧悔爲不足之悔, 本義以爲失其悔者, 皆恐牽强. 象之言失其義者, 便是虧處, 三動則連五爲坎, 故曰方雨, 互兌爲口而四乃隔之, 故曰不食.
육오의 귀가 구사에게 가려졌고 구삼은 거듭 굳셈으로 알맞음을 얻지 못하여 나아가 그 귀를 통할 수 없고 상효와 호응이 없어 그 현(鉉)을 움직일 수 없으니 현(鉉)을 기다린 뒤에 가는 것인데, 그 가는 것이 막혀있다. 비록 꿩고기의 아름다움을 먹지 못하지만 육오는 리괘(☲)의 몸체로 결코 총명함을 막는 이치가 없고 삼효는 양의 굳셈으로 위로 나아가 마침내는 반드시 합합이 있기 때문에 장차 비가 오는 상이 있다. 이미 지난 잘못을 뉘우칠 수 있어 마침내 길함을 얻을 것이다. 지나치게 굳세고 가운데를 얻지 못하고 상효에 호응함이 없어 어긋남이 있어 후회가 없을 수 없는데『전의』에서는 부족하다는 후회라 하고『본의』에서는 그 후회가 없어진다고 하였는데 모두 억지로 붙인 것 같다.「상전」에서 말한 "그 의(義)를 잃었기 때문이다"라는 것이 곧 어긋난 것이니 삼효가 변동하여 오효와 이어지면 감괘(☵)가 되기 때문에 "장차 비가 내린다"고 하였고, 호괘인 태괘가 입이 되는데 사효가 막기 때문에 "먹지 못한다"고 하였다.

박문호(朴文鎬)「경설(經說)·주역(周易)」

虧, 程傳訓爲不足, 本義以失訓之. 蓋悔與吉, 似當爲二事, 不可合作一事. 本義似長.
휴(虧)에 대해서『정전』에서는 부족하다고 풀이하였고『본의』에서는 잃어버림이라고 풀이하였다. 뉘우침과 길함은 마땅히 두 가지 일이 되어야지 한 가지 일로 만들어서는 안 될 것 같다.『본의』가 나은 것 같다.

象曰, 鼎耳革, 失其義也.

「상전」에서 말하였다: "솥귀가 변함"은 그 의(義)를 잃었기 때문이다.

中國大全

傳

始與鼎耳革異者, 失其相求之義也. 與五非應, 失求合之道也, 不中, 非同志之象也. 是以其行塞而不通, 然上明而下才, 終必和合, 故方雨而吉也.

처음에 변혁하여 솥귀와 다른 것은 서로 구하는 의(義)를 잃은 것이다. 오효와 호응이 아니니 합함을 구하는 도(道)를 잃은 것이고, 가운데가 아니니 뜻을 함께 하는 상이 아니다. 이 때문에 그 행함이 막혀서 통하지 못한 것이다. 그러나 위가 밝고 아래가 재주가 있어 끝내는 반드시 화합할 것이므로 바야흐로 비가 내려 길한 것이다.

小註

進齋徐氏曰, 君臣以義合志也, 鼎耳革其行塞雉膏不食, 則於義乖矣. 故曰失其義也,
진재서씨가 말하였다: 임금과 신하는 의로서 뜻이 합하였으니, 솥귀가 변하여 감이 막혀서 꿩고기를 먹지 못하였다면 의리에 어긋난 것이다. 그러므로 "의를 잃었기 때문이다"고 하였다.

韓國大全

유정원(柳正源) 『역해참고(易解參攷)』

失其義.
그 뜻을 잃는다.

正義, 失其虛中納受之義也.
『주역정의』에서 말하였다: 가운데를 비우고 받아들이는 뜻을 잃은 것이다.

김상악(金相岳) 『산천역설(山天易說)』

失上下求合之義也. 義所以行, 三曰耳革, 則不能行矣, 信所以立, 四曰折足, 則不能立矣. 義屬利信屬貞, 所以五之利貞, 得其信義, 配卦之元亨.
위아래가 합하는 의를 잃은 것이다. 의로움으로 행할 수 있는데 삼효에 귀가 바뀐다고 했으니 행할 수 없고, 믿음으로 설 수 있는데 사효에 솥이 부러졌다고 했으니 설 수 없다. 의로움은 리(利)에 속하고 믿음은 정(貞)에 속하는데 오효의 "곧음이 이롭다[利貞]"로 그 믿음과 의로움을 얻으니 괘의 '크게 형통함'과 짝이 된다.

서유신(徐有臣) 『역의의언(易義擬言)』

鼎耳革, 失其義也,
솥귀가 변함은 그 뜻을 잃었기 때문이다.

耳不受鉉, 失其應與之義也.
귀가 현(鉉)을 받아들이지 못함이 호응하여 함께하는 뜻을 잃은 것이다.

심대윤(沈大允) 『주역상의점법(周易象義占法)』

此擧一句而釋全爻之義, 言未得其宜也.
이는 한 구절을 들어 전체 효의 뜻을 해석한 것으로 그 마땅함을 얻지 못함을 말한 것이다.

오치기(吳致箕) 「주역경전증해(周易經傳增解)」

當鼎耳革物之時, 不能相遇, 則失上下和合之義也. 此亦戒辭也.
솥의 귀가 물건을 변화시키는 때에 서로 만나지 못하면 상하가 화합하는 뜻을 잃는다. 이 또한 경계하는 말이다.

이병헌(李炳憲) 『역경금문고통론(易經今文考通論)』

本義曰, 陽居鼎腹之中, 本有美實, 然居下之極爲變革之時, 承上卦有雉膏而不食.
『본의』에서 말하였다: 양으로서 솥의 배 가운데에 있으니, 본래 아름다운 실제가 있는 자이다. 그러나 하체의 끝에 있으니, 변혁하는 때가 된다. 상괘의 문명한 혜택을 이어서 꿩고기의 아름다움이 있으나 사람의 먹거리가 되지 못한다.

按, 行塞故失其義也. 九三指殷周之際.
내가 살펴보았다: 가는 것이 막혔기 때문에 그 의를 잃었다. 구삼은 은나라와 주나라의 교체기를 가리킨다.

九四, 鼎折足, 覆公餗, 其形渥. 凶.

정전 구사는 솥발이 부러져서 공(公)에게 바칠 음식을 엎었으니, 그 얼굴이 붉어진다. 흉하도다!
본의 구사는 솥발이 부러져서 공(公)에게 바칠 음식을 엎었으니, 형벌이 무겁다. 흉하도다!

中國大全

傳

四, 大臣之位, 任天下之事者也. 天下之事, 豈一人所能獨任. 必當求天下之賢智, 與之叶力, 得其人, 則天下之治, 可不勞而致也. 用非其人, 則敗國家之事, 貽天下之患. 四下應於初. 初陰柔小人, 不可用者也, 而四用之, 其不勝任, 而敗事猶鼎之折足也. 鼎折足, 則傾覆公上之餗. 餗, 鼎實也. 居大臣之位, 當天下之任, 而所用非人, 至於覆敗, 乃不勝其任, 可羞愧之甚也. 其形渥, 謂赧汗也, 其凶可知. 繫辭曰, 德薄而位尊, 知小而謀大, 力小而任重, 鮮不及矣. 言不勝其任也. 蔽於所私, 德薄知小也.

사효는 대신(大臣)의 지위이니, 천하의 일을 맡은 자이다. 천하의 일을 어찌 한 사람이 홀로 책임질 수 있겠는가? 마땅히 천하의 어진 이와 지혜로운 이를 구하여 더불어 협력해야 하니, 훌륭한 사람을 얻으면 천하의 다스림을 수고롭지 않고도 이룰 것이나, 등용함이 훌륭한 사람이 아니면 국가의 일은 실패하고 천하에 화를 끼칠 것이다. 사효가 아래로 초효와 호응한다. 초효는 음유(陰柔)의 소인(小人)이라서 쓸 수 없는 자인데 사효가 그를 등용하면 임무를 감당하지 못하여 일을 실패함이 마치 솥발이 부러지는 것과 같은 것이다. 솥발이 부러지면 공(公)에게 바칠 음식을 기울여 엎게 된다. 속(餗)은 솥에 담긴 음식이다. 대신의 지위에 있고 천하의 임무를 담당하고서 등용한 바가 훌륭한 사람이 아니어서 전복하고 실패함에 이르면 이는 그 임무를 감당하지 못한 것이니, 부끄러움이 심한 것이다. '그 얼굴이 붉어짐[其形渥]'은 부끄러워 얼굴이 붉어지고 땀이 남을 이르니, 흉함을 알 만하다. 「계사전」에 이르기를 "덕이 박하면서 지위가 높으며 지혜가 작으면서 도모함이 크며 힘이 적으면서 짐이 무거우면 화가 미치지 않는 자가 드물다"고 하였으니, 그 임무를 감당하지 못함을 말한 것이다. 사사로운 바에 가려지면 덕이 박하고 지혜가 작은 것이다.

小註

節齋蔡氏曰, 足初也, 餗鼎實也. 下應乎初, 初趾方顚, 故有折足之象. 足折則鼎覆而失其實矣.
절재채씨가 말하였다: 솥발은 초효이고, 바칠 음식[餗]은 솥에 담긴 음식이다. 아래로 초효와 호응하나 초효인 발이 넘어졌기 때문에 발이 부러진 상이 있다. 발이 부러지면 솥이 엎어져 그 안에 담긴 음식이 잘못될 것이다.

○ 融堂錢氏曰, 四近君, 不中不正, 下亦以不中不正應之, 民心乖離, 我所賴以立者撥矣. 是鼎折足覆公餗也. 公餗, 不可只作飮食看. 傾敗天祿, 顚危宗社, 此正欺君罔上, 不實之明驗矣.
융당전씨가 말하였다: 사효는 임금과 가까우나 가운데가 아니고 제자리도 아니며, 아래로도 가운데가 아니고 제자리도 아닌 것과 호응하니 민심이 괴리하고 내가 의뢰하여 세운 것이 제거된다. 이는 솥발이 부러지고 공에게 바칠 음식이 엎어짐이다. 공에게 바칠 음식은 단순히 음식만으로 볼 수 없다. 하늘의 복록을 망가뜨리고 종묘사직을 위태롭게 함은 바로 임금을 속인 것이니, 성실하지 못한 명백한 징험이다.

○ 建安丘氏曰, 鼎本以烹飪而致用, 今乃至於折足而覆餗, 則享上帝養聖賢之具, 皆廢矣, 宜其凶也. 四處大臣之位, 以剛居柔, 下復應柔, 力小不能任重. 且所用非人, 无以自輔, 卒至敗人天下國家之事, 而負君上之所託, 亦何異乎鼎之折足而覆餗也.
건안구씨가 말하였다: 솥은 본래 삶아 익혀서 용도를 이루는데, 지금 솥발이 부러져 음식을 엎었다면 상제에게 제향하고 성현을 봉양하는 도구가 다 폐지된 것이니 흉함이 마땅하다. 사효는 대신의 자리에 처하여 굳셈으로 부드러운 자리에 있고 아래로 다시 부드러움과 호응하니, 힘이 적어 무거운 임무를 감당할 수 없다. 또한 쓴 사람도 적임자가 아니어서 스스로 도울 수가 없다. 그리하여 끝내 천하국가의 일을 망치게 되어 임금이 의탁하는 것을 저버리니 '솥의 발이 부러져 음식을 엎게 되는 것'과 무엇이 다르겠는가?

本義

晁氏曰, 形渥, 諸本作刑剭, 謂重刑也, 今從之. 九四居上, 任重者也, 而下應初六之陰, 則不勝其任矣. 故其象如此, 而其占凶也.

조씨(晁氏)[26]가 말하기를 "'형악(形渥)'은 여러 판본에 '형악(刑剭)'으로 되어 있으니, 중한 형벌(刑

罰)이다" 라고 하였으니, 이제 그 말을 따른다. 구사는 위에 있으니 책임이 중한 자인데, 아래로 초육의 음에 호응한다면 그 임무를 감당하지 못할 것이다. 그러므로 상이 이와 같고 점이 흉한 것이다.

小註

朱子曰, 刑剭, 班固使來, 若作形渥, 卻只是澆濕渾身.
주자가 말하였다: '형악(刑剭)'은 반고(班固)때부터 사용하였으니 형악(形渥)으로 쓰였다면 온 몸이 젖은 것이 될 뿐이다.

○ 雲峯胡氏曰, 初顚趾, 四應初, 故有折足之象, 初未有鼎實, 故因顚趾而出否. 四已有鼎實, 故折足則餗皆覆矣. 否舊穢, 餗取新者也. 其形渥, 諸家或以爲其形赭汗, 或以爲霑濡之象, 皆未足以見四之凶, 如本義則大臣居上任重, 而信用陰柔之小人, 必有重刑之凶, 聞者懼矣.
운봉호씨가 말하였다: 초효는 발이 넘어졌는데 사효가 초효와 호응하기 때문에 발이 부러진 상이 있다. 초효는 솥에 담긴 음식이 없기 때문에 발이 넘어짐으로 인하여 나쁜 것이 밖으로 나오고, 사효는 이미 솥에 음식이 있기 때문에 발이 부러지면 음식이 모두 엎어지는 것이다. '나쁜 것[否]'은 예전의 더러운 것이고, '음식[餗]'은 새것을 취한 것이다. '기형악(其形渥)'에 대하여 여러 학자들 중 어떤 이는 "얼굴이 붉어지고 땀을 흘린다"라고 하고 어떤 이는 '젖은 상'이라고 하였으나 모두 사효의 흉함을 나타내기에 부족하다. 『본의』에서는 대신이 윗자리에 있으면서 임무가 중한데 음유한 소인을 신용한다면 반드시 중형(重刑)을 받게 되는 흉함이 있을 것이라고 했으니 듣는 자가 두려워할 것이다.

○ 雙湖胡氏曰, 按邵氏聞見後録云, 王弼注, 鼎其形渥凶, 以爲霑濡之形也. 蓋弼不知古易形作刑 渥作剭音屋. 故新唐史元載贊, 用刑剭, 亦周禮屋誅云. 按元載以罪誅, 贊云易稱鼎折足其刑剭諒哉, 周禮秋官司烜氏, 軍旅修火禁, 邦若屋誅, 鄭司農云, 屋誅謂夷三族, 屋讀如其形剭之剭, 謂所殺不於市而以適甸師氏者也.
쌍호호씨가 말하였다: 『소씨문견후록(邵氏聞見後録)』[27]을 살펴보니, "왕필(王弼)의 주에 '정기형악흉(鼎其形渥凶)은 젖은 모양이다'라고 하였다. 이는 왕필이 『고역(古易)』에 '형

---

26) 조열지(晁說之,1059~1129): 자는 이도(以道)이고 호는 경우(景迂)이다. 시와 산수화에 능하였으며, 육경에 능통하였고, 특히 역학에 정통하였다. 『유언(儒言)』, 『경우생집(景迂生集)』 등을 저술하였는데, 『경우생집』에 「역원성기보(易元星紀譜)」와 「역규(易規)」가 전한다.

27) 『소씨문견후록(邵氏聞見後録)』: 송나라 소박(邵博)이 지었다. 소박의 자는 공제(公濟)이며, 소백온(邵伯溫)의 아들이다. 이 책은 아버지의 책을 이어 지었기 때문에 『소씨문견후록』이라고 하였다.

(形)'을 '형(刑)'이라 하고 '악(渥)'을 '악(剭)'이라 하며 음을 '악(屋)'이라 하는 것을 몰랐기 때문이다. 『신당사(新唐史) · 원재열전(元載列傳)』[28]의 찬(贊)에 '형악(刑剭)'이라 썼고, 『주례(周禮)』에도 '악주(屋誅)'라고 하였다"고 말했다. 살펴보건대 원재(元載)가 죄를 받아 주벌당했는데 찬(贊)에 "'『주역』에 솥의 다리가 부러지니 형벌이 무겁다'라고 하였으니 진실 되도다"라고 하였다. 또 『주례(周禮) · 추관(秋官) · 사훤씨(司烜氏)』에 "군대에서는 불에 대한 금령(禁令)을 엄격히 준수하되 어기는 자는 사형에 처한다"라고 하였는데, 정사농(鄭司農)[29]이 "악주(屋誅)는 삼족을 멸하는 것을 이른다. 악(屋)은 형악(形剭)의 악(剭)으로 읽어야 하니, 죄인을 시장에서 죽이지 않고 전사씨(甸師氏)[30]에게 가게 하는 것이다"[31]라 하였다.

○ 中溪張氏曰, 初之顚趾, 卽四之折足也, 初利而四凶, 何也. 曰, 初在鼎下, 未有實之鼎也. 鼎未有實, 則趾可顚, 顚之所以有出否之利. 四在鼎中, 已有實矣, 鼎旣有實, 則足不可折, 折之則有覆餗之凶. 其時位不同, 故其吉凶亦異也. 又顚與折異, 顚則舍舊而圖新, 折則鼎毁而用廢矣, 折故凶也.

중계장씨가 말하였다: 초효의 발이 넘어진 것이 바로 사효의 발이 부러진 것인데, 초효는 이롭고 사효는 흉한 것은 어째서인가? 초효는 정괘의 아래에 있으니 아직 음식이 담겨있지 않은 솥이다. 솥에 음식이 담겨있지 않으면 솥발이 넘어지는 것이 좋다. 넘어지면 나쁜 것이 나오는 이로움이 있기 때문이다. 사효는 솥 안에 이미 음식이 담겨있으니 솥 안에 음식이 담겨있으면 솥발이 부러져서는 안 된다. 부러지면 담긴 음식이 엎어지는 흉함이 있다. 때와 자리가 같지 않기 때문에 길 · 흉도 다르다. 또 넘어지는 것과 부러지는 것은 다르니 넘어지면 오래된 것을 버리고 새것을 도모하며, 부러지면 솥이 망가져 쓸모가 없게 되니, 부러졌기 때문에 흉한 것이다.

---

28) 원재(元載: ?~?): 당나라 봉상(鳳翔) 기산(岐山) 사람. 자는 공보(公輔). 숙종(肅宗)때 거듭 승진하여 호조시랑(戶曹侍郞)이 되고, 탁지(度支)와 강회전운사(江淮轉運使) 등을 지냈다. 이보국(李輔國)에게 붙어 동중서문하평장사(同中書門下平章事)에 임명되었다. 대종(代宗)이 즉위한 뒤로 이보국이 죽자 내시들과 어울리면서 황제의 비위를 잘 맞추었다. 대력(大曆) 5년(770) 대종과 함께 일을 꾸며 환관 어조은(魚朝恩)을 주살하고, 권력을 쥐고 불법을 자행하였으며 충신들을 배척하고 참람한 일을 서슴지 않았다. 뇌물을 공공연하게 받는 등, 악행을 일삼다가 결국 자살을 명받아 죽었다. 『신당서(新唐書) · 열전(列傳)』 70에 수록되어 있다.

29) 정사농(鄭司農): 정중(鄭衆)을 이른다. 후한 하남(河南) 개봉(開封) 사람. 자는 중사(仲師)이고, 정흥(鄭興)의 아들이다. 경학자들은 선정(先鄭)이라 부르고, 정현(鄭玄)을 후정(後鄭)이라 부른다. 중랑장(中郞將)과 대사농(大司農) 등을 지내 정사농(鄭司農)으로 불리면서 환관이었던 정중과 구별했다. 아버지의 춘추좌씨학을 계승했고, 『주역』과 『시경』, 『주례』, 『국어(國語)』 및 역산(曆算)에 밝았다. 현존하는 저서에 『주례정사농해고(周禮鄭司農解詁)』와 『주역정사농주(周易鄭司農注)』, 『모시선정의(毛詩先鄭義)』등이 있다.

30) 전사씨(甸師氏): 고대 주(周)나라 때, 교외에서 왕족이나 고관대작의 사형(死刑)을 집행하던 관리.

31) "악(屋)은 …… 하는 것이다[屋讀如其形剭之剭 謂所殺不於市而以適甸師氏者也]"는 『주례주소(周禮注疏)』에 정현(鄭玄)의 설로 되어 있다.

韓國大全

조호익(曺好益)『역상설(易象說)』

鼎折足, 兌毁折, 足指初. 公, 雙湖曰, 指公家. 餗, 鼎實, 雉膏之屬, 離象, 渥, 兌澤象. 本義, 作刑剭. 離獄伏坎刑象剭, 刑在頄爲剭. 〈見周禮司烜氏註云, 必在甸師者, 以甸師在疆場多有屋舍, 以爲隱處, 故就而刑焉, 蓋王之同姓也.〉 餗, 周禮醢人[32]糝食註, 菜餗.
솥의 발이 부러짐은 태괘(☱)의 훼절이고 발은 초효를 가리킨다. 공(公)에 대해 쌍호는 '공가(公家)'를 가리킨다고 하였다. 속(餗)은 솥에 담긴 물건이니 꿩고기같은 것으로 리괘(☲)의 상이며 악(渥)은 태괘(☱)인 못의 상이다. 『본의』에서는 형벌한다는 형악이라고 하였다. 리괘(☲)가 옥이고 음양이 바뀐 감괘는 형벌로 악(剭)의 상이 있는데, 광대뼈에 형벌을 가하는 것이 악(剭)이다. 〈『주례 · 사훼씨』 주를 보니 말하였다: 반드시 전사씨에게 있다는 것은 전사씨가 변경에 있으면서 집을 많이 지니고 있어 숨는 곳으로 삼기 때문에 가서 형을 집행하니 대개 왕의 동성들이다.〉 속(餗)은 『주례 · 해인(醢人)』의 삼식(糝食)에 대한 주에 채소로 만든 음식이라고 하였다.

송시열(宋時烈)『역설(易說)』

兌爲毁折, 與顚趾之初爻爲應, 故曰折足. 覆亦顚字意, 四爲公, 鼎中有食, 故覆公餗, 其形如渥而赧然. 小象言, 上之信任於汝何如, 而今汝覆之乎云也.
태괘(☱)는 훼절됨이 되고 넘어진 발인 초효에 호응하기 때문에 발이 부러졌다고 하였다. 엎었다는 것도 전(顚)자의 뜻이니 사효가 공(公)이 되고 솥 속에 음식이 있기 때문에 공(公)에게 바칠 음식을 엎어서 얼굴에 땀이 흐르고 붉어진다. 「소상전」에서는 "윗사람의 너에 대한 신임이 어떠한데, 지금 네가 그것을 엎는가?"라고 한 말이다.

이익(李瀷)『역경질서(易經疾書)』

初陰在三陽之下, 卽大過之本弱, 而初與四相應, 故彼云顚趾, 此云折足. 二之我三之耳四之公, 皆指六五也. 四爲近君之臣而所覆者公餗也. 其遇刑必信將無如之何矣, 至

---

32) 醢人: 경학자료집성DB와 영인본에는 모두 '聖人'으로 되어 있으나, 『주례』 원문에 따라 '醢人'으로 바로잡았다.

是雖悔亦無終吉, 與九三異矣.
초효의 음이 세 양의 아래에 있는 것은 곧 대과괘(大過卦䷛)의 '근본이 약함'이며 초효가 사효에 호응하기 때문에 저기에서는 발이 넘어진다고 했고 여기서는 발이 부러진다고 했다. 이효의 '나'와 삼효의 '귀'와 사효의 '공'은 모두 육오를 가리킨다. 사효는 임금과 가까운 신하로 엎은 것은 공의 음식이다. 형벌을 당할 것이 확실하여 어찌할 수 없으니, 이렇게 되면 비록 후회하더라도 마침내 길하게 될 수 없는 것이 구삼과는 다르다.

권만(權萬) 『역설(易說)』

餗, 古作鬻. 剭, 京云, 刑在頄.
'속(餗)'을 옛날에는 '죽(鬻)'이라고 썼다. '악(剭)'에 대해서 경방은 "형벌이 광대뼈에 있는 것이다"라고 하였다.

유정원(柳正源) 『역해참고(易解參攷)』

九四 [至] 凶.
구사는 … 흉하도다!

正義, 餗糝也, 八珍之善, 鼎之實也. 初以出否, 至四所盛, 故當馨潔矣, 故以餗言之. 初處下體之下, 九四處上體之下, 有所承而又應. 初下有所施, 旣承且施, 非己所堪, 故曰鼎折足. 鼎足旣折則覆公餗也.
『주역정의』에서 말하였다: 속(餗)은 나물죽[糝]이다. 여덟 가지 진미 가운데 좋은 것으로 솥 속의 음식물이다. 초효에서는 나쁜 것을 버리고 사효에 이르러 성대해져 향기롭고 정결하기 때문에 속(餗)으로 말했다. 초효는 하체의 아래에 있고 구사는 상체의 아래에 있어 받들고 호응함이 있다. 초효가 아래에서 베푸는 것이 있고 이미 받들고 베푸는데, 자기가 감당할 수 있는 것이 아니기 때문에 솥의 발이 부러진다고 하였다. 솥의 발이 이미 부러졌으면 임금의 밥은 엎어진다.

○ 林氏曰, 三陽皆鼎實, 至四則盈矣. 四應初, 初欠一足, 折其足矣. 方其在初, 鼎未有實, 故謂之顚趾出否, 及其在四, 鼎實已盈, 故謂之折足覆餗也.
임씨가 말하였다: 세 양이 모두 솥의 음식물인데 사효에 이르러 가득 찬다. 사효는 초효에 호응하는데 초효는 한 발이 부족하기 때문에 그 발이 부러진다. 초효에 있을 때 솥에는 음식물이 있지 않았기 때문에 솥발이 넘어져 나쁜 것을 내버렸는데 사효에 이르면 솥의 음식물이 이미 가득 찼기 때문에 솥의 발이 부러져 음식물을 엎는다.

本義, 諸本.
『본의』에서 말하였다: 여러 판본.
荀九家, 京, 荀悅, 虞, 一行, 陸希聲本.
순구가와 경방 · 순열 · 우번 · 일행 · 육희성의 판본이다.

小註雙湖說, 聞見後錄.
소주에서 쌍호호씨가 말하였다: 『문견후록』.
康節孫邵博所作.
『소씨문견후록(邵氏聞見後録)』은 강절의 손자인 소박의 작품이다.

元載.
원재.
案, 唐書魚朝恩, 判國子監, 執易講, 鼎折足以譏宰相, 王縉怒, 元載怡然. 朝恩曰, 怒者常情, 笑者不可測. 載密謀誅朝恩. 會有告載圖不軌者, 乃誅載. 史贊引鼎拆足其形渥, 蓋所以實朝恩之所譏. 又引周禮屋誅之說, 以解刑渥之義.
내가 살펴보았다: 『당서』에 어조은이 판국자감으로 『주역』을 강의할 때 솥발이 부러졌다는 구절로 재상들을 놀렸는데 왕진은 분노했지만 원재는 태연하였다. 조은이 "성내는 자는 보통사람의 감정이지만 웃는 자는 속을 알 수 없다"고 하였다. 원재가 조은을 주살하려 주밀하게 모의하였는데, 마침 원재가 모반을 도모하고 있다는 밀고가 있어 결국 원재를 주살하였다. 사관의 찬에 솥발이 부러져 그 얼굴이 젖었다는 것을 인용한 것은 어조은이 놀린 것을 실증한 것이다. 또 『주례』의 옥주(屋誅)의 설을 인용해 형악(刑渥)의 뜻을 풀었다.

屋誅.
악주(屋誅).
案, 鄭衆以屋誅爲夷三族, 鄭玄謂不殺於市, 適甸師氏. 二說不同, 而胡氏合言之.
내가 살펴보았다: 정중은 삼족을 멸하는 것으로 보았고 정현은 저자에서 죽이지 않고 전사씨에게 데리고 가는 것으로 보았다. 두 설이 같지 않은데 호씨는 합해서 말했다.

김상악(金相岳) 『산천역설(山天易說)』

九四以陽居陰, 比五而不麗, 應初而入爲折足覆餗之象. 德不中正不勝其任, 而與初五互爲兌坎, 故其形渥而凶矣.
구사는 양이 음의 자리에 있고 오효와는 가깝지만 붙어있진 않고 초효와는 호응하여 들어가니 발이 부러져 음식을 엎는 상이다. 덕이 중정하지 않아 그 책임을 이기지 못하고 초효에서 오효까지 호괘로 태괘(☱)와 감괘(☵)이기 때문에 그 얼굴이 붉어져 흉하다.

○ 足巽象. 九四自五而下應初之趾, 遇兌之毁, 折足之象. 卦變而失其中德, 覆餗之象. 鼎以享帝養賢, 故曰公餗. 初未有鼎實, 故顚趾而出否, 四已有鼎實, 故折足而覆餗也. 井之井甃, 柔而得正, 能自修治而承上者也. 鼎之覆餗, 剛而不正, 不能任重而委下者也. 四居大臣之位, 智小而任重, 故取象如此. 子曰, 鮑莊子之智不如葵也葵能衛其足, 是也. 形, 坎象, 凡物之生, 水以賦形也. 渥者, 鼎覆則鼎中美糝皆霑濡於鼎上也, 形渥如夬三之遇雨若濡也. 九三曰方雨, 而四居三五之間, 故其形渥而凶也.
발은 손괘(☴)의 상이다. 구사를 오효로부터 보면 아래로 초효의 발에 호응하여 태괘의 훼절을 당하니 발이 부러지는 상이다. 괘가 변화함에 알맞은 덕을 잃었으니 음식을 엎는 상이다. 솥으로 상제에게 제향하고 성현을 기르기 때문에 공에게 바칠 음식이라고 하였다. 초효에서는 솥에 담길 물건이 없었기 때문에 발이 엎어져 나쁜 것이 나오고 사효에서는 이미 솥에 물건이 있기 때문에 솥이 부러져 음식을 엎는다. 정괘(井卦䷯)의 '우물에 벽돌을 쌓음'은 부드러운 음이 바름을 얻어 스스로 닦고 다스려 위를 받드는 자이다. 정괘(鼎卦䷱)의 '음식을 엎음'은 굳센 양이 바르지 않아 중책을 맡지 못하고 아래에 맡기는 자이다. 사효가 대신의 자리에 있어서 지혜는 작은데 책임은 무겁기 때문에 상을 취한 것이 이와 같다. 공자가 "포장자의 지혜가 해바라기 보다 못하니 해비라기는 자기의 발은 지킬 수 있지 않은가?" 라고 말한 것이 그것이다. '형(形)'은 감괘의 상이니 모든 물건이 나올 때 물로 모습을 부여받는다. '악(渥)'은 솥이 엎어지면 솥 속의 아름다운 음식이 솥 위로 흘러넘친다. '형악(形渥)'은 쾌괘(夬卦䷪) 구삼에서 비를 만나 젖는 것 같음과 같다. 구삼은 장차 비가 온다고 하였지만 사효는 삼효와 오효의 사이에 있기 때문에 그 얼굴이 젖어 흉하다.

서유신(徐有臣) 『역의의언(易義擬言)』

四, 在上體之下, 宜有足也, 爲初六鼎趾之應, 宜有足也. 奇畫連, 兌毁折, 爲折足之鼎也. 無以應於鉉而應於下爲覆也. 承於五爲公餗也. 形, 鼎體也, 渥, 濡潤也. 公餗傾覆, 不能享帝養賢, 而但沾潤於鼎體也. 譬如大臣無才德僨職事, 使國家渥澤不及於物, 而徒自厚被於其身也.
사효는 상체의 아래에 있으니 발이 있고 초육인 솥발에 호응하니 발이 있는 것이 당연하다. 양의 획은 이어져 있고 태괘(☱)는 훼절이니 발이 부러진 솥이 된다. 현(鉉)에 호응함이 없고 아래에 호응하여 엎어진다. 오효를 받드니 공의 음식이다. 형(形)은 솥의 몸체이고 악(渥)은 젖은 것으로 공에게 바칠 음식을 엎어버려 상제에게 제향할 수 없고 다만 솥의 몸체만 적신다. 비유하자면 대신이 재주와 덕이 없어 맡은 일을 그르쳐 국가의 덕택을 백성에게 미치지 못하고 한갓 자기 몸에만 후하게 입는 것이다.

하우현(河友賢) 『역의의(易疑義)』

九四其形渥, 本義從刑剭. 大抵大臣在近君之位, 罪莫大於引用小人傾覆國事. 傳曰, 有國者不可以不愼辟則爲天下戮矣. 今九四居上任重, 進用陰柔小人, 卒乃傾敗天祿, 顚危宗祀, 而不悔, 可謂其罪不容誅矣. 用以重辟, 不亦宜哉. 象曰, 覆公餗信如何也, 辭甚剴切, 讀之令人咄然.
구사의 "그 얼굴이 붉어진다"에 대해 『본의』에서는 중한 형벌이라는 설을 따랐다. 대신은 임금의 자리에 가까우니 죄가 소인을 끌어들여 나라의 일을 엎어버린 것보다 큰 것은 없다. 『대학』에 이르길, "나라를 다스리는 자는 조심하지 않을 수 없으니 치우치면 천하의 죽임이 된다"고 하였다. 지금 구사가 위에 있어 책임이 무거운데 음으로 유약한 소인을 등용하여 마침내 천록을 뒤엎고 종사를 위태롭게 하고도 뉘우치지 않으니 그 죄는 죽어도 용서가 안 된다. 무거운 벌을 쓰는 것이 마땅하지 않은가! 「상전」에서 "공(公)에게 바칠 음식을 엎었으니, 미더움이 어떻겠는가"는 말이 매우 알맞아서 읽는 자를 감탄하게 만든다.

김기례(金箕澧) 「역요선의강목(易要選義綱目)」

四應初之顚趾, 則如鼎折足而覆.
사효가 초효의 솥 발이 넘어짐에 호응하면 솥의 발이 부러져 엎어지는 것과 같다.

○ 以大臣位, 任天下大事, 下應陰柔小人, 因以敗事, 傾覆天祿, 形狀爛渥. 如之何其不凶.
대신의 자리에서 천하의 일을 맡아 아래로 음으로 부드러운 소인에게 호응함으로 인하여 일을 그르쳐서 천록을 엎어버리니 얼굴이 붉어지고 땀이 흐른다. 어떻게 흉하지 않을 수 있을까!

○ 繫辭備矣.
「계사전」에 갖추어져 있다.

이항로(李恒老) 「주역전의동이석의(周易傳義同異釋義)」

傳, 其形渥, 謂赧汗也.

『정전』에서 말하였다: 그 얼굴이 붉어짐[其形渥]은 부끄러워 얼굴이 붉어지고 땀이 남을 이르니, 흉함을 알 만하다.
本義, 晁氏曰, 形渥諸本作刑剭, 謂重刑也, 今從之.
『본의』에서 말하였다: 조씨(晁氏)가 말하기를 "'형악(形渥)'은 여러 본(本)에 '형악(刑剭)'으로 되어 있으니, 중한 형벌(刑罰)이다" 라고 하였으니, 이제 그 말을 따른다.

按, 刑剭考徵无疑. 且言理勢, 則折足覆餗事關公上, 則咎止赧汗似非正理. 言象數, 則离明之卦, 多言折獄致刑之事, 恐亦可徵.
내가 살펴보았다: '형악(刑剭)'이라 한 것이 고증해볼 때 의심할 게 없다. 또 이치와 형세로 말하면 발이 부러져 공에게 바칠 음식을 엎었는데 죄가 얼굴이 붉어지고 땀이 남에 그친다는 것은 바른 이치가 아닌 것 같다. 상과 수로 말하면 리(☲)의 밝은 괘로 옥사를 판단하고 형벌을 집행하는 일을 많이 말했으니 아마도 증거가 될 것이다.

심대윤(沈大允) 『주역상의점법(周易象義占法)』

鼎之蠱☶, 多事也. 此爻亦有両重義. 九四之時位尊任重, 而下有應係, 上有六五柔君之委任, 以居二剛之上, 受任之之事, 繁多心神焦煎煩擾而不寧. 才雖剛而居柔不用力, 志向下而應初, 隔剛而不通, 如鼎之焦煎沸湧而上溢, 鼎實流出而委地, 故曰鼎折足覆公餗其形渥. 兌爲折, 震爲足, 謂四居兌震也. 巽坎爲覆餗言應初也. 在上而就下有折足覆餗之象. 渥坎兌象猶淋漓也. 爲人臣受專屬之托而不免於傾覆以敗公事凶可知矣. 此一義也. 九四之時, 器多而臣衆, 任使之事, 焦擾而煩盛, 下卦三爻, 皆服事於我而六五復從之. 九四才雖剛而居柔緩縱, 志專于應初而剛隔不通. 初以柔才上承三陽之重, 有折足覆餗之象. 器小才弱而委任過重, 則其致破敗之凶必矣. 此乃據爻象而言也. 其實則九四之臣如九四之才位者也. 此一義也. 鼎之義, 兼有事人使人之道也. 至於九四, 則其事人卽其使人也, 匪二事也. 大臣得君之委任, 以任使天下者, 卽爲君任使也, 非有自私也. 君委任於不善任使之大臣, 則是君之不善任使也. 鼎之爻, 主鼎而言則以我從乎上, 主人而言則卦內之爻皆事我者也. 易之取象, 皆隨義而不同也. 器使天下, 人主之大權也, 人臣專之, 則威福下移. 故雖以九四之剛才, 不免於之也.
정괘가 고괘(☶)로 바뀌었으니, 일이 많은 것이다. 이 효에도 두 가지 중요한 뜻이 있다. 구사의 때에 자리가 높아 책임이 무겁고 아래에 호응의 관계가 있는데 위의 육오 임금의 위임이 있어 두 굳센 양의 위에 있으면서 맡겨진 일을 받으니 심신이 복잡하고 답답하여 편치 않다. 재질은 굳세지만 부드러운 자리에 있어서 힘을 쓰지 못하며 뜻은 아래를 향해 초효에 호응하지만 굳센 양에 막혀 통하지 못하니 마치 솥이 끓어올라 위로 넘치지만 솥에 담긴 음식이 흘러나와 땅에 쏟아지는 것과 같다. 그러므로 "솥발이 부러져서 공(公)에게 바칠 음식을 엎었으니, 그 얼굴이 붉어진다."고 하였다. 태괘(☱)의 부러짐과 진괘(☳)의 발은 사효가 태괘와 진괘에 있음을 이른다. 손괘(☴)와 감괘(☵)의 음식을 엎음은 초효에 호응함을 말한다. 위에 있는데 아래로 내려가니 발이 부러져 음식을 엎는 상이 있다. '악(渥)'은 감괘(☵)와 태괘(☱)의 상인데 젖어서 스며드는 것과 같다. 남의 신하가 되어서 전적으로 부탁을 받고서 엎어짐을 면치 못해 공적인 일을 실패한다면 흉할 것임을 알 수 있다. 이것이 한 가지 뜻이다.

구사의 때에 그릇이 많고 신하가 많은데 맡겨 부리는 일이 어지럽고 복잡하며 하괘의 세 효는 모두 나의 일을 따르고 육오를 다시 따른다. 구사는 재질은 굳세지만 부드러운 자리에 있어 늘어지고 뜻은 오로지 초효에 호응하려 하나 굳센 양에 막혀 통하지 못한다. 초효는 부드러운 재질로 위로 세 양의 무게를 받들어 발이 부러져 음식을 엎는 상이 있다. 그릇은 작고 재질은 약한데 맡겨진 책임이 지나치게 무겁다면 실패하는 흉함에 이를 것이 틀림없다. 이는 효상에 근거해서 말한 것이다. 실제로는 구사의 재질과 자리에 있는 자와 같은 구사의 신하이다. 이것이 한 가지 뜻이다.

솥의 뜻은 사람을 섬기고 사람을 부리는 도를 아우른다. 구사에 이르면 사람을 섬기는 것이 곧 사람을 부리는 것이어서 두 가지 일이 아니다. 대신이 임금의 위임을 받아서 천하에 맡겨 부리는 것은 곧 임금을 위해 맡겨 부리는 것이지 사사롭게 소유함이 아니다. 임금이 잘못 맡겨 부리는 대신에게 위임한다면 이는 임금이 잘못 맡겨부리는 것이다. 정괘의 효를 솥을 주로해서 말하면 내가 윗사람을 따르는 것이고, 사람을 주로 해서 말하면 괘 안의 효는 모두 나를 섬기는 자이다. 역에서 상을 취함이 다 뜻을 따라 같지 않다. 그릇대로 천하를 부리는 것은 군주의 큰 권한인데 신하가 오로지 한다면 권위와 복이 아래로 옮긴다. 그러므로 구사와 같은 굳센 재질도 피할 수 없다.

오치기(吳致箕) 「주역경전증해(周易經傳增解)」

九四剛不中正, 下應初柔而乘兩剛之上, 爲鼎實載重而有覆公餗之象. 以其居近君之位, 任大臣之責, 而乃至不勝其任, 有傾覆之患, 故言當被重刑而爲凶, 切戒之辭也. 繫辭傳備矣.

구사는 굳세지만 중정하지 못한데 아래로 오효의 음과 응하고 위로 두 굳센 양의 위를 탔으니 솥에 담긴 물건이 무거워 공에게 바칠 음식을 엎는 상이다. 임금과 가까운 자리에 있어서 대신의 책임을 맡았는데, 그 책임을 이기지 못함에 이르러 엎어지는 근심이 있기 때문에, 무거운 형벌을 받아 흉함에 해당한 것으로 말하였으니, 절실하게 경계한 말이다. 「계사전」에 갖추어져 있다.

○ 折取互兌. 爻變互震爲足, 應巽爲覆器之象. 鼎實所以享上帝養聖賢, 非以自私, 故曰公餗形渥. 本義云, 當作刑剭而剭重刑也. 鼎實所用甚重, 故覆則有刑, 而上體之離爻變之互震合爲噬嗑, 故言刑也.
끊어짐은 호괘인 태괘(☱)에서 취하였다. 효가 변해 호괘 진괘(☳)가 발이 되고, 호응하는 손괘(☴)가 그릇을 엎는 상이다. 솥에 담긴 물건은 상제에게 제향하고 성현을 기르기 위함이지 자기 자신을 기르려함이 아니기 때문에 "공(公)에게 바칠 음식을 엎었으니 그 얼굴이 붉어진다"고 하였다. 『본의』에서는 마땅히 '형악(刑剭)'으로 해야 하니 악(剭)은 중한 형벌(刑罰)이라고 하였다. 솥에 담긴 물건은 쓰이는 바가 중요하기 때문에 엎으면 형벌을 받고 상체인 리괘(☲)와 효가 변한 호괘인 진괘(☳)가 합해서 서합괘(噬嗑卦)가 되기 때문에 형벌을 말하였다.

이진상(李震相) 『역학관규(易學管窺)』

九四, 鼎折足.
구사는 솥발이 부러져서.

三與四皆鼎腹而三當交五, 故言五之耳. 四反應初, 故言初之足. 初之顚趾, 自四言, 則是折足也. 形渥之作刑剭, 可爲世戒, 然但作形渥, 亦可見小人覆敗之狀. 如詩中渥丹渥赭之渥. 屋誅鄭司農以爲夷三族, 康成以爲適甸師, 兩說不相蒙而誤合之.
삼효와 사효는 모두 솥의 배인데 삼효는 오효와 사귐에 해당하기 때문에 오효의 귀를 말했다. 사효는 거꾸로 초효에 호응하기 때문에 초효의 발을 말했다. 초효의 발이 넘어짐을 사효에서 말하면 이는 발이 부러짐이다. 형악(形渥)을 형악(刑剭)이라 하면 세상에 경계가 될 수 있지만 형악(形渥)이라고만 하였으나 또한 소인이 엎어서 실패한 상황임을 볼 수 있다. 『시경』에서 얼굴을 붉게 물들이고 적신 것 같다는 것과 같다. 악주(屋誅)를 정사농은 삼족을 멸하는 것이라 하였고, 강성은 전사씨에게 데리고 간다고 하여 두 설이 서로 힘입을 수 없는데 잘못 합해졌다.

이정규(李正奎) 「독역기(讀易記)」

九四小象信如何也者, 四之折足覆公餗. 處大臣之位, 溺於正應初六之陰小, 而信用故也. 若言曰信用小人, 果如何也, 非之辭也.
구사효의 「소상전」에서 말한 "미더움이 어떻겠는가"는 사효는 솥 발이 부러져 공에게 바칠 음식을 엎음은 대신의 자리에 있어서 정응인 초육의 작은 음에게 빠져 믿고 쓴 까닭이다. "소인을 믿고 쓰면 어떻겠는가"라고 말하는 것과 같으니 그르다는 말이다.

象曰, 覆公餗, 信如何也.

「상전」에서 말하였다: "공(公)에게 바칠 음식을 엎었으니", 미더움이 어떻겠는가!

中國大全

傳

大臣, 當天下之任, 必能成天下之治安, 則不誤君上之所倚, 下民之所望, 與己致身任道之志, 不失所期, 乃所謂信也. 不然則失其職, 誤上之委任, 得爲信乎. 故曰信如何也.

대신(大臣)이 천하의 임무를 담당하여 반드시 천하의 안정된 치세를 이룬다면 군상(君上)의 의지한 바와 하민(下民)의 바라는 바와 자신이 몸을 바쳐 도(道)를 자임(自任)하는 뜻을 잘못하지 않아서 기대한 바를 잃지 않을 것이니, 이것이 이른바 미더움[信]이다. 그렇지 않으면 직분을 잃어서 윗사람이 믿고 맡긴 것을 잘못한 것이니, 미더움이라 할 수 있겠는가? 그러므로 "미더움이 어떻겠는가?"라고 한 것이다.

本義

言失信也.

미더움을 잃었다는 말이다.

小註

中溪張氏曰, 言其所信任之人果如何也.

중계장씨가 말하였다: 신임하는 사람이 과연 어떻겠는가라고 말한 것이다.

韓國大全

김상악(金相岳)『산천역설(山天易說)』

甁之罄矣, 猶罍之耻, 況覆其公餗, 以誤上之信任, 果如何也.
병이 빈 채로 있는 것도 술독의 부끄러움인데 하물며 공에게 바칠 음식을 엎어서 위의 신임을 그르쳤다면 과연 어떠하겠는가!

서유신(徐有臣)『역의의언(易義擬言)』

信字難曉.
'신(信)'자가 알기 어렵다.

오치기(吳致箕)「주역경전증해(周易經傳增解)」

所信任者, 不能勝其任而傾敗, 其所信之意, 當如何哉.
믿고 맡긴 자가 그 책임을 이기지 못해 엎어져 실패했다면 그 믿은 뜻이 어떠하겠는가!

이진상(李震相)『역학관규(易學管窺)』

信如何也.
미더움이 어떻겠는가!

中溪說非本義, 此乃責大臣之辭.
중계의 설은 본 뜻이 아니니, 이는 대신을 꾸짖는 말이다.

박문호(朴文鎬)「경설(經說) · 주역(周易)」

信如何, 猶言如信何也.
'미더움이 어떻겠는가'는 "믿음을 어찌할까"라고 말하는 것과 같다.

이병헌(李炳憲) 『역경금문고통론(易經今文考通論)』

施曰, 三公鼎足承君, 一足不任, 則覆亂美實.
시수가 말하였다: 삼공인 솥의 발로 임금을 받드는데 한 발이 버티지 못하면 아름다운 음식물을 엎어서 흩트린다.

鄭曰, 餗美饌.
정현이 말하였다: 음식은 아름다운 음식이다.

京曰, 刑在頄爲剭.
경방이 말하였다: 광대뼈에 형벌을 가하는 것을 악이라 한다.

荀九家曰, 公調陰陽, 鼎調五味. 折足覆餗, 猶三公不勝其任.
『순구가역』에서 말하였다: 임금은 음양을 조화시키고 솥은 오미를 조화시킨다. 발이 부러져 음식을 엎음은 삼공이 그 책임을 이겨내지 못하는 것과 같다.

按, 此指太史堅請立紂.
내가 살펴보았다: 이는 태사가 주(紂)를 세우자고 굳게 청함을 가리킨다.

六五, 鼎黃耳金鉉, 利貞.

육오는 누런 솥귀에 금으로 장식한 현(鉉)[33]이니, 곧음이 이롭다.

中國大全

傳

五在鼎上, 耳之象也. 鼎之擧措, 在耳, 爲鼎之主也. 五有中德, 故云黃耳, 鉉加耳者也. 二應於五, 來從於耳者, 鉉也. 二有剛中之德, 陽體剛, 中色黃, 故爲金鉉. 五文明得中, 而應剛, 二剛中巽體, 而上應, 才无不足也, 相應至善矣, 所利在貞固而已. 六五居中, 應中, 不至於失正, 而質本陰柔, 故戒以貞固於中也.

오효는 정괘(鼎卦)의 위에 있으니, 솥귀의 상이다. 솥을 들고 놓음은 솥귀에 달려 있으니, 솥의 주체가 된다. 오효는 가운데의 덕이 있으므로 '누런 솥귀'라고 말하였고, 현(鉉)은 솥귀에 꿰는 것이다. 이효는 오효에 호응하니, 솥귀를 따라 오는 것이 현(鉉)이다. 이효는 강중의 덕이 있으니, 양의 몸체는 굳세고 가운데의 색깔은 황색이다. 그러므로 '금으로 장식한 현(鉉)'이라고 하였다. 오효는 문명으로 가운데를 얻고 굳셈에 호응하며, 이효는 강중(剛中)으로 손(巽)의 몸체이고 위에 호응한다. 그러므로 이효는 재질이 부족함이 없고 서로 호응함이 지극히 선하니, 이로움이 정고(貞固)함에 있을 뿐이다. 육오는 가운데에 있고 가운데와 호응하니 바름을 잃음에 이르지 않을 것이나, 바탕이 본래 유약한 음이므로 가운데[中]에 정고하라고 경계한 것이다.

本義

五於象爲耳, 而有中德, 故云黃耳. 金, 堅剛之物, 鉉貫耳以擧鼎者也. 五虛中以

---

33) 현(鉉): 정(鼎)의 양쪽 솥귀 구멍에 넣어서 들어 올리는 도구이다. 본래 빗장처럼 생겼으므로 경(扃)이라고 하였다. 경(扃)의 양쪽 끝 부분에 옻칠을 해서 붉게 만드는데, 천자의 경우에는 옥으로 장식을 했고, 제후는 금으로 장식을 했다. 『의례주소(儀禮注疏)』에 "今文扃爲鉉"이라고 하였다.

應九二之堅剛, 故其象如此, 而其占則利在貞固而已. 或曰, 金鉉以上九而言, 更詳之.

오효는 상(象)에 있어서 솥귀가 되고 중덕(中德)이 있으므로 '누런 귀'라고 말한 것이다. 금(金)은 견고하고 굳센 물건이고, 현(鉉)은 솥귀에 꿰어 솥을 드는 것이다. 오효는 가운데를 비워 견고하고 굳센 구이에 호응하므로 그 상(象)이 이와 같고 그 점(占)은 이로움이 정고(貞固)함에 있을 뿐이다. 혹자는 "금으로 장식한 현(鉉)은 상구를 두고 한 말이다" 하니, 더욱 자세하다.

小註

朱子曰, 六五金鉉, 只爲上已當玉鉉了, 卻下取九二之應來, 當金鉉. 蓋推排到這裏无去處了.

주자가 말하였다: 상효가 이미 옥으로 장식한 현에 해당하니, 육오의 금으로 장식한 현은 아래로 구이가 호응하여 옴을 취하여 금으로 장식한 현에 해당한다. 이렇게 배치해보면 더 할 것이 없다.

○ 童溪王氏曰, 在鼎之上, 受鉉以擧鼎者耳也, 六五之象也. 在鼎之外, 貫耳以擧鼎者鉉也, 上九之象也.

동계왕씨가 말하였다: 솥의 위에서 현을 받아 솥을 드는 것은 솥귀이니 육오의 상이고, 솥의 밖에서 솥귀에 꿰어 솥을 드는 것은 현이니 상구의 상이다.

○ 厚齋馮氏曰, 黃坤土之中色, 離之五再索於坤, 而在上卦之中, 故其色黃. 又曰, 自六五之柔 言之, 則上爲金之剛. 自上九之不變言之, 則上爲玉之粹, 各象其物宜而已.

후재풍씨가 말하였다: 누런색은 곤토(坤土)인 가운데 색이니 리괘인 오효는 두 번째로 곤(☷)에서 찾아 상괘의 가운데에 있기 때문에 그 색이 누렇다.

또 말하였다: 육오의 부드러운 입장에서 말하면 상효가 굳센 금이 되고, 상구의 불변하는 입장에서 말하면 상효가 순수한 옥이 되니 각각 그 물건에 어울리는 것을 형상하였을 뿐이다.

○ 雙湖胡氏曰, 程傳及諸家, 多以六五下應九二爲金鉉, 本義從之. 然猶擧或曰之說, 謂金鉉以上九言, 切謂鉉所以擧鼎者也, 必在耳上, 方可貫耳. 九二在下, 其勢不可用, 或說恐反爲優. 然上九又自謂玉鉉者, 豈六五視上九則爲金鉉, 以上九自視則爲玉鉉乎. 金象以九爻取, 玉象以爻位剛柔相濟取, 皆未爲不可也. 王氏馮氏之說, 亦足以發六五不正而云利貞者, 戒以貞則利也.

쌍호호씨가 말하였다: 『정전』 및 여러 학자들은 대부분 육오가 아래로 구이와 호응하는 것

을 금으로 만든 현이라 여겼는데 『본의』에서 이를 따랐다. 그러나 오히려 어떤 이의 주장을 인용하여 "금으로 만든 현[金鉉]은 상구를 말한 것이다" 라고 하였으니, 현은 솥을 드는 것으로서 반드시 솥귀 위에 있어야 솥귀를 꿸 수 있음을 이른 것이다. 구이는 아래에 있어서 그 형세가 쓰일 수 없으니, 어떤 이의 주장이 도리어 일리가 있을 듯하다. 그러나 상구에 또 스스로 '옥으로 장식한 현'이라고 하였으니, 아마도 육오가 상구를 보면 '금으로 만든 현'으로 여기고, 상구 스스로 보기에는 '옥으로 장식한 현'이라고 여긴 것인 듯하다. 금의 상(象)은 구(九)를 취한 것이고 옥의 상은 효 자리의 굳셈과 부드러움이 서로 구제함을 취하였으니 모두 불가할 것이 없다. 왕씨와 풍씨의 주장도 육오가 제자리가 아님을 드러내어 정고함이 이롭다고 말한 것이니 정고함으로써 경계하면 이롭다.

○ 雲峯胡氏曰, 金鉉本義存兩說. 切謂鉉在上可以擧鼎, 二剛在下, 可謂之金, 不可謂之鉉, 不若上之剛可謂之金鉉. 利貞, 五質陰柔, 故因占而爲之戒.
운봉호씨가 말하였다: 금으로 만든 현에 대하여 『본의』에 두 가지 주장이 존재한다. 현은 위에 있어야 솥을 들 수 있는데 이효의 굳셈은 아래에 있어 금이라고 이를 수는 있으나 현이라고 이를 수는 없으니, 상효의 굳셈을 "금으로 장식한 현"이라고 이를 수 있는 것만 못함을 말하였다. "정고함이 이롭다"는 오효의 자질이 음유이기 때문에 점으로 인하여 경계한 것이다.

‖韓國大全‖

조호익(曺好益)『역상설(易象說)』

耳, 六五一偶雙峙於鼎腹之上有耳象. 金上九剛象, 鉉上九一奇橫亘乎鼎耳之上有鉉象. 利貞戒辭, 五不正故戒之.
귀는 육오가 한 짝으로 마주하고 있어 솥 위에 귀가 있는 상이다. '금(金)'은 상구의 굳센 상이고, '현(鉉)'은 상구의 한 획이 횡으로 솥귀를 꿰는 '현(鉉)'의 상이 있다. "정고함이 이롭다"는 경계하는 말인데 오효가 바르지 못하기 때문에 경계하였다.

석지형(石之珩)『오위귀감(五位龜鑑)』

臣謹按, 鼎之六五在上離之中, 離本自坤來, 則土德黃且中矣. 互有兌, 兌之上畫分張於左右, 則兩耳之象也. 兌爲金而鉉是貫耳之具, 故曰黃耳金鉉. 蓋以五之虛中應二之剛中, 猶鼎之受金鉉之貫, 鼎至於貫鉉以擧, 則厥功成矣. 試以天下爲鼎賢臣爲鉉, 而君有虛中之德以通剛中之志, 則天下可置諸安處矣. 伏願殿下反觀而體德焉.
신이 살펴보았습니다: 정괘의 육오는 상괘인 리괘의 가운데 있고 리괘는 원래 곤괘에서 와서 토의 덕이므로 누렇고 가운데입니다. 호괘로 태괘가 있는데 태괘의 상획이 좌우로 길게 나뉘어졌으니 두 귀의 상입니다. 태괘는 금인데 현(鉉)은 귀를 관통하는 도구이기 때문에 누런 솥귀에 금으로 장식한 현(鉉)이라고 했습니다. 오효가 가운데를 비우고 가운데 있는 이효의 굳센 양에 호응함이 마치 솥이 금으로 장식한 현(鉉)의 관통을 받아들이는 것과 같으니 솥을 현(鉉)으로 꿰서 들면 그 공이 이루어집니다. 비유컨대 천하가 솥이라면 현명한 신하는 현이니 임금이 마음을 비우는 덕으로 굳세고 알맞은 뜻에 소통한다면 천하는 편안한 곳에 놓을 수 있습니다. 바라건대 전하께서는 돌이켜 보시고 덕을 체득하십시요.

이익(李瀷) 『역경질서(易經疾書)』

黃耳六五之象, 金鉉指上九, 上旣爲鉉則五安有此象. 金與黃各言, 則金恐是鐵也. 旣有黃耳, 復以上九金鉉關之, 於此言之者, 著其將有用也, 是以利貞. 鼎虛則不鼏, 金鉉關鼎者爲其實也. 鉉如弓弩之有弦, 琴瑟之有絃, 以金爲之加鼎口者也.
누런 귀는 육오의 상이고 금으로 장식한 현(鉉)은 상구를 가리키는데 상효에 이미 현(鉉)이라고 했는데 어째서 오효에 이런 상이 있는가? 금(金)을 황(黃)과 별개로 말하면 금(金)은 철일 것이다. 이미 황이(黃耳)가 있는데 다시 상구의 금현(金鉉)으로 잠근 것을 여기에서 말한 것은 장차 쓰임이 있음을 드러낸 것이니 이 때문에 바름이 이롭다. 솥이 비면 덮지 않는데 금현(金鉉)으로 솥을 덮은 것은 차있기 때문이다. 현(鉉)은 활과 쇠뇌에 줄이 있고 거문고와 비파에 줄이 있는 것과 같으니 쇠로 솥의 입구에 더한 것이다.

권만(權萬) 『역설(易說)』

鉉, 周禮作鼏. 鼏, 以木橫貫鼎耳擧之, 亦謂之扃. 一曰, 覆鼎者.
'현(鉉)'을 『주례』에서는 '멱(鼏)'이라고 썼다. '멱'은 나무로 솥의 귀를 가로로 꿰뚫어 드는 것으로, '경(扃)'이라고도 하였다. 한편으로는 솥을 뒤집는 것이라고 하기도 한다.

심조(沈潮) 「역상차론(易象箚論)」

六五金鉉.
육오의 금으로 장식한 현(鉉).

金鉉, 朱子以九二當之, 此說恐不可移易. 蓋上九已當玉鉉, 則不必添疊了金鉉. 九二雖在下, 旣在乾體, 又與五相應, 何害爲擧鼎乎. 雙湖所謂必在耳上方可貫耳云者, 眞可謂膠柱皷瑟也.
금현에 대해서 주자는 구이에 해당한다고 하였는데 이 설을 바꿀 수 없을 듯하다. 상구가 이미 옥현(玉鉉)에 해당한다면 금현(金鉉)을 중첩할 필요가 없다. 구이가 아래에 있지만 건괘(☰)의 몸체에 있고 오효와 서로 호응하니 솥을 드는데 어찌 해롭겠는가? 쌍호가 말한 "반드시 솥귀 위에 있어야 솥귀를 꿸 수 있다"는 것은 정말 "거문고 기둥을 아교로 붙여놓고 거문고를 탄다"는 것이라 할 수 있다.

유정원(柳正源) 『역해참고(易解參攷)』

正義, 五爲中位, 故曰黃耳, 應在九二, 以柔納剛, 故曰金鉉. 所納剛正, 故曰利貞.
『주역정의』에서 말하였다: 오효가 가운데 자리이기 때문에 황이(黃耳)라 했고, 호응함이 구이에게 있어 부드러움으로 굳셈을 받아들이기 때문에 금현(金鉉)이라 했다. 굳셈을 받아들임을 바르게 해야 하기 때문에 바름이 이롭다고 했다.

○ 案, 胡氏以本義或說爲優, 當從之.
내가 살펴보았다: 호씨는 『본의』의 어떤 이의 설이 낫다고 했는데, 마땅히 그것을 따라야 한다.

김상악(金相岳) 「산천역설(山天易說)」

五於象爲耳, 鉉指上九也. 耳之有鉉所以行鼎也. 居離之中承上之剛, 故有黃耳金鉉之象, 爲元亨之主. 柔中居尊乃正位凝命之時也, 所利在貞固也.
육오는 상으로 귀가 되고 현은 상구를 가리킨다. 귀에 현이 있기 때문에 솥을 움직일 수 있다. 리괘(☲)의 가운데 있으면서 상구의 굳셈을 받들기 때문에 '누런 솥귀에 금으로 장식한 현(鉉)'의 상이 있어 크게 형통한 주인이다. 부드러운 음으로 가운데 높은 자리에 있으니, 자리를 바르게 하여 중후하게 명하는 때이므로 이로움이 바르고 곧게 함에 있다.

○ 鼎之象三足兩耳, 耳以受鉉, 鉉以貫鼎, 皆所以擧鼎者也. 黃土之色, 火生土也. 鼎之黃耳, 如彝之黃目, 鬱氣之上尊也. 目者氣之淸明者也. 象傳曰耳目聰明, 亦取其亨飪於中而淸明於外也. 金剛物也, 以陽居鼎耳之上, 金鉉之象也. 鼎之爲卦, 離巽合體坎居其中, 水火相濟, 亨飪以調和, 成鼎之功, 而五以柔居剛, 上以剛居柔, 故上之象曰剛柔節也. 六五與二爲應, 而必以上九爲鉉者, 何也. 鼎之用在上而不在下, 故舍應而從比, 所以九四折足而凶者, 不從于五而應初於下也.
솥의 상은 발이 셋이고 귀가 둘인데 귀는 '현(鉉)'을 받아들이고 '현'으로 솥을 든다. 누런 것은 토의 색이고 화는 토를 생한다. 솥의 누런 귀는 제기인 황이(黃彝)[34]와 같고, 울창주의 향기가 위로 높다. 눈은 기운이 맑고 밝은 것이다.[35]
「단전」에서 말한 '귀와 눈이 총명함'도 속에서는 삶아 익히고 밖으로는 맑고 밝은 것을 취하였다. 금은 굳센 물건인데 양이 솥귀의 위에 있으니 금으로 장식한 현의 상이다. 정괘는 이괘(☲)와 손괘(☴)가 합해진 몸체로 감괘(☵)가 그 가운데 있어 물과 불이 서로 구제하여 삶아 익혀 조화하여 솥의 공을 이루고 육오는 부드러운 음으로 굳센 자리에 있기 때문에 상구효의 상전에 "굳셈과 부드러움이 적절하다"고 하였다. 육오는 이효와 호응하는데 상구를 '현(鉉)'으로 여김은 어째서인가? 솥의 쓰임은 위에 있지 아래에 있지 않기 때문에 호응을 버리고 가까움을 따르니, 구사에서 솥발이 부러져 흉한 것은 오효를 따르지 않고 아래로 초효에 호응하기 때문이다.

서유신(徐有臣) 『역의의언(易義擬言)』

此卽耳目聰明得中應剛者也. 黃耳而金鉉, 其用大矣. 九二剛中黃金之鉉也. 受金鉉而耳益黃矣, 正應相與, 故曰利貞也. 金互乾象.
이는 곧 귀와 눈이 총명하여 알맞음을 얻어 굳셈에 호응하는 것이다. 누런 귀이고 금으로 장식한 현이니, 그 쓰임이 크다. 구이가 굳셈으로 알맞음을 얻어 누런 금으로 장식한 현이다. 금으로 장식한 현을 받아들여 귀에 누런색을 더하고 정응과 서로 함께하기 때문에 곧음이 이롭다고 하였다. 금은 호괘로 건괘(☰)의 상이다.

박제가(朴齊家) 『주역(周易)』

六五, 鼎黃耳, 金鉉.
육오는 누런 솥귀에 금으로 장식한 현(鉉)이니.

雙湖胡氏曰, 程傳及諸家, 多以六五下應九二爲金鉉, 本義從之. 然猶擧或曰之說, 謂

---

34) 황이(黃彝): 황동으로 만든 제기인 이기(彝器)로 사람의 눈을 새겼다고 함. 황목(黃目) 혹은 황목준(黃目尊)이라고도 한다.
35) 『禮記·郊特牲』: 鼎俎奇而籩豆偶, 陰陽之義也. 黃目鬱氣之上尊也. 黃者中也. 目者氣之淸明者也. 言酌於中而淸明於外也.

金鉉以上九言, 切謂鉉所以擧鼎者也, 必在耳上方可貫耳, 九二在下其勢不可用云云.
쌍호호씨가 말하였다: 『정전』 및 여러 학자들은 대부분 육오가 아래로 구이와 호응하는 것을 금으로 만든 현이라 여겼는데 『본의』에서 이를 따랐다. 그러나 오히려 어떤 이의 주장을 인용하여 "금으로 만든 현[金鉉]은 상구를 말한 것이다" 라고 하였으니, 현은 솥을 드는 것으로서 반드시 솥귀 위에 있어야 솥귀를 꿸 수 있음을 절실하게 이른 것이다. 구이는 아래에 있어서 그 형세가 쓰일 수 없다. 운운.

案, 從全鼎之象而言, 則鉉固在上矣, 以鼎之用言之, 以上以下無所不可. 然則鼎實在中矣, 又何以上出爲功耶. 靠守鼎之象而不通, 則初亦不必顚, 四亦不必覆, 只是釘著此鼎如畫中之物而已. 五之以二爲鉉未知果合與否, 而若其爲用, 則豈可以在下而不取乎.
내가 살펴보았다: 솥 전체의 상으로 말하면 '현(鉉)'은 본래 위에 있고, 솥의 쓰임새로 말하면 위라고 하나 아래라고 하나 안될 것은 없다. 그렇다면 솥의 실물은 가운데 있는데 또 어찌 위로 나옴을 공이라고 여기겠는가? 솥의 상에만 집착해서 융통하지 못하면 초효 역시 반드시 넘어지지는 않고 사효도 반드시 엎어지지는 않으며 다만 이것은 솥을 부착시켜 그림 속의 물건과 같이 할 뿐이다.
오효에서 이효를 현으로 삼는 것이 합당한지 아닌지는 모르겠지만 그 쓰임새로 한다면 어찌 아래에 있다고 해서 취하지 않을 수 있겠는가?

강엄(康儼) 『주역(周易)』

按, 二三四皆以陽剛爲鼎之實, 六五陰柔若不可以言實. 然殊不知六五爲鼎之耳, 則鼎腹之實皆鼎耳之實也. 聖人特恐其疑於旡實, 故必曰中以爲實.
내가 살펴보았다: 이효와 삼효와 사효는 모두 양의 굳셈으로 솥의 실물로 삼았다. 육오는 음으로 부드러워 실물이라 말할 수 없을 것 같다. 그렇지만 비록 육오가 솥의 귀가 된다면, 솥 배의 실물이 모두 솥귀의 실물이라는 것을 전혀 알지 못한 것이다. 성인은 다만 실물이 없다고 의심할까봐 "가운데를 진실한 덕으로 삼은 것"이라고 하였다.

이지연(李止淵) 『주역차의(周易箚疑)』

六五, 位是陽而又上與陽相合, 而猶不若本體之陽剛, 故戒之以貞.
육오는 자리가 양이고 위로 양과 서로 합하지만 본체의 양강만 못하기 때문에 '곧음'으로 경계하였다.

김기례(金箕澧) 「역요선의강목(易要選義綱目)」

五爲鼎耳, 得坤中畫, 故曰黃耳, 謂有中德聰明, 應二剛比上鉉, 故曰金鉉.
오효는 솥의 귀인데 곤괘(☷)의 가운데 획을 얻었기 때문에 '누런 귀'라 하였고, 알맞은 덕과 총명함이 있어 이효의 굳셈과 호응하고 상구의 현과 가깝기 때문에 '금현(金鉉)'이라 하였다.

○ 勿爲上剛所據, 與二中正當相應, 故戒在利貞.
상구의 굳센 양에게 들리지 말고 구이와 함께 알맞고 바르게 호응해야 하기 때문에 곧음이 이롭다고 경계하였다.

이항로(李恒老) 「주역전의동이석의(周易傳義同異釋義)」

傳, 二應於五, 來從於耳者, 鉉也.
『정전』에서 말하였다: 이효는 오효에 호응하니, 솥귀를 따라 오는 것이 현(鉉)이다.

本義, 金堅剛之物, 鉉貫耳以擧鼎者也. 五虛中以應九二之堅剛, 故其象如此. 或曰, 金鉉以上九而言, 更詳之.
『본의』에서 말하였다: 금(金)은 견고하고 굳센 물건이고, 현(鉉)은 솥귀에 꿰어 솥을 드는 것이다. 오효는 가운데를 비워 견고하고 굳센 구이에 호응하므로 그 상(象)이 이와 같고 그 점(占)은 이로움이 정고(貞固)함에 있을 뿐이다. 혹자는 "금으로 장식한 현(鉉)은 상구를 두고 한 말이다" 하니, 더욱 자세하다.

按雙湖胡氏曰, 程傳及諸家, 多以六五下應九二爲金鉉, 本義從之, 然猶擧或曰之說, 謂金鉉以上九言. 竊謂鉉所以擧鼎者也, 必在耳上方可貫耳, 九二在下, 其勢不可用, 或說恐反爲優.
쌍호호씨가 말하였다: 『정전』 및 여러 학자들은 대부분 육오가 아래로 구이와 호응하는 것을 금으로 만든 현이라 여겼는데 『본의』에서 이를 따랐다고 했지만 오히려 어떤 이의 주장을 인용하여 "금으로 만든 현[金鉉]은 상구를 말한 것이다"라고 하였으니, 현은 솥을 드는 것으로서 반드시 솥귀 위에 있어야 솥귀를 꿸 수 있음을 절실하게 이른 것이다. 구이는 아래에 있어서 그 형세가 쓰일 수 없으니, 어떤 이의 주장이 도리어 일리가 있을 듯하다.

愚意, 一鼎不容有兩鉉, 上旣當鉉, 則二又喚鉉, 恐亦无義. 金玉之異, 隨爻言象, 馮氏說可攷.

내가 살펴보았다: 한 솥은 두 현을 용납하지 못하니 상효가 이미 현에 해당하는데 이효도 현이라 하는 것도 뜻이 맞지 않는다. 금과 옥의 차이는 효를 따라 상을 말한 것으로 풍씨의 설을 살펴볼만 하다.

허전(許傳) 「역고(易考)」

卦下程傳曰, 橫亘乎上者鉉也. 六五傳曰, 二應於五來從於耳者, 鉉也. 二有剛中之德, 故爲金鉉. 朱子本義曰, 鉉, 貫耳以擧鼎者也. 五應九二之堅剛, 故其象占如此. 又曰, 或曰金鉉以上九而言. 兩先生之言, 皆自相矛盾, 未知何者爲定論.
괘 아래의 『정전』에서는 "맨 위에 가로 뻗쳐있는 것은 현(鉉)이다"라 하였고, 육오의 상전에서는 "이(二)는 오(五)에 응(應)하니, 귀에 와서 따르는 것은 현(鉉)이니 이효에는 굳셈으로 알맞은 덕이 있기 때문에 금으로 장식한 현이 된다"고 하였다. 주자의 『본의』에서는 "현(鉉)은 귀를 꿰어 솥을 드는 것이며 오효가 구이의 견고하고 굳셈에 호응하기 때문에 그 상과 점이 이와 같다"고 하였다. 또 "어떤이는 금현(金鉉)은 상구(上九)로써 말한 것이다."라고 하였다. 두 선생의 말이 다 서로 모순되니 어떤 것이 정확한 이론인지를 알 수 없다.

심대윤(沈大允) 『주역상의점법(周易象義占法)』

鼎之姤䷫, 遇而不進也. 六五位居至尊, 有所敵耦而不可復進, 人君之所敵耦者, 公孤師傅之德也. 上九以陽德在上, 而六五承之, 服其遷善之力, 而无爲人任使之義, 如鼎之耳受鉉以遷, 而不關烹飪之事, 故曰鼎黃耳.
정괘가 구괘(姤卦䷫)로 바뀌었으니, 만나서 나가지 못하는 것이다. 육오는 있는 자리가 지극히 높고 상대하는 짝이 있어 더 나갈 수 없으니, 임금이 상대하는 짝이란 삼공(三公)과 삼고(三孤)인 사부의 덕이다. 상구는 양의 덕으로 위에 있고 육오가 받들면서 선으로 옮기는 힘을 입을 뿐 사람을 위해 맡겨 부리는 뜻은 없는 것이 마치 솥의 귀가 현을 받아들여 옮길 뿐 삶아 익히는 일에는 관여하지 않은 것과 같기 때문에 누런 솥귀라고 하였다.

六五以柔道居剛, 寬柔而得衆, 嚴責以使下, 不失於中道, 明聖之主也. 下有九二之應, 得天下之專係, 而二剛隔之者不任親使也. 有九四之賢臣進之以委任焉, 故曰金鉉, 金言四之剛也, 鉉貫耳而擧鼎者也. 六五巽乎四而委任己之事, 如鼎之巽乎鉉而任其擧動, 故謂四爲鉉也. 六五之道正而可常, 故曰利貞. 人君服使天下, 勤勞憂慮特甚, 曰爲君難而不曰莫予違而樂也, 故言利不言吉也.
육오는 부드러운 도로 굳센 자리에 있어 너그럽고 부드러움으로 무리를 얻고 엄하게 꾸짖어 아래를 부리니 알맞은 도를 벗어나지 않아 현명하고 성인다운 군주이다. 아래에 구이의 호응이 있어 천하의 전적인 관계를 얻었지만 두 굳센 양이 막고 있어 맡겨서 친히 부릴 수 없다. 구사라는 현신이 있어 맡기기 때문에 금현(金鉉)이라 했으니 금은 사효의 굳셈을 말하고 현은 귀에 넣어 솥을 드는 것이다. 육오가 사효에게 공손히 자기의 일을 맡기는 것은 솥이 현에게 공손히 들어 움직이는 것을 맡기는 것과 같기 때문에 사효를 현이라고 이른 것이다. 육오의 도가 바르고 떳떳하기 때문에 바름이 이롭다고 하였다. 임금이 천하를 맡아 부리는 것이 수고로움과 걱정이 특히 심하기 때문에 "임금노릇하기가 어렵다"고 하고 "나를 어기지 않는 것이 즐거움이다"[36]라고 하지 않기 때문에 이로움을 말하고 길함은 말하지 않았다.

오치기(吳致箕) 「주역경전증해(周易經傳增解)」

六五柔得中而有文明之德, 居尊而爲鼎之君, 正當乎鼎耳之位. 上比上九之陽剛, 有黃耳金鉉之象, 而見於外者若是其美, 則在中之實可知矣. 然鼎之遷動, 耳爲之主, 而以其質柔, 故戒言利於正固也.
육오는 음이 알맞음을 얻고 문명한 덕이 있으며 높은 데 있으면서 정괘의 임금이 되니, 바로 솥귀의 자리에 해당한다. 위로 상구의 굳센 양과 친해서 누런 솥귀에 금으로 장식한 현(鉉)의 상이 있는데, 밖으로 드러남이 이와 같이 아름답다면 속에 있는 실질을 알만하다. 그러나 솥을 움직여 옮기는 데는 귀가 주인이 되는데, 그 재질이 유약하기 때문에 바르고 곧음에 이롭다는 말로 경계하였다.

○ 黃取中色, 耳取對坎, 金取變乾, 而耳以貫鉉, 鉉以擧鼎, 二物不相離, 故竝言之也.
황(黃)은 가운데 색을 취하였고 이(耳)는 음양이 반대인 감괘(☵)를 취하였고 금은 변한 건괘(☰)를 취하였으며 귀에 현을 넣고 현(鉉)으로 솥을 들어 두 물건이 서로 떨어질 수 없기 때문에 함께 말하였다.

이진상(李震相) 『역학관규(易學管窺)』

黃耳金鉉.
누런 솥귀에 금으로 장식한 현(鉉)).

36) 『論語 · 子路』: 定公問, 一言而可以興邦, 有諸. 孔子對曰, 言不可以若是其幾也. 人之言曰, 爲君難, 爲臣不易. 如知爲君之難也, 不幾乎一言而興邦乎. 一言而喪邦, 有諸. 孔子對曰, 言不可以若是其幾也, 人之言曰, 予無樂乎爲君, 唯其言而莫予違也. 如其善而莫之違也, 不亦善乎. 如不善而莫之違也, 不幾乎一言而喪邦乎.

鉉之上頭, 固或用玉, 而兩旁貫耳處, 以金爲之, 方無玷缺之患憂, 用金玉美飾也. 五爲鼎耳, 耳當受鉉, 而以柔處剛, 故曰金鉉.
현의 윗부분은 본래 혹은 옥을 쓰지만, 양 곁의 귀에 넣는 곳에는 금으로 해야 장차 흠이 생기는 근심이 없으니, 금과 옥을 씀은 아름답게 장식함이다. 오효는 솥의 귀이고 귀는 현을 받아들여야 하며, 부드러운 음이 굳센 자리에 있기 때문에 금현(金鉉)이라고 하였다.

이병헌(李炳憲) 『역경금문고통론(易經今文考通論)』

程傳曰, 五有中德故云黃耳, 鉉加耳者也.
『정전』에서 말하였다: 오효는 알맞은 덕이 있기 때문에 누런 귀라고 하였고 현은 귀에 덧붙이는 것이다.

鄭曰, 金鉉喩明道能擧君之官職也.
정현이 말하였다: 금현(金鉉)은 밝은 도로 임금을 모시는 관직을 비유한 것이다.

宋曰, 得中承陽故曰中以爲實.
송충이 말하였다: 가운데를 얻어 양을 받들기 때문에 "가운데를 진실한 덕으로 삼은 것"이라고 하였다.

象曰, 鼎黃耳, 中以爲實也.

「상전」에서 말하였다: "누런 솥귀"는 가운데를 진실한 덕으로 삼은 것이다.

中國大全

傳

六五, 以得中爲善, 是以中爲實德也. 五之所以聰明應剛, 爲鼎之主, 得鼎之道, 皆由得中也.

육오는 가운데를 얻음을 선으로 여기니, 이는 가운데를 진실한 덕(德)으로 삼은 것이다. 오효가 총명하고 굳셈에 호응하여 정괘의 주체가 되고 솥의 도(道)를 얻음은 모두 가운데를 얻었기 때문이다.

韓國大全

김상악(金相岳) 「산천역설(山天易說)」

陰虛以得中爲實也.
음으로 비어있는데 가운데를 얻어 꽉 찬 것이 된다.

○ 鼎曰黃耳者, 黃爲土之正色, 井曰寒泉者, 寒爲水之眞性, 故各取其德而言中.
정괘에서 '누런 귀'라 한 것은 누런 것이 토의 바른 색이고, 정괘에서 '찬 샘물'이라 한 것은 찬 것이 물의 참 성질이기 때문이니 그 덕을 취해서 알맞음을 말하였다.

서유신(徐有臣) 『역의의언(易義擬言)』

耳之黃由於中以爲實也. 中九二也, 實金鉉也. 此實字與鼎有實義, 互發以明金鉉之非上九也.

귀의 누런 색은 "가운데를 진실한 덕으로 삼은 것이다"에서 말미암았다. '중(中)'은 구이이고 '실(實)'은 금으로 장식한 현이다. 여기의 실(實)자와 솥에 담겨진 물건이 있다는 뜻은 금으로 장식한 현이 상구가 아님을 서로 밝혀준다.

심대윤(沈大允) 『주역상의점법(周易象義占法)』

柔不言實, 爲實言從事於上與四也. 從于上而任四兼言之, 故曰爲也.

음은 '꽉찬 것'을 말하지 않는데 '꽉찬 것으로 삼음'은 상효와 사효를 따른다는 것을 말한 것으로 상효를 따르는 것과 사효에게 맡기는 것을 아울렀기 때문에 '삼는다'고 하였다.

오치기(吳致箕) 「주역경전증해(周易經傳增解)」

五所以聰明居尊爲鼎之主者, 以中爲實德也.

오효가 총명하면서 높이 있어 솥의 주인이 되는 것은 가운데를 진실한 덕으로 삼기 때문이다.

上九, 鼎玉鉉, 大吉, 无不利.

상구는 솥이 옥(玉)으로 장식한 현(鉉)이니, 크게 길하여 이롭지 않음이 없다.

中國大全

傳

井與鼎, 以上出爲用, 處終, 鼎功之成也. 在上鉉之象, 剛而溫者, 玉也. 九雖剛陽, 而居陰履柔, 不極剛而能溫者也. 居成功之道, 唯善處而已. 剛柔適宜, 動靜不過, 則爲大吉, 无所不利矣. 在上爲鉉, 雖居无位之地, 實當用也, 與他卦異矣. 井亦然.

정괘(井卦)와 정괘(鼎卦)는 위로 나옴을 쓰임으로 삼으니, 끝에 처함은 솥의 공(功)을 이루는 것이다. 위에 있음은 현(鉉)의 상이고, 굳세면서도 따뜻함은 옥이다. 구(九)가 비록 굳센 양이나 음의 자리에 있고 부드러움을 밟고 있으니, 굳셈을 끝까지 하지 않고 온순할 수 있는 자이다. 성공에 처하는 도는 오직 잘 대처하는 것일 뿐이니, 굳셈과 부드러움이 적절하고 움직임과 고요함이 지나치지 않으면 크게 길함이 되어 이롭지 않은 바가 없다. 위에 있는 것은 현(鉉)이 되니, 비록 지위가 없는 자리에 있으나 실제는 쓰여 지는 것이니, 다른 괘와는 다르다. 정괘(井卦)도 그러하다.

本義

上於象爲鉉, 而以陽居陰, 剛而能溫. 故有玉鉉之象, 而其占爲大吉, 无不利. 蓋有是德, 則如其占也.

상효는 상(象)에 있어서 현(鉉)이 되고 양으로서 음의 자리에 있으니, 굳세면서도 온순할 수 있다. 그러므로 옥으로 장식한 현의 상이 있으며, 그 점이 크게 길하여 이롭지 않음이 없으니, 이러한 덕이 있으면 이 점(占)과 같을 것이다.

小註

縉雲馮氏曰, 陽剛在上, 及物之功, 全繫此爻, 如擧鼎實, 以養人者, 全在於鉉. 陽剛无應, 无所回撓, 如玉不變於火, 故爲玉.
진운풍씨가 말하였다: 굳센 양으로 위에 있어 사물의 공에 미치는 것이 전적으로 이 효에 달려 있으니, 마치 솥에 담긴 음식을 들어 사람을 기르는 것이 전적으로 현에 달려 있는 것과 같다. 굳센 양으로 호응이 없으나 흔들리는 것이 없음이 마치 옥이 불에서도 변하지 않는 것과 같기 때문에 옥이라고 하였다.

○ 誠齋楊氏曰, 鼎法象之器也. 初鼎之足, 二三四鼎之腹, 五鼎之耳, 上鼎之鉉. 承鼎在足, 實鼎在腹, 行鼎在耳, 擧鼎在鉉, 鼎至於鉉之擧, 厥功成矣.
성재양씨가 말하였다: 솥은 본받고 본뜨는 그릇이다. 초효는 솥의 발이고 이효 · 삼효 · 사효는 솥의 배이며 오효는 솥귀이고 상효는 솥의 현이다. 솥을 받드는 것은 발에 있고 솥에 담는 것은 배에 있으며, 솥을 움직이는 것은 귀에 있고 솥을 드는 것은 현에 있으니, 솥이 현으로 들려지게 되면 그 공이 이루어진다.

○ 西溪李氏曰, 玉和物也. 鼎道貴和, 得玉鉉, 則陰陽和, 而鼎之功成矣. 鉉一也, 五取金, 上取玉, 金剛而玉和. 五體柔, 故貴剛, 上體剛, 故貴和. 離爲火, 而鉉居之. 金畏火, 而玉不畏火, 故成鼎之功, 以玉爲貴也.
서계이씨가 말하였다: 옥은 조화로운 물건이다. 솥의 도는 조화로움을 귀하게 여기니 옥으로 장식한 현을 얻으면 음양이 조화로워 솥의 공이 이루어진다. 현은 하나인데 오효는 금을 취하고 상효는 옥을 취하였으니, 금은 굳세고 옥은 조화롭다. 오효의 몸체는 부드럽기 때문에 굳셈을 귀하게 여기고, 상효는 굳세기 때문에 조화로움을 귀하게 여긴다. 리괘는 불인데 현이 거기에 있다. 금은 불을 두려워하고 옥은 불을 두려워하지 않기 때문에 솥의 공을 이루는 것은 옥을 귀하게 여긴다.

○ 雲峯胡氏曰, 上九一陽, 橫亘乎鼎耳之上, 有鉉象. 金剛物, 自六五之柔, 而視上九之剛, 則以爲金鉉. 玉具剛之體, 上九以剛居柔, 而又下得六五之柔, 則以爲玉鉉. 鼎上爻與井, 皆以上出爲功, 故彼之占元吉, 此之占則大吉无不利.
운봉호씨가 말하였다: 상구는 하나의 양이 솥귀의 위에 가로로 뻗쳐있으니 현의 상이 있다. '금'은 굳센 물건이니 육오의 부드러움으로 상구의 강함을 보면 '금으로 만든 현'이라고 여긴다. '옥'은 굳셈이 갖추어진 몸체이니, 상구는 굳셈으로 부드러운 자리에 있고 또 아래로 육오의 부드러움을 얻었으니, '옥으로 장식한 현'이라고 하였다. 정괘(鼎卦)의 상효와 정괘(井

卦)는 모두 위로 나오는 것을 공으로 여기기 때문에 정괘(井卦)의 점에서는 "크게 길하다[元吉]"라고 하였고 정괘(鼎卦)의 점에서는 "크게 길하여 이롭지 않음이 없다[大吉无不利]"라고 하였다.

○ 雙湖胡氏曰, 易三象之卦, 上爻皆吉. 井有孚元吉, 鼎大吉无不利, 頤必利而後吉者, 豈在于人 必致其戒如是夫.
쌍호호씨가 말하였다: 『주역』에는 상을 취한 괘가 세 개 있는데 상효가 모두 길하다. 정괘(井卦)의 "믿음을 두는 지라 크게 길하다[有孚元吉]"와 정괘(鼎卦)의 "크게 길하여 이롭지 않음이 없다[大吉无不利]"와 이괘(頤卦)의 "반드시 이섭대천(利涉大川)한 후에야 길하다[必利而後吉]"는 아마도 사람에게 있어서는 반드시 경계를 이루어야 이와 같을 것이다.

韓國大全

이익(李瀷) 『역경질서(易經疾書)』

上九玉鉉乃六五之金鉉, 鼎豈有兩鉉. 卽金鉉而玉飾也. 此互文, 彼云金者, 以其體也, 此云玉者, 益著其貴重. 如路車之玉飾者謂之玉路, 鉉可玉飾而鼎則不可也. 金剛而玉溫, 故曰剛柔節也. 若玉而已, 則何以云剛.
상구의 옥(玉)으로 장식한 현(鉉)은 육오의 금(金)으로 장식한 현(鉉)이니 어찌 솥에 두 개의 현이 있겠는가! '금(金)으로 장식한 현(鉉)이 곧 옥(玉)으로 장식한 현(鉉)'이다. 이는 호문(互文)이니, 저기에서 금이라 한 것은 그 몸체로 말하였고 여기에서 옥이라 한 것은 그 귀중함을 드러낸 것이다. 마치 수레를 옥으로 장식한 것을 옥로(玉路)라 하는 것과 같으니 현(鉉)은 옥으로 장식할 수 있지만 솥은 가능하지 않다. 금은 굳세고 옥은 부드럽기 때문에 "굳셈과 부드러움이 적절하기 때문"이라고 하였다. 만약 옥뿐이라면 왜 굳셈을 말했겠는가!

李光地曰, 此卦與大有, 只爭初六一爻. 大有之象辭, 只曰元亨, 他卦所無也, 惟鼎亦然, 大有吉無不利, 他卦所無也, 惟鼎上爻亦然, 以其皆爲尙賢之卦也. 上九剛德爲賢, 六五尊而尙之, 是尙賢也. 如賁大畜頤之類, 多發尙賢養賢之義, 然以卦義言之, 獨此兩卦爲盛也. 卦義之盛, 尤重於此兩爻之相得, 故吉無不利, 皆於上爻見之, 卽象所謂元亨者也. 且易中言天命者, 亦惟此兩卦, 一曰順天休命, 一曰正位凝命. 書云天命有德五服五章, 故進退賢不肖天之命也. 大有以遏惡揚善爲順天, 此則推本於正位凝命, 所謂君正莫不正者, 用能協於上下, 以承天休也.
이광지가 말하였다: 이 괘는 대유괘(大有卦䷍)와 단지 초육 한 효만 다르다. 대유괘의 단사에서 "크게 형통하다"고 한 것이 다른 괘에서는 없지만 정괘에만 있고, 대유괘의 "길하여 이롭지 않음이 없다"고 한 것이 다른 괘에는 없지만 정괘의 상효에만 있으니, 그런 것은 다 현인을 높이는 괘가 됨이다. 상구의 굳센 덕이 현인인데 육오가 높이고 숭상함이 바로 '어진 이를 숭상함'이다. 비괘(賁卦䷕)와 대축괘(大畜卦䷙)와 이괘(頤卦䷚)의 종류에 현인을 숭상하고 현인을 기르는 뜻을 많이 드러내지만, 괘의 뜻으로 말하면 오직 이 두 괘가 성대하다. 괘의 뜻이 성대함은 이 두 효가 서로 얻어지는 것에서 가중되기 때문에 "길하여 이롭지 않음이 없다"고 한 것이 다 상효에서 보이니, 곧 단사에서 말한 '크게 형통함'이다. 또한 『주역』에서 천명을 말한 곳이 오직 이 두 괘인데, 하나는 "하늘의 아름다운 명을 따른다"고 하였고 하나는 "자리를 바르게 하여 후중하게 명한다"고 하였다. 『서경』에 이르길, "하늘은 덕이 있는 자에게 명하여 다섯 가지 복장으로 다섯 가지 등급을 나타내게 하신다"고 하였으니, 현인과 못난 사람을 나가고 물러가게 함은 하늘의 명이다. 대유괘에서 "악을 막고 선을 드날려서 하늘의 아름다운 명을 따른다"는 "자리를 바르게 하여 후중하게 명한다"는 것에서 근본을 미룬 것이니, 이른바 "임금이 정직하면 정직하지 않을 자가 없다"는 것과 "상하(上下)에 화합하여 하늘의 아름다움을 받든다"는 것이다.

此說極精, 故採之.
이 설이 매우 정밀해서 채택하였다.

유정원(柳正源) 『역해참고(易解參攷)』

正義, 玉者堅剛而有潤者也. 上九, 居鼎之終, 鼎道之成, 體剛處柔, 則是用玉鉉以自擧者也.
『주역정의』에서 말하였다: 옥은 견고하고 굳세면서 윤택한 것이다. 상구가 정괘의 끝에 있어 솥의 도가 완성되어 몸체는 강한데 자리가 부드러우니, 이는 옥(玉)으로 장식한 현(鉉)을 써서 스스로 드는 것이다.

○ 徂徠石氏曰, 玉言火炎而不變其性也.
조래석씨가 말하였다: 옥은 불에 타도 그 성질이 변하지 않음을 말하였다.

○ 廬陵龍氏曰, 儀禮, 甸人陳鼎, 設扃鼏〈音覓〉, 鼏鼎蓋也. 〈士喪禮疏, 鼏用茅爲編.〉扃, 鼎杠, 所以擧鼎者卽鉉也. 鄭註, 牛鼎扃三尺, 腳鼎二尺. 鼎重器也, 鉉必以木爲之, 金鉉特美其辭, 亦經言金矢金柅金車, 豈必以金爲之, 取象而已.
여릉용씨가 말하였다: 『의례』에 "전인은 솥을 진설한다",[37] "솥의 막대와 덮개를 설치한다"[38]〈'鼏'은 음이 '멱'이다.〉고 했는데, 멱(鼏)은 솥의 덮개이다. 〈「사상례」 소에 "솥의 덮개는 띠를 써서 엮는다"[39]고 하였다.〉 경(扃)은 솥의 막대로 솥을 드는데 쓰니, 곧 현(鉉)이다. 정씨의 주에 "소를 삶는 솥의 경(扃)은 삼척(三尺)이고 고기국의 솥은 이척(二尺)이니[40] 무거운 그릇이다"라고 하였다. 정(鼎)은 중요한 그릇이므로, 현(鉉)은 반드시 나무로 만들지만 금현(金鉉)이라고 한 것은 단지 찬미한 말이니, 경문의 금시(金矢)와 금니(金柅)와 금거(金車)가 어찌 금으로 만든 것이겠는가? 상을 취했을 뿐이다.

김상악(金相岳) 『산천역설(山天易說)』

上, 於象爲鉉, 居鼎之終, 鼎功之成也. 以陽剛居離體之上, 與五相比, 爲玉鉉之象. 鼎得玉鉉, 則剛柔適宜, 動靜不過, 故大吉而无不利也.
상(上)은 상(象)으로는 현(鉉)이 되고 정괘의 끝에 있으니, 솥의 공이 완성된 것이다. 굳센 양이 리괘(☲) 몸체의 위에 있으면서 오효와 서로 가까워 옥(玉)으로 장식한 현(鉉)의 상이다. 솥이 옥(玉)으로 장식한 현(鉉)을 얻으면 굳셈과 부드러움이 적절히 알맞고 움직이고 고요함에 지나침이 없기 때문에 크게 길하여 이롭지 않음이 없다.

○ 玉乾象, 玉之德在炎不灼, 故取象之. 鉉在耳外, 耳柔鉉剛, 所以剛柔相節. 鉉耳相得而成鼎之功, 故无不利.
옥(玉)은 건괘(☰)의 상이고 옥의 성질은 화염속에서도 타지 않기 때문에 상을 취했다. 현(鉉)은 귀의 밖에 있어 귀는 부드럽고 현은 굳세기 때문에 굳셈과 부드러움이 서로 적절하다. 현(鉉)과 귀를 서로 얻어 솥의 공이 이루어지기 때문에 크게 길하여 이롭지 않음이 없다.

서유신(徐有臣) 『역의의언(易義擬言)』

鼎玉鉉鼎而加鉉也. 鉉之制不可攷, 想竟是金爲之, 抑郊廟之用以玉爲飾歟. 上九在耳

---

37) 『儀禮 · 公食大夫禮』: 甸人陳鼎七.
38) 『儀禮 · 公食大夫禮』: 設扃鼏.
39) 『儀禮注疏 · 士喪禮』: 此亦爲小斂奠陳之鼏, 用茅爲編.
40) 『儀禮注疏 · 士冠禮』: 大扃, 牛鼎之扃, 長三尺. 又曰, 闑門容小扃參个注云, 小扃, 腳鼎之扃, 長二尺.

之上鉉也. 居鼎之終, 烹飪成也. 鼎食既熟, 鉉乃擧而出之, 鉉之用㝡大也, 故大吉无不利也.
'솥에 옥(玉)으로 장식한 현(鉉)'은 솥에 '현'을 붙인 것으로 '현'의 제도는 살펴볼 수 없지만 생각해보면 이것은 금으로 만들었거나 아니면 교제나 묘제에서 쓰이는 것으로 옥으로 장식한 것일 것이다. 상구는 귀의 위에 있는 현(鉉)이다. 솥의 끝에 있어 삶아 익혀졌다. 솥의 음식이 다 익혀지면 현(鉉)으로 들고 나오니, 현(鉉)의 쓰임이 가장 크기 때문에 크게 길하여 이롭지 않음이 없다.

이지연(李止淵) 『주역차의(周易箚疑)』

上九, 以陽居柔而剛柔兼備然後可謂大吉也. 禹之鑄九鼎也, 三足象三德. 註曰, 正直剛柔也. 鼎之爲道, 有以剛柔爲貴之象也.
상구는 양으로 부드러운 자리에 있어서 굳셈과 부드러움을 겸비한 뒤에야 크게 길하다 할 수 있다. 우임금이 구정을 만들 때 세 발은 삼덕을 상징했다. 주에 이르길, 삼덕은 정직과 굳셈과 부드러움이라고 하였다.[41] 솥의 도는 굳셈과 부드러움을 귀하게 여기는 상이 있다.

김기례(金箕澧) 「역요선의강목(易要選義綱目)」

陽居陰位, 得溫粹之德, 故曰玉鉉, 自五視上, 則剛, 故曰金鉉.
양이 음의 자리에 있어서 온화하고 순수한 덕을 얻었기 때문에 '옥(玉)으로 장식한 현(鉉)'이라고 하였고, 오효에서 상효를 보면 굳세기 때문에 '금으로 장식한 현'이라고 하였다.

○ 以上自視, 則陽爻陰位, 故曰玉鉉. 井鼎皆以上出爲功, 故曰大吉无不利. 剛柔節, 剛居柔位.
상효 스스로 보면 양효가 음자리에 있기 때문에 '옥(玉)으로 장식한 현(鉉)'이라고 하였다. 정괘(井卦䷯)와 정괘는 모두 위로 나옴을 공으로 삼기 때문에 "크게 길하여 이롭지 않음이 없다"고 하였다. 굳셈과 부드러움이 적절함은 굳센 양이 부드러운 자리에 있기 때문이다.

贊曰, 上耳下足, 鼎象在玆. 可烹可飪, 祀饗以時. 剛柔以應, 上下相宜. 无顚无覆, 无悔无危.

---

41) 『禮記正義』: 三老五更互言之耳者. 三老亦五更, 五更亦三老, 故云皆老人更知三德五事者也. 三德謂正直剛柔, 五事謂貌言視聽思也.

찬하여 말하였다: 위에는 귀이고 아래는 발이니 솥의 상이 여기에 있네. 삶고 익혀 때로 제향을 올리네. 굳셈과 부드러움이 호응함에 위와 아래가 서로 마땅하네. 넘어지지도 않고 엎어지지도 않아 후회도 없고 위태로움도 없네.

심대윤(沈大允) 『주역상의점법(周易象義占法)』

鼎之恒䷟, 常久也. 用器者, 不貴數易而貴恒久, 用人者, 不貴屢變而貴恒久. 數易者以有破壞也, 屢變者以有誅竄也. 上九以剛居柔, 緩縱不嚴, 而又无偏係, 鼎之道成而變惡爲善之功著. 剛在鼎上, 有鼎實旣熟而上出之象, 又爲鉉之貫鼎而擧遷之義.

정괘가 항괘(恒卦䷟)로 바뀌었으니, 떳떳하고 오래가는 것이다. 그릇을 쓰는 자는 자주 바꾸는 것을 귀하게 여기지 않고 항구함을 귀하게 여기며, 사람을 쓰는 자도 자주 변하는 것을 귀하게 여기지 않고 항구함을 귀하게 여긴다. 자주 바꾸는 것은 깨뜨렸거나 훼손되었기 때문이고, 자주 변하는 것은 죽임을 당하였거나 도망쳤기 때문이다. 상구는 굳셈으로 부드러운 자리에 있어 느슨하고 너그러워 엄하지 않고, 치우친 관계가 없어 솥의 도가 이루어져 나쁜 것을 변화시켜 좋은 것으로 만드는 공이 드러난다. 굳센 양이 정괘의 위에 있어 솥의 실물이 이미 익어 위로 나오는 상이고, 현(鉉)으로 솥에 꿰어 들어 옮기는 뜻이 된다.

用器者, 左右遷徙而當其用而擧用焉. 任人者, 左右遷徙而當其任而擧任焉. 器熟其用, 人熟其事, 柔軟溫習, 唯所使之, 而弄生疏粗硬之弊破壞誅竄之患, 可以恒久而不變也.

그릇을 쓰는 자는 좌우에서 옮겨놓으면 그 용도에 맞추어 들어 쓰고, 사람을 부리는 자는 좌우에서 옮겨놓으면 그 적임에 맞추어 들어 쓴다. 그릇이 그 용도에 익숙해지고 사람이 그 일에 익숙해져 유연하게 거듭 익히면 부리는 데도 생소하거나 거칠고 억센 폐단이나 깨지고 훼손되거나 죽임을 당하고 도망치는 근심을 희롱하여 항구하게 변치 않을 수 있다.

以位言, 師傅則下无專係任使, 而居无事之地, 亦无任使之勞, 天下之人從我以遷善, 各隨其才而有成熟之實, 皆可擧而授任, 以剛居柔, 師之道當尊嚴以舒緩不可急遽也.

자리로 말하면 사부는 아래에 전적인 관계로 맡겨 부리는 자가 없으며, 일이 없는 자리에 있고 맡겨 부리는 수고로움도 없어 천하의 사람들이 나를 따라 좋은 곳으로 옮기며 각기 그 재질에 따라 성숙한 결실을 거두니, 모두 들어서 맡길 수 있지만 굳셈으로 부드러운 자리에 있어 스승의 도는 존엄함으로써 너그럽게 해야지 급작스럽게 해선 안 된다.

以鑪冶之鑄器言之, 則六爻皆有其象, 而上九乃鑄之成也. 夫君上用人, 猶匠之冶鑄,人才之成壞在其任使之當否而已也. 君子任使之得其當, 而天下之才皆成其器, 昏上任使之失其當, 而天下之才皆壞其器也.
화로로 그릇을 주조하는 것으로 말하면 여섯 효에 모두 그런 상이 있으며, 상구는 주조가 완성된 것이다. 임금이 사람을 쓰는 것은 대장장이가 도야하는 것과 같으니, 인재의 성패는 맡겨 부리는 것의 타당성여부에 달려있을 뿐이다. 군자가 맡겨 부리는 것이 타당함을 얻으면 천하의 인재가 모두 그 그릇을 완성하고, 혼탁한 임금이 맡겨 부리는 것이 타당함을 잃으면 천하의 인재가 모두 그 그릇을 망친다.

玉貴寶也, 鉉在鼎上也. 彖言其全體, 則自爲之勞而任人之逸, 故言元吉. 爻單主任使而言, 則烹飪之熟, 而有宰割[42]分饋擧案之事, 才器既成, 有遷徙授受擧任之煩, 故言大吉无不利, 而不言元吉也.
옥(玉)은 귀한 보물이고, 현(鉉)은 솥의 위에 있다. 단사에서는 전체를 말했기 때문에 스스로 하면 힘들고 사람에게 맡기면 편안하기 때문에 크게 길함을 말하였다. 효에서는 다만 맡겨 부리는 것을 주로해서 말했으니, 삶아 익히고 나서 잘라[宰割] 음식을 나누고[分饋] 음식을 그릇에 담아 바치는[擧案] 일이 있으며, 재주와 그릇이 이루어지면 옮겨서 주고받으며 들어 맡기는 번거로움이 있기 때문에, '크게 길하여 이롭지 않음이 없다'고 하고 '크게 길하다'고는 하지 않았다.

六五, 无爲人任使之責, 而有任使人之功. 上六无任使人之勞, 而但左右遷擧之而已. 君子任使天下之賢俊, 則各稱其職, 无復敎訓戒責之勤, 而但考績登庸而已, 此任使之道盡善者也. 上九無任使之事而有任使之道, 其不任使卽任使也, 此致一也.
육오는 다른 사람을 위해 맡겨 부리는 책임은 없고 맡겨 부리는 공은 있다. 상육은 맡겨부리는 수고로움은 없고 다만 좌우에서 천거할 뿐이다. 군자가 천하의 현명한 준걸을 맡겨 부린다면 각각 그 일에 걸맞아 다시는 가르치고 꾸짖을 수고로움은 없고, 다만 실적을 살펴 등용할 뿐이니 이것이 맡겨 부리는 도 가운데 최선이다. 상구에게는 맡겨 부리는 일은 없고 맡겨 부리는 도가 있는데, 맡겨 부리지 않는 일이 곧 맡겨 부리는 일이니, 이는 동일한 것이다.

오치기(吳致箕) 「주역경전증해(周易經傳增解)」

上九陽剛居柔而在鼎之上, 有玉鉉之象, 而剛柔適宜, 全鼎之功至于終而已大成, 故言大吉而旡攸不利也.

42) 割: 경학자료집성DB에 '剛'으로 되어 있으나, 경학자료집성 영인본을 참조하여 '割'로 바로잡았다.

상구는 굳센 양이 부드러운 자리에 있고 정괘의 위에 있어 옥(玉)으로 장식한 현(鉉)의 상이 있으며 굳셈과 부드러움이 적절하여 온전한 솥의 공이 끝에 이르러 크게 완성되기 때문에 크게 길하여 이롭지 않음이 없다고 하였다.

○ 剛而能柔有溫潤, 玉鉉之象, 而亦以變震爲玉之象也.
굳세면서 부드러워 온순하고 윤택하여 옥(玉)으로 장식한 현(鉉)의 상이고, 변하면 진괘(☳)가 되어 옥의 상이 된다.

이진상(李震相) 『역학관규(易學管窺)』

上九玉鉉.
상구는 솥이 옥(玉)으로 장식한 현(鉉)이니.

上九鉉之加於耳上者也. 剛而能溫故以玉鉉言, 非鉉之全體皆玉也.
상구는 현(鉉)을 귀의 위에 붙인 것이다. 굳세면서 부드럽기 때문에 옥현(玉鉉)으로 말한 것이지, 현(鉉)의 전체가 다 옥은 아니다.

박만경(朴萬瓊) 『심역(心易)』

剛而溫者玉也. 九剛而履柔, 不極剛而能溫者, 剛柔適宜, 動靜不過, 爲大吉. 賜也, 瑚璉才行之備.
굳세고 부드러운 것이 옥이다. 구가 굳셈으로 부드러운 자리를 밟아 극도로 굳세지 않아 온순할 수 있어 굳셈과 부드러움이 적절하고 움직임과 고요함이 지나침이 없어 크게 길하다. 단목사(端木賜)가 호련(瑚璉)의 재주와 행실을 갖춘 것이다.[43]

박문호(朴文鎬) 「경설(經說) · 주역(周易)」

上九之爲鉉是鼎之本象, 乃以二當之, 本義末引或說爲此故也. 金鉉二字, 或是因下文玉鉉而衍耶.
상구가 현이 됨은 정괘의 본래 상이지만 이효에 해당하니, 『본의』의 말미에서 어떤 이의 설을 인용한 것도 이 때문이다. 금현(金鉉)이란 두 글자는 혹시 아래의 옥현(玉鉉)이란 글자 때문에 잘못 들어간 것인가?

43) 『論語 · 公冶長』: 子貢問曰, 賜也, 何如. 子曰, 女器也. 曰, 何器也. 曰, 瑚璉也.

井鼎皆以上爲善者, 以其出而食之也. 人之事莫大於食, 故井鼎之上爻皆言吉.
정괘(井卦䷯)와 정괘는 모두 위로 나옴을 좋은 것으로 여기는 것은 나와야 먹기 때문이다. 사람에게 먹는 것보다 더 큰 일은 없기 때문에 정괘(井卦䷯)와 정괘의 상효에 모두 길하다고 하였다.

이용구(李容九) 『역주해선(易註解選)』

鼎上九金畏火而玉不畏火, 故成鼎之功, 以玉爲貴也.
정괘의 상구에 금은 불을 두려워하지만 옥은 불을 두려워하지 않기 때문에 솥의 공을 이루는데는 옥을 귀하게 여긴다.

이병헌(李炳憲) 『역경금문고통론(易經今文考通論)』

王曰, 居鼎之終, 體剛履柔.
왕필이 말하였다: 정괘의 끝에 있어서 몸체는 굳센데 부드러움을 밟고 있다.

宋曰, 以金承玉, 君臣之節
송충이 말하였다: 금으로 옥을 받듦이 임금과 신하의 예절이다.

干曰, 玉又貴於金者, 鼎之義, 上爻愈吉也.
간보가 말하였다: 옥이 금보다 귀한 것은 정괘의 뜻에서 상효가 더욱 길하기 때문이다.

程傳曰, 剛而溫者, 玉也.
『정전』에서 말하였다: 굳세면서 온화한 것이 옥이다.

按, 此指太王欲傳于文王者也. 自損益至此, 以人事盛衰天道興廢反覆言之, 而困井革鼎則尤其易見者也.
내가 살펴보았다: 이것은 태왕이 문왕에게 전하고자 한 것을 가리킨다. 손괘(損卦䷨)와 익괘(益卦䷩)에서부터 여기까지는 인사의 성쇠와 천도의 흥폐를 반복해서 말했으며, 곤괘(困卦䷮) · 정괘(井卦䷯) · 혁괘(革卦䷰) · 정괘(鼎卦䷱)에서는 더욱 쉽게 볼 수 있다.

象曰, 玉鉉在上, 剛柔節也.

「상전」에서 말하였다: "옥으로 장식한 현(鉉)"이 위에 있는 것은 굳셈과 부드러움이 적절하기 때문이다.

中國大全

傳

剛而溫, 乃有節也. 上居成功致用之地, 而剛柔中節, 所以大吉, 无不利也. 井鼎皆以上出爲成功, 而鼎不云元吉, 何也, 曰, 井之功用, 皆在上井, 又有博施有常之德, 是以元吉. 鼎以烹飪爲功, 居上爲成, 德與井異, 以剛柔節, 故得大吉也.

굳세면서도 온화함은 바로 절도가 있는 것이다. 상효는 공을 이루고 씀을 지극히 하는 자리에 있어서 굳셈과 부드러움이 절도에 맞으니, 이 때문에 크게 길하여 이롭지 않음이 없다. 정괘(井卦)와 정괘(鼎卦)는 모두 위로 나옴을 성공으로 삼는데, 정괘(鼎卦)에서는 '원길(元吉)'이라고 말하지 않음은 어째서인가? 우물의 공용(功用)은 모두 위로 나옴에 있고 또 널리 베풀며 떳떳함이 있는 덕이 있으니, 이 때문에 크게 선하고 길하지만, 솥은 삶아 익히는 것을 공으로 삼으니, 위에 있음은 이룸이 되어 덕(德)이 정괘(井卦)와 다르니, 굳셈과 부드러움이 적절하기 때문에 크게 길함을 얻은 것이다.

小註

建安丘氏曰, 五與上之鉉一也, 而有金玉之別, 何歟. 蓋金一於剛, 玉則剛而能溫也. 蓋五以柔中,而受上之剛, 故取金鉉而言. 上九爻剛而位柔, 剛柔有節, 故取玉鉉而言. 而象亦以剛柔節釋之也. 又曰鼎卦, 六爻合而觀之, 一鼎也. 初畫耦而虛, 在鼎之下, 爲足. 二三四畫奇而實, 居鼎之中, 爲腹. 五畫耦而虛, 在腹之上, 爲耳, 上畫奇而實, 貫耳之上, 爲鉉. 初爲足, 故曰顚趾, 二三四爲腹, 故曰有實, 曰雉膏, 曰公餗, 五爲耳, 故曰黃耳, 上爲鉉, 故曰玉鉉. 此豈非全鼎之象乎. 然初曰趾, 四亦曰足者, 以四應乎初, 而四之足, 卽初之趾也. 上曰鉉, 而五亦曰鉉者, 以五附乎上, 五之鉉, 卽上之鉉也. 五曰耳, 而三亦曰耳者, 則以三无應乎五, 而有鼎耳革異之象. 蓋易道變通不窮, 義各有當也.

건안구씨가 말하였다: 오효와 상효의 현은 한가지이나 금과 옥의 구별이 있는 것은 어째서인가? 대체로 금은 한결같이 강하나 옥은 강하면서도 따뜻하다. 오효는 부드러움으로서 가운데 자리에 있어 상효의 굳셈을 받아들이기 때문에 금으로 만든 현을 취하여 말하였고, 상구는 효가 굳세나 자리가 부드러우니 굳셈과 부드러움이 적절하기 때문에 옥으로 장식한 현을 취하여 말하였다. 「상전」에서도 강과 유가 적절하다는 것으로 해석하였다.
또 말하였다: 정괘(鼎卦)는 여섯 효를 합하여 보면 하나의 솥이다. 초효의 획은 짝수이면서 비어있고 솥의 아래에 있으니 발이 되고, 이효 · 삼효 · 사효는 홀수이면서 채워있고 솥의 가운데에 있으니 배가 되며, 오효는 획이 짝수이면서 비어있고 배의 위에 있으니 귀가 되고, 상효는 획이 홀수이면서 채워있고 귀의 위를 관통하고 있으니 현이 된다. 초효는 발이기 때문에 넘어진다고 하였고, 이효 · 삼효 · 사효는 배이기 때문에 담겨있다고 하였고 꿩고기라고 하였고 공에게 바칠 음식이라고 하였으며, 오효는 귀이기 때문에 누런 귀라고 하였고, 상효는 현이 되기 때문에 옥으로 장식한 현이라고 하였다. 이것이 어찌 온전한 솥의 상이 아니겠는가? 그러나 초효를 발이라고 하였고 사효도 발이라고 한 것은 사효가 초효와 응하기 때문이니 사효의 발이 곧 초효의 발이다. 상효를 현이라고 하고 오효도 현이라고 한 것은 오효가 상효를 따르기 때문이니 오효의 현이 곧 상효의 현이다. 오효를 귀라고 하고 삼효도 귀라고 한 것은 삼효가 오효에 호응함이 없기 때문에 '솥귀가 바뀜'의 다른 상이 있는 것이다. 이는 역의 도가 변하고 통함이 다함이 없는 것이니 의리에 각각 마땅함이 있다.

○ 雲峯胡氏曰, 鼎與井, 皆以上出爲功. 初之顚趾, 悖道也, 因可出否, 以從貴未悖, 幸之之辭也. 二有實而不愼所之, 則爲仇所卽, 而陷於惡, 戒之之辭也. 三不知有六五之君, 則爲失義, 四下應初六之小人, 則爲失信, 皆責之之辭. 唯五之中以爲實, 上之剛柔節, 與之之辭也.
운봉호씨가 말하였다: 정괘(鼎卦)와 정괘(井卦)는 모두 위로 나가는 것을 공으로 삼는다. 초효의 발이 넘어짐은 패도이지만 그로 인하여 나쁜 것이 나와 귀함을 따르기 때문에 패도가 아니니 다행으로 여기는 말이다. 이효는 담겨진 음식이 있으나 갈 바를 삼가지 않으면 원수가 나오게 되어 악에 빠지니 경계하는 말이고, 삼효는 육오의 임금이 있음을 모르니 의리를 잃음이 되고, 사효는 아래로 초육의 소인에 호응하니 미더움을 잃음이 되니 모두 꾸짖는 말이다. 오직 오효의 '가운데를 진실한 덕으로 삼음'과 상효의 '굳셈과 부드러움이 적절함'은 인정하는 말이다.

韓國大全

송시열(宋時烈) 『역설(易說)』

剛爻故云玉. 中有乾象, 乾爲玉, 而以玉鉉在上觀之, 玉只是取剛在上之義. 大吉以下占辭. 小象剛柔節者, 以五爻柔六爻剛, 皆爲中節也.
굳센 효이기 때문에 옥이라고 하였다. 속에 건괘(☰)가 있는데 건괘는 옥이 되며 '옥으로 장식한 현(鉉)이 위에 있는 것'으로 보면 옥은 다만 굳셈이 위에 있다는 뜻을 취한 것이다. '크게 길하여' 이하는 점사이다. 「소상전」의 "굳셈과 부드러움이 적절하기 때문"이라는 것은 오효는 부드럽고 상효는 굳센 것을 알맞고 적절함으로 삼은 것이다.

蓋承鼎在足, 而初則洗鼎去汚實鼎在腹, 而二則陽實居中, 三則巽木離火, 革物之味而雉膏不食, 則失飪之象. 然行鼎在耳而五言, 而擧鼎在鉉而六言鉉. 獨四爻則有覆餗之凶, 與初爲應故也. 至六爻然後, 鼎功成, 可以享帝養賢, 故吉无不利也.
솥을 받드는 것은 발인데 초효에서는 솥을 씻어 찌거기를 제거해 솥의 배를 채우고, 이효에서는 양의 실물이 속에 있고, 삼효에서는 손괘(☴)의 나무와 리괘(☲)의 불이 음식의 맛을 변화시켜 꿩고기를 먹지 못하니 음식을 잃는 상이다. 그러나 솥을 움직이는 것은 귀인데 오효에서 말했고 솥을 드는 것은 현(鉉)이기 때문에 상효에서 현(鉉)을 말했다. 오직 사효에서만 음식을 엎는 흉함이 있음은 초효와 호응하기 때문이다. 상효에 이른 뒤에야 솥의 공이 이루어져 상제께 제향하고 성현을 기를 수 있기 때문에 길하여 이롭지 않음이 없다.

유정원(柳正源) 『역해참고(易解參攷)』

剛柔節.
굳셈과 부드러움이 적절하기 때문이다.

案, 鼎功成則物之剛者化柔, 柔者化剛, 所謂剛柔節也
내가 살펴보았다: 솥의 공이 완성되면 물건이 굳센 것은 부드러워지고 부드러운 것은 굳세지니 이른바 "굳셈과 부드러움이 적절함"이다.

김상악(金相岳) 『산천역설(山天易說)』

剛柔節, 謂外剛而內柔也. 以爻則九剛而六柔, 以位則五剛而上柔也.
굳셈과 부드러움이 적절함은 밖은 굳세고 안은 부드러움을 말한다. 효로 보면 구는 굳세고 육은 부드럽고, 자리로 보면 오위는 굳세고 상위는 부드럽다.

서유신(徐有臣) 『역의의언(易義擬言)』

玉鉉以九居上, 黃耳以六居五, 鉉剛耳柔相得調適, 譬如鼎食旣熟, 剛柔得其節適也.
'옥으로 장식한 현(鉉)'은 구가 상위에 있는 것이고 누런 귀는 육이 오위에 있는 것이니, 현은 굳세고 귀는 부드러운데 서로 적절히 조절됨을 얻은 것이 마치 솥의 음식이 잘 익어 굳세고 부드러움이 적절함을 얻은 것과 같다.

심대윤(沈大允) 『주역상의점법(周易象義占法)』

以剛居柔, 能隨器擧任而皆當其用, 如飮食之辛甘飢飽中其節, 故曰剛柔節也.
굳셈으로 부드러운 자리에 있어서 그릇에 따라 들어 맡김이 그 쓰임에 마땅함이 음식의 맵고 단 것으로 배를 채움에 적절한 것과 같기 때문에, "굳셈과 부드러움이 적절하기 때문이다"라고 하였다.

오치기(吳致箕) 「주역경전증해(周易經傳增解)」

上居成功致用之地, 而剛柔中節, 故大吉无不利. 程傳備矣.
위에 있어 공이 이루어져 쓰여지는 곳이고 굳셈과 부드러움이 알맞고 적절하기 때문에 길하여 이롭지 않음이 없다. 『정전』에 갖추어져 있다.

51

진괘
震卦䷲

中國大全

傳

震, 序卦, 主器者, 莫若長子. 故受之以震. 鼎者, 器也, 震爲長男. 故取主器之義, 而繼鼎之後. 長子, 傳國家繼位號者也. 故爲主器之主. 序卦, 取其一義之大者, 爲相繼之義. 震之爲卦, 一陽, 生於二陰之下, 動而上者也. 故爲震. 震, 動也. 不曰動者, 震, 有動而奮發震驚之義. 乾坤之交, 一索而成震, 生物之長也. 故爲長男. 其象則爲雷, 其義則爲動, 雷有震奮之象, 動爲驚懼之義.

진괘는 「서괘전」에 "제기[器]를 주관하는 것은 맏아들만한 이가 없다. 그러므로 진괘로 받는다" 하였다. '솥[鼎]'은 기물이고, 진괘는 맏아들이다. 그러므로 '제기를 주관한다'는 뜻을 취하여 정괘(鼎卦)의 뒤를 이었다. 맏아들은 나라를 전승하고 지위와 호칭을 잇는 자이다. 그러므로 제기를 주관하는 주인이 된다. 「서괘전」은 그 한 가지 큰 뜻을 취하여 '잇는다'는 뜻으로 삼았다. 진괘는 양 하나가 두 음 밑에 생겨 움직여 올라가는 것이다. 그러므로 '우레[震]'가 된다. '우레'는 움직임이다. '움직임[動]'이라고 하지 않은 것은 '우레'에 움직여 떨쳐 놀라게 한다는 뜻이 있기 때문이다. 건괘와 곤괘의 사귐이 첫 번째로 구하여 진괘를 이루니, 태어난 사물 가운데 맏이이다. 그러므로 맏아들이 된다. 그 상이 벼락이 되고 그 의미가 움직임이 되니, 우레에는 진동하고 떨치는 상이 있고 움직임은 놀라고 두려워한다는 뜻이 된다.

韓國大全

이만부(李萬敷) 「역통(易統) · 역대상편람(易大象便覽) · 잡서변(雜書辨)」

䷲ 雷發震動之象.

벼락이 쳐서 진동하는 상이다.

一陽, 生於二陰之下, 動而上者也. 乾坤一索而成震, 生物之長也. 其象爲雷, 其義爲動, 震有奮發震驚之義.

한 양이 두 음의 아래에서 생겨나 움직여 올라가는 것이다.[1] 건괘(乾卦☰)와 곤괘(坤卦☷)가 한 번 사귐이 첫 번째로 구하여 진괘(震卦☳)를 이루니, 태어난 사물 가운데 맏이이다.[2]

그 상은 우레가 되고 그 뜻은 움직임이 되니, 우레[震]에는 움직여 떨쳐 놀라 두려워 한다는 뜻이 있다.[3)]

권만(權萬) 『역설(易說)』

䷲ 震. 震, 去聲.
진(震). '진'은 거성(去聲)이다.

김상악(金相岳) 『산천역설(山天易說)』

䷲ 序卦主器者, 莫若長子, 故受之以震.
「서괘전」에서 말하였다: 그릇을 주관하는 자는 맏아들만한 자가 없기 때문에 진괘(震卦☳)로써 받았다.

○ 鼎, 器也, 震爲長子, 故取主器之義. 先天卦, 乾以君言, 所主者在乾, 後天卦, 震以帝言, 所主者在震, 何也. 乾爲震之父, 震爲乾之子也. 以統臨謂之君, 則統天者, 莫如乾, 以主宰謂之帝, 則主器者, 莫如長子也. 一陽生於二陰之下, 其象爲雷, 其德爲動, 雷有奮震之勢, 動有驚懼之義.
솥[鼎]은 그릇이고, 진괘(震卦☳)는 맏아들이 되기 때문에 "그릇을 주관한다"는 뜻을 취하였다. '선천괘(先天卦)'에서 건괘(乾卦☰)는 임금으로 말하니 위주로 하는 바는 건괘(乾卦☰)에 있고, '후천괘(後天卦)'에서 진괘(震卦☳)는 제(帝)로 말하니 위주로 하는 바는 진괘(震卦☳)에 있으니 어째서인가? 건괘(乾卦☰)는 진괘(震卦☳)의 아버지가 되고 진괘(震卦☳)는 건괘(乾卦☰)의 아들이 된다. 임하여 통치하는 것으로 말하면 임금이니 하늘을 통치하는 것은 건(乾)만한 것이 없고, 주재(主宰)로 말하면 제(帝)이니 그릇을 주관하는 자는 장자와 같은 자가 없다. 한 양이 두 음의 아래에서 생겨, 그 상이 우레가 되고 그 덕(德)이 움직임이 되니, 우레에는 진동하고 떨치는 형세가 있고 움직임은 놀라고 두려워한다는 뜻이 있다.

오희상(吳熙常) 「잡저(雜著)-역(易)」

且看[4)]善陽而過陰, 故雷有奮發之象, 風有巽入之象. 忿剛而慾柔, 故山有突起之象, 澤

1) 『周易傳義大全 · 震卦 · 程傳』: 震之爲卦, 一陽, 生於二陰之下, 動而上者也.
2) 『周易傳義大全 · 震卦 · 程傳』: 乾坤之交, 一索而成震, 生物之長也.
3) 『周易傳義大全 · 震卦 · 程傳』: 不曰動者, 震, 有動而奮發震驚之義.
4) 看: 경학자료집성 영인본에서는 여기에 해당하는 글자가 무슨 글자인지 알 수가 없고, 경학자료집성DB에

有坎陷之象. 易象不可拘於一義也, 如此.
또한 착한 것은 양이고 지나친 것은 음이라고 보기 때문에 우레에는 분발하는 상이 있고 바람에는 겸손하게 들어가는 상이 있다. 화를 내는 것은 굳센 양이고 욕심을 내는 것은 부드러운 음이기 때문에 산에는 우뚝 솟은 상이 있고 못에는 구덩이에 빠지는 상이 있다. 역(易)의 상(象)은 하나의 뜻에 얽매일 수 없는 것이 이와 같다.

이용구(李容九) 「역주해선(易註解選)」

千里不同風, 百里不共雷.
천 리까지 같은 바람은 불지 않고, 백 리까지 같은 우레가 치지 않는다.

○ 誠齋楊氏彖曰, 舜之烈風雷雨不迷, 可以出而嗣位, 肆類于上帝, 劉備聞迅雷, 失匕筯者, 可出爲祭主乎[5].
성재양씨가 단사에 대해서 말하였다: 순(舜)임금이 맹렬한 바람과 우레가 치고 비가 오는데도 혼미하지 않아 나아가 제위를 이을 수 있어 마침내 상제(上帝)에게 유제사(類祭祀)를 지냈지만[6] 유비처럼 맹렬하게 치는 우레 소리를 듣고 숟가락과 젓가락을 떨어뜨리는 자라면 나아가 제주(祭主)가 될 수 있겠는가?

○ 迅雷烈風, 必變, 孔子恐懼, 能修成也.
맹렬하게 치는 우레와 바람에 반드시 낯빛을 변한[7] 것은 공자의 두려움이니, 수신하여 이룰 수 있었다.

○ 宣王, 周盛世之君, 遇災而懼, 側身修行, 景公, 宋小國之君, 反身修德, 熒惑退舍, 此恐懼修省也.
선왕(宣王)은 주(周)나라가 성대할 때의 임금인데 재앙을 만나 두려워하여 몸을 조심하면서 수행하였고, 경공(景公)은 작은 나라인 송(宋)나라의 임금인데 자신을 돌이키면서 덕을 닦아 형혹성(熒惑星)이 물러나 제자리로 돌아갔으니[8], 이는 두려워하면서 수신하고 반성한 것이다.

'看'으로 되어 있어, 이에 따라 '看'으로 번역 하였다.

5) 乎: 경학자료집성DB와 영인본에 모두 '矣'로 되어 있으나, 『주역전의대전(周易傳義大全)·진괘(震卦☳)·단전(彖傳)』 소주에 나온 중계장씨가 말한 "若舜之烈風雷雨弗迷, 可以出而嗣位, 肆類于上帝矣, 而劉備聞迅雷失匕箸者, 其可出爲祭主乎."를 살펴 '乎'로 바로 잡았다.

6) 이러한 내용은 『서경(書經)·순전(舜典)』에 보인다.

7) 이러한 내용은 『논어(論語)·향당(鄕黨)』에 보인다.

8) 이러한 내용은 『여씨춘추전(呂氏春秋傳)·계하기(季夏紀)』에 보인다.

震, 亨,

진(震)은 형통하니,

中國大全

傳

陽生於下而上進, 有亨之義. 又震爲動, 爲恐懼, 爲有主. 震而奮發, 動而進, 懼而修, 有主而保大, 皆可以致亨. 故震則有亨.

양이 아래에서 생겨 위로 나아가니 "형통하다"는 뜻이 있다. 또한 '진(震)'은 움직임이 되고 두려움이 되며 주인 있음이 된다. 우레가 쳐 떨쳐 일어나고 움직여 나아가며 두려워하여 닦고, 주인이 있어 큰 것을 보존하니 모두 형통함을 이룰 수 있다. 그러므로 진(震)은 형통함이 있다.

小註

隆山李氏曰, 震, 本坤體, 乾以一陽交於下. 上二爻陰氣凝聚, 陽氣在內蘊結而不得出, 於是乎奮擊, 而爲雷震之初動, 物咸懼之, 而不知其震動之威, 乃所以震陰達陽, 而開其生育之門. 故曰震亨.
융산이씨가 말하였다: 진괘(震卦☳)는 원래 곤괘(坤卦☷)의 몸체인데 건괘(乾卦☰)가 맨 아래에서 한 양으로 사귀는 것이다. 위의 두 효의 음기가 엉켜 양기가 속으로 쌓여 뭉쳐 있어 나갈 수 없다가 이제야 떨쳐 공격하여 우레와 벼락이 처음 움직임이 되니, 사물들은 모두 두려워하면서도 그 떨쳐 움직이는 위엄은 알지 못하여, 이에 음을 떨쳐 양에 이르러서 그 낳고 기르는 문을 여는 것이다. 그러므로 "진(震)은 형통하다"고 하는 것이다.

○ 臨川吳氏曰, 雷動而萬物發生者, 亨也. 人聞雷而恐懼脩省, 亦能致亨.
임천오씨가 말하였다: 떨쳐 움직여 만물이 발생하는 것이 형통함이다. 사람들이 우레 소리를 듣고 두려워하여 닦으며 살피니, 또한 형통함을 이룰 수 있다.

‖ 韓國大全 ‖

유정원(柳正源) 『역해참고(易解參攷)』

䷲震下震上.
진괘(震卦☳)가 아래에 있고, 진괘(震卦☳)가 위에 있다.

王氏曰, 懼以成, 則是以亨.
왕필이 말하였다: 두려워하여 이루니, 이 때문에 형통하다.

○ 正義, 震既威動, 莫不驚懼. 驚懼以威, 則物皆整齊, 由懼而獲通, 所以震有亨德.
『주역정의』에서 말하였다: 우레가 이미 위엄 있게 움직이면 놀라고 두려워하지 않는 것이 없다. 위엄으로 놀라게 하고 두렵게 하면 사물은 모두 정돈 되어 가지런하게 되니, 두려워하여 통할 수 있기 때문에 '진(震)'에는 형통한 덕이 있다.

○ 案, 震屬春, 當春雷發, 萬物發生. 又爲長子, 而長子用事, 皆亨也.
내가 살펴보았다: 진괘(震卦☳)는 봄에 속하니, 봄을 맞아 우레가 일어나 만물이 발생한다. 또 맏아들이 되며 맏아들이 하는 일은 모두 형통하다.

김기례(金箕澧) 「역요선의강목(易要選義綱目)」

震.
진(震)은.

鼎爲重器, 主器莫如長子. 乾坤之交, 一索而得長男也. 亨, 一陽始生於二陰之下而動, 則有恐懼修省之意, 故曰亨.
솥은 무거운 그릇이고, 제기(祭器)를 주관하는 자로는 맏아들만한 사람이 없다. 건(乾)과 곤(坤)의 사귐이 첫 번째로 구하여 맏아들을 얻는다.[9] '형통하다'란 하나의 양이 처음에 두 음 아래에서 생겨나 움직이니, '두려워하여 닦으며 살피는'[10] 뜻을 가지고 있기 때문에 '형통하다'고 하였다.

---

9) 『周易 · 說卦傳』: 乾天也, 故稱乎父, 坤地也, 故稱乎母. 震一索而得男, 故謂之長男, 巽一索而得女, 故謂之長女.

10) 『周易 · 震卦』: 象曰, 洊雷, 震, 君子以, 恐懼脩省.

震來, 虩虩, 笑言, 啞啞,

우레가 옴에 조마조마 하면, 웃고 말함이 하하 하리니,

中國大全

傳

當震動之來, 則恐懼, 不敢自寧, 旋顧周慮, 虩虩然也. 虩虩, 顧慮不安之貌. 蠅虎, 謂之虩者, 以其周環顧慮, 不自寧也. 處震如是, 則能保其安裕. 故笑言啞啞, 啞啞, 言笑和適之貌.

우레가 침이 올 때를 맞으면 두려워 감히 스스로 편안해하지 못하고 둘러보면서 두루 생각하니 '조마조마'해 하는 것이다. '조마조마[虩虩]'는 돌아보면서 염려하고 불안해하는 모습이다. 깡충거미를 '혁(虩)'이라 하는 것은 그것이 이리저리 돌아다니며 돌아보면서 염려하여 스스로 편안해하지 않기 때문이다. 우레가 칠 때 이처럼 지내면 그 편안하고 넉넉함을 지킬 수 있다. 그러므로 웃고 말함이 '하하[啞啞]'하니, '하하'는 말과 웃음이 화락하고 알맞은 모습이다.

韓國大全

조호익(曺好益) 『역상설(易象說)』

雙湖曰, 笑言, 啞啞, 自初至四, 有頤口象, 又震有聲象.
쌍호호씨가 말하였다: "웃고 말함이 하하 하다"라고 한 것은 초효로부터 사효에 이르기까지 턱과 입의 상이 있고, 또 진괘(震卦☳)에는 소리의 상이 있기 때문이다.

이익(李瀷) 『역경질서(易經疾書)』

震來虩虩者, 震來而人爲之虩虩, 故傳云恐致福也. 虩虩啞啞, 猶言先號咷而後笑也.

周公添一後字, 可見其虩虩之爲先, 謂先懼而後樂也. 故孔子作傳, 亦添後字, 虩虩在先, 致福之道也, 啞啞在後, 方見其有則也. 震來者, 震之在卽也. 驚遠所以著其懼邇, 遠猶如此, 况其邇乎.
“우레가 옴에 조마조마 하다”란 우레가 오자 사람들이 조마조마하기 때문에 「단전」에서는 “두려워함으로써 복을 부른다”[11]고 하였다. ‘조마조마하고’ ‘하하 하다’는 “먼저는 울부짖고 뒤에는 웃는다”[12]라는 말과 같다. 주공(周公)은 ‘뒤에[後]’라는 한 글자를 더하였으므로[13] ‘조마조마 함’이 먼저가 됨을 알 수가 있으니, 먼저 두려워하고 이후에 즐거워함을 말한다. 그러므로 공자가 「단전」을 지을 적에 또한 ‘뒤에야[後]’라는 한 글자를 더하였으니, ‘조마조마 함’이 먼저 있음은 복을 부르는 도(道)이고. ‘하하 함’이 뒤에 있어야 법칙이 있음을 알 수가 있다. “우레가 온다”란 우레가 침이 임박하다는 것이다. “멀리 있는 자를 놀라게 함”은 “가까이 있는 자를 두렵게 함”[14]을 드러내니, 멀리 있는 자도 오히려 이와 같은데 하물며 가까이 있는 자에 있어서랴!

유정원(柳正源) 『역해참고(易解參攷)』

震來 [至] 啞啞,
우레가 옴에 … 하하 하리니,
正義, 震之爲用, 天之施怒, 所以肅整怠慢, 故迅雷風烈, 君子爲之變容, 施之於人事, 則是威嚴之教行於天下也. 震之來也, 莫不恐懼, 故曰震來虩虩. 物旣恐懼, 不敢爲非, 保安其福, 遂至笑語之盛, 故曰笑言啞啞.
『주역정의』에서 말하였다: 우레의 쓰임은 하늘이 분노를 펼침이니 태만하고 나태한 것을 바르고 엄숙하게 하는 바이기 때문에 맹렬하게 치는 우레와 바람에 군자는 낯빛을 바꾸고, 사람의 일에 펼쳐지면 이는 위엄이 있는 가르침이 천하에 행해지는 것이다. 우레가 옴에 두려워하지 않는 것이 없기 때문에 “우레가 옴에 조마조마 하다”고 하였다. 사물이 이미 두려워하면 감히 잘못을 저지르지 못하여 복(福)을 보호하고 안정되게 하니, 마침내 웃고 말함이 가득한 데에 이르기 때문에 “웃고 말함이 하하 하리라”라고 하였다.

傳, 蠅虎.
『정전』에서 말하였다: 깡충거미.

---

11) 『周易 · 震卦』: 彖曰, 震, 亨, 震來虩虩, 恐致福也, 笑言啞啞, 後有則也.
12) 『周易 · 同人卦』: 九五, 同人, 先號咷而後笑, 大師克, 相遇.
13) 『周易 · 震卦』: 初九, 震來虩虩, 後, 笑言啞啞, 吉.
14) 『周易 · 震卦』: 彖曰, … 震驚百里, 驚遠而懼邇也, 出可以守宗廟社稷, 以爲祭主也.

○ 案, 或以蠅虎爲小蜂之捕蠅者, 又言蠅虎形似蜘蛛, 而色灰白, 善捕蠅, 一曰蠅蝗.
내가 살펴보았다: 어떤 이는 '승호(蠅虎)'를 작은 벌 중에 파리를 잡는 것이라고 하고, 또 '승호(蠅虎)'의 형체는 거미와 닮았으며 색은 회백색이고 파리를 잘 잡아서 '승황(蠅蝗)'이라고도 한다고 하였다.
陳無己詩曰, 匿形注目搖兩股, 卒然一擊, 勢莫禦.
진무기(陳無己)의 시(詩)에서 말하였다: 몸을 숨기고 주시하면서 두 다리를 흔들다가, 돌연히 일격을 하니, 그 형세를 막을 것이 없다.

서유신(徐有臣)『역의의언(易義擬言)』

震曰, 虩虩,
진괘(震卦☳)에서 말하였다: 조마조마하면,
震之驚懼象.
진괘(震卦☳)의 놀라고 두려운 상이다.

笑言,
웃고 말함이.
震象.
진괘(震卦☳)의 상이다.

匕鬯.
국자와 울창주.
卦形, 一震似匕, 重震似鬯, 互艮手執之, 故不喪也. 互坎爲酒食, 所以用匕鬯也, 震爲長子, 所以主匕鬯也.
괘의 형상은 하나의 진괘(震卦☳)는 숟가락과 닮았고 중첩된 진괘(震卦☳)는 활집과 닮았으며, 호괘인 간괘(艮卦☶)는 손으로 잡는 것이기 때문에 떨어뜨리지 않는다. 호괘인 감괘(坎卦☵)는 술과 음식이 되기 때문에 '울창주'를 사용하였고, 진괘(震卦☳)는 맏아들이 되기 때문에 '국자와 울창주'를 위주로 하였다.

김기례(金箕澧)「역요선의강목(易要選義綱目)」

言人常, 若震來時虩虩然, 恐懼顧慮, 則終有言笑和悅之慶, 戒懼而能致福.
사람은 일반적으로 만약 우레가 올 때에 조마조마하듯이 두려워하고 돌아보면서 염려한다면, 끝내 말하고 웃으면서 온화하고 기뻐하는 경사가 있게 되니, 경계하고 두려워해야 복을 부를 수 있음을 말하였다.

○ 一陽動而上, 爲二陰所蔽, 故恐懼反顧之謂虩虩. 終得決陰, 陽能上達, 則自安和適之謂啞啞. 虩虩釋震.
하나의 양이 움직여 위로 올라가지만 두 음에 의하여 덮여지기 때문에 두려워하면서 돌아보면서 염려함을 일러 '조마조마 함[虩虩]'이라고 하였다. 끝내 음을 뚫고서 양이 위에 도달하니, 스스로 안정되고 온화하며 적절하게 잘 맞도록 함을 '하하 함'이라고 하였다. '조마조마 함'은 '진(震)'에 대하여 풀이한 것이다.

○ 啞啞釋亨.
'하하 함'은 '형통하다'에 대하여 풀이한 것이다.

이진상(李震相) 『역학관규(易學管窺)』

笑言啞啞.
웃고 말함이 하하 하리니,
初至四, 有頤象故矣, 言啞啞.
초효로부터 사효에 이르기까지 턱의 상이 있기 때문에 '하하 함'이라고 하였다.

○ 不喪匕鬯.
국자와 울창주를 떨어뜨리지 않는다.
註, 朱子說.
소주에서 주자가 말하였다.
苟非誠敬之至, 則震驚之際, 未必能不喪匕鬯. 祇此恐懼之心, 便是敬天之怒也. 又謂主器之事, 未必彖辭便有此意, 而匕鬯乃主器之事也. 本義亦曰, 不喪匕鬯, 以長子言, 此段恐非定論.
만약 진실로 지극한 정성스러운 공경함이 아니라면, 우레가 놀라게 하는 사이에 국자와 울창주를 반드시 떨어뜨리지 않을 수 있는 것은 아니다. 다만 이러한 두려워하는 마음이 곧 하늘의 노여움을 공경하는 것이다. 또 말하기를 "제기(祭器)를 주관하는 일이라는 뜻이 괘사에 반드시 있는 것은 아니다"[15]라고 하였지만, '국자'와 '울창주'란 곧 제기를 주관하는 일이다. 『본의』에서도 "'국자와 울창주를 떨어뜨리지 않는다'는 것은 맏아들을 두고 말한 것이다"라고 하였으나, 이러한 단락은 아마도 정론(定論)이 아닌 듯하다.

---

15) 이러한 내용은 『주자어류(朱子語類) · 역(易)』에 보인다.

震驚百里, 不喪匕鬯.

우레가 백 리를 놀라게 하는데도 국자와 울창주를 떨어뜨리지 않는다.

中國大全

傳

言震動之大, 而處之之道. 動之大者, 莫若雷. 震爲雷, 故以雷言. 雷之震動, 驚及百里之遠, 人无不懼而自失, 雷聲所及, 百里也. 唯宗廟祭祀, 執匕鬯者, 則不致於喪失. 人之致其誠敬, 莫如祭祀. 匕, 以載鼎實, 升之於俎, 鬯, 以灌地而降神. 方其酌祼以求神, 薦牲而祈享, 盡其誠敬之心, 則雖雷震之威, 不能使之懼而失守. 故臨大震懼, 能安而不自失者, 唯誠敬而已. 此處震之道也. 卦才无取, 故但言處震之道.

우레의 움직임이 클 때 대처하는 도리를 말하였다. 움직임이 큰 것은 우레보다 더한 것이 없다. '진(震)'은 우레가 되기 때문에 '우레'로 말하였다. 우레의 진동이 백 리에 이르는 먼 곳까지도 놀라게 하면, 누구나 두려워하여 스스로를 잃지 않음이 없으니 우레 소리가 미치는 곳은 백 리까지이다. 종묘제사에서 국자와 울창주를 맡은 사람만 넋을 놓는데 이르지 않는다. 사람이 정성과 공경을 다함에는 제사만한 것이 없다. '국자'로 솥에 든 것을 담아 도마[俎][16]에 올리고, '울창주'를 땅에 부어 신(神)이 강림하게 한다. 술을 부어 강신(降神)하여 신을 구하고 희생(犧牲)을 올려 흠향하시기를 빌어서 정성과 공경의 마음을 다하니, 비록 우레가 진동하는 위엄이라도 두려워하여 지키는 것을 놓치게 할 수 없다. 그러므로 큰 우레를 맞아 두려워하면서도 침착하여 자신을 잃지 않을 수 있도록 하는 것은 오직 정성과 공경을 하는 것일 뿐이다. 이것이 '진(震)'의 때에 대처하는 길이다. 괘의 재질은 취할만한 것이 없기 때문에 '진(震)'의 때에 대처하는 도리만 말하였다.

16) 도마[俎]: 국물없이 고기만 올리는 제기이다.

本義

震, 動也. 一陽, 始生於二陰之下, 震而動也. 其象爲雷, 其屬爲長子, 震有亨道. 震來, 當震之來時也. 虩虩, 恐懼驚顧之貌. 震驚百里, 以雷言. 匕, 所以擧鼎實, 鬯, 以秬黍酒和鬱金, 所以灌地降神者也. 不喪匕鬯, 以長子言也. 此卦之占, 爲能恐懼, 則致福, 而不失其所主之重.

'진(震)'은 움직임이다. 양 하나가 두 음의 아래에서 처음 생겨 진동하면서 움직인다. 그 상은 우레가 되고, 그에 속한 것은 맏아들이 되니, 진괘(震卦䷲)에는 형통한 도리가 있다. '우레가 옴'은 우레가 오는 때를 당함이다. '조마조마 함[虩虩]'은 두렵고 놀라 돌아보는 모습이다. '우레가 백 리를 놀라게 함[震驚百里]'은 우레가 침을 가지고 말한 것이다. '국자'는 솥에 든 것을 뜨는 것이고, '울창주'는 검은 기장으로 담근 술에 울금을 섞은 것으로, 땅에 부어 강신하는 것이다. '국자와 울창주를 떨어뜨리지 않는다'는 것은 맏아들을 두고 말한 것이다. 이 괘의 점사는 두려워 할 줄 알면 복을 불러 그 주관하고 있는 중요한 바를 잃지 않는다는 것이다.

小註

朱子曰, 言人常似那震來時, 虩虩地, 便能笑言啞啞, 到得震驚百里時, 也不喪匕鬯. 這箇相連, 做一串說下來.

주자가 말하였다: 사람은 늘 저 우레가 칠 때처럼 조마조마 하는 데에서 웃음과 말함이 하하 할 수 있으며, 우레가 백 리를 놀라게 하여도 또 국자와 울창주를 떨어뜨리지 않을 수 있음을 말한 것이다. 이 구절이 서로 이어지니 쭉 꿰어 말해야 한다.

○ 震, 未便說到誠敬處, 只是說臨大震懼而不失其常. 主器之事, 未必彖辭便有此意, 看來只是傳中方說.

진괘(震卦䷲)에서는 아직 정성[誠]과 공경[敬]이라는 측면에서는 말하지는 않았고, 다만 큰 우레를 맞아 두려워하면서도 그 항상 됨을 잃지 않음을 말하였을 뿐이다. 제기(祭器)를 주관하는 일은 반드시 괘사에 이러한 뜻이 있는 것은 아니고, 보아하니 단지 『정전』 중에서 비로소 말한 것이다.

○ 問, 伊川言, 臨大震懼, 能安而不自失, 唯誠敬而已. 處震之道, 固當如此, 若出於不測, 驚動莫不害事否. 曰, 若誠敬至, 自是不驚. 驚則自是有間斷.

물었다: 이천이 "큰 우레를 맞아 두려워하면서도 침착하여 자신을 잃지 않을 수 있도록 하는 것은 오직 정성[誠]과 공경[敬]뿐이다. '진(震)'에 대처하는 도리가 참으로 이와 같아야 한다"

고 하였습니다. 만약 예측하지 못한 데서 나오면 놀라서 움직여 일을 망치지 않음이 없지 않겠습니까?
답하였다: 정성과 공경이 지극하다면 자연히 놀라지 않을 것입니다. 놀란다면 자연히 끊어짐이 있을 것입니다.

○ 平庵項氏曰, 傳曰, 千里不同風, 百里不共雷, 震驚百里, 極雷鳴所及之遠也.
평암항씨가 말하였다: 전하는 말에[17]에 "천 리까지 같은 바람이 불지 않고, 백 리까지 같은 우레가 치지 않는다"고 하였으니, "우레가 백리를 놀라게 한다"란 우레 소리가 대단하여 아주 멀리까지 이르는 것이다.

○ 庸齋趙氏曰, 棘木爲匕, 取赤心之義. 長三尺, 刊柄與末. 祭祀之先, 烹牢於鑊, 實諸鼎, 而加冪焉, 將薦, 乃擧冪, 以匕出之, 升於俎上.
용재조씨가 말하였다: 멧대추나무로 국자를 만드니 참된 마음[赤心]이라는 뜻을 취한 것이다. 길이는 석 자이고, 자루와 끝을 깎는다. 제사에 앞서 제물을 가마에서 삶아 솥에 담고 덮개를 씌우는데 음식을 바치게 되면 덮개를 들추고 국자로 건져 도마[俎] 위에 올린다.

○ 縉雲馮氏曰, 震驚百里, 不喪匕鬯, 猶不失匕箸之意, 臨祭祀, 而匕鬯之薦, 无失節也.
진운풍씨가 말하였다: "우레가 백 리를 놀라게 함에도 국자와 울창주를 떨어뜨리지 않는다"란 국자나 젓가락을 놓치지 않는다는 뜻과 같으니, 제사에 임하여 국자와 울창주를 올릴 때에 절도를 잃음이 없다는 것이다.

○ 中溪張氏曰, 一陽反於二陰之下, 故曰, 震來虩虩者, 恐懼顧慮之貌. 蓋震來, 則恐懼顧慮, 而恐懼之後, 則笑言啞啞, 而和適自若也. 雷聲之發, 可以震驚百里, 言祭祀之時, 誠心純一, 雖當震懼之來, 而不喪匕鬯. 此主敬而不失其所守者也.
중계장씨가 말하였다: 양 하나가 두 음 아래에서 반발하므로 "우레가 옴에 조마조마 한다"고 한 것이니, 두려워하여 돌아보면서 염려하는 모습이다. 우레가 오면 두려워하여 돌아보면서 염려하고, 두려워한 뒤에는 웃음과 말함이 하하 하여 온화하고 알맞게 맞아 태연해 함이다. 우레 소리가 일어나면 백 리를 놀라게 할 수 있는데도, 제사를 지낼 때에 진실로 마음이 순수하고 한결같으면 비록 우레가 두렵게 함이 오더라도 국자와 울창주를 떨어뜨리지 않는다는 말이다. 이는 공경[敬]을 위주로 하여 그 지키는 바를 잃지 않는 것이다.

17) 왕충(王充)의 『논형(論衡)·뇌허(雷虛)』에 나오는 말이다.

○ 雲峯胡氏曰, 虩虩, 一陽方動而上, 爲二陰所蔽之象, 啞啞, 陰破而上達之象, 震驚百里, 以震爲雷取象, 不喪匕鬯, 以長子主器取象. 彖有一句言一事者, 萃, 是也, 有數句言一事者, 震艮, 是也. 此首言震亨, 謂震有亨之道. 又自以震來虩虩, 釋震字, 以笑言啞啞以下, 釋亨字. 蓋人心, 常如震來之時, 虩虩然恐懼, 憂於先, 必樂於後, 便自有致福之理, 雖震驚百里時, 亦不失其所主之重也.
운봉호씨가 말하였다: '조마조마함'은 양 하나가 이제 막 움직여 위로 올라가지만, 두 음에 의하여 가려지는 상이고, '하하 함'은 음이 깨져 위로 도달하는 상이며, "우레가 백 리를 놀라게 함"은 '진(震)'이 벼락이 되는 것에서 상을 취한 것이고, "국자와 울창주를 떨어뜨리지 않음"은 맏아들이 제기를 주관함에서 상을 취한 것이다. 괘사에서는 한 구절이 한 가지 일을 말하는 경우가 있으니 췌괘(萃卦䷬)가 이 경우고, 몇 구절이 한 가지 일을 말하는 경우도 있으니 진괘(震卦䷲)나 간괘(艮卦䷳)가 이 경우이다. 여기 첫머리에서 "진(震)은 형통하다[震亨]"고 한 것은 진괘(震卦䷲)에 형통한 도리가 있음을 말한 것이다. 또한 "우레가 옴에 조마조마함"에서 '진(震)'자를 풀이한 것이고, "웃고 말함이 하하 하리라" 다음부터는 '형(亨)'자를 풀이한 것이다. 사람마음이라는 것이 늘 우레가 올 때처럼 조마조마 두려워하여 먼저 근심하면 반드시 뒤에 즐거울 것이어서 저절로 복을 부르는 이치가 있으니, 비록 우레가 백 리를 놀라게 하는 때라고 해도 그 주관하고 있는 중요한 바를 잃지 않는다.

▌韓國大全▐

조호익(曺好益) 『역상설(易象說)』

百里, 震爲侯, 取侯國象. 匕, 坎木象, 鬯, 坎水象. 不喪, 坎在上艮在下, 艮爲手, 有執匕鬯之象.
'백 리'는 진괘(震卦☳)가 제후[侯]가 되므로 제후의 나라를 상으로 취하였다. 국자[匕]는 감괘(坎卦☵)인 나무의 상이고, 울창주는 감괘(坎卦☵)인 물의 상이다. 떨어뜨리지 않는 것은 감괘(坎卦☵)가 위에 있고 간괘(艮卦☶)가 아래에 있는데, 간괘(艮卦☶)는 손이 되므로 국자와 울창주를 잡는 상이 있기 때문이다.

송시열(宋時烈) 『역설(易說)』[18]

震者, 雷霆也. 震之方來去, 聲虩虩然, 又虩虩恐懼驚顧之. 來氏曰, 虩本壁名, 又曰,蠅虎名, 蓋善捕蠅, 驚躁震動之物云[19]. 重雷, 故疊字也. 震, 鳥喜笑象, 故曰笑言啞啞. 雷聲聞於百里震鳥, 長子主祭之匕鬯, 故曰不喪[20]匕鬯.
'진(震)'이란 격렬한 천둥과 번개이다. 우레가 막 오거나 지나갈 때에 천둥소리에 조마조마해 하고 또 조마조마해 하면서 두려워하고 놀라 돌아본다. 래씨가 말하기를 "'혁(虩)'은 본래 벽의 이름인데 또 깡충거미의 이름이라고도 하니, 아마도 파리를 잘 잡고 놀라 안절부절 못하며 흔들며 움직이는 동물인 듯하다"라고 하였다. 우레가 거듭되기 때문에 글자를 거듭하여 썼다. 진괘(震卦☳)는 새가 기뻐하며 웃는 상이기 때문에 "웃고 말함이 하하 한다"라고 하였다. 우레 소리가 백리가 되는 곳에 들려 새를 놀라게 하여도 맏아들[長子]은 제사에 쓰이는 국자와 울창주를 주관하기 때문에 "국자와 울창주를 떨어뜨리지 않는다"라고 하였다.

양응수(楊應秀) 「곤괘강의(坤卦講義)·역본의차의(易本義箚疑)」

(震) 震, 不喪匕鬯ᄒᆞᄂᆞ니라
(진괘(震卦☳)) 우레가 … 국자와 울창주를 떨어뜨리지 않느니라.
〈ᄒᆞᄂᆞ니라, 恐當改ᄒᆞ리라
'ᄒᆞᄂᆞ니라'는 아마도 마땅히 'ᄒᆞ리라'로 고쳐야 할 듯하다.
○ 喪티아니ᄒᆞ리라
떨어뜨리지 아니 하리라.〉

유정원(柳正源) 『역해참고(易解參攷)』

正義, 長子則正體於上, 將所傳重, 出則撫軍, 守則監國, 威震驚於百里, 可以奉承宗廟, 彝器粢盛, 守而不失也, 故曰震驚百里, 不喪匕鬯.
『주역정의』에서 말하였다: 맏아들은 선조에 대해서는 적통을 이어가는 적장자가 되어 장차 전하는 바가 막중하여, 나가서는 군사들을 위로하고 안에서 도성을 지킬 때에는 나라의 일을 감독하니, 위엄이 우레가 백 리를 놀라게 하는 것과 같아야 종묘를 받들어 잇고 종묘에 갖추어져 있는 빛나고 성대한 제기(祭器)를 지켜 잃지 않을 수 있기 때문에 "우레가 백 리를 놀라게 하는데도 국자와 울창주를 떨어뜨리지 않는다"고 하였다.

---

18) 경학자료집성DB에 누락되었으나 영인본을 참조하여 보완했다.
19) 『周易集註』: 虩本壁虎之名, 以其善于捕蠅, 故曰蠅虎, 因捕蠅, 常周環于壁間, 不自安寧而驚顧, 此用虩字之意.
20) 喪: 경학자료집성DB에 【송시열(宋時烈) 『역설(易說)』】의 여기에 해당하는 단락이 없으며, 영인본에 '表'로 되어 있으나, 문맥을 살펴 '喪'으로 바로 잡았다.

○ 林氏曰, 六爻二陽, 施震者也, 四陰, 遇震者也. 震來虩虩, 笑言啞啞, 初九是也, 言施震者也, 震驚百里, 不喪匕鬯, 六五是也, 言遇震者也.
임씨가 말하였다: 여섯 효 중에서 두 양은 우레를 치는 것이고, 네 음은 우레를 만나는 것이다. "우레가 옴에 조마조마 하면, 웃고 말함이 하하 하리라"는 초구가 이것이니 우레를 치는 것을 말하며, "우레가 백 리를 놀라게 하는데도 국자와 울창주를 떨어뜨리지 않는다"는 육오가 이것이니 우레를 만나는 것을 말한다.
○ 縉雲馮氏曰, 初至四有頤口, 亦爲笑, 口謂九四也.
진운풍씨가 말하였다: 초효로부터 사효에 이르기까지에는 턱과 입이 있으니 또한 웃음이 되고, 입은 구사를 말한다.

傳, 匕以載.
『정전』에서 말하였다: '국자'로 담아.
〈特牲, 卒載, 加匕于鼎, 註, 匕若今龍頭, 士喪禮, 註以匕出牲體載俎.
『의례(儀禮) · 특생궤사례(特牲饋食禮)』에서 "담는 일이 끝나면 국자를 솥에 넣는다" 하였는데, 이에 대하여 주(註)에서는 "'비(匕)'란 오늘날의 '용두(龍頭)와 같다"고 하였고, 『의례(儀禮) · 사상례(士喪禮)』의 주(註)에서는 "'비(匕)'로 희생(犧牲)의 몸체를 내어서 '도마[俎]'[21]에 담는다"고 하였다.〉
鬯, 以灌.
'울창주'를 땅에 부어.
〈郊特牲, 灌用鬯臭, 鬱合鬯, 臭陰達於淵泉.
『예기(禮記) · 교특생(郊特牲)』에서 말하였다: 울창주를 땅에 부어 향내가 나게 하고, 울금향이라는 풀의 즙을 울창주에 섞어 그 강한 향내가 음으로 땅 속 깊숙한 곳까지 이르게 하였다.〉

本義, 秬黍.
『본의』에서 말하였다: 검은 기장.
說文, 秬, 黑黍也, 一稃二米.
『설문』에서 말하였다: '거(秬)'는 검은 기장이니, 한 껍질에 두 톨의 알맹이가 있는 것이다.

김상악(金相岳) 『산천역설(山天易說)』

震之爲卦, 陽生於下, 動而上, 乃其亨也. 虩虩, 驚懼貌, 啞啞, 和適貌, 能於震來之時

21) 도마[俎]: 국물없이 고기만 올리는 제기이다.

恐懼自省, 則震過之後笑言自若, 所以亨也. 震驚百里, 不喪匕鬯者, 惟誠敬所在, 不失其所主之重也.
괘는 양이 아래에서 생겨나 움직여 위로 가니, 이는 그 '형통함'이다. '조마조마 함'은 놀라고 두려운 모습이고 '하하 함'은 온화하고 즐거운 모습이니, 우레가 올 때에 두려워하여 스스로를 살펴 볼 수 있다면 우레가 지나간 후에 웃고 말함이 태연하게 되므로, 형통하게 된다. "우레가 백 리를 놀라게 하는데도 국자와 울창주를 떨어뜨리지 않는다"란 오직 정성[誠]과 공경[敬]이 있는 곳이라야 그 주관하고 있는 중요한 바를 잃지 않게 된다.

○ 震來虩虩, 當震而懼也, 笑言啞啞, 後震而亨也. 初四互離, 笑言離象, 故啞亦從口, 如家人九三之嗃嘻. 蓋上下皆震, 故卦辭與初九曰, 虩虩啞啞, 三曰蘇蘇, 上曰索索矍矍, 皆重二字. 震驚百里, 雷聲所及也, 不喪匕鬯, 長子之主祭也. 匕以棘爲之, 詩云, 有捄棘匕, 是也. 用棘者, 取其赤心之義也. 中爻坎爲棘, 爲赤, 於木爲堅多心, 故取象之. 鬯香酒, 詩傳鬯是香草. 震之蕃, 伏巽爲臭, 草之有臭, 鬯之象. 記云, 祼用鬯臭, 是也.
"우레가 옴에 조마조마 하다"란 우레를 맞아 두려워하는 것이고, "웃고 말함이 하하 하리라"는 우레가 지나간 후에 형통하다는 것이다. 초효에서 사효까지의 호괘는 큰 리괘(離卦☲)이고, '웃고 말함'이란 리괘(離卦☲)의 상이다. 그렇기 때문에 '아(啞)'도 '구(口)'를 부수로 하였으니, 가인괘(家人卦䷤) 구삼에서 '원망하다[嗃嘻]'라고 한 것과 같다. 상괘와 하괘가 모두 진괘(震卦☳)이기 때문에 괘사와 초구에서는 '조마조마 함[虩虩]'과 '하하 함[啞啞]'을 말하였고, 삼효에서는 '비실비실 함[蘇蘇]'을 말하였고, 상효에서는 '시들시들함[索索]'과 '두리번두리번 함[矍矍]'을 말하였으니, 모두 두 글자를 거듭하였다. "우레가 백 리를 놀라게 한다"란 우레 소리가 미치는 곳이며, "국자와 울창주를 떨어뜨리지 않는다"란 맏아들이 제사를 주관함이다. '국자[匕]'는 가시나무로 만드니, 『시경』에서 "굽은 가시나무 국자로다"[22]라고 한 것이 이것이다. 가시나무를 쓰는 것은 정성스럽고 진실한 마음[赤心]이라는 뜻을 취한 것이다. 가운데 효인 감괘(坎卦☵)는 가시나무가 되니 진실함[赤]이 되고, 나무에서는 단단하고 심이 많음이 되기 때문에 취하여 상징하였다[23]. 울창주[鬯]는 향내가 나는 술이니, 『시경집전(詩經集傳)』에서 말하는 '창(鬯)'이 향내가 나는 풀이다. 진괘(震卦☳)는 번창함이 되고 숨어 있는 괘인 손괘(巽卦☴)는 냄새가 되니, 풀 중에서 향기 있는 것이 '창(鬯)'의 상이다. 『예기(禮記) · 교특생(郊特牲)』에서 강신(降神)을 할 때에 울창주를 사용 한다[24]고 한 것이 이것이다.

---

22) 『詩經 · 大東』: 有饛簋飧, 有捄棘匕. 周道如砥, 其直如矢. 君子所履, 小人所視. 睠言顧之, 潸焉出涕.
23) 『周易 · 說卦傳』: 坎, … 其於人也, 爲加憂, 爲心病, 爲耳痛, 爲血卦, 爲赤. 其於馬也, 爲美脊, 爲亟心, 爲下首, 爲薄蹄, 爲曳. 其於輿也, 爲多眚, 爲通, 爲月, 爲盜. 其於木也, 爲堅多心.
24) 『禮記 · 郊特牲』: 周人尙臭, 灌用鬯臭, 鬱合鬯, 臭陰達於淵泉.

서유신(徐有臣) 『역의의언(易義擬言)』

先天一索得震, 後天帝出乎震, 所以必亨也. 曷不曰元亨. 有驚動恐懼之象, 故不得當元亨也. 虩虩, 驚懼貌, 雷虩虩, 人亦虩虩也. 震來虩虩, 初震也, 震驚百里, 重震也. 笑言啞啞, 和暢而不忘戒懼之象, 以初九言也. 不喪匕鬯, 恐懼而不失威儀之象, 以六五言也. 鬯謂盛鬯之瓚也. 卦有匕鬯之象, 三畫似匕, 六畫似鬯也. 中有艮, 手執之, 故不喪也. 不喪匕鬯, 亦自虩虩中得來也.

선천(先天)에서 첫 번째로 구하여 진괘(震卦☳)를 얻고, 후천(後天)에서 제(帝)가 진괘(震卦☳)에서 나오니[25], 형통하게 되는 까닭이다. 어째서 "크게 형통하다[元亨]"고 하지 않았는가? 놀라서 움찔하고 두려워하는 상이 있기 때문에 "크게 형통하다"는 것에 해당될 수가 없다. '조마조마 함'은 놀라고 두려워하는 모양이니, 우레에 조마조마함은 사람이 또한 조마조마해 하는 것이다. "우레가 옴에 조마조마 함"은 처음 우레가 치는 경우이고, "우레가 백리를 놀라게 함"은 거듭 우레가 치는 경우이다. "웃고 말함이 하하 하리라"란 온화하고 맑으면서도 경계하고 두려워함을 잊지 않는 상이니 초구를 말하고, "국자와 울창주를 떨어뜨리지 않는다"란 두려워하면서도 위의(威儀)를 잃지 않는 상이니 육오를 말한다. '창(鬯)'은 울창주를 가득 채운 잔을 말한다. 괘에는 '국자'와 '울창주'의 상이 있으니, 삼획괘로 보면 '국자'와 비슷하고 육획괘로 보면 '울창주'가 가득한 잔과 비슷하다. 괘 가운데에는 간괘(艮卦☶)가 있어서 손으로 잡기 때문에 잃지 않는다. "국자와 울창주 잔을 떨어뜨리지 않는다"는 것도 또한 '조마조마 함'으로부터 얻을 수 있다.

박제가(朴齊家) 『주역(周易)』

震來, 虩虩.
우레가 옴에 조마조마 하면.

傳, 顧慮不安之貌.
『정전』에서 말하였다: 돌아보면서 염려하며 불안해하는 모습이다.

本義, 恐懼驚顧之貌.
『본의』에서 말하였다: 두렵고 놀라 돌아보는 모습이다.

案, 此卦惟震亨之震含數義. 自震來以下[26]六爻, 皆以雷言者. 此云虩虩, 當爲雷象, 言

---

25) 『周易·說卦傳』: 帝出乎震, 齊乎巽, 相見乎離, 致役乎坤, 說言乎兌, 戰乎乾, 勞乎坎, 成言乎艮.

其威光閃鑠, 周環不定, 如蠅虎之狀也. 笑言啞啞, 乃處震不動之義. 象傳恐致福也, 謂恐懼則致福, 非釋虩虩爲恐也. 爻辭加一後字, 所以明啞啞者, 非虩虩之時. 若先以虩虩爲恐 則啞啞者意疊. 朱子曰, 震, 未便說到誠敬處, 只是說臨大震懼而不失其常. 主器之事, 未必彖辭便有此意, 看來只是傳中方說. 此是通展彖辭說得甚好. 若縮到虩虩啞啞兩句, 亦有此義. 虩虩時未便說到恐懼, 至傳中方添戒語, 而後儒遂以戒語屬上句而然也.

내가 살펴보았다: 이 괘는 오직 "진(震)은 형통하다"에서의 '진(震)'에 몇 가지 뜻을 담고 있다. 여기서 "우레가 옴"이라고 한 후로부터 이하의 여섯 효에서는 모두 '진(震)'을 우레로 말한 것이다. 여기서 말하는 '조마조마 함[虩虩]'도 마땅히 우레의 상이 되니, 그 위엄과 빛이 번득이면서 나타남이 이리저리 돌아다니며 일정하지 않아 마치 깡충거미[蠅虎]의 모습과 같음을 말한다. "웃고 말함이 하하 하리라"는 우레가 치지 않는 곳에 있다는 뜻이다. 「단전」에서 말한 "두려워함으로써 복을 부름이다"는 두려워한다면 복을 부른다는 말이지 '조마조마 함'이 두려움이 된다고 풀이한 것이 아니다. 초구 효사에서 '뒤에[後]'라는 한 글자를 더한 것은 '하하 함'이 우레가 여기저기서 돌아가며 치는[虩虩] 때가 아님을 밝힌 것이다. 만약 먼저 '혁혁(虩虩)'을 두려움으로 여긴다면, '하하 함'도 뜻이 중첩된다. 주자는 『주자어류(朱子語類)』에서 말하기를 "진괘(震卦䷲)에서는 아직 곧바로 정성[誠]과 공경[敬]이라는 측면에서 말하지 않고, 다만 큰 우레를 맞아 두려워하면서도 그 항상 됨을 잃지 않음을 말한 것이다. 제기(祭器)를 주관하는 일은 반드시 괘사에 이러한 뜻이 있는 것은 아니고, 보아하니 단지 『정전』 중에서 비로소 말한 것이다"라고 하였다. 이는 괘사를 뜻이 통하게 잘 펼쳐 말한 것이니 매우 좋다. 만약 '조마조마 함'과 '하하 함'이라는 두 구절로 줄여서 본다고 하더라도, 또한 이러한 뜻이 있다. '혁혁(虩虩)'하는 때에는 아직 두려워함을 말하지 않았으나, 『정전』 중에서 비로소 경계의 말을 더하게 되어 이후의 유학자들이 마침내 경계의 말로써 윗 구절을 이으면서 그렇게 되었다.

윤행임(尹行恁) 『신호수필(薪湖隨筆) · 역(易)』

漢昭烈與曹操語, 佯驚喪匕, 而承漢之祧, 似此相反處相合. 眞朱子所謂占者, 如是也.

한(漢)나라 소열(昭烈)과 조조(曹操)의 고사(古事)에는 거짓으로 놀라는 체 하면서 국자를 잃었는데도 한나라의 조묘(祧廟)를 이었다고 하였으니, 이는 서로 상반되는 곳에서 서로 부합하는 듯하다. 진실로 주자가 이른바 점(占)이란 이와 같다는 것이다.

---

26) 下: 경학자료집성DB와 영인본에 모두 '不'로 되어 있으나, 문맥을 살펴 '下'로 바로 잡았다.

하우현(河友賢)『역의의(易疑義)』

或問, 卦辭, 本義不喪匕[27]鬯, 以長子言也, 至彖辭以爲祭主之下, 朱子又曰, 卦辭文王語已是解震亨了, 孔子又自說長子事, 何也. 曰, 震之象爲雷, 其屬爲長子, 主器取象. 然文王只是將震來虩虩震驚百里兩節語, 釋震亨之義, 後來到得彖辭出可以守宗廟社稷一節, 方是孔子說長子事, 分明.

어떤 이가 물었다: 괘사 아래에서 『본의』는 "'국자와 울창주를 떨어뜨리지 않는다'는 것은 맏아들을 두고 말한 것이다"라고 하였고, 「단전」의 "제주가 될 것이다"라고 한 데에서는 주자가 또 "괘사에서 문왕의 말은 이미 '진(震)은 형통하다'라고 풀이하고 있는데도, 공자가 스스로 맏아들의 일이라고 말하였다"고 하였으니, 어째서입니까?

답하였다: 진괘(震卦☳)의 상은 우레가 되고, 맏아들이 거기에 속하며, 제기를 주관하는 것은 상에서 취하였습니다. 그런데 문왕은 단지 "우레가 옴에 조마조마 하다"와 "우레가 백리를 놀라게 하다"라는 두 구절의 말을 가지고 "진(震)은 형통하다"의 뜻을 풀이하였는데, 후대에 「단전」에서 "나감에 종묘와 사직을 지킬 수 있다"라는 한 구절을 드러내었으니, 곧 공자가 맏아들의 일로 말한 것이 분명합니다.

이지연(李止淵)『주역차의(周易箚疑)』

此所謂生於憂患也. 書曰, 祇載見瞽叟, 夔夔齋栗, 瞽叟亦允若, 此非震來虩虩笑言啞啞者乎. 湯之拘於夏臺, 文王之囚於羑里, 此非震來之時乎. 湯文能以虩虩之道, 恐懼修省, 故終得笑言之啞啞. 啞啞者, 非嘻嘻嗃嗃之謂也, 卽載色載笑, 匪怒伊教之意也. 有則, 如有物有則之則, 猶言踐形也.

이것은 이른바 "사람은 우환에서 산다"[28]라는 것이다. 『서경』에서 "공경스럽게 일을 하고 고수(瞽瞍)를 뵐 때에 엄숙하게 공경하고 두려워하니, 고수도 또한 믿고 따랐다"[29]라고 하였으니, 이것이 "우레가 옴에 조마조마 하면, 웃고 말함이 하하 하리라"는 것이 아니겠는가? 탕(湯)왕은 하대(夏臺)에 구속되었고, 문왕(文王)은 유리(羑里)에 갇혔으니, 이것이 "우레가 오는" 때가 아니겠는가? 탕왕과 문왕은 조마조마 하는 도로써 두려워하면서 닦고 살필 수 있었기 때문에 끝내 "웃고 말함이 하하 함"을 얻었다. '하하 함'이란 희희덕거림과 원망함[30]을 말하는 것이 아니라, 곧 "얼굴빛을 환하게 하고 웃으시니, 화를 내심이 아니라 가르

27) 匕: 경학자료집성DB와 영인본에 모두 '七'로 되어 있으나, 문맥을 살펴 '匕'로 바로 잡았다.

28)『孟子 · 告子』: 入則無法家拂士, 出則無敵國外患者, 國恒亡. 然後, 知生於憂患而死於安樂也.

29) 이러한 내용은『서경(書經) · 대우모(大禹謨)』에 나온다.

30)『周易 · 家人卦』: 九三, 家人嗃嗃, 悔厲吉, 婦子嘻嘻, 終吝.

치심이다”[31]라는 뜻이다. “법칙이 있다[有則]” 할 때의 ‘법칙[則]’은 “사물이 있음에 법칙이 있다”[32]라고 할 때의 ‘법칙[則]’이니, “형색(形色)을 실천한다”[33]라는 말과 같다.

김기례(金箕澧) 「역요선의강목(易要選義綱目)」

震驚百里.
우레가 백 리를 놀라게 하는데도.
雷鳴遠驚之意.
우레의 소리는 멀리까지 놀라게 한다는 뜻이다.

不喪匕鬯.
국자와 울창주를 떨어뜨리지 않는다.
長子主器, 則主祭, 祭則致敬, 敬則雖恐懼, 不失匕鬯[34]之薦. 匕以擧鼎, 鬯以降神.
맏아들이 제기를 주관함은 제사를 주재함이고, 제사는 공경함을 지극히 하며, 공경하면 비록 두렵더라도 국자와 젓가락을 움직이는 잘못을 저지르지 않는다. ‘국자’로 솥에서 들어내는 것이고, ‘울창주’로 강신(降神)하는 것이다.

이항로(李恒老) 「주역전의동이석의(周易傳義同異釋義)」

傳, 臨大震懼, 能安而不自失者, 唯誠敬而已.
『정전』에서 말하였다: 큰 우레를 맞아 두려워하면서도 침착하여 자신을 잃지 않을 수 있도록 하는 것은 오직 정성과 공경뿐이다.

本義, 不喪匕[35]鬯, 以長子言也.
『본의』에서 말하였다: “국자와 울창주를 떨어뜨리지 않는다”는 것은 맏아들을 두고 말한 것이다.

按, 孔子釋不喪匕[36]鬯之義, 只曰出可以守[37]宗廟社稷, 以爲祭主也. 觀此則本義之釋

31) 『詩經 · 泮水』: 思樂泮水, 薄采其藻. 魯侯戾止, 其馬蹻蹻. 其馬蹻蹻, 其音昭昭. 載色載笑, 匪怒伊教.
32) 『詩經 · 烝民』: 天生烝民, 有物有則. 民之秉彝, 好是懿德. 天監有周, 昭假于下, 保玆天子, 生仲山甫.
33) 『孟子 · 盡心』: 孟子曰 形色天性也 惟聖人然後 可以踐形
34) 鬯: 경학자료집성DB와 영인본에 모두 ‘著’로 되어 있으나, 문맥을 살펴 ‘鬯’으로 바로 잡았다.
35) 匕: 경학자료집성DB와 영인본에 모두 ‘七’로 되어 있으나, 문맥을 살펴 ‘匕’로 바로 잡았다.
36) 匕: 경학자료집성DB와 영인본에 모두 ‘七’로 되어 있으나, 문맥을 살펴 ‘匕’로 바로 잡았다.

以長子義, 益分曉, 程傳亦云用長子之義.
내가 살펴보았다: 공자는 "국자와 울창주를 떨어뜨리지 않는다"라는 뜻을 풀이하면서 단지 "나감에 종묘와 사직을 지킬 수 있어 제주가 될 것이다"라고만 하였다. 이것을 본다면 『본의』가 맏아들이라는 뜻으로 풀이한 것이 더욱 분명해 보이며, 『정전』도 맏아들이라는 뜻으로 말하였다.

심대윤(沈大允) 『주역상의점법(周易象義占法)』

凡物生而後能動, 動而後能長. 雷主動物而有長養之功, 故行令. 於憂有威力, 則可大, 故曰亨. 虩虩, 恐懼震動之貌. 雷之震動而能長物, 上能震動天下而臣民賴以養育, 上无威震則紀綱不立, 强弱相殘, 天下何以得其安養乎. 故曰笑言啞啞. 啞啞, 笑聲, 言能以威怒而安民也. 對卦有離, 兌爲笑, 艮爲言. 傳曰, 千里不同風, 百里不共雷震, 震驚百里者, 言聲威之極而有限也. 夫威力有限, 未若敎化之及於遠也. 離艮爲二五, 二五爲十, 坎爲一, 一乘十爲百, 震爲里. 匕棘, 匕載鼎實, 而升于俎. 鬯, 秬黍爲酒而和欝金, 酌以灌地而降神. 匕鬯乃奉肉與酒, 而敬將者也. 兌爲喪, 震剛承 離有匕載肉象, 以震承坎, 有勺酒象, 震爲長子主祭之義, 而坎爲鬼神, 艮爲神廟, 故以匕鬯言也, 言威怒震驚之有節, 不失臣下之敬奉也. 若專事威猛而不知限節, 則下將叛逆矣, 何威力之有哉.
사물은 생겨난 후에 움직일 수 있고, 움직인 후에 자랄 수 있다. 우레는 사물을 움직이게 하는 데에 주인이 되어 자라게 하고 기르는 공이 있기 때문에 명령을 내리는 것이다. 걱정하는 데에서 위엄스러운 힘이 있다면 크게 될 수 있으므로, '형통하다'고 하였다. '조마조마 함'은 두려워하고 떨면서 움직이는 모양이다. 우레가 떨쳐 움직이면서 사물을 자랄 수 있게 함은 위에서 천하를 진동시킬 수 있어서 백성들과 신하들은 이에 의지하여 길러질 수 있지만, 위에서 위엄이 없다면 기강(紀綱)이 서지 않아 강하고 약한 사람들이 서로를 해칠 것이니 천하가 어찌 안정되게 길러질 수 있겠는가? 그러므로 "웃고 말함이 하하 하리라"라고 하였다. '하하 함'은 웃는 소리이니, 위엄을 가지고 노여워하여 백성들을 안정시킬 수 있음을 말한다. 음과 양이 바뀐 괘[對卦]에는 리괘(離卦☲)가 있고, 태괘(兌卦☱)는 웃음이 되며, 간괘(艮卦☶)는 말이 된다. 전하는 말에 "천 리까지 같은 바람은 불지 않고, 백 리까지 같은 우레가 치지 않는다"[38]라고 했는데, 우레가 백리를 놀라게 한다는 것은 소리의 위엄이 지극하지만 한계가 있음을 말한다. 위력에 한계가 있음은 교화(敎化)가 먼 곳에 미치는 것만

37) 守: 경학자료집성DB에 '字'로 되어 있으나, 경학자료집성 영인본을 참조하여 '守'로 바로 잡았다.
38) 이러한 내용은 『논형(論衡)·진허(震虛)』에 보인다.

못하다. 리괘(離卦☲)와 간괘(艮卦☶)는 이와 오가 되는데 이와 오를 곱하면 십이 되고, 감괘(坎卦☵)는 일이 되는데 십을 한 번 제곱하면 백이 되고, 진(震)은 '리(里)'가 된다. '국자[匕]'는 가시나무로 만드니, 국자는 솥에 있는 물건을 실어다가 그릇에 올리는 것이다. '울창주'는 검은 기장으로 술을 만들고 울금주를 조화롭게 섞어, 땅에 부어 강신(降神)하는 것이다. '국자'와 '울창주'는 제사를 지낼 때에 고기와 술을 올려 공경하게 받드는 것이다. 태괘(兌卦☱)는 잃음이 되고, 진괘(震卦☳)는 굳센 양이 리괘(離卦☲)를 받드니 국자로 고기를 담는 상이 있으며 진괘(震卦☳)로 감괘(坎卦☵)를 받드니 술을 잔에 따르는 상이 있으므로 진괘(震卦☳)에는 맏아들이 제사를 주관하는 뜻이 있고, 감괘(坎卦☵)는 귀신이 되며 간괘(艮卦☶)는 조상의 신주를 모시는 사당이 되기 때문에 '국자'와 '울창주'로 말하였으니, 위엄이 있는 노여움과 떨쳐 놀라게 함에는 한계가 있어도 신하는 공경히 받듦을 잃지 않음을 말한다. 만약 오로지 위엄과 사나움만을 일삼고 절제를 알지 못한다면 아래에서는 장차 반역할 것이니, 어찌 위엄이 있는 힘이 있겠는가?

오치기(吳致箕) 「주역경전증해(周易經傳增解)」

震, 動也. 一陽生於二陰之下, 爲奮發之象, 洊雷動於上下, 爲大震之象也. 下震上震, 陽氣畢達, 故言亨. 震來而虩虩者, 驚懼存心而不安也. 震去而啞啞者, 笑言有則而不失也. 震驚百里之內, 而遠近恐懼者, 畏天之威也. 時値雷震而不喪手執之匕鬯者, 誠敬之專一也.

진(震)은 움직임이다. 하나의 양이 두 음 아래에 생겨났으니, 분발하는 상이 된다. 거듭 된 우레가 위와 아래에서 움직이니, 크게 우레가 치는 상이 된다. 하괘인 진괘(震卦☳)와 상괘인 진괘(震卦☳)는 양기(陽氣)가 마침내 이를 것이기 때문에 '형통하다'고 하였다. 우레가 와서 조마조마 한다는 것은 놀라고 두려워하면서 마음을 보존하여 불안해하는 것이다. 우레가 떠나가고 '하하 함'이란 웃고 말할 때에 법칙이 있어 잃지 않는다는 것이다. 우레가 백리 안을 놀라게 하여 멀리 있는 사람이나 가까이 있는 사람이 두려워하는 것은 하늘의 위엄을 두려워하는 것이다. 천둥치고 우레가 치는 때를 만나 손으로 국자와 울창주를 잡아 떨어뜨리지 않는 것은 진실로 공경하기를 오로지 집중하는 것이다.

○ 蠅虎, 蟲, 曰虩, 而其爲物, 常周環于壁間, 驚顧不自安, 故取以喩恐懼之貌也. 雷不過聞百里, 故言百里也. 匕所以擧鼎實者, 而鬯者以秬黍酒, 和鬱金, 灌地降神者也. 震爲長子, 故以主祭之長子取象, 而言匕鬯也. 一陽生而未及得中, 故不言大亨, 上震失位, 故不言貞.

'깡충거미[蠅虎]'는 벌레로 조마조마 함을 말하니, 그 성질이 항상 벽 사이를 이리저리 돌아

다니면서 놀라서 돌아보고 스스로 편안하지 않기 때문에 이를 취하여 두려워하는 모습을 비유하였다. 우레는 소리가 들림이 백 리를 넘어서지 않기 때문에 '백 리'라고 하였다. '국자'는 솥 안에 있는 물건을 드는 것이고 '울창주'는 검은 기장으로 만든 술로 울금주와 조화롭게 섞어 땅에 부어 강신(降神)하는 것이다. 진괘(震卦☳)는 맏아들이 되기 때문에 제사를 주재하는 맏아들로써 상을 취하여 '국자'와 '울창주'를 말하였다. 하나의 양이 생겨났지만 알맞음을 얻는 데에는 미치지 못하기 때문에 '크게 형통하다'고 말하지 않았으며, 위로는 진괘(震卦☳)가 제자리를 잃었기 때문에 '곧다'고 말하지 않았다.

박문호(朴文鎬) 「경설(經說)・주역(周易)」

蠅虎.[39]
깡총거미.

按[40], 古今註蠅虎, 蠅狐也. 形似蜘蛛, 而色灰白, 善捕蠅, 一名蠅蝗, 一名蠅豹, 今不可知是何物也.
내가 살펴보았다: 옛 주석이나 오늘날의 주석이나 '승호(蠅虎)'를 '깡총거미[蠅狐]'라고 하였다. 형태는 거미와 유사하고 회백색이며 파리를 잘 잡아, 일명 '승황(蠅蝗)'이라고 하며 또 '승표(蠅豹)'라고도 하는데, 이제 어떠한 것이 되는지 알 수가 없다.

震驚, 本非可願之事, 故云卦才无取.
"우레가 놀라게 함"이란 본래 바랄만 한 일이 아니기 때문에 "괘의 재질은 취할만한 것이 없다"[41]고 하였다.

이정규(李正奎) 「독역기(讀易記)」

震之卦辭曰, 震來虩虩, 笑言啞啞, 初九亦曰, 震來虩虩, 笑言啞啞, 卦不過一爻之義, 爻全得一卦之象, 與他卦不同. 或者卦之得名以初爻故歟. 然處震之道, 蔽一言, 誠敬而已, 故卦辭又曰, 震驚百里, 不失匕鬯, 大象曰, 恐懼修省, 六[42]五小象曰, 其事在中, 其事者, 誠敬而恐懼也.

---

39) 『周易傳義大全・震卦・程傳』: 蠅虎, 謂之虩者, 以其周環顧慮, 不自寧也.
40) 按: 경학자료집성DB에 '接'으로 되어 있으나, 경학자료집성 영인본을 참조하여 '按'으로 바로 잡았다.
41) 『周易傳義大全・震卦・程傳』: 卦才无取, 故但言處震之道.
42) 六: 경학자료집성DB와 영인본에 모두 '九'로 되어 있으나, 문맥을 살펴 '六'으로 바로 잡았다.

진괘(震卦䷲)의 괘사에서 "우레가 옴에 조마조마 하면, 웃고 말함이 하하 하리라"라고 하였고, 초효에서도 역시 "우레가 옴에 조마조마 하면, 웃고 말함이 하하 하리라"라고 하여, 괘사는 한 효의 뜻에 지나지 않고 효사는 한 괘의 상을 온전하게 얻었으니, 다른 괘와는 같지 않다. 어떤 사람은 괘가 초효를 가지고서 이름을 얻었기 때문인가라고 하였다. 그러나 진괘(震卦䷲)에 처하는 도는 한 마디 말로 하면, 정성스럽게 공경함일 뿐이기 때문에 괘사에서도 "우레가 백 리를 놀라게 함에도 국자와 울창주를 떨어뜨리지 않는다"고 하였고, 「대상전」에서는 "두려워하여 닦으며 살핀다"라고 하였으며, 육오 「소상전」에서는 "그 일이 속에 있다"고 하였으니, 그 일이란 정성스럽게 하고 공경하면서 두려워하는 것이다.

이병헌(李炳憲) 『역경금문고통론(易經今文考通論)』

虩, 愬, 荀作愬愬.

'조마조마 함[虩]'은 업신여김이니, 순상(荀爽)은 '두려워하고 조심함'이라고 하였다.

彖曰, 震, 亨,

「단전」에서 말하였다: 진(震)은 형통하니,

中國大全

本義

震有亨道, 不待言也.

'진(震)'에 형통한 도리가 있음은 굳이 말할 것도 없다.

震來虩虩, 恐致福也, 笑言啞啞, 後有則也.

"우레가 옴에 조마조마함"은 두려워함으로써 복을 부르는 것이고, "웃고 말함이 하하 함"은 그런 뒤에야 법칙이 있는 것이다.

中國大全

傳

震, 自有亨之義, 非由卦才, 震來而能恐懼, 自修自愼, 則可反致福, 吉也. 笑言啞啞, 言自若也, 由能恐懼而後, 自處有法則也. 有則, 則安而不懼矣, 處震之道也.

'진(震)' 자체에 형통의 뜻이 있으니, 괘의 재질에서 말미암은 것이 아니라 우레가 옴에 두려워할 줄 알아 스스로 닦고 스스로 삼가면 도리어 복을 부를 수 있어서 길하다. "웃고 말함이 하하 한다"는 것은 태연함을 말하는 것이니 두려워할 수 있음으로 말미암은 뒤에야 스스로 대처함에 법칙이 있다는 것이다. '법칙이 있으면' 안정되어 두려워하지 않을 것이니, '진(震)'에 대처하는 도리이다.

本義

恐致福, 恐懼以致福也, 則, 法也.

'공치복(恐致福)'은 두려워함으로써 복을 부름이고, '칙(則)'은 법칙이다.

小註

董氏曰, 致福云者, 見君子常以危爲安也, 有則云者, 見君子不以忽忘敬也.

동씨가 말하였다: "복을 부른다"고 한 것은 군자가 늘 위태로움으로써 안정을 이룸을 보인 것이고, '법칙이 있다'고 한 것은 군자가 잠시도 공경함을 잊은 적이 없음을 보인 것이다.

○ 西溪李氏曰, 有則, 謂君子所履出處語默, 皆有常則, 不以恐懼而變也.
서계이씨가 말하였다: '법칙이 있음'은 군자가 행하는 바 '나아가고 거처함', '말하고 침묵함에 모두 일정한 법칙이 있어서 두려워하여 변치 않음을 말한다.

‖韓國大全‖

양응수(楊應秀) 「곤괘강의(坤卦講義)·역본의차의(易本義箚疑)」

彖曰, 震은 亨ᄒᆞ니.
「단전」에서 말하였다: 우레가 형통하니,
〈震下亨下, 恐皆不當懸吐.
'진(震)'과 '형(亨)' 다음에는 아마도 모두 현토하는 것이 마땅하지 않은 듯하다.〉

後有則也ㅣ라
그런 뒤에야 법칙이 있다.
〈ㅣ라, 恐當改ㅣ오.
'ㅣ라'는 아마도 'ㅣ오'로 마땅히 고쳐야 할 듯하다.〉

○ 彖애 ᄀᆞᆯ오ᄃᆡ, 震亨, 震來虩虩은,
「단전」에서 말하기를 "우레가 형통하니, '우레가 옴에 조마조마함'은",

○ 笑言啞啞은 後예 이 則이 잇심이오.
"웃고 말함이 하하 한다"는 것은 그런 뒤에야 법칙이 있음이오.

驚遠而懼邇也ㅣ니,
멀리 있는 자를 놀라게 하고 가까이 있는 자를 두렵게 함이니,
〈ㅣ니, 恐當改ㅣ오.
'ㅣ니'는 아마도 마땅히 'ㅣ오'로 고쳐야 할 듯하다.
○ 懼ᄒᆞ욤이오.

두렵게 함이오.〉

以爲祭主也ㅣ리라
제주가 될 것이다.
〈ㅣ리라, 恐當改ㅣ라.
'ㅣ리라'는 아마도 마땅히 'ㅣ라'로 고쳐야 할 듯하다.
○ 主ㅣ되욤이라.
주(主)가 된다.〉

서유신(徐有臣) 『역의의언(易義擬言)』

初震而恐懼, 故致福而有則也. 震之爲亨, 由於此也.
처음 우레가 쳤을 때에 두려워하였기 때문에 복을 부르니, 법칙이 있는 것이다. '진(震)'이 형통하게 됨은 여기에서 비롯된다.

심대윤(沈大允) 『주역상의점법(周易象義占法)』

彖曰, 震, 亨, 震來虩虩, 恐致福也, 笑言啞啞, 後有則也.
「단전」에서 말하였다: 우레가 형통하니, 우레가 옴에 조마조마함'은 두려워함으로써 복을 부름이고, '웃고 말함이 하하 한다'는 것은 그런 뒤에야 법칙이 있음이다.

恐致福, 言震恐而致福也, 有所恐懼而自戢小人之福也. 上之有威怒以安民也, 非殘民也. 民賴其紀綱法則, 以安樂也.
"두려워함으로써 복을 부름"은 떨면서 두려워하여 복을 부른다는 말이니, 두려워하여 스스로 소인을 단속하는 복이 있다. 윗사람에게는 위엄을 가지고 노여워하여 백성들을 편안하게 함이 있음은 백성들을 해치는 것이 아니다. 백성들이 기강과 법칙을 의지하여 편안해지고 즐거워진다.

震驚百里, 驚遠而懼邇也,

"우레가 백 리를 놀라게 함"은 멀리 있는 자를 놀라게 하고 가까이 있는 자를 두렵게 함이니,

中國大全

傳

雷之震, 及於百里, 遠者驚, 邇者懼, 言其威遠大也.

우레의 진동이 백 리에 미쳐서 멀리 있는 자는 놀라고 가까이 있는 자는 두려워하니, 그 위엄이 멀고 큼을 말한다.

小註

建安丘氏曰, 驚者, 卒然遇之, 而動乎外, 懼者, 惕然畏之, 而變于中也. 驚遠懼邇, 甚言雷威之可畏也.

건안구씨가 말하였다: 놀라는 것은 갑작스레 마주쳐 밖으로 동요하는 것이고, 두려워하는 것은 서늘하니 두려워하여 속으로 변하는 것이다. 멀리 있는 자를 놀라게 하고 가까이 있는 자를 두렵게 함은 우레의 위엄이 두려워할만함을 강하게 말한 것이다.

韓國大全

유정원(柳正源) 『역해참고(易解參攷)』[43]

驚遠[至]邇也

멀리 있는 자를 놀라게 하고 가까이 있는 자를 두렵게 함이니,
梁山來氏曰, 遠者, 外卦, 邇者, 內卦, 內外皆震, 遠邇驚懼之象也.
양산래씨가 말하였다: '멀리 있는 자'란 외괘이고 '가까이 있는 자'란 내괘이며, 내 · 외괘는 모두 진괘(震卦☳)이니, 멀리 있는 자와 가까이 있는 자가 놀라고 두려워하는 상이다.

서유신(徐有臣) 『역의의언(易義擬言)』

彖曰, 驚遠,
「단전」에서 말하였다: 멀리 있는 자를 놀라게 하고,
外震也.
외괘인 진괘(震卦☳)이다.

懼邇,
가까이 있는 자를 두렵게 함이니,
內震也.
내괘인 진괘(震卦☳)이다.

宗廟.
종묘.
互艮門闕, 互坎幽深, 有宗廟象.
호괘인 간괘(艮卦☶)는 궁궐의 문이고, 호괘인 감괘(坎卦☵)는 깊고 그윽함을 뜻하니, 종묘(宗廟)의 상이 있다.

社稷.
사직.
坤中艮, 艮互坎, 爲社象, 震爲稼, 有稷象.
곤괘(坤卦☷) 가운데에 간괘(艮卦☶)가 있고, 중첩된 간괘(艮卦☶)에서 호괘는 감괘(坎卦☵)이니 토지신(土地神)의 상이 되며, 진괘(震卦☳)는 곡식이 되니 곡물신(穀物神)의 상이 있다.

43) 경학자료집성DB에서는 진괘(震卦☳) 괘사에 해당하는 것으로 분류했으나, 내용에 살펴 이 자리로 옮겨 바로잡는다.

六二曰, 其驂.[44]
육이에서 말하였다: 그 곁마.
震爲車馬也
진괘(震卦☳)는 수레에 맨 말이 된다.

九陵.
아홉 언덕.
二至五爲九數, 艮爲山也.
이효에서 오효까지 더하면 숫자가 구가 되고, 간괘(艮卦☶)는 산이 된다.

七日.
이레.
震爲月生明之象, 七日而弦, 七日而望也.
진괘(震卦☳)는 달이 밝아지기 시작하는 상이 되고, 7일이 지나면 반달이 되며, 다시 7일이 지나면 보름이 된다.

六三曰, 蘇蘇,
육삼에서 말하였다: 비실비실하니,
草木冬而凋, 春而蘇, 互坎爲冬, 震爲春也.
초목은 겨울이 되어서 시들다가 봄이 되어서 소생하니, 호괘인 감괘(坎卦☵)는 겨울이 되고 진괘(震卦☳)는 봄이 된다.

九四曰, 遂泥.
구사에서 말하였다: 진흙탕에 떨어진다.
泥坎象.
진흙은 감괘(坎卦☵)의 상이다.

六五曰, 往來.
육오에서 말하였다: 왕래함이.
薦雷之聲, 轟轟轉回, 有往來之象.
거듭되는 우레의 소리는 아주 크고 요란하게 휘돌아드니, 왕래하는 상이 있다.

---

44) 진괘(震卦☳) 육이(六二)에는 '其驂'가 없다.

上六曰, 視矍矍,
상육에서 말하였다: 눈을 두리번두리번 하니,
洪範, 視屬木, 震象.
「홍범」에서 '봄[視]'은 나무에 속한다[45]고 하였으니, 진괘(震卦☳)의 상이다.

其躬.
그 몸.
九四爲身.
구사가 몸[身]이 된다.

其鄰.
그 이웃.
六三應位也.
육삼은 호응하는 자리이다.

象曰, 未光.
구사 「상전」에서 말하였다: 아직 빛나지 못한 것이다.
坎象金水, 明而不光也.
감괘(坎卦☵)는 쇠와 물을 상징하니, 밝지만 빛을 내지 못한다.

---

45) 『書經集傳 · 洪範』: 貌言視聽思者, 五事之敍也. 貌, 澤, 水也, 言, 揚, 火也, 視, 散 木也, 聽, 收, 金也, 思, 通, 土也.

出可以守宗廟社稷, 以爲祭主也.

정전 나아가 종묘와 사직을 지킬 수 있어 제주가 될 것이다.
본의 세대를 이어 제사를 주관하여 종묘와 사직을 지킬 수 있어 제주가 될 것이다.

中國大全

傳

彖文, 脫不喪匕鬯一句. 卦辭云, 不喪匕鬯, 本謂誠敬之至, 威懼不能使之自失. 彖, 以長子宜如是, 因承上文, 用長子之義, 通解之. 謂其誠敬, 能不喪匕鬯, 則君出而可以守宗廟社稷, 爲祭主也. 長子, 如是而後, 可以守世祀, 承國家也.

「단전」의 글에는 '국자와 울창주를 떨어뜨리지 않고[不喪匕鬯]'란 구절이 빠져 있다. 괘사에서 '국자와 울창주를 떨어뜨리지 않는다'고 한 것은, 본래 정성과 공경이 지극하여 위엄과 두려움으로도 자신을 잃게 할 수 없음을 말한 것이다. 「단전」은 맏아들이 마땅히 이와 같아야 한다는 것이니, 위 글을 이어 맏아들의 의미로 통틀어 해석한 것이다. 그 정성과 공경으로 국자와 울창주를 떨어뜨리지 않을 수 있으면, 임금이 나라 밖을 나감에 종묘와 사직을 지켜 제주가 될 수 있음을 말한다. 맏아들은 이처럼 한 뒤에야 대대로 내려오는 제사를 지키고 나라를 계승할 수 있다.

本義

程子, 以爲邇也下, 脫不喪匕鬯四字, 今從之. 出, 謂繼世而主祭也. 或云, 出, 卽鬯字之誤.

정자가 "'이야(邇也)' 다음에 '불상비창(不喪匕鬯)' 네 글자가 빠졌다"고 하였는데, 여기에서는 이를 따른다. '출(出)'은 세대를 이어 제사를 주관함을 말한다. 어떤 이는 '출(出)'이 곧 '창(鬯)'자의 오자라고 하였다.

小註

朱子曰, 震亨止不喪匕鬯, 作一項看. 傳云, 出可以爲宗廟社稷, 又做一項看. 震便自是亨. 震來虩虩是恐懼顧慮, 而後便笑言啞啞, 震驚百里, 便也不喪匕鬯. 文王語已是解震亨了, 孔子又自說長子事. 文王之語, 簡重精切, 孔子之言, 方始條暢, 須折開看, 方得.
주자가 말하였다: '우레가 형통하니'부터 '국자와 울창주를 떨어뜨리지 않느니라'까지를 한 항목으로 보았다. 『정전』에서는 '나감에 종묘와 사직을 지킬 수 있어'를 한 항목으로 보았다. '진(震)'은 자체로 형통하다. '우레가 옴에 조마조마해 함'은 두려워 돌아보며 염려함이고, 그 뒤에야 웃음과 말이 하하 하게 되니, '우레가 백 리를 놀라게' 하여도 '국자와 울창주를 떨어뜨리지 않는다.' 문왕(文王)의 말씀이 이미 '진(震)의 형통함을 해설하였고, 공자 스스로 또한 맏아들의 일로 설명하셨다. 문왕의 말씀은 간결하고 묵직하면서도 정밀하며 친절하고, 공자의 말씀은 비로소 조리가 통하니, 모름지기 융통성 있게 보아야 알 수 있을 것이다.

○ 誠齋楊氏曰, 震雷, 能驚百里, 而不能失匕鬯於主祭之手者, 蓋執匕鬯以祭, 則一敬之外, 无餘念, 一鬯之外, 无餘物. 當是之時, 白刃前臨, 猛虎後廹, 皆莫之覺. 故震雷驚百里, 亦莫之聞. 敬有所甚, 而懼有所忘也.
성재양씨가 말하였다: 진동하는 우레가 백 리를 놀라게 할 수 있지만 제사를 주재하는 사람 손에서 국자와 울창주를 떨어뜨리게 할 수는 없는 것은 국자와 울창주를 잡아 제사를 지내게 되면 오로지 경(敬)말고는 다른 생각이 없으며, 오로지 울창주 말고는 다른 것이 없기 때문이다. 이때를 당하여서는 번득이는 칼날이 앞에 놓이고 사나운 호랑이가 뒤에서 좇아와도 깨닫지 못한다. 그러므로 진동하는 우레가 백 리를 놀라게 하여도 듣지 못한다. 경(敬)이 깊어져 두려움도 잊는 것이다.

○ 中溪張氏曰, 出者, 猶詩云, 明天子出矣, 卽說卦, 帝出乎震之謂也. 曰主者, 猶詩云, 百神爾主矣, 卽序卦, 主器莫若長子之謂也. 若舜之烈風雷雨弗迷, 可以出而嗣位, 肆類于上帝矣, 而劉備聞迅雷失匕箸者, 其可出爲祭主乎.
중계장씨가 말하였다: '나감에'는 『시경』에서 '밝은 천자 나오심에'와 같으니 「설괘전」에서 '상제가 진괘(震卦☳)에서 나온다'를 말한다. '주인'이라고 한 것은 『시경』에서 '온갖 신들이 너를 주인 삼으리'라고 한 것과 같으니 「서괘전」에서 '세기를 주관하는 자는 맏아들만한 이가 없다'를 말한다. 순임금이 '맹렬한 바람과 우레가 치고 비가 오는데도 혼미하지 않음' 같아야 나아가 제위를 이어 '마침내 상제에게 유제사(類祭祀)를 지낼' 수 있지만,[46] 유비처럼

46) 『서경(書經) · 순전(舜典)』에 나온다. 통상적으로 지내는 제사 외에, 하늘에 제사하여 고하는 것을 유제(類祭)라 한다. 무왕이 상(商)을 치러 출정하면서 드린 제사가 이에 해당한다. 왕성을 비울 때 하늘에 드리는 제사이다.

맹렬하게 치는 우레 소리를 듣고 숟가락과 젓가락을 떨어뜨리는 자라면 나감에 제주(祭主)가 될 수 있겠는가?

○ 隆山李氏曰, 序卦曰, 主器莫若長子. 以太子而主器, 是必以戒懼存心, 以威重爲質, 而其德望素著, 足以畏服斯人之心, 則以之守宗廟社稷, 而爲祭祀之主, 豈不固宜? 作易者, 以乾爲人君之象, 震爲太子之象, 庶幾其可見云.
융산이씨가 말하였다: 「서괘전」에 "제기를 주관하는 자는 맏아들만한 이가 없다"라고 하였다. 태자로서 제기를 주관함은 반드시 경계하고 두려워함을 마음에 두고 위엄과 묵직함을 바탕으로 하여 그 덕망이 밝게 드러나 사람들의 마음을 경외로 복종하도록 하면, 이로써 종묘와 사직을 지켜 제사의 주인이 되니, 어찌 진실로 마땅하지 않겠는가? 『주역』을 지은이가 건괘(乾卦䷀)를 임금의 상으로 하고, 진괘(震卦䷲)를 태자의 상으로 삼았음을 거의 알 수 있으리라.

○ 雲峯胡氏曰, 象本義, 能恐懼, 則致福而不失其所主之重, 盡之矣. 堯舜巍巍蕩蕩事業, 自兢兢業業致之, 人須臾不可不知. 戒懼出而主宗廟社稷者, 其可懼尤甚焉.
운봉호씨가 말하였다: 「단전」에 대한 『본의』에서 "두려워할 줄 알면 복을 불러 그 주관하는 중요한 바를 잃지 않는다" 하니 그 뜻을 다 드러내었다. 요임금과 순임금의 드높고 드넓은 사업이 삼가고 두려워함으로부터 이루어진 것임을 사람들은 잠시도 몰라서는 안 된다. 삼가고 두려워하여 나감에 종묘와 사직의 주인이 되는 자는 그 두려워할 만함이 더욱 깊다.

‖韓國大全‖

조호익(曺好益)『역상설(易象說)』

宗廟, 震木艮門闕象. 社稷, 震本坤體, 坤爲地, 一陽生於下, 而爲震, 震爲稼, 有社稷之象. 祭主, 卽主器之義.
종묘(宗廟)는 진괘(震卦☳)인 나무와 간괘(艮卦☶)인 궁궐의 문의 상이다. 사직(社稷)은 진괘(震卦☳)가 본래 곤괘(坤卦☷)의 몸체이고 곤괘(坤卦☷)는 땅이 되는데, 하나의 양이 맨 아래에서 생겨 진괘(震卦☳)가 되었고 진괘(震卦☳)는 곡물이 되므로, 사직의 상이 있다. '제주(祭主)'는 제기(祭器)를 주관한다는 뜻이다.

송시열(宋時烈) 『역설(易說)』[47]

方震之時, 虩虩而恐懼, 此致福之道. 致福之後, 笑言啞啞, 然後可以有法則也. 此畏天之威, 于時保之者也. 驚遠懼邇[48]者, 遠而聞則驚而顧, 近而聞則懼而反省, 如此, 長子可以爲宗廟社稷主. 大象恐懼修省, 亦此意.

막 우레가 칠 때에 조마조마해 하면서 두려워하는 것이 복을 부르는 도이다. 복을 부른 후에 웃고 말함이 하하 하며, 그런 후에 법칙이 있을 수 있다. 이것이 하늘의 위엄을 두려워하여 때에 따라 보존하는 것이다. 멀리 있는 자를 놀라게 하고 가까이 있는 자를 두렵게 하는 것은 멀리 들으면 놀라서 돌아보고 가까이서 들으면 두려워서 반성하는 것이니, 이와 같으면 맏아들[長子]은 종묘(宗廟)와 사직(社稷)의 주인이 될 수가 있다. 「대상전」에서의 "두려워하여 닦으며 살핀다"도 또한 이러한 뜻이다.

이익(李瀷) 『역경질서(易經疾書)』

出者, 出而應事也. 說卦云, 帝出乎震, 據始而言也. 可以者, 終至君位也. 易擧正出上, 有不喪匕鬯四字.

'나아감[出]'이란 나아가 일에 응하는 것이다. 「설괘전」에서 "상제(上帝)가 진괘(震卦☳)에서 나온다"[49]라고 하였으니, 처음이라는 점에 의거하여 말하였다. '할 수 있다[可以]'란 끝내 임금의 자리에 오를 수 있다는 것이다. 『주역거정(周易擧正)』에는 '나아감[出]' 앞에 "국자와 울창주를 떨어뜨리지 않는다[不喪匕鬯]"라는 네 글자가 있다.

유정원(柳正源) 『역해참고(易解參攷)』[50]

正義, 出, 謂君出巡守等事也. 君出, 則長子留守宗廟社稷, 攝祭主之禮事也.

『주역정의』에서 말하였다: '나간다[出]'란 임금이 순수(巡守)를 나가는 등의 일을 말한다. 임금이 나가면 맏아들은 남아서 종묘와 사직을 지키고 제주(祭主)가 행하는 예(禮)의 일을 대신한다.

---

47) 경학자료집성DB에 누락되었으나 영인본을 타이핑하여 보완했다.

48) 邇: 경학자료집성DB에 【송시열(宋時烈) 『역설(易說)』】의 여기에 해당하는 단락이 없으며, 영인본에 '道'로 되어 있으나, 문맥을 살펴 '邇'로 바로 잡았다.

49) 『周易 · 說卦傳』: 帝出乎震, 齊乎巽, 相見乎離, 致役乎坤, 說言乎兌, 戰乎乾, 勞乎坎, 成言乎艮.

50) 경학자료집성DB에서는 진괘(震卦☳) 괘사에 해당하는 것으로 분류했으나, 내용에 살펴 이 자리로 옮겨 바로잡는다.

김상악(金相岳) 『산천역설(山天易說)』

恐致福, 以恐懼而致福也. 後有則, 由能恐懼而後自處有法則也. 驚遠者, 外震也, 懼邇者, 內震也. 出者, 帝出乎震也, 謂長子繼世而主祭也.

"두려워함으로써 복을 부름"이란 두려워함으로써 복을 부른다는 것이다. "그런 뒤에야 법칙이 있음"은 두려워할 수 있기 때문에 후에 스스로 법칙이 있는 곳에 있게 된다는 것이다. "멀리 있는 자를 놀라게 함"은 외괘인 진괘(震卦☳) 때문이며, "가까이 있는 자를 놀라게 함"은 내괘인 진괘(震卦☳) 때문이다. '나감'은 "상제(上帝)가 진괘(震卦☳)에서 나온다"[51] 다는 것이니, 맏아들이 대를 이어서 제사를 주관한다는 말이다.

○ 震驚, 二陽處上下象, 百里, 四陰分內外象. 宗廟社稷, 艮門闕, 坎鬼神之象. 他卦只言廟, 而此言宗社者, 帝居兩闕之間也, 所以建國之神位, 右社稷而左宗廟也.

"우레가 놀라게 함"은 두 양이 위와 아래에 있는 상이며, '백 리'는 네 음이 안과 밖으로 나뉘어 있는 상이다. '종묘(宗廟)'와 '사직(社稷)'이라고 말한 것은 간괘(艮卦☶)가 궁궐의 문이고 감괘(坎卦☵)가 귀신인 상이기 때문이다. 다른 괘에서는 단지 '묘(廟)'만을 말하였는데 여기서는 '종(宗)'과 '사(社)'를 말한 것은 제(帝)가 두 궁궐 사이에 거처하므로, 나라의 신위(神位)를 세우는 방법은 오른쪽에 사직을 설치하고 왼쪽에 종묘를 설치한다.

서유신(徐有臣) 『역의의언(易義擬言)』

驚遠, 外震也, 懼邇, 內震也. 不喪匕鬯, 心有所守也, 以是守而守宗社, 可以爲匕鬯之主也. 震爲長子, 故有是象也. 不喪匕三字, 脫落鬯, 誤爲出 本義或說可從.

"멀리 있는 자를 놀라게 함"이란 외괘인 진괘(震卦☳) 때문이고, "가까이 있는 자를 놀라게 함"이란 내괘인 진괘(震卦☳) 때문이다. "국자와 울창주를 떨어뜨리지 않는다"란 마음에 지키는 바가 있어서, 이러한 지킴으로써 지켜 종묘와 사직을 지켜 '국자'와 '울창주'의 주인이 될 수 있다. 진괘(震卦☳)는 맏아들이 되기 때문에 이러한 상이 있다. "국자를 떨어뜨리지 않는다[不喪匕]"라는 세 글자에는 '울창주'라는 글자가 탈락되고 잘못하여 '나아감[出]'이 되었으니, 『본의』에서 말한 '어떤 이의 말[或云]'은 따를 만하다.

김기례(金箕澧) 「역요선의강목(易要選義綱目)」

出, 說卦所謂帝出乎震之意.

---

51) 『周易 · 說卦傳』: 帝出乎震, 齊乎巽, 相見乎離, 致役乎坤, 說言乎兌, 戰乎乾, 勞乎坎, 成言乎艮.

'나아감[出]'이란 「설괘전」에서 이른바 "상제(上帝)가 진괘(震卦☳)에서 나온다"[52]는 뜻이다.

○ 主宗祏者, 非烈風雷雨不迷之人, 則其能主乎.
종묘(宗廟)와 사직(社稷)을 주관하는 자는 맹렬한 바람과 우레가 치고 비가 옴에 혼미하지 않는 사람이 아니라면 주관할 수 있겠는가?

윤종섭(尹鍾燮) 『경(經)-역(易)』

可以守宗廟社稷, 以爲祭主.
종묘와 사직을 지킬 수 있어 제주가 될 것이다.

長子繼世之責也, 主乎誠敬, 不移乎天怒. 震自離變, 二與旣濟之二, 皆曰七日得. 旣濟无震, 而離震先後天同位, 且三爻變則爲震, 高宗伐鬼方, 反爲未濟之四曰, 震用伐鬼方.
맏아들은 세대를 잇는 책임을 맡아 정성과 공경을 주로 하여 하늘의 노여움에 의해 바뀌지 않는다. 진괘(震卦☳)는 리괘(離卦☲)로부터 변하였으니, 진괘(震卦䷲)의 이효와 기제괘(旣濟卦䷾)의 이효에서는 모두 "이레 만에 얻으리라"[53]라고 하였다. 기제괘(旣濟卦)에는 진괘(震卦☳)가 없지만 리괘(離卦☲)와 진괘(震卦☳)는 「선천도(先天圖)」와 「후천도(後天圖)」에서 같은 자리에 있고 또 삼효가 변하면 진괘(震卦☳)가 되니, 기제괘(旣濟卦) 구삼에서는 "고종(高宗)이 귀방(鬼方)을 정벌한다"[54]고 하였고, 음양이 바뀐 미제괘(未濟卦䷿) 사효에서는 "진동하여 귀방(鬼方)을 정벌한다"[55]고 하였다.

심대윤(沈大允) 『주역상의점법(周易象義占法)』

震驚百里, 驚遠而懼邇也, 出可以守宗廟社稷, 以爲祭主也.
"우레가 백 리를 놀라게 한다"는 것은 멀리 있는 자를 놀라게 하고 가까이 있는 자를 두렵게 함이니, 나아가 종묘와 사직을 지킬 수 있어 제주가 될 것이다.

---

52) 『周易 · 說卦傳』: 帝出乎震, 齊乎巽, 相見乎離, 致役乎坤, 說言乎兌, 戰乎乾, 勞乎坎, 成言乎艮.
53) 『周易 · 旣濟卦』: 六二, 婦喪其茀, 勿逐七日得.
54) 『周易 · 旣濟卦』: 九三, 高宗伐鬼方, 三年克之, 小人勿用.
55) 『周易 · 未濟卦』: 九四, 貞吉, 悔亡, 震用伐鬼方, 三年, 有賞于大國.

遠者, 聞聲而驚, 近者, 見威而懼, 言其威怒之有節也. 威怒有節, 則臣下之敬奉, 在其中矣, 故不擧不喪匕鬯一句, 以明經文兩句之爲一事也. 震長子而未及卽位, 故曰出, 猶帝出乎震之出也, 言出而卽位也. 威怒有節而臣下敬奉, 則可以卽位而爲宗社之主也. 通國家而言, 故不曰君, 承經文匕鬯而言祭主也.

'멀리 있는 자'는 소리를 듣고서 놀라고 '가까이 있는 자'는 위엄을 보고서 두려워하니, 위엄과 분노에 절제가 있음을 말한다. 위엄과 분노에 절제가 있으면 신하가 공경하여 받듦은 그 안에 있기 때문에 "국자와 울창주를 떨어뜨리지 않는다"[56]란 한 구절[57]을 거론하지 않음으로써 경문의 두 구절이 하나의 일이 됨을 밝혔다. 진괘(震卦☳)는 맏아들이 되지만 아직 즉위하지는 않았기 때문에 '나아간다'고 말하였으니, "제(帝)가 진괘(震卦☳)에서 나온다[帝出乎震]"[58]고 할 때의 '나옴[出]'과 같으므로 나아가 즉위한다는 말이다. 위엄과 분노에 절제가 있어서 신하들이 공경하여 받들면, 즉위하여 종묘와 사직의 주인이 될 수가 있다. 나라와 집안을 통틀어 말하였기 때문에 '임금[君]'이라고 말하지 않았으니, 경문에 나오는 '국자와 울창주'를 이어서 '제주(祭主)'라고 하였다.

오치기(吳致箕) 「주역경전증해(周易經傳增解)」

彖曰, 震, 亨, 震來虩虩, 恐致福也, 笑言啞啞, 後有則也. 震驚百里, 驚遠而懼邇也,〈當有不喪匕鬯四字〉 出可以守宗廟社稷, 以爲祭主也.

「단전」에서 말하였다: 진(震)은 형통하니, "우레가 옴에 조마조마함"은 두려워함으로써 복을 부르는 것이고, "웃고 말함이 하하 함"은 그런 뒤에야 법칙이 있는 것이다. "우레가 백리를 놀라게 함"은 멀리 있는 자를 놀라게 하고 가까이 있는 자를 두렵게 함이니〈마땅히 "국자와 울창주를 떨어뜨리지 않는다[不喪匕鬯]"는 네 글자가 있어야 한다〉, 세대를 이어 제사를 주관하여 종묘와 사직을 지킬 수 있어 제주가 될 것이다.

此言震自有亨之義, 震來而能恐懼自脩, 則可以致福, 吉也. 由能恐懼而後安, 故言笑不失常度而有法則也. 雷之震, 及於百里, 而遠者驚, 邇者懼, 言其威之可畏也. 程子謂, 邇也下脫不喪匕鬯四字, 誠敬之至, 雖値威懼而能不喪匕鬯, 則是乃長子繼世而出, 可以守宗廟社稷而主祭祀也.

이는 '진(震)' 자체에 형통의 뜻이 있으니, 우레가 옴에 두려워할 줄 알아 스스로 닦으면

---

56) 『周易·震卦』: 震, 亨, 震來, 虩虩, 笑言, 啞啞, 震驚百里, 不喪匕鬯.
57) 여기서 두 구절이란 괘사에 나오는 "震驚百里"과 "不喪匕鬯"을 말한다.
58) 『周易·說卦傳』: 帝出乎震, 齊乎巽, 相見乎離, 致役乎坤, 說言乎兌, 戰乎乾, 勞乎坎, 成言乎艮.

복을 부를 수 있어서 길함을 말한다. 두려워할 수 있음을 말미암은 뒤에야 안정되기 때문에 말과 웃음은 항상 된 법도를 잃지 않고 법칙이 있다. 우레의 진동은 백 리까지 미쳐서 멀리 있는 자는 놀라고 가까이 있는 자는 두려워하니, 그 위엄이 두려워할만함을 말한다.[59] 정자가 "'이야(邇也)' 다음에 '불상비창(不喪匕鬯)' 네 글자가 빠졌다"고 한 것은 정성과 공경의 지극함은 비록 위엄을 느끼고 두려워할 때를 만나더라도 국자와 울창주를 떨어뜨리지 않을 수 있으니, 이는 맏아들이 세대를 이어 나아가 종묘와 사직을 지켜 제주(祭主)가 될 수 있다는 것이다.

이진상(李震相)『역학관규(易學管窺)』

出可以守宗廟.
세대를 이어 제사를 주관하여 종묘를 지킬 수 있어.
出字之謂, 繼世主祭, 未瑩. 或說恐長.
'나아감[出]'은 세대를 이어 제사를 주관한다는 뜻이지만 분명하지 않다. '어떤 이'의 설명이 아마도 나은 듯하다.

○ 中溪[60]說.
중계장씨(中溪張氏)가 설명하였다.
先主之失匕箸, 非因聞雷而然也. 但因姦雄覷破而不免有動心. 然謂其不可爲祭主, 則未安.
유비(劉備)가 숟가락과 젓가락을 떨어뜨린 것은 우레 소리를 들어서 그런 것이 아니다. 단지 간사한 영웅이 간파하려는 것으로 인하여 마음이 흔들리는 것을 면하지 못하였기 때문이다. 하지만 제주가 될 수 없다고 한다면 그렇지는 않은 듯하다.

최세학(崔世鶴) 주역단전괘변설(周易彖傳卦變說)」

震彖曰, 震驚百里, 驚遠而懼邇也, 出可以守宗廟社稷, 以爲祭主也.
진괘(震卦䷲)「단전」에서 말하였다: "우레가 백 리를 놀라게 함"은 멀리 있는 자를 놀라게 하고 가까이 있는 자를 두렵게 함이니, 나아가 종묘와 사직을 지킬 수 있어 제주가 될 것이다.

---

59) 여기까지의 내용은『정전』에 나오는 말을 축약하여 그대로 옮겨 놓았다.
60) 溪: 경학자료집성DB에 '渙'으로 되어 있으나, 경학자료집성 영인본을 참조하여 '溪'로 바로 잡았다.

震, 坤之二體變也, 初與四二爻爲主, 故象以驚遠懼邇出爲祭主言之. 乾之初四交於上下二體之下, 內外俱震, 故驚遠懼邇, 長子繼出, 故出爲祭主也.
진괘(震卦䷲)는 곤괘(坤卦䷁)의 두 몸체가 변한 것이니, 초효와 사효인 두 효는 주인이 되기 때문에 「단전」에서는 "멀리 있는 자를 놀라게 하고 가까이 있는 자를 두렵게 함이니 세대를 이어 제사를 주관함[出]"이 제주가 되는 것으로 말하였다. 건괘(乾卦䷀)의 초효와 사효가 상괘와 하괘인 두 몸체의 맨 아래에서 사귀고 내괘와 외괘가 모두 진괘(震卦☳)이기 때문에 멀리 있는 자를 놀라게 하고 가까이 있는 자를 두렵게 하며, 맏아들은 세대를 이어 내기 때문에 나아가 제주가 된다.

박문호(朴文鎬) 「경설(經說)·주역(周易)」[61]

因承上文.[62].
위 글을 이어 받아

上文指所脫不喪匕鬯一句也. 觀其下文通解者, 可知矣.
'위 글[上文]'이란 「단전」에 빠져 있는 구절인 "국자와 울창주를 떨어뜨리지 않는다[不喪匕鬯]"는 한 구절을 가리킨다. 아래 구절에 있는 '통틀어 해석함[通解]'이라고 한 부분을 보면 알 수가 있다.

이병헌(李炳憲) 『역경금문고통론(易經今文考通論)』

馬曰, 虩虩, 恐懼, 啞啞, 笑聲.
마융이 말하였다: '혁혁(虩虩)'은 두려워함이고, '아아(啞啞)'는 웃는 소리이다.

孟曰, 啞, 笑也.
맹씨가 말하였다: '아(啞)'는 웃음이다.

鄭曰, 雷發聲, 聞於百里, 古者諸侯之象. 人君於祭之禮, 升牢於俎, 親匕之. 秬酒芬芳條鬯, 因名鬯.

61) 경학자료집성DB에서는 진괘(震卦䷲) 괘사에 해당하는 것으로 분류했으나, 내용에 살펴 이 자리로 옮겨 바로잡는다.
62) 『周易傳義大全·震卦·程傳』: 象, 以長子宜如是, 因承上文, 用長子之義, 通解之.

정현이 말하였다: '우레[雷]'는 소리를 내니 백 리가 되는 곳에서도 들리므로, 옛날 제후의 상이다. 임금이 제사를 드리는 예(禮)에서 희생을 제기에 올리고 친히 숟가락을 잡는다. '거주(秬酒)'[63]는 향기가 막힘없이 활발하게 퍼지니, 이 때문에 '창(鬯)'이라고 이름을 지었다.

虞曰, 震爲長子, 故以爲祭主也.
우번이 말하였다: 진괘(震卦☳)는 맏아들이 되기 때문에 제주라고 여겼다.

按, 震艮以八純卦, 緊接于革鼎之後, 如臨觀以辟卦, 緊接于隨之後, 以長子而承長子之器, 猶教化而承幹蠱之事, 故統以乾坤泰否爲上經之綱領, 咸恒損益爲下經之綱領. 惟小綱領之云, 不過臨時識別.
내가 살펴보았다: 진괘(震卦䷲)와 간괘(艮卦䷳)는 여덟 개의 순수한 괘로써, 혁괘(革卦䷰)와 정괘(鼎卦䷱) 뒤에 긴밀하게 붙어 있음은 림괘(臨卦䷒)와 관괘(觀卦䷓)가 벽괘(辟卦)로써 수괘(隨卦䷐) 뒤에 긴밀하게 붙어 있는 것과 같으니, 맏아들로써 맏아들의 그릇을 이음은 교화(教化)하여 주관하는 일을 이음과 같기 때문에 통틀어 건괘(乾卦䷀)·곤괘(坤卦䷁)·태괘(泰卦䷊)·비괘(否卦䷋)로 상경의 강령으로 삼고, 함괘(咸卦䷞)·항괘(恒卦䷟)·손괘(損卦䷨)·익괘(益卦䷩)로 하경의 강령으로 삼았다. 다만 소강령(小綱領)을 말한 것은 임시로 식별하는 데에 지나지 않는다.

63) 거주(秬酒): 기장과 같은 곡물로 지은 고슬고슬한 밥에 지어 누룩을 버물려 익힌 술.

象曰, 洊雷, 震, 君子以, 恐懼脩省.

「상전」에 말하였다: 벼락이 거듭된 것이 '진(震)'이니, 군자가 그것을 본받아 두려워하여 닦으며 살핀다.

中國大全

傳

洊, 重襲也. 上下皆震. 故爲洊雷. 雷重仍則威益盛, 君子觀洊雷威震之象, 以恐懼自脩飭循省也. 君子畏天之威, 則脩正其身, 思省其過咎而改之. 不唯雷震, 凡遇驚懼之事, 皆當如是.

'천(洊)'은 거듭함이다. 상괘와 하괘가 다 진괘(震卦☳)이다. 그러므로 '벼락이 거듭됨'이 된다. 벼락이 거듭 이어지면 위엄이 더욱 커지니, 군자는 벼락이 거듭되어 위엄이 떨쳐지는 상을 살펴 두려움으로 스스로를 닦고 감가며 따라서 살핀다. 군자는 하늘의 위엄을 두려워하니, 그 자신을 닦아 바르게 하고 그 잘못과 허물을 생각하고 살펴 고친다. 벼락과 우레만이 아니라 놀랍고 두려운 일을 만나면 모두 이처럼 해야 한다.

小註

建安丘氏曰, 兩震相重. 故曰洊雷. 雷, 天威也, 方其仍洊而至, 聞之者, 莫不恐懼, 而君子於恐懼之後, 必以脩省繼之者, 所以盡畏天之實也. 徒恐懼而不脩省, 則變至而憂, 變已而休, 猶无懼爾. 恐懼者, 憂其變之來, 初震象, 脩省者, 思其變之弭, 洊震象.

건안구씨가 말하였다: 두 진괘가 서로 겹친다. 그러므로 "벼락이 거듭된다"고 한다. 벼락은 하늘의 위엄이니 막 그것이 그대로 겹쳐 오면 듣는 사람치고 두려워하지 않음이 없으나, 군자가 두려워한 뒤에 반드시 닦고 살핌으로 이어가는 것은, 하늘을 두려워하는 실질을 다하는 것이다. 한갓 두려워만하고 닦고 살피지 않으면, 이변이 이르러 근심하고 이변이 끝나면 그치니, 두려움이 없는 것과 같을 뿐이다. 두려워하는 사람은 그 이변이 옴을 걱정하니 처음의 우레가 치는 상이고, 닦고 살피는 사람은 그 이변이 그침을 생각하니 거듭된 우레의 상이다.

○ 誠齋楊氏曰, 恐懼以先之, 脩省以繼之, 脩省者, 恐懼之功用也. 脩其身, 省其過, 則恐无恐, 懼无懼矣.
성재양씨가 말하였다: ‘두려워함’을 먼저 쓰고 ‘닦고 살핌’을 이었으니, 닦고 살핌은 두려워함의 효용이다. 그 자신을 닦고 그 허물을 살피면 두려워할만 하더라도 두려울 바가 없어질 것이다.

○ 瀘川毛氏曰, 恐懼者, 作於其心, 脩省者, 見於行事.
노천모씨가 말하였다: 두려워하는 것은 그 마음에서 일어나고, 닦고 살피는 것은 일을 하는 데서 드러난다.

○ 西山眞氏曰, 洊雷, 震, 君子以, 恐懼脩省, 詩云, 敬天之怒, 无敢戲豫, 敬天之渝, 无敢馳驅, 鄕黨所載, 孔子, 迅雷風烈, 必變, 皆此意也.
서산진씨가 말하였다: “벼락이 거듭된 것이 진괘이니, 군자가 그것을 본받아 두려워하여 닦으며 살핀다”라 하니, 『시경』의 “하늘의 진노를 공경하여, 감히 희롱하여 놀지 말며, 하늘의 변함을 공경하여, 감히 말을 몰아 달리지 말 지어다”[64]와 『논어 · 향당』에 실린, 공자가 “빠르게 치는 우레와 맹렬한 바람에 반드시 낯빛을 바꾸셨다”가 다 이런 의미이다.

○ 中溪張氏曰, 宣王, 周盛世之君也, 遇災而懼, 側身脩行, 景公, 宋小國之君也, 反身脩德, 熒惑亦爲之退舍, 此, 皆恐懼而能脩省者也.
중계장씨가 말하였다: 선왕(宣王)은 주나라가 융성할 때의 임금인데도 재이를 만나면 두려워하고 몸을 조심하여 수행하였고, 경공(景公)은 송(宋)이라는 작은 나라의 임금인데도 스스로를 돌이키고 덕을 닦아 형혹성도 그 때문에 물러났으니,[65] 이 모두 두려워하여 닦고 살필 줄 아는 분들이었다.

---

64)『詩經 · 板』.

65)『史記 · 宋微子世家』: 송(宋)나라 경공(景公) 때 형혹성(熒惑星)이 심성(心星)을 범하자, 자위(子韋)에게 그 까닭을 물었다. 자위가 “임금이 화를 당합니다만, 재상에게 떠넘길 수 있습니다”라고 하였다. 경공이 “재상은 나의 팔과 다리이다”라 하자, 자위가 “백성에게 떠넘길 수 있습니다”라고 하였다. 경공이 “임금은 백성에게 의지하는 법이다”라고 하자, 자위가 “다음 해로 옮길 수 있습니다”라고 하였다. 경공이 다시 “흉년이 들면 백성들이 굶어 죽는데, 임금이 되어서 백성을 죽인다면 누가 나를 임금이라 하겠는가?”라고 하였다. 자위가 “하늘은 높아도 낮은 곳의 소리를 잘 들으니, 임금께서 이렇게 임금답게 말씀하시니, 형혹성을 물러가게 할 것입니다”라고 하였다. 과연 형혹성이 3사(舍)를 옮겨서 물러났다.

‖韓國大全‖

이만부(李萬敷) 「역통(易統) · 역대상편람(易大象便覽) · 잡서변(雜書辨)」

脩省.

닦으며 살핀다.

臣謹按, 雷者, 天之怒氣, 而洊雷則威益盛, 故因洊雷之象, 發恐懼脩省之戒, 其實天之變異非一, 而莫非感於人事之得失者. 是以, 古之賢君遇非常之事, 則益加恐懼脩省, 以之變災爲祥, 轉禍爲福. 桑穀竝生, 而中宗用巫咸之言, 不敢荒寧, 商道復興, 雉雊升鼎, 而高宗用祖己之言, 克正厥事, 商用嘉靖, 皆享國長久. 然則其災祥禍福, 不可期必於杳茫之天, 惟在自盡其道而已, 而天之應之者, 亦自然相符矣. 今連歲大旱, 八路饑饉, 殿下减饍撤樂避殿慮囚, 遍幸社稷山川, 躬行禱祀. 未獲神佑, 及其節晩, 旱變爲澇, 兩災俱極. 其他, 天象之舛逆, 人事之乖謬, 不一而足, 是何聖明之世, 變怪之至此也.
신이 삼가 살펴보았습니다: '우레'란 하늘의 노한 기운으로, 우레가 거듭되면 위엄이 더욱 커지기 때문에 벼락이 거듭되는 상으로 인하여 두려워하여 닦으며 살피는 경계를 일으켰으니, 그 실제로 하늘의 이변은 한 가지가 아니지만 사람의 일에서 잘 되고 잘못됨으로 느끼지 않는 경우가 없습니다. 이 때문에 옛 어진 임금들은 일상적이지 않은 일을 만나면 더욱 두려워하여 닦으며 살펴서, 이로써 재앙이 변하여 상서로움으로 되고 화(禍)가 바뀌어 복이 되었습니다. 예를 들어, 뽕나무와 닥나무가 하루 사이에 양 손에 꽉 찰만큼 자라자 중종(中宗)이 무함(巫咸)[66]의 말을 써서 감히 게으르고 안일해 하지 않았으므로 상나라의 도가 부흥하였고, 꿩이 울면서 솥 위로 날아가자 고종(高宗)이 조기(祖己)[67]의 말을 써서 일들을 바로잡을 수 있었으므로 상나라의 쓰임이 아름답고 안정되었으니, 모두 오랜 시간 동안 재위하였습니다[68]. 그러한 즉 재앙과 상서로움, 화(禍)와 복(福)은 아득한 하늘에 기필할 수가 없고 오직 스스로 도를 다하는 데에 달려 있을 뿐이며, 하늘이 호응하는 것은 또한 자연히 이와 서로 들어맞습니다. 이제 해를 거듭하여 크게 가물어 팔도에 기근이 들자, 전하께서는 반찬을 줄이시고 음악을 거두시며 피전(避殿)[69]하시고 려수(慮囚)[70]하시며 사직과 산천

66) 무함(巫咸): 은(殷)나라 중종(中宗) 때의 신무(神巫)이다.

67) 조기(祖己): 은(殷)나라 때 사람. 황제 무정(武丁) 때의 현신이다.

68) 이러한 내용은 『사기(史記) · 은기(殷紀)』와 『서경(書經) · 무일(無逸)』 등에 보인다.

69) 피전(避殿): 나라의 재이(災異)가 있을 때에 임금이 근심하는 뜻으로 궁전(宮殿)을 떠나 행궁(行宮)이나 별서(別墅)에 옮겨 거처(居處)하던 일을 말한다.

70) 려수(慮囚): 천재지변이 일어났을 때 죄수를 용서하고 놓아줌을 말한다.(『한국고전용어사전』, 2001, 세종대

(山川)에 두루 행차하시어 몸소 제사를 지내 기원하셨습니다. 그런데도 신(神)의 도움을 받지 못하여 절기의 끝에 이르러 가뭄이 논과 밭이 물에 잠기는 큰 비로 바뀌어 두 재앙이 모두 극에 달하였습니다. 그뿐만이 아니라 하늘의 상이 뒤집혀 서로 어그러지고 사람의 일이 어긋남이 한두 가지가 아니니, 무엇 때문에 밝으신 전하의 시대에 괴이함의 지극하기가 이와 같겠습니까?

伏讀特下聖教, 其所以引咎自責求言補闕者, 懇至惻怛, 有如成湯六事自責, 而其應驗之相懸何也. 所謂人事之得失者, 臣伏蟄下鄉, 未諳朝廷之事, 不知其某事得某事失, 而惟以古人之論度之, 則此殆殿下平日脩德進道之方, 有未至於大中至正, 臨事恐懼脩省之意, 徒在文具而少誠實也. 苟殿下懋典學, 以明峻德, 盡誠實而無虛假, 則宮禁不期嚴而自嚴, 便嬖不期遠而自遠, 綱紀不期立而自立, 朝廷不期正而自正, 災不期消而自消, 祥不期致而自致, 庶事允熙, 邦內奠安, 可以祈天而永命. 伏願, 聖明念哉勉哉.
신이 전하께서 특별히 내리신 하교를 삼가 읽건대, 허물을 돌려서 자신을 책망하고 좋은 말을 구해다가 부족한 점을 보충하려는 것은 매우 자상하고 또 가엾고 슬퍼서 마치 탕왕이 7년간의 큰 가뭄에 여섯 가지 이유로 스스로를 책망하며 하늘에 기원하였던 일[71]과 같은데도, 호응하는 징조가 현격하게 차이가 나는 것은 어째서입니까? 이른바 사람의 일에서 잘되고 잘못됨에 대해서는 신이 고향으로 내려가 칩거하여 아직 조정의 일에 밝지 못해서 어떤 일이 잘 되는 일이고 어떤 일이 잘못되는 일인지 모르겠지만, 오직 옛 사람의 의론대로 헤아려 본다면 이러한 사태는 아마도 전하께서 평상시 덕을 닦고 도에 나아가는 방법은 크게 알맞고 지극히 바른 데에 이르지 못하며, 일에 임하실 때에 두려워하여 닦으며 살피는 뜻은 다만 겉만 그럴듯하게 꾸미는 데에 있고 성실함은 적었기 때문인 듯합니다. 진실로 전하께서 평상시 학문에 힘쓰시어 큰 덕을 밝히시고 성실을 다하여 거짓이 없게 하신다면, 궁궐에서 금하는 것은 엄해지기를 기약하지 않아도 저절로 엄해지고, 임금에게 아첨을 잘하여 총애를 받는 자는 멀리하기를 기약하지 않아도 저절로 멀어지고, 기강은 세워지기를 기약하지 않아도 저절로 세워지며, 조정은 바르게 되기를 기약하지 않아도 저절로 바르게 되고, 재앙이 사라지기를 기약하지 않아도 저절로 사라지며, 상서로움은 이르기를 기약하지 않아도 저절로 이르게 되니, 모든 일은 진실로 빛나고 나라 안은 편안하고 안정되어 하늘에 빌어서 명(命)을 영원히 할 수 있습니다. 엎드려 바라옵건대, 전하께서는 유념하여 주시고 힘써 주시옵소서.

왕기념사업회.)

71) 이러한 내용은 『십팔사략(十八史略)』 권(卷) 일(一)에 나온다.

이현익(李顯益) 「주역설(周易說)」[72)]

建安丘氏, 以恐懼爲聞者莫不恐懼, 修省爲君子修省. 且以恐懼爲震象, 修省爲洊震象. 殊不知恐懼, 以聞者莫不恐懼言, 則其義太近, 洊震亦只言恐懼, 則恐懼不但爲下卦之象也.

건안구씨가 '두려워하다[恐懼]'를 우레 소리를 듣는 자 중에 두려워하지 않을 자가 없다는 뜻으로 여기고, '닦으며 살피다[修省]'를 군자가 닦으며 살피는 것으로 여겼다. 또 '두려워하다[恐懼]'를 진괘(震卦☳)의 상으로 여기고, '닦으며 살피다[修省]'를 거듭된 진괘(震卦☳)의 상으로 여겼다. 이는 '두려워하다[恐懼]'에 대하여 전혀 알지 못하는 것이니, 우레 소리를 듣는 자 중에 두려워하지 않을 자가 없다는 뜻으로 말한다면 그 뜻이 올바른 데에 크게 가깝겠지만, 거듭된 진괘(震卦☳)에서 또 단지 '두려워하다[恐懼]'를 말한다면 '두려워하다[恐懼]'는 다만 하괘의 상만이 될 뿐은 아니다.

이익(李瀷) 『역경질서(易經疾書)』[73)]

洊雷者, 震往復來.

"벼락이 거듭 된다"란 우레가 가고 다시 온다는 것이다.

凡彖辭多帖卦主一爻, 故其只言占決而無辭者, 已著於彖故也. 惟震不憚複言此. 若不複言, 則亦無辭而已, 此可謂他卦之例證.

대체로 괘사는 주인이 되는 한 효에 대해 표제로 설명하는 경우가 많기 때문에 단지 점의 결정을 말할 뿐 말이 없는 것은 이미 괘사에서 드러났기 때문이다. 오직 진괘(震卦䷲)만은 이것을 다시 말함을 꺼리지 않았다. 만약 다시 말하지 않는다면 또한 달리 할 말이 없을 뿐이기 때문이니, 이는 다른 괘의 사례로 증명할 수 있다고 하겠다.

유정원(柳正源) 『역해참고(易解參攷)』[74)]

馮氏曰, 恐懼遇震之象, 恐生於心, 懼見於貌. 亦洊不一之義, 修其所未爲, 遇震也, 省

---

72) 경학자료집성DB에서는 진괘(震卦䷲) 괘사에 해당하는 것으로 분류했으나, 내용에 살펴 이 자리로 옮겨 바로잡는다.

73) 경학자료집성DB에서는 진괘(震卦☳) 「단전」에 해당하는 것으로 분류했으나, 내용에 살펴 이 자리로 옮겨 바로잡는다.

74) 경학자료집성DB에서는 진괘(震卦☳) 괘사에 해당하는 것으로 분류했으나, 내용에 살펴 이 자리로 옮겨 바로잡는다.

其所已爲, 再遇震. 或曰, 修其善, 省其惡.
풍씨가 말하였다: 우레를 만남을 두려워하는[恐懼] 상이니, '공(恐)'은 마음에서 생기고 '구(懼)'는 모습에서 드러난다. 또한 '거듭됨[洊]'은 하나가 아니라는 뜻이니, 아직 하지 못하는 바를 닦음이 우레를 만나는 것이며, 이미 할 수 있는 바를 살펴봄이 재차 우레를 만나는 것이다. 어떤 이는 "자신의 선(善)을 닦고, 자신의 악(惡)을 살펴보는 것이다"라고 하였다.

김상악(金相岳) 『산천역설(山天易說)』

洊, 再也. 上下皆震, 爲洊雷. 恐懼以先之, 修省以繼之者, 恐懼作於心而修省見於事也. 恐懼則能致福矣, 修省則能有則矣. 故修省則无恐懼也. 恐與修, 下震象, 懼與省, 上震象.
'천(洊)'은 거듭한다는 말이다. 상괘와 하괘가 모두 진괘(震卦☳)이니 "벼락이 거듭됨"이 된다. '두려워하다[恐懼]'를 앞에 쓰고 '닦으며 살핀다[修省]'를 이어 쓴 것은 '두려워함'은 마음에서 일어나고 '닦으며 살핌'은 일에서 드러나기 때문이다. 두려워하면 복을 부를 수 있고, 닦고 살피면 법칙이 있을 수 있다. 그러므로 닦고 살피면 두려움이 없다. '두려워함[恐]'과 '닦음[修]'은 하괘인 진괘(震卦☳)의 상이고, '두려워함[懼]'과 '살핌[省]'은 상괘인 진괘(震卦☳)의 상이다.

서유신(徐有臣) 『역의의언(易義擬言)』

震而又震, 有大驚動之象. 恐懼脩省, 君子之無時不震也. 恐懼如雷之驚, 內卦象, 脩省如雷之動, 外卦象.
벼락이 치고 또 벼락이 치니, 크게 놀라 움직이는 상이 있다. "두려워하여 닦으며 살핌"은 군자는 떨지 않는 때가 없다는 것이다. '두려워함[恐懼]'은 우레가 놀라게 함과 같으니 내괘의 상이고, '닦으며 살핌[脩省]'은 우레의 움직임과 같으니 외괘의 상이다.

김기례(金箕澧) 「역요선의강목(易要選義綱目)」

君子以, 恐懼修省.
군자가 그것을 본받아 두려워하여 닦으며 살핀다.

詩曰, 畏天之威, 于時保之, 因懼而修身省過, 惟君子能之.
『시경(詩經)』에서 말하기를 "하늘의 위엄을 두려워하여 이에 보전할지어다"[75]라고 하였으니, 두려워함으로 인하여 자신을 닦고 잘못을 살핌은 오직 군자만이 이렇게 할 수 있다.

이항로(李恒老) 「주역전의동이석의(周易傳義同異釋義)」

按, 恐懼以心言, 修省以理言. 彖傳曰, 震來虩虩, 恐致福也, 以心言, 笑言啞啞, 後有則也, 以理言. 朱子曰, 人之所以爲學, 心與理而已, 蓋非心則無以統理, 非理則無以盡心, 其實一也. 故聖人說話, 無單言心處, 無單言理處, 句句如此, 節節如此, 讀者潛玩.
내가 살펴보았다: '두려워함[恐懼]'은 마음으로 말하였고, '닦으며 살핌[修省]'은 이치로 말하였다. 「단전」에서 말한 "'우레가 옴에 조마조마함'은 두려워함으로써 복을 부름이다"란 마음으로 말하였고, "'웃고 말함이 하하 한다'는 것은 그런 뒤에야 법칙이 있음이다."이란 이치로 말하였다. 주자가 말하기를 "사람이 학문을 하는 바는 마음과 이치일 뿐이다"라고 하였으니, 마음이 아니면 이치를 통괄할 수가 없고 이치가 아니면 마음을 다할 수가 없으므로 그 실제는 한 가지이다. 그러므로 성인(聖人)이 말할 때에는 오로지 마음만을 말하는 곳도 없고 오로지 이치만을 말하는 곳도 없어 구구절절 이와 같으니, 읽는 사람은 깊이 잠겨 완미하여야 한다.

박종영(朴宗永) 「경지몽해(經旨蒙解)·주역(周易)」

程傳曰, 君子觀洊雷威震之象, 以恐懼自脩飭循省也. 不惟雷震, 凡遇驚懼之事, 皆當如是.
『정전』에서 말하였다: 군자는 벼락이 거듭되어 위엄이 떨쳐지는 상을 살펴 두려움으로 스스로를 닦고 따라서 살핀다. 벼락과 우레만이 아니라 놀랍고 두려운 일을 만나면 모두 이처럼 해야 한다.

蓋雷者, 天怒之象, 非時而雷災也. 人事有懼, 則天必震怒而示警, 人當恐懼於心, 脩省其過. 不爾則災咎必至. 詩云, 敬天之怒, 无敢戲豫, 又云, 畏天之威, 于時保之, 孔子於迅雷風烈, 必變衣服冠而坐, 又如周宣遇旱災, 而側身脩行, 宋景見熒惑, 而反身脩德, 莫非出於敬畏之義也. 雖然人之脩身, 雖無災咎, 常存敬畏之心, 恐懼焉, 脩省焉, 不敢怠忽然後, 能致永无災咎矣. 詩云, 戰戰兢兢, 如臨深淵, 如履薄氷, 朱子於荅陳亮書曰, 眞正大英雄, 卻從臨深履薄處做將出來, 凡學者能知此義, 無時而不恐懼脩省, 豈非立身之要道, 處世之良法也歟.
우레란 하늘이 노한 상이니, 제 때에 맞지 않게 우레가 치는 재앙이다. 사람의 일에 두려워할 만한 일이 있다면, 하늘은 반드시 진노하여 경고하니 사람은 마땅히 마음에서 두려워하고 자신을 닦으며 그 잘못을 살펴야 한다. 그렇지 않으면 재앙과 허물이 반드시 이르게 된

75)『詩經·我將』: 我其夙夜, 畏天之威, 于時保之.

다.『시경(詩經)』에서 말하기를 "하늘의 노여움을 공경하여 감히 안일하고 즐거워하지 말라"[76]고 하였고 또 "하늘의 위엄을 두려워하여 이에 보전할지어다"[77]라고 하였으며, 공자는 빠르게 치는 우레와 맹렬한 바람에 반드시 낯빛을 바꾸시고 의복을 입고 관을 쓰고 앉으셨고[78], 또 주(周)나라 선왕(宣王)이 가뭄인 재앙을 만나 몸을 뒤척이며 편안해 하지 못하면서 행실을 닦았으며[79], 송(宋)나라 경공(景公)은 형혹성[화성(火星)]을 보고서 자신을 돌이켜 덕을 닦았으니[80], 경외하는 뜻에서 나오지 않음이 없다. 비록 그렇더라도 사람의 수신(修身)은 비록 재앙과 허물이 없더라도 항상 경외하는 마음을 보존하여 두려워하고 닦으며 살펴, 감히 태만하거나 소홀히 할 수 없게 한 뒤에야 영원히 재앙과 허물이 없게 될 수 있다. 『시경(詩經)』에서 말하기를 "전전긍긍하여 마치 깊은 못에 임하는 듯이 하고 얇은 얼음을 밟듯이 하노라"[81]라고 하였고, 주자는 진량(陳亮)에게 답장을 쓰면서 "진정한 큰 영웅은 도리어 깊은 못에 임하고 얇은 얼음을 밟듯이 조심스럽게 하는 데에서 나온다"고 하였으니, 학자들이 이러한 뜻을 알아 때마다 두려워하여 닦으며 살피지 않음이 없을 수 있다면 어찌 자신을 세우는 중요한 방도와 처세의 좋은 방법이 아니겠는가?

심대윤(沈大允)『주역상의점법(周易象義占法)』

君子恐懼修省, 以自治, 則民亦恐懼修省而承上, 洊雷之義也. 坎爲修, 離爲省.
군자가 두려워하여 닦으며 살펴 스스로를 다스리면 백성들도 또한 두려워하여 닦으며 살펴서 윗사람을 받들 것이니, "벼락이 거듭된다"는 뜻이다. 감괘(坎卦☵)는 '닦음'이 되고, 리괘(離卦☲)는 '살핌'이 된다.

오치기(吳致箕)「주역경전증해(周易經傳增解)」

洊, 重襲也. 上下皆震, 爲洊雷而威益盛. 君子觀洊雷威震之象. 恐懼戒慎於其心, 脩飭循省於其躬, 而畏震之嚴威, 故恐懼, 效震之奮發, 故脩省也.
'천(洊)'은 거듭함이다. 상괘와 하괘가 다 진괘(震卦☳)라서, '벼락이 거듭됨'이 되어 위엄이

---

76)『詩經·板』: 敬天之怒, 無敢戲豫. 敬天之渝, 無敢馳驅. 昊天曰明, 及爾出王. 昊天曰旦, 及爾游衍.
77)『詩經·我將』: 我其夙夜, 畏天之威, 于時保之.
78) 이러한 내용은『논어(論語)·향당(鄉黨)』에 나오고, 또『예기(禮記)·옥조(玉藻)』에 다음과 같이 나온다. "君子之居恒當戶, 寢恒東首, 若有疾風迅雷甚雨, 則必變, 雖夜, 必興, 衣服冠而坐."
79)『詩經集傳·雲漢』: 舊說, 以爲宣王承厲王之烈, 內有撥亂之志, 遇災而懼, 側身修新, 欲消去之, 天下喜於王化復行, 百姓見憂, 故仍叔作此詩以美之.
80) 이러한 내용은『여씨춘추전』에 보인다.
81)『詩經·小旻』: 不敢暴虎, 不敢馮河. 人知其一, 莫知其他. 戰戰兢兢, 如臨深淵, 如履薄冰.

더욱 커진다. 군자는 벼락이 거듭되어 위엄이 떨쳐지는 상을 살펴, 마음으로는 두려워하고 경계하며 삼가고 몸으로는 닦고 삼가며 따르고 살피니, 우레의 위엄을 두려워하기 때문에 '두려워하고[恐懼]' 우레의 분발함을 본받기 때문에 '닦으며 살핀다[脩省]'.

이진상(李震相) 『역학관규(易學管窺)』

恐懼修省, 固震之本象, 而坎爲心憂, 艮爲敦止, 亦有是意. 恐而又懼, 修而又省, 洊象.
"두려워하여 닦으며 살핌"은 진실로 진괘(震卦☳)의 본래 상인데, 감괘(坎卦☵)는 마음속으로 근심함이 되고 간괘(艮卦☶)는 힘써 그침이 되니 또한 이러한 뜻이 있다. 두려워하면서 또 두려워하고, 닦으면서 또 살핌이 '거듭[洊]'의 상이다.

박문호(朴文鎬) 「경설(經說)・주역(周易)」

大象例取他義, 而此之恐懼修省, 復取卦義, 亦一例也.
「대상전」의 예(例)는 다른 뜻을 취하는데 여기서의 "두려워하여 닦으며 살핀다"는 다시 괘의 뜻을 취하였으니, 또한 하나의 예(例)이다.

이병헌(李炳憲) 『역경금문고통론(易經今文考通論)』

程傳曰, 君子畏天之威, 則脩其身, 省其過.
『정전』에서 말하였다: 군자는 하늘의 위엄을 두려워하니, 그 자신을 닦고 그 잘못을 살핀다.

初九, 震來虩虩, 後, 笑言啞啞, 吉.

초구는 우레가 올 때에 조마조마 해야, 뒤에 웃음과 말함이 하하 할 것이니, 길하다.

中國大全

傳

初九, 成震之主, 致震者也. 在卦之下, 處震之初也. 知震之來, 當震之始, 若能以爲恐懼, 而周旋顧慮, 虩虩然, 不敢寧止, 則終必保其安吉. 故後笑言啞啞也.

초구는 진괘를 이루는 주인이니 우레를 이루는 자이다. 괘의 아래에 있으니 진괘의 처음에 있는 것이다. 우레가 올 것을 알아 우레가 시작되는 즈음에 두렵게 여겨 두루 힘쓰며 돌아보고 염려하여 조마조마해 하며 감히 안주하지 않으면 마침내는 반드시 그 안정과 길함을 지켜내게 될 것이다. 그러므로 그런 뒤에야 웃음과 말이 하하 하는 것이다.

本義

成震之主, 處震之初. 故其占如此.

진괘를 이루는 주인으로서 진괘의 처음에 있다. 그러므로 그 점이 이와 같다.

小註

朱子曰, 震來虩虩, 是震之初震得來如此.
주자가 말하였다: '우레가 옴에 조마조마해 함'은 우레 중 처음 우레가 칠 때에 이와 같은 것이다.

○ 中溪張氏曰, 初恐懼虩虩, 而後笑言啞啞, 蓋先震而後定, 先恐而後安, 宜其吉也.

爻辭與卦象辭, 同者, 以初九爲成卦之主也. 以二體而觀, 初九九四, 俱爲震動之主爻, 其餘四陰爻, 皆聞震雷而恐懼者也.
중계장씨가 말하였다: 처음에는 두려워 조마조마해야 뒤에 웃음과 말이 하하 하다는 것은, 먼저 떨어야 뒤에 안정되며, 먼저 두려워해야 뒤에 편안해진다는 것이니, 그 길함이 마땅하다. 효사와 괘사와 「단전」이 같은 것은 초구를 괘를 이루는 주인으로 여기기 때문이다. 두 몸체로 보면, 초구와 구사가 같이 우레가 울리는 주효이고 그 나머지 네 음효가 다 진동하는 벼락 소리를 듣고 두려워하는 자들이다.

○ 平菴項氏曰, 震有二義, 有震動之震, 有震懼之震. 初九九四二爻, 乃震之所以爲震者, 震動之震也, 二三五上四陰爻, 乃爲陽所震者, 震懼之震也.
평암항씨가 말하였다: '진(震)'에는 두 가지 뜻이 있으니, '떨쳐 움직인다[震動]'고 할 때의 '진(震)'과 '떨면서 두려워한다[震懼]'고 할 때의 '진(震)'이다. 초구와 구사 두 효가 바로 우레가 진괘(震卦䷲)가 되도록 하는 것이니, '떨쳐 움직인다'고 할 때의 '진(震)'이고, 이효 · 삼효 · 오효 · 상효의 네 음효가 양에 의해 떨게 되는 자들이니 '떨면서 두려워한다'고 할 때의 '진(震)'이다.

○ 雲峯胡氏曰, 二陰一陽, 則一陽爲主, 初九, 在內卦之內, 震之主也. 故辭與卦同. 乾坤之後爲屯, 便以震之初爻爲主. 故象辭曰, 利貞利建侯. 周公之爻辭曰, 利居貞利建侯, 只加一居字. 至本卦象辭, 言震來虩虩笑言啞啞, 而爻辭亦只加一後字. 蓋震之用在下, 而重震之初, 又最下者, 所以爲震之主者也. 象之占曰, 亨, 爻之占曰, 吉, 一也.
운봉호씨가 말하였다: 음효 둘에 양효 하나면 양효 하나가 주효가 되는데, 초구가 내괘의 안에 있으니 진괘(震卦䷲)의 주인이다. 그러므로 효사가 괘사와 같다. 건괘(乾卦䷀)와 곤괘(坤卦䷁)의 다음이 준괘(屯卦䷂)가 되어 바로 진괘(震卦䷲) 초효를 주효로 한다. 그러므로 괘사에서는 "바름이 이로우니, 제후를 세움이 이롭다[利貞 … 利建侯]"라 하고 주공의 효사에서는 "바름에 머물러 있는 것이 이롭고 제후를 세움이 이롭다.[利居貞, 利建侯]"라 하여 '있음[居]'이라는 글자 하나만을 더했을 뿐이다. 본괘에서도 괘사에서는 "우레가 옴에 조마조마 하면, 웃고 말함이 하하 하리니[震來, 虩虩, 笑言, 啞啞]"라 하고 효사에서는 또한 '그런 뒤에야[後]'라는 글자 하나만 더했을 뿐이다. 진괘(震卦☳)의 쓰임이 하괘에 있고 겹쳐진 진괘(震卦䷲)의 초효가 또 가장 밑이니 그래서 진괘(震卦䷲)의 주인이 된다. 괘사의 점사에서 '형통하다[亨]' 하고 효사의 점사에서 '길하다[吉]' 한 것은 한가지로 같다.

韓國大全

이익(李瀷)『역경질서(易經疾書)』

初九震之初來, 九四震之復來, 有往然後復來, 所謂侑震也. 震來而厲者, 二與五是也, 得中一也, 乘剛一也. 又彼不正而此正, 然此億喪而彼否, 何也. 震長子而父在, 未有主鬯之理, 則彼已登君位者也. 下卦屬太子, 上卦屬君位. 凡震動危難之來, 君可以恐懼而無事, 太子則位尊勢逼, 易以掀動, 故非百分善處者不免, 所以其危厲爲尤甚.
초구는 우레가 처음 온 것이고 구사는 우레가 다시 온 것으로, 감이 있은 후에 다시 오니 이른바 '유진(侑震)'이다. 우레가 옴이 위태로운 것은 이효와 오효가 이것이니, 알맞음을 얻은 것도 똑같고 굳센 양을 타는 것도 똑같다. 또한 오효는 바르지 않고 이효는 바르지만, 이효에서는 잃음을 헤아리고 오효에서는 그렇지 않으니 어째서인가? 진괘(震卦☳)는 맏아들이며 아버지가 생존하셔서 아직 울창주를 주관할 이치가 없으니, 오효는 이미 임금의 자리에 등극한 자이다. 하괘는 태자에 속하고 상괘는 임금의 자리에 속한다. 우레가 쳐서 위험하고 어려움이 오는 때에 임금은 두려워하여 아무런 일이 없을 수 있지만, 태자라면 지위는 존귀하여도 형세가 급박하여 쉽게 혼란스러울 수 있기 때문에 완전하게 좋은 방법으로 잘 대처하는 자가 아니라면 면할 수가 없기 때문에 위태롭고 사납기가 더욱 심하게 된다.

심조(沈潮)「역상차론(易象箚論)」

初九, 虩虩.
초구는 조마조마 해야,

虩字從虎者, 互艮也, 笑言, 雜兌也.
'혁(虩)'자가 '호(虎)'를 부수로 하는 것은 호괘인 간괘(艮卦☶) 때문이며, '웃음과 말'은 태괘(兌卦☱)가 그 안에 섞여 있기 때문이다.

양응수(楊應秀)「곤괘강의(坤卦講義)·역본의차의(易本義箚疑)」

初九, 啞啞이리니,
초구는 하하 할 것이니,
〈이리니, 恐當改ᄒᆞ야

'이리니'는 아마도 마땅히 'ᄒᆞ야'로 고쳐야 할 듯하다.
○ 啞啞ᄒᆞ야.
하하 하여.〉

吉ᄒᆞ니라.
길하다.
〈ᄒᆞ니라, 恐當改ᄒᆞ리라.
'ᄒᆞ니라'는 아마도 마땅히 'ᄒᆞ리라'로 고쳐야 할 듯하다.
○ 吉ᄒᆞ리라.
길할 것이다.〉

유정원(柳正源) 『역해참고(易解參攷)』

正義, 初九剛陽之德, 爲一卦之先, 剛則不闇於幾, 先則能有前識. 故處震驚之始, 能以恐懼自脩, 而獲其吉, 故曰震來虩虩, 後, 笑言啞啞, 吉.
『주역정의』에서 말하였다: 초구는 굳센 양의 덕으로 한 괘의 맨 앞이 되니, 굳세면 기미에 어둡지 않고 맨 앞이면 먼저 아는 것이 있을 수 있다. 그러므로 우레가 놀라게 하는 처음에 있으면서 두려워하여 스스로를 닦아 길함을 얻을 수 있기 때문에 "우레가 올 때에 조마조마해야, 뒤에 웃음과 말이 하하 할 것이니, 길하다"고 하였다.

김상악(金相岳) 『산천역설(山天易說)』

初四陽爻, 皆取震動之義, 二三五上, 皆取震懼之義. 初九成震之主, 故辭與卦同. 比二而交, 陰陽相和, 故吉也.
초효와 사효는 양효로 모두 떨쳐 움직인다는 뜻을 취하였고, 이효·삼효·오효·상효는 모두 떨면서 두려워 한다는 뜻을 취하였다. 초구는 진괘(震卦䷲)를 이루는 주인이기 때문에 효사와 괘사가 같다. 이효와 비(比)의 관계에 있어서 사귀니, 음양이 서로 화합하기 때문에 길하다.

○ 彖辭者, 卦之靜也, 爻辭者, 爻之動也, 所以動而後, 方知其吉, 吉凶悔吝生于動者, 是也. 初九居震之初, 爲成卦之主, 故六爻獨言吉, 卽卦辭之亨也. 震陽初動, 動而之坤, 則爲豫, 豫則倡始逸豫, 所以貽凶也, 震則謹始恐懼, 所以致福也. 生於憂患, 死於安樂, 此之謂也.

괘사란 괘의 고요함이고, 효사란 효의 움직임이기 때문에 움직인 후라야 길함을 알 수 있으니, 길함과 흉함과 뉘우침과 인색함은 움직임에서 생기는 것이 이것이다. 초구는 진괘(震卦䷲)의 처음에 있으면서 괘를 이루는 주인이 되기 때문에 여섯 효 중에서 유일하게 '길하다'고 말하였으니, 괘사에서 말한 '형통하다'이다. 진괘(震卦☳)의 양이 처음 움직일 때에 움직여 곤괘(坤卦☷)로 바뀌면 예괘(豫卦䷏)가 되니, '예(豫)'는 편안하게 즐거워하기를 제 뜻대로 시작하기 때문에 흉함을 끼치고, '진(震)'은 시작을 삼가서 두려워하기 때문에 복을 부른다. "우환에서 살고 안락한 데에서 죽는다"82)가 이를 말한다.

서유신(徐有臣) 『역의의언(易義擬言)』

初九, 初震也. 其辭與卦同, 而多一後字, 卦括始終而爲辭, 言其已虩虩又啞啞, 皆已然也, 爻據時象而爲辭, 言其方虩虩, 而知其將啞啞, 尙屬將然之效也.

초구는 처음 우레가 침이다. 이 효사는 괘사와 같지만 '뒤[後]'라는 한 글자가 많으니, 괘사에서는 처음과 끝을 포괄하여 말을 삼아 이미 조마조마 하고 또 하하하여 모두 이미 그러함을 말하고, 효사에서는 때의 상에 의거하여 말을 삼아 막 조마조마 해야 장차 하하 할 것을 알게 되어 오히려 장차 그렇게 될 효과에 속함을 말한다.

이지연(李止淵) 『주역차의(周易箚疑)』

卦之爲震者, 專以初與四爲重, 而初又重於四, 此乃震之時也. 又與復師謙豫比剝之以一陽爲主之卦, 其意自別.

진괘(震卦䷲)가 되는 것은 오로지 초효와 사효를 중요하게 여기기 때문인데, 초효가 또 사효보다 중요하니 이는 비로소 진괘(震卦䷲)의 때가 되기 때문이다. 또 복괘(復卦䷗) · 사괘(師卦䷆) · 겸괘(謙卦䷎) · 예괘(豫卦䷏) · 비괘(比卦䷇) · 박괘(剝卦䷖)와 같이 하나의 양을 주인으로 삼는 괘와는 그 뜻이 저절로 구별된다.

김기례(金箕澧) 「역요선의강목(易要選義綱目)」

剛柔始交, 爲震之主, 二陰蔽, 則必恐懼反已而後, 致福.

굳센 양과 부드러운 음이 처음 사귀어 진괘(震卦䷲)의 주인이 되지만 두 음에게 가려지니, 반드시 두려워하고 자신을 돌이켜 살펴 본 후에야 복을 부르게 된다.

---

82) 『孟子 · 告子』: 入則無法家拂士, 出則無敵國外患者, 國恒亡. 然後, 知生於憂患而死於安樂也.

○ 豫初六, 倡始逸豫而凶, 震初九, 謹始恐懼而吉.
예괘(豫卦䷏) 초육은 편안하게 즐거워하기를 제 뜻대로 시작하여 흉하게 되고, 진괘(震卦䷲)의 초구는 두려워하기를 삼가 시작하여 길하게 된다.

심대윤(沈大允)『주역상의점법(周易象義占法)』

夫有威然後能動, 无威而爲人所操制, 則不得動矣. 故震之取義以威動民也. 能動民, 乃其能動也. 夫立威在乎立法, 法立而威自生, 无法而威猛則殘, 殘則暴, 暴則民不從, 故威之所由立, 以有法也. 我随法而不自動, 則能動矣, 民随我而動, 則不得自動矣. 民之随我, 非随我也, 乃随我之法也. 君子嚴守法而立威, 寬施惠而懷民, 是故天下畏我之法, 而懷我之惠也. 震之爻位, 居剛, 信法而无避也, 居柔, 法有所不必行也.
위엄이 있은 후에 움직일 수 있으니, 위엄이 없어 다른 사람에 의하여 조종되어 통제를 당하면 움직일 수가 없다. 그러므로 진괘(震卦䷲)는 위엄으로 뜻을 취해 백성들을 움직였다. 백성들을 움직일 수 있는 것이 곧 그가 움직일 수 있는 것이다. 위엄을 세움은 법을 세우는 데에 있으니, 법이 설 때에 위엄은 저절로 생기고, 법은 없으면서 위엄만 사나우면 잔인하며, 잔인하면 난폭하고, 난폭하면 백성들이 따르지 않기 때문에 위엄이 말미암아서 세워지는 바는 법이 있기 때문이다. 내가 법을 따르면서 스스로 움직이지 않음은 움직일 수 있는 것이며, 백성들이 나를 따르면서 움직임은 스스로 움직일 수가 없는 것이다. 백성들이 나를 따름은 나를 따르는 것이 아니라 나의 법을 따르는 것이다. 군자는 법을 엄격하게 지켜 위엄을 세우면서 너그럽게 은혜를 베풀어 백성들을 품으니, 이 때문에 천하 사람들이 나의 법을 두려워하고 나의 은혜를 마음에 품는다. 진괘(震卦䷲)에서 효의 자리는 굳센 양의 자리에 있으면 법을 믿고 달아남이 없으며, 부드러운 음의 자리에 있으면 법은 반드시 행하여지는 것이 아닌 바가 있다.

震之豫䷏, 逸也. 來往行泥者, 象雷之遠近起伏而言也. 初九以剛居剛 以地卑時淺之[83]人, 能有威法而无私撓, 其下畏憚而承服, 令行而禁止, 故能□而不勞也. 夫威法者, 上施于下者也. 初九有六二之比從而無位, 其威法之所行者, 止於其妻子私屬, 而亦必如豫之順勢以動, 未可一切也.〈一切苟且[84]循例, 而□□[85]變通也.〉 其餘則不行

83) '之' 다음에 경학자료집성 영인본에서는 여기에 해당하는 글자가 무슨 글자인지 알 수가 없고, 경학자료집성DB에 '之'로 되어 있으나, 문맥을 살펴 '之'를 삭제하였다.
84) 且: 경학자료집성 영인본에서는 여기에 해당하는 글자가 무슨 글자인지 알 수가 없고, 경학자료집성DB에 '目'으로 되어 있으나, 문맥을 살펴 '且'로 바로 잡았다.
85) □: 경학자료집성DB에 '切'로 되어 있으나, 경학자료집성 영인본에서는 여기에 해당하는 글자가 무슨 글자인

焉, 是其限節也. 震來, 言方來而崇尙威嚴也. 初與二位卑時淺, 威法未立, 易以狎侮, 故宜尙威嚴, 是以皆言震來也. 彖言威怒以安民, 民安樂, 此言下之服我威法, 而我安適意旨不同, 故言後以別之. 福在民則不言吉, 而在我則言吉也. 〈虩虩啞啞, 又有不齊怒而遷於他人[86]之義也.〉

진괘(震卦䷲)가 예괘(豫卦䷏)로 바뀌었으니, 즐기는 것이다. '왕래함'[87]과 '감[行]'[88]과 '진흙탕'[89]이란 우레가 멀고 가깝고 일어나고 숨어버림을 상징하여 말하였다. 초구는 굳센 양으로 굳센 양의 자리에 있어서, 자리가 낮고 때가 미천한 사람으로서 위엄 있는 법을 가져 사사롭게 굽힘이 없을 수 있으니, 아랫사람들이 두려워하고 꺼려서 승복하여 명령하면 시행하고 금지하면 그만 두기 때문에 □할 수 있어서 수고롭지 않다. 위엄 있는 법이란 위에서 아래로 시행하는 것이다. 초구는 육이가 비(比)의 관계에 있어서 따름은 있지만 지위가 없어서 위엄 있는 법이 시행되는 바는 단지 그의 처자와 하인들에게 그쳐 또한 예괘(豫卦䷏)가 형세에 순응하여 움직이는 것과 반드시 같으니, 아직 전부라고 할 수는 없다.〈'일체(一切)'란 구차하게 조목조목 관례를 따르고 □□변통하는 것이다.〉 나머지는 시행되지 않으니, 이는 그 한계이다. '우레가 옴'은 막 오자마자 위엄을 숭상함을 말한다. 초효는 이효와 더불어 지위가 낮고 때가 미천하여 위엄 있는 법이 아직 서지 않아 쉽게 멸시를 당하기 때문에 마땅히 위엄을 숭상해야 하니, 이 때문에 모두 '우레가 옴'을 말하였다. 「단전」은 노여움을 위엄 있게 하여 백성들을 편안하게 하므로 백성들이 편안하고 즐거워한다는 말이니, 이는 아랫사람들이 나의 위엄 있는 법에 복종함을 말하여, 내가 편안하게 나아간다는 취지와는 같지 않기 때문에 '뒤[後]'를 말하여 구별하였다. 복이 백성들에게 있으면 길하다고 말하지 않고 나에게 있으면 길하다고 말한다. 〈'조마조마함'과 '하하함'은 또 노여움을 억제하지 못하여 다른 사람에게 옮기는 뜻이 있다.〉

오치기(吳致箕) 「주역경전증해(周易經傳增解)」

初九, 陽剛得正而居初, 爲震之主, 故與彖辭同而占言吉也.

초구는 굳센 양으로 제자리를 얻어 처음에 있고 진괘(震卦䷲)의 주인이 되기 때문에 괘사와 같지만 점사에서는 길하다고 하였다.

지 알 수가 없다.

86) 人: 경학자료집성DB에 '於'로 되어 있으나, 경학자료집성 영인본을 참조하여 '人'으로 바로 잡았다.

87) 『周易 · 震卦』: 六五, 震往來, 厲, 億无喪有事.

88) 『周易 · 震卦』: 六三, 震蘇蘇, 震行无眚.

89) 『周易 · 震卦』: 九四, 震, 遂泥.

○ 後者, 恐懼之後也. 彖言全卦之象, 此言一爻之象, 故加一後字以別之, 而辭益明矣. 彖言亨, 爻言吉, 亦有攸當也.
'뒤[後]'란 두려워한 뒤이다. 괘사에서는 괘의 전체 상을 말하였고, 여기서는 한 효의 상을 말하였기 때문에 '뒤[後]'라는 한 글자를 더해 구별하여 말을 더욱 분명히 하였다. 괘사에서는 '형통하다'고 하였고 효사에서는 '길하다'고 하였으니, 또한 마땅한 바가 있다.

象曰, 震來虩虩, 恐致福也, 笑言啞啞, 後有則也.

「상전」에서 말하였다: "우레가 옴에 조마조마해 함"은 두려워함으로써 복을 이루는 것이고, "웃음과 말함이 하하 함"은 그런 뒤에야 법칙이 있는 것이다.

中國大全

傳

震來, 而能恐懼周顧, 則无患矣, 是能因恐懼而反致福也. 因恐懼而自修省, 不敢違於法度, 是由震而後有法則. 故能保其安吉, 而笑言啞啞也.

우레가 옴에 두려워하여 두루 돌아볼 줄 알면 근심이 없을 것이니, 이는 두려워하였기에 오히려 복을 이룰 수 있는 것이다. 두려워하기에 스스로 닦고 살펴 감히 법도를 어기지 않으니, 이는 우레로 말미암은 뒤에야 법칙이 있는 것이다. 그러므로 그 안정과 길함을 지킬 수 있어 웃음과 말함이 하하 한 것이다.

小註

臨川吳氏曰, 恐謂虩虩, 致福謂致笑言啞啞之福, 有則謂不以恐懼而失其常度也.
임천오씨가 말하였다: '두려워함'은 '조마조마해 함'을 말하고, '복을 이룸'은 '웃음과 말함이 하하'하는 복을 부름을 말하며, '법칙이 있음'은 두려움으로 그 평상의 법도를 잃지 않음을 말한다.

▌韓國大全▐

김상악(金相岳) 『산천역설(山天易說)』

釋見彖傳. 初曰震來, 九震而初遇其來也, 二曰震來, 初震而二遇其來也, 五曰震往來, 初震已往而四震又來也.

풀이는 「단전」에 대한 설명에 보인다. 초효에서 말한 "우레가 옴"은 양[九]인 우레가 쳐서 초효가 우레를 만난 것이고, 이효에서 말한 "우레가 옴"은 초효인 우레가 쳐서 이효가 우레를 만난 것이며, 오효에서 말한 "우레가 왕래함"은 초효인 우레가 가고 사효인 우레가 또 오는 것이다.

서유신(徐有臣) 『역의의언(易義擬言)』

彖之後字, 已然也, 象之後字, 將然也.

「단전」에서의 '뒤에야[後]'라는 글자[90]는 이미 그렇게 되었다는 뜻이고, 「소상전」에서의 '뒤에야[後]'라는 글자는 장차 그렇게 될 것이라는 뜻이다.

오치기(吳致箕) 「주역경전증해(周易經傳增解)」

與彖傳同.

「단전」과 같다.

이진상(李震相) 『역학관규(易學管窺)』

震之主, 故與彖同象, 而以陽承陰, 故曰後有則.

진괘(震卦䷲)의 주인이기 때문에 괘사와 상을 같이 하고, 양으로 음을 받들기 때문에 "그런 뒤에야 법칙이 있는 것이다"라고 하였다.

박문호(朴文鎬) 「경설(經說)・주역(周易)」

初爲卦主, 故全取卦辭, 而其彖象傳之重出, 非衍文也. 蓋古易彖傳象傳, 各自爲一書.

---

90) 『周易・震卦』: 彖曰, 震, 亨, 震來虩虩, 恐致福也, 笑言啞啞, 後有則也.

초효는 괘의 주인이 되기 때문에 괘사를 전부 취하였고, 「단전」과 「대상전」의 말이 거듭 나온 것은 쓸데없이 들어간 구절[衍文]이 아니다. 옛날에는 『주역』의 「단전」과 「대상전」이 각각 본래 하나의 책으로 되었었다.

이병헌(李炳憲) 『역경금문고통론(易經今文考通論)』

歷攷往牒, 初九姑未有當之者.
지난 날 기록을 두루 살펴보면, 초구는 잠시도 마땅함이 없는 자이다.

程傳曰, 初九成震之主.
『정전』에서 말하였다: 초구는 진괘(震卦䷲)를 이루는 주인이다.

六二, 震來厲, 億喪貝, 躋于九陵, 勿逐, 七日得.

정전 육이는 우레가 옴이 사나워 재물을 잃을 것을 헤아려 아홉 언덕에 오르니, 좇지 말면 이레 만에 얻으리라.

본의 육이는 우레가 옴에 위태로워 재물을 잃고 아홉 언덕에 오르니, 좇지 않아도 이레 만에 얻으리라.

中國大全

傳

六二, 居中得正, 善處震者也, 而乘初九之剛. 九, 震之主, 震剛動而上奮, 孰能禦之. 厲, 猛也, 危也. 彼來, 旣猛, 則己處, 危矣. 億, 度也. 貝, 所有之資也. 躋, 升也. 九陵, 陵之高也. 逐, 往追也. 以震來之厲, 度不能當而必喪其所有, 則升至高, 以避之也. 九, 言其重, 岡陵之重, 高之至也. 九, 重之多也, 如九天, 九地也. 勿逐七日得, 二之所貴者, 中正也, 遇震懼之來, 雖量勢巽避, 當守其中正, 无自失也, 億之必喪也, 故遠避以自守, 過則復其常矣, 是勿逐而自得也. 逐, 卽物也. 以己卽物, 失其守矣, 故戒勿逐. 避遠自守, 處震之大方也, 如二者, 當危懼而善處者也. 卦位, 有六, 七, 乃更始, 事旣終, 時旣易也. 不失其守, 雖一時不能禦其來, 然時過事已, 則復其常. 故云七日得.

육이는 가운데 있으면서 바름을 얻었으니 '진(震)'에 잘 대처하는 자이지만, 초구의 굳셈을 타고 있다. 초구는 진괘의 주인이면서 진괘는 굳센 양으로 움직여 위로 떨쳐 올라가니 누가 막을 수 있겠는가? '사나움[厲]'은 '맹렬함'이고 '위태로움'이다. 저 초구가 옴이 이미 사나우니 자기가 있는 곳이 위태롭게 된다. '안다[億]'는 것은 '헤아림'이다. '재물[貝]'은 가지고 있는 재물이다. '오름[躋]'은 올라간다는 것이다. '아홉 언덕'은 언덕 가운데 높은 것이다. '좇음'은 따라가는 것이다. 우레가 오는 것이 사나워 감당하지 못하여 결국 자기가 가진 것을 잃으리라 짐작하였으니, 아주 높이 올라가 피하는 것이다. '아홉'은 거듭됨을 말하니, 언덕이 거듭됨은 지극히 높다는 것이다. '아홉'은 거듭됨이 많은 것이니, '구천(九天)', '구지(九地)'와 같은 것이다. '좇지 말면 이레 만에 얻는다'는 것은, 육이가 귀중한 바는 중정(中正)함이라서 우레가 두렵게 함이 옴을 만나 비록 기세를 헤아려 순순히 피하지만 마땅히 그 중정함을 지켜 스스로를 잃지 말아야 하며, 반드시 잃을 것을 알기 때문에 멀리 피하여 스스로 지키고 지나가면 그 평상을 회복할 것이니, 이것이 좇지 않아도 저절로 얻는 것이다. '쫓음'은 대상에게 나아가는 것이다. 자기가 대상에게 나아가면 그 지킴을 잃게 될 것이다. 그러므로 좇지 말라 경계하였다. 멀리 피하여 스스로 지킴이 '진(震)'에 대처하는 큰 방법이니, 육이 같은 자는 위태롭고 두려운 상황을 당하여 잘 처신하는 자이다. 괘의 자리가 여섯이니, 일곱은 바로 다시 시작함이고, 일이 끝났고 때가 바뀐 것이다. 그 지킴을 잃지 않으면 비록 한 때 그 옴을 막을 수 없어도 때가 지나고 일이 끝나면 그 평상을 회복할 것이다. 그러므로 "이레 만에 얻는다"고 하였다.

本義

六二, 乘初九之剛. 故當震之來, 而危厲也. 億字, 未詳. 又當喪其貨貝, 而升於九陵之上, 然柔順中正, 足以自守. 故不求而自獲也. 此爻, 占具象中, 但九陵七日之象, 則未詳耳.

육이는 초구의 굳셈을 탔다. 그러므로 우레가 옴을 당하여 위태롭다. '억(億)'자는 자세하지 않다. 또 그 재화를 잃고 아홉 언덕 위로 올라가지만, 유순하고 중정하여 스스로를 지키기에 충분하다. 그러므로 구하지 않아도 저절로 얻는다. 이 효는 점이 상 안에 갖춰져 있으나, 다만 '아홉 언덕'과 '이레'의 상은 자세하지 않다.

小註

朱子曰, 六二, 不甚可曉. 大概是喪了貨貝, 又被人赶, 上高處去, 只當固守, 便好.
주자가 말했다: 육이에 대해서는 잘 이해할 수가 없다. 대체로 재물을 잃고 남에게 쫓겨 높은 곳으로 가니, 다만 굳게 지켜야만 좋다.

○ 中溪張氏曰, 初九, 震之主也, 以九之剛威, 動而上奮, 孰禦之者, 而六二, 乃以至柔, 當其鋒, 岌岌乎殆哉.
중계장씨가 말하였다: 초구가 진괘(震卦☳)의 주인이며, 양효의 굳센 위세로 움직여 위로 떨쳐 올라가니 누군들 막을 수 있겠는가? 그런데 육이가 이에 매우 유약하면서 초구의 칼날을 받으니 위태위태하다.

○ 臨川吳氏曰, 六二, 因怖畏, 而有喪失, 又且辟易遠避, 可謂怯懦, 无所守矣. 然居中得正, 苟有墮甑弗顧之達, 則當有去珠復還之喜. 故曰, 勿用追尋, 至七日而所喪之貝可得也.
임천오씨가 말하였다: 육이가 두려움 때문에 잃어버림이 있고, 게다가 기세에 눌려 멀리 피

하니 겁쟁이여서 지키는 것이 없다고 할 것이다. 그러나 가운데 있으면서 바름을 얻었으니 떨어뜨린 시루를 돌아보지 않는 대범함이 있다면 잃어버린 보물이 다시 돌아오는 기쁨이 있기 마련이다. 그러므로 "좇지 않아도 이레가 지나면 잃어버린 재물을 얻을 수 있다"고 하였다.

○ 雲峯胡氏曰, 常人之情, 震驚則多喪失. 故喪匕鬯, 喪貝, 每每言之. 二, 當初九動而方來, 其勢, 甚危. 大喪其貝, 事之危也, 躋于九陵, 地之危也. 其危如此, 二, 中正自守, 不以己卽物, 始也有喪, 而不追其喪, 末也有得, 亦其數窮而自得之也. 或曰, 互艮有陵象, 九卽初九, 躋于九陵, 二進在初之上也. 七日得, 旣濟六二占同, 皆於六二言之者, 自二至上, 又自上而二, 七數. 二, 中正, 故始雖失, 而終復得之.
운봉호씨가 말하였다: 보통 사람들은 놀라면 대부분 잃어버린다. 그러므로 "국자와 울창주를 떨어뜨린다"거나 "재물을 잃는다"는 것은 언제나 하는 말이다. 이효는 초구가 움직여 막 옴을 당하니, 그 형세가 매우 위태롭다. '크게 그 재물을 잃어버림'은 일이 위태로운 것이고, '아홉 언덕을 오름'은 처지가 위태로운 것이다. 그 위태로움이 이와 같으나 이효가 중정으로 스스로를 지키고 자기가 대상에게 나아가지 않으니, 처음에는 잃어버림이 있으나 그 잃어버린 것을 좇지 않아도 끝에는 얻음이 있고, 또한 빠르게 궁핍해져도 저절로 얻는 것이 있다. 어떤 이는 이렇게 말한다. 호체인 간괘(艮卦☶)에 언덕의 상이 있고, '아홉'은 바로 초구이며, '아홉 언덕을 오름'은 이효가 초효의 위로 나아가 있음이다. '이레 만에 얻음'은 기제괘(旣濟卦䷾) 육이의 점사와 같은데, 모두 육이에서 말한 것은 이효부터 상효까지, 다시 상효에서 이효까지가 일곱이기 때문이다. 이효가 중정하므로 처음에는 잃어도 끝내 다시 얻는다.

‖韓國大全‖

조호익(曺好益)『역상설(易象說)』

震來厲, 指初. 貝, 雙湖曰, 自初至四似離, 龜貝之象. 愚謂, 此爻主互體而言, 貝離象, 二偶互艮, 有喪貝之象, 二變互離, 有得貝之象. 勿逐, 艮止象. 或曰, 九指九四. 陵, 艮象. 二億其必喪貝, 而進至五, 則无喪, 然自守中正, 雖失之而不逐, 自得.
"우레가 옴이 사나움"은 초효를 가리킨다. '재물[貝]'에 대하여 쌍호호씨는 "초효로부터 사효에 이르기까지 리괘(離卦☲)와 비슷하니 옛날의 화폐인 거북 등껍질과 조개껍질의 상이다"

라고 하였다. 내가 생각하기에는, 이 효는 호괘의 몸체를 위주로 말하였으니 '재물[貝]'이란 리괘(離卦☲)의 상인데, 이효가 짝이고 호괘는 간괘(艮卦☶)이므로 재물을 잃는 상이 있고 이효가 변하면 호괘가 리괘(離卦☲)이므로 재물을 얻는 상이 있다. '좇지 않다'란 간괘(艮卦☶)의 그치는 상이다. 어떤 이가 말하기를 "구(九)는 구사를 가리킨다"고 하였다. '언덕'은 간괘(艮卦☶)의 상이다. 이효는 반드시 재물을 잃을 것이라고 억측하여 나아가 오효에 이른다면 잃음이 없지만, 스스로 중정함을 지켜 비록 잃고 좇지 않더라도 스스로 얻게 된다.

김장생(金長生) 『경서변의(經書辨疑)-주역(周易)』

傳, 己處, 危矣.
『정전』에서 말하였다: 자기가 있는 곳이 위태로울 것이다.

己, 我也. 處, 猶留也, 處於危也.
'기(己)'는 나이다. '있는[處]'이란 머무름[留]과 같으니, 위험한 곳에 머무름이다.

송시열(宋時烈) 『역설(易說)』

震之道威猛, 而二居中爻, 其來也, 有危厲之道, 小象所謂乘剛也. 億者, 數之多也, 喪者, 失也, 貝者, 離黽之寶貝也. 下有離象, 而二爻以上爲互艮, 故多失離貝之寶, 躋艮之丘陵. 九者, 陽數之成也, 七者, 艮之數, 日者, 離之象, 言多失其寶貝, 自爲退逐, 艮與離將可得, 故曰七日得.
蓋始雖不爲離, 而互爲艮, 成數然後, 離象自可得也. 如此處, 蓋寓語耳, 無此事而有此象. 然占者如之.
우레의 도는 위엄이 있고 맹렬하며, 이효는 가운데 효의 자리에 있어서 우레가 올 때에 위험하고 두려워하는 도가 있으니, 「소상전」에서 이른바 "굳셈을 탄다"라는 것이다. '억(億)'이란 수가 많음이고, '상(喪)'이란 잃음이며, '재물[貝]'이란 리민(離黽)의 보배이다. 괘의 아래에는 리괘(離卦☲)의 상이 있고 이효 이상은 호괘가 간괘(艮卦☶)가 되기 때문에 리괘(離卦☲)의 조개껍질로 상징되는 재물을 많이 잃고 간괘(艮卦☶)의 구릉(丘陵)에 오른다. '구(九)'란 양의 수가 이루어진 것이며, '칠(七)'이란 간괘(艮卦☶)의 수이고, '일(日)'이란 리괘(離卦☲)의 상이니, 그 보배를 많이 잃고 스스로 물러나고 쫓기게 되어도 간괘(艮卦☶)와 리괘(離卦☲)로 장차 얻을 수 있기 때문에 "이레 만에 얻으리라"고 하였다.
처음에 비록 리괘(離卦☲)가 되지 못하지만, 호괘가 간괘(艮卦☶)가 되어 수를 이룬 후에 리괘(離卦☲)의 상을 저절로 얻을 수 있다. 이와 같은 곳은 우언(寓言)일 뿐이니, 이러한 일이 없어도 이러한 상이 있다. 그러나 점을 치는 것도 이와 같다.

권거(權榘) 「독역쇄의(讀易瑣義)·역중기의(易中記疑)·역괘취상(易卦取象)」

當初九震奮之時, 勢有不可禦者, 故二三皆以行去爲義. 九四在四陰之中, 不能自震, 又初九之震, 至此而止, 故五六皆以不去爲義. 二旣遠避於九陵之上, 與六五正應, 同類相援, 終不離中正而時移事定, 還復其故, 此所以勿逐而還得者也. 蓋互艮有陵象, 六五又在九四互艮之上, 則九陵之上是六五, 而自二至五, 自五還二, 又有七日象.

초구인 우레가 떨치는 때를 맞아 막을 수 없는 형세가 있기 때문에 이효와 삼효는 모두 떠나가는 것으로 뜻을 삼는다. 구사는 네 음의 가운데에 있어서 스스로 떨칠 수가 없고, 또 초구의 우레는 여기에 이르러 그치기 때문에 오효와 육효도 모두 떠나지 않는 것으로 뜻을 삼는다. 이효가 이미 아홉 언덕 위로 멀리 피하고 육오와 정응하여 동류가 서로 도와, 끝내 중정한 데에서 떠나지 않아서 때가 바뀌고 일이 안정되면 옛 것을 돌이켜 회복하니, 이것이 좇지 않아도 도리어 얻는 까닭이다. 호괘인 간괘(艮卦☶)에는 '언덕'의 상이 있고, 육오는 또 구사까지의 호괘인 간괘(艮卦☶)의 위에 있으니 구릉의 정상은 육오이며, 이효로부터 오효에 이르고 오효로부터 이효로 돌아오기까지에 또한 이레[七日]의 상이 있다.

이익(李瀷) 『역경질서(易經疾書)』91)

億, 據六五傳大無喪, 則當訓大也. 彼象云無喪有事, 則知此之有喪而無事. 事而謂貝, 何也. 震, 龍也, 龍之所寶, 莫如珠貝, 易以象言, 故喪貝者, 喪其有事也. 位者, 大寶也, 喪位便是喪事也, 亦豈非喪其主鬯之事乎. 傳云, 乘剛也, 卦以震動爲義, 而乘初九剛陽之動, 故有此象. 此可爲古今居儲副者戒也. 五居互艮之上, 有躋九陵之象. 躋者, 指所喪之貝, 非喪之者也, 謂所寶喪於此 而躋於彼, 卽與奪在君也. 然乘剛也, 非作孼也, 其爲中正, 則自若, 故有勿逐還得之象. 歷六位而復於本爻, 則七也.

육이에서의 '억(億)'92)은 육오 「상전」의 "크게 잃음이 없다[大无喪]"93)에 의거해보면, 마땅히 '크다'라는 뜻으로 풀어야 한다. 저기 육오에서는94) "잃음이 없고 일이 있다"고 하였으니, 여기 육이에서는 잃음이 있고 일이 없음을 알 수 있다. 일인데도 '재물[貝]'이라고 한 것은 어째서인가? 진괘(震卦☳)는 용(龍)이고 용의 보물은 여의주[珠貝]만한 것이 없어서 『주역

---

91) 경학자료집성DB에서는 진괘(震卦䷲) 초구에 해당하는 것으로 분류했으나, 내용에 살펴 이 자리로 옮겨 바로잡았다.

92) 『周易·震卦』: 六二, 震來厲, 億喪貝, 躋于九陵, 勿逐, 七日得.

93) 『周易·震卦』: 六五, 象曰, 震往來厲, 危行也, 其事在中, 大无喪也.

94) 『역경질서(易經疾書)』에는 육오의 「소상전」에 이러한 말이 나온다고 하였으나, 「소상전」에는 이러한 말이 없고 효사에 나오므로 이와 같이 고쳤다.

』에서는 상으로 말하였기 때문에 "재물을 잃음[喪貝]"이란 있던 일을 잃음이다. 지위란 큰 보물이며 지위를 잃음은 일을 잃음이니, 또한 어찌 울창주를 주관하는 일을 잃음이 아니겠는가? 「소상전」에서 "굳셈을 타다"라고 하였으니, 괘는 우레가 치는 것으로 뜻을 삼고 초구의 움직이는 굳센 양을 타고 있기 때문에 이러한 상이 있다. 이는 고금의 태자에 있는 자가 경계하여야 할 바가 될 만하다. 오효는 호괘인 간괘(艮卦☶)의 맨 위에 있으므로 아홉 언덕에 오르는 상이 있다. '올리다[躋]'란 잃어버린 재물을 가리키지 않는 것이 아니니, 보물로 여기는 바를 여기에서 잃어버리고 저기에서 올림은 주고 빼앗는 일이 임금에게 달려 있음을 말한다. 그러나 '굳셈을 탐'은 재앙을 만드는[作孼][95] 것이 아니니, 중정하여 태연하기 때문에 좇지 않아도 도리어 얻게 되는 상이 있다. 여섯 자리를 거쳐 다시 본래의 효로 돌아오면, '이레[七日]'이다.

심조(沈潮) 「역상차론(易象箚論)」

六[96]二, 喪貝, 躋于九陵, 七日得.
육이는 재물을 잃고 아홉 언덕에 오르니, 좇지 않아도 이레 만에 얻으리라.

至柔, 故有喪貝之患. 躋, 從足者, 震也. 七日, 艮數也
지극히 부드러운 음이기 때문에 재물을 잃는 걱정이 있다. '제(躋)'자는 '족(足)'자를 부수로 하니, 떨친다는 뜻이다. '이레[七日]'은 간괘(艮卦☶)의 수이다.

양응수(楊應秀) 「곤괘강의(坤卦講義)·역본의차의(易本義箚疑)」

六二, 躋于九陵이니,
구이는 아홉 언덕에 오르니,
〈이니, 恐當改이나.
'이니'는 아마도 마땅히 '이나'로 고쳐야 할 듯하다.
○ 躋ᄒᆞ나,
오로나,〉

---

95) 『書經 · 太甲』: 王, 拜手稽首曰 予小子, 不明于德, 自底不類, 欲敗度, 縱敗禮, 以速戾于厥躬, 天作孼, 猶可違, 自作孼, 不可逭, 旣往, 背師保之訓, 弗克于厥初, 尙賴匡救之德, 圖惟厥終.
96) 六: 경학자료집성DB와 영인본에 모두 '九'로 되어 있으나, 문맥을 살펴 '六'으로 바로 잡았다.

유정원(柳正源) 『역해참고(易解參攷)』

息齋余氏曰, 億喪貝, 大喪貝也. 劉向云所費大萬, 應劭註大萬, 億也.
식재여씨가 말하였다: '억상패(億喪貝)'는 크게 재물을 잃는다는 뜻이다. 유향(劉向)이 말한 "비용이 수 만[大萬]이다"[97]라고 한 데에 대하여 응소(應劭)가 주(註)를 달기를 "대만(大萬)은 억(億)이다"[98]라고 하였다.

○ 梁山來氏曰, 億者, 大也. 六五小象曰, 大无喪, 可知矣. 二變則中爻離, 爲蠏蚌貝之象也. 震爲足躋之象也. 中爻艮, 爲山陵之象也. 陵乘九剛, 九陵之象也. 又艮居七, 七之象, 離爲日, 日之象也. 陰陽各極乎六七, 則變而反其初矣.
양산래씨가 말하였다: '억(億)'이란 크다는 뜻이다. 육오 「소상전」에서 말한 "크게 잃음이 없다[大无喪也]"에서 알 수가 있다. 이효가 변하면 가운데 효가 리괘(離卦☲)이니, 게와 조개의 상이 된다. 진괘(震卦☳)는 다리로 오르는 상이 된다. 가운데 효가 간괘(艮卦☶)이니 산과 언덕의 상이 된다. 구(九)인 굳셈을 올라타고 있으니, 아홉 언덕의 상이다. 또 간괘(艮卦☶)는 일곱 번째 자리에 있으니 '칠(七)'의 상이고, 리괘(離卦☲)는 '일(日)'이 되니 일(日)의 상이다. 음양이 각각 육과 칠에서 다하면 변하여 그 처음으로 돌아간다.

○ 案, 大喪其貝, 升于九陵, 危厲之極也, 而此不過時運之適來也. 二以中正自守, 不以得失爲恤, 勿爲物欲所逐, 則困而亨, 否而傾, 七日之後, 失者必得, 危者必安矣.
내가 살펴보았다: 재물을 크게 잃고서 아홉 언덕에 오름은 위태로움이 지극한 것이지만, 이것은 시운(時運)이 때마침 온 것에 불과하다. 이효는 중정하여 스스로를 지켜 얻고 잃음으로써 근심하지 않으니, 물욕에 의하여 쫓아다니지 않는다면 곤궁하더라도 형통하며, 비색하고 기울어지더라도 칠일 후에는 잃은 자는 반드시 얻게 되고 위태로운 자는 반드시 편안해진다.

傳, 九天, 九地.
『정전』에서 말하였다: '구천(九天)', '구지(九地)'.
案, 兵家, 揚兵於九天之上, 藏兵於九地之下者, 以方位言, 而此則只言其高深.
내가 살펴보았다: 병가(兵家)에서 말하기를 구천(九天)의 위에서 군대를 드날리고 구지(九地)의 아래에 군대를 숨긴다[99]고 한 것은 방위로 말한 것이며, 여기서는 다만 그 높고 깊음

97) 『漢書 · 劉向傳』: 營起邑居, 功費大萬百餘.
98) 『漢書 · 楚元王傳』: 及徙昌陵, 增埤爲高, 積土爲山, 發民墳墓, 積以萬數, 營起邑居, 期日迫卒, 功費大萬百餘.〈應劭曰: 大萬, 億也. 大, 巨也.〉
99) 『孫子』: 善守者, 藏於九地之下. 善攻者 動於九天之上. 故能自保而全勝也.

을 말하였을 뿐이다.

김상악(金相岳) 『산천역설(山天易說)』

六二乘初九之剛[100], 故當震之來而危厲也. 與初四互爲離艮, 始雖喪貝而升高, 然中正自守 終必勿逐而復得也.

육이는 초구의 굳셈을 올라타 있기 때문에 우레가 옴을 맞아 위태롭다. 초효로부터 사효까지는 호괘가 리괘(離卦☲)와 간괘(艮卦☶)가 되니, 처음에는 비록 재물을 잃고 높은 언덕에 오르지만, 중정하여 스스로를 지켜 끝에는 반드시 좇지 말아야 다시 얻게 된다.

○ 厲, 猛也, 危也. 彼來猛, 則已處危矣. 億, 大也, 五之大无喪, 是也. 離爲龜, 爲蚌貝之象, 陵者, 艮之山也, 躋者, 震之足也, 喪者, 動萬物者, 莫疾乎雷, 而震來厲, 故物失其居也. 二五乘剛同, 而曰喪曰无喪者, 初四之厲泥不同也. 然二之柔中, 恐懼修省得處震之道, 故始雖不免喪失, 終則不求而自獲也. 勿逐, 艮之止也. 前有坎陷, 故與既濟六二同象. 九與七, 皆爻位再周之數, 再周則至二爲七, 至四爲九. 躋極其高而勿逐, 則止於其所也. 日離象, 十干之甲, 日之始也. 自乾之甲, 至震之庚, 爲七日, 與復象傳同. 得者, 喪之反也. 坎月在中, 震互艮體, 故既言喪, 又言得, 詳見坤卦. 蓋二五, 皆得中于上下, 故億喪而復得, 无喪而有事也.

'려(厲)'는 사나움이고 위태로움이다. 저것이 옴이 사납다면 자신의 처소가 위태롭다. '억(億)'은 큼이니, 오효의 「소상전」에서 말한 "크게 잃음이 없다"가 이것이다. 리괘(離卦☲)는 거북이 되고 조개가 되는 상이고, '언덕[陵]'이란 간괘(艮卦☶)인 산이며, '오르다[躋]'란 진괘(震卦☳)인 다리이고, '잃음[喪]'이란 만물을 움직이게 하는 것 중에 우레보다 빠른 것이 없어서 우레가 옴이 위태롭기 때문에 사물은 그 거처를 잃는다는 것이다. 이효와 오효는 굳센 양을 타는 것은 같지만 이효에서는 '잃는다'고 하였고 오효에서는 '잃음이 없다'[101]고 한 것은 초효는 사납고 사효는 더디어서 같지 않기 때문이다. 그러나 부드러운 음으로 알맞은 이효는 "두려워하여 닦으며 살펴"[102] 우레에 대처하는 도를 얻었기 때문에 처음에는 비록 잃음에서 벗어나지 못하지만, 끝에는 구하지 않아도 스스로 얻게 된다. '좇지 않음[勿逐]'은 간괘(艮卦☶)인 그침이다. 호괘 중 이효 앞에는 감괘(坎卦☵)의 빠짐이 있기 때문에 기제괘(既濟卦䷾)의 육이[103]와 상이 같다. '구(九)'와 '칠(七)'은 모두 효의 사리가 다시 한 바퀴

100) 剛: 경학자료집성DB에 '荊'로 되어 있으나, 경학자료집성 영인본을 참조하여 '剛'으로 바로 잡았다.
101) 『周易 · 震卦』: 六五, 震, 往來厲, 億无喪有事.
102) 『周易 · 震卦』: 象曰, 洊雷, 震, 君子以, 恐懼脩省.
103) 『周易 · 既濟卦』: 六二, 婦喪其茀, 勿逐七日得.

돈 수이니, 다시 한 바퀴 돌 경우에 이효까지는 칠이 되고 사효까지는 구가 된다. 가장 높은 곳에 올라 좇지 않는다면 마땅한 곳에 머물게 된다. '일(日)'은 리괘(離卦☲)의 상이고 십간(十干)에서는 갑(甲)이니, 일(日)의 시작이다. 건괘(乾卦☰))인 갑으로부터 진괘(震卦☳)인 경(庚)에 이르면 칠일이 되니, 복괘(復卦䷗)의 「단전」[104]과 같다. '얻는다[得]'란 '잃는다[喪]'의 반대말이다. 감괘(坎卦☵)인 달[105]이 가운데에 있고, 진괘(震卦䷲)의 호괘는 간괘(艮卦☶)의 몸체이기 때문에 이미 '잃는다'고 하고도 또 '얻는다'고 하였으니, 상세한 설명이 곤괘(坤卦䷁)에 보인다.[106] 이효와 오효는 모두 상괘와 하괘에서 알맞음을 각각 얻었기 때문에 크게 잃어도 다시 얻고, 잃음이 없으며 일이 있다.

김규오(金奎五) 「독역기의(讀易記疑)」

六二, 雲峯九陵說, 恐未盡. 互艮固爲陵, 九陵卽九四也. 重陽爲九, 九四乃重陽, 故曰躋于九陵. 似指避地于六五矣.

육이에 대하여 운봉호씨가 주(註)를 달 때 '구릉(九陵)'에 대한 설명은 아마도 미진한 듯하다. 호괘인 간괘(艮卦☶)는 진실로 언덕이 되며, '구릉(九陵)'은 구사이다. 거듭된 양이 구(九)인데, 구사는 곧 거듭된 양이기 때문에 "아홉 언덕에 오른다"고 하였다. 아마도 육오에게로 자리를 피함을 가리키는 듯하다.

서유신(徐有臣) 『역의의언(易義擬言)』

億, 安也. 六二中正, 震懼之來, 能自厲而自安也. 九陵, 九曲之峻坂也, 二至四爲九爲艮也. 九陵之外, 六五所在, 而失其貝, 無以越險相從也. 互蹇故有是象也. 七日者, 月弦之候, 震有月生明之象, 生明七日而爲弦, 又七日而爲望. 日月何嘗馳逐而求應哉. 以喻應與之相合有時, 自然而得之也.

'억(億)'은 편안함이다. 육이는 중정하므로, 우레의 두려움이 올 때에 스스로 위태롭게 여기면서도 스스로 안정할 수 있다. '구릉(九陵)'은 구곡(九曲) 중에서 몹시 가파른 산비탈이니, 이효로부터 사효까지는 구(九)가 되고 간괘(艮卦☶)가 된다. 구릉의 밖에는 육오가 있는 곳이며, 재물을 잃어서 험한 곳을 넘어 서로 좇을 수가 없다. 두 호괘로 이루어진 괘가 건괘

---

104) 『周易 · 復卦』: 彖曰, 復亨, 剛反, … 反復其道, 七日來復, 天行也.

105) 『周易 · 說卦傳』: 坎, 爲水, 爲溝瀆, … 爲通, 爲月, 爲盜.

106) 『山天易說 · 坤卦』: 以納甲言, 乾納甲壬, 坤納乙癸, 震納庚, 巽納辛, 艮納丙, 兌納丁, 離納己, 坎納戊, 故月之終始, 三日出震之庚, 八日見兌之丁, 十五盈乾之甲, 故曰西南得朋, 十八退巽之辛, 廿三消艮之丙, 三十窮坤之乙, 喪滅于癸, 故曰東北喪朋.

(蹇卦䷦)이기 때문에 이러한 상이 있다. '이레[七日]'란 상현달이 뜨는 때이고, 진괘(震卦☳)에는 달이 생겨나 밝아지는 상이 있으니, 달이 생겨나 밝아지면서 칠일이 되어 상현달이 되고, 또 칠일이 지나 보름달이 된다. 해와 달이 어찌 일찍이 달려가 쫓아 호응함을 구하겠는가? 이로써 호응하여 서로 함께 함은 때가 있어서 자연스럽게 얻게 됨을 비유하였다.

강엄(康儼) 『주역(周易)』

按, 本義以億字爲未詳, 而雲峯云大喪其貝, 似以億字爲大字之義, 蓋本六五象傳, 大无喪之大字而言也. 然未知六五大字, 果是釋億字耶.

내가 살펴보았다: 『본의』에서는 '억(億)'자를 자세히 알 수가 없다고 하였고, 운봉호씨는 "크게 그 재물을 잃어버림"이라고 하여 아마도 '억(億)'자를 '크다[大]'라는 글자의 뜻으로 여겼으니, 육오의 「소상전」에서 말한 "크게 잃음이 없다[大无喪也]"에서의 '크다[大]'라는 글자에 근본하여 말한 듯하다. 그러나 육오의 「소상전」에서 말한 "크다[大]'라는 글자가 과연 '억(億)'자를 풀이하는지는 잘 모르겠다.

이지연(李止淵) 『주역차의(周易箚疑)』

匕鬯者, 所以奉先之具, 人之所不可忽者也, 雖驚懼而不致喪貨貝者, 所以資身之物, 人之所不可輕也. 危厲至於喪貝, 則其不安, 可知也. 陵以互艮取象, 而九則以艮上老陽取數者也. 七日, 卦有六爻, 七日然後, 復其故處, 如七日來復之七也. 億者, 供億之億也, 貝, 所以供億吾身之資也.

'국자'와 '울창주'[107]란 선조를 받드는 기구이라서 사람들이 소홀히 해서는 안 되는 것이고, 비록 놀라고 두려워도 재물을 잃는 데까지는 이르지 않는 것은 자신에게 의지가 되는 물건이라서 사람들이 가볍게 여겨서는 안 되기 때문이다. 위태로워서 재물을 잃는 데에 이르면, 그 불안함을 알 수가 있다. '언덕'은 호괘인 간괘(艮卦☶)에서 상을 취하였고, '구(九)'는 간괘(艮卦☶)의 맨 위에 있는 효가 노양(老陽)인 데에서 수를 취한 것이다. '이레[七日]'라고 한 것은 괘에는 여섯 효가 있는데 칠일이 지난 후에 자기의 옛 자리로 돌아오기 때문이니, 복괘(復卦䷗)에서 말한 "칠 일만에 와서 회복하다[七日來復]"[108]에서의 '칠(七)'과 같다. '억(億)'이란 '부족한 것을 공급하여 편안하게 한다[供億]'할 때의 '편안함[億]'이다. '재물[貝]'은 자신에게 부족한 것을 공급하는 재화이다.

---

107) 『周易·震卦』: 震, 亨, 震來, 虩虩, 笑言, 啞啞, 震驚百里, 不喪匕鬯.

108) 『周易·復卦』: 復, 亨, 出入无疾, 朋來无咎. 反復其道, 七日來復, 利有攸往.

김기례(金箕澧) 「역요선의강목(易要選義綱目)」

柔乘剛則危, 思之若失貨貝.
부드러운 음이 굳센 양을 탄다면 위험하니, 생각하기를 재물을 잃는 것과 같이 하였다.

○ 若以中正自守, 雖有喪貝而不追, 數極, 則自得.
만약 중정으로써 스스로를 지킬 수 있어서 비록 재물을 잃게 되더라도 좇지 않으면서 충분한 날이 지나면 저절로 얻게 된다.

○ 乘初九震之主剛, 故曰躋九陵. 九謂初九, 陵取互艮, 言可懼也.
진괘(震卦☳)의 주인이 되는 굳센 양인 초구를 타기 때문에 "아홉 언덕에 오른다"고 하였다. '구(九)'는 초구를 말하고, '언덕'은 호괘인 간괘(艮卦☶)에서 취하였으니, 두려워할만함을 말한다.

○ 自二至上, 又反於二, 則七爻, 復之七同義, 故曰七日.
이효로부터 상효에 이르고 또 다시 이효로 돌아오면 일곱 효가 되니, 복괘(復卦䷗)에서 말한 '칠(七)'[109]과 뜻이 같기 때문에 '이레[七日]'이라고 하였다.

이항로(李恒老) 「주역전의동이석의(周易傳義同異釋義)」

傳, 億, 度也.
『정전』에서 말하였다: '억(億)'은 '헤아림'이다.

本義, 億字, 未詳.
『본의』에서 말하였다: '억(億)'자는 자세하지 않다.

按, 十萬曰億, 有大義. 六五象傳曰, 大無喪也, 大字, 似釋億義. 然恐當闕疑.
내가 살펴보았다: 십만을 억(億)이라고 하니, 크다는 뜻이 있다. 육오의 「소상전」에서 "크게 잃음이 없다"라고 하였는데 여기서 '크다[大]'라는 글자는 아마도 '억(億)'의 뜻을 풀이한 듯하다. 그러나 마땅히 의심나는 부분은 그대로 두어야 할 듯하다.

---

109) 『周易 · 復卦』: 復, 亨, 出入无疾, 朋來无咎. 反復其道, 七日來復, 利有攸往.

심대윤(沈大允) 『주역상의점법(周易象義占法)』

震之歸妹䷵, 有所歸也.〈六二之威法, 无所自遂, 歸妹之義也.〉 二之時, 民有歸者矣. 以柔居柔, 而乘初之剛, 才力不足以敵下, 而畏其强悍, 多所俯從而不能必其威法. 夫在下而有德行可師者, 吾之所禮下也, 强猾足以傷我而爲變者, 吾之所畏避也, 皆不可直以威法處之也. 在崇尙威嚴之時, 懼其狎侮而喪威, 故曰震來厲. 程子曰, 億度也, 夫威怒必量度詳愼而後, 發乃无患也. 二與五得中, 故曰億, 二位卑居柔, 量度而有所不行也, 五量度而有不得不行也. 坎離互兌震爲億. 六二志欲從四而效其威重, 而以其近初而俯從, 故不能焉. 故曰喪貝, 躋于九陵, 勿逐. 貝, 龜貝也. 離爲龜, 艮爲陵爲躋, 兌爲九爲喪, 兌震爲勿逐. 喪貝, 言喪四也. 躋于九陵, 言望四也. 勿逐, 言不能從也. 久而威信漸立, 則自然尊重, 而下之不服者皆服, 故曰七日得. 離爲七, 離兌有革日之義, 故曰七日. 艮爲得.

진괘(震卦䷲)가 귀매괘(歸妹卦䷵)로 바뀌었으니, 돌아갈 바가 있는 것이다.〈육이의 위엄스러운 법은 스스로 이룰 수 있는 바가 없으니, 귀매(歸妹)의 뜻이다.〉 이효의 때에 백성들 중에는 돌아가는 자가 있다. 부드러운 음으로 부드러운 음의 자리에 있으면서 굳센 양인 초효를 타고 있으나, 재주와 힘은 아래와 대적하기에 부족하고 사나움을 두려워하여 순종하는 바가 많아 반드시 위엄스러운 법대로 할 수는 없다. 아래에 있으면서 본받을만한 덕행이 있는 자는 내가 예(禮)를 갖춰 낮추어야 할 자이고, 강하고 교활하여 나를 해치고 변하게 하는 자는 내가 두려워하면서 피해야 할 자이니, 모두 다만 위엄스러운 법으로 대처할 수 없다. 위엄을 숭상하는 때에 멸시받음을 두려워하여 위엄을 잃기 때문에 "우레가 옴에 위태롭다"라고 하였다. 정자는 "'억(億)'은 '헤아림'이다"라고 하였으니, 위엄스러운 노여움은 반드시 상세하게 하고 신중하기를 헤아린 후에 노여움을 내야 곧 우환이 없다. 이효와 오효는 알맞음을 얻었기 때문에 '헤아린다[億]'고 하였는데, 이효는 자리가 낮고 부드러운 음의 자리에 있어서, 헤아려도 행하지 않는 바가 있고, 오효는 헤아려 행하지 않을 수 없는 바가 있다. 감괘(坎卦䷜)와 리괘(離卦䷝)의 호괘인 태괘(兌卦☱)와 진괘(震卦☳)가 '헤아림[億]'이 된다. 육이의 뜻은 사효를 따르고 사효의 위엄있고 신중함을 본받고자 하지만, 초효와 가까워 순종하기 때문에 그렇게 할 수가 없다. 그러므로 "재물을 잃고 아홉 언덕에 오르니, 좇지 않는다"라고 하였다. '재물[貝]'은 화폐[龜貝]이다. 리괘(離卦☲)는 거북껍질이 되고, 간괘(艮卦☶)는 '언덕'과 '오름'이 되며, 태괘(兌卦☱)는 '구(九)'와 '잃음'이 되고, 태괘(兌卦☱)와 진괘(震卦☳)는 '좇지 않음'이 된다. '재물을 잃음'이란 사효를 잃음을 말한다. "아홉 언덕에 오른다"란 사효를 바라봄을 말한다. '좇지 않음'이란 따를 수 없음을 말한다. 오래되어 위신(威信)이 점점 서게 되면 자연스럽게 존중되어, 아래에 있는 복종하지 않는 자가 모두 복종하게 되기 때문에 "이레 만에 얻으리라"라고 하였다. 리괘(離卦☲)는 칠이 되고, 리괘

(離卦☲)와 태괘(兌卦☱)에는 날을 고치는 뜻이 있기 때문에 '이레'라고 하였다. 간괘(艮卦☶)는 '얻음'이 된다.

오치기(吳致箕) 「주역경전증해(周易經傳增解)」

六二柔得中正, 而乘初九之剛, 當雷震之初, 其來最邇而勢甚猛厲, 故大失其寶貝, 躋于九陵之上. 然居中而得正, 有以自守, 故雖勿逐其所失, 而七日之間, 終復有得也. 卽象而占可知矣.
육이는 부드러운 음으로 중정함을 얻어 굳센 양인 초구를 타고 있으므로, 처음 우레가 치는 때를 맞아 우레가 올 때에 가장 가까워 형세가 매우 사납고 위태롭기 때문에 자신의 보배를 크게 잃고 아홉 언덕의 정상에 오른다. 그러나 가운데 자리에 있고 바름을 얻어 스스로 지킬 수 있기 때문에 비록 잃은 것을 좇지 않더라도 칠일 사이에 끝내 다시 얻게 된다. 상에 나아가 점을 알 수가 있다.

○ 十萬曰億, 而數之大者, 故大謂之億也. 是以六五言億无喪, 而象釋以大无喪也. 貝蚌屬爲寶之物, 而取於爻變互離也. 或云, 以貝喩心, 如佛語之以心爲光明寶藏也. 升于上曰躋也. 陽數爲九, 故指四之陽曰九, 而陵取於互艮爲山也. 二五相應, 故言躋于九陵之上也. 合二五之數則爲七, 而亦以爻位一周而復, 則爲七也. 日取於爻變互離也.
십만을 '억(億)'이라고 하니 수(數) 중에서 큰 것이기 때문에 '큼[大]'을 '억(億)'이라고 한다. 이 때문에 육오 효사에서는 '억무상(億无喪)'이라고 하였고, 「소상전」에서는 "크게 잃음이 없다"라고 풀이하였다. 조개[貝蚌]는 보배로운 물건에 속하고 이효가 변한 괘인 귀매괘(歸妹卦䷵)의 호괘인 리괘(離卦☲)에서 취하였다. 어떤 이가 말하기를 "'패(貝)'는 마음을 비유하였으니, 불가에서 마음을 빛나고 밝은 숨겨진 보물이라고 한 말과 같다"고 하였다. 정상에 오르는 것을 '제(躋)'라고 한다. 양의 수가 구이기 때문에 사효의 양을 가리켜 '구(九)'라고 하였으며, '언덕'은 호괘인 간괘(艮卦☶)가 산이 되는 데에서 취하였다. 이효와 오효는 서로 호응하기 때문에 "아홉 언덕의 정상에 오른다"고 하였다. 이효와 오효의 수를 합하면 '칠(七)'이 되고, 또 효의 자리를 한 바퀴 돌아 다시 오면 '칠(七)'이 된다. '일(日)'은 이효가 변한 괘인 귀매괘(歸妹卦䷵)의 호괘인 리괘(離卦☲)에서 취하였다.

이진상(李震相) 『역학관규(易學管窺)』

億喪貝.

재물을 크게 잃다.

億, 大也, 觀六五象[110]大無喪, 可見. 劉向傳註, 亦以大萬爲億.

'억(億)'은 크다[大]는 뜻이니 육오 「소상전」의 "크게 잃음이 없다[大无喪]"를 보면 알 수가 있다. 『한서(漢書) · 유향전(劉向傳)』의 주(註)에서도 또한 '수 만[大萬]'을 '억(億)'이라고 하였다.[111]

○ 躋于九陵.

아홉 언덕에 오르다.

二至四互艮, 有山陵象, 九陽居上, 故曰九陵. 震爲足, 故曰躋. 七日之象, 程傳正矣.

이효로부터 사효에 이르기까지의 호괘는 간괘(艮卦☶)이니 산과 언덕의 상이 있고, 구(九)인 양이 꼭대기에 있기 때문에 '아홉 언덕'이라고 하였다. 진괘(震卦☳)는 발이 되기 때문에 '오른다[躋]'고 하였다. '이레[七日]'의 상은 『정전』의 설명이 옳다.

박문호(朴文鎬) 「경설(經說) · 주역(周易)」

躋陵, 是避難之占也. 避難者, 當以喪貝爲先, 若係戀[112]於財, 則終不能避之矣.

"언덕에 오르다"란 어려움을 피하는 점사이다. 어려움을 피한다는 것은 마땅히 재물을 버리는 것을 먼저 해야 하는데도 만약 재물에 얽매이고 연모한다면 끝내 피할 수 없을 것이다.

---

110) 象: 경학자료집성DB와 영인본에 모두 '豙'으로 되어 있으나, 문맥을 살펴 '象'으로 바로 잡았다.

111) 『漢書 · 楚元王傳』: 及徙昌陵, 增埤爲高, 積土爲山, 發民墳墓, 積以萬數, 營起邑居, 期日迫卒, 功費大萬百餘.〈應劭曰: 大萬, 億也. 大, 巨也.〉

112) 戀: 경학자료집성DB에 '變'으로 되어 있으나, 경학자료집성 영인본을 참조하여 '戀'으로 바로 잡았다.

象曰, 震來厲, 乘剛也.

정전 「상전」에서 말하였다: "우레가 옴이 사나움"은 굳셈을 타서이다.
본의 「상전」에서 말하였다: "우레가 옴에 위태로움"은 굳셈을 타서이다.

中國大全

傳

當震而乘剛. 是以, 彼厲而己危, 震剛之來, 其可禦乎.

우레가 침을 맞아 굳센 것을 타고 있다. 그래서 저것은 사납고 나는 위태로우니, 굳센 우레가 오는 것을 막을 수 있겠는가?

小註

臨川吳氏曰, 柔乘初剛, 迫近雷威. 故危.
임천오씨가 말하였다: 유약한데 굳센 초효를 타고 있으니, 벼락의 위세에 가까이 간 것이다. 그러므로 위태롭다.

○ 雲峯胡氏曰, 屯六二, 豫六五, 噬嗑六二, 困六三, 震六二, 皆言乘剛也. 惟困六三, 乘坎之中爻, 其餘, 皆乘震之初也, 皆不以吉稱.
운봉호씨가 말하였다: 준괘(屯卦䷂)의 육이, 예괘(豫卦䷏)의 육오, 서합괘(噬嗑卦䷔)의 육이, 곤괘(困卦䷮)의 육삼, 진괘(震卦䷲)의 육이에서 다 '굳센 양을 탔다'고 하였다. 곤괘(困卦)의 육삼만 감괘(坎卦☵)의 가운데 효를 타고 있을 뿐, 나머지는 다 진괘(震卦☳)의 초효를 타고 있어서, 모두 '길하다'고 하지 않았다.

韓國大全

김상악(金相岳) 『산천역설(山天易說)』

乘剛雖厲, 終必相交而生. 見屯六二.

굳센 양을 타서 비록 위태롭지만, 끝내 반드시 서로 사귀어 생겨난다. 준괘(屯卦䷂) 육이에 이에 대한 설명이 보인다.113)

서유신(徐有臣) 『역의의언(易義擬言)』

柔能乘剛, 故知懼而自厲也. 震來, 非謂初九之來, 謂二亦震也. 乘剛, 非謂初九之懼, 謂二能乘也.

부드러운 음이 굳센 양을 타기 때문에 두려움을 알아 스스로 위태롭다고 여긴다. '우레가 옴'은 초구가 옴을 말하는 것이 아니라 이효 또한 우레임을 말한다. '굳셈을 탄다'는 초구의 두려움을 말하는 것이 아니라 이효가 탈 수 있음을 말한다.

오치기(吳致箕) 「주역경전증해(周易經傳增解)」

柔乘初剛, 迫近雷威之厲, 故有所喪, 而以中正, 故終自得也.

부드러운 음이 굳센 양인 초효를 타고 있어서 우레의 위엄이 주는 위태로움에 매우 가깝게 다가가기 때문에 잃는 바가 있지만 중정하기 때문에 끝내 스스로 얻는다.

이병헌(李炳憲) 『역경금문고통론(易經今文考通論)』

干曰, 億, 歎辭也, 似訓噫, 或又訓大也. 貝, 寶貨也, 此喻紂拘文王, 其徒永貝以賂紂, 故曰億喪貝. 水物而方升於九陵, 雖喪之, 猶外府, 故勿逐. 七日得者, 七年之日也.

간보가 말하였다: '억(億)'은 감탄하는 말이니 '희(噫)'라고 풀이한 것과 비슷하고, 어떤 이는 또 '크다[大]'라는 뜻으로 풀이하였다. '패(貝)'는 보화(寶貨)이니, 이것은 주(紂)왕이 문왕을 유리(羑里)에 구속하자 문왕의 무리가 '영패(永貝)'를 주왕에게 뇌물을 주었던 일을 비유하기 때문에 "재물을 잃는구나"라고 하였다. '조개[貝]'란 물에 사는 것인데 바야흐로 아홉 언덕에 올라왔으니, 비록 잃더라도 오히려 바깥 창고[外府]에 두는 것과 같기 때문에 좇지 않는다. '이레 만에 얻는다'란 칠년 동안의 날 수이다.114)

---

113) 『山天易說 · 屯卦 · 六二』: 十者, 坤土之成數也. 凡言十年, 皆在坤體之卦也. 六二之難, 必盡坤之數, 然後得與正應相遇, 故曰十年乃字.

114) 『書經 · 洛誥』: 惟周公, 誕保文武受命, 惟七年.

六三, 震蘇蘇, 震行, 无眚.

육삼은 우레가 쳐 비실비실 하니, 떨쳐 가면 허물이 없으리라.

中國大全

傳

蘇蘇, 神氣緩散自失之狀. 三, 以陰居陽, 不正. 處不正, 於平時, 且不能安, 况處震乎. 故其震懼而蘇蘇然. 若因震懼, 而能行去不正而就正, 則可以无過. 眚, 過也. 三行則至四, 正也. 動, 以就正爲善, 故二, 勿逐, 則自得, 三, 能行, 則无眚, 以不正而處震懼, 有眚, 可知.

'비실비실[蘇蘇]'은 정신과 기운이 느슨해지고 흩어져 스스로를 잃는 모양이다. 삼효는 음으로서 양의 자리에 있으니 바르지 않다. 있는 자리가 바르지 않으면 평소에도 안정될 수 없는데, 하물며 진괘(震卦䷲)에 처해서겠는가? 그러므로 우레가 두렵게 하여 비실비실한다. 만약 우레가 두렵게 함으로 가서 바르지 않은 곳을 떠나서 바름으로 나아갈 수 있다면 잘못이 없을 것이다. '허물'은 잘못이다. 삼효가 가면 사효에 이르니, 바르다. 움직임은 바름으로 나아가는 것을 선하게 여기므로, 이효는 좇지 말면 자연히 얻고, 삼효는 갈 수 있으면 허물이 없다 하는 것이니, 바르지 않음으로 우레가 두렵게 함에 처하는 것이 허물됨을 알 수 있다.

本義

蘇蘇, 緩散自失之狀. 以陰居陽, 當震時而居不正. 是以, 如此, 占者, 若因懼而能行, 以去其不正, 則可以无眚矣.

'비실비실'은 느슨해지고 흩어져 스스로를 잃어버리는 모양이다. 음으로서 양 자리에 있으니, '진(震)'의 때를 당하여 바르지 못한 곳에 있다. 이 때문에 이와 같으니, 점친 사람이 두려움에 의하여 나아갈 수 있어서, 이로써 바르지 않은 곳을 떠날 수 있다면, 허물이 없을 수 있을 것이다.

小註

雲峯胡氏曰, 二, 當震初之來, 雖有所喪, 戒以勿逐, 三, 去初遠, 而勉之以行, 何也. 六二, 中正自守, 三不中正故也. 故戒之曰, 與其懼而蘇蘇自失, 不若因其懼而能行以去不正, 庶乎可以无眚耳.
운봉호씨가 말하였다: 이효는 우레가 처음 옴을 당하여 잃어버린 것이 있었음에도 쫓지 말라 경계해놓고, 삼효는 초효와 거리가 먼데도 가도록 권면하는 것은 어째서인가? 육이는 중정으로 스스로를 지키지만 삼효는 중정하지 않기 때문이다. 그러므로 경계하여 "두려워 비실비실 스스로를 잃기 보다는 그 두려움에 의하여 나아가 바르지 않은 곳을 떠날 수 있어서 거의 허물이 없을 수 있을 뿐인 것이 낫다"고 하였다.

○ 隆山李氏曰, 陽爻, 震物, 陰爻, 被震. 陰被震而不敢輕犯其鋒, 必須逃避而後, 獲免. 故二則欲其躋于九陵, 三則欲其行, 无眚.
융산이씨가 말하였다: 양효는 흔들어 떨치는 것이고, 음효는 흔들려 떨리는 것이다. 음이 떨리는데도 감히 그 칼날을 함부로 휘둘러 맞설 수 없다면 반드시 도망친 뒤에야 벗어나게 된다. 그러므로 이효는 아홉 언덕을 오르고자 하고, 삼효는 떠나고자 하니 허물이 없을 것이다.

韓國大全

조호익(曺好益) 『역상설(易象說)』

或曰, 蘇蘇, 三去初遠, 震聲漸緩之象. 震已緩, 故行而无災眚. 蘇蘇, 震動而自失之象. 行震足象. 眚, 雙湖曰, 目疾. 无眚, 互坎而離伏之象.
어떤 이가 말하기를 "'비실비실함[蘇蘇]'은 삼효가 초효와의 거리가 멀어 우레 소리가 점차 완화되는 상이다. 우레가 이미 완화되었기 때문에 가더라도 재앙이 없다"고 하였다. '비실비실함[蘇蘇]'은 우레가 진동하여 스스로를 잃는 상이다. '감[行]'은 진괘(震卦☳)인 발의 상이다. '허물[眚]'에 대하여 쌍호호씨는 "눈병이다"라고 하였다. "허물이 없다"란 호괘가 감괘(坎卦☵)인데 리괘(離卦☲)가 숨어 있는 상이다.

송시열(宋時烈) 『역설(易說)』

蘇者, 蘇而復生也. 下震將盡, 上震復生, 上下俱動. 來氏說得之, 又爲踈散不安之象, 故疊字曰蘇蘇. 震行无眚者, 以震之道行之, 則中雖有坎象, 而不以坎之多眚故也. 小象, 位不當者, 三爻不中不正, 不能奮厲, 有爲安於其位.

'소(蘇)'란 소생하여 다시 살아남이다. 아래의 우레는 장차 다하려 하고, 위의 우레는 다시 생겨나 위와 아래가 모두 움직인다. 래지덕의 설은 옳다. 또 초라하고 불안한 상이 되기 때문에 글자를 겹쳐서 '소소(蘇蘇)'라고 하였다. "떨쳐 가면 허물이 없으리라"란 우레의 도로 가면 가운데에 비록 감괘(坎卦☵)의 상이 있더라도 감괘(坎卦☵)의 하자가 많음[115]으로 하지 않기 때문이다. 「소상전」에서의 "자리가 마땅하지 않아서이다"란 삼효가 알맞지도 않고 바르지도 않아 떨쳐 일어날 수가 없으니, 자신의 자리를 편안하게 여김이 있다.

이익(李瀷) 『역경질서(易經疾書)』

蘓蘓索索與虩虩爲例, 則凡言震者, 皆承上文震來而省文也. 震蘓蘓者, 震來而其心蘓蘓不安也. 震行者, 又承蘓蘓而言, 震來蘓蘓而其行亦然也. 六三位失, 恐懼行動如此, 所以無眚.

'비실비실함[蘓蘓]'과 '시들시들함[索索]'[116]은 '조마조마함[虩虩]'과 비슷한 부류가 되니, '우레'라고만 말한 것은 모두 초구 효사에 있는 '우레가 올 때에[震來]'를 이으면서도 '옴[來]'이라는 글자를 생략한 것이다. '진소소(震蘓蘓)'란 우레가 와서 그 마음이 비실비실하게 불안하다는 것이다. '진행(震行)'이란 또 '비실비실함[蘓蘓]'을 이어 말하였으니, 우레가 와서 비실비실하여 그 행동도 또한 그러한 것이다. 육삼은 제자리를 잃어 두려워하면서 행동하기를 이와 같이 하니, 이 때문에 허물이 없다.

심조(沈潮) 「역상차론(易象箚論)」

六三, 蘇蘇.
육삼은 비실비실하니.

蘇字, 從魚者, 陰也.
'소(蘇)'자는 '어(魚)'를 합한 글자이니, 음이다.

---

115) 『周易 · 說卦傳』: 坎, 爲水, 爲溝瀆, … 其於輿也, 爲多眚, 爲通, 爲月, 爲盜.
116) 『周易 · 震卦』: 上六, 震索索, 視矍矍, 征凶. 震不于其躬, 于其鄰无咎, 婚媾有言.

양응수(楊應秀) 「곤괘강의(坤卦講義) · 역본의차의(易本義箚疑)」

六三, 震蘇蘇.
육삼은 우레가 쳐 비실비실 하니,
〈震下當着애吐.
'진(震)' 다음에는 마땅히 '애'토(吐)가 붙어야 한다.
○ 震애, 蘓蘓홈이니,〉
우레에 비실비실함이니,

유정원(柳正源) 『역해참고(易解參攷)』

正義, 蘇蘇, 畏懼不安之貌. 六三居不當位, 故震懼而蘇蘇然也. 雖不當位, 而无乘剛之逆, 故可以懼行而无災眚也.
『주역정의』에서 말하였다: '소소(蘇蘇)'란 두려워하고 불안해하는 모습이다. 육삼은 마땅하지 않은 자리에 있기 때문에 우레가 두렵게 히여 비실비실하다. 비록 자리가 마땅하지 않더라도 굳센 양을 타는 거슬림이 없기 때문에 두려워하면서 가서 재앙과 허물이 없을 수 있다.

○ 漢上朱氏曰, 震爲反生, 三震之極, 震極反生, 蘇也. 春秋傳, 殺秦諜三日蘇.
한상주씨가 말하였다: 진괘(震卦☳)는 되살아남이 되니[117], 삼효는 우레가 다함이고 우레가 다하면 되살아남이 '소(蘇)'이다. 『춘추좌씨전(春秋左氏傳)』에서 "진(秦)나라 염탐꾼을 잡아 죽었는데 삼일 뒤에 소생하였다"[118]고 하였다.

○ 雙湖胡氏曰, 二當震來厲之時, 僅喪其貝, 三旣隔二, 不當至於絶而復蘇. 本義得矣.
쌍호호씨가 말하였다: 이효는 "우레가 옴에 위태로운" 때를 맞아 겨우 재물을 잃지만, 삼효는 이미 이효를 사이에 두고 있어서 마땅히 없어지는 데에는 이르지 않고 다시 소생한다. 『본의』가 잘 풀이하였다.

김상악(金相岳) 『산천역설(山天易說)』

蘇蘇, 傳義緩散自失之狀. 三居兩震之間, 外內知懼, 故有蘇蘇之象. 雖比四, 互坎體,

---

117) 『周易 · 說卦傳』: 震, 爲雷, 爲龍, … 其於稼也, 爲反生, 其究, 爲健, 爲蕃鮮.
118) 이러한 내용은 『춘추좌씨전(春秋左氏傳) · 선공(宣公)』 8년에 다음과 같이 보여, 여기서 말하는 내용과 사뭇 다른다. "八年春, 白狄及晉平. 夏, 會晉伐秦. 晉人獲秦諜, 殺諸絳市, 六日而蘇."

震有可行之道, 行則无眚矣.
'비실비실함[蘇蘇]'에 대하여 『정전』과 『본의』에서는 "느슨해지고 흩어져 스스로를 잃는 모양이다"[119]라고 하였다. 삼효는 두 우레의 사이에 있어서 안과 밖으로 두려움을 알기 때문에 '비실비실한' 상이 있다. 비록 사효와 비(比)의 관계에 있고 호괘가 감괘(坎卦☵)의 몸체이더라도 진괘(震卦☳)에는 갈 수 있는 도가 있으므로 가면 허물이 없게 된다.

○ 三居初四之間, 下震將盡, 上震復至, 故曰蘇蘇. 易旨蘇者, 動而明之意也, 卽蟄蟲昭蘇之蘇. 是由靜方動, 由昧方覺之象, 來註蘇死復生, 亦此意也. 然以象傳見之, 恐未然. 蓋以震遇震, 故初曰虩虩啞啞, 三曰蘇蘇, 上曰索索矍矍, 皆處震而恐懼之象也. 眚, 坎之象, 行而去之, 則可以无眚. 災眚之有无, 皆五行之生克, 以本卦言, 中互離坎, 震木生離火, 又坎水生震木, 故三言无眚. 又災自外來, 眚由己作, 故此曰震行无眚, 遯之初曰, 不往何災也, 所以勉戒不同.
삼효는 초효와 사효 사이에 있어서 아래의 우레는 장차 다하려 하지만 위의 우레가 다시 이르기 때문에 '비실비실하다[蘇蘇]'고 하였다. 『주역』에서 '소(蘇)'를 뜻함은 움직이며 밝다는 뜻이니, 즉 "겨울잠을 자던 벌레가 밝게 움직이며 소생한다[蟄蟲昭蘇]"[120]고 할 때의 '소생[蘇]'이다. 이는 고요함으로 말미암아야 움직이고 어리석음으로 말미암아야 깨닫게 되는 상이니, 래지덕이 '소(蘇)'는 죽었다가 다시 살아남이라고 주(註)를 달았던 것도 또한 이러한 뜻이다. 그러나 「소상전」에 의하여 본다면, 아마도 그렇지 않은 듯하다. 우레로 우레를 만나기 때문에 초효에서는 '조마조마한다'고 하고 '하하한다'고 하였으며[121], 삼효에서는 '비실비실하다'고 하였고, 상효에서는 '시들시들하다'고 하고 '두리번두리번하다'라고 하였으니[122], 모두 우레에 대처하면서 두려워하는 상이다. '허물[眚]'은 감괘(坎卦☵)의 상이니, 가서 떠나면 허물이 없을 수 있다. 재앙과 허물의 있고 없음은 모두 오행의 상생과 상극 때문이니, 진괘(震卦䷲)로 말하면 가운데의 호괘가 리괘(離卦☲)와 감괘(坎卦☵)인데 진괘(震卦☳)의 나무는 리괘(離卦☲)의 불을 살리고, 또 감괘(坎卦☵)의 물은 진괘(震卦☳)의 나무를 살리기 때문에 삼효에서 "허물이 없으리라"고 하였다. 또 재앙[災]은 밖으로부터 오고 허물[眚]은 자신으로부터 만들기 때문에 여기 삼효에서는 "떨쳐 가면 허물이 없으리라"고 하였고, 돈괘(遯卦) 초효의 「소상전」에서는 "가지 않으면 무슨 재앙이 있겠는가"[123]라고 하였으

119) 『周易傳義大全·震卦·程傳』: 蘇蘇, 神氣緩散, 自失之狀. ; 『周易傳義大全·震卦·本義』: 蘇蘇, 緩散自失之狀.
120) 『禮記·樂記』: 是故, 大人擧禮樂, 則天地將爲昭焉, 天地訢合, 陰陽相得, 煦嫗覆育萬物, 然後, 草木茂, 區萌達, 羽翼奮, 角觡生, 蟄蟲昭蘇, 羽者嫗伏, 毛者孕鬻, 胎生者不殰, 而卵生者不殈, 則樂之道歸焉耳.
121) 『周易·震卦』: 初九, 震來虩虩, 後, 笑言啞啞, 吉.
122) 『周易·震卦』: 上六, 震索索, 視矍矍, 征凶. 震不于其躬, 于其鄰无咎, 婚媾有言.

니, 이 때문에 힘써 경계시킴이 같지 않다.

서유신(徐有臣) 『역의의언(易義擬言)』

震蘇蘇, 恐懼而醒悟也. 震行, 驚動而遷去也. 繫辭曰, 震无咎, 存乎悔. 六三以之兩震之間, 故再言震也

"우레가 쳐서 비실비실함"은 두려워하면서 깨닫는 것이다. '떨쳐 감[震行]'은 매우 놀라 움직이면서 옮겨 가는 것이다. 「계사전」에서 "움직여 허물이 없게 함은 뉘우침[悔]에 있다"[124]고 하였다. 육삼은 두 우레 사이로 가기 때문에 '우레'를 재차 말하였다.

박제가(朴齊家) 『주역(周易)』

蘇蘇之爲緩散, 亦屬雷, 非人之蘇蘇也. 雷緩, 故可行. 若戒懼, 則固不可以雷之緩而遂弛也. 如四之震遂泥, 象傳曰未光者也, 在人則當勉其所以光之道矣.

'소소(蘇蘇)'가 느슨해지고 흩어짐이 되는 것은 또한 우레에 관련해서이지, 사람이 소소(蘇蘇)한 것이 아니다. 우레가 느슨해지기 때문에 갈만 하다. 만약 경계하고 두려워한다면 진실로 우레가 느슨해진다고 해서 드디어 느슨하게 할 수가 없다. 예를 들어 사효의 "우레가 진흙탕에 떨어진다"[125]에 대하여 「소상전」에서는 "아직 빛나지 못한 것"이라고 하였으니[126], 사람에 있어서는, 마땅히 빛이 나게 하는 도를 힘써야 한다.

이지연(李止淵) 『주역차의(周易箚疑)』

六二則乘剛, 故喪貝, 六三則下震已終, 上震未來之時, 雖不能晏然放心, 而猶可以收拾精神, 故因懼而能行, 則免於眚也.

육이는 굳센 양을 타고 있기 때문에 재물을 잃고, 육삼은 아래의 우레가 이미 끝나고 위의 우레가 아직 오지 않은 때라서, 비록 편안하게 마음을 놓을 수는 없지만 오히려 정신을 수습할 수는 있기 때문에 두려워하여서 갈 수 있다면 허물에서 벗어나게 된다.

---

123) 『周易 · 遯卦』: 初六, 象曰, 遯尾之厲, 不往, 何災也.

124) 『周易 · 繫辭傳』: 憂悔吝者, 存乎介, 震无咎者, 存乎悔, 是故, 卦有小大, 辭有險易, 辭也者, 各指其所之.

125) 『周易 · 震卦』: 九四, 震, 遂泥.

126) 『周易 · 震卦』: 九四, 象曰, 震遂泥, 未光也.

김기례(金箕澧) 「역요선의강목(易要選義綱目)」

六三, 震來蘇蘇, 震行无眚.
육삼은 우레가 와서 비실비실하니, 떨쳐 가면 허물이 없으리라.

行, 往也. 陰居剛則不正, 故往至四而得正, 則无眚. 二雖乘剛自守, 故有失而自得, 三不正, 故因懼行, 正而无眚.
'행(行)'은 감[往]이다. 음이 굳센 양의 자리에 있으니 바르지 않기 때문에 가서 사효에 이르러 바름을 얻으면 허물이 없다. 이효는 비록 굳센 양을 타고 있더라도 스스로를 지키기 때문에 잃는 것이 있더라도 저절로 얻게 되며, 삼효는 바르지 않기 때문에 두려워하여서 바른 데로 가 허물이 없게 된다.

심대윤(沈大允) 『주역상의점법(周易象義占法)』

震之豊䷶, 明盛也. 三之時, 民畏服者, 多矣. 上從于四, 以柔承上而居剛以威下. 當威法垂立之際, 不可以專尙威嚴, 然尤宜一直用力, 時時提醒警覺, 不可以下之畏服而遂爲弛慢, 故曰震蘓蘓, 死而復甦也. 兌死震生, 爲蘓象, 雷之衰而復盛也. 震行, 言方行而不弛也, 象雷之不疾不徐而長往也. 三之柔而居剛, 有其道也. 眚, 无心忽忘之過也, 兌離爲眚. 三之自勉如是, 則无其過也.
진괘가 풍괘(豊卦䷶)로 바뀌었으니, 밝음이 성대한 것이다. 삼효의 때에는 백성들 중에 두려워하면서 복종하는 자가 많다. 위로는 사효에 따르며 부드러운 음으로 상효를 받들고 굳센 양의 자리에 있어서 아랫사람들을 위엄 있게 대한다. 위엄있는 법이 수립되는 때를 맞아 오로지 위엄만을 숭상할 수는 없지만, 더욱 마땅히 한결같이 힘을 써서 때마다 주의를 환기시키고 정신을 차려 깨어 있어서 아랫사람들이 두려워하여 복종한다는 이유로 끝내 해이해지고 태만하게 되면 안 되기 때문에 "우레가 소생한다"고 하였으니, 죽었다가 다시 살아나는 것이다. 태괘(兌卦☱)는 죽음이고 진괘(震卦☳)는 삶이므로 소생하는 상이 되니, 우레가 쇠하였다가 다시 성대하게 됨이다. '떨쳐 감[震行]'이란 막 가서 해이해지지 않는다는 말이니, 우레가 빠르지도 않고 느리지도 않아 오래 감을 상징한다. 삼효가 부드러운 음으로 굳센 양의 자리에 있음에는 그 도(道)가 있다. '허물[眚]'은 무심하여 홀연히 잊어버리는 잘못이니, 태괘(兌卦☱)와 리괘(離卦☲)가 허물이 된다. 삼효가 스스로 힘쓰기를 이와 같이 한다면, 그 잘못은 없어진다.

오치기(吳致箕) 「주역경전증해(周易經傳增解)」

六三, 陰柔不得中正, 而當震之時, 以其失正, 故不能如初之啞啞, 以其居剛, 故不至於二之喪貝. 然去初纔遠, 而九四又近, 下震將盡, 而上震仍來, 驚懼之心, 欲定而復生, 有蘇蘇之象. 故戒言以此恐懼之心, 脩省其行, 則可以无眚矣.
육삼은 부드러운 음으로 중정을 얻지 못하고 우레가 치는 때를 맞아 바름을 잃었기 때문에 초효와 같이 '하하 함'을 할 수가 없고, 굳센 양의 자리에 있기 때문에 이효와 같이 재물을 잃는 데에는 이르지 않는다. 하지만 초효와의 거리는 약간 멀지만 구사와의 거리는 또한 가깝고, 아래의 우레는 장차 다해가려고 하지만 위의 우레는 다시 와서 놀라고 두려워하는 마음을 안정시키고자 하지만 다시 생겨나니, '비실비실해 하는' 상이 있다. 그러므로 이와 같이 두려워하는 마음으로 자신의 행동을 닦고 살핀다면 허물이 없을 수 있다고 경계하여 말하였다.

○ 上震字, 言雷震也, 下震字, 言恐懼也. 蘇蘇, 自失之狀, 行謂脩省也.
효사에서 앞에 나온 '진(震)'자는 우레가 친다는 말이고, 뒤에 나오는 '진(震)'자는 두려워한다는 말이다. '소소(蘇蘇)'란 스스로를 잃은 모양이고, '감[行]'이란 닦고 살핀다는 말이다.

이진상(李震相) 『역학관규(易學管窺)』

不中不正, 有蘇蘇之象. 震以動出爲功, 故行則无眚.
알맞지도 않고 바르지도 않아 '비실비실하는' 상이 있다. 진괘(震卦☳)는 움직여 나감을 공(功)으로 삼기 때문에 가면 허물이 없다.

이병헌(李炳憲) 『역경금문고통론(易經今文考通論)』

正義曰, 蘇蘇, 畏懼不安之貌. 可以懼行而无災眚也.
『주역정의』에서 말하였다: '소소(蘇蘇)'란 두려워하고 불안해하는 모습이다. 두려워하면서 가서 재앙과 허물이 없을 수 있다.

象曰, 震蘇蘇, 位不當也.

「상전」에서 말하였다: "우레가 쳐서 비실비실함"은 자리가 마땅하지 않아서이다.

中國大全

傳

其恐懼, 自失, 蘇蘇然, 由其所處不當故也. 不中不正, 其能安乎.

그 두려워하여 스스로를 잃어 비슬비슬 함은, 그 있는 곳이 마땅치 않기 때문이다. 가운데 자리도 아니고 제자리도 아니니, 그가 안정할 수 있겠는가?

小註

臨川吳氏曰, 所居之位不當, 故宜行而去之.

임천오씨가 말하였다: 있는 자리가 마땅치 않기 때문에, 마땅히 나아가 떠나야 한다.

韓國大全

김상악(金相岳) 『산천역설(山天易說)』

當兩震之間, 以陰居陽, 位不當也.
두 우레 사이인 자리에 해당하고, 음으로 양의 자리에 있으니, 자리가 마땅하지 않다.

서유신(徐有臣) 『역의의언(易義擬言)』

三, 有不當之失, 故醒悟遷去, 乃得无眚也. 若初九者, 當震之初而得其正, 本無可悟之失, 直警懼而致福也.
삼효는 마땅하지 않는 잘못이 있기 때문에 각성하여 옮겨 가야 허물이 없을 수 있다. 만약 초구와 같은 경우라면 진괘(震卦☳)의 처음에 해당하여 바름을 얻었으니, 본래 깨달을만한 잘못이 없어 곧바로 놀라고 두려워하여 복을 이룬다.

심대윤(沈大允) 『주역상의점법(周易象義占法)』

言從四也.
사효를 따름을 말한다.

오치기(吳致箕) 「주역경전증해(周易經傳增解)」

失其中正, 而居上震下震之交, 不當其位, 故恐懼自失也.
중정함을 잃고 위의 우레와 아래의 우레가 만나는 곳에 있으면서 자리가 마땅하지 않기 때문에 스스로를 잃을까 두려워한다.

九四, 震, 遂泥.

구사는 우레가 진흙탕에 떨어진다.

中國大全

傳

九四, 居震動之時, 不中不正. 處柔, 失剛健之道, 居四, 无中正之德, 陷溺於重陰之間, 不能自震奮者也. 故云, 遂泥. 泥, 滯溺也. 以不正之陽, 而上下重陰, 安能免於泥乎. 遂, 无反之意, 處震懼, 則莫能守也, 欲震動, 則莫能奮也. 震道, 亡矣, 豈復能光亨也.

구사는 우레가 치는 때에 있으면서 알맞지도 않고 바르지도 않다. 부드러운 음의 자리에 있으니 강건한 도리를 잃었고, 사효의 자리에 있으니 중정한 덕도 없으며, 음이 겹친 가운데 빠졌으니 스스로는 떨칠 수 없는 자이다. 그러므로 "진흙탕에 떨어짐이다"라고 한 것이다. '진흙탕'은 빠지는 것이다. 바르지 않은 양으로서 위아래로 음이 겹쳐 있으니 어찌 진흙탕에서 벗어날 수 있겠는가? '떨어짐[遂]'은 돌이킬 수 없다는 뜻이니, 떨면서 두려워하는 곳에 처하면 지킬 수 없고, 떨쳐 움직이고자 하면 떨칠 수가 없다. '진(震)'의 도가 없어졌으니, 어찌 다시 빛나 형통할 수 있겠는가.

本義

以剛處柔, 不中不正, 陷於二陰之間, 不能自震也. 遂者, 无反之意, 泥, 滯溺也.

굳센 양으로서 부드러운 음의 자리에 있으면서, 가운데 자리도 아니고 제자리도 아니며 두 음 사이에 빠졌으니, 스스로는 떨칠 수 없다. '떨어짐[遂]'은 돌이킬 수 없다는 뜻이고, '진흙탕'은 빠지는 것이다.

小註

雲峯胡氏曰, 初與四, 皆震之所以爲震者, 然震之用, 在下. 四, 溺於陰柔之中, 故震之亨, 在初, 而不在四. 亨者, 初之剛, 當上達, 泥者, 四之剛, 不能達也.
운봉호씨가 말하였다: 초효와 사효가 다 진괘(震卦䷲)가 '진(震)'이 되는 까닭이지만, '진(震)'의 쓰임은 하괘에 있다. 사효는 음의 부드러움 속에 빠졌다. 그러므로 '진(震)'의 형통함[127]은 초효에 있지 사효에 있지 않다. '형통함'은 초효의 굳셈이 응당 위로 이르는 것이고, '진흙탕'은 사효의 굳셈이 이를 수 없는 것이다.

韓國大全

조호익(曺好益) 『역상설(易象說)』

泥, 坎象.
'진흙탕'은 감괘(坎卦☵)의 상이다.

송시열(宋時烈) 『역설(易說)』

遂者, 滯溺不反之意. 泥者, 坎中泥塗也. 爻雖剛而居陰位, 又無涉險之才, 處於坎陷而不能反也, 故曰遂泥.
'수(遂)'란 엉겨 빠져서 돌이키지 못한다는 뜻이다. '니(泥)'란 감괘(坎卦☵) 가운데에 있는 질퍽질퍽한 길이다. 효가 비록 굳센 양이지만 음의 자리에 있어서 또한 험함을 건너는 재질이 없고 감괘(坎卦☵)의 구덩이에 있어서 돌이킬 수가 없다. 그러므로 "질퍽질퍽한 길에 엉겨 빠진다"고 하였다.

이익(李瀷) 『역경질서(易經疾書)』

九四之震, 亦承上文震來震行而言. 遂之爲辭, 非無頭而發者也. 四當震之復來, 故三猶震行, 至四遂泥而不通.
구사에서의 '우레[震]'는 또한 위의 효사에 나오는 '우레가 옴'[128]과 '떨쳐 감'[129]을 이어서

---

127) 『周易 · 震卦』: 震, 亨, 震來, 虩虩, 笑言, 啞啞, 震驚百里, 不喪匕鬯.
128) 『周易 · 震卦』: 六二, 震來厲, 億喪貝, 躋于九陵, 勿逐, 七日得.

한 말이다. '수(遂)'의 말뜻은 두서가 없이 쓴 것이 아니다. 사효는 우레가 다시 오는 때에 해당하기 때문에 삼효에서는 오히려 떨쳐 가지만, 사효에 이르러서는 진흙탕에 빠져 통하지 못한다.

심조(沈潮) 「역상차론(易象箚論)」

九四, 遂泥.
구사는 진흙탕에 떨어진다.

遂之從豕, 泥之從水, 皆坎也.
'수(遂)'자는 '시(豕)'자가 합쳐져 있고, '니(泥)'자는 '수(水)'자를 부수로 하니, 모두 감괘(坎卦☵)이다.[130]

유정원(柳正源) 『역해참고(易解參攷)』

朱子答陳同甫書曰, 震之九四, 向來顔魯子, 以納甲推賤命以爲正當此爻. 今同甫復以事理推配, 與之暗合.
주자가 진동포(陳同甫)에게 답장을 하면서 말하였다: 진괘(震卦䷲)의 구사에 대하여 일전에 안노자(顔魯子)가 납갑법(納甲法)으로 추론하여 나의 명(命)이 바로 이 효에 해당한다고 여겼습니다. 이제 동포(同甫)께서 다시 일의 이치로 추론하여 맞추었는데, 그와 더불어 우연히 부합됩니다.
〈陳同甫書曰, 震之九四有所謂震遂泥者, 處群陰之中, 雖有所震動, 豈有拖泥帶水, 便能使其道光明乎. 去年之擧, 震九四之象也. 以秘書壁立萬仞, 雖群陰之中, 不應有所拖帶.
진동포가 서신을 보내어 말하기를 "진괘(震卦䷲)의 구사에서 '우레가 진흙탕에 떨어짐이다' 라고 한 것은 여러 음들의 가운데에 있는 것이다"[131]라고 하였으니, 비록 우레가 진동하더라도 어찌 진흙탕을 뒤집어썼다가 곧바로 그 도가 빛나고 밝게 할 수 있겠는가? 작년에 일어났던 일이 진괘(震卦䷲) 구사의 상이다. 비서(祕書)인 『세설신어(世說新語)』에 의하면 만길 절벽처럼 우뚝 솟아 비록 여러 음들의 가운데에 있어도 응당 뒤집어써서는 안 된다.〉

---

129) 『周易 · 震卦』: 六三, 震蘇蘇, 震行无眚.
130) 『周易 · 說卦傳』: 乾爲馬, 坤爲牛, 震爲龍, 巽爲雞, 坎爲豕, 離爲雉, 艮爲狗, 兌爲羊.
131) 이러한 내용은 송(宋)나라 진량(陳亮)이 지은 『용천집(龍川集)』 권 20에 보인다.

○ 魯齋許氏曰, 震之九四, 乃才幹之臣也, 君之動由之, 師之動亦由之, 其功且大矣. 其位已逼矣, 然而卒保其无禍者何哉. 蓋震而近君, 有戒愼恐懼之義, 以陽處陰, 有體剛用柔之義. 持此術以往, 其功多而寡過也, 宜乎.
노재허씨가 말하였다: 진괘(震卦䷲)의 구사는 재주가 있는 신하이니, 임금의 움직임도 이에 따르고 군대의 움직임도 또한 이에 따르므로 그 공이 또한 크다. 위치가 이미 임금과 가깝지만 끝내 화가 없음을 보장하는 것은 어째서인가? 우레가 치는데 임금과 가까우니 경계하고 삼가며 두려워하는 뜻이 있고, 양으로 음의 자리에 있으니 몸체[體]는 굳세고 쓰임[用]은 부드러운 뜻이 있다. 이러한 방법을 잡고서 가니 그 공은 많고 잘못을 적게 하니, 마땅하구나.

○ 雙湖胡氏曰, 按漢五行志, 李奇曰, 震有互體坎水象, 四爲泥在水中, 故曰震遂泥.
쌍호호씨가 말하였다: 『한서(漢書)·오행지(五行志)』를 살펴보면, 이기(李奇)가 "진괘(震卦䷲)에는 호괘의 몸체가 감괘(坎卦☵)인 물의 상이고 구사는 진흙이 물 안에 있는 것이 되기 때문에 '우레가 진흙탕에 떨어짐이다'라고 하였다"고 하였다.

○ 案, 震遂泥, 震道亡矣, 而不言凶咎者, 以其有恐懼之意也.
내가 살펴보았다: "우레가 진흙탕에 떨어짐이다"란 우레의 도가 없어진 것이지만 '흉함'과 '허물'을 말하지 않은 것은 두려워하는 마음을 가지고 있기 때문이다.

김상악(金相岳) 『산천역설(山天易說)』

遂者, 无反之意也, 泥, 滯溺也. 陽爲剛物, 震爲動義, 而四居重陰之中, 比三五, 互坎體, 故有遂泥之象. 不能奮發以達陽氣, 變於互體, 豈能光亨也.
'수(遂)'란 돌이킬 수 없다는 뜻이다. '니(泥)'는 엉겨 빠짐이다. 양은 굳센 물건이고 진괘(震卦☳)는 움직이는 뜻이지만, 사효가 거듭 된 음의 가운데에 있으면서 삼효 및 오효와 비(比)의 관계에 있고 호괘가 감괘(坎卦☵)의 몸체이기 때문에 돌이킬 수 없이 엉겨 빠지는 상이 있어서 분발하여 다다를 수 없고, 호괘의 몸체인 감괘(坎卦☵)로 변하니, 어찌 빛나고 형통할 수 있겠는가?

○ 泥者, 坎象. 九四陷於二陰之中, 處震懼, 則莫能守, 欲震動, 則莫能奮也. 豫之震, 四爲成卦之主, 順而動, 故曰雷出地奮. 奮者, 泥之反也. 又屯之爲卦, 以坎乘震, 五在險中, 故曰屯其膏, 亦泥之意也. 所以象傳之未光同.
'진흙[泥]'은 감괘(坎卦☵)의 상이다. 구사는 두 음 가운데에 빠져있어서, 떨면서 두려워하는 곳에 있으면 지킬 수가 없고 떨쳐 움직이고자 하면 떨칠 수가 없다. 예괘(豫卦䷏)가 진괘(震卦䷲)로 바뀌었으니, 사효는 괘의 주인이 되어 유순하게 움직이기 때문에 "우레가 땅에서 나와 떨친다"[132]고 하였다. '떨침[奮]'이란 '엉겨 빠짐[泥]'의 반대말이다. 또 준괘(屯卦䷂)는 감괘(坎卦☵)가 진괘(震卦☳)를 타고 있어 오효가 험한 가운데에 있기 때문에 "은택을 베풀기 어렵다"[133]고 하였으니, 또한 엉겨 빠진다[泥]는 뜻이다. 이 때문에 「소상전」에서 "빛나지 못한 것이다"[134]라고 한 말이 진괘(震卦☳) 구사의 「소상전」과 같다.

서유신(徐有臣) 『역의의언(易義擬言)』

遂, 進也, 泥, 止也, 進退未決之辭. 四在兩體之交, 而爲互艮, 故有此象也.
'수(遂)'는 나아감이고 '니(泥)'는 멈춤이니, 나아가고 물러남이 아직 결정되지 않았다는 말이다. 사효는 두 몸체가 만나는 곳에 있고 호괘가 간괘(艮卦☶)이기 때문에 이러한 상이 있다.

강엄(康儼) 『주역(周易)』

按, 此爻之□,[135] 傳義[136]皆以不能自震釋之. 蓋人必震懼而後, 可以增益其所不能, 所謂亨也, 而此爻以不中不正, 陷於二陰之間, 則是溺於物欲, 而不能自震奮者也, 故爲遂泥之象. 若以雷震言, 則雷將發而爲陰所掩, 不能奮發之象也.
내가 살펴보았다: 이 효의 □에 대하여 『정전』과 『본의』는 모두 "스스로 떨칠 수 없다"[137]는 뜻으로 풀이하였다. 사람은 반드시 떨면서 두려워 한 후에 자신의 할 수 없었던 바에 대하여 더욱 잘할 수 있게 되니 이른바 '형통하다'는 것이지만, 이 효는 알맞지 않고 바르지 않으면서 두 음의 사이에 빠졌으니 이는 물욕(物欲)에 빠져 스스로 떨칠 수 없는 자이기 때문에 진흙탕에 떨어지는 상이 된다. 만약 우레가 진동함으로 말한다면, 우레가 장차 일어나지만 음에 의하여 가려지게 되니 떨쳐 일어날 수 없는 상이다.

이지연(李止淵) 『주역차의(周易箚疑)』

陽是動者, 而陰則靜者也. 以陽居陽者, 動之猛者也, 以陽居陰者, 動不得而泥者也, 乃

---

132) 『周易·豫卦』: 象曰, 雷出地奮豫. 先王以, 作樂崇德, 殷薦之上帝, 以配祖考.
133) 『周易·屯卦』: 九五, 屯其膏, 小貞, 吉, 大貞, 凶.
134) 『周易·屯卦』: 九五, 象曰, 屯其膏, 施未光也.
135) 경학자료집성 영인본에서는 여기에 해당하는 글자가 무슨 글자인지 알 수가 없고, 경학자료집성DB에 비어 있다.
136) 義: 경학자료집성 영인본에서는 여기에 해당하는 글자가 무슨 글자인지 알 수가 없고, 경학자료집성DB에 비어 있으나, 문맥을 살펴 '義'로 바로 잡았다.
137) 『周易傳義大全·震卦·程傳』: 九四, 居震動之時, 不中不正. 處柔, 失剛健之道, 居四, 无中正之德, 陷溺於重陰之間, 不能自震奮者也. ; 『周易傳義大全·震卦·本義』: 以剛處柔, 不中不正, 陷於二陰之間, 不能自震也.

雲霧中隱隱之雷也.
양은 움직이는 것이고, 음은 곧 고요한 것이다. 양으로 양의 자리에 있는 것은 움직임이 사나운 것이고, 양으로 음의 자리에 있는 것은 움직이지만 부득이하게 빠지는 것이니, 곧 구름과 안개 속에서 은은하게 치는 우레이다.

김기례(金箕澧) 「역요선의강목(易要選義綱目)」

互坎, 故曰泥.
호괘가 감괘(坎卦☵)이기 때문에 '떨어진다[泥]'라고 하였다.

○ 初以主子剛居剛, 故懼而得吉吉, 四剛居陰而陷重陰, 故失威. 或曰, 四爲互艮, 故失震之儀而泥.
초효는 주인이 되는 굳센 양으로 굳센 양의 자리에 있기 때문에 두려워하여 길하고 길함을 얻었고, 사효는 굳센 양으로 음의 자리에 있어 아래와 위로 거듭된 음 사이로 떨어졌기 때문에 위엄을 잃었다. 어떤 이가 말하기를 "사효는 호괘가 간괘(艮卦☶)가 되기 때문에 우레의 위의를 잃고 떨어졌다"고 하였다.

심대윤(沈大允) 『주역상의점법(周易象義占法)』

震之復䷗, 反也. 九四位高才剛, 而威法旣立, 下自承順, 不威而嚴, 故弛其威怒而反行柔慈, 居柔法, 有所不必行也. 以其才剛, 故亦无懦弱之失, 故曰震遂泥, 泥滯而未行也. 坎艮互離爲泥. 威法之所不必行者, 八議三宥, 是也. 三四爻與噬嗑之三四同, 時威怒與刑罰相近, 故震與噬嗑六爻, 皆略同也.
진괘가 복괘(復卦䷗)로 바뀌었으니, 돌아가는 것이다. 구사는 지위가 높고 자질이 굳세서 위엄스러운 법이 이미 세워졌지만, 아래에 대하여 스스로 받들고 유순하게 대하여 위엄스럽게 엄격하지 않기 때문에 위엄스러운 분노를 풀고 도리어 유순하고 자비로움을 행하니, 부드러운 음의 자리에 있으면 법에는 반드시 행해지는 것은 아닌 바가 있다. 그 자질이 굳세기 때문에 또한 유약한 잘못이 없으므로 "구사는 우레가 진흙탕에 떨어진다"고 하였으니, 진흙탕에 막혀서 아직 가지 못한다는 말이다. 감괘(坎卦☵)와 간괘(艮卦☶)와 호괘인 리괘(離卦☲)가 '진흙탕[泥]'이 된다. 위엄 있는 법이 반드시 행하여지는 것은 아닌 경우는 팔의(八議)[138]와 삼유(三宥)[139]가 이것이다. 삼효와 사효는 서합괘(噬嗑卦䷔)의 삼효와 사효와 같

138) 팔의(八議): 조선시대 법을 어겼을 경우 이에 해당하는 형법으로 처벌되지 않고 조정 중신들의 평의(評議)

으니[140], 때가 위엄스러운 노여움이 형벌과 서로 가깝기 때문에 진괘(震卦䷲)는 서합괘(噬嗑卦)와 여섯 효가 모두 대략 비슷하다.

오치기(吳致箕) 「주역경전증해(周易經傳增解)」

九四, 以剛居柔, 不得中正, 而陷于二陰之間, 以其失正, 故當震而不知脩省, 以其陷險, 故有遂成滯溺之象. 卽象而占, 可知矣.
구사는 굳센 양으로 부드러운 음의 자리에 있고 중정함을 얻지 못하면서 두 음의 사이에 빠졌으니, 바름을 잃었기 때문에 우레가 칠 때를 맞아 닦고 살펴볼 줄 모르고 험함에 빠졌기 때문에 마침내 엉겨 빠짐을 이루는 상이 있다. 상에 나아가 점을 쳤음을 알 수가 있다.

○ 遂者, 成也, 取於互艮. 泥者, 滯溺也, 取於互坎也.
'수(遂)'란 이룸이니 호괘인 간괘(艮卦☶)에서 취하였다. '니(泥)'란 엉겨 빠짐이니 호괘인 감괘(坎卦☵)에서 취하였다.

이진상(李震相) 『역학관규(易學管窺)』

震體, 自三至五互坎, 而九四陷于其中, 故象取水中之泥.
진괘(震卦䷲)의 몸체는 삼효로부터 오효에 이르기까지 호괘가 감괘(坎卦☵)라서 구사는 그 가운데에 빠지기 때문에 물속에 빠져 있는 데에서 상을 취하였다.

이병헌(李炳憲) 『역경금문고통론(易經今文考通論)』

本義曰, 以剛處柔, 陷於二陰之間. 泥, 滯溺也.
『본의』에서 말하였다: 굳센 양으로서 부드러운 음의 자리에 있어서 두 음 사이에 빠졌다. '니(泥)'는 엉겨 빠진다는 것이다.

를 거쳐 형량을 경감 받는 조선시대 여덟 종류의 특권계층. 의친(議親)·의고(議故)·의공(議功)·의현(議賢)·의능(議能)·의근(議勤)·의귀(議貴)·의빈(議賓)이 그들인데, 이들에게 모두 평의한다는 의미의 의(議)가 들어가서 팔의라 하였다.(『한국민족문화대백과』, 한국학중앙연구원. 참조.)

139) 삼유(三宥): 『주례(周禮)·추관(秋官)·사자(司刺)』에 보이는 죄(罪)를 용서해 주어야 할 세 가지 경우를 말한다. 여기에서 말하는 세 가지 경우란 알지 못해서 지은 죄(不識), 부주의로 지은 죄(過失), 잊어버리고 지은 죄(遺忘) 등이 해당된다.(『한국고전용어사전』, 2001. 세종대왕기념사업회. 참조.)

140) 『周易·噬嗑卦』: 六三, 象曰, 遇毒, 位不當也. ; 九四, 象曰, 利艱貞吉, 未光也. 진괘(震卦☳)와 서합괘(噬嗑卦)에서는 삼효 「소상전」에서 "位不當也"라고 하였고, 사효 「소상전」에서 "未光也"라고 한 것이 서로 같다.

象曰, 震遂泥, 未光也.

「상전」에서 말하였다: "우레가 진흙탕에 떨어짐"은 아직 빛나지 못한 것이다.

中國大全

傳

陽者, 剛物, 震者, 動義. 以剛處動, 本有光亨之道, 乃失其剛正, 而陷於重陰, 以致遂泥, 豈能光也. 云未光, 見陽剛, 本能震也, 以失德, 故泥耳.

양은 굳센 것이고, '진(震)'은 움직임의 뜻이다. 굳센 양으로 움직이는 데에 있으니, 본래 빛나고 형통한 도가 있으나, 이에 그 굳세고 바름을 잃어 거듭된 음에 빠져 진흙탕에 떨어지게 되었으니, 어찌 빛나겠는가? '빛나지 못하다'라고 한 것은, 굳센 양으로서 본래 떨칠 수 있으나 덕을 잃었으므로 진흙탕에 빠졌을 뿐임을 보인 것이다.

小註

中溪張氏曰, 九四, 亦震上之主爻, 以一陽陷於四陰之間, 不能自奮震, 遂泥矣. 雖則陽明, 亦未能光大也.

중계장씨가 말했다: 구사도 진괘(䷲) 상괘의 주효이지만 양 하나가 네 음 사이에 빠져 스스로 떨칠 수 없기 때문에 진흙탕에 떨어지는 것이다. 비록 양의 밝음을 본받는다고 해도 빛나고 클 수는 없다.

▌韓國大全▐

송시열(宋時烈) 『역설(易說)』

小象未光者, 坎暗而不能光明也.
「소상전」의 "빛나지 못한 것이다"란 감괘(坎卦☵)가 어두워 빛나고 밝을 수 없다는 것이다.

이익(李瀷) 『역경질서(易經疾書)』

泥者, 行之反失位, 故未光也.
'진흙탕[泥]'이란 갈 때에 도리어 자리를 잃기 때문에 빛나지 못한다.

김상악(金相岳) 『산천역설(山天易說)』

爲陰所蔽也.
음에 의하여 가려졌다.

○ 雷之洊至與遇電者, 皆氣鬱而不通, 故震與噬嗑曰未光, 豊曰不明, 皆在九四.
우레가 거듭 이르는 것과 번개를 만나는 것은 모두 기가 막혀 통하지 않는 것이기 때문에 진괘(震卦䷲)와 서합괘(噬嗑卦䷔)에서는 "빛나지 못한 것이다"라고 하였고 풍괘(豊卦)에서는 '밝지 않다'[141]고 하였으니, 모두 구사에 있다.

서유신(徐有臣) 『역의의언(易義擬言)』

進退未決, 故曰未光也.
나아가고 물러남이 아직 결정되지 않았기 때문에 "빛나지 못한 것이다"라고 하였다.

윤행임(尹行恁) 『신호수필(薪湖隨筆)·역(易)』

顔魯子以納甲推得朱子之命, 以爲震之九四當之. 朱子每恨其未曉, 及一出狼狽, 而始曰以事理推配, 與之暗合云. 蓋此爻以剛健之姿, 有光亨之道, 而所處者, 柔陰之時也,

---

141) 『周易·豊卦』: 九四, 象曰, 豊其蔀, 位不當也, 日中見斗, 幽不明也, 遇其夷主, 吉行也.

故有泥滯未光之歎, 此所謂命也.
안노자(顔魯子)가 납갑법(納甲法)으로 주자의 명(命)을 추론하여 얻어 진괘(震卦䷲)의 사효에 해당한다고 여겼다. 주자는 매번 그가 아직 깨닫지 못함을 한탄하다가 한 번 낭패한 일이 출현함에 미쳐서는 비로소 "일의 이치로 추론하여 맞추었는데, 그와 더불어 우연히 부합되었다"라고 하였다. 아마도 이 효가 강건한 모습으로써 빛나고 형통한 도가 있지만, 있는 바가 부드러운 음의 때이기 때문에 진흙을 뒤집어쓰고 빛나지 않음을 한탄함이 있으니, 이것이 이른바 '명(命)'이다.

심대윤(沈大允) 『주역상의점법(周易象義占法)』

不極其威嚴, 爲未光也. 二三四爻象辭, 與噬嗑同也.
위엄을 다하지 못하니 빛나지 않게 된다. 이효와 삼효와 사효의 「소상전」 말은 서합괘(噬嗑卦䷔)와 같다.

오치기(吳致箕) 「주역경전증해(周易經傳增解)」

陷於二陰之間, 失其剛正而不能自奮, 故未得光明也.
두 음 사이에 빠져 굳세고 바름을 잃어 스스로 떨칠 수가 없기 때문에 아직 빛나고 밝을 수가 없다.

六五, 震, 往來, 厲, 億, 无喪有事.

정전 육오는 우레가 왕래함이 위태로우니, 헤아려 있는 일을 잃음이 없게 할 것이다.

六五, 震, 往來, 厲, 億无喪, 有事.

본의 육오는 우레가 칠에 왕래함이 위태로우나 잃음이 없고 일이 있도다.

中國大全

傳

六五, 雖以陰居陽, 不當位, 爲不正, 然以柔居剛, 又得中, 乃有中德者也. 不失中, 則不違於正矣, 所以中爲貴也. 諸卦二五, 雖不當位, 多以中爲美, 三四, 雖當位, 或以不中爲過, 中, 常重於正也, 蓋中, 則不違於正, 正不必中也. 天下之理, 莫善於中, 於六二六五可見. 五之動, 上往, 則柔不可居動之極, 下來, 則犯剛, 是往來, 皆危也. 當君位, 爲動之主, 隨宜應變, 在中而已. 故當億度无喪失其所有之事而已. 所有之事, 謂中德. 苟不失中, 雖有危, 不至於凶也. 億度, 謂圖慮, 求不失中也. 五所以危, 由非剛陽而无助, 若以剛陽有助, 爲動之主, 則能亨矣. 往來, 皆危, 時則甚難, 但期於不失中, 則可自守, 以柔主動, 固不能致亨濟也.

육오가 비록 음으로서 양의 자리에 있어 마땅하지 않은 자리이니 바르지 않음이 되지만, 부드러움으로 굳센 양의 자리에 있고 또 가운데를 얻었으니, 바로 알맞은 덕[中德]을 지닌 자이다. 알맞음[中]을 잃지 않으면 바름[正]에서 어긋나지 않을 것이니, 그래서 알맞음이 귀한 것이다. 여러 괘의 이효와 오효는 비록 마땅하지 않은 자리라도 가운데[中]이라서 좋게 본 경우가 많고, 삼효와 사효는 비록 마땅한 자리라도 혹 알맞지[中] 않아서 잘못이라 한 경우가 있으니, 알맞음[中]은 늘 바름[正]보다 중요하기 때문이다. 알맞으면 바름에서 어긋나지 않으나 바르다고 꼭 알맞은 것은 아니다. 세상의 이치 가운데 알맞음보다 좋은 것이 없으니, 육이와 육오에서 알 수 있다. 오효의 움직임은, 올라가면 유약해서 움직임의 지극함에 있을 수 없고, 내려오면 굳센 양을 건드리게 되니, 이는 오든가든 다 위태롭다. 임금의 자리에서 움직임의 주인이 되니 마땅함을 따라 변화에 응하면서 중도(中道)에 있을 뿐이다. 그러므로 그 가지고 있는 일을 잃음이 없도록 헤아려야 할 뿐이다. 가지고 있는 일이란 알맞은 덕[中德]을 말한다. 알맞음을 잃지 않으면 비록 위태로워도 흉함에 까지 이르지는 않는다. '헤아림[億]'은 도모하고 생각함을 말하니, 알맞음을 잃지 않기를 구함이다. 오효가 위태로운 까닭은 굳센 양이 아니고 도움이 없기 때문이니, 만약 굳센 양으로 도움이 있으면서 움직임의 주인이 되면 형통할 수 있을 것이다. 오든가든 다 위태로우니 때는 매우 어렵지만, 알맞음을 잃지 않기만을 기약한다면 스스로를 지킬 수 있을 것이나, 부드러운 음으로서 움직임을 주관하면 진실로 형통함과 이룸에 이를 수 없게 된다.

本義

以六居五而處震時, 无時而不危也, 以其得中, 故无所喪而能有事也. 占者, 不失其中, 則雖危, 无喪矣.

육으로서 오효의 자리에 있고 '진(震)'의 때에 있으니, 위태롭지 않은 때가 없지만, 그 알맞음을 얻었기 때문에 잃는 것 없이 일이 있을 수 있다. 점치는 사람이 그 알맞음을 잃지 않으면 비록 위태로워도 잃음은 없을 것이다.

小註

朱子曰, 六五, 是生於憂患, 死於安樂也.
주자가 말하였다: 육오는 근심 속에서는 살고, 안락 속에서는 죽는 자이다.

○ 雲峯胡氏曰, 或曰, 二, 在初陽之上, 陽之來, 甚急, 必至於喪其所有, 五, 在四陽之上, 四, 方溺於二陰之中, 或往或來, 而未定其來也, 猶緩. 故不特无喪, 而又且有事功, 五, 得中, 所以如此.
운봉호씨가 말하였다: 어떤 이가 말하기를 "이효는 초효인 양의 위에 있는데, 양이 오는 것이 매우 급하여 반드시 그 가진 것을 잃음에까지 이르지만, 오효는 사효인 양의 위에 있는데, 사효가 막 두 음의 가운데에 빠져 있어서 왔나 갔다 하면서 그 올 것을 아직 결정하지 못하니 천천히 하는 것과 같다. 그러므로 단지 잃는 것이 없을 뿐만 아니라 일의 성과도 있으니, 오효가 알맞음을 얻었기 때문에 이럴 수 있는 것이다"라고 하였다.

○ 雙湖胡氏曰, 證以六二爻, 則五乘乎四, 往來, 正指四言. 蓋此爻, 實與二爻相似而相反. 二曰震來厲, 五曰震往來厲, 二曰億喪貝, 五曰億无喪有事. 所以相似者, 以重卦言之, 上卦之五, 實卽下卦之二, 所以相反者, 二乘乎初, 初之來也, 有可畏之勢, 故其爻, 厲而有喪, 五乘乎四, 四旣下牽於柔, 來而復往, 以至遂泥, 則其震, 緩矣. 故其爻, 雖厲而无喪, 所以不同.
쌍호호씨가 말하였다: 육이효로 증명하면 오효는 사효를 타니 '왕래'는 바로 사효를 가리켜 말한 것이다. 이 효는 사실 이효(二爻)와 서로 비슷하면서도 상반된다. 이효는 "우레가 옴에 위태롭다"고 하고 오효는 "우레가 왕래함이 위태롭다"고 하며, 이효는 "재물을 잃는다"고 하고 오효는 "헤아려 있는 일을 잃음이 없게 할 것이다"고 하였다. 서로 비슷한 까닭은 중괘(重卦)로 말하면, 상괘의 오효가 실은 하괘의 이효라는 것이고, 상반된 까닭은 이효는 초효를 타니 초효가 옴에 두려워할만한 기세가 있으므로 그 효가 위태로워 잃음이 있고, 오효는 사효를 타지만 사효가 이미 아래로 부드러운 음에 끌려서 왔다가 다시 가 진흙탕에 떨어짐에 이르니 그 우레가 천천히 오는 것이다. 그러므로 그 효가 비록 위태로워도 잃음이 없으니, 그래서 다른 것이다.

○ 中溪張氏曰, 五[142)]之震往來厲, 不如二[143)]震來厲之可畏, 而五之億无喪, 又異乎二之億喪貝也.
중계장씨가 말하였다: 오효의 "우레가 울림에 왕래함이 위태로움"은 이효의 "우레가 옴에 위태로움"의 두려워할만함만 못하니, 오효가 '잃음이 없음' 또한 이효의 '재물을 잃음'과는 다르다.

韓國大全

조호익(曺好益) 『역상설(易象說)』

往來, 指四. 三四處上下之間, 故多言往來.〈雲峯雙湖說.〉 億无喪, 震來緩, 故億其无所喪而且有事功.
'왕래함'은 사효를 가리킨다. 삼효와 사효는 상괘와 하괘의 사이에 있기 때문에 '왕래'를 말하

142) 五: 『주역전의대전』에 '四'로 되어있으나, 경문을 참조하여 '五'로 바로잡았다.
143) 二: 『주역전의대전』에 '初'로 되어있으나, 경문을 참조하여 '二'로 바로잡았다.

는 경우가 많다.〈운봉호씨와 쌍호호씨의 설이다.〉 '잃음이 없음을 헤아림'이란 우레가 옴이 느릿하기 때문에 잃는 바가 없고 또 일의 공이 있음을 헤아린다는 것이다.

석지형(石之珩) 『오위귀감(五位龜鑑)』

臣謹按, 震之六五, 以陰柔處震動之時, 上往下來, 皆有危道, 必須億度求中, 隨宜應變, 然後无所喪而有所事矣. 方今聖德剛健, 動无危厲, 然古之聖后, 安不忘危, 矧乎今之時勢哉. 伏願, 殿下長慮而勿失中焉.

신이 삼가 살펴보았습니다: 진괘(震卦☳)의 육오는 부드러운 음으로 우레가 진동하는 때에 있으면서 올라가든 내려오든 모두 위험한 도가 있기 때문에 반드시 헤아려서 알맞음을 구하여 마땅함을 따라 변화에 호응해야 하니 그런 후에 잃는 바가 없고 일하는 바가 있습니다. 이제 전하의 덕이 강건하여 움직이실 때에 위태로울 것이 없지만, 옛 성후(聖后)께서는 편안하여도 위태롭게 여김을 잊지 않으셨으니 하물며 오늘날의 형세에 있어서이겠습니까? 엎드려 바라오니, 전하께서는 길게 생각하시어 알맞음을 잃지 마시옵소서.

이현석(李玄錫) 「역의규반(易義窺斑)」

震有二義, 有震動之震, 有震懼之震. 初四兩陽爻, 乃震所以成震者, 卽震動之震也. 二三五上四畫陰爻, 皆爲陽所震者, 卽震懼之震也. 先儒之說, 多如此.

'진(震)'에는 두 가지 뜻이 있으니, "떨쳐 움직인다[震動]"고 할 때의 '진(震)'과 "떨면서 두려워한다[震懼]"고 할 때의 '진(震)'이 있다. 초효와 사효인 두 양효는 바로 우레가 진괘(震卦☳)를 이루는 것이니, "떨쳐 움직인다"고 할 때의 '진(震)'이고, 이효 · 삼효 · 오효 · 상효의 네 음효가 모두 양에 의해 떨게 되는 자들이니 "떨면서 두려워한다"고 할 때의 '진(震)'이다. 이전 학자들의 설명은 대부분 이와 같다.

旣有震懼之心, 而身居尊位, 柔且得中, 又安有往來之地乎. 往來者, 震動奮發者之所爲, 非柔順守中者之事, 則此爻何以往來取象乎. 曰震往來厲者, 蓋謂震已往矣而其來, 則必厲也. 何謂震已往也. 曰初九雖震之主, 而遠於五, 九四雖震動之象, 而陷於二陰之間, 泥而不能震, 則逮五而震已止矣, 故曰震往也. 何謂其來必厲也. 曰震雖往矣, 上下二體皆動, 終非安静之日, 故雖往而必來, 而來則必厲也. 厲之爲言, 猛也, 危也. 五雖當震往之後, 而不以少安爲姑息之計, 能預億其來而厲也, 克盡恐懼圖慮之方, 而不失中道, 故可得无喪有事也.

이미 떨면서 두려워하는 마음이 있으면서 자신은 존귀한 자리에 있고, 부드러운 음으로 또 알맞음을 얻었으니, 또한 어찌 왕래하는 처지가 있겠는가? '왕래함'이란 떨쳐 움직여 일어나는 자가 하는 바이지 유순하게 알맞음을 지키는 자의 일이 아닌데, 이 효가 어떻게 왕래함으로 상을 취했겠는가? "우레가 왕래함이 위태롭다"고 말한 것은 우레가 이미 갔는데도 또 오면 반드시 위태로움을 말하는 듯하다. 어째서 우레가 이미 갔다고 말하는가? 초구가 비록 진괘(震卦䷲)의 주인이지만 오효와 거리가 멀고, 구사가 비록 떨쳐 움직이는 상이지만, 두 음의 사이에 빠져 진흙탕을 뒤집어 써 떨칠 수가 없으니, 오효에 이르러 우레가 이미 그쳤기 때문에 "우레가 갔다"고 하였다. 어째서 우레가 올 때에 반드시 위태롭다고 하였는가? 우레가 비록 갔지만, 위와 아래의 두 몸체가 모두 움직여 끝내 안정되고 고요한 날들이 아니기 때문에 비록 갔어도 반드시 와서, 오면 반드시 위태롭다. '위태롭다[厲]'란 말은 사납고 위험하다는 말이다. 오효가 비록 우레가 간 후에 해당하더라도 작은 편안함으로 당장의 휴식을 구하고자 하는 계책을 만들지 않고 우레가 와서 두려워하게 됨을 예상할 수 있어서, 두려워하여 도모하고 헤아리는 방법을 극진히 하여 중도를 잃지 않기 때문에 있는 일을 잃음이 없게 할 수 있다.

이익(李瀷) 『역경질서(易經疾書)』

震纔往而復來, 其危厲與六二同. 此自太子至於君位者, 故與彖辭相符, 無喪帖不喪匕鬯, 有事帖守宗廟社稷, 以爲祭主. 春秋所謂有事于太廟, 是也. 億, 據傳文, 大也, 億無喪, 因億喪言, 謂向之億喪者, 至是無喪也. 無喪則有事矣. 彼云貝以寶位言, 此云事以主鬯言, 彼則旣喪而還得, 此初無喪, 旣在君位, 且得中故然也.

우레가 가자마자 다시 오니, 그 위태로움이 육이와 같다. 이 효는 태자(太子)일 때부터 임금의 자리에 이를 때까지의 것이기 때문에 효사는 「단전」과 서로 부합하니, '잃음이 없음[無喪]'은 "국자와 울창주를 떨어뜨리지 않는다"[144]와 연관되고, '일이 있음[有事]'은 "종묘와 사직을 지킬 수 있어 제주가 될 것이다"[145]와 연관된다. 『춘추』에서 이른바 "태묘(太廟)에서 제사를 지냈다"[146]고 한 것이 이것이다. '억(億)'은 「소상전」의 글에 의거하면 큼이며, "크게 잃음이 없다[億無喪]"는 "크게 재물을 잃음[億喪]"[147]에 인해서 말하였으니, 지난번에 크게 잃었던 재물을 이제 와서는 잃지 않음을 말한다. 잃음이 없으면 일이 있게 된다. 저기 이효에서 '패(貝)'는 임금의 자리[寶位]로 말하였고, 여기 오효에서 '일[事]'은 울창주의 주인으로 말하였는데, 저기 이효에서는 이미 잃었다가 다시 얻었고, 여기 오효는 애초에 잃음이 없었

---

144) 『周易 · 震卦』: 震, 亨, 震來虩虩, 笑言啞啞, 震驚百里, 不喪匕鬯.

145) 『周易 · 震卦』: 彖曰, 震, 亨, … 出可以守宗廟社稷, 以爲祭主也.

146) 『春秋 · 宣公』 8년: 辛巳, 有事于大廟. 仲遂卒于垂.

147) 『周易 · 震卦』: 六二, 震來厲, 億喪貝, 躋于九陵, 勿逐, 七日得.

으니 이미 임금의 자리에 있으면서 또 알맞음을 얻었기 때문에 그러하다.

유정원(柳正源)『역해참고(易解參攷)』

王氏曰, 往則无應, 來則乘剛, 恐而往來, 不免於危. 處震之時, 而得尊位, 斯乃有事之機也. 而懼往來將喪其事, 故曰億无喪, 有事也.
왕필이 말하였다: 가면 호응이 없고 오면 굳센 양을 타니, 두려워하면서 왕래하여 위태로움에서 벗어나지 못한다. 진괘(震卦䷲)의 때에 있으면서 존귀한 자리에 있으니, 이는 일이 있는 기틀이 된다. 그런데 왕래하면서 장차 일을 잃을까 두려워하기 때문에 "헤아려 있는 일을 잃음이 없게 할 것이다"라고 하였다.

○ 節齋蔡氏曰, 震往來, 四也, 厲, 五也. 四欲上而牽乎柔, 故以往來言. 往來則震緩矣, 故雖厲而无喪, 謂宗廟社稷匕鬯之事, 太子職分之所宜有也.
절재채씨가 말하였다: "우레가 왕래함"은 사효를 말하고, '위태로움'은 오효를 말한다. 사효는 위로 올라가고자 하지만 부드러운 음에게 끌리기 때문에 '왕래함'으로 말하였다. 왕래한다면 우레가 느릿느릿한 것이기 때문에 비록 위태롭더라도 잃음이 없으니, '종묘와 사직'과 '국자와 울창주'에 대한 일이 태자의 직분에 마땅히 있는 바임을 말한다.

○ 梁山來氏曰, 初始震爲往, 四洊震爲來, 五乃君位, 爲震之主, 故往來皆厲也.
양산래씨가 말하였다: 초효인 처음 생긴 우레가 가게 되고, 사효인 거듭 생긴 우레가 오게 되며, 오효는 임금의 자리라서 진괘(震卦䷲)의 주인이 되기 때문에 왕래함은 모두 위태롭다.

○ 案, 六五居中, 往上失中, 來四亦失中, 往來厲.
내가 살펴보았다: 육오는 가운데 자리에 있으니, 상효로 가도 알맞음을 잃고 사효로 와도 또한 알맞음을 잃으므로 왕래함이 위태롭다.

김상악(金相岳)『산천역설(山天易說)』

以六居五, 乘四之震, 雖往來危厲, 以其得中, 故无所喪而能有事也.
육(六)으로 오효의 자리에 있고 사효인 우레를 타고 있어서 비록 왕래함이 위태롭더라도 알맞음을 얻었기 때문에 잃는 바가 없고 일이 있을 수 있다.

○ 初震爲旣往之厲, 四震爲方來之厲, 故曰往來厲. 億无喪, 則不喪匕鬯矣. 事者, 如有事於太廟之事也. 五爲君位, 而變則爲隨, 隨之上六言王之用亨, 故五之取象, 如此.

초효인 우레는 이미 가버린 두려움이고, 사효인 우레는 막 다가올 두려움이기 때문에 "왕래함이 위태롭다"고 하였다. '억무상(億无喪)'은 "국자와 울창주를 떨어뜨리지 않는다"는 것이다. '일[事]'이란 "태묘(太廟)에 제사[事]가 있다"[148]고 할 때의 일과 같다. 오효는 임금의 자리이며 변하면 수괘(隨卦䷐)가 되는데, 수괘(隨卦)의 상육에서 임금의 제사 드림[149]을 말하였기 때문에 오효의 상을 취함이 이와 같다.

김규오(金奎五) 「독역기의(讀易記疑)」

六五, 震往來.
육오는 우레가 울림에 왕래함이.

傳謂六五云, 往來實據象危行[150]而言, 而本義略之, 雲峯以爲九四之往來.
『정전』에서는 육오를 두고 말하면서 '왕래함'을 실제로 「소상전」의 "다님이 위태롭다[危行]"에 근거하여 말하였고, 『본의』에서는 이를 생략하였으며, 운봉호씨는 구사가 왕래하는 것으로 여겼다.

○ 凡自上而下, 皆稱來, 而六二亦稱震來, 蓋據卦辭及初爻震來而言. 然震來云云, 自卦辭而可疑, 恐是卦變自解而來, 故卦辭如彼, 而初九亦然. 六二則初九本爻, 故又言震來耶.
위로부터 아래로 내려가는 것은 모두 '온다[來]'고 말하는데, 육이도 또한 "우레가 온다[震來]"[151]고 말하였으니, 괘사와 초효의 효사에서 "우레가 온다"고 한 데에 의거하여 말한 듯하다. 그러나 "우레가 온다"라고 말한 것이 괘사로부터 비롯되었다는 데에서는 의심스러울 만하니, 아마도 이는 괘의 변화가 해괘(解卦䷧)로부터 왔기 때문에 괘사가 그와 같고[152] 초구도 또한 그러한 듯하다[153]. 육이는 초구가 본효이기 때문에 또 "우레가 온다"라고 말한 것인가 보다.

---

148) 『中庸集註』: 宗廟之次, 左爲昭, 右爲穆, 而子孫, 亦以爲序, 有事於太廟, 則子姓兄弟群昭群穆, 咸在而不失其倫焉.
149) 『周易·隨卦』: 上六, 拘係之, 乃從維之, 王用亨于西山.
150) 危: 경학자료집성 영인본에서는 여기에 해당하는 글자가 무슨 글자인지 알 수가 없고, 경학자료집성DB에 비어 있으나, 문맥을 살펴 '危'로 바로 잡았다.
151) 『周易·震卦』: 六二, 震來厲, 億喪貝, 躋于九陵, 勿逐, 七日得.
152) 『周易·震卦』: 震, 亨, 震來虩虩, 笑言啞啞, 震驚百里, 不喪匕鬯.
153) 『周易·震卦』: 初九, 震來虩虩, 後, 笑言啞啞, 吉.

○ 二五之億, 傳皆作度, 義以爲未詳. 然六五之象, 釋億无喪爲大无喪, 則兩億字, 恐皆是大字之意也.
이효와 오효에서의 '억(億)'에 대하여 『정전』에서는 모두 '헤아리다'로 풀이하였고, 『본의』에서는 자세하게 알 수가 없다고 하였다. 그러나 육오의 「소상전」에서 '억무상(億无喪)'에 대하여 을 두고 "크게 잃음이 없다"고 풀이하였으니, 두 '억(億)'자는 아마도 모두 '큼[大]'의 뜻인 듯하다.

○ 九四泥, 互坎.
구사에서의 '진흙'은 호괘인 감괘(坎卦☵)에서 비롯되었다.

○ 六五傳六二之六, 當作九.
육오에 대하여 『정전』에서 말한 '육이(六二)'에서의 '육(六)'은 마땅히 '구(九)'가 되어야 한다.[154]

서유신(徐有臣) 『역의의언(易義擬言)』

往而懼, 來而懼, 重震象也. 薦雷轟轟轉回, 有往來象也. 六五得中, 故能自厲而自安, 无所失而有所事也.
가도 두렵고 와도 두려우니 거듭된 우레의 상이다. 연거푸 우레가 굉굉하고 반복되면서 울리니, 왕래하는 상이 있다. 육오는 알맞음을 얻었기 때문에 스스로 두려워하여 스스로 편안해 질 수 있어서 잃는 바가 없고 일할 바가 있다.

강엄(康儼) 『주역(周易)』

按, 六二震來厲, 六五震往來厲, 語意相似, 而本義於六二, 則以來字屬獲字, 於六五, 則以往來字屬厲字, 所釋不同者, 恐從象傳而然也. 六二象曰, 震來厲, 乘剛也, 初九之剛動而上來, 故象傳如此, 而本義亦以震之來釋之, 六五象曰, 震往來厲, 危行也, 當震之時, 往來, 无時不危, 故象傳[155]如此, 而本義亦以无時不危釋之.

---

154) 『주역(周易)·진괘(震卦☳)』 육오에 대한 『정전』에서 '육이(六二)'는 "天下之理, 莫善於中, 於六二六五可見. 五之動, 上往, 則柔不可居動之極, 下來, 則犯剛, 是往來, 皆危也."와 같이 나온다. 여기 『정전』에서 말하는 '육이(六二)'는 본 괘의 이효가 육이이기 때문에 틀리지 않다. 김규오의 본 설명은 어떠한 이유에서 나왔는지 알 수 없다.

155) 傳: 경학자료집성 영인본에서는 여기에 해당하는 글자가 무슨 글자인지 알 수가 없고, 경학자료집성DB에 '侍'로 되어 있으나, 문맥을 살펴 '傳'으로 바로 잡았다.

내가 살펴보았다: 육이에서의 "우레가 옴이 사납다[震來厲]"[156]와 육오에서의 "우레가 울림에 왕래함이 위태롭다[震往來厲]"는 말의 뜻이 서로 유사한데도, 『본의』에서는 육이에 대해서는 '래(來)'자를 '얻다[獲]'라는 글자와 관련시켰고 육오에 대해서는 '왕래함'을 '위태롭다[厲]'라는 글자와 관련시켜, 풀이하는 바가 같지 않은 것은 아마도 「소상전」을 따라서 그렇게 된 듯하다. 육이의 「소상전」에서 "'우레가 옴이 사나움'은 굳셈을 타서이다"[157]라고 하였는데 초구의 굳센 양이 움직여 위로 왔기 때문에 「소상전」이 이와 같으며 『본의』에서도 또한 '우레가 옴'으로 풀이하였고, 육오의 「소상전」에서 "'우레가 침에 왕래함이 위태로움'은 다님이 위태롭다"라고 하였는데 진괘(震卦䷲)의 때를 맞아 왕래함은 위험하지 않은 때가 없기 때문에 「소상전」이 이와 같으며 『본의』에서도 또한 위험하지 않은 때가 없다고 풀이하였다.

이지연(李止淵) 『주역차의(周易箚疑)』

所以供億之道, 无所喪失而有事, 事者, 動而免乎震之事也.
부족한 것을 공급하여 안정시키는 도(道)는 잃는 바가 없어서 일이 있는 것이니, 일이란 움직여 우레가 치는 데에서 벗어나는 일이다.

김기례(金箕澧) 「역요선의강목(易要選義綱目)」

二曰震來, 指初剛方來之威, 五曰震往來, 指四之溺陰, 而或往或來, 雖有乘剛之危, 不若二[158]之可畏, 故所喪不如二之大.
이효에서 말하는 "우레가 온다"란 초효인 굳센 양이 막 오는 위엄을 가리키고, 오효에서 말하는 "우레가 왕래한다"란 사효가 음에 빠져 혹 가기도 하고 혹 오기도 함을 가리키니, 비록 굳센 양을 올라타는 위험은 있지만 이효가 두려워할 만큼은 아니기 때문에 잃는 바도 이효만큼은 아니다.

○ 但以柔居剛, 則雖是五中, 可危可厲[159], 故戒以无失所事, 蓋言謹也. 若陽爻, 則何

156) 『周易 · 震卦』: 六二, 震來厲, 億喪貝, 躋于九陵, 勿逐, 七日得.
157) 『周易 · 震卦』: 六二, 象曰, 震來厲, 乘剛也.
158) 二: 경학자료집성 영인본에서는 여기에 해당하는 글자가 무슨 글자인지 알 수가 없고, 경학자료집성DB에 '一'로 되어 있으나, 문맥을 살펴 '二'로 바로 잡았다.
159) 厲: 경학자료집성 영인본에서는 여기에 해당하는 글자가 무슨 글자인지 알 수가 없고, 경학자료집성DB에 '慮'로 되어 있으나, 문맥을 살펴 '厲'로 바로 잡았다.

厲之有.
다만 부드러운 음으로 굳센 양의 자리에 있으므로, 비록 오효의 알맞음이더라도 위태롭고 두려워할만하기 때문에 일하는 바를 잃음이 없게 하는 것으로 경계하였으니, 아마도 조심함을 말한 듯하다. 만약 양의 효라면 어찌 두려워함이 있겠는가?

심대윤(沈大允) 『주역상의점법(周易象義占法)』

震之随䷐. 六五威震天下, 而能不自用其威怒, 下随九四之賢臣, 居剛而信法, 亦无專随之愞, 故曰震往來, 言寬威随時而得中也, 象雷之随時出入也. 威怒随人, 懼其權移而喪威, 故曰厲, 以其中而能億, 故或往而随人, 或來而自主, 无喪其威權, 而可以有爲, 故无喪有事.
진괘가 수괘(隨卦䷐)로 바뀌었다. 육오는 위세가 천하를 떨게 하는데도 스스로 그 위엄 있는 노여움을 쓰지 않도록 할 수 있어서 아래로 구사인 어진 신하를 따르지만, 굳센 양의 자리에 있고 법을 믿어 또한 오로지 따르는 나약함은 없기 때문에 "우레가 왕래한다"고 하였으니, 너그러우면서도 위엄이 있어 때에 따라 알맞음을 얻음을 말하고 우레가 때에 따라 나가고 들어옴을 상징한다. 위엄 있는 노여움은 사람에 따라 권력이 옮겨지고 위엄을 잃을까 두려워하기 때문에 '위태롭다'고 하였고, 알맞아서 헤아릴 수 있기 때문에 혹 가서 다른 사람을 따르기도 하고 혹 와서 스스로 주관하기도 하여 권위를 잃음이 없어서 일을 할 수 있기 때문에 잃음이 없고 일이 있게 된다.

오치기(吳致箕) 「주역경전증해(周易經傳增解)」

六五柔得中而居尊, 中德自守, 故初震之往, 洊震之來, 无時不危, 然以其居剛, 而非如六二之以柔居柔, 且洊雷之勢, 不若初震之猛, 故大无其喪, 而有居中奮發之事也, 卽其象而占可知矣.
육오는 부드러운 음으로 알맞음을 얻고 존귀한 자리에 있어서 알맞은 덕으로 스스로를 지키기 때문에 첫 번째 우레가 가고 거듭 우레가 옴은 위태롭지 않을 때가 없지만, 굳센 양의 자리에 있어서 육이가 부드러운 음으로 부드러운 음의 자리에 있는 것과는 같지 않고, 또 거듭된 우레의 형세가 처음 치는 우레의 맹렬함만 못하기 때문에 크게 잃음이 없고 알맞음에 있으면서 분발하는 일이 있으니, 그 상에 나아가 점을 알 수가 있다.

○ 億, 大也, 與六二同.
'억(億)'은 큼이니, 육이와 같다.

이진상(李震相) 『역학관규(易學管窺)』

往六, 來四, 皆失其中, 而下无正應, 所以厲[160]也. 柔得中位, 故无喪, 居剛乘剛, 故有事. 變巽互坎 皆有事象.

육효에게로 가고 사효에게로 오면, 모두 알맞음을 잃고 아래로는 정응이 없게 되니 이 때문에 위태롭다. 부드러운 음이 가운데 자리를 얻었기 때문에 잃음이 없고, 굳센 양의 자리에 있으면서 굳센 양을 올라타고 있기 때문에 일이 있다. 음양이 바뀐 손괘(巽卦☴)와 호괘인 감괘(坎卦☵)에는 모두 일의 상이 있다.

박문호(朴文鎬) 「경설(經說)・주역(周易)」

无喪有事, 語爲對待, 恐不當合作一事. 本義似長.

'잃음이 없음[无喪]'과 '일이 있음[有事]'은 말이 상대[對待]가 되니, 아마도 합하여 하나의 일로 만들어서는 마땅히 안 되는 듯하다. 『본의』가 더 나은 듯하다.

160) 厲: 경학자료집성 영인본에서는 여기에 해당하는 글자가 무슨 글자인지 알 수가 없고, 경학자료집성DB에 '與'로 되어 있으나, 문맥을 살펴 '厲'로 바로 잡았다.

象曰, 震往來厲, 危行也, 其事, 在中, 大无喪也,

정전 「상전」에 말하였다: "우레가 왕래함이 위태로움"은 다님이 위태롭고, 그 일이 속에 있으니 크게 잃음이 없다.

본의 「상전」에 말하였다: "우레가 칠에 왕래함이 위태로움"은 다님이 위태로우나, 그 일이 속에 있으니 크게 잃음이 없다.

中國大全

傳

往來, 皆厲, 行則有危也. 動皆有危, 唯在无喪其事而已. 其事, 謂中也, 能不失其中, 則可自守也. 大无喪, 以无喪, 爲大也.

'왕래'가 다 '위태로우니', 가면 위태롭다. 움직임이 다 위태로우니, 오로지 '그 일'을 잃음이 없음에 달려있을 뿐이다. '그 일'은 알맞음[中]을 말하니, 그 알맞음을 잃지 않을 수 있으면 스스로를 지킬 수 있다. '크게 잃음이 없음'은 '잃음 없음'을 크다고 여기는 것이다.

小註

臨川吳氏曰, 上行下行, 皆危, 故曰危行. 有事者, 在固守其中. 柔中居剛爲大中, 故能有守, 而億无所喪也, 與六二之柔中居柔, 小而非大者, 不同矣.

임천오씨가 말하였다: 위로 가든 아래로 가든 다 위태로우므로 '다님이 위태롭다'고 하였다. '일이 있음'[161]이란 그 알맞음을 굳게 지킴에 달려 있다. 부드러운 음의 알맞음으로 굳센 양의 자리에 있어 크게 알맞음이 되므로 지킴이 있을 수 있어 헤아려 잃는 바가 없으니, 육이가 부드러운 음의 알맞음으로 부드러운 음의 자리에 있어서 작고 크지는 않는 것과는 같지 않다.

---

161) 『周易 · 震卦』: 六五, 震, 往來, 厲, 億无喪, 有事.

▌韓國大全▐

김장생(金長生)『경서변의(經書辨疑)-주역(周易)』

六五象, 大无喪.
육오「상전」에서 말하였다: 크게 잃음이 없다.

喪之無, 大矣.
잃음이 없음이 크다.

송시열(宋時烈)『역설(易說)』

六五. 〈大者, 多字之謂也, 言无多喪也.〉
육오. 〈'크다[大]'란 '많다[多]'를 말하니, 많이 잃음이 없다는 말이다.〉

下震既往, 上震復來, 故曰往來. 五之乘剛爻, 如六二, 故亦曰厲. 億无喪者, 來氏以三字作句, 得之. 二則億喪貝, 而五則无離象, 故曰億无喪, 於小象大无喪, 可見也. 傳以未詳釋之者, 未知如何. 有事者, 五爻主震, 故能有奮厲之事也. 小象其事在中者, 主震之事, 在於中正之爻也.
아래의 우레가 이미 가자 위의 우레가 다시 왔기 때문에 '왕래함'이라고 하였다. 오효가 굳센 양의 효를 타고 있음은 이효와 같기 때문에 '위태롭다'고 하였다. '억무상(億无喪)'에 대하여 래지덕은 세 글자를 하나의 구로 보았으니, 잘 이해했다고 할 수 있다. 이효는 재물을 잃을 것을 헤아리고 오효는 리괘(離卦☲)의 상이 없기 때문에 "잃음이 없음을 헤아린다"고 하였으니,「소상전」의 "크게 잃음이 없다"에서 알 수가 있다.『정전』에서 상세하지 않다고 풀이한 것은 왜 그런지 모르겠다. '일이 있다[有事]'란 오효가 진괘의 주인이기 때문에 떨쳐 일어나는 일이 있을 수 있다.「소상전」의 "그 일이 속에 있다"란 진괘(震卦䷲)를 주관하는 일은 중정한 효에 있다는 것이다.

이현석(李玄錫)「역의규반(易義窺斑)」

或曰, 然則象所謂危行者, 何義歟. 曰, 行者, 道也, 謂危道也. 五雖居尊, 而陰柔緩弱, 且值震, 陽方進之日, 易見侵凌, 故曰危道也. 惕念於未然之前, 則危可使安.
어떤 이가 물었다: 그렇다면「소상전」에서 이른바 "다님이 위태롭다"란 무슨 뜻입니까? 답하였다: '다님[行]'이란 도(道)이니, 도가 위태롭다는 말입니다. 오효가 비록 존귀한 자리에 있지만 부드러운 음으로 느슨하고 약하며 또 우레를 만나 양이 막 나아가려는 날에 쉽게

침해와 능멸을 당하기 때문에 도가 위태롭다고 말하는 것입니다. 아직 그렇게 되기 전에 경계하면서 두려워한다면, 위험을 안전하게 할 수 있습니다.

김상악(金相岳) 『산천역설(山天易說)』

行則有危, 猶能有事者, 以其在中也.
다니면 위태로움이 있지만 오히려 일이 있을 수 있는 것은 속에 있기 때문이다.

서유신(徐有臣) 『역의의언(易義擬言)』

震故曰危, 往來故曰行也. 事在於五, 故曰在中也. 五之事必大事也, 大事, 故懼而無失也.
우레가 치기 때문에 '위태롭다'고 하였고, 왕래하기 때문에 '다니다[行]'라고 하였다. '일'은 오효에 있기 때문에 "속에 있다"고 하였다. 오효의 일은 반드시 큰일이며, 큰일이기 때문에 두려워하여 잃음이 없다.

심대윤(沈大允) 『주역상의점법(周易象義占法)』

言以危道行之而得中, 故大无所喪也, 如振恒大无功之大.
위험한 도로써 다니는 데도 알맞음을 얻었기 때문에 크게 잃는 바가 없음을 말하니, "'진동하는 항상됨'으로 크게[大] 공이 없다"[162]의 '큼[大]'과 같다.

오치기(吳致箕) 「주역경전증해(周易經傳增解)」

震之往來, 皆厲, 故其行恐懼危畏. 然處中而有奮發脩省之事, 故大无所喪也.
우레가 왕래함은 모두 위태롭기 때문에 다님은 두렵고 위태롭다. 그러나 알맞음에 있어서 분발하고 닦으며 살피는 일이 있기 때문에 크게 잃는 바가 없다.

이병헌(李炳憲) 『역경금문고통론(易經今文考通論)』

王曰, 往則无應, 來則乘剛, 不免於危.
왕필이 말하였다: 가면 호응이 없고 오면 굳센 양을 타니, 위태로움을 면하지 못한다.

本義曰, 得中, 故无[163]喪.
『본의』에서 말하였다: 알맞음을 얻었기 때문에 잃음이 없다.

---

162) 『周易・恒卦』: 上六, 象曰, 振恒在上, 大无功也.
163) 无: 경학자료집성DB와 영인본에 모두 '元'으로 되어 있으나, 문맥을 살펴 '无'로 바로 잡았다.

上六, 震, 索索, 視, 矍矍, 征, 凶. 震不于其躬, 于其鄰, 无咎, 婚媾, 有言.

정전 상육은 우레가 시들시들하여 눈을 두리번두리번 하니, 가면 흉하다. 우레가 그 몸에 치지 않고 그 이웃에 칠 때에 하면 허물이 없으리니, 혼인은 원망하는 말이 있을 것이다.

본의 상육은 우레가 시들시들하여 눈을 두리번두리번 하니, 가면 흉하다. 우레 침을 그 몸에 하지 않고 그 이웃에 할 때에 하면 허물이 없을 것이나, 혼인은 원망하는 말이 있을 것이다.

中國大全

傳

索索, 消索不存之狀, 謂其志氣如是. 六, 以陰柔, 居震動之極, 其驚懼之甚, 志氣, 殫索也. 矍矍, 不安定貌. 志氣, 索索, 則視瞻, 徊徨. 以陰柔不中正之質, 而處震動之極. 故征則凶也. 震之及身, 乃于其躬也, 不于其躬, 謂未及身也. 鄰者, 近於身者也. 能震懼於未及身之前, 則不至於極矣. 故得无咎. 苟未至於極, 尙有可改之道, 震終當變, 柔不固守, 故有畏鄰戒而能變之義. 聖人, 於震終, 示人知懼能改之義, 爲勸, 深矣. 婚媾, 所親也, 謂同動者, 有言, 有怨咎之言也. 六, 居震之上, 始爲衆動之首, 乃今畏鄰戒而不敢進, 與諸處震者, 異矣. 故婚媾有言也.

'시들시들'은 사라져 존재하지 못하는 모양이니, 그 뜻과 기운이 이와 같음을 말한다. 상육이 유약한 음으로 우레 치는 끝에 있으니, 그 놀라고 두려움이 심하여 뜻과 기운이 다한 것이다. '두리번두리번'은 불안한 모습이다. 뜻과 기운이 시들시들하면 시선이 두리번거린다. 유약한 음으로서 중정하지 못한 재질로 우레 치는 끝에 놓였다. 그러므로 가면 흉하다. 우레가 자신에게 미치는 것이 '그 몸에'이니, '그 몸에 치지 않고'는 아직 자신에게 미치지 않은 것이다. '이웃'은 자신에게 가까운 것이다. 자신에게 아직 미치기에 앞서 떨면서 두려워할 줄 알면 지극한 데에까지 이르지는 않을 것이다. 그러므로 허물이 없을 수 있다. 아직 지극한 데에 이르지 않았다면 그래도 고칠 수 있는 길이 있으니, 진괘(震卦䷲)의 끝에는 당연히 변화가 있고, 부드러움은 굳게 지키지 못하므로, 벼락이 쳐서 이웃이 경계함을 두려워하여 변할 수 있는 뜻이 있는 것이다. 성인께서 진괘(震卦䷲)의 끝에 사람들에게 두려워할 줄을 알면 고칠 수 있다는 뜻을 보이셨으니, 힘쓰게 하심이 깊다. '혼인'은 친한 것이니 함께 움직이는 자를 말하고, '말이 있음'은 원망하고 허물하는 말이 있는 것이다. 육효가 진괘의 맨 위에 있어 처음에는 뭇 움직임의 우두머리가 되건만, 이제 벼락이 쳐서 이웃이 경계함을 두려워하며 감히 나아가지 못하니, 여러 효가 진괘(震卦䷲)에 대처하는 경우와는 다르다. 그러므로 '혼인'에는 원망하는 말이 있을 것이다.

本義

以陰柔, 處震極. 故爲索索矍矍之象. 以是而行, 其凶必矣. 然能及其震未及其身之時, 恐懼脩省, 則可以无咎, 而亦不能免於婚媾之有言. 戒占者, 當如是也.

부드러운 음으로서 진괘(震卦䷲)의 끝에 있다. 그러므로 시들시들 두리번거리는 상이 된다. 이렇게 해가면 흉할 것이 틀림없다. 그러나 그 우레가 아직 자신에게 미치지 않은 때에 미쳐 두려워하며 닦고 살필 수 있으면 허물이 없을 수 있으나, 그래도 '혼인'에는 말이 있음을 면할 수는 없다. 점치는 자는 이처럼 하여야 한다고 경계하였다.

小註

朱子曰, 上六不全好. 但能恐懼於未及身之時, 可得无咎. 然亦不免他人言語.
주자가 말하였다: 상육은 전부 좋은 것이 아니다. 다만 아직 자신에게 미치지 않았을 때에 두려워할 줄 알면 허물이 없을 수 있다는 것이다. 그래도 남들이 말하는 것을 면하지는 못한다.

○ 進齋徐氏曰, 索索, 志氣不存之貌, 當震而懼, 氣索然也. 矍矍, 不定之貌, 氣索而目亦爲之動也. 三, 行則无眚, 而上, 征則凶, 言不當行也. 躬, 謂上, 鄰, 謂五. 四震來, 勢緩, 不能及上, 故曰, 不于其躬, 僅能及五, 故曰, 于其鄰. 與三无應, 故婚媾有言.
진재서씨가 말하였다: '시들시들'은 뜻과 기운을 보존하지 못하는 모양이니, 우레 맞아 두려워 기운이 흩어져 없어지는 모양이다. '두리번두리번'은 불안한 모습이니, 기운이 흩어져 없어져서 눈도 그 때문에 움직이는 것이다. 삼효에서는 '가면 허물이 없다' 하였으나, 상효에서 '가면 흉하다'고 함은 가지 말아야 함을 말하는 것이다. '몸'은 상효를 이르고, '이웃'은 오효를 이른다. 사효의 우레가 옴이, 기세가 느슨하여 상효까지 미칠 수 없으므로 '그 몸에 하지 않는다'고 하고 기껏 오효에 미칠 수 있으므로 '그 이웃에 할 때에'라 하였다. 삼효와는 호응이 없으므로 '혼인'에는 원망의 말이 있을 것이다.

○ 雲峯胡氏曰, 三, 蘇蘇, 神氣, 散緩, 上, 索索矍矍, 神氣, 无復存矣. 蓋以陰柔, 處震懼之極, 故其行也, 必凶. 猶幸四震之來也, 緩, 上之懼, 不于其身之時而已, 懼於及五之際, 則庶乎可以无咎. 然亦終不免於婚媾之有言者, 近於五, 而无應於二也. 爻言虩虩, 啞啞, 蘇蘇, 索索, 矍矍, 與二五言億, 諸卦, 皆无其義, 雖多恐懼之貌, 亦於爻義, 各有辨也. 六爻, 惟初, 言吉, 唐房喬曰, 震之初九, 謹始恐懼, 所以致福, 豫之初六, 倡始逸豫, 所以貽凶也. 除上六征凶外, 皆无凶者, 皆有恐懼之福, 而无逸豫之凶也.
운봉호씨가 말하였다: 삼효의 '비슬비슬'은 정신과 기운이 서서히 흩어짐이고, 상효의 '시들시들'과 '두리번두리번'은 정신과 기운이 회복되어 보존됨이 없는 것이다. 부드러운 음으로서 떨면서 두려워함의 끝에 있으므로 그 감이 반드시 흉하다. 그래도 다행히 사효의 우레가 옴이 느릿느릿하여 상효의 두려움은 '그 몸에 하지 않을' 때일 뿐이니, 우레가 오효에 미칠 즈음에 두려워한다면 거의 허물이 없다.164) 그래도 끝내 '혼인'에는 말이 있음을 면할 수 없는 것은 오효에 가깝고 이효로부터의 호응이 없어서이다. 효에서 말하는 '조마조마', '하하', '비슬비슬', '시들시들', '두리번두리번'과 이효와 오효에서 말한 '헤아림[億]'은 여러 괘들에서는 다 그런 뜻이 없고, 비록 두려워하는 모습이 많다고 해도 또한 효의 뜻에서 각각 분별이 있다. 여섯 효 가운데 초효만 '길하다'고 하였는데, 당나라 방교는 '진괘(震卦䷲)의 초구에서는 시작을 조심하여 두려워하니, 복을 부르는 까닭이고, 예괘(豫卦䷏)의 초육에서는 편안하게 즐거워하기를 제 뜻대로 시작하니, 흉함을 끼치는 까닭이다'고 하였다. 상육의 '가면 흉하다' 말고는 다 흉함이 없는 것은 다 두려워함으로 초래한 복은 있고 편안하게 즐거워함으로 초래한 흉함은 없기 때문이다.

○ 縉雲馮氏曰, 六爻, 皆无凶者, 恐懼, 則爲福, 泰侈, 則爲禍也.
진운풍씨가 말하였다: 여섯 효에 다 흉함이 없는 것은 두려워하여 복이 되기 때문이니, 교만하고 사치스러우면 화(禍)가 된다.

▌韓國大全▐

권근(權近) 『주역천견록(周易淺見錄)』

程傳, 志氣, 索索, 視瞻, 徊徨. 以陰柔不中正, 而處震動之極. 故征凶. 然能震懼於未

164) 상효가 두려워 하는 때는, 우레가 아직 자신에게 떨어지기 전 이웃 근처에 떨어지는 것을 보았을 때 뿐이다. 아직 자신에게 우레가 미치기 전에 두려워하여 경계하므로 허물이 없다.

及身之前, 則不至於極. 故得无咎. 未至於極, 尙有可改之道, 震終當變, 柔不固守, 故有畏鄰戒而能變之義.
『정전』에서 말하였다: 뜻과 기운이 시들시들하니 시선이 두리번거린다. 유약한 음으로서 중정하지 못하면서 우레 치는 끝에 놓였다. 그러므로 가면 흉하다. 자신에게 미치기에 앞서 떨면서 두려워할 줄 알면 지극한 데에까지 이르지는 않을 것이다. 그러므로 허물이 없을 수 있다. 아직 지극한 데에 이르지 않았다면 그래도 고칠 수 있는 길이 있으니, 진괘(震卦䷲)의 끝에는 당연히 변화가 있고, 부드러움은 굳게 지키지 못하므로, (벼락이 쳐서) 이웃이 경계함을 두려워하여 (내가) 변할 수 있는 뜻이 있다.

愚按, 前云未極故可改, 後云震終當變者, 前以身而言, 後以時而言. 以時則震旣終, 故當變而止, 以身則震未極, 故可以改而無失也. 故當震懼在鄰而未及身之時, 先知戒而預防之, 則不至於索矍而征凶也. 然在震懼之時, 不與衆同患, 未免於婚媾之有言也.
내가 살펴보았다: 앞에서는 아직 지극한 데에 이르지 않았기 때문에 고칠 수 있다고 말하고, 뒤에서는 진괘(震卦䷲)의 끝에는 당연히 변화가 있다고 말한 것은 앞에서는 몸으로 말하였고 뒤에서는 때로 말하였기 때문이다. 때로써 보면 우레가 이미 끝마쳤기 때문에 마땅히 변하여 그쳐야 하지만, 몸으로써 보면 우레가 아직 지극한 데에 이르지 않았기 때문에 고쳐서 잃음이 없을 수 있다. 그러므로 떨려 두려워함이 이웃에게 있고 아직 자신에게 미치지 않은 때에 먼저 경계하여 예방할 줄을 안다면 시들시들하며 두리번거리면서 가 흉하게 되는 데에는 이르지 않는다. 그러나 떨려 두려워하는 때에는 여러 무리들과 걱정을 함께하지 못하니, 혼인에 원망하는 말이 있는 데에서 면하지 못한다.

조호익(曺好益) 『역상설(易象說)』

上處重震之極. 索索, 震極而動之象. 視, 上變則離目象, 矍矍, 亦震極而動之象. 征凶, 上窮象, 躬, 艮象, 不于躬, 艮背象. 震至上, 將反爲艮, 故取象. 鄰, 指五, 婚媾, 指三. 有言, 无應象, 言三, 自初至四, 頤口象.
상효는 거듭된 진괘(震卦☳)의 끝에 있다. '시들시들함'은 우레가 다하면서 움직이는 상이다. '눈[視]'은 상효가 변하면 리괘(離卦☲)인 눈의 상이고, '두리번두리번함[矍矍]'도 또한 우레가 다하면서 움직이는 상이다. '가면 흉함[征凶]'은 상효가 다한 상이고, '몸[躬]'은 간괘(艮卦☶)의 상이니, "몸에 하지 않다[不于躬]"란 간괘(艮卦☶)인 등[背]의 상이다. 진괘(震卦䷲)는 상효에 이르면 장차 도리어 간괘(艮卦☶)가 되기 때문에 이러한 상을 취하였다. '이웃'은 오효를 가리키고, '혼인'은 삼효를 가리킨다. "원망하는 말이 있을 것이다"란 호응이 없는 상으로 삼효를 말하니, 초효로부터 사효까지가 턱과 입의 상이다.

송시열(宋時烈) 『역설(易說)』

索索者, 求而又求也. 此爻居上, 與三爻爲應, 而無援, 故求其得中而不已也. 矍矍, 亦驚懼顧視之貌. 三爲離目之象, 故以視言之. 震動之禍, 不及其身, 而及於其隣, 隣指六五也. 故曰震不于其躬, 于其隣. 與三爻爲應, 而互有坎象, 必有疑阻, 故曰婚媾有言.
'시들시들함'이란 구하고 또 구하는 것이다. 이 효는 맨 위에 있으면서 삼효와 호응이 되지만, 서로 도움이 없기 때문에 알맞음을 얻은 자를 구하여 그치지 않는다. '두리번두리번함'도 또한 놀라고 두려워하면서 돌아보는 모습이다. 삼효는 리괘(離卦☲)인 눈의 상이 되기 때문에 '눈[視]'으로 말하였다. 우레가 치는 화가 자기에게 미치지 않고 이웃에게 미치니, 이웃은 육오를 가리킨다. 그러므로 "우레가 그 몸에 치지 않고 그 이웃에게 친다"라고 하였다. 삼효와 호응이 되고 호괘에는 감괘(坎卦☵)의 상이 있으니, 반드시 의심과 막힘이 있기 때문에 "혼인은 원망하는 말이 있을 것이다"라고 하였다.

이익(李瀷) 『역경질서(易經疾書)』

索索, 以心言, 矍矍, 以貌言, 其貌如此, 則其心可知. 上六在事外, 凡震動危厲, 不必爲切己之灾, 然切比於六五, 君位五旣如此, 其畏懼亦宜矣. 其畏懼也, 特因隣有戒心, 隣旣無喪, 則於躬無咎. 婚媾有言, 未詳. 旣無婚媾, 誰復有言. 或有震爲長子主祭者, 主祭宜夫婦共事, 然六爻無應, 則求而不得之象. 六五之有事, 亦不得爲禮備矣. 震極必變, 變則爲離, 上不言八而言六, 則老陰也. 老陰則已有離象. 如左傳歸妹之睽可證, 史蘇之占曰, 震之離, 亦離之震, 爲雷爲火, 車說其輹, 火焚其旗, 此以變離言也. 離則與六三, 有婚媾之象, 然非其本體, 故不免有言. 更詳之. 震有車象 詳在大壯.
'시들시들함'은 마음으로 말하였고, '두리번두리번함'은 모양으로 말하였으니, 그 모양이 이와 같다면 그 마음을 알 수가 있다. 상육은 일 밖에 있어서 우레가 치는 위태로움이 반드시 자신과 밀접한 재앙이 되는 것은 아니지만, 육오와 매우 가깝고 임금의 자리인 오효가 위태로움이 이와 같으니, 그가 두려워함은 또한 마땅하다. 그가 두려워함이란 다만 이웃이 가지고 있는 경계하는 마음에 기인한 것이니, 이웃이 이미 잃음이 없다면 자신에게도 허물이 없다. "혼인은 원망하는 말이 있을 것이다"란 자세히 알 수가 없다. 이미 혼인이 없다면 누가 다시 원망하는 말을 하겠는가? 혹 진괘(震卦☳)가 맏아들이 되어 제사를 주관하는 자가 있다고 하는데 제사를 주관하는 일은 마땅히 부부가 함께 해야 하지만, 육효는 호응이 없어서 구하여도 얻을 수 없는 상이다. 육오에서의 '일이 있음'도 또한 예(禮)를 갖추어 둘 수 없다. 진괘(震卦☳)가 다하면 반드시 변하고 변하면 리괘(離卦☲)가 되므로 상효를 '팔(八)'이라고 하지 않고 '육(六)'이라고 하였으니, 노음(老陰)이다. 노음이면 이미 리괘(離卦☲)의 상이 있다. 예를 들어 『춘추좌씨전(春秋左氏傳)』의 귀매괘(歸妹卦䷵)가 규괘(睽卦䷥)로 바뀌었다는 곳에서 증명할 수 있으니, 사소(史蘇)가 점을 쳐서 말하기를 "진괘(震卦☳)가 리괘(離卦☲)로 변한 것은 또한 리괘(離卦☲)가 진괘(震卦☳)로 변한 것으로, 우레가 되고 불이 되어 수레에서 바퀴통이 빠지고 불이 군기(軍旗)를 태웁니다"165)라고 하였는데, 이는 리괘(離卦☲)로 변한 것으로 말하였다. 리괘(離卦☲)의 경우에는 육삼와 함께 혼인의 상이 있지만, 그 마땅한 본래의 몸체는 아니기 때문에 원망하는 말이 있을 것이라는 데에서 면하지 못한다. 이는 다시 살펴보아야 한다. 진괘(震卦☳)에는 수레의 상이 있으니, 자세한 설명은 대장괘(大壯卦䷡)에 있다.

양응수(楊應秀) 「곤괘강의(坤卦講義) · 역본의차의(易本義箚疑)」

上六, 震이 索索.
상육은 우레가 시들시들하여.
〈震이 恐當改애.
'진(震)이'에서 '이'는 아마도 마땅히 '애'로 고쳐야 할 듯하다.
○ 震애 索索ㅎ야,
우레에 시들시들하여,〉

유정원(柳正源) 『역해참고(易解參攷)』

上六[至]有言.
상육은 … 말이 있을 것이다.
〈音訓, 索索, 馬云內不安貌, 鄭云猶縮縮, 足不正. 矍矍, 馬云中未得之貌, 鄭云目不正.
『음훈』에서 말하였다: '색색(索索)'에 대하여 마융은 "안으로 불안해하는 모양이다"라고 하였고, 정현은 "나아가지 못하는 모양[縮縮]과 같으니 발이 바르지 않은 것이다"라고 하였다. '확확(矍矍)'에 대하여 마융은 마음으로 얻지 못한 모양이다'라고 하였고, 정현은 "눈이 바르지 않은 것이다"라고 하였다.〉

王氏曰, 處震之極, 極震者也. 居震之極, 求中未得, 故懼而索索, 視而矍矍, 无所安親也. 已處動極而復征焉, 凶其宜也.
왕필이 말하였다: 진괘(震卦䷲)의 끝에 있으니, 떨침을 다한 자이다. 진괘(震卦䷲)의 끝에

---

165) 이러한 내용은 『춘추좌씨전(春秋左氏傳) · 희공(僖公)』 15년에 보인다.

있어서 알맞음을 구하지만 아직 얻지 못하였기 때문에 두려워하면서 시들시들하고 눈으로 보면서 두리번두리번하니, 편안하고 친한 바가 없다. 자기가 움직임의 끝에 있는데도 다시 간다면 흉함이 마땅하다.

○ 漢上朱氏曰, 上六動成離, 有視象.
한상주씨가 말하였다: 상육이 움직여 리괘(離卦☲)를 이루니, '눈[視]'의 상이 있다.

○ 雙湖胡氏曰, 躬反艮象, 言震聲象.
쌍호호씨가 말하였다: '몸[躬]'은 거꾸로 된 괘인 간괘(艮卦☶)의 상이고, '말'은 우레 소리의 상이다.

김상악(金相岳) 『산천역설(山天易說)』

上六以陰居重震之上, 中互離體, 故有索索矍矍之象. 以是而行凶矣, 然四互艮體, 能及其未及身之時, 恐懼修省, 則可以无咎, 而亦不免於婚媾之有言矣.
상육은 부드러운 음으로 중첩된 진괘(震卦☳)의 맨 위에 있으며, 가운데 호괘가 리괘(離卦☲)의 몸체이기 때문에 시들시들하고 두리번두리번 하는 상이 있다. 이 때문에 가면 흉하지만, 사효의 호괘가 간괘(艮卦☶)의 몸체라서 아직 자신에게 미치지 않았을 때에 미쳐 두려워하면서 닦으며 살필 수가 있다면 허물이 없을 수는 있지만, 또한 혼인에 원망하는 말이 있을 것이라는 데에서는 면하지 못한다.

○ 索索, 志氣不存之貌. 震木生離火, 離爲目, 上下重離, 視矍矍之象, 所以矍字從目. 當震而懼,神氣索, 然則目亦爲之動也. 不于躬, 艮之象, 艮六四曰止諸躬, 是也. 二陰相比, 隣之象. 五有往來之厲, 故上戒之, 而得无咎也. 又離三震四, 相比爲隣, 而離震之合爲噬嗑, 有滅耳之凶, 故曰畏鄰戒也. 震爲陰陽之始交, 而不與陽爲配, 故婚媾有言. 初至五互屯體, 屯之二比初而應五, 故曰非寇婚媾, 六四應初而比五, 故曰求婚媾往, 而震則初非其應, 四非其比, 故不得爲婚媾也. 言者 離象, 左傳西隣嘖言, 亦震變爲離, 不利婚媾之占也.
'시들시들함'은 뜻과 기운이 보존되지 않은 모양이다. 진괘(震卦☳)인 나무가 리괘(離卦☲)인 불을 낳는데, 리괘(離卦☲)는 눈이 되므로 위와 아래가 거듭 리괘(離卦☲)이면 눈을 두리번두리번하는 상이니, '확(矍)'자가 '목(目)'을 부수로 하는 까닭이다. 우레가 치는 때를 맞아 두려워하고 정신과 기운이 시들하니, 그러한 즉 눈도 또한 그 때문에 움직인다. "우레가 그 몸에 치지 않는다"는 간괘(艮卦☶)의 상이니, 간괘(艮卦䷳) 육사의 「소상전」에서 말한 "몸에 그치는 것이다"[166]가 이것이다. 두 음이 서로 가까움이 이웃의 상이다. 오효에는 왕래할 때의 위태로움이 있기 때문에 상효에서는 이를 경계하여서 허물이 없을 수 있다. 또 리괘(離卦䷝)의 삼효와 진괘(震卦䷲)의 사효는 서로 가까운 것이 이웃이 되고, 리괘(離卦☲)와 진괘(震卦☳)가 합하여 서합괘(噬嗑卦)가 되는데 귀를 없어지게 하는 흉함[167]이 있기 때문에 "이웃이 경계함을 두려워해서이다"라고 하였다. 진괘(震卦䷲)는 음과 양이 처음 사귐이 되지만 상육은 양과 더불어 짝이 되지 않기 때문에 혼인은 원망하는 말이 있을 것이다. 초효에서부터 오효에 이르기까지 하괘와 호괘가 합하여 준괘(屯卦䷂)의 몸체가 되는데, 준괘(屯卦)의 이효는 초효와 비(比)의 관계에 있고 오효와 호응하기 때문에 "도적이 아니라 혼인하려는 자이다"[168]라고 하였고, 육사는 초효와 호응하고 오효와 비(比)의 관계에 있기 때문에 "혼인할 자를 찾으면 간다"[169]라고 하였으나, 진괘(震卦䷲)의 경우라면 초효는 호응이 아니고 사효는 비(比)의 관계가 아니기 때문에 혼인을 할 수가 없다. '원망하는 말[言]'이란 리괘(離卦☲)의 상이니, 『춘추좌씨전』에 나오는 "서쪽 이웃이 책망하여 말한다"[170]도 또한 진괘(震卦☳)가 변하여 리괘(離卦☲)가 된 것으로, 혼인이 이롭지 않는 점(占)이다.

서유신(徐有臣) 『역의의언(易義擬言)』

重震之極, 驚懼之甚, 故曰索索, 曰矍矍也. 索索則不能厲, 矍矍則不能億, 有過中之象, 故曰征凶也. 然其多懼又能震, 无咎矣, 不待九四再震而懼, 便於六三初震而懼, 故无咎也. 四爲身位, 故曰躬也, 三爲應位, 故曰鄰也. 懼于躬, 則悔無及矣, 懼于鄰, 則鑑不遠矣. 婚媾, 亦三也. 多懼, 故有言也.

거듭된 진괘(震卦☳)의 끝은 놀라고 두려워함이 심하기 때문에 '시들시들한다'고 하였고, '두리번두리번한다'고 하였다. 시들시들하면 위태롭게 여길 수 없고 두리번두리번하면 헤아릴 수 없어 알맞음을 지나치는 상이 있기 때문에 "가면 흉하다"고 하였다. 그러나 그가 두려워함이 많고 또 떨 수가 있어서 허물이 없으니, 구사가 다시 우레를 쳐서 두려워함을 기다리지 않고도 육삼이 처음 우레가 쳐서 두려워하는 것보다 적절하게 하기 때문에 허물이 없다. 사효는 몸의 자리가 되기 때문에 '몸[躬]'이라고 하였고, 삼효는 호응하는 자리가 되기 때문에 '이웃'이라고 하였다. 자신에게 우레가 침을 두려워하면 뉘우침은 언급할 바가 없고, 이웃

166) 『周易 · 艮卦』: 六四, 象曰, 艮其身, 止諸躬也.
167) 『周易 · 噬嗑卦』: 上九, 何校, 滅耳, 凶.
168) 『周易 · 屯卦』: 六二, 屯如邅如, 乘馬班如, 匪寇, 婚媾. 女子貞, 不字, 十年, 乃字.
169) 『周易 · 屯卦』: 六四, 乘馬班如, 求婚媾, 往, 吉, 无不利.
170) 이러한 내용은 『춘추좌씨전(春秋左氏傳)』「희공(僖公)」 15년에 보인다.

에게 우레가 침을 두려워한다면 비추어 봄이 멀지 않다. '혼인'은 또한 삼효를 가리킨다. 두려워함이 많기 때문에 원망하는 말이 있다.

박제가(朴齊家) 『주역(周易)』

上六, 震, 索索, 視, 矍矍.
상육은 우레가 시들시들하여 눈을 두리번두리번 하니.

乃雷欲犯人, 而尋覓照燭之貌. 此爻處震之極, 故爲大懼而僅免之象.
이에 우레가 사람을 범하고자 하여 조촉(照燭)[171]을 찾는 모양이다. 이 효는 진괘(震卦䷲)의 끝에 있기 때문에 크게 두려워하여 겨우 면하는 상이 된다.

이지연(李止淵) 『주역차의(周易箚疑)』

六二者, 六五之隣, 而六五者, 上六之隣也. 婚媾者, 六三也. 當震之時, 宜與其正應, 同其患難, 而陰柔不足以援其應, 而只以隣之見震, 用爲自戒之端, 更不敢出意援應, 故爲六三者, 不得无言, 猶言將恐將懼, 惟予與汝將安將樂, 汝轉棄予.
육이란 육오의 이웃이고 육오란 상육의 이웃이다. 혼인할 자는 육삼이다. 진괘(震卦䷲)의 때를 맞아 마땅히 정응과 환난(患難)을 함께 해야 하지만, 부드러운 음은 호응하는 바를 도와주기에 부족하고 단지 이웃이 우레를 맞는 것을 가지고 스스로 경계하는 단서로 삼으니, 곧 감히 의지를 내어 호응하는 자를 도울 수가 없기 때문에 육삼이 된 자는 말을 하지 않을 수가 없으므로 오히려 "장차 두려워하고 두려워하여 오직 나는 너와 장차 편안해지고 즐거워하고자 하지만 너는 나를 버리는구나"라고 말한다.

김기례(金箕澧) 「역요선의강목(易要選義綱目)」

躬, 自謂也. 鄰, 指五, 婚, 指三.
'몸[躬]'은 스스로를 말한다. '이웃'은 오효를 가리키고, '혼인[婚]'은 삼효를 가리킨다.

○ 柔居動極, 甚懼而殫索視矍. 然不能安, 則不可往而取凶.

---

171) 조촉(照燭): 청사초롱과 같은 모양인데 긴 장대에 붉은 비단 휘장을 둘러 늘어뜨리고, 그 속에 촛불을 켜도록 장치한다. 종묘제향과 같이 밤에 거행하는 의식에 있어서 주악의 절차를 알리는 신호등의 구실을 한다.(『한국민족문화대백과』, 한국학중앙연구원)

부드러운 음이 움직이는 끝에 있어서 매우 두려워하여 뜻과 기운이 다하고 눈을 두리번거린다. 그러나 편안할 수 없으니, 가서 흉함을 취해서는 안 된다.

○ 但四震往來緩緩, 故及於五而不及於身, 則當畏鄰而戒懼, 則无咎.
단지 사효인 우레가 오고 감이 느릿느릿하기 때문에 오효에게는 미치지만 자신에게는 미치지 않으니, 마땅히 이웃의 상황을 두려워하여 경계하고 두려워한다면 허물이 없다.

○ 上爲動之首, 戒於五而不動, 則三以行无眚之位, 見上不應不行, 而有怨言.
상효는 움직임의 맨 위가 되어 오효에 대하여 경계하고 움직이지 않으니, 삼효가 이를 보고 허물이 없는 자리를 잘 지키는데 상효가 호응하지도 않고 가지도 않음을 보고서 원망하는 말을 한다.

贊曰, 主器主祭, 長子則宜. 懼不失敬, 何必喪匕. 因恐致福, 言笑相隨. 修省之道, 君子攸爲.
찬미하여 말하였다: 제기(祭器)를 주관함은 장자의 마땅함이로다. 두려워하여 조심함을 잃지 않으니 어찌 반드시 숟가락을 잃겠는가? 두려워함으로 인해 복을 부르니 웃고 말함이 서로를 따른다네. 닦으며 살피는 도는 군자가 할 일이구나.

심대윤(沈大允) 『주역상의점법(周易象義占法)』

震之噬嗑䷔, 噬而合也. 上六之時, 威法既極而有所不服者, 可以噬而合之也. 嗔怒而不服, 則繼以刑罰, 亦其理也. 上六居震之極, 天下畏服, 下无可怒者, 以柔居柔, 專行寬恕而威法有所不行. 故曰震索索, 言消索无氣也. 對巽互艮爲伏而止, 是也, 象雷之將伏也. 矍矍, 驚顧畏慎之貌. 離爲視. 蓋以德教爲主, 而慎於威怒也. 寬之久則必慢, 故曰征凶, 言以是而往, 則凶也. 上六下有四五之承, 有所不順者, 威怒不出于上六, 而自四五治之. 故曰震不于其躬, 于其鄰. 艮坎爲躬, 謂四也, 震爲鄰, 謂五也, 言上六不從于四之剛, 而從于五之柔也. 雖過於柔, 而其時位可矣, 故曰无咎. 婚媾有言, 親黨尤六而有言也. 艮爲言, 陰陽合而爲媾, 謂四也. 人之威重, 敬服既極, 則有所忿懥, 不爲自將擊之, 而子侄臣僕伐之, 親黨勸之斷也. 威怒, 君子之所不得已也, 匪好勝也, 故中四爻, 皆當理而不言吉. 初之以治私屬而時淺未久獨吉, 而上六之極, 則反不行, 爲凶矣. 初之卑賤狎侮者, 與四之大臣, 以剛居之, 餘皆以柔居之也.〈上六不威而威也. 致之一也.〉
진괘가 서합괘(噬嗑卦䷔)로 바뀌었으니, 씹어서 합하는 것이다. 상육의 때에 위엄스러운 법은 이미 다하여 복종하지 않는 자가 있으니 씹어서 합할 수 있다. 성을 내는데도 복종하지 않으면 형벌이 따르는 것이 또한 이치이다. 상육은 진괘(震卦☳)의 끝에 있어서 천하가 두려워하여 복종할 만한데도 아래로 노여워할만한 자가 없는 것은 부드러운 음으로 부드러운 음의 자리에 있어서 오로지 너그럽고 용서하기만 하고 위엄스러운 법은 행하여지지 않는 바가 있기 때문이다. 그러므로 "우레가 시들시들하다"고 하였으니 점점 줄어들어 기(氣)가 없어진다는 말이다. 음양이 바뀐 손괘(巽卦☴)와 호괘인 간괘(艮卦☶)가 숨고 그침이 되는 것이 이것이니, 우레가 장차 숨어듦을 상징한다. '두리번두리번 하다'란 놀라서 돌아다보며 두려워하고 삼가는 모양이다. 리괘(離卦☲)는 '봄[視]'이다. 덕으로 교화함[德教]을 위주로 하여 위엄 있는 노여움을 삼가기 때문인 듯하다. 너그럽기를 오래 하면 반드시 태만해지기 때문에 "가면 흉하다"고 하였으니, 이러한 이유 때문에 가면 흉하게 됨을 말한다. 상육은 아래로 사효와 오효가 받듦이 있지만 순종하지 않는 바가 있는 것은 위엄스러운 노여움은 상육으로부터 나오지 않아 사효와 오효로부터 다스려지기 때문이다. 그러므로, "우레가 그 자신에게 치지 않고 그 이웃에 칠 때에 하다"라고 하였다. 간괘(艮卦☶)와 감괘(坎卦☵)는 '몸[躬]'이 되니 사효를 말하고, 진괘(震卦☳)는 이웃이 되니 오효를 말하니, 상육이 사효의 굳셈을 따르지 않고 오효의 부드러움을 따른다는 말이다. 비록 부드러운 음이 지나치지만 그 때와 자리가 괜찮기 때문에 "허물이 없다"라고 하였다. "혼인은 원망하는 말이 있을 것이다"란 친한 무리가 상육을 탓하며 말을 하는 것이다. 간괘(艮卦☶)는 말이 되고, 음양이 합하여 혼인이 되니 사효를 말한다. 사람의 위엄이 무거워져서 존경하고 복종함이 이미 다하게 되면 매우 노여워함이 있게 되지만, 스스로 그들을 칠 수가 없어서 자식이나 조카 또는 신하가 그들을 정벌하게 되니, 친한 무리들이 그에게 노여움을 끊어낼 것을 권한다. 위엄 있는 노여움은 군자가 부득이 하게 하는 바이지, 이기기를 좋아해서가 아니기 때문에 가운데에 있는 네 효는 모두 이치에 합당하지만 길하다고 말하지 않았다. 초효가 하인들을 다스리고 때가 미천함은 오래가지 않아 유독 길하며, 상육의 지극함은 도리어 가지 않아 흉하게 된다. 초효의 미천하고 멸시를 받는 자는 사효의 대신과 더불어 굳센 양으로 자리하고, 나머지는 모두 부드러운 음으로 자리한다.〈상육은 위엄 있게 하려고 하지 않아도 위엄이 있다. 이르는 데에서는 한 가지이다.〉

오치기(吳致箕) 「주역경전증해(周易經傳增解)」

上六, 陰柔居震之極, 有索索矍矍之象. 方寸已亂, 不能處變, 故言以此而往則凶也. 若能恐懼脩省, 而不能早圖於其躬, 乃見其鄰之震行, 然後方圖之, 則雖得因此而无咎, 然不善於處變, 故雖親近, 如婚媾之人, 當有言而誠之矣, 此卽戒辭也.

상육은 부드러운 음이 진괘(震卦☳)의 맨 끝에 있으니, 시들시들 하고 두리번두리번 하는 상이 있다. 마음이 이미 혼란스러워 변화에 대처할 수 없기 때문에 이를 가지고 가면 흉하다고 하였다. 만약 두려워하고 닦으며 살필 수 있으면서도 자신에 대해서는 일찍이 도모하지 못한다면 그 이웃에 우레가 침을 본 뒤에야 도모할 수 있으니, 비록 이로 인하여 허물이 없을 수 있지만 변화에 대처하기를 잘 하지 못하기 때문에 비록 혼인하는 사람과 같이 친근한 자일지라도 마땅히 말을 하여 그를 경계해야 하니, 이는 곧 경계하는 말이다.

○ 索索, 心不安之貌, 矍矍, 視不定之貌, 而取於變離爲心爲目也. 三居當應之地, 故曰鄰曰婚媾, 而言取對體互兌也.
'시들시들 함'은 마음이 불안한 모양이고, '두리번두리번 함'은 눈이 안정되지 못한 모양이니, 상효가 변한 리괘(離卦☲)가 마음이 되고 눈이 되는 데에서 취하였다. 삼효는 호응하는 자리에 있기 때문에 '이웃'이라고 말하고 '혼인'이라고 말하였으며, '말'은 음양이 바뀐 괘인 손괘(巽卦䷸)의 호괘인 태괘(兌卦☱)에서 취하였다.

이진상(李震相) 『역학관규(易學管窺)』

視, 矍矍.
눈을 두리번두리번 하니.
上六變, 則爲離, 故有視象.
상육이 변하면 리괘(離卦☲)가 되기 때문에 눈의 상이 있다.

○ 不于其躬.
자신에게 치지 않고.
躬, 反艮象. 陰以陰爲鄰, 以陽爲媾, 卦有二陽, 而上爲無應, 故婚媾有怨言. 言, 兌象.
'자신[躬]'은 거꾸로 된 간괘(艮卦☶)의 상이다. 음은 음으로 이웃을 삼고 양으로 혼인을 삼으니, 괘에는 두 양이 있으나 상효는 호응이 없기 때문에 혼인은 원망하는 말이 있다. '말[言]'은 태괘(兌卦☱)의 상이다.

박문호(朴文鎬) 「경설(經說)·주역(周易)」

上六, 以不動爲變. 蓋諸爻皆動而此獨不動, 故謂之變.
상육은 움직이지 않음으로 변통을 삼았다. 여러 효들은 모두 움직이지만 이 효는 유독 움직이지 않기 때문에 변통[變]이라고 하였다.

象曰, 震索索, 中未得也, 雖凶无咎, 畏鄰戒也.

정전 「상전」에 말하였다: "우레가 시들시들하여"는 알맞음[中]을 얻지 못해서 이고, 비록 흉해도 허물이 없음은 이웃이 경계함을 두려워해서이다.

본의 「상전」에 말하였다: "우레가 시들시들하여"는 속마음이 얻지 못했기 때문이고, 비록 흉해도 허물이 없음은 이웃이 경계함을 두려워해서이다.

中國大全

傳

所以恐懼自失, 如此, 以未得於中道也, 謂過中也. 使之得中, 則不至於索索矣. 極而復征則凶也. 若能見鄰戒而知懼, 變於未極之前, 則无咎也. 上六, 動之極, 震極, 則有變義也.

두려워하여 스스로 잃음이 이와 같은 까닭은 아직 중도(中道)를 얻지 못했기 때문이니, 알맞음에서 지나친 것을 말한다. 알맞음을 얻게 하면 시들시들함에 이르지 않을 것이다. 지극한데 다시 가면 흉하다. 만약 이웃이 경계함을 보고 두려워할 줄을 알아서 아직 지극한 데에 이르기 전에 변하면 허물이 없을 것이다. 상육은 움직임의 끝이니, '진(震)'이 지극하면 변하는 뜻이 있다.

本義

中, 謂中心.

'중(中)'은 속마음을 말한다.

小註

雲峯胡氏曰, 程傳曰, 中道, 本義, 謂中心. 蓋六陰柔, 處震懼之極, 中心有所未安, 故見於外者, 如此.

운봉호씨가 말하였다: 『정전』에서는 '중도'라고 하였고, 『본의』에서는 '속마음'이라고 하였다. 대체로 상육이 부드러운 음으로 떨면서 두려워함의 지극한 데에 처하였으니, 속마음에 편안치 않은 것이 있으므로 겉으로 드러나는 것이 이와 같다.

○ 建安丘氏曰, 震, 動也. 以一陽動于二陰之下也. 故震六爻, 以初四爲主, 而四之震, 下牽二柔, 有互艮之體, 失其所以爲震矣, 而全震之時用者, 獨在乎初. 故初震, 來, 虩虩, 而四震, 遂泥也. 其上四陰爻, 則皆爲陽所震者, 二, 乘初剛, 不可犯也, 故震來, 厲, 億喪貝, 而三, 遠之, 則震, 蘇蘇, 而聲, 漸緩矣, 五, 乘四剛, 已无足畏, 故但震往來, 厲, 億无喪, 而上, 遠之, 則震, 索索然, 而无聲矣. 合二體觀之, 而重震之義, 明矣.
건안구씨가 말하였다: '진(震)'은 움직임이다. 양효 하나가 두 음효 밑에서 움직이기 때문이다. 그러므로 진괘(震卦䷲)의 여섯 효가 초효와 사효를 주인으로 삼는데, 사효의 우레는 아래로 부드러운 두 음에 이끌리고 호괘인 간괘(艮卦☶))의 몸체에 있어서 그 진괘(震卦䷲)가 된 까닭을 잃으니, 진괘(震卦䷲)의 때와 쓰임을 온전하게 하는 것은 오로지 초효에 달렸다. 그러므로 초효의 우레가 옴에 조마조마해 하고, 사효의 우레는 진흙탕에 떨어진다. 초효 위의 네 음효는 다 양에 의해 떨게 되는 자이니, 이효는 초효의 굳셈을 올라타고 있지만 초효를 건드릴 수 없으므로 우레가 옴에 위태로워 재물을 잃고, 삼효는 거리가 머니, 우레가 쳐 비슬비슬하여도 소리가 차츰 완만해질 것이고, 오효는 사효의 굳셈을 올라타 이미 두려워할 것이 없으므로 우레가 울림에 왕래함이 위태로우나 잃음이 없고, 상효는 거리가 멀어서 우레가 시들시들하여 소리가 없을 것이다. 두 몸체를 합하여 보면 진괘를 겹친 뜻이 분명해진다.

韓國大全

송시열(宋時烈) 『역설(易說)』

小象, 中未得者, 求其得中也. 畏隣戒者, 蓋六往而求應於三, 則三亦陰柔, 不能相救, 是所謂征凶也. 六但見五爻主震, 不震動奮作之象. 畏怵其威, 戒懼而安居, 則无咎之道, 故曰畏隣戒也.
「소상전」에서 "알맞음을 얻지 못하다[中未得者]"란 알맞음을 얻기를 구함이다. "이웃이 경계함을 두려워해서이다"란 육효가 가서 삼효에게 호응하기를 구한다면, 삼효 또한 부드러운 음이라서 서로 구제할 수가 없으니 이는 이른바 "가면 흉하다"라는 것이다. 육효는 단지 오효가 진괘(震卦☳)의 주인이 됨을 볼 뿐이니, 떨쳐 움직여 일어나지 않는 상이다. 그 위엄스러움을 두려워하여 경계하고 두려워하면서 거처를 편안하게 여긴다면 허물이 없는 도이기 때문에 "이웃이 경계함을 두려워해서이다"라고 하였다.

김상악(金相岳) 『산천역설(山天易說)』

中未得, 謂中心不安也. 若畏其及隣之禍, 而戒於未及之前, 則雖凶而无咎也.

'속마음이 얻지 못함'이란 마음속이 불안함을 말한다. 만약 이웃에게 미치는 화를 두려워하여 아직 미치기 전에 경계한다면 비록 흉하더라도 허물은 없다.

서유신(徐有臣) 『역의의언(易義擬言)』

中未得者, 過中也, 畏鄰戒者, 自警也.

'알맞음[中]을 얻지 못함'이란 알맞음을 지나친 것이고, '이웃의 경계함을 두려워함'이란 스스로 경계한 것이다.

박제가(朴齊家) 『주역(周易)』

象傳曰, 中未得也, 言欲中之而未得也. 中當作去聲, 索亦當爲色. 雖不于躬, 而震乎咫尺之地, 則亦危矣. 此時未暇說, 恐懼修省. 若平日之有定力[172]者, 則有雷繞座而不動者矣. 其曰畏隣戒者, 亦旣震以後之事矣. 若曰震懼於未及身之前, 則大象之云耳, 到得此爻無或太緩耶. 又畏隣戒者, 謂畏隣而戒也. 傳曰, 見隣戒而知懼, 若隣則已震矣, 更有何人之可戒者耶.

「소상전」에서 "알맞음[中]을 얻지 못하다"라고 말한 것은 알맞게 하고자 하지만 얻지 못함을 말한다. '중(中)'은 마땅히 거성(去聲)이 되어야 하고, '색(索)'도 또한 마땅히 '색(色)'이 되어야 한다. 비록 자신에게 치지 않더라도 아주 가까운 곳에서 우레가 친다면 또한 위험한 것이다. 이 때는 아직 기뻐할 겨를이 없어 두려워하여 닦으며 살핀다. 만약 평일에 굳건한 신념이 있는 자라면, 우레가 둘러싸도 앉아서 움직이지 않는 자가 있다. "외린계(畏隣戒)"라고 말한 것은 또한 이미 우레가 친 이후의 일이다. 만약 우레가 아직 자신에게 미치기 이전에 떨면서 두려워한다고 말하면 「대상전」의 말[173]일 뿐이니, 이 효에 이르러 혹 너무 늦게 말

172) 力: 경학자료집성DB에 '刀'로 되어 있으나, 경학자료집성 영인본을 참조하고 문맥을 살펴 '力'으로 바로잡았다.

하는 것이 아니겠는가? 또 "외린계(畏隣戒)"란 이웃을 두려워하여 경계함을 말한다. 『정전』에서 "이웃이 경계함을 보고 두려워할 줄을 알게 된다"고 하였는데, 만약 이웃이 곧 이미 친 우레라고 한다면 다시 어떤 사람을 경계할 수 있겠는가?

심대윤(沈大允) 『주역상의점법(周易象義占法)』

志在寬恕, 而下不順, 中心未得也. 初九遠於上, 而爲四之隔, 有不順之意. 王者之有荒服, 威怒之有限而不行也. 以其臣鄰友邦之同心恊力, 而賴其威武, 得其不敢侵辱也, 所謂天子有道守在四夷者也, 禹貢之奮武威, 是也. 自天子達于庶人, 皆然矣. 凡恩威相須, 以爲用者也. 雷之出入與雨露偕, 恩而无威則慢, 威而无恩則殘, 是故君子威之所施, 必恩之所霑也. 有恩故能有威也, 有威故可以知恩也.

뜻은 너그럽고 용서함에 있지만 아래에서는 따르지 않아 마음속에 얻지 못한다. 초구는 상효와 멀리 있고 사효에 의하여 가로막히게 되니, 따르지 않는 뜻이 있다. 왕에게는 교화가 미치지 않는 먼 지방이 있어서 위엄스러운 노여움은 한계가 있어 시행되지 못한다. 측근에 있는 신하와 우방(友邦)이 마음을 함께하고 힘을 합쳐서 위엄스러운 무력에 의지하면 그들이 감히 모욕하지 않을 수 있으니, 이른바 "천자에게 도가 있으면 나라를 지킴은 네 이민족에게 있다"[174]라는 것으로, 『서경(書經) · 우공(禹貢)』에서 무력의 위엄을 떨친 것이 이것이다. 천자로부터 서민에 이르기까지 모두 그러하다. 은혜와 위엄은 서로를 따르므로 쓰임이 되는 것이다. 우레가 치고 그침은 비와 이슬과 함께 하는데, 은혜로우면서 위엄이 없으면 태만하고 위엄스러우면서 은혜가 없으면 잔인하니, 이 때문에 군자가 위엄을 펴는 바가 반드시 은혜를 적시는 바이다. 은혜가 있기 때문에 위엄이 있을 수 있고, 위엄이 있기 때문에 은혜를 알 수가 있다.

오치기(吳致箕) 「주역경전증해(周易經傳增解)」

未得於中道, 故恐懼而不安矣, 能畏其鄰之戒言, 故雖凶而得无咎矣.

알맞은 도를 얻지 못하였기 때문에 두려워하면서 불안해하고, 이웃이 경계하는 말을 두려워할 수 있기 때문에 비록 흉하더라도 허물이 없을 수 있다.

---

173) 『周易 · 震卦』: 象曰, 洊雷, 震, 君子以, 恐懼脩省.

174) 이러한 내용은 강통(江統)이 지은 『사융론(徙戎論)』에 보인다.

박문호(朴文鎬) 「경설(經說)・주역(周易)」

隣戒, 言隣之戒也, 戒, 謂恐懼也.
'인계(隣戒)'란 이웃이 경계함[戒]을 말하니, '계(戒)'란 두려워함이다.

이병헌(李炳憲) 『역경금문고통론(易經今文考通論)』

馬曰, 索索, 內不安貌.
마융이 말하였다: '시들시들함'은 마음속으로 불안해하는 모양이다.

鄭曰, 矍矍, 目不正也.
정현이 말하였다: '두리버두리번 함'은 눈이 바르지 못한 것이다.

程傳曰, 能震懼於未及身之前, 則有畏鄰戒而能變之義. 婚媾, 所親也.
『정전』에서 말하였다: 자신에게 아직 미치기에 앞서 떨면서 두려워할 수 있으면, 벼락이 쳐서 이웃이 경계함을 두려워하여 변할 수 있는 뜻이 있다. '혼인'은 친한 대상이다.

52

간괘

艮卦䷳

中國大全

傳

艮, 序卦, 震者, 動也, 物不可以終動, 止之, 故受之以艮, 艮者, 止也. 動靜相因, 動則有靜, 靜則有動, 物无常動之理, 艮所以次震也. 艮者, 止也, 不曰, 止者, 艮, 山之象, 有安重堅實之意, 非止義可盡也. 乾坤之交, 三索而成艮, 一陽, 居二陰之上. 陽, 動而上進之物, 旣至於上, 則止矣, 陰者, 靜也, 上止而下靜, 故爲艮也. 然則與畜止之義, 何異? 曰, 畜止者, 制畜之義, 力止之也, 艮止者, 安止之義, 止其所也.

간괘(艮卦)는 「서괘전」에서 "진(震)은 움직임이다. 모든 것이 끝까지 움직일 수 없어 그치게 되므로 간(艮)으로 받는 것이니, 간은 그침[止]이다"라고 하였다. 움직임과 고요함이 서로 맞물리니 움직이면 고요하고 고요하면 움직이게 되지만, 어느 것도 늘 움직이기만 하는 이치는 없으므로 간괘가 진괘 다음인 것이다. 간(艮)이 그침[止]임에도 지(止)라고 하지 않는 것은, 간(艮)이 산(山)의 상(象)으로서 안정되고 무거우며 단단하고 차있다[安重堅實]는 뜻이 있어서 지(止)의 의미만으로 다할 수 있는 것이 아니기 때문이다. 건괘와 곤괘가 세 번째 사귀어 간괘를 이루니, 양효 하나가 음효 둘 위에 있다. 양(陽)은 움직여 위로 나아가는 것이지만 위에 다 이르면 그치게 되고, 음(陰)은 고요함이어서, 위는 그치고 아래는 고요하므로 간(艮)이 된다. 그렇다면 축(畜)의 그침[止]과는 어떻게 다른가? 축의 그침은 억눌러 저지하는 뜻으로 힘으로 그치게 하는 것이고, 간(艮)의 그침은 편안하게 그친다는 의미이니 그 그쳐야 할 자리에 그치는 것이다.

艮其背, 不獲其身, 行其庭, 不見其人, 无咎.

그 등에 그치면 그 몸을 얻지 못하며 그 뜰을 다녀도 그 사람을 보지 못하여 허물이 없으리라.

中國大全

傳

人之所以不能安其止者, 動於欲也. 欲牽於前, 而求其止, 不可得也. 故艮之道, 當艮其背. 所見者在前而背乃背之, 是所不見也. 止於所不見, 則无欲以亂其心, 而止乃安. 不獲其身, 不見其身也, 謂忘我也. 无我, 則止矣, 不能无我, 无可止之道. 行其庭不見其人, 庭除之間, 至近也, 在背, 則雖至近不見, 謂不交於物也. 外物不接, 內欲不萌, 如是而止, 乃得止之道, 於止爲无咎也.

사람이 그 그침에 편안할 수 없는 것은 욕심에서 움직이기 때문이다. 욕심이 앞에서 끄는데 그침을 구하니 얻을 수 없는 것이다. 그러므로 간괘의 도리는 그 등에 그쳐야 한다는 것이다. 보이는 것은 앞에 있는데 등은 등지는 것이니, 이는 보이지 않는 것이다. 보이지 않는 곳에 그치면 욕심이 그 마음을 어지럽힐 수 없어 그침이 편안할 것이다. "그 몸을 얻지 못한다[不獲其身]"는 것은 제 자신을 보지 않음이니, '나를 잊음[忘我]'을 이른다. '나'가 없다면 그칠 것이고, '나'가 없을 수 없다면 그칠 방도가 없다. "그 뜰을 다녀도 그 사람을 보지 못한다[行其庭不見其人]"는 것은 뜰이 아주 가까운 거리로 등 뒤에 있는 것이니, 아무리 가까워도 보지 못하는 것으로 '바깥 사물에 관계하지 않음'을 이른다. 바깥 사물을 접하지 않으면 내 속의 욕심이 싹트지 않으니, 이처럼 그쳐야 그침의 도리를 얻는 것이고, 그침에 허물이 없게 된다.

小註

○ 或問, 伊川解艮其背云, 止於所不見, 又云, 不交於物, 則是无所見无所交, 方得其所止而安, 若有所見有所交時, 是全无所止之處矣. 朱子曰, 這處无所見底意思, 濂溪也恁地說, 是他偶看這一處錯了, 相傳如此. 又問, 伊川云, 內欲不萌, 外物不接, 如是而止, 乃得其止, 似只說得靜中之止否. 曰然.

어떤 이가 물었다: 이천이 "그 등에 그친다"를 '보이지 않는 곳에 그친다'로 풀이하고, 또 "바깥 사물에 관계하지 않으면 보이는 것도 없고 사귀는 것도 없어 바야흐로 그칠 곳을 얻어 편안하다"고 하였으니, 만약 보이는 것이 있고 사귀는 것이 있는 때라면 그치는 곳이 전혀 없을 것입니다.
주자가 답하였다: 여기의 보이지 않는 곳에 처한다는 생각은 염계도 그렇게 말했으니, 이것은 우연히 그가 이곳을 잘못 보아 이처럼 서로 전했던 것입니다.
또 물었다: 이천이 "내 속의 욕심이 싹트지 않고 바깥 사물을 접하지 않아 이처럼 그쳐야 그 그침을 얻는 것이다"고 하였으니, 고요함 속의 그침을 말한 것일 뿐이 아니겠습니까?
답하였다: 그렇습니다.

○ 明道云, 與其非外而是內, 不若內外之兩忘也, 說得最好, 便是不獲其身, 行其庭, 不見其人. 不見有物, 不見有我, 只見所當止也. 如爲人君, 止於仁, 不知下面道如何, 只是我當止於仁, 爲人臣, 止於敬, 不知上面道如何, 只是我當止於敬, 只認我所當止也. 以至父子兄弟夫婦朋友, 大事小事, 莫不皆然. 從伊川之說, 到不獲其身處, 便說不來, 至行其庭不見其人, 越難說. 只做止其所止, 更不費力.
명도가 "밖은 그르고 안이 옳다 하는 것은 안팎, 둘 다 잊는 것만 못하다"고 한 말이 가장 그럴 듯하니, 바로 "그 몸을 얻지 못하며 그 뜰을 다녀도 그 사람을 보지 못한다"는 것이다. 사물이 있는 것도 보지 못하고 내가 있는 것도 보지 못하니, 그저 그쳐야 할 곳을 볼 뿐이다. 마치 임금이 되어서는 어짊에 그쳐 아랫사람의 도리가 어떠해야 하는지는 개의치 않고 단지 내가 마땅히 어짊에 그쳐야 한다는 것이며, 신하가 되어서는 공경함에 그쳐 윗사람의 도리가 어떠해야 하는지는 개의치 않고 단지 내가 공경함에 그쳐야 하니, 내가 마땅히 그쳐야 할 바에 대해서만 알 뿐이다. 부모와 자식, 형과 아우, 남편과 아내, 벗 사이에 이르기까지, 큰일이든 작은 일이든 그렇지 않은 것이 없다. 이천의 설에 따르면, "그 몸을 얻지 못한다는 곳"에 이르면 말이 되지 않고, "그 뜰을 다녀도 그 사람을 보지 못한다"에 이르러서는 더욱 말이 되지 않는다. 그쳐야 할 곳에 그치면 되는 것이지 헛되이 힘을 쓸 필요가 없는 것이다.

○ 問, 恐外物无有絶而不接之理. 若拘拘然, 務絶乎物, 而求以不亂其心, 是在我卻无所守, 而爲外物所動, 則奈何. 曰, 此一段, 亦有可疑. 外物, 豈能不接. 但當於非禮勿視聽言動四者, 用力.
물었다: 아마도 바깥 사물을 끊고 접하지 않을 도리는 없을 것 같습니다. 얽매여 바깥 사물을 끊어 마음이 어지럽지 않게 하고자 애쓰는 것은 내게는 지킬 수 없는 것인데, 바깥 사물에 의해 움직이게 되면 어떻게 해야 하겠습니까?
답하였다: 이 부분에도 의심스러운 것이 있습니다. 바깥 사물을 어찌 접하지 않을 수 있겠습

니까? 그저 예(禮)가 아니면 보지도 듣지도 말하지도 행동하지도 말라는 네 가지에 힘써야 할 것입니다.

○ 伊川謂, 艮其背, 爲止於所不見, 竊恐未然. 據彖辭, 自解得分曉. 曰, 艮其止, 止其所也, 上句止字, 便是背字. 故下文, 便繼之云, 是以不獲其身, 更不再言. 艮其背也, 止是當止之處. 下句止字是解艮字, 所字是解背字, 蓋云, 止於所當止也. 所卽至善之地, 如君之仁, 臣之忠之類. 大槪看易, 須謹守彖象之言, 聖人自解得精密平易.
이천은 "그 등에 그친다"는 "보이지 않는 곳에 그친다"라고 했지만, 아마도 그렇지는 않은 것 같다. 「단사」에 의거하면, 저절로 분명하게 풀린다. "그 등에 그침[艮其止]은, 그 곳에 그친다[止其所]"고 하였는데, 위 구절의 '지(止; 그침)' 자는 바로 '배(背; 등)' 자이다. 그러므로 밑글에서 바로 이어 "이러므로 그 몸을 얻지 못한다"고 하고 "그 등에 그친다"고 다시 부언하지 않았다. "그 등에 그친다"에서 '그침'은 '그쳐야 할 곳'이다. 아래 구절의 '지(止; 그친다)' 자는 '간(艮; 그친다)' 자로 풀리고, '소(所; 곳)' 자는 '배(背; 등)' 자로 풀리니, 그쳐야 할 곳에 그쳐야 한다는 것이다. '곳'은 '지선(至善)'의 상태이니, 임금의 어짊, 신하의 충성 따위와 같다. 대개 『역』을 볼 때는 「단전」이나 「상전」의 말을 삼가 지켜야 하니, 성인께서 스스로 풀이하신 것이 정밀하면서도 평이하기 때문이다.
又曰, 伊川說艮其背, 是止於所不見, 其意, 如說閑邪, 如所謂制之於外, 以安其內, 如所謂姦聲亂色, 不留於聰明, 淫樂慝禮, 不接於心術. 此意, 亦自好, 但易之本意, 未必是如此.
또 말하였다: 이천이 "그 등에 그친다"는 보이지 않는 곳에 그친다는 것이라고 설명한 것은 그 의미가 "사특함을 막는다"고 말하거나 이른바 "겉을 다스려 안을 안정시킨다"고 하거나 이른바 "간특한 소리나 음란한 빛깔이 총명에 머물게 하지 않으며, 음란한 음악이나 사특한 예의를 마음씀에 접하지 않게 한다"고 하는 것과 같다. 이 뜻도 자체로는 좋지만 『주역』의 본뜻이 꼭 이렇지는 않을 것이다.

○ 蘭氏廷瑞曰, 艮六爻, 皆止. 艮其背, 不獲其身, 我不應人也, 行其庭, 不見其人, 人不應我也. 人我不交, 悔吝何從而生. 是以无咎.
난정서가 말하였다: 간괘의 여섯 효가 다 '그침'이다. "그 등에 그치면 그 몸을 얻지 못한다"는 것은 내가 남들에게 반응하지 않는 것이고, "그 뜰을 다녀도 그 사람을 보지 못한다"는 것은 남들이 내게 반응하지 않는 것이다. 남과 내가 사귀지 않는데 후회나 부끄러움이 어디서 생기겠는가? 이러므로 허물이 없는 것이다.

○ 雙峯胡氏曰, 人, 以面前爲身, 面後爲背, 卦體似人, 背面而立, 是爲艮其背不獲其身矣. 艮其背, 既不獲其身, 則行其庭, 亦不見其人矣. 若分二體言, 則艮其背不獲其身, 忘我也, 亦爲人不見我之象, 以內體言, 行其庭不見其人, 忘人也, 是我不見人之象, 以外體言, 人我兩不相應, 何咎之有.
쌍봉호씨가 말하였다: 사람은 얼굴 앞쪽을 몸[身], 얼굴 뒤쪽을 등[背]이라고 하는데, 괘의 몸체도 사람을 닮아 얼굴을 등쪽으로 하여 섰으니 그 등에 "그치면 그 몸을 얻지 못한다"가 된다. 그 등에 그쳐 그 몸을 얻지 못하였으니 그 뜰을 다녀도 그 사람을 보지 못할 것이다. 두 몸체로 나누어 말하면 "그 등에 그치면 그 몸을 얻지 못한다"는 '나를 잊음'이니 남들도 나의 모습을 보지 못하는 상이 되고, 내괘의 몸체로 말하면 "그 뜰을 다녀도 그 사람을 보지 못한다"는 '남을 잊음'이니 내가 남의 모습을 보지 않는 상이며, 외괘의 몸체로 말하면 남과 나 둘이 서로 호응하지 않으니 무슨 허물이 있겠는가?

○ 鄭氏曰, 象言輔不言口, 言身不言腹, 言夤限不言臍, 有背面而立之象.
정씨가 말하였다: 「상전」에서 '뺨'은 말해도 입은 말하지 않고, '몸'은 말해도 배는 말하지 않으며, '등뼈'와 '허리'는 말해도 배꼽은 말하지 않았으니 얼굴을 등쪽으로 하여 선 상(象)이 있다.

○ 兼山郭氏曰, 人之耳目鼻口, 皆有欲也, 至於背, 則无欲矣.
겸산곽씨가 말하였다: 사람의 이목구비가 다 욕망을 가지고 있지만 등의 경우는 욕망이 없다.

本義

艮, 止也. 一陽止於二陰之上, 陽自下升極上而止也. 其象, 爲山, 取坤地而隆其上之狀, 亦止於極而不進之意也. 其占, 則必能止于背而不有其身, 行其庭而不見其人, 乃无咎也. 蓋身, 動物也, 唯背, 爲止, 艮其背, 則止於所當止也. 止於所當止, 則不隨身而動矣, 是不有其身也. 如是, 則雖行於庭除有人之地, 而亦不見其人矣. 蓋艮其背而不獲其身者, 止而止也, 行其庭而不見其人者, 行而止也. 動靜, 各止其所, 而皆主夫靜焉, 所以得无咎也.

간(艮)은 그침이다. 양효 하나가 두 음효 위에서 그쳤으니, 양이 아래에서부터 끝까지 올라가 그침이다. 그 상은 산이니, 곤괘인 땅을 취해 위로 솟은 모양을 융성하게 하였으며 또한 끝에 그쳐 더 나가지 않는다는 의미이다. 그 점은 등에 그쳐 그 자신(몸)을 두지 않고 뜰을 다녀도 그 사람을 보지 않을 수 있어야만 허물이 없다는 것이다. 몸은 움직이는 것이나 등만은 멈춰 있으니, 등에 그침은 그쳐야 할 곳에 그침이다. 그쳐야 할 곳에 그치게 되면 몸을 따라 움직이지 않게 되니, 이것이 "몸을 두지 않는다"는 것이다. 이처럼 하면, 뜰에 사람이 있는 곳을 다니더라도 그 사람을 보지 못할 것이다. "등에 그쳐 그 몸을 얻지 못한다"는 것은 그쳐서 그친 것이고, "그 뜰을 다니는데도 그 사람을 보지 못한다"는 것은 다니면서 그치는 것이다. 움직임과 고요함이 각각 그 마땅한 자리에 그치되 다 저 고요함을 위주로 하기에 허물이 없을 수 있는 것이다.

小註

朱子曰, 艮其背, 背只是言止也. 人之四體, 皆能動, 惟背不動. 故取止之義, 各止其所, 則廓然而大公.

주자가 말하였다: "그 등에 그친다"고 하였으니, '등'은 '그침'을 말하는 것일 뿐이다. 사람의 사지가 다 움직일 수 있지만, 등만은 움직일 수 없다. 그러므로 '그친다'는 의미를 가져온 것이니, 각자 그 그칠 자리에 그친다면 확 트여 크게 공평할 것이다.

○ 艮其背, 便不獲其身, 便不見其人. 行其庭, 對艮其背, 只是對得輕. 身是動物, 不道動, 都是妄然而動, 斯妄矣, 不動自无妄.

그 등에 그치면, 그 몸을 얻지 못하고, 그 사람을 보지 못할 것이다. "그 뜰을 다닌다"는 것은 "그 등에 그친다"에 짝이 되는 것이지만 가볍게 짝이 되는 것이다. 몸은 움직이는 것인데 움직임을 말하지 않는 것은 모두 함부로 행동하여 망령되기 때문이니, 움직이지 않으면 망령됨은 저절로 없어질 것이다.

○ 艮其背一句, 是腦. 故彖中言, 是以不獲其身, 行其庭, 不見其人也四句, 只略對.

"그 등에 그친다"는 구절이 핵심이다. 그러므로 「단전」에서 언급하는 "이러므로 그 몸을 얻지 못한다" "그 뜰을 다닌다" "그 사람을 보지 못한다"까지의 네 구절은 개략적인 대구가 될 뿐이다.

○ 艮其背, 渾只見得道理合當如此, 入自家一分不得, 著一些私意不得. 不獲其身, 不干自家事. 這四句, 須是說, 艮其背了, 方静時, 不獲其身, 動時, 不見其人. 所以彖傳中說, 是以不獲其身, 至无咎也.

"그 등에 그친다"는 그야말로 도리를 보는 것이 모두 이와 같아야 할 뿐이니, 조금이라도 자신의 입장을 들여서도 안 되며, 조금이라도 사사로운 뜻을 두어서도 안 된다는 것이다.

"그 몸을 얻지 못한다"는 것은 자기의 일을 간여시키지 않는다는 것이다. 이 네 구절은 "그 등에 그치면 바야흐로 고요할 때도 그 자신을 얻지 못하고 움직일 때도 그 사람을 보지 못한다"고 해야 한다. 그래서 「단전」에서 "이러므로 그 몸을 얻지 못하며 … 허물이 없다"고 하였다.

○ 不獲其身, 不得其身也, 猶言討自家身己不得.
"그 몸을 얻지 못한다"는 그 자신을 얻지 못한다는 것이니 자기 자신을 찾을 수 없다고 말하는 것과 같다.
又曰, 欲出於身, 人纔要一件物事, 便須以身己去對副他, 若无所欲, 則只恁地平平過, 便似无此身一般.
또 말하였다: 욕망이 몸에서 나오니, 사람이 뭔가 필요하면 반드시 자기 자신을 가지고 그에 맞추려 하지만, 만약 바라는 것이 없다면 그저 이대로 지나갈 뿐이니 이 몸이 없는 것과 매 한 가지일 것이다.

○ 不獲其身, 如君止於仁, 臣止於忠. 但見得事之當止, 不見此身之爲利爲害. 纔將此身預其間, 則道理便壞了, 古人所以殺身成仁, 舍生取義者, 只爲不見此身, 方能如此.
"그 몸을 얻지 못한다"는 것은 임금이 어짊에 그치고, 신하가 충성에 그침과 같다. 일에서 그쳐야 할 것만 볼 뿐, 자신에게 유리한지 해로운지는 보지 않는 것이다. 자신을 이롭고 해로운 사이에서 가늠하려 들면 도리는 바로 무너지니, 옛사람이 자신을 죽여 어짊을 이루고 삶을 던져 의리를 취했던 것도 단지 자신을 보지 않아 비로소 이처럼 할 수 있었던 것이다.

○ 此段, 分作兩截, 卻是艮其背, 不獲其身, 爲静之止, 行其庭, 不見其人, 爲動之止. 總說, 則艮其背, 爲止之時, 當其所止了, 所以止時自不獲其身, 行時自不見其人. 此三句, 乃艮其背之效驗, 所以彖傳先說止其所也. 上下敵應, 不相與也, 卻云, 是以不獲其身, 行其庭, 不見其人也.
이 부분은 둘로 나뉘니, "그 등에 그치면 그 몸을 얻지 못한다"는 고요할 때의 그침이 되고 "그 뜰을 다녀도 그 사람을 보지 못한다"는 움직일 때의 그침이 된다. 총괄하여 말하면 "그 등에 그친다"는 그쳐야 할 때가 되어 마땅히 그 곳에 그침이니 그칠 때는 자연히 그 자신을 얻지 못하고 다닐 때는 자연히 그 사람을 볼 수 없게 되는 것이다. 이 세 구절이 바로 그 등에 그침의 효험이니, 「단전」에서 그 곳에 그침을 먼저 말한 까닭이다. "위아래가 적으로 응하여 서로 함께하지 않는다"는 것은 "이러므로 그 몸을 얻지 못하며 그 뜰을 다녀도 그 사람을 보지 못한다"고 하는 것이다.

○ 艮其背, 不獲其身, 是只見箇道理, 不見自家. 行其庭, 不見其人, 是只見箇道理, 不見箇人也.
"그 등에 그치면 그 몸을 얻지 못한다"는 것은 도리만 볼 뿐 자신은 보지 않는다는 것이고, "그 뜰을 다녀도 그 사람을 보지 못한다"는 것은 도리만 볼 뿐 사람은 보지 않는다는 것이다.
又曰, 此段工夫, 全在艮其背上. 人多將行其庭, 對此句說, 便不是了. 行其庭, 卽是輕說過. 緣艮其背, 旣盡得了, 則不獲其身, 行其庭, 不見其人矣. 艮其背, 是止於所當止之地, 不獲其身, 行其庭, 不見其人, 萬物各止其所, 便都統一是理也. 不見有己, 也不見有人, 都只見此理.[1]
또 말하였다: 이 부분의 공부는 전부 "그 등에 그친다"는 데 있다. 사람들 대부분 "그 뜰을 다닌다"를 이 구절에 대비해 말하지만 옳지 않다. "그 뜰을 다닌다"는 것은 가볍게 말해간 것일 뿐이다. "그 등에 그친다"가 다하였기에 "그 몸을 얻지 못하며 그 뜰을 다녀도 그 사람을 보지 못하는 것"이다. "그 등에 그친다"는 그쳐야 할 곳에 그침이고, '그 몸을 얻지 못하며 그 뜰을 다녀도 그 사람을 보지 못함'은 만물이 각각 그 곳에 그침이니, 바로 모두 한결같이 이 이치이다. 자신이 있음도 보지 않고 남이 있음도 보지 않으니 오로지 이 이치만 보는 것이다.

○ 雲峯胡氏曰, 人身唯背不動, 此艮止象. 不獲其身, 內艮象, 不見其人, 外艮象, 四五兩爻, 在門闕之中, 行其庭象. 人之所當止者, 義理而已. 止其所當止, 則唯知有義理, 不知有人我. 不獲其身, 理所當止, 止而止也, 行其庭不見其人, 理所當行, 行而止也. 如是, 則其止其行, 可以无過矣. 文王象震艮, 又自是一例. 震來虩虩, 以下三句, 只是發明虩虩之效驗, 艮其背以下三句, 亦只發明艮背之效驗, 唯本義爲能發之.
운봉호씨가 말하였다: 사람 몸에서 등만 움직이지 않는데, 이 간괘가 '그침'의 상이다. "그 몸을 얻지 못한다"는 내괘인 간괘의 상이고, "그 사람을 보지 못한다"는 외괘인 간괘의 상이며, 사효와 오효는 문간의 가운데이니 "그 뜰을 다닌다"는 상이다. 사람이 그쳐야 할 곳은 의리뿐이다. 그 그쳐야 할 곳에 그침은 의리가 있음만 알고 남이나 내가 있음은 알지 못하는 것이다. "그 몸을 얻지 못한다"는 이치상 그칠 곳으로 그쳐서 그친 것이니, "그 뜰을 다녀도 그 사람을 보지 못한다"는 이치상 다녀야 할 곳으로 다니면서 그치는 것이다. 이처럼 하면 그 그침과 다님에 지나침이 없을 수 있을 것이다. 문왕의 진괘와 간괘에 대한 「단전」도 자체로 하나의 예가 된다. "우레가 옴에 조마조마 하면" 이하 세 구절은 '조마조마'의 효험을 드러낸 것이고 '그 등에 그친다'이하 세 구절은 또한 단지 '등에 그침'의 효험을 밝힌 것이니, 『본의』에서만 드러내었다.

---

1) 『朱子語類』: 萬物各止其所, 便都純是理. 也不見己, 也不見有人, 都只見道理.

韓國大全

권근(權近) 『주역천견록(周易淺見錄)』

艮其背, 所以立體, 行其庭, 所以致用. 內而忘我之私, 是不獲其身也, 外而忘人之勢, 是不見其人也. 惟如此然後, 事各止於其理, 而用不差. 如皐陶爲士執之而已, 唯知有法, 是不獲其身也, 不知有天子之父, 是不見其人也.
'그 등에 그친다'는 체(體)를 세우는 것이고 '그 뜰을 다닌다'는 용(用)을 다하는 것이다. 안으로 나의 사사로움을 잊는 것이 '그 몸을 얻지 못한다'는 것이고, 밖으로 사람의 형세를 잊는 것이 '그 사람을 보지 못한다'는 것이다. 오직 이렇게 한 뒤에야 일마다 그 이치에 멈추어 쓰임에 어긋나지 않는다. 예컨대, 고요(皐陶)가 유사(有司)가 되어 '구속할 따름'이니, 오직 "법이 있음만을 알았다"는 것이 '그 몸을 얻지 못한다'는 것이고, '천자의 아버지인 것을 인정하지 않은 것'이 '그 사람을 보지 못한다'는 것이다.

或曰, 此與釋氏無我相無人相者, 何以異歟. 曰, 彼則曰心無所住, 是物我皆空, 蕩然而無別也. 此則曰艮其背, 物我各有當止之理, 忘私順理, 確然而不遷也. 明道所謂內外之兩忘, 卽無容私之謂也, 豈釋氏物我都無之意乎. 程子又謂看一部華嚴不如看一艮卦, 華嚴只言一止觀. 蓋華嚴是言萬法圓融, 在在皆具, 不可有一偏之見. 艮卦是言天理周遍, 物物皆有, 不可容一毫之私. 然彼無差等, 此有定分, 其實大不同也.
어떤 이가 물었다: 이것이 석씨의 '나의 상(相)이 없다'는 것, '남의 상이 없다'는 것과 무엇이 다른가?
답하였다: 석씨는 "마음이 거처하는 곳이 없다"고 하니, 이는 남과 내가 모두 공(空)이어서 혼탁하여 구별이 없는 것이다. 이것은 '그 등에 그친다'고 하니, 남과 내가 각기 멈추어야 할 도리가 있어서 사사로움을 잊어 이치를 따르고 굳세게 옮기지 않는 것이다. 명도(明道)가 말한 "안과 밖을 모두 잊는다"고 한 것은 곧 사적인 것을 용납하지 않는다는 말이니, 어찌 석씨가 "남과 내가 모두가 없다"는 뜻이겠는가? 정자는 또 "화엄경을 보는 것이 간괘 하나를 보는 것만 못하다"고 했는데, 화엄은 다만 하나의 지관(止觀)만을 말했다. 화엄에서는 만법(萬法)이 원융(圓融)하고 존재마다 모두 갖추고 있어 한쪽에 치우쳐 보아서는 안 된다고 한다. 간괘는 천리가 보편적이고 모든 사물이 소유하고 있어 터럭만한 사사로움도 용납해서는 안 된다고 말한다. 그러나 석씨에게서는 차등이 없고 여기에서는 정해진 분수가 있으니, 그 실상은 매우 다르다.

조호익(曺好益) 『역상설(易象說)』

註雙湖曰, 人以面前爲身, 面後爲背, 卦體似人, 背面而立, 是爲艮其背云云. 雲峯曰, 人身惟背不動, 此艮止象云云.
주석에서 쌍호는 "사람은 얼굴 앞쪽을 몸[身]이라고 하고, 얼굴 뒤쪽을 등[背]이라고 하는데, 괘의 몸체도 사람과 같아서 얼굴을 등지고 선 것이 그 등에 그치는 것이 된다"고 하였고, 운봉은 "사람 몸에서 등만 움직이지 않는데, 이것이 간괘의 그치는 상이다"고 하였다.

愚謂, 以二體言, 背艮象. 下艮上艮有兩相背立之象. 外體背立, 故不獲其身. 身者, 指內也. 以內卦爲主, 故曰身. 內體背立, 故不見其人. 人者, 指五也. 雙湖言卦, 以二體言, 則二人, 六爻言, 則六人, 是也, 人我兩不相應之象. 卦體六爻, 皆不相應, 亦有此象. 行互震足象. 見離象, 不見互坎而離伏之象.
내가 살펴보았다: 두 몸체로 말하면 등은 그침의 상이다. 하괘인 간괘와 상괘인 간괘에 둘이 서로 등지고 서있는 상이 있다. 바깥 몸체가 등지고 섰기 때문에 그 몸을 얻지 못한다. '몸'은 내괘를 가리킨다. 내괘를 위주로 하기 때문에 "몸"이라고 하였다. 안의 몸체도 등지고 섰기 때문에 그 사람을 보지 못한다. '사람'은 오효를 가리킨다. 쌍호가 말한 괘를 두 몸체로 말하면 두 사람이고, 여섯 효로 말하면 여섯 사람이 이것이니, 남과 나 둘이 서로 호응하지 않는 상이다. 괘의 몸체인 여섯 효가 모두 서로 호응하지 않는 것에도 이러한 상이 있다. '다님[行]'은 호괘인 진괘(☳) 발의 상이다. '봄[見]'은 리괘(☲)의 상이니, '보지 못함[不見]'은 호괘인 감괘인데 리괘가 숨어있는 상이다.

이익(李瀷) 『역경질서(易經疾書)』

艮與行相勘, 背與庭相勘, 身與人相勘, 則背者, 恐非指人身之背也. 卦之六爻, 皆兩陽兩陰(陰), 相敵而無應, 與咸正相反, 故曰不相與. 不相與者, 不相感也. 艮背者, 止於與庭相背之地也, 而不獲其身, 不見其人者, 卽艮背以後事. 惟六四无咎, 與象合, 則爻辭之艮其身, 卽象辭之不獲其身也. 若曰人身之背, 則身者總名, 身止則背隨, 豈有背先止, 身方不獲乎. 爻所謂艮其身, 卽艮其背之身, 省文也. 艮則地, 身則人. 蓋卦以止爲義, 身之所止者, 家也. 家必面南, 南爲庭, 北爲背, 故背字從北. 在身, 則與胸相對爲背, 在家, 則與庭相對爲背. 詩曰, 焉得諼草, 言樹之背, 背指內寢, 古語卽然也. 同人, 則出門而交, 艮, 則動靜不出於門, 故止必在背, 行不離庭, 宜矣. 諸爻, 皆以人體爲象, 而總于六四之身. 彖辭, 又以身之所止言, 獲者, 得以有之也. 人則家衆也. 靜則止於內寢, 不與物接, 私意不萌, 故不獲其身, 謂不有其躬也. 動則只行於門內之庭, 屏絶營爲, 故見理而不見其人. 不獲身, 則私欲淨盡, 不見人, 則理義昭著, 此艮止之節度也. 至諸爻, 方以一身字推去分排上下說出.
'그침'과 '다님'을 서로 참고해 보고 '등'과 '뜰'을 서로 참고하며 '몸'과 '사람'을 서로 참고해 보면 '등'은 아마도 '사람' 몸의 등을 가리키는 것은 아닌 듯하다. 괘의 여섯 효가 모두 두 양과 두 음이 서로 대적하여 호응함이 없어 함괘(咸卦䷞)와는 정반대가 되므로 "서로 함께 하지 않는다"고 하였다. '서로 함께 하지 않음'은 서로 감응하지 않는 것이다. '등에 그침'은 뜰과 서로 등지는 곳에 그치는 것이어서 '그 몸을 얻지 못하고, 그 사람을 보지 못함'은 곧 등지는 곳에 그친 이후의 일이다. 육사의 '허물이 없음'만이 단사와 부합하니, 효사의 '그 몸에 그침'은 곧 단사의 '그 몸을 얻지 못함'이다. 만약 '사람 몸의 등'이라고 한다면 몸은 전체의 명칭이어서 몸이 그치면 등도 따르는 것인데, 어찌 등이 먼저 멈추고서야 '몸을 얻지 못한다'라고 하겠는가? 효에서 이른바 '그 몸에 그침[艮其身]'이라고 한 것은 곧 '그 등에 그친다는 몸[艮其背之身]'인데 줄여서 쓴 것이다. '그침[艮]'은 땅의 자리이고 '몸[身]'은 사람의 자리이다. 대체로 괘가 '그침[止]'으로 뜻을 삼으니, 몸이 그치는 곳은 집이다. 집은 반드시 남쪽을 향하니, 남쪽이 뜰이 되고 북쪽이 등이 되므로 '배(背)'자가 북(北)을 부수로 한다. 몸에 있어서는 '가슴'과 상대되는 것이 등[背]이 되며, 집에 있어서는 '뜰[庭]'과 상대되는 것이 '뒤뜰[背]'이 된다. 『시경』에서 "어찌면 망우초를 얻어 뒤뜰에 심어 볼까"[2)]라고 하였는데, '뒤뜰[背]'이 '내실[內寢]'을 가리키는 것은 옛 말이 곧 그러했다. 동인괘(同人卦䷌)에서는 문을 나와 사귀고 간괘(艮卦䷳)에서는 움직이든 고요하든 문을 나오지 않으므로 그침이 반드시 등에 있고 다니더라도 뜰을 떠나지 않는 것이 마땅하다. 여러 효가 모두 사람의 몸체로 상을 삼는데, 육사의 몸에 모인다. 단사는 또 몸이 그치는 바로 말했으니, '얻음'은 얻어서 가지고 있는 것이다. 사람은 집안사람들이다. 조용히 있을 때에는 내실에 그쳐 외물과 접하지 않고 사의(私意)가 싹트지 않으므로 '그 몸을 얻지 못함'은 사사로운 자기 몸을 두지 않음을 말한다. 움직이면 문 안의 뜰 울타리 안에서만 다녀 사사롭게 경영[營爲]함을 끊으므로 이치는 보지만 그 사람은 보지 않는 것이다. 몸을 얻지 못하면 사욕이 맑아져 극진해지고, 사람을 보지 않으면 도리와 정의가 밝게 드러나니, 이것이 간괘의 그치는 절도이다. 여러 효에 이르면 '한 몸'이라는 글자로 미루어서 위아래로 나누어 설명하였다.

유정원(柳正源) 『역해참고(易解參攷)』

問, 不獲其身, 不見其人. 朱子曰, 所謂百官萬務, 金革百萬之衆, 飮水曲肱, 樂在其中, 萬變皆在人, 其實无一事, 是也.
물었다: 그 몸을 얻지 못하며 그 사람을 보지 못한다는 것은 무슨 뜻입니까?

---

2) 『詩經 · 衛風伯兮』: 焉得諼草, 言樹之背. 願言思伯, 使我心痗.

주자가 답하였다: 온갖 관직을 다 거치고, 백만 대군을 거느리더라도 물을 마시고 팔꿈치를 베면 즐거움이 그 안에 있으니,[3] 온갖 변화가 모두 사람에게 달려 있으나 실상 한 가지 일도 없다는 것이 이것입니다.

○ 周茂叔謂, 看一部華嚴經, 不如看一艮卦, 註云, 各止其所, 又看得止字好.
주무숙은 『화엄경』 한 권을 읽는 것이 간괘 하나를 보는 것만 못하다고 했는데, 주석에서 각각 그 자리에 그치는 것이라고 하였으니, 또한 '지(止)'자를 잘 본 것이다.

○ 西溪李氏曰, 艮與物背, 故艮言人之背, 旣與物背, 人所不見者, 背而已. 是以不獲其身也. 庭者, 交際之所, 旣與物背, 雖行於交際之所, 亦不見其人也.
서계이씨가 말하였다: '그침'은 대상과 등지기 때문에 그침은 사람의 등을 말하니, 이미 대상과 등졌다면 사람이 보지 못하는 것은 등일 뿐이다. 이 때문에 그 몸을 얻지 못한다. '뜰'은 서로 사귀는 곳이니, 이미 대상과 등졌다면 비록 교제하는 장소에 다니더라도 그 사람을 보지 못한다.

○ 厚齋馮氏曰, 合全卦言, 上一陽肩也, 中二陰脊骨也, 下一陽腰也, 下二陰足也, 背之象也. 分二卦而言, 上一人, 背而立也, 下一人, 亦背而立也. 一陽爲肩, 二陰手足也, 三四內外之交庭. 五官四體以爲身, 皆前向也, 而止於其背, 則不獲其身也. 外卦亦有背立之象, 不見其人, 不見其面也.
후재풍씨가 말하였다: 전체 괘를 합하여 말하면 맨 위의 한 양은 어깨이고, 가운데 두 음은 등뼈이며, 아래의 한 양은 허리이고, 맨 아래의 두 음은 발이니, 등의 상이다. 두 괘로 나누어 말하면 상괘의 한 사람이 등지고 서있고, 하괘의 한 사람도 등지고 서있는 것이다. 한 양은 어깨가 되고 두 음은 수족이며, 삼효와 사효는 안팎이 만나는 뜰이다. 오관(五官)과 사지(四肢)가 몸이 되어 모두 앞을 향하고 있으니, 그 등에 그치면 그 몸을 얻지 못한다. 외괘도 등지고 서있는 상이 있으니, '그 사람을 보지 못함'은 그 얼굴을 보지 못함이다.

○ 案, 背是其人之背, 庭是其人之庭. 背不獲身, 庭不見人, 何謂也. 屨適忘足, 帶適忘腰, 不獲其身也. 出怒不怒, 出爲不爲, 不見其人也. 人之一動一靜, 皆有天理自然之則, 未極其則而止, 則止與身爲二. 行與人相關, 自內而言, 則腓趾輔頰, 各自爲形, 一心之尙爲薰厲, 况乎百體之衆, 安得以相忘. 自外而言, 則鶴列徒驥, 互相投間, 四面之方且交至, 况乎其庭之近, 而安得以不見. 如此則豈可謂艮止之道也哉. 其靜也,

3) 『論語 · 述而』: 子曰, 飯疏食, 飮水, 曲肱而枕之, 樂亦在其中矣, 不義而富且貴, 於我如浮雲.

極其靜之所當止, 而初不以身己之揑合牽强而爲之, 其動也, 極其動之所合止, 而初不以人爲之安排布置而爲之, 則邦畿丘隅, 只見物理之當然, 而爵祿威武, 皆不足以動吾一髮.

내가 살펴보았다: '등'은 그 사람의 등이고, '뜰'은 그 사람의 뜰이다. '등져서 몸을 얻지 못하고 뜰에서 사람을 보지 못함'은 무엇을 말하는가? 신이 딱 맞으면 발을 잊고 허리띠가 딱 맞으면 허리를 잊어버리는 것이 그 몸을 얻지 못하는 것이다. 노여워했지만 사사롭게 노여워한 것이 아니며 나가서 일을 했지만 인위적으로 하지 않았으니, 그 사람을 보지 못한 것이다. 사람이 한번 움직이고 한번 고요한 것에 모두 천리가 저절로 그러한 법칙이 있는데, 그 법칙을 아직 다하지 않고 그치면 '그침'이 '몸'과 둘이 된다. '다님'을 '사람'과 서로 관련시켜 안으로부터 말하면 장딴지와 발꿈치, 볼과 뺨이 제각각 형체가 되지만 한 마음은 오히려 애타고 근심하게 되는데, 하물며 몸의 수많은 곳이 어찌 서로 잊을 수 있겠는가? 밖으로부터 말하면 학렬(鶴列)의 진법과 보병, 기병의 훈련[徒驥]이 서로 사이를 파고들고 네 면의 방향에서 또 서로 이르는데 하물며 그 뜰의 가까움에서 어찌 보지 못하겠는가? 이와 같다면 어찌 간(艮)이 그치는 도라고 말할 수 있겠는가? 그 고요할 때엔 그 고요함이 마땅히 그쳐야 할 곳을 다하지만 애초에 자신이 억지로 끌어당겨 합하여 하는 것이 아니며, 그 움직일 때엔 그 움직임이 합하여 그칠 바를 다하지만 애초에 인위적으로 안배하고 배치하여 하는 것이 아니니, 나라의 도읍과 언덕 숲은 물리(物理)의 당연함만을 다만 보는 것이어서 작록(爵祿)과 위무(威武)가 모두 나의 머리털 하나를 움직이게 하기에도 부족하다.

守之在背, 而不知其身之爲何, 邇之在庭, 而不知其人之爲誰, 政如比干之剖心, 伯夷之餓死, 所止者, 在於仁義, 而不恤其身, 下惠之鄕人援止, 程子之書齋无妓, 所止者, 在於和靜, 而不見其外也. 身之所止, 而止於不獲其身, 人之所在, 而至於不見其人, 靜而亦靜, 動而亦靜, 君子居艮之道, 於此盡矣. 然此亦直論其理而已. 且驗之於吾人性情之間, 則喜怒哀樂之未發也, 心位乎中, 雖鬼神有不能窺其際者, 其已發也, 此理流行, 雖萬物之衆, 而品節无乖, 未發而止於至靜者, 是不獲其身也, 已發而止於不差者, 是不見其人也. 觀乎未發已發之所當然, 則艮止之義, 可以言矣.

지키는 것이 '등'에 있는데도 그 몸이 어찌 될 줄 알지 못하고, 가까이 함이 뜰에 있는데도 그 사람이 누구인지 알지 못하니, 바로 이를테면 비간이 가슴이 갈리고 백이가 굶어죽은 것은 그칠 곳이 인의(仁義)에 있어서 그 몸을 건지지 못한 것이고, 유하혜의 향인이 끌어당겨 그친 것이며 정자의 서재에 기생이 없는 것으로[4] 그칠 곳이 화정(和靜)에 있어서 그

---

4) 풍몽룡(馮夢龍)의 『고금담개(古今譚概)』에 다음과 같은 일화가 있다: 정이천과 정명도가 사대부의 잔치에 참석해 기생이 술을 따름에 이천(伊川)은 옷을 떨치고 일어났으나, 명도(明道)는 잔치를 다 즐기고 자리를 떴다. 다음 날 이천이 전날의 일로 화가 다 풀리지 않은 상태로 명도를 찾아가자 명도가 "어제 술자리에

밖을 보지 않은 것이다. 몸이 그칠 곳이어서 그 몸을 얻지 못하는 데에 그치며, 사람이 있을 곳이어서 그 사람을 보지 못하는 데 이르러야 고요해도 고요하며 움직여도 고요한 것이니, 군자가 간괘에 거하는 도가 여기에서 다했다. 그러나 이는 또 그 이치를 곧바로 논했을 뿐이다. 또 우리의 성정(性情)에 징험해보면 희로애락이 아직 발현하지 않은 때엔 마음이 가운데 자리하여 비록 귀신일지라도 그 즈음을 엿볼 수 없는 것이 있으며, 그 이미 발현한 때엔 이 이치가 유행하여 비록 수많은 만물일지라도 품행과 절도[品節]에 어긋남이 없으니, 아직 발현하지 않아 지극히 고요함에 그친 것은 그 몸을 얻지 못함이며, 이미 발현하여 어긋나지 않음에 그친 것은 그 사람을 보지 못함이다. 아직 발현하지 않았을 때와 이미 발현한 때의 마땅히 그러한 바를 관찰한다면 "간은 그침이다"는 뜻을 말할 수 있다.

傳, 无我, 則止.
『정전』에서 말하였다: '나'가 없으면 그칠 것이다.
朱子曰, 外旣无非禮之視聽言動, 則內自不見有私己之慾矣.
주자가 말하였다: 밖으로 이미 예가 아닌 것을 보고 듣고 말하고 행동하는 것이 없다면 안으로 자연 자신의 사사로운 욕심이 있는 것을 보지 못한다.

○ 不交於物.
바깥 사물에 관계하지 않는다.
水心葉氏曰, 不交於物, 非絶物也, 亦謂中有所主, 不誘於外物之交也.
수심섭씨가 말하였다: '바깥 사물에 관계하지 않음'은 바깥 사물을 끊어버리는 것이 아니니, 또한 마음속에 주로 하는 바가 있어 바깥 사물과의 관계에서 그에 빠지지 않음을 말한다.

○ 外物 [至] 无咎
바깥 사물 … 허물이 없게 된다.
水心葉氏曰, 內慾不萌, 不獲其身也. 外物不接, 不見其人也. 人己兩忘, 內外各定, 如是動靜之間, 各得其所止, 何咎之有.
수심섭씨가 말하였다: 안으로 욕심이 싹트지 않음이 '그 몸을 얻지 못하는 것'이다. 바깥 사물을 접하지 않음은 '그 사람을 보지 못하는 것'이다. 남과 자신을 모두 잊어야 안팎이 각각 정해지니, 이와 같이 움직임과 고요함의 사이에 각각 그 그칠 바를 얻으면 무슨 허물이 있겠는가?

기생이 있을 때에도 내 마음에는 기생이 없었다. 오늘 내 서재에는 기생이 없건마는 네 마음에는 아직도 기생이 있구나!"라고 말하니, 이천은 도저히 명도를 따라가지 못하겠다며 인정하였다고 한다.

○ 小註, 朱子說, 這處 [至] 相傳.
소주에서 주자가 답하였다: 여기의 … 서로 전함.
案, 這處, 指卦辭也. 卦辭艮其背一句, 无此不見底意思, 而通書蒙艮章曰, 艮其背, 非見也. 靜則止, 止非爲也, 爲不止矣. 濂溪已錯了, 而伊川承襲其說.
내가 살펴보았다: '여기'는 괘사를 가리킨다. 괘사의 '그 등에 그치면'이라는 한 구절에는 여기의 "보지 못한다"는 뜻이 없다. 『통서 · 몽간』장에 "그 등에 그침은 보는 것이 아니다. 고요하면 그치니, '그침'은 하는 것이 아니며 '함'은 그치지 않는 것이다"고 하였다. 염계가 이미 틀렸는데 이천이 그 설명을 답습했다.

김상악(金相岳) 『산천역설(山天易說)』

卦以人形取象, 而惟背不動, 故取止之義也. 艮其背, 上九象, 不獲其身, 九三象, 行其庭, 不見其人, 謂五與二也. 不獲其身者, 止而止也, 不見其人者, 行而止也, 上下敵應, 不相與也, 則其止其行, 皆不失其道, 故得无咎也.
괘가 사람의 모양을 상으로 취했는데, '등'만이 움직이지 않으므로 '그친다'는 뜻을 취했다. '그 등에 그침'은 상구의 상이고, '그 몸을 얻지 못함'은 구삼의 상이며, '그 뜰을 다녀도 그 사람을 보지 못함'은 오효와 이효를 가리킨다. "그 몸을 얻지 못한다"는 것은 그쳐서 그치는 것이고, "그 사람을 보지 못한다"는 것은 다니면서 그치는 것이니, 위와 아래가 적으로 대응하여 서로 함께하지 않음은 그 그침과 다님이 모두 도를 잃지 않기 때문에 허물이 없음을 얻는다.

○ 卦體似人背面而立, 故易止爲背, 上爲背而三爲身也. 庭門內也. 五在艮門之內爲庭. 人又艮之象也. 吉凶悔吝, 生于動者, 而无應與之私, 則吉不見而凶不作, 所以爲无咎.
괘의 몸체가 사람이 얼굴을 등지고 선 것과 같으므로 역의 '그침'은 '등'이 되니, 상효가 '등'이 되고 삼효가 '몸'이 된다. '뜰'은 문 안이니, 오효가 문 안에 그침에 있어 '뜰'이 된다. '사람'이 또 그치는 상이다. 길 · 흉 · 회 · 린은 움직임에서 생기는 것인데, 호응하여 함께 하는 사사로움이 없으면 길함이 드러나지 않고 흉함도 일어나지 않으니, 이 때문에 허물이 없게 된다.

서유신(徐有臣) 『역의의언(易義擬言)』

艮卦, 上陽剛得天道, 中中正得人道, 下陰柔得地道, 獨得三才之正, 各止其所, 故名曰艮, 義曰止也. 背, 當止之所也. 庭, 當行之所也, 當行而行, 行亦止也. 艮其背, 止於幽靜之地, 未接物時也. 此謂初六止而止, 內艮也. 行其庭, 止於事爲之地, 與物相交時也. 此謂六四行而止, 外艮也. 止於背, 身在前而不相獲, 無私累也, 行於庭, 人在後而不相見, 無物累也. 艮終萬物始萬物, 故以重艮之象, 兼行止動靜而言也. 然其所謂行, 亦行而得其止之象也. 吉凶悔吝, 生乎動, 旣得其止, 何咎之生哉, 故曰无咎也.
간괘는 맨 위의 굳센 양이 천도(天道)를 얻고 가운데의 중정함이 인도(人道)를 얻고 맨 아래의 부드러운 음이 지도(地道)를 얻어서 홀로 삼재(三才)의 바름을 얻어 각각 그 자리에 그치기 때문에 이름을 "간(艮)"이라고 했고 뜻을 "그친다"고 했다. '등'은 마땅히 그쳐야 할 곳이다. '뜰'은 마땅히 다녀야 하는 곳이니, 다녀야 해서 다닌다면 다니는 것도 그치는 것이다. '그 등에 그침'은 그윽하고 고요한 곳에 그쳐서 아직 사물에 접하지 않은 때이다. 이는 초육이 머물러 있을 때의 그침을 말하니, 내괘의 '그침(간괘)'이다. '그 뜰을 다님'은 일이 행해지는 곳에서 그쳐 대상과 서로 사귀는 때이다. 이는 육사가 다닐 만 한 때의 그침을 말하니, 외괘의 '그침'이다. 등에 그치면 몸은 앞에 있어서 서로 얻지 못하니 사사로운 누가 없고, 뜰에 다니면 사람이 뒤에 있어서 서로 보지 못하니 대상의 누가 없다. 그침은 만물을 끝마치고 만물을 시작하므로 거듭된 간(艮)의 상으로 다님과 그침, 움직임과 고요함을 겸하여 말했다. 그러나 이른바 '다님'이 또한 다니지만 그치는 상을 얻은 것이다. 길·흉·회·린은 움직임에서 생기는데, 그침을 이미 얻었다면 무슨 허물이 생기겠는가? 그러므로 "허물이 없다"고 했다.

박제가(朴齊家)『주역(周易)』

其背, 不獲其身.
그 등이 몸을 얻지 못한다.

彖傳曰, 上下敵應, 不相與也, 是以, 不獲其身.
「단전」에서 말하였다: 위와 아래가 적으로 대응하여 서로 함께 하지 않기에 이러므로 그 몸을 얻지 못한다.

何以必曰是以也. 以不相與之故也. 然則背是在後之一物, 身指通體而言者, 兩艮各止, 則爲不成體, 故爲不獲其身之象. 行其庭, 不見其人, 語脈猶經其戶, 寂若無人, 披其帷, 其人斯在之其人, 從客而爲言者也. 所以不見者, 何也. 以其止乎背也. 庭者, 前也, 前而不見, 則在後可知. 此非無人之庭也. 特內而不出, 故不見如身之不獲, 非無身而然也, 其止在背, 故然耳. 所以爲艮背, 不獲身之注脚. 朱子所謂艮其背一句是臘者, 是也. 若曰外不見人, 則此主人者, 已出而不于背, 而獲其身矣, 所謂其人者, 反爲客矣. 失客而不見與視客而如不見, 都沒緊要. 夫其人者, 乃其庭之主人, 故不見二字與不獲對立.
어째서 반드시 '이러므로'라고 했는가? 서로 함께 하지 않기 때문이다. 그렇다면 '등'은 뒤에 있는 것인데 '몸'은 전체를 가리켜서 말한 것은 두 간괘가 제각기 그치면 몸체를 이루지 못하므로 몸을 얻지 못하는 상이 되기 때문이다. "뜰을 다녀도 사람을 보지 못한다"는 말의 맥락이 그 집을 지나가도 고요함이 사람이 없는 것과 같으나 그 휘장[帷]을 걷으면, 그 사람이 여기에 있다고 할 때의 '그 사람'과 같아서 객으로부터 말한 것이다. 보지 못한다는 것은 어째서인가? 등에 그쳤기 때문이다. '뜰'은 앞이고, 앞인데도 보지 못한다면 뒤에 있음을 알 수 있다. 이는 사람이 없는 뜰이 아니다. 다만 안이어서 나오지 않기 때문에 보지 못하는 것이 몸을 얻지 못한 것과 같고 몸이 없어 그런 것은 아니며, 그 그침이 등에 있기 때문에 그런 것이다. 이 때문에 등에 그침은 '몸을 얻지 못함'의 주석이 된다. 주자가 이른바 "그 등에 그친다는 한 구절이 두뇌처이다"는 것이 이것이다. 만약 밖으로 사람을 보지 못한다고 한다면 이는 주인 된 자가 이미 나가 등에 있지 않아 그 몸을 얻은 것이니, 이른바 '그 사람'은 도리어 객이 된다. 객을 잃어 보지 못하는 것과 객이 보이지만 보지 못하는 것 같은 것은 모두 긴요함이 없다. '그 사람'은 바로 그 뜰의 주인이므로 "보지 못한다"는 말은 "얻지 못한다"는 것과 대립된다.

朱子曰, 静時不獲其身, 則可矣, 又曰, 動時不見其人, 則其字爲無當, 其人之其字, 爲無當, 則其庭之其字, 又同爲無當. 若以行其庭爲自行其庭, 則所謂動時也, 自行其庭, 而不見之其人者, 未知爲誰. 釋經之難如此. 先儒之病, 蓋由以行其庭對艮其背, 其人對其身, 故有此窒礙. 朱子謂艮其背一句, 是腦, 故象中言是以不獲以下四句, 只略對者, 幾乎得之. 蓋其爲文也同, 故易致如此. 然從艮背而論, 則背與身, 前後雖別, 同是吾之一身也, 從行庭而論, 則行者已是吾身, 故其人不得不爲客, 則二物矣. 故雖以動静分言, 尙於其字, 不通者, 此也. 故必先分主客, 而後經旨可通, 故上句以背爲主, 下句以其人爲主, 庭爲身之對, 而艮爲自艮, 行爲客來, 則論定矣. 若夫傳義之說, 義理則至矣, 蔑以復加矣.
주자는 "고요한 때에 그 몸을 얻지 못한다"한 말은 옳고, 또 "움직일 때 그 사람을 보지 못한다"고 했다면 '그[其]'자는 해당됨이 없고, '그 사람'이라고 하는 '그[其]'자에 해당됨이 없게 되면 '그 뜰'의 '그[其]'자도 같이 해당됨이 없게 된다. '그 뜰을 다님'으로 자신이 그 뜰을 다니는 것이라고 여기면 이른바 움직이는 때이다. 자신이 그 뜰을 다니면서 보지 못하는 '그 사람'은 누가 되는지 모르겠다. 경전을 해석하는 어려움이 이와 같다. 이전 유학자의 병이 대체로 '그 뜰에 다님'을 '그 등에 그치는 것'에 짝하고, '그 사람'을 '그 몸'에 짝하였기 때문에 이러한 막힘이 있다. 주자가 "그 등에 그친다고 말한 구절은 두뇌처이다"고 했기 때문에 「단전」에서 "이러므로 … 얻지 못한다"는 네 구절을 말한 것은 단지 대략적으로 짝이 되는 것이라면 거의 맞다. 대체로 그 문장 됨이 같기 때문에 쉽게 이와 같음에 이른다. 그러나 '등에 그침'으로부터 논한다면 '등'과 '몸'은 앞뒤가 비록 구별되지만, 같이 나의 한 몸이며, '뜰을 다님'으로부터 말하면 '다님'은 이미 나의 몸이므로 '그 사람'은 부득이 객이 되어 둘이기 때문에 비록 움직임과 고요함으로 나누어 말하더라도 오히려 '그[其]'자에서 통하지 않는 것이 이 때문이다. 그러므로 반드시 주인과 객을 먼저 나눈 뒤에 경전의 뜻이 통할 수 있으므로 윗구절은 '등'으로 주인을 삼고 아랫구절은 '그 사람'으로 주인을 삼았으니, '뜰'은 몸의 짝이 되지만 '그침'은 내가 그치는 것이 되고 '다님'은 객이 오는 것이 되면 논의가 정해진다. 저 『정전』과 『본의』의 설명과 같은 것은 의리는 지극하여 더 이상 덧붙일 것이 없다.

강엄(康儼) 『주역(周易)』

傳, 外物不接, 內欲不萌.

『정전』에서 말하였다: 바깥 사물을 접하지 않으면 내 속의 욕심이 싹트지 않는다.

按, 若如程傳, 則是艮止之義, 可見於靜時, 而不可見於動時也. 惟本義, 從彖傳時行時止之語, 而兼動靜釋之, 明道先生定性書所謂動亦定靜亦定, 亦此意也

내가 살펴보았다: 만약 『정전』과 같다면 "간은 그침이다"는 뜻을 고요한 때에는 볼 수 있지만 움직이는 때에는 볼 수 없다. 『본의』만 「단전」의 때에 따라 다니고 때에 따라 그치는 말에 따라 움직임과 고요함을 겸하여 해석하였으니, 명도선생의 『정성서』에서 이른바 "움직일 때도 (마음은) 정(定)하여 있고 고요할 때도 (마음은) 정하여 있다"는 것이 또한 이 뜻이다.

이지연(李止淵) 『주역차의(周易箚疑)』

於止知其所止者也, 不獲其身者, 禹稷也, 不見其人者, 顏子也.

그쳐야 함에 그칠 바를 아는 자이니, "몸을 얻지 못한다"는 것은 우·직이 이에 해당하며, "사람을 보지 못한다"는 것은 안자가 이에 해당한다.

김기례(金箕澧) 「역요선의강목(易要選義綱目)」

艮.

간은.

物不可常動, 動則有靜. 一陽進, 居二陰之上而止.

만물이 항상 움직일 수만은 없으니, 움직이면 고요함이 있다. 한 양이 나아가 두 음 위에 있어서 그친다.

其背, 不獲其身, 行其庭, 不見其人, 无咎.
그 등이 몸을 얻지 못하며, 뜰을 다녀도 사람을 보지 못하여 허물이 없으리라.
人之慾, 生於按物, 背面[5]則人不見我身, 我不見人身, 雖至近不相見, 則欲无以動. 如行其庭不見其人, 則兩相忌, 而各自安止, 故旡咎.
사람의 욕심은 물건을 끌어당기는 데서 생기는데, 얼굴을 등지면 다른 사람은 나의 몸을 보지 못하고 나도 다른 사람의 몸을 보지 못하니, 비록 매우 가깝더라도 서로 보지 못하면 욕심이 움직이는 까닭이 없다. 마치 뜰을 다녀도 사람을 보지 못하는 것과 같으니, 둘이 서로 꺼려 각자 그침에 편안해 하기 때문에 허물이 없다.

○ 陰靜在下, 陽進居上, 而自止, 則旡復相與, 故如人背面. 醫家云, 背爲陽.
음이 고요하여 아래에 있고 양이 나아가 위에 있어 스스로 그치면 다시 서로 관계함이 없으므로 남이 얼굴을 등지는 것과 같다. 의학에서는 "등은 양이 된다"고 했다.

이항로(李恒老) 「주역전의동이석의(周易傳義同異釋義)」

傳, 艮之道, 當艮其背, 所見者在前而背乃背之, 是所不見也.
『정전』에서 말하였다: 간괘의 도리는 그 등에 그쳐야 한다는 것이다. 보이는 것은 앞에 있는데 등은 등지는 것이니, 이는 보이지 않는 것이다.

本義, 蓋身, 動物也, 唯背, 爲止, 艮其背, 則止於所當止也.
『본의』에서 말하였다: 몸은 움직이는 것이나 등만은 멈춰 있으니, '그 등에 그침'은 그쳐야 할 곳에 그침이다.

按, 傳以所不見釋背, 本義以所當止釋背, 有何不同. 曰, 旡所見然後方得其止, 則不幾近於絶物乎. 且解行其庭不見其人說不去. 蓋艮之德, 止也. 止, 非不見不行之謂也, 謂止於所當止之地也. 如[6]爲君止於仁, 爲臣止於敬, 爲父止於慈, 爲子止於孝, 與國人交止於信, 所謂止諸[7]一定不易, 加減不得, 進退不得也. 所謂不獲其身不見其人者, 謂

---

5) 面: 경학자료집성DB에는 '而'로 되어 있으나, 경학자료집성 영인본을 참조하여 '面'으로 바로잡았다.
6) 如: 경학자료집성DB에는 '姐'로 되어 있으나, 경학자료집성 영인본을 참조하여 '如'로 바로잡았다.
7) 諸: 경학자료집성DB에는 '渚'로 되어 있으나, 경학자료집성 영인본을 참조하여 '諸'로 바로잡았다.

止於所當止之地, 而初非爲我而然也, 亦非爲人而然也. 旣非爲我, 亦非爲人, 則所止者, 是何事. 道而已矣. 孔子釋之曰, 時止則止, 時行則行, 動靜不失其時, 其道光明, 是也.
내가 살펴보았다: 『정전』은 보지 못하는 곳으로 '등'을 해석하였고, 『본의』는 마땅히 그쳐야 할 곳으로 '등'을 해석하였으니, 무슨 차이가 있는 것인가? 보이는 곳이 없는 뒤라야 그칠 곳을 얻는다고 한다면 사물을 끊는데 가깝지 않겠는가? 또 "뜰을 다녀도 사람을 보지 못한다"는 것을 해석할 수 없다. 간괘의 덕은 그침이다. 그침은 보지 못하고 다니지 못함을 말하는 것이 아니고, 마땅히 그쳐야 할 곳에 그침을 말한다. 마치 임금이 되어서는 인(仁)에 그치고 신하가 되어서는 공경[敬]에 그치며 아비가 되어서는 자애[慈]에 그치고 자식이 되어서는 효도[孝]에 그치며 나라사람과 사귐에는 믿음[信]에 그쳐야 하는 것이니, 이른바 한번 정하여 바뀌지 않는 데에 그치면 더하거나 뺄 수 없으며 나아가거나 물러날 수 없다. 이른바 "몸을 얻지 못하며 사람을 보지 못한다"는 것은 마땅히 그쳐야 할 곳에 그침을 이르는 것이어서 애초에 나를 위해 그러한 것이 아니며, 남을 위해 그러한 것도 아니다. 이미 나를 위한 것이 아니며 남을 위한 것도 아니라면 그치는 곳은 어떤 일인가? 도일뿐이다. 공자가 그것을 해석하여 "때가 그칠 만하면 그치고 때가 다닐 만하면 다녀서 움직임과 고요함이 그 때를 잃지 않음이 도리가 빛남이다"라고 한 것이 이것이다.

박종영(朴宗永) 「경지몽해(經旨蒙解)・주역(周易)」

程傳曰, 人之所以不能安其止者, 動於欲也. 欲牽於前, 而求其止, 不可得也. 故艮其背. 背, 所不見也, 止於所不見, 則无欲以亂其心, 而止乃安. 不獲其身, 謂忘我也. 无我, 則止矣. 行其庭不見其人在背, 則雖至近不見, 謂不交於物也.
『정전』에서 말하였다: 사람이 그 그침에 편안할 수 없는 것은 욕심에서 움직이기 때문이다. 욕심이 앞에서 끄는데 그침을 구하니 얻을 수 없는 것이다. 그러므로 그 등에 그쳐야 한다. 등은 보이지 않는 곳이니, 보이지 않는 곳에 그치면 욕심이 그 마음을 어지럽힐 수 없어 그침이 편안할 것이다. "그 몸을 얻지 못한다"는 것은 '나를 잊음[忘我]'을 이른다. '나'가 없다면 그칠 것이다. '뜰을 다녀도 사람을 보지 못함'은 등 뒤에 있으면 아무리 가까워도 보지 못함이니, '바깥 사물에 관계하지 않음'을 이른다.

惟背, 爲止, 艮其背, 則止於所當止. 止於所當止, 則不隨身而動矣, 是不有其身也. 如是, 則雖行於庭除有人之地, 亦不見其人矣. 蓋艮其背而不穫其身者, 止而止也, 行其庭而不見其人者, 行而止也. 動靜, 各止其所, 皆主夫靜焉, 所以旡咎也.
『본의』에서 말하였다: 등만은 멈춰 있으니, '그 등에 그침'은 그쳐야 할 곳에 그침이다. 그쳐야 할 곳에 그치게 되면 몸을 따라 움직이지 않게 되니, 이것이 "몸을 두지 않는다"는 것이다. 이처럼 하면 아무리 뜰의 사람이 있는 곳을 다니더라도 그 사람을 보지 못할 것이다. "그 등에 그쳐 그 몸을 얻지 못한다"는 것은 머물러 있으면서 그치는 것이고, "그 뜰을 다녀도 그 사람을 보지 못한다"는 것은 다니면서 그치는 것이다. 움직임과 고요함이 각각 그 자리에 그치는 것이 모두 저 고요함을 위주로 하기에 허물이 없을 수 있는 것이다.

以愚論之, 止者, 人之所當知者也. 大學曰, 止於至善, 孔子曰, 於止, 知其所止, 人而不知止, 則殆矣. 艮其背, 謂止於不動, 能堅固其止也. 不獲其身, 謂无我也. 不見其人, 謂无人也. 人我之間, 旣无所見, 則所見者, 何物. 唯義理而已. 義理在處, 雖有我而无我, 雖有人而无人, 唯止於義理, 如爲君止於仁, 爲臣止於敬, 爲父止於慈, 爲子止於孝, 動靜行止, 日用事爲, 莫非出於義理之止於當然而已. 古人所以殺身而成仁者, 何嘗見其身乎. 獨[8]立而特行者, 何嘗見其人乎. 彖又曰, 艮止也, 時止則止, 時行則行, 動靜不失其時, 其道光明, 傳曰, 行止動靜不以時, 則妄矣, 不失其時, 則順理而合義, 乃其道光明也. 君子所貴乎時, 仲尼之行止久速, 是也, 朱子於小註釋之曰, 時止則止, 時行則行, 行固非止, 然行而不失其理, 乃所以爲止也, 嗚呼, 艮之時義, 大矣哉. 學者, 其深味而致思焉.
내가 살펴보았다: '그친다'는 것은 사람이 마땅히 알아야 할 바의 것이다. 『대학』에서는 "지극한 선에 그친다"고 했고, 공자는 "머무름에 있어 그 머무를 바를 안다"[9]고 했으니, 사람으로 머무름을 알지 못하면 위태롭다. '그 등에 그침'은 움직이지 않음에 그쳐서 그 머무름을 견고하게 할 수 있다. '그 몸을 얻지 못함'은 내가 없음을 말한다. '그 사람을 보지 못함'은 다른 사람이 없음을 말한다. 나와 남 사이에 이미 보이는 바가 없다면 보이는 것은 어떤 것인가? 오직 의리일 뿐이다. 의리가 있는 곳에서는 비록 내가 있더라도 나는 없는 것이며 비록 다른 사람이 있더라도 그 사람이 없는 것이어서 오직 의리에 그칠 뿐이니, 마치 임금이 되어서는 인(仁)에 그치고 신하가 되어서는 공경[敬]에 그치며 아비가 되어서는 자애로움[慈]에 그치고 자식이 되어서는 효도[孝]에 그쳐 움직임과 고요함, 다님과 그침 및 날마다 하는 일이 의리가 당연한데서 그치는 것에서 나오지 않는 것이 없을 뿐이다. 옛사람이 살신성인(殺身成仁)한 까닭이 어찌 일찍이 그 몸을 본 것이겠는가? 홀로 몸을 세우고 특별하게 행동한 것이 어찌 일찍이 그 사람을 본 것이겠는가? 「단전」에서 또 "간은 그침이다. 때가 그칠 만하면 그치고 때가 다닐 만하면 다녀서 움직임과 고요함이 그 때를 잃지 않음이 그

8) 獨: 경학자료집성DB에는 '猶'로 되어 있으나, 경학자료집성 영인본을 참조하여 '獨'로 바로잡았다.
9) 『大學』 3章: 詩云, 邦畿千里, 惟民所止. 詩云, 緡蠻黃鳥, 止于丘隅, 子曰, 於止, 知其所止, 可以人而不如鳥乎.

도리가 빛남이다"고 하였는데, 『정전』에서는 "다님과 그침, 움직임과 고요함이 때에 맞지 않으면 망령된 것이고, 제 때를 잃지 않으면 순리대로 하여 의리에 합하는 것이니, 바로 그 도리가 빛나는 것이다. 군자는 때를 귀하게 여기니, 공자가 행하고 그치며 천천히 하고 빨리 함이 이것이다"라고 하였고, 주자는 소주에서 해석하여 "때가 그칠 만하여 그치고 때가 다닐 만하여 다닌다고 했으니, '다님'은 본디 그침이 아니지만 다녀도 그 이치를 잃지 않으니 그침이 되는 것이다"고 하였으니, 아! 간(艮)의 때와 뜻이 크도다. 배우는 자가 그것을 깊이 음미하고 자세하게 생각하여야 한다.

심대윤(沈大允) 『주역상의점법(周易象義占法)』

艮爲背. 身動而向前, 背止其所而不動. 身有耳目[10]口鼻, 手足陰陽觸物, 而動其情欲, 背則无是焉. 夫人能无外慕, 而不爲情欲之所牽, 然後乃能有止, 故曰艮其背不獲其身, 言止其所而不動於情欲也. 艮离爲獲, 艮坎爲身爲躬, 從艮曰身, 從坎曰躬. 凡有止者, 必其中自守不動, 而有篤好之者也. 中无主守, 而恒心不存者, 所遇而輒止焉. 所遇而輒止者, 乃不止也. 故曰行其庭, 不見其人, 无咎, 言行其篤好, 而不遷于外物也. 對兌爲欲而有巽, 曰行. 震爲庭, 兌离爲不見, 乾坤爲人. 乾坤之始交爲兌情欲, 乾爲无私. 坤爲衆物, 有所篤好, 旣非乾之无私, 而亦不誘於坤之外物, 故曰不見其人, 其者, 非專一之辭. 艮其背, 不獲其身, 淸静寡欲, 而止其止也, 心性不誘於情欲也. 行其庭不見其人, 能有所篤好而行其止[11]也, 情欲不誘於外物也. 止其止者, 以止爲止也, 行其止者, 以行爲止也. 〈凡人不爲虛慾所遷, 然後能得實利也.〉

'그침'은 등이 된다. 몸은 움직여 앞을 향하지만 등은 그 자리에 그쳐 움직이지 않는다. 몸에는 이목구비가 있고 수족은 음과 양으로 사물에 접촉하여 그 정욕을 움직이지만, 등은 이러한 것이 없다. 사람이 밖으로 바라는 것이 없어 정욕에 이끌리는 바가 되지 않을 수 있어야 그런 뒤에 그침이 있을 수 있으므로 "그 등에 그치면 그 몸을 얻지 못한다"고 했으니, 그 자리에 그쳐 정욕에 움직이지 않음을 말한다. 간(艮)과 리(離)는 '얻음'이 되고 간과 감(坎)은 '몸'이 되고 '자신'이 되니, 간을 따르면 "몸"이라고 하고 감을 따르면 "자신"이라고 한다. 그침이 있는 것은 반드시 그 마음속에 스스로 지켜 움직이지 않아 돈독하게 좋아하는 것이 있다. 마음속에 주장하여 지킴이 없어 항심(恒心)이 있지 않은 자는 만난 바에 문득 그치기도 한다. 만난 바에 문득 그치는 것은 곧 그치는 것이 아니다. 그러므로 "그 뜰을 다녀도 그 사람을 보지 못하여 허물이 없다"고 한 것은 그 돈독하게 좋아하는 것을 행하여 바깥

10) 目: 경학자료집성DB에는 '自'로 되어 있으나, 경학자료집성 영인본을 참조하여 '目'으로 바로잡았다.
11) 止: 경학자료집성DB에는 '心'으로 되어 있으나, 문맥에 따라 '止'로 바로잡았다.

사물에 흔들리지 않음을 말한다. 음양이 바뀐 태괘(☱)가 정욕이 되지만 손괘가 있어 "다닌다"고 했다. 진괘는 뜰이 되고 태괘와 리괘는 '보지 못함'이 되며, 건괘와 곤괘는 사람이 된다. 건괘와 곤괘가 처음 사귀어 정욕인 태괘가 되며, 건괘는 사사로움이 없음이 되고 곤괘는 여러 사물이 되는데 돈독하게 좋아하는 바가 있으니 이미 건괘의 사사로움이 없는 것도 아니고, 또 곤괘인 바깥 사물에 유혹되지도 않으므로 "그 사람을 보지 못한다"고 했으니, '그[其]'는 한사람만을 말하는 것이 아니다. "그 등에 그치면 그 몸을 얻지 못한다"는 맑고 고요하여 욕심이 적어서 그 그쳐야 함에 그치는 것이니, 심성이 정욕에 유혹되지 않는 것이다. "그 뜰을 다녀도 그 사람을 보지 못한다"는 돈독하게 좋아하는 바가 있지만 그 그쳐야 할 것을 행하는 것이니, 정욕이 바깥 사물에 유혹되지 않는 것이다. 그 '그쳐야 함에 그침'은 그쳐야 하는 것을 그치는 것으로 삼은 것이고, 그 그쳐야 할 것을 행한다는 것은 행하는 것을 그치는 것으로 삼은 것이다. 〈사람이 허황된 욕심에 흔들리지 않게 된 연후에 실제적인 이익을 얻을 수 있다.〉

오치기(吳致箕) 「주역경전증해(周易經傳增解)」

艮止也. 一陽極於二陰之上, 爲止之象. 山之爲物, 靜而不動, 亦爲止之象也. 止其背而不獲其身者, 靜時之止也. 行其庭而不見其人者, 動時之止也. 不獲身不見人, 宜若有咎, 而時義在乎止, 故言旡咎也. 大義已備於本義.

간은 그침이다. 한 양이 두 음의 위에서 다하여 그치는 상이 된다. 산이란 것이 고요하고 움직이지 않아서 또 그치는 상이 된다. 그 등에 그치고 그 몸을 얻지 못한다는 것은 고요한 때의 그침이다. 그 뜰을 다니는데도 그 사람을 보지 못한다는 것은 움직일 때의 그침이다. 몸을 얻지 못하고 사람을 보지 못한다면 의당 허물이 있을 듯한데, 때와 의(義)가 그침에 있으므로 "허물이 없다"고 했다. 대의가 이미 『본의』에 갖추어져있다.

○ 一剛在上不動, 爲背之象, 二柔在下爲質, 卽身之象, 而剛柔不應, 故曰不獲其身也. 互震爲行, 艮爲門之象. 庭者, 門之內, 指二五人位, 而二五旡應, 故不見其人也. 陽窮於上, 故不言亨, 上艮失位, 故不言貞.

굳센 한 양은 맨 위에 있어 움직이지 않아 등의 상이 되고, 부드러운 두 음은 아래에 있어 바탕이 되니 곧 몸의 상인데, 굳센 양과 부드러운 음이 호응하지 않으므로 "그 몸을 얻지 못한다"고 했다. 호괘인 진괘(☳)가 '다님'이 되고 간괘가 문(門)의 상이 된다. '뜰'은 문의 안쪽이니, 이효와 오효인 사람의 자리를 가리키는데 이효와 오효가 호응함이 없으므로 그 사람을 보지 못하는 것이다. 양이 맨 위에서 다했으므로 "형통하다"고 말하지 않았고, 위의 간괘가 자리를 잃었기 때문에 "곧다"고 말하지 않았다.

이진상(李震相) 『역학관규(易學管窺)』

艮其背.
그 등에 그치면,

艮其背, 是一耳之頭顱, 貫動静而止其所者也, 恰似中庸[12]說戒懼, 其心則通動静, 而其機則主乎静. 分而言之, 艮其背不獲其身, 是存養工夫, 乃已之所不覩, 行其庭不見其人, 是謹獨工夫, 乃人之所不睹. 蓋事物未接, 此心寂然不動, 此身專無作用, 艮背之象, 皆是已所不見之處, 而止於其所者也. 艮有背身之象, 故首言之. 人不能常止, 有時而行. 然雖行亦止, 不見作爲之迹, 故以行其庭不見其人爲象. 蓋人苟背身而行, 則雖行於顯明之處, 不得以見其人, 其人卽上不獲其身之人, 恐非謂別人也. 皆以九三言背者, 陽之止於上者也. 庭以上九言, 庭者, 陽之實於外者也. 九三統二陰而陰虛, 故不獲其身, 上九統二陰而陰虛, 故不見其人, 四其字[13], 并指一處.
"그 등에 그친다"는 하나뿐인 머리가 움직임과 고요함을 꿰뚫고서 그 자리에 그친 것이니, 흡사 『중용』에서 '계구(戒懼)'를 설명한 것과 같아서 그 마음은 움직임과 고요함을 꿰뚫지만 그 기틀은 고요함을 위주로 한다는 것이다. 나누어 말하면 "그 등에 그치면 그 몸을 얻지 못한다"는 것은 존양(存養)의 공부이니 바로 내가 보지 못하는 바이며, "그 뜰을 다녀도 그 사람을 보지 못한다"는 것은 근독(謹獨)의 공부이니 바로 남이 보지 못하는 바이다. 대체로 사물과 아직 접하지 않으면 이 마음이 고요하여 움직이지 않고 이 몸이 전연 작용함이 없으니, 등에 그치는 상은 모두 내가 보지 못하는 곳이어서 그 자리에 그치는 것이다. 간에는 몸을 등지는 상이 있으므로 먼저 그것을 말했다. 사람은 항상 그칠 수만은 없어서 때때로 행함이 있다. 그러나 비록 행하더라도 그치는 것은 작위의 흔적을 드러내지 않기 때문에 '그 뜰을 다녀도 그 사람을 보지 못함'으로 상을 삼았다. 대체로 사람이 진실로 몸을 등지고서 행한다면 비록 드러나 밝은 곳에서 행하더라도 그 사람을 볼 수 없으니, '그 사람'은 바로 위에서 "그 사람을 얻지 못한다"고 할 때의 사람이어서 다른 사람을 말하는 것은 아닌 듯하다. 모두가 구삼을 '등'이라고 말한 것은 양이 맨 위에 그치기 때문이다. '뜰'을 상구로 말하면 '뜰'은 양이 밖에서 꽉 찬 것이다. 구삼은 두 음을 거느리는데 음이 비었기 때문에 그 몸을 얻지 못하는 것이며, 상구는 두 음을 거느리는데 음이 비었기 때문에 그 사람을 보지 못하는 것이다. 네 개의 '그[其]'자는 모두 한 곳을 가리킨다.

---

12) 庸: 경학자료집성DB에는 '應'으로 되어 있으나, 경학자료집성 영인본을 참조하여 '庸'으로 바로잡았다.
13) 字: 경학자료집성DB에는 '宇'로 되어 있으나, 경학자료집성 영인본을 참조하여 '字'로 바로잡았다.

채종식(蔡鍾植) 「주역전의동귀해(周易傳義同歸解)」

行其庭, 不見其人,
그 뜰을 다녀도 그 사람을 보지 못한다.

傳謂不交於物, 本義謂行而止也. 蓋不交於物者, 非是絶物不交之謂也. 物有當然之理, 我止於當然之理而已. 不見有是物, 則雖交於物, 而殆若不交也. 如行其庭, 宜若見人而反不見人也. 然則不交於物者, 只是動猶不動, 而安止之義也, 亦豈非本義所謂行而止者耶. 又程傳謂外物不接, 內欲不萌, 似是靜中之止也. 本義謂動靜各止其所, 而皆主夫靜, 乃是動靜皆止也. 蓋程子之說, 似指靜中之止. 然外物不接云者, 如淫樂慝禮不接心術之類也. 雖在接物之時, 而非禮之物, 不接視聽, 則是動猶不動, 而亦止於靜也. 故內欲不萌, 所以制於外以養其中之義也. 然則此豈非朱子所謂動靜各止其所而皆主夫靜之義也耶.
『정전』에서는 "바깥 사물에 관계하지 않는다"고 했고, 『본의』에서는 "다닐 만한 때의 그침이다"고 했다. "바깥 사물에 관계하지 않는다"는 것은 바깥 사물을 끊어 관계하지 않음을 이르는 것이 아니다. 사물에는 당연한 이치가 있고 나는 당연한 이치에 그칠 뿐이어서 내가 이러한 사물이 있는 것을 보지 못하면 비록 사물과 관계하더라도 관계하지 않는 것과 같다. 그러니 마치 그 뜰을 다니면 의당 사람을 볼 것 같은데도 도리어 사람을 보지 못하는 것과 같다. 그렇다면 "바깥 사물에 관계하지 않는다"는 것은 단지 움직이지만 움직이지 않는 것과 같아서 그침에 편안해 하는 뜻이니, 또한 어찌 『본의』에서 이른바 다닐 만한 때의 그침이라는 것이 아니겠는가? 또 『정전』에서 "바깥 사물을 접하지 않으면 내 속의 욕심이 싹트지 않는다"고 말한 것은 흡사 고요한 가운데 그친 것과 같다. 『본의』에서 "움직임과 고요함이 각각 그 마땅한 자리에 그치지만 모두 저 고요함을 위주로 한다"고 말한 것은 바로 움직임과 고요함이 모두 그침이다. 대체로 정자의 설명은 고요한 가운데의 그침을 가리키는 듯하다. 그러나 "바깥 사물을 접하지 않는다"고 말한 것은 음란한 음악과 나쁜 예를 마음에 접하지 않는다는 부류와 같다. 비록 바깥 사물을 접하는 때에 있을지라도 예가 아닌 것을 보고 듣는 데 접하지 않는다면 이는 움직이더라도 오히려 움직이지 않는 것과 같아서 또한 고요함에 그치는 것이다. 그러므로 내 속의 욕심이 싹트지 않으니, 밖을 제어하여 그 마음을 기른다는 뜻이다. 그렇다면 이것이 어찌 주자가 이른바 "움직임과 고요함이 각각 그 마땅한 자리에 그치되 다 저 고요함을 위주로 한다"는 뜻이 아니겠는가?

박문호(朴文鎬) 「경설(經說) · 주역(周易)」

不獲其身, 忘己也. 不見其人, 忘人也. 忘己然後能忘人, 故先言不獲其身.
"그 몸을 얻지 못한다"는 자기를 잊는 것이다. "그 사람을 보지 못한다"는 남을 잊는 것이다. 자기를 잊은 뒤라야 남을 잊을 수 있기 때문에 "그 몸을 얻지 못한다"를 먼저 말했다.

이정규(李正奎) 「독역기(讀易記)」

艮之卦形, 上下卦有相背之象, 又爻无相通之意, 各自止其所, 陽性雖動, 至於上則止, 陰性本靜而止於下, 故以止爲義. 然卦辭艮其背不獲其身, 止而止也, 似指陰爻也. 行其庭不見其人, 動而止也, 似指陽爻也. 此所謂動中之靜也.
간(艮)의 괘 모양이 상괘와 하괘에 서로 등지는 상이 있고, 또 효에 서로 통하는 뜻이 없어서 각각 그 자리에 그치니, 양의 성질이 비록 움직이지만 맨 위에 이르면 그치고 음의 성질이 본래 고요하여 아래에서 그치므로 '그침'으로 뜻을 삼았다. 그러나 괘사의 "그 등에 그치면 그 몸을 얻지 못한다"는 것은 그칠만한 때의 그침이니, 음의 효를 가리키는 듯하다. "그 뜰을 다녀도 그 사람을 보지 못한다"는 것은 움직일만한 때의 그침이니, 양의 효를 가리키는 것과 같다. 이것이 이른바 움직임 가운데의 고요함이다.

彖曰, 艮止也. 時止則止, 時行則行, 動靜不失其時, 其道光明,

「단전」에서 말하였다: 간(艮)은 그침이다. 때가 그칠만하면 그치고 때가 다닐만하면 다녀서, 움직임과 고요함이 그 때를 잃지 않음이 그 도리가 빛남이니,

中國大全

傳

艮爲止. 止之道, 唯其時. 行止動靜不以時, 則妄也, 不失其時, 則順理而合義. 在物爲理, 處物爲義. 動靜合理義, 不失其時也, 乃其道之光明也. 君子所貴乎時, 仲尼行止久速, 是也. 艮體篤實, 有光明之義.

간(艮)은 '그침'이다. 그침의 도리는 오로지 그 '때'이다. 다님과 그침, 움직임과 멈춤이 때에 맞지 않으면 망령된 것이고, 제때를 잃지 않으면 순리대로 하여 의리에 합하는 것이다. 사물에 있는 것은 '리(理)'이고 사물을 처리하는 것은 '의(義)'이다. 움직임과 고요함이 '리'와 '의'에 부합됨이 때를 잃지 않은 것으로 그 도리가 빛나는 것이다. 군자는 때를 귀하게 여기니, 공자의 '행함과 그침, 천천히 감과 빨리 감'[14]이 이것이다. 간괘(艮卦)의 몸체가 돈실하여 빛나는 뜻이 있다.

本義

此釋卦名. 艮之義, 則止也. 然行止, 各有其時. 故時止而止, 止也, 時行而行, 亦止也. 艮體篤實, 故又有光明之義. 大畜於艮, 亦以輝光言之.

이는 괘의 이름을 해석한 것이다. 간(艮)의 뜻은 그침이다. 그러나 다님과 그침에 각각 그 때가 있다. 그러므로 때가 그칠만하여 그침이 그침이고, 때가 다닐만하여 다님도 그침이다. 간괘(艮卦)의 괘체가 독실하므로 빛난다는 뜻도 있다. 대축괘(☶)에서도 간괘를 '빛남[輝光]'으로 말하고 있다.

---

14) 『孟子 · 公孫丑』: 可以仕則仕, 可以止則止, 可以久則久, 可以速則速, 孔子也.

小註

朱子曰, 時止則止, 時行則行. 行固非止, 然行而不失其理, 乃所以爲止也.
주자가 말하였다: "때가 그칠만하면 그치고 때가 다닐만하면 다닌다"고 하였다. 다님이 본디 그침은 아니지만 다녀도 그 이치를 잃지 않으니 그침이 되는 것이다.

○ 問, 艮之象, 何以爲光明. 曰, 定則明. 凡人胸次煩擾, 則愈見昏昧中, 有定止, 則自然光明, 莊子所謂, 泰宇定而天光發, 是也.
물었다: 간괘의 상을 어째서 빛난다고 합니까?
답하였다: 안정되면 밝아지기 때문입니다. 누구나 속이 어지러우면 더욱 어둡게 되고, 안정되어 그치게 되면 저절로 환해지니, 장자가 말한 '큰 그릇이 안정되어 타고난 빛이 나온다'[15]는 것이 이것입니다."

○ 問, 止有兩義. 得所止之止, 是義理之極, 行止之止, 則就人所爲而言. 曰, 然. 時止之止, 止字小, 得其所止之止, 止字大.
물었다: '그침'에는 두 가지 뜻이 있는 듯합니다. "그쳐야 할 바를 얻는다"고 할 때의 '그침'은 의리의 지극함이고, '다님과 그침'의 '그침'은 사람의 행위를 두고 말하는 것 같습니다.
답하였다: 그렇습니다. "때가 그칠만하다"고 할 때 '그침'은 (뜻이) 작고, 그 "그쳐야 할 바를 얻는다"의 그침은 '그침'이 큽니다.

○ 雙湖胡氏曰, 艮一陽見於二陰之上, 陽明著見, 陰莫得而掩蔽之. 故艮獨稱光明.
쌍호호씨가 말하였다 : 간괘는 양효가 두 음효 위에 나타나니, 양의 밝음이 드러나되 음들이 덮을 수 없다. 그러므로 간괘만이 '빛난다'고 하는 것이다.

15) 『莊子 · 雜篇』: 宇泰定者, 發乎天光.

▎韓國大全 ▎

유정원(柳正源) 『역해참고(易解參攷)』

艮止 [至] 光明.
간은 그침이니 … 빛남이니.

鄭氏〈剛中〉曰, 震自四以下二爻互艮, 是震雖爲行, 而止在其中也. 艮自三以上三爻互震, 是艮雖爲止, 而行在其中也.
정강중이 말하였다: 진괘(震卦䷲)는 사효로부터 아래로 이효까지가 호괘인 간괘(☶)이니, 이는 진괘가 비록 다님이 되지만 그침이 그 사이에 있는 것이다. 간괘(艮卦䷳)는 삼효로부터 위로 세 효가 호괘인 진괘(☳)니 이는 간괘가 비록 그침이 되지만 다님이 그 사이에 있는 것이다.

小註, 朱子說, 泰宇天光. 〈莊子, 庚桑楚篇, 泰宇定者, 發于天光, 發乎天光者, 人見其人.〉
소주에서 주자가 말하였다: 큰 그릇과 타고난 빛. 〈『장자 · 경상초』편에서 말하였다: '큰 그릇'이 안정된 것은 타고난 빛에서 발휘되고, 타고난 빛을 발휘하는 것은 사람들이 그 사람을 보는 것이다.〉

이익(李瀷) 『역경질서(易經疾書)』

艮止也. 人之所當止, 莫如欲. 欲生於思, 不思所處之外, 則欲斯止矣. 食蔬糲者, 不思有膏粱之美, 則安矣, 衣麤苴者, 不思有纖絺之輕, 則安矣, 勞畎澮者, 不思有廣厦之逸, 則安矣, 此君子所以貧賤患難無入而不自得, 旣謂不出其位, 則所當思者, 止於己分之內也. 雖困苦之極, 只須就其中, 思所以善處也. 若曰事之當爲者, 諉以非位而不思, 則未然也. 或曰, 不在位不謀政, 何也, 此謀也, 非思也. 謀則干與也. 若邈然不思, 則授之以政, 將何以處之. 觀於孔孟, 可見.
간은 그침이다. 사람이 마땅히 그쳐야 할 바에 욕심만한 것이 없다. 욕심은 생각에서 나오니, 자신의 처지 이외의 것을 생각하지 않는다면 욕심이 이에 그칠 것이다. 거친 밥을 먹는 자가 기름진 고기와 맛있는 밥의 아름다움을 생각하지 않는다면 편안해지며, 거친 옷을 입는 자가 고은 옷의 가벼움을 생각하지 않는다면 편안해지며, 밭도랑에서 수고로운 자가 큰 집에서 편안함을 생각하지 않는다면 편안해지니, 이는 군자가 가난과 어려움에 들어가도 자득하지 못함이 없는 까닭으로 이미 그 자리를 벗어나지 않는다고 했다면 마땅히 생각해야 할 것은 자신의 분수 안에 그치는 것이다. 비록 곤란하고 어려움이 지극하지만 그 가운데 나아가 잘 대처할 것을 생각해야 한다. 만약 일이 마땅히 하여야 할 것인데 자신의 자리가 아니라고 핑계대어 생각하지 않는 것이라고 한다면 그렇지 않다. 어떤 이가 "자리에 있지 않으면 정사를 도모하지 않는다고 한 것이 무엇 때문이겠는가?"라고 하였으니, 여기에서의 도모함은 생각이 아니다. 그것은 간여함이다. 어리석어 생각하지 않는다면 정사를 맡겨놓고 어떻게 대처하려는 것이겠는가? 공자와 맹자를 살펴보면 알 수 있다.

권만(權萬) 『역설(易說)』16)

艮時行則行, 亦謂之止, 行豈止哉. 曰艮止之義, 重在時字上, 時可以止則止, 時可以行則行. 雖行而必以時, 亦帶得止義. 此等處, 可以意逆, 難以言傳. 又曰, 艮下體行而止, 上體止而行, 行而復止也. 凡卦從初之上, 皆有升進之象, 非行不能升, 又不能進, 故曰動靜不失其時, 動靜亦行止之謂也. 不然, 艮但見其止而靜, 何嘗見其行而動歟.
간(艮)은 때가 다닐만하면 다니는 것을 또한 '그침'이라고 하는데, 다님이 어찌 그침이겠는가? 간이라는 그침의 뜻은 중요함이 '때[時]'라는 글자에 있으니, 때가 그칠만하면 그치고 때가 다닐만하면 다니는 것이다. 비록 다니더라도 반드시 때로써 하기 때문에 또한 '그친다'는 뜻을 가지고 있다. 이러한 곳은 뜻으로 헤아려 봐야하니 말로 전하는 것은 어렵다. 또 "간괘의 하체는 다니지만 그치는 것이며, 상체는 그치지만 다니고 다니지만 다시 그치는 것이다"고 했다. 대체로 괘가 초효로부터 상효로 가는 것이 모두 오르고 나아가는 상이 있으니, 다니는 것이 아니라면 오를 수도 없고 나아갈 수도 없기 때문에 "움직임과 고요함이 그 때를 잃지 않는다"고 했는데, 움직임과 고요함도 다니고 그치는 것을 말한다. 그렇지 않다면 간은 그쳐서 고요함만을 볼 뿐이니, 어찌 다녀서 움직임을 보겠는가?

○ 艮之道, 在上下二陽. 二陽之間, 有離之象焉, 故曰其道光明.
간(艮)의 도는 위아래의 두 양에 있다. 두 양 사이에 리괘(☲)의 상이 있으므로 "그 도리가 빛난다"고 했다.

16) 경학자료집성DB에는 잘못 들어간 부분이 있어 한국고전번역원 DB의 내용에 따라 바로잡았다.

김원행(金元行) 『미상경의(渼上經義)-주역(周易)』

艮, 彖, 動靜不失其時, 下諺解不句, 恐印本誤也, 未知當作何讀.
간괘 「단전」에서 "움직임과 고요함이 그 때를 잃지 않는다"고 한 아래에 언해에서 구절로 하지 않은 것은 아마도 인쇄본의 잘못인 듯하니, 어떻게 구두해야 할지 모르겠다.

據諺解所釋, 則當作伊, 而如是, 則文勢扤揑. 愚意欲作爲也讀之. 未知如何.
언해의 해석에 따르면 '이'가 되어야 하는데, 이와 같으면 문세가 어그러진다. 내 생각에는 '하야'로 읽어야 할 듯한데, 어떤지 모르겠다.

김상악(金相岳) 『산천역설(山天易說)』

釋卦名義. 時止則止, 艮其背也, 時行則行, 行其庭也. 靜不失時, 故不獲其身, 動不失時, 故不見其人, 所以其道光明.
괘의 이름을 풀이하였다. '때가 그칠만하면 그침'은 그 등에 그침이며, '때가 다닐만하면 다님'은 그 뜰을 다님이다. 고요함이 때를 잃지 않으므로 그 몸을 얻지 못하며, 움직임이 때를 잃지 않으므로 그 사람을 보지 못하니, 그래서 그 도리가 빛나는 것이다.

○ 時止則止, 終萬物也, 時行則行, 始萬物也. 其道光明, 所以莫盛於艮也. 艮反震, 故兼言行止動靜.
'때가 그칠만하면 그침'은 만물을 끝마침이며, '때가 다닐만하면 다님'은 만물을 시작함이다. '그 도리가 빛남'은 간괘보다 성대한 것이 없기 때문이다. 간괘의 뒤집어진 괘가 진괘(☳)이므로 다님과 그침, 움직임과 고요함을 겸해 말했다.

서유신(徐有臣) 『역의의언(易義擬言)』

艮止也.
간은 그침이다.
釋艮之義爲止也.
간의 뜻이 '그침'이 됨을 해석하였다.

時止則止, 時行則行, 動靜不失其時, 其道光明.
때가 그칠만하면 그치고 때가 다닐만하면 다녀서, 움직임과 고요함이 그 때를 잃지 않음이 그 도리가 빛남이니.

釋艮兼行止之義, 而行止有時宜也. 時當止, 則止而止也, 時當行, 則行而止也. 動謂行, 靜謂止, 行止得其宜, 動靜隨其時, 故艮道光明也. 當止而不止, 當行而不行, 不當止而止, 不當行而行, 皆非所謂艮道也.
간이 '다님'과 '그침'의 뜻을 겸하여 다님과 그침에 때의 알맞음이 있음을 해석하였다. 때가 마땅히 그쳐야 함은 그칠 만한 때의 그침이며, 때가 마땅히 다녀야 함은 다닐 만한 때의 그침이다. 움직임을 다닌다고 하고 고요함을 그친다고 하니, 다니고 그치는 것이 그 마땅함을 얻고 움직임과 고요함이 그 때에 따르기 때문에 간괘의 도가 빛난다. 그쳐야 하는데 그치지 못하고 다녀야 하는데 다니지 못하며, 그쳐서는 안 되는데 그치고 다녀서는 안 되는데 다니는 것은 모두 이른바 간괘의 도가 아니다.

서유신(徐有臣) 『역의의언(易義擬言)』

彖曰, 光明,
「단전」에서 말하였다: 빛남이니,

艮象.
간괘의 상이다.

윤행임(尹行恁) 『신호수필(薪湖隨筆) · 역(易)』

時止則止, 時行則行, 動亦定, 靜亦定, 篤實而光明, 順理而合義, 其維孔子之聖乎.
때가 그칠만하면 그치고 때가 다닐만하면 다녀 움직여도 안정되고 고요해도 안정되어 독실하여 빛나며 이치를 따라 의리에 부합하니, 그 오직 공자같은 성인일 것이다.

김기례(金箕澧) 「역요선의강목(易要選義綱目)」

艮止也. 時止則止.
간은 그침이다. 때가 그칠만하면 그치고.
如父[17]子止於親, 君臣止於義.
부모와 자식이 친함[親]에 그치고 임금과 신하가 의리[義]에 그치는 것과 같다.
○ 指陽進而止於上.

17) 父: 경학자료집성 DB와 영인본에는 '爻'로 되어 있으나, 문맥에 따라 '父'로 바로잡았다.

양이 나아가 맨 위에 그침을 가리킨다.

時行則行.
때가 다닐만하면 다녀서.
如孔子可以行則行.
공자가 다닐만하면 다닌 것과 같다.
○ 艮, 震之反, 言陽自下而方進之時.
간괘(☶)는 진괘(☳)가 뒤집어진 괘이니, 양이 아래로부터 막 나아가는 때를 말한다.
○ 蓋言行止有時.
대체로 다님과 그침에 때가 있음을 말한다.

動靜不失其時, 其道光明.
움직임과 고요함이 그 때를 잃지 않음에 그 도리가 빛나니.
陽動陰靜, 而一陽出於二陰之上, 有光明之象.
양은 움직이고 음은 고요한데 한 양이 두 음의 위에서 나오니, 빛나는 상이 있다.
○ 人不知止, 則欲動而昏, 能知止, 則心泰道明, 故曰動靜不失時.
사람이 그칠 줄 모르면 욕심이 움직여 어둡고, 그칠 줄 알면 마음이 태연하고 도가 밝으므로 "움직임과 고요함이 때를 잃지 않는다"고 했다.

윤종섭(尹鍾燮) 『경(經)-역(易)』

艮者, 阻也, 止也, 大象曰, 思不出其位.
간(艮)은 막음이며 그침이니, 「대상전」에서 "생각을 그 지위에서 벗어나게 하지 않는다"고 했다.

심대윤(沈大允) 『주역상의점법(周易象義占法)』

時, 随地随人而異者也. 時止則止, 止而不就也, 止而不就者, 不求于分外也. 時行則行, 不就而行也, 不就而行, 勉於分內也. 動靜不出其所而光明者, 時中也, 專則凝, 凝則光, 光則明.
'때'는 장소와 사람에 따라서 다른 것이다. '때가 그칠만하면 그침'은 그쳐서 나아가지 않음이니, 그쳐서 나아가지 않음은 자신의 분수 밖에서 구하지 않는 것이다. '때가 다닐만하여 다님'은 나아가지 않지만 다님이니, 나아가지 않지만 다님은 분수 안에서 힘쓰는 것이다. '움직임과 고요함이 그 자리를 벗어나지 않아서 빛나는 것'이 때의 알맞음이니, 전일하게 하면 머물고, 머물면 빛나며, 빛나면 밝다.

이진상(李震相) 『역학관규(易學管窺)』

時行則行 .
때가 다닐만하면 다닌다.

艮雖震, 故艮雖爲止而行在其中, 特動亦静, 静亦静耳.
간(☶)이 진(☳)이기 때문에 간이 비록 그침이 되지만 다님이 그 가운데 있으니, 다만 움직이는 것도 고요한 것이고 고요한 것도 고요한 것이다.

박문호(朴文鎬) 「경설(經說) · 주역(周易)」

篤實者, 必光明, 故云篤實有光明之義.
'독실한 것'은 반드시 빛나기 때문에 "독실하여 빛나는 뜻이 있다"고 했다.

艮其止, 止其所也.

그 그쳐야 함에 그침은 그 자리에 그치기 때문이다.

中國大全

傳

艮其止, 謂止之而止也. 止之而能止者, 由止得其所也. 止而不得其所, 則无可止之理. 夫子曰, 於止, 知其所止, 謂當止之所也. 夫有物, 必有則, 父止於慈, 子止於孝, 君止於仁, 臣止於敬. 萬物庶事, 莫不各有其所, 得其所則安, 失其所則悖. 聖人所以能使天下順治, 非能爲物作則也, 唯止之, 各於其所而已.

'그 그쳐야 함에 그침'은 그쳐야 해서 그침을 이른다. 그쳐야 할 때 그칠 수 있는 것은 그침이 그 자리를 얻음에서 말미암는다. 그쳐도 그 자리를 얻지 못한다면 그쳐야 할 이유가 없다. 공자가 "그침에 그쳐야 할 곳을 아니"라고 한 것이 '그쳐야 할 곳'을 이른다. 사물이 있으면 반드시 법칙이 있으니, 어버이는 자애에 그치고, 자식은 효에 그치고, 임금은 어짊에 그치고, 신하는 공경에 그친다. 모든 사물에 어느 것 하나 그 자리를 가지지 않음이 없으니, 그 자리를 얻으면 안정되고 그 자리를 잃으면 어그러진다. 성인이 천하를 순리대로 다스릴 수 있는 것도, 사물을 다스리고 법칙을 만들 수 있기 때문이 아니라, 오직 그치게 하기를 각각 그 자리에서 하기 때문이다.

小註

程子曰, 動静不失其時, 皆止其所也. 艮其背, 乃止也, 背, 无欲无思也, 故可止.
정자가 말하였다: 움직임과 고요함이 그 때를 잃지 않음이 다 그 자리에 그치는 것이다. "그 등에 그친다"가 바로 그침이니, '등'은 욕심도 없고 생각도 없으므로 그칠 수 있는 것이다.

○ 艮其止, 止其所也, 各止其所, 父子止於恩, 君臣止於義之謂. 艮其背, 止於所不見也.
"그 그쳐야 함에 그침은 그 자리에 그침이기 때문이다"는 각각 그 자리에 그침이니, 부모와 자식이 은혜에 그치고, 임금과 신하가 의리에 그치는 것 등을 말한다. "그 등에 그친다"는 보이지 않는 곳에 그침이다.

○ 艮其止, 止其所也, 八元, 有善而擧之, 四凶, 有罪而誅之, 各止其所也.
'그 그쳐야 함에 그침은 그 자리에 그침이기 때문'이니, 팔원(八元)[18]은 선행이 있어 등용되고 사흉(四凶)[19]은 죄상이 있어 죽임을 당한 것이 각각 그 자리에 그침이다.

○ 易之艮, 言止之義曰, 艮其止, 止其所也, 言隨其所止而止之. 人多不能止, 蓋人, 萬物皆備, 遇事時, 各因其心之所重者, 更互而出, 纔見得這事重, 便有這事出, 若能物各付物, 便自不出來也.
『주역』의 간괘에 '그침'의 뜻을 말하여 "그 그쳐야 함에 그침은 그 자리에 그침이기 때문이다"라고 하였으니, 그 그칠 바를 따라 그치는 것을 말한 것이다. 사람들이 대부분 그치지 못하는 것은, 사람이 만물을 다 갖추다 보니 일에 맞닥뜨릴 때마다 각각 속으로 소중히 여기는 것이 바뀌가며 나와 이 일이 중요하다 싶으면 바로 이 일이 나오기 때문이니, 만약 사물을 사물에 각각 붙여둘 수 있다면 자연히 나오지 않게 될 것이다.

○ 艮卦, 只明使萬物, 各有其止. 萬物, 各止其所分, 无不定矣.
간괘는 만물이 각각 그 그침을 두도록 밝혔을 뿐이다. 만물이 각각 그 분수대로 그친다면 안정되지 않을 것이 없을 것이다.

○ 艮其背, 止欲於无見. 若欲見於彼, 而止之所施, 各異. 若艮其止, 止其所也, 止各當其所也. 聖人所以應萬變而不勞者, 事各止當所也, 若鑒在此, 而物之姸媸自見於彼, 聖人不與焉. 時止則止, 時行則行, 時行對時止而言, 亦止其所也.
'그 등에 그침'은 봄이 없음에 욕심을 그치게 하는 것이다. 만약 욕심이 저기에서 드러나면 '그침'을 시행하는 것이 각각 다를 것이다. "그 그쳐야 함에 그침은 그 자리에 그침이기 때문이다"는 그침이 각각 그 자리에 마땅한 것이다. 성인이 온갖 변화에 응하면서도 수고로워하지 않는 것은 일이 각각 마땅한 곳에 그치기 때문이니, 여기에 거울을 두어 사물의 고움이나 추함이 저기에서 저절로 드러난다고 해도 성인은 관여하지 않는다. "때가 그칠만하면 그치고, 때가 다닐만하면 다닌다"는 '때가 다닐만하다'는 것과 '때가 그칠만하다'는 것을 대비하여

---

18) 팔원(八元): 재주많은 후손들. 요 · 순 시대의 선량한 신하로 이름난 8명을 말한다. 이들은 고신씨(高辛氏)의 후손인 계리(季貍) · 계중(季仲) · 백분(伯奮) · 백호(伯虎) · 숙표(叔豹) · 중감(仲堪) · 숙헌(叔獻) · 중웅(仲熊)이 그들이다.
19) 사흉(四凶): 『서경(書經) · 순전(舜典)』에 나오는 공공(共工), 환두(驩兜), 삼묘(三苗), 곤(鯀)을 말한다.

말한 것이니, 역시 '그 자리에 그침'이다.

○ 朱子曰, 程傳云, 聖人能使天下順治, 非能爲物作則也, 惟止之, 各於其所而已. 此意卻最解得分明, 艮其背, 恐只當如此說. 艮其止, 便是艮其背, 經文或背字誤作止字, 或止字誤作背字, 或以止字解背字, 不可知.
주자가 말하였다: 『정전』에 "성인이 천하가 순리대로 다스려지게 할 수 있는 것도, 사물을 다스리고 법칙을 만들 수 있기 때문이 아니라, 오직 그치게 하기를 각각 그 자리에 (그칠 수 있게) 하기 때문이다"라고 하였다. 이 뜻이 가장 해석이 분명하니, "그 등에 그친다"도 아마 이렇게 설명해야 할 듯하다. '그 그쳐야 함에 그침'이 바로 '그 등에 그침'이니, 경문에서 '등[背]'을 '그쳐야 함[止]'으로 잘못 썼는지 '그쳐야 함[止]'을 '등[背]'으로 잘못 썼는지 '그쳐야 함[止]'으로 '등[背]'을 해석한 것인지는 알 수 없다.

○ 艮背之用, 固在止其所. 然能止其所, 乃知至物格以後事.
'등에 그침'의 작용은 분명 그 자리에 그침에 있다. 그러나 그 자리에 그칠 수 있는 것은 앎이 지극하고 물리가 이른 뒤의 일이다.

韓國大全

유정원(柳正源) 『역해참고(易解參攷)』

艮其 [至] 所也
그침은 … 자리.

王氏曰, 易背曰止, 以明背則止也. 施止不可於面, 施背乃可.
왕필이 말하였다: '등'을 바꾸어 "그침"이라고 하여 '등'이 곧 그침임을 밝혔다. 얼굴에 그침을 베풂은 안 되지만 등에 베풂은 된다.

○ 案, 所者, 義理之所在也.
내가 살펴보았다: '자리'는 의리(義理)가 있는 곳이다.

傳, 得其〈案, 一无其字.〉, 失其〈案, 一无其字.〉
『정전』에서 말하였다: 그 얻음〈내가 살펴보았다: 어떤 본에는 '기(其)'자가 없다〉, 그 잃음〈내가 살펴보았다: 어떤 본에는 '기(其)'자가 없다.〉

서유신(徐有臣)『역의의언(易義擬言)』

艮其止, 恐當作艮其背也. 其所者, 當止之所也. 凡止之道, 必有其時, 又必有其所, 時當止背, 則背爲當止之所, 時當行庭, 則庭爲當止之所也.
'그쳐야 함에 그침'은 아마도 '그 등에 그침'으로 해야 할 것 같다. '그 자리'는 그쳐야 하는 자리이다. 대체로 그침의 도는 반드시 그 때가 있고, 또 반드시 그 자리가 있어서 때가 등에 그침에 해당하면 등이 그쳐야하는 자리가 되고, 때가 뜰을 다녀야 함에 해당하면 뜰이 그쳐야 하는 자리가 된다.

박제가(朴齊家)『주역(周易)』

艮其止.
그 그쳐야 함에 그침은

傳, 謂止之而止也.
『정전』에서 말하였다: 그쳐야 해서 그침을 이른다.

案, 止之而止者, 如柳下惠見援而後止, 故止之至, 如艮其止, 則止其所而已, 乃自止而已. 又上下敵三字, 恐當爲句, 謂位之當應者, 不相與也.
내가 살펴보았다: '그쳐야 해서 그침'은 유하혜가 끌어당긴 뒤에 그친 것과 같으므로 그침이 지극한 것이고, '그 그쳐야 함에 그침'과 같은 것은 그 자리에 그칠 뿐이어서 바로 자신이 그치는 것일 뿐이다. 또 "위와 아래가 적으로 대응한다[下敵三]"는 말은 아마도 구절이 되어야 할 듯하니, 자리가 마땅히 호응해야 하는데 서로 함께하지 않음을 말한다.

이진상(李震相)『역학관규(易學管窺)』

艮其止.
그 그쳐야 함에 그침은

此止字, 當作背. 背, 乃當止之所也.
여기의 '그쳐야 함[止]'은 '등[背]'이 되어야 한다. '등'은 바로 그쳐야 할 자리이다.

박문호(朴文鎬) 「경설(經說) · 주역(周易)」

艮其止, 程傳之釋與孟子止之而止同, 恐非卦辭之意. 諺解之釋如卦辭者, 豈以此耶.
'간기지(艮其止)'에 대한 『정전』의 해석은 맹자의 "그치게 하면 그친다[止之而止]"[20]는 것과 같으니, 아마도 괘사의 뜻은 아닐 것이다. 『언해』의 해석이 괘사와 같은 것은 아마도 이 때문인가?

凡卦之六爻皆不應者爲八, 乾坤坎離震艮兌巽是也. 與皆相應之八卦恰爲對待.
괘의 여섯 효가 모두 호응하지 않는 것이 여덟이 되니, 건괘 · 곤괘 · 감괘 · 리괘 · 간괘 · 태괘 · 손괘가 이것이다. 모두 서로 호응하는 여덟 괘와 대대(待對)가 되는 것 같다.

---

20) 『맹자 · 공손추상』.

上下敵應, 不相與也,

위와 아래가 적으로 대응하여 서로 함께하지 않기에,

中國大全

傳

以卦才言也. 上下二體, 以敵相應, 无相與之義. 陰陽相應, 則情通而相與, 乃以其敵, 故不相與也. 不相與, 則相背, 爲艮其背, 止之義也.

괘의 재질로 말한 것이다. 상괘와 하괘 두 몸체가 적으로 서로 대응하여 서로 함께하는 뜻이 없다. 음과 양이 서로 호응하면 정이 통하여 서로 함께하지만, 적이므로 서로 함께하지 않는다. 서로 함께하지 않으니 서로 등져 '그 등에 그침'이 되니 그침의 뜻이다.

小註

朱子曰, 上下敵應, 不相與, 猶言各不相管, 只是各止其所.

주자가 말하였다: 위와 아래가 적으로 응하여 서로 함께하지 않음은 각자 서로 상관하지 않아 각각 그 자리에 그칠 뿐이라고 하는 것과 같다.

○ 八純卦, 都不相與, 只是艮卦是止, 尤不相與. 內不見己是內卦, 外不見人是外卦, 兩卦各自去.

여덟 순괘(純卦)[21]가 모두 서로 함께하지 않는데, 이 간괘는 그칠 그침이어서 더욱 서로 함께하지 않는다. 안으로 자신을 보지 못함은 내괘이고 밖으로 사람을 보지 못함은 외괘이니, 두 괘가 각자 간다.

---

21) 순괘(純卦): 내외괘가 같은 괘로 구성된 8개의 대성괘를 말한다. 즉, 중괘인 건괘(☰), 곤괘(☷), 감괘(☵), 리괘(☲), 손괘, 진괘(☳), 간괘(☶), 태괘(☱)를 가리킨다.

○ 李氏曰, 艮之象, 兩人相背而行, 兩不相見. 故其爻, 爲上下敵應, 不相與也.
이씨가 말하였다: 간괘의 상은 두 사람이 서로 등지고 가서 둘이 서로 보지 않는 것이다. 그러므로 그 효가 위아래가 적으로 대응하여 서로 함께하지 않는다.

○ 平菴項氏曰, 卦象, 雖相敵, 情自相與, 唯艮, 則上下卦陰陽, 各正其性, 而无外求之情, 故有不相與之義. 陽上而陰下, 一陽而統二陰, 皆天下之定理, 不可復加損也.
평암항씨가 말하였다: 괘상은 비록 서로 대적하여도 정(情)은 자연히 서로 함께 하는데, 간괘만 위아래 괘의 음양이 각각 그 성품을 바르게 하여 밖에서 구하는 정이 없으므로 서로 함께하지 않는다는 뜻이 있다. 양효가 위에 음효가 아래에 있어 양효 하나가 두 음효를 통제하는 것은 다 천하의 정해진 이치여서 다시 더하거나 뺄 수 없다.

韓國大全

유정원(柳正源) 『역해참고(易解參攷)』

上下 [至] 與也.
위와 아래가 … 함께 하지.

正義, 八純之卦, 皆六爻不應, 獨於此言之者, 此卦旣止而不交, 爻又峙而不應, 與止義相協, 故兼取以明之.
『주역정의』에서 말하였다: 여덟 순괘는 모두 여섯 효가 호응하지 않는데, 여기에서만 그것을 말한 것은 이 괘가 이미 그치고 사귀지 않으며, 효가 또 대치하여 호응하지 않아 그친다는 뜻과 서로 맞으므로 함께 취하여 밝혔다.

○ 朱子曰, 這兩卦, 各是一箇物, 不相偢保〈案, 疑僽僽, 動角聲愁也.〉
주자가 말하였다: 이 두 괘는 각각 별개여서, 서로 상관하지 않는다.〈내가 살펴보았다: 아마도 추설(僽僽)인 듯하니, 움직이는 뿔의 소리가 수(愁)이다.〉

김기례(金箕澧) 「역요선의강목(易要選義綱目)」

上下敵應, 不相與也.
위와 아래가 적으로 대응하여 서로 함께하지 않는다.

二體, 各相敵而定, 不相管, 則內不見我, 外不見人, 兩相忘, 故曰不獲其身行庭不見人.
두 몸체가 각각 서로 대적하여 정해져 서로 상관하지 못하면 안으로 자신을 보지 못하고 밖으로 남을 보지 못하여 둘이 서로 잊으므로 "그 사람을 얻지 못하고 뜰을 다녀도 사람을 보지 못한다"고 했다.

○ 八純卦, 皆不相與也.
여덟 순괘는 모두 서로 함께하지 않는다.

이진상(李震相) 『역학관규(易學管窺)』

上下敵應.
위와 아래가 적으로 대응하여.

我不能獲我, 而人又不能見我, 則物我相背, 而兩忘之矣. 人不見我, 則我亦不見人. 特不見其人之本旨, 似在於人不見我耳.
내가 나를 얻을 수 없고 남도 나를 볼 수 없다면 남과 내가 서로 등져서 서로 잊는 것이다. 남이 나를 보지 못하면 나도 남을 보지 못한다. 다만 "그 사람을 보지 못한다"는 본래의 뜻은 남이 나를 보지 못하는 데 있는 듯하다.

是以, 不獲其身, 行其庭, 不見其人, 无咎也.

이러므로 그 몸을 얻지 못하며 그 뜰을 다녀도 그 사람을 보지 못하여 허물이 없다.

中國大全

傳

相背, 故不獲其身, 不見其人, 是以能止, 能止則无咎也.

서로 등지므로 그 몸을 얻지 못하고 그 사람을 보지 못하니, 이러므로 그칠 수 있고, 그칠 수 있으면 허물이 없는 것이다.

本義

此釋卦辭. 易背爲止, 以明背卽止也. 背者, 止之所也. 以卦體言, 內外之卦, 陰陽敵應, 而不相與也. 不相與, 則內不見己外不見人, 而无咎矣. 晁氏云, 艮其止, 當依卦辭作背.

이는 괘사를 해석한 것이다. '등[背]'을 바꾸어 '그침[止]'이라 하여 '등'이 바로 '그침'임을 밝혔다. '등'은 그치는 곳이다. 괘의 몸체로 말하면 안팎의 괘의 음효와 양효가 적으로 상응하여 서로 함께하지 않는다. 서로 함께하지 않으니, 안으로 자신을 보지 못하고 밖으로는 사람을 보지 못하여 허물이 없다. 조씨는 "'그 그쳐야 함[止]에 그침'은 괘사에 근거하여 '등[背]'으로 써야 한다"고 하였다.

小註

進齋徐氏曰, 彖言艮其止, 卽釋卦辭艮其背之義. 君子之止其所者, 猶北辰之居其所也. 君止於仁, 臣止於敬, 父止於慈, 子止於孝, 事事物物, 莫不各止其所, 此於止而知其所止也. 上下重艮, 皆以陰陽敵應, 而无相與之義, 彖辭先言艮其止, 然後曰, 是以不獲其身行其庭不見其人无咎也, 以此見, 止則不獲自見其身, 行則不見其人者, 是皆艮其背之效驗也.
진재서씨가 말하였다: 「단전」에서 '그 그쳐야 함에 그침'이라고 한 것은 괘사의 '그 등에 그친다'의 뜻을 풀이한 것이다. 군자가 그 자리에 그침은 북극성이 그 자리에 있는 것과 같다. 임금은 어짊에 그치고, 신하는 공경에 그치고, 어버이는 자애에 그치고, 자식은 효도에 그쳐 일이든 물건이든 각자 그 자리에 그치지 않음이 없으니, 이것이 '그침에 그 그칠 곳을 아는 것'이다. 위아래로 간괘가 거듭되니 다 음양이 적으로 상응하여 서로 함께 한다는 뜻이 없으니, 「단전」에서 먼저 '그 그쳐야 함에 그침'이라고 하고, 그런 뒤에 '이러므로 그 몸을 얻지 못하며 그 뜰을 다녀도 그 사람을 보지 못하여 허물이 없는 것'이라고 하였으니, 이로써 보면, 그치면 스스로 그 자신을 봄을 얻을 수 없고, 행하면 그 사람을 볼 수 없는 것이 모두 "그 등에 그친다"의 효험이다.

○ 建安丘氏曰, 艮其背, 止也, 行其庭, 行也. 止而不獲其身, 不知有己也, 行而不見其人, 不知有人也. 无人无己, 唯見義理之當止, 所謂止其所也. 所者, 止之地也, 得其所而不止, 固爲不知止, 不得其所而止, 又豈止其所之義哉.
건안구씨가 말하였다: '그 등에 그침'은 그침이고, '그 뜰을 다님'은 다님이다. 그쳐서 그 몸을 얻지 못함은 자기가 있음을 모르는 것이고, 다녀도 그 사람을 보지 못함은 남이 있음을 모르는 것이다. 남도 없고 자기도 없어 오직 의리상 마땅히 그쳐야 함을 볼 뿐이니, '그 자리에 그친다'고 하는 것이다. '자리'는 그칠 곳이니, 그 자리를 얻었는데도 그치지 않음도 그침을 모르는 것이지만 그 자리를 얻지 못했는데도 그치는 것이 또한 어찌 그 자리에 그친다는 뜻이겠는가?

又曰, 有止之時, 有止之所. 止之時, 如夫子之仕止久速, 各當其可, 是也, 止之所, 如大學之仁敬孝慈, 各得其分是也, 釋彖自艮止也而下, 言止之時, 自艮其止而下, 言止之所.
또 말하였다: 그칠 때도 있고, 그칠 곳도 있다. 그칠 때는 공자가 벼슬하고, 그치고, 천천히 하고, 빨리함에 각각 그 그럴만함에 합당한 것이 이것이고, 그칠 곳은 『대학』의 어짊, 공경, 효도, 자애가 각각 그 분수를 얻음이 이것이니, 「단전」에서 '간은 그침이다' 밑으로는 그침의 때를 말하고, '그 그쳐야 함에 그침' 이하로는 그칠 곳을 말한 것을 해석하였다.

○ 雲峯胡氏曰, 不獲其身以下三句, 皆從背說. 背則自視不獲其身, 行於庭, 則不見其人. 本義所謂, 止而止, 行而止, 卽程子所謂, 静亦定, 動亦定也. 內不見已, 外不見人, 所謂內外之兩忘也.

운봉호씨가 말하였다: '그 몸을 얻지 못함' 밑으로 세 구절이 다 '등'으로부터 말한 것이다. 등은 자기가 보아서 그 몸을 얻지 못하는 것이고, 뜰에 다니는 것은 그 사람을 보지 못하는 것이다. 『본의』에서 '멈출 때 멈춤도 그침이고, 다닐 때 다님도 그침이다[22]'이라고 한 것은 정자가 '고요함도 안정됨이고, 움직임도 안정됨이라'고 한 것이다. 안에서 자신을 보지 못하고 밖에서 남을 보지 못함은 안팎을 둘 다 잊은 것을 말한다.

‖韓國大全‖

김상악(金相岳) 『산천역설(山天易說)』

釋卦辭. 止卽背也. 所者, 當止之所也, 如北辰居其所也. 上下敵應不相與也者, 上之與三, 五之與二, 陰陽相敵, 而不與也, 故不獲其身, 不見其人. 朱子曰, 內不見己, 外不見人, 是也.

괘사를 해석하였다. '그침'은 곧 등이다. '자리[所]'는 마땅히 그쳐야 할 자리이니, 북두칠성이 그 자리에 있는 것과 같다. "위와 아래가 적으로 대응하여 서로 함께하지 않는다"는 것은 상효가 삼효에 대해서와 오효가 이효에 대해서 음양이 서로 대적하여 함께하지 않기 때문에 그 몸을 얻지 못하고 그 사람을 보지 못한다. 주자가 "안으로 자신을 보지 못하고, 밖으로 남을 보지 못한다"고 한 것이 이것이다.

서유신(徐有臣) 『역의의언(易義擬言)』

釋不獲其身不見其人也. 上下敵應, 純卦同然, 而此卦上下俱止, 彼此俱止, 故特言不相與也. 各止其止, 而不相關, 故爲艮其背之象, 又爲不獲不見之象也. 身, 指六四, 一卦, 象一人也. 人, 指六三, 两體, 象两人也.

"그 사람을 얻지 못하고", "그 사람을 보지 못한다"는 것을 해석하였다. '위와 아래가 적으로 대응함'은 순괘가 모두 그러한데, 간괘의 위와 아래가 모두 그치고 저것과 이것이 모두 그치

22) 「단전」 앞부분 『본의』에서 "간(艮)의 뜻은 그침이다. 그러나 다님과 그침에 각각 그 때가 있다. 그러므로 때가 그칠만하여 그침도 그침이고, 때가 다닐만하여 다님도 그침이다.[行止, 各有其時. 故時止而止, 止也, 時行而行, 亦止也. 艮體篤實, 故又有光明之義. 大畜於艮, 亦以輝光言之.]"라고 하였다.

기 때문에 특별히 "서로 함께하지 않는다"고 말했다. 각각 그 그쳐야 함에 그쳐서 서로 관계하지 않으므로 그 등에 그치는 상이 되고, 또 얻지 못하고 보지 못하는 상이 된다. '몸'은 육사를 가리키니, 한 괘가 한 사람을 형상한다. '사람'은 육삼을 가리키니, 두 몸체가 두 사람을 형상한다.

심대윤(沈大允) 『주역상의점법(周易象義占法)』

艮其止, 當從晁氏爲背, 獨擧一句, 而特釋之以明背之爲止其所也. 止其所者, 守分而行義, 存天理而滅人欲也. 八卦俱无應, 而獨言于此者, 在艮止, 其義尤重也. 在他卦, 則爲无私應偏滯之義而已也. 心性不誘於情欲, 情欲不誘於外物, 故曰不相與也. 夫性統心, 心使情, 然後能止於止也.

'간기지(艮其止)'는 마땅히 조씨를 따라 '배(背)'가 되어야 하고, 한 구절만 들었는데 특별히 해석하여 '배'가 그 자리에 그치게 됨을 밝혔다. "그 자리에 그친다"는 것은 분수를 지키고 의리를 행하여 천리를 보존하고 인욕을 없애는 것이다. 여덟 괘가 모두 호응함이 없는데도 여기에서만 말한 것은 간괘의 그침에서 그 뜻이 더욱 중요하기 때문이다. 다른 괘에서는 사사롭게 호응하여 치우치고 막힌 뜻이 없게 될 뿐이다. 심성이 정욕에 미혹되지 않고 정욕이 바깥 사물에 미혹되지 않기 때문에 "서로 함께하지 않는다"고 했다. 성(性)이 마음을 통솔하고 마음이 정(情)을 부린 뒤라야 그쳐야할 데에 그칠 수 있다.

오치기(吳致箕) 「주역경전증해(周易經傳增解)」

此釋卦名, 艮之義, 止也. 然行止, 各有其時, 故時止而止, 止也, 時行而行, 亦止也. 動靜不失其當止之時, 則乃其道之光明, 而艮體有輝光之義也. 以人身言, 則背爲止之所, 故言艮其背, 爲止之得其所, 而以卦體言, 則剛柔敵應, 上下不相與, 故不獲自見其身, 而雖行其門庭, 亦不見其人也. 止而不獲其身, 不知有已止之止也, 行而不見其人, 不知有人行之止也. 是以所止, 皆得其善而旡咎也.

이는 괘의 이름을 해석하였으니, 간괘의 뜻이 그침이다. 그러나 다님과 그침이 각각 그 때가 있기 때문에 때가 그칠만하여 그치는 것도 그치는 것이고 때가 다닐만하여 다니는 것도 그치는 것이다. 움직임과 고요함이 그쳐야할 때를 잃지 않으면 이에 그 도가 빛나서 간괘의 몸체에 빛이 나는 뜻이 있다. 사람의 몸으로 말하면 등은 그쳐야 하는 자리가 되므로 "그 등에 그친다"고 말한 것은 그침이 그 자리를 얻은 것이 되며, 괘의 몸체로 말하면 굳셈과 부드러움이 적으로 대응하여 위와 아래가 서로 함께하지 않으므로 자신이 자기 몸을 보는 것을 얻지 못하여 비록 그 문안의 뜰을 다니더라도 그 사람을 보지 못하는 것이다. 그치지만 그 몸을 얻지 못하여 자신이 그칠 만하여 '그침'이 있는 것을 알지 못하며, 다니지만 그 사람을 보지 못하여 사람이 다닐 만함의 그침을 알지 못하는 것이다. 이 때문에 그치는 것이 모두 그 선함을 얻어서 허물이 없다.

최세학(崔世鶴) 주역단전괘변설(周易彖傳卦變說)」

艮, 坤之二體變也. 三與上二爻爲主, 故彖以上下敵應言之. 乾之三與上, 處於上下二體之上, 爲上下敵應, 故有內不見己, 外不見人之象.
간괘는 곤괘의 두 몸체가 변한 것이다. 삼효와 상효의 두 효가 주인이 되므로 「단전」에서 "위와 아래가 적으로 대응한다"는 것으로 말했다. 건괘의 삼효와 상효가 상체와 하체의 맨 위에 처하여 위와 아래가 적으로 대응하게 되므로 안으로 자신을 보지 못하고 밖으로 남을 보지 못하는 상이 있다.

이병헌(李炳憲) 『역경금문고통론(易經今文考通論)』

鄭曰, 艮爲山. 山立峙各於其所, 无相[23]順之時.
정현이 말하였다: 간(艮)은 산이 된다. 산은 각기 자기자리에 우뚝 솟아 서로 따르는 때가 없다.

虞曰, 艮爲多節, 故稱背, 相背故不相與也.
우번이 말하였다: 간은 마디가 많은 것이 되므로 '등'이라고 일컬었는데, 서로 등지기 때문에 서로 함께 하지 않는다.

按,[24] 震爲動, 艮爲止. 震不言止, 艮兼止行動靜而言, 何也. 蓋動有資於静, 而静無資於動也. 震艮取反覆交換之象, 與下巽兌同, 而與乾坤坎離異. 此一對往來策數, 準蹇解.
내가 살펴보았다: 진괘(☳)는 움직임이 되고 간괘(☶)는 그침이 된다. 진괘에서는 '그침'을 말하지 않았는데 간괘에서 그침과 다님, 움직임과 고요함을 겸하여 말한 것은 어째서인가? 대체로 움직임은 고요함에서 힘입음이 있으나, 고요함은 움직임에서 힘입음이 없기 때문이다. 진괘와 간괘가 서로 거꾸로 해서 서로 바뀌는 상을 취한 것은 다음의 손괘나 태괘와 같고, 건괘 · 곤괘 · 감괘 · 리괘와는 다르다. 이 한 쌍의 왕래하는 책수는 건괘(蹇卦䷦)와 해괘(解卦䷧)에 준한다.

---

23) 相: 경학자료집성DB에는 '祖'로 되어 있으나, 경학자료집성 영인본을 참조하여 '相'으로 바로잡았다.
24) 按: 경학자료집성DB에는 '持'로 되어 있으나, 경학자료집성 영인본을 참조하여 '按'으로 바로잡았다.

象曰, 兼山, 艮, 君子以, 思不出其位.

「상전」에서 말하였다: 겹친 산이 간(艮)이니, 군자가 그것을 본받아 생각을 그 지위에서 벗어나게 하지 않는다.

中國大全

傳

上下皆山, 故爲兼山. 此而竝彼, 爲兼, 謂重復也, 重艮之象也. 君子觀艮止之象, 而思安所止, 不出其位也. 位者, 所處之分也. 萬事, 各有其所, 得其所, 則止而安. 若當行而止, 當速而久, 或過或不及, 皆出其位也. 況踰分非據乎?

위아래가 다 산이므로 '겹친 산'이다. 이것에 저것을 합친 것이 '겹침'이니 '중복됨'을 말하며 간괘가 거듭된 상(象)이다. 군자가 간괘에서 그침의 상을 보아 그쳐야 할 곳에 편안할 것을 생각하니 그 지위를 벗어나지 않는다. '지위'는 처한 바의 분수이다. 모든 일이 각각 그 자리가 있으니 그 자리를 얻으면 그쳐 안정하게 된다. 그런데 만약 다녀야 함에도 그치고 빨리 가야 하는데 오래 머물며 지나치거나 미치지 못하면 다 그 지위를 벗어나는 것이다. 하물며 분수를 넘어 있어야 할 곳이 아님이겠는가?

小註

董氏曰, 兩雷, 兩風, 兩火, 兩水, 兩澤, 皆有相往來之理, 惟兩山, 竝立不相往來, 此止之象也.

동씨가 말하였다: 우레가 둘이거나 바람이 둘, 불이 둘, 물이 둘, 못이 둘인 경우가 다 서로 오가는 이치가 있건만, 산이 둘인 경우는 나란히 서서 서로 오가지 않으니, 이것이 '그침'의 상이다.

○ 中溪張氏曰, 君子觀艮止之象, 如山之寂然不動, 而罔敢越思, 故曰, 思不出其位.

중계장씨가 말하였다: 군자는 간괘의 '그침'의 상이 산이 고요히 움직이지 않는 것과 같다고 보고, 감히 넘어설 생각을 하지 않으므로 '생각을 그 지위에서 벗어나게 하지 않는다'고 하였다.

○ 建安丘氏曰, 位者, 止之所也. 思不出其位, 則於止, 知其所止, 有兩山對峙, 不相侵越之意. 大學言, 君仁, 臣敬, 父慈, 子孝, 與中庸言, 素富貴行富貴, 素貧賤行貧賤之類, 皆其義也. 凡人所爲所以易至於出位者, 以其不能思也. 思則心有所悟, 知其所當止, 而得所止矣.
건안구씨가 말하였다: '지위'는 그치는 곳이다. '생각을 그 지위에서 벗어나게 하지 않는 것'은 '그침에 그칠 곳을 안다'는 것이니 두 산이 마주 서서 서로 넘보지 않는다는 의미이다. 『대학』에서 '임금은 어질고, 신하는 공경하고, 부모는 자애롭고, 자식은 효도한다'고 한 것과 『중용』에서 '부유하고 귀한 자리에 있게 되면 부유하고 귀한 처지에서의 도리를 행하고, 가난하고 낮은 자리에 있게 되면 가난하고 낮은 처지에서의 도리를 행한다'는 따위가 다 그 뜻이다. 사람들이 쉽게 지위를 벗어나기까지 하는 것은 생각할 줄 모르기 때문이다. 생각한다면 마음에 깨우침이 있을 것이니, 그 마땅히 그쳐야 할 곳을 알아 그칠 곳을 얻게 될 것이다.

○ 雲峯胡氏曰, 不出位, 身止也, 思不出位, 心止也, 亦兼山之象.
운봉호씨가 말하였다: '지위를 벗어나지 않는 것'은 몸이 그치는 것이고, '생각을 지위에서 벗어나게 하지 않는 것'은 마음이 그치는 것이니, 또한 '겹친 산'의 상이다.

‖韓國大全‖

유정원(柳正源) 『역해참고(易解參攷)』

兼山 [至] 其位.
겹친 산이 … 그 지위에

子夏傳, 位者, 身所止也. 思不出其位, 止其止也.
『자하역전』에서 말하였다: '지위'는 몸이 그쳐야 하는 곳이다. "생각을 그 지위에서 벗어나게 하지 않는다"는 그 그쳐야 할 바에 그치는 것이다.

○ 正義, 直置一山, 已能鎭止, 今兩山重疊, 止義彌大.
『주역정의』에서 말하였다: 곧바로 한 산을 두어 이미 눌러 멈출 수 있는데, 이제 두 산이 중첩해 있으니 그치는 뜻이 더욱 크다.

○ 案, 山之高者, 止於高而不卑, 卑者, 止於卑而不高, 君子之不出其位, 如之.
내가 살펴보았다: 산 가운데 높은 것은 높은 데에 멈추어 낮추지 못하고, 낮은 것은 낮은 데에 멈추어 높아지지 못하니, 군자가 그 자리에서 벗어나지 않는 것이 그와 같다.

조호익(曺好益) 『역상설(易象說)』

思, 互坎象, 坎, 爲心亨.
'생각'은 호괘인 감괘의 상이니, 감괘는 마음의 형통함이 된다.

이만부(李萬敷) 「역통(易統)·역대상편람(易大象便覽)·잡서변(雜書辨)」

通論作事.
일을 시작함을 통틀어 논했다.

傳曰, 上下皆山, 故爲兼山. 此以并彼, 爲兼, 謂重復也, 重艮之象也. 君子觀艮止之象, 而思安所止, 不出其位也. 位者, 所處之分也. 萬事, 各有其所, 得其所, 則止而安.
『정전』에서 말하였다: 위아래가 다 산이므로 '겹친 산'이다. 이것에 저것을 합친 것이 '겹침'이니 '중복됨'을 말하며 간괘가 거듭된 상(象)이다. 군자가 그쳐야 함에 그치는 상을 보아 그쳐야 할 곳에 편안할 것을 생각하니 그 지위를 벗어나지 않는다. '지위'는 처한 바의 분수이다. 모든 일이 각각 그 자리가 있으니, 그 자리를 얻으면 그쳐 안정하게 된다.

臣謹按, 位者, 不但以人所處之地言之, 凡事各有所當止之處. 思不出位, 謂處事皆得其所當止, 而不可有越也.
신이 삼가 살펴 보았습니다: '지위'는 사람이 처해 있는 곳을 가지고 말했을 뿐만은 아니니, 모든 일에는 마땅히 그쳐야할 곳이 있습니다. "생각을 그 지위에서 벗어나게 하지 않는다"는 일을 처리함이 모두 마땅히 그쳐야 하는 바를 얻어서 넘음이 있어서는 안 되는 것입니다.

심조(沈潮) 「역상차론(易象箚論)」

象, 思不出其位.
「상전」에서 말하였다: 생각을 그 지위에서 벗어나게 하지 않는다.

妙哉, 出字之山上有山也. 上下皆止, 乃止其所止也. 艮爲土, 故思字從田, 山形峙立, 故位字從立.

'출(出)'자가 산(山) 위에 산이 있는 것이 묘하다. 위와 아래가 모두 그침이니, 바로 그쳐야 할 바에 그침이다. 간괘(☶)는 흙[土]이 되므로 '사(思)'자가 전(田)자를 부수로 하고, 산의 모양이 우뚝 솟아있기 때문에 '위(位)'자가 립(立)자를 부수로 한다.

김상악(金相岳) 『산천역설(山天易說)』

內外皆山, 爲兼山. 不出, 止之義也. 位者, 止之所也. 兩山之間, 坎水在中, 不能流出, 故取象如此. 蒙蹇, 則只有一山, 在上在下, 而水自流出, 故蹇曰反身, 蒙曰果行.
안팎이 모두 산이어서 겹친 산이 된다. '벗어나지 않음'은 그친다는 뜻이다. '지위'는 그쳐야 하는 자리이다. 두 산 사이에 감괘인 물이 안에 있어 흘러나올 수 없기 때문에 상을 취함이 이와 같다. 몽괘(蒙卦䷃)와 건괘(蹇卦䷦)는 산이 하나만 위에 있거나 아래에 있어 물이 저절로 흘러나오므로 건괘에서는 "자기 몸에 돌이킨다[反身]"고 했고 몽괘에서는 "과감하게 행한다[果行]"고 했다.

서유신(徐有臣) 『역의의언(易義擬言)』

兼山, 猶云重山也. 位者, 事物當止之所也. 所思不越乎其位之外, 安其所止, 如山之不遷也. 六爻不相應, 故其思乃不出於所居之位也. 艮又有兩山各止其所之象也. 不出, 乃艮止之象.
겹친 산은 거듭된 산이라고 말하는 것과 같다. '지위'는 사물이 마땅히 그쳐야 하는 곳이다. 생각하는 바가 그 지위 밖으로 벗어나지 않고 그쳐야 할 바에 편안함이 산이 옮기지 못하는 것과 같다. 여섯 효가 서로 호응하지 않으므로 그 생각이 이에 머물러 있는 지위에서 벗어나지 않는다. 간괘에는 또 두 산이 각각 그 자리에 그치는 상이 있으니, '벗어나지 않음'은 곧 그쳐야 함에 그치는 상이다.

박제가(朴齊家) 『주역(周易)』

大象, 思不出其位.
「대상전」에서 말하였다: 생각을 그 지위에서 벗어나게 하지 않는다.

雲峯胡氏曰, 不出位, 身止也, 思不出位, 心止也, 亦兼山之象.
운봉호씨가 말하였다: '지위에서 벗어나지 않음'은 몸이 그침이며, '생각을 지위에서 벗어나게 하지 않음'은 마음이 그침이니, 또한 겹친 산의 상이다.

案, 此未免失言, 無非思也, 思豈可把作一物, 與之作對而分屬者耶
내가 살펴보았다: 이는 실언을 면치 못하니, 생각이 아닌 것이 없지만 생각을 어찌 한 물건으로 삼아 그것과 상대하고 나누어 소속시킬 수 있겠는가?

백경해(白慶楷) 『독역(讀易)』

艮, 大象, 思不出其位之釋, 似非程傳本意.
간괘 「대상전」에서 "생각을 그 지위에서 벗어나게 하지 않는다"고 한 해석은 『정전』의 본래 뜻이 아닌 듯하다.

이지연(李止淵) 『주역차의(周易箚疑)』

外山止於外, 內山止於內, 上山止於上, 下山止於下, 位, 是欲動之陽, 而質則能靜之陰, 陰每以永貞戒之.
바깥 산이 밖에 그치고 안의 산이 안에 그치며, 윗 산이 위에 그치고 아랫 산이 아래에 그친다. '지위'는 움직이려는 양이지만 바탕은 곧 고요할 수 있는 음이니, 음을 매양 길이 곧음으로 경계하였다.

김기례(金箕澧) 「역요선의강목(易要選義綱目)」

君子以, 思不出位.
군자가 그것을 본받아 생각을 지위에서 벗어나게 하지 않는다.

巽震坎離兌五卦, 皆得重而往來, 獨兩山竝立, 不相往來自止, 如素貧賤素富貴同.
손괘와 진괘와 감괘와 리괘와 태괘의 다섯 괘는 모두 거듭함을 얻어 왕래하는데, 두 산만이 함께 서서 서로 왕래하지 못하고 스스로 그치니, 빈천함에는 빈천한대로 처하고 부귀함에는 부귀한대로 처하는 것과 같다.

○ 心身俱止, 故思不出位.
마음과 몸이 모두 그치므로 생각이 그 지위에서 벗어나지 않는다.

심대윤(沈大允) 『주역상의점법(周易象義占法)』

思, 靜而動也. 不出, 行而止也. 其位, 其所也. 艮爲位爲思, 對兌爲不, 震爲出, 動靜行止, 止於其所當止, 兼山之義也. 卽素其位而行, 不願乎其外者也, 卽止於至善者也. 君

子隨其所處所遇, 而盡其至善而已, 不行險而僥幸以求分外之福. 詳見困義.
'생각'은 고요한 가운데 움직임이다. '벗어나지 않음'은 움직이는 가운데 그침이다. '그 지위'는 그 자리이다. 간괘는 지위가 되고 생각이 되며, 음양이 바뀐 태괘는 '~하지 않음[不]'이 되고 뒤집어진 진괘는 벗어남이 된다. 움직임과 고요함, 다님과 그침이 그 마땅히 그쳐야 할 바에 그침이니, 겹친 산의 뜻이다. 곧 그 지위에 처해서 행함은 그 밖의 것을 원하지 않는 것이니, 바로 지극한 선에 그치는 것이다. 군자는 그가 처한 바와 만난 바에 따라서 그 지극한 선을 다할 뿐이고 험함을 행하여 요행으로 분수 밖의 복을 구하지 않는다. 상세한 것은 곤괘(困卦)의 뜻에 보인다.

오치기(吳致箕) 「주역경전증해(周易經傳增解)」

上下皆山, 爲兼山, 而重艮之象也. 君子觀其象, 止其所當止, 思不欲出其位, 而无踰分濫節之行也.
위와 아래가 모두 산이어서 겹친 산이 되고, 거듭된 간괘의 상이다. 군자가 그 상을 살펴서 마땅히 그쳐야 할 바에 그치고 생각을 그 지위에서 벗어나게 하고자 하지 않아 분수를 넘고 법도에 넘치는 행동이 없다.

이진상(李震相) 『역학관규(易學管窺)』

三爻在中, 互坎. 思, 象一陽隔斷二陰, 有不出位之象.
삼효가 가운데 있으니, 호괘가 감괘(☵)이다. '생각한다'는 한 양이 두 음을 막고 끊음을 형상하니, 지위에서 벗어나지 않는 상이 있다.

박문호(朴文鎬) 「경설(經說) · 주역(周易)」

踰分非據, 言踰分之事, 非據之事也. 非據謂非其所當據也.
"분수를 넘고 있어야 할 곳이 아니다"는 분수를 넘는 일과 있어야 할 곳이 아닌 일을 말한다. '있어야 할 곳이 아님'은 마땅히 있어야 할 곳이 아님을 말한다.

이병헌(李炳憲) 『역경금문고통론(易經今文考通論)』

姚曰, 兩象, 故兼山. 不出其位, 不越其職也.
요신이 말하였다: 상이 둘이므로 겹친 산이다. '그 지위를 벗어나지 않음'은 그 직분을 넘지 않는 것이다.

初六, 艮其趾. 无咎, 利永貞.

초육은 그 발꿈치에 그침이라. 허물이 없으니, 길이 곧게 함이 이롭다.

中國大全

傳

六, 在最下, 趾之象, 趾, 動之先也, 艮其趾, 止於動之初也. 事止於初, 未至失正, 故无咎也. 以柔處下, 當趾之時也, 行則失其正矣. 故止, 乃无咎. 陰柔, 患其不能常也, 不能固也. 故方止之初, 戒以利在常永貞固, 則不失止之道也.

육(六)이 가장 아래에 있으니 발꿈치의 상이고, 발꿈치는 움직임이 앞서는 것이니, '그 발꿈치에 그침'은 움직이는 처음에 그침이다. 일이 처음에 그치면 바름을 잃는 데까지 이르지 않으므로 허물이 없다. 부드러움으로서 아래에 있으니, '발꿈치' 때에 해당되고, 다니면 그 바름을 잃는다. 그러므로 그쳐야 허물이 없다. 부드러운 음은 그 것이 늘 그러할 수 없고 단단할 수 없음을 걱정한다. 그러므로 그쳐야 하는 처음에 이로움이 늘 길이 곧고 단단함에 있으면 그치는 도리를 잃지 않을 것이라고 경계하였다.

本義

以陰柔, 居艮初, 爲艮趾之象. 占者如之則无咎, 而又以其陰柔, 故又戒其利永貞也.

부드러운 음으로 간괘의 처음에 있으니 '발꿈치에 그치는' 상이다. 점친 사람이 이와 같다면 허물이 없을 것이나, 그가 유약한 음이기도 하므로 그가 길이 곧게 함이 이롭다고 더욱 경계한 것이다.

小註

臨川吳氏曰, 初, 當下體之下, 象趾. 趾能行者也, 六, 陰畫, 能靜止於下, 而不行, 故曰艮其趾.
임천오씨가 말하였다: 초효가 하괘의 괘체 맨 밑에 있으니 '발꿈치'를 상징한다. 발꿈치는 다닐 수 있는 것이지만, 육이 음획으로서 밑에 고요히 멈춰있어 행하지 않을 수 있으므로, '그 발꿈치에 그친다'고 한 것이다.
又曰, 位不當, 有咎也, 止而不行, 故无咎.
또 말하였다: 지위가 합당하지 않으니 허물이 있을 것이나, 그치고 다니지 않으니 허물이 없다.

○ 涑水司馬氏曰, 君子, 於其所止, 不可不謹擇也, 止於永貞, 利莫大焉.
속수사마씨가 말하였다 : 군자는 그 그칠 바에 대해 삼가 가리지 않을 수 없으니, 길이 곧게 함에 그친다면 이로움이 이보다 클 것이 없다.

○ 雲峯胡氏曰, 事當止者, 當於其始而止之, 乃可无咎. 止於始, 猶不能止於終, 而況不能止於始者乎? 初六, 陰柔, 懼其始之不能終也. 故戒以利永貞, 欲常久而貞固也, 其卽上九之敦艮乎?
운봉호씨가 말하였다: 일에 있어서 마땅히 그쳐야 할 것은 그것이 시작될 때 그쳐야 허물이 없을 수 있다. 시작할 때 그쳐도 오히려 끝까지 그칠 수 없는 경우가 있는데, 하물며 시작할 때부터 그칠 수 없는 경우이겠는가? 초육은 부드러운 음으로서 그 시작함을 마칠 수 없을까 두려워한다. 그러므로 "길이 곧게 함이 이롭다"고 경계함은 늘 오래도록 곧고 단단하고자 하는 것이니, 이는 바로 상구에서 말하는 '그침에 도타움'이 아니겠는가?

▌韓國大全▐

송시열(宋時烈)『역설(易說)』

趾者, 在下之象. 又綜則震. 象以背身言, 故每爻以四體言, 如咸之言拇也. 无咎以下占辭, 而永貞, 亦言六之道, 當永矢貞固也. 貞又正大之義, 故小象云, 未失正也.
'발꿈치'는 아래에 있는 상이다. 또 거꾸로 하면 진괘(☳)가 된다. 「단전」은 몸을 등지는 것으로 말했기 때문에 매 효를 사지(四肢)로 말했으니, 함괘(咸卦䷞)에서 '발가락'이라고 말한 것과 같다. "허물이 없다"는 이하는 점사인데, '길이 곧게 함'은 또한 육(六)의 도가 마땅히 길이 정고(貞固)해야 함을 말한다. '곧게 함[貞]'은 또 바르고 크다는 뜻이기 때문에 「소상전」에서 "바름을 잃지 않는 것이다"고 했다.

유정원(柳正源) 『역해참고(易解參攷)』

案, 止之初, 則无咎, 如敎子嬰孩敎婦初來, 是也.
내가 살펴보았다: 처음에 그치면 곧 허물이 없으니, 어릴 때 자식을 가르치고 막 시집왔을 때 며느리를 가르치는 것과 같은 것이 이것이다.

김상악(金相岳) 『산천역설(山天易說)』

艮之義, 時止則止, 時行則行, 而初之居下而止, 不失艮體之正. 故艮其趾而无咎, 必利於常永貞固, 不以終始而變焉.
간(艮)의 뜻은 때가 그칠만하면 그치고 때가 다닐만하면 다니는 것인데 초효가 아래에 있으면서 그쳐 간괘 몸체의 바름을 잃지 않는다. 그러므로 그 발꿈치에 그쳐 허물이 없음은 반드시 늘 길이 곧고 단단함에 이로워 처음부터 끝까지 변하지 않는 것이다.

○ 三爲艮之身, 故初爲趾, 二爲腓. 咸亦以人身取象, 故初言拇, 二言腓. 二互坎體, 險陷在前, 止而不行, 故趾字從足從止. 蹇則見險而止, 故蹇字亦從足. 初變爲賁, 賁曰賁其趾, 艮之止者, 至賁而行也. 永貞, 坤用六之辭. 坤艮同德, 故凡言永貞, 多在艮體之卦, 賁九三同象.
삼효는 간괘의 몸이 되므로 초효는 발꿈치가 되고 이효는 장딴지가 된다. 함괘(咸卦䷞)도 사람의 몸으로 상을 취했기 때문에 초효에서 '발가락'을 말했고 이효에서 '장딴지'를 말했다. 이효의 호괘는 감괘의 몸체이니 험함이 앞에 있어 그치고 다니지 못하므로 '지(趾)'자가 족(足)자를 부수로 하고 지(止)자를 쓴다. 건괘(蹇卦䷦)는 험함을 보고 그치므로 '건(蹇)'자도 족(足)자를 부수로 한다. 초효가 변하면 비괘(賁卦䷕)가 되어 비괘에서 "발을 꾸민다"고 했으니, 간괘의 그친 것이 비괘에 이르러 행한다. '길이 곧게 함'은 곤괘(坤卦) 용육(用六)의 말이다. 곤괘와 간괘는 덕이 같기 때문에 무릇 "길이 곧게 한다"고 말한 것은 대체로 간이 몸체인 괘에 있으니, 비괘 구삼이 상이 같다.

서유신(徐有臣) 『역의의언(易義擬言)』

艮之初, 卦之下, 是爲艮其趾也. 人之將行, 足必先動. 艮其趾者, 始未嘗動也. 此卽所謂艮其背者, 无咎, 亦卦辭之无咎也. 止得其當, 故曰貞也. 艮所以成始成終, 故在初便知其能永貞也.
간괘의 초효는 괘의 맨 아래이니, '발꿈치에 그침'이 된다. 사람이 다니려고 하면 발이 반드시 먼저 움직인다. "그 발꿈치에 그친다"는 처음부터 일찍이 움직이지 않는 것이다. 이는 곧 이른바 등에 그침이다. 허물이 없음은 또한 괘사의 '허물이 없음'이다. 그침이 마땅함을 얻었기 때문에 "곧다"고 했다. 간이 처음이 되고 끝이 되므로 초효에서 곧 그 길이 곧게 할 수 있음을 안다.

서유신(徐有臣) 『역의의언(易義擬言)』

初六曰, 其趾.
초효에서 말하였다: 그 발꿈치에.

下爲足.
아래가 발이 된다.

윤행임(尹行恁) 『신호수필(新湖隨筆)·역(易)』

艮其趾, 戒於動也. 艮其身, 修於己也. 艮其輔, 愼於言也. 卦體中有震象, 山雷爲頤, 故六五之取象於輔, 以其有頤象也.
'그 발꿈치에 그침'은 움직임을 경계한 것이다. '그 몸에 그침'은 자신을 닦는 것이다. '그 볼에 그침'은 말을 삼가는 것이다. 괘의 몸체 안에 진괘(☳)의 상이 있어 산과 우레가 이괘(頤卦䷚)가 되므로 육오가 '볼'에서 상을 취한 것은 그것이 이괘의 상이 있기 때문이다.

강엄(康儼) 『주역(周易)』

按, 旣言艮其趾, 而又言利永貞者, 卽大學章句所謂止者, 必至於是, 而不遷之意也. 初六之艮其趾, 可謂止所當止矣. 然陰柔之質, 或有所變遷, 則亦不可謂止矣. 故又曰利永貞, 以示不遷之意.
내가 살펴보았다: 이미 "발꿈치에 그친다"고 말했는데, 또 "길이 곧게 함이 이롭다"고 말한 것은 곧 『대학장구』에서 이른바 '그친다'는 것이 반드시 여기에 이르러 옮기지 않는 뜻이다. 초육의 '발꿈치에 그침'은 마땅히 그쳐야 할 바에 그치는 것이라고 할 수 있다. 그러나 부드러운 음의 재질이 혹 변하여 옮기는 바가 있으면 또한 '그친다'고 말할 수 없다. 그러므로 또 "길이 곧게 함이 이롭다"고 하여 옮기지 않는 뜻을 드러낸 것이다.

김기례(金箕澧) 「역요선의강목(易要選義綱目)」

趾者, 動於下, 而柔居艮初, 則宜止於其始, 故曰艮其趾. 在下先動則咎.
'발꿈치'는 아래에서 움직이는데 부드러운 음이 간괘의 초효자리에 있으면 마땅히 처음에 그쳐야 하므로 "발꿈치에 그친다"고 했다. 아래에 있으면서 먼저 움직이면 허물이 있다.

○ 利永貞, 謂止而不失其道. 二三互坎, 故取心病.
'길이 곧게 함이 이로움'은 그쳐 그 도를 잃지 않음을 말한다. 이효와 삼효가 포함된 호괘가 감괘(☵)이므로 마음의 병을 취했다.

심대윤(沈大允) 『주역상의점법(周易象義占法)』

艮之爻位, 居剛止也, 居柔行也. 止者靜, 行者動. 止者, 止而不就也, 行者, 不就而去也. 止者, 節其情欲也, 行者, 主其所好也.
간괘 효의 자리가 굳센 자리에 있으면 그치고 부드러운 자리에 있으면 다닌다. 그침은 고요하고 다님은 움직인다. '그침'은 그쳐 나아가지 않는 것이고, '다님'은 나아가지는 않지만 떠나는 것이다. '그침'은 정욕을 조절하는 것이고, '다님'은 좋아하는 바를 주로 하는 것이다.

艮之賁䷕, 文飾也. 凡艮之道, 必因性之所好心之所明, 而有止焉. 初六, 居艮之初而居剛, 能間之於早, 而止其情欲, 不就於外物, 因其所好, 而有所明. 明之生于誠, 如文之附于質也. 趾, 在下而行之象, 艮其趾, 言止而不就也. 人之道, 主於行也, 初六之止而不行, 爲若有咎, 而以有止, 故終能有行, 所以无咎也. 有誠故有明, 明明故有止, 止止故有行, 行行故能成其德而高厚也. 艮爲坤之初變, 而初六止而不行, 故曰利永貞, 坎坤之德也. 初六止之於早, 可以永貞而爲利也. 初六山之附地而未起也. 〈賁之義, 又爲志在榮華, 而不染汚穢也.〉
간괘가 비괘(賁卦䷕)로 바뀌었으니, 꾸미는 것이다. 간(艮)의 도는 반드시 성품이 좋아하는 바와 마음의 밝은 바로 인하여 그침이 있는 것이다. 초육은 간괘의 처음에 있고 굳센 자리에 있어 초기에 막을 수 있어서 정욕을 그치게 하여 바깥 사물에 나아가지 않으며, 좋아하는 바로 인하여 밝히는 바가 있다. 밝음이 성실함에서 생겨나는 것은 문채가 바탕에 붙어있는 것과 같다. '발꿈치'는 아래에 있어 다니는 상이니, '발꿈치에 그침'은 그쳐서 나아가지 않음을 말한다. 사람의 도는 다니는 것을 주로 하니, 초육이 그치고 다니지 못함은 허물이 있을 것 같지만 그쳐야 함이 있는 까닭에 끝내 다님이 있게 되니, 이 때문에 허물이 없다. 정성이 있으므로 밝음이 있고 밝음을 밝히기 때문에 그침이 있으며, 그쳐야 함에 그치므로 다님이 있고 다녀야 함에 다니므로 그 덕을 이루어 높고 두텁게 할 수 있다. 간괘는 곤괘의 초효가 변한 것이어서 초육은 그쳐서 다니지 못하므로 "길이 곧게 함이 이롭다"고 한 것은 감괘와 곤괘의 덕이다. 초육은 초기에 그치게 하여 길이 곧게 할 수 있어 이롭게 된다. 초육은 산이 땅에 붙어있어 아직 일어나지 않은 것이다. 〈비괘(賁卦)의 의미는 또 뜻[志]이 영화로움에 있어 더러움에 물들지 않는 것이 된다.〉

오치기(吳致箕) 「주역경전증해(周易經傳增解)」

初六, 陰柔在下, 而上无應與, 不能不止者也. 故有艮其趾之象, 而无妄動之咎. 然柔不得正, 故戒以利在於永守正固也.

초육은 부드러운 음이 아래에 있고 위로 호응하여 함께 함이 없어 그치지 않을 수 없는 자이다. 그러므로 발꿈치에 그치는 상이 있고 망령되게 움직이는 허물은 없다. 그러나 부드러운 음이 바름을 얻지 못했기 때문에 이로움이 바르고 견고함을 길이 지키는 데 있다고 경계하였다.

○ 初在下, 故曰趾, 而亦取互震爲足也. 艮有人立之象, 故自初至五, 以人身取象也.
초효가 아래에 있기 때문에 "발꿈치"라고 했는데, 또 호괘인 진괘(☳)가 발이 되는 데서 취했다. 간괘에 사람이 서있는 상이 있으므로 초효에서 오효까지 사람의 몸으로 상을 취했다.

이진상(李震相) 『역학관규(易學管窺)』

艮爲背立之象, 故爻以人身取象, 而初在下, 趾之象. 上有震體, 故言趾言腓.

간은 등지고 서있는 상이 되므로 효에서 사람의 몸으로 상을 취했는데, 초효가 아래에 있으니 발꿈치의 상이다. 위로 진괘(☳)의 몸체가 있기 때문에 '발꿈치'라고 말하고 '장딴지'라고 말했다.

象曰, 艮其趾, 未失正也.

「상전」에서 말하였다: "발꿈치에 그침"은 바름을 잃지 않은 것이다.

中國大全

傳

當止而行, 非正也. 止之於初, 故未至失正. 事止於始, 則易, 而未至於失也.

그쳐야 하는데 다니는 것은 바른 것이 아니다. 처음에 그쳤으므로, 바름을 잃는 데까지 이르지 않았다. 일이 시작될 때 그치는 것은 쉬워 잃는 데까지 이르지 않는다.

小註

臨川吳氏曰, 能止於下, 則位雖不當, 猶未至於失其正也, 不止而行, 則失正矣.
임천오씨가 말하였다: 아래에 그칠 수 있으면 자리가 비록 마땅치 않아도 그 바름을 잃는 데까지 이르지는 않지만, 그치지 못하고 다니면 바름을 잃을 것이다.

韓國大全

이익(李瀷) 『역경질서(易經疾書)』

初六, 未失正也.
초육은 바름을 잃지 않은 것이다.

傳文之意, 未詳. 或者, 卦以止爲正, 故艮趾爲未失卦義耶. 姑闕之.
『정전』 문장의 뜻은 자세하지 않다. 혹 괘를 '그침'으로 바름을 삼았기 때문에 '발꿈치에 그침'은 괘의 뜻을 잃지 않은 것이 된다고 여긴 것인가? 우선 이대로 놓아둔다.

김상악(金相岳) 『산천역설(山天易說)』

陰之在下, 有正之義也.
음이 아래에 있어 바름의 뜻이 있다.

서유신(徐有臣) 『역의의언(易義擬言)』

當止之時, 艮趾不行, 未爲失正. 所以利於永貞也.
그쳐야 할 때에 해당하여 발꿈치에 그쳐 다니지 않으니, 아직 바름을 잃지 않게 된다. 그래서 길이 곧게 함에 이롭다.

심대윤(沈大允) 『주역상의점법(周易象義占法)』

止之於早, 未至失正也.
초기에 그치게 하여 아직 바름을 잃는 데 이르지 않은 것이다.

오치기(吳致箕) 「주역경전증해(周易經傳增解)」

无應无比, 而在下能止, 不失其當止之時, 故未失於正也.
호응도 없고 비(比)의 관계도 없는데 아래에 있어 그칠 수 있어서 그 마땅히 그쳐야 할 때를 잃지 않기 때문에 바름을 잃지 않는다.

이병헌(李炳憲) 『역경금문고통론(易經今文考通論)』

王曰, 處艮之初, 止其趾, 乃得無咎, 至靜而定, 故利永貞.
왕필이 말하였다: 간괘의 처음에 처하여 발꿈치에 그치니, 이에 허물이 없음을 얻고, 지극히 고요하여 정하기 때문에 길이 곧게 함이 이롭다.

六二, 艮其腓, 不拯其隨, 其心不快.

정전 육이는 장딴지에 그침이니 건지지 못하고 따르기 때문에 그 마음이 기껍지 않다.
본의 육이는 장딴지에 그침이니, 그 따름을 건지지 못하기에 그 마음이 기껍지 않다.

‖ 中國大全 ‖

傳

六二, 居中得正, 得止之道者也, 上无應援, 不獲其君矣. 三, 居下之上, 成止之主, 主乎止者也, 乃剛而失中, 不得止之宜. 剛止於上, 非能降而下求, 二, 雖有中正之德, 不能從也. 二之行止, 係乎所主, 非得自由, 故爲腓之象. 股動則腓隨, 動止在股而不在腓也. 二, 旣不得以中正之道, 拯救三之不中, 則必勉而隨之, 不能拯而唯隨也. 雖咎不在己, 然豈其所欲哉? 言不聽, 道不行也, 故其心不快, 不得行其志也. 士之處高位, 則有拯而无隨, 在下位, 則有當拯, 有當隨, 有拯之不得而後隨.

육이가 가운데 있으면서 올바름을 얻었으니 '그침'의 도리를 얻은 것이나, 위에서 호응하여 끌어줌이 없으니 제 임금은 만나지 못한 것이다. 삼효는 하괘의 맨 위에 있고 '그침'을 이루는 주효이니 '그침'을 주재하는 것이나, 굳세어 중(中)을 잃었으니 '그침'의 마땅함을 얻지 못하였다. 굳센 양이 위에 그쳐서 내려와 구할 줄 모르니, 이효가 비록 중정(中正)의 덕(德)을 가지고 있다 해도 따를 수 없다. 이효의 다님과 그침이 주효에 매어 있어 자유로운 것이 아니므로, '장딴지'의 상이 된다. 넓적다리가 움직이면 장딴지는 따르기 마련이니, 움직임과 그침이 넓적다리에 달려있지 장딴지에 달려있지 않다. 이효가 이미 중정의 도리로 삼효의 알맞지 않음을 건져줄 수 없으니, 힘써 따르더라도 건져줄 수 없어 오직 따를 뿐인 것이다. 비록 허물은 내게 있지 않다 하나, 어찌 그것이 바라던 바겠는가? 말을 듣지 않고 도리가 행해지지 않아 마음이 기껍지 않으니, 그 뜻을 행할 수 없다. 선비가 높은 지위에 있게 되면 건져줌은 있어도 따름은 없지만, 낮은 지위에 있으면 건져줘야 할 경우도 있고 따라야 할 경우도 있으되, 건질 수 없게 된 뒤에 따르는 것이다.

小註

中溪張氏曰, 股動則腓動, 股止則腓止, 是動止之權, 不在腓也. 九三, 居下體之上, 爲艮之主, 二, 旣不得以柔中之道而拯救九三過剛之失, 而亹亹隨之, 又豈其心之所欲哉? 故其心不快也.
중계장씨가 말하였다: 넓적다리가 움직이면 장딴지도 움직이고, 넓적다리가 그치면 장딴지도 그치니, 움직임과 그침의 저울추가 장딴지에 있지 않은 것이다. 구삼이 하괘의 맨 위에 있으면서 간괘의 주효가 되고, 이효가 부드럽고 알맞은 도리로 구삼의 지나치게 굳센 잘못을 건져줄 수 없어 열심히 따르고는 있지만, 어찌 그 마음이 하고자 하는 바이겠는가? 그러므로 그 마음이 기껍지 않은 것이다.

○ 誠齋楊氏曰, 六二, 有艮其腓之象, 九三, 居艮體之上, 則猶背也. 九三, 陽也, 六二, 陰也, 陽唱, 則陰和, 今以六二之柔, 而欲止九三之剛, 以六二之腓, 而欲止九三之背, 吾知六二不拯其隨也. 王曰, 好色, 而軻亦曰, 太王好色, 王曰, 好貨, 而軻亦曰, 公劉好貨. 軻, 豈不拯其隨者哉? 軻之心, 則不快也, 況以九三而躐居六二之上, 六二力不能拯, 不得已而隨之, 又豈其心之所快然? 亦未肯退而聽, 其上之輕動也. 君子, 於艮之六二, 可以察其跡, 而哀其心矣.
성재양씨가 말하였다: 육이에 '그 장딴지에 그침'의 상이 있고, 구삼이 간괘 괘체의 맨 위에 있으니 '등'과 같다. 구삼은 양이고 육이는 음이니 양이 부르면 음이 맞추는 것인데, 지금 육이의 부드러움으로 구삼의 굳셈을 그치게 하려하고, 육이의 '장딴지'로 구삼의 '등'을 그치게 하려하니, 나는 육이가 건져주지 못하고 따를 것임을 알겠다. 제선왕이 '여색을 좋아한다' 하니 맹자가 '태왕도 여색을 좋아했다' 하였고, 왕이 '재물을 밝힌다' 하니 맹자가 또한 '공유가 재물을 좋아했다' 하였다. 맹자는 어찌 건져주지 못하고 그 따랐던 것인가? 맹자의 마음도 기껍지 않았을 것인데, 하물며 구삼이 육이 위로 넘어와 있는데도 육이의 힘으로는 건져줄 수 없어 어쩔 수 없이 따르니 또 어찌 그 마음이 기꺼워 그런 것이겠는가? 또한 물러나 들어주려 하지 않는 것은 그 윗사람의 경거망동이다. 군자가 간괘 육이에서 그 자취를 살필 수 있으니, 그 마음을 안타까워하는 것이다.

本義

六二, 居中得正, 旣止其腓矣, 三爲限, 則腓所隨也. 而過剛不中, 以止乎上, 二雖中正, 而體柔弱, 不能往而拯之. 是以其心不快也. 此爻, 占在象中. 下爻, 放此.

육이가 가운데 있으면서 바름을 얻어 이미 그 장딴지에 멈추었으나, 삼효가 허리 한계가 되니 장딴지로서는 따를 바이다. 그러나 지나치게 굳세어 알맞지 않게 위에 그치니, 이효가 중정하다고 해도 효의 몸체가 유약하여 가서 건져줄 수가 없다. 이러므로 그 마음이 기껍지 않다. 이 효는 점이 상 속에 있다. 아래 효도 이와 같다.

小註

或問, 艮六二, 不拯其隨, 程子謂, 二不得以拯三之不中, 則勉而隨之, 不拯而唯隨也, 恐唯字, 未的當. 若不拯而唯隨, 則如樂正子之於子敖, 冉求之於季氏也, 當只言不拯其所隨, 故其心不快. 如孔孟之於時君, 諫不行言不聽, 則去而已, 勉而隨之, 恐非時止之義. 朱子曰, 得之.
어떤 이가 물었다: 간괘 육이의 '그 따름을 건지지 못하기에'를 정자는 "이효가 삼효의 알맞지 않음을 건져줄 수 없으니 힘써 따르더라도 건져 줄 수 없어 오직 따를 뿐'이라고 하였는데, '오직'이라는 말은 마땅하지 않은 것 같습니다. 만약 건져줄 수 없어 오직 따르기만 한다면, 악정자(樂正子)가 자오(子敖)에게 한 것이나 염구(冉求)가 계씨에게 한 것 같은 것에 대해서는 단지 '그 따르는 바를 건져줄 수 없다고 말하기 때문에 그 마음이 기껍지 않다'고 하겠지만, 공자나 맹자는 당시 군주들에게 대해 간해도 하지 않고 말해도 듣지 않으면 떠났을 뿐이니 '힘써 따름'은 아마도 '때가 그칠만하여 그친다'의 뜻이 아닌 듯합니다.
주자가 답하였다: 옳습니다.

○ 艮其腓, 咸其腓, 二卦, 皆就人身上取義, 而皆主静. 如艮其趾, 能止其動, 便无咎, 艮其腓, 腓亦是動物, 故止之. 不拯其隨, 是不能拯止, 其隨限而動也, 所以其心不快. 限卽腰所在, 艮其限, 是截做兩段去.
'그 발꿈치에 그침'과 '장딴지에서 느끼니'[25]는 두 괘가 모두 사람 몸에서 뜻을 취했으며 다 고요함을 주로 하였다. '그 발꿈치에 그침'과 같은 것은 그 움직임을 그칠 수 있어 바로 허물이 없는 것이고, '그 장딴지에 그침'은 장딴지도 움직이는 것이므로 그치게 하는 것이다. '그 따름을 건지지 못하기에'는 그침을 건져 줄 수 없어 그 한계[限]를 따라 움직임이기 때문에 그 마음이 기껍지 않은 것이다. '허리 한계[限]'는 바로 중요한 것이 있는 곳이니, '허리 한계에 그침'은 양쪽으로 가름이다.

○ 進齋徐氏曰, 二有中正之德, 宜止不動. 然艮主在剛, 故其隨在三. 三剛列夤, 不得

25)『周易 · 咸卦』: 六二, 咸其腓, 凶, 居, 吉.

止之宜, 二不能拯救其失. 故曰, 不拯其隨. 以二之中正而柔弱, 不能拯其所隨, 豈其所欲哉? 故其心不快.
진재서씨가 말하였다: 이효가 중정의 덕을 가졌으니 그쳐 움직이지 않는 것이 마땅하다. 그러나 간괘의 주효가 굳셈에 있으므로 그 따름이 삼효에 달려있다. 삼효의 굳셈이 등뼈를 벌려 놓으니 그침의 마땅함을 얻지 못하고, 이효가 그 잘못을 건져줄 수가 없다. 그러므로 '그 따름을 건지지 못하기에'라고 하였다. 이효가 중정하지만 유약하여 그 따르는 바를 건져줄 수 없으나, 어찌 그 바라는 바이겠는가? 그러므로 그 마음이 기껍지 않다.

○ 雲峯胡氏曰, 咸六二與艮六二, 皆象腓, 咸下體卽艮也. 艮以三爲主, 咸於二言腓, 三言隨, 隨二而動者也. 三爲下卦之主, 不能自守而下隨於二, 故往吝. 艮於二言腓, 又言隨, 隨三而止者也. 三列夤, 不得止之宜, 而二陰柔不能救其所隨. 故其心不快. 雖然, 視咸之執其隨者, 有間矣.
운봉호씨가 말하였다: 함괘의 육이와 간괘의 육이가 다 장딴지를 상으로 하였으니, 함괘의 하괘의 괘체가 바로 간괘이기 때문이다. 간괘는 삼효를 주효로 하는데, 함괘에서는 이효에서 '장딴지', 삼효에서 '따름'을 말하였으니, 이효를 따라 움직이는 것이다. 삼효가 하괘의 주효인데 스스로 지키지 못하고 아래로 이효를 따르므로 '가면 부끄럽다'는 것이다. 간괘도 이효에서 '장딴지'를 말하고 또 '따름'을 말하지만, 삼효를 따라 그치는 것이다. 삼효가 등뼈를 벌리니 그침의 마땅함을 얻지 못하였으나, 부드러운 음인 이효로서는 그 따르는 바를 건져줄 수 없다. 그러므로 그 마음이 기껍지 못하다. 비록 그렇지만 함괘의 "따르는 데에만 집착한다"는 것에 비하면 차이가 있다.

▌韓國大全▐

조호익(曺好益) 『역상설(易象說)』

腓, 全體取象. 不拯, 陰柔象. 隨, 二變則隨之反體. 心, 互坎象. 不快, 陰吝象.
'장딴지'는 전체로 상을 취했다. '건지지 못함'은 부드러운 음의 상이다. '따름[隨]'은 이효가 변하면 수괘(隨卦䷐)가 뒤집어진 몸체이기 때문이다. '마음'은 호괘인 감괘의 상이다. '기껍지 않음'은 음의 인색한 상이다.

송시열(宋時烈) 『역설(易說)』

腓, 足肚也. 止其肚者, 不往也. 三將陷於坎中, 二有隨三之象, 而不能往救拯濟三, 亦不退聽於三爻, 故曰其心不快, 坎爲心病故也.

비(腓)는 장딴지이다. 장딴지에 그침은 가지 못하는 것이다. 삼효가 감괘(☵) 안에 빠지려하고 이효에는 삼효를 따르는 상이 있지만 가서 삼효를 구하여 건질 수도 없고, 또한 물러나 삼효에게서 듣지도 못하기 때문에 "마음이 기껍지 않다"고 했으니, 감괘가 마음의 병이 되기 때문이다.

강석경(姜碩慶) 「역의문답(易疑問答)」

艮六二之象曰, 艮其腓, 未退聽也. 未字當釋在退字下, 而諺解釋在聽字下, 其誤甚矣. 未知今之應講者, 如何讀, 而又未知所謂講官, 亦以爲如何也.

간괘 육이 「상전」에서 "장딴지에 그침이니, 물러나 듣지 않기 때문이다"고 했는데, '~않는다'는 미(未)자는 마땅히 '물러나'라는 글자 다음에 해석해야 하는데, 언해의 해석은 '듣는다'는 글자 아래에서 해석했으니, 그 잘못이 심하다. 지금의 강론에 응한 자들은 어떻게 구두했는지 알지 못하며, 또 이른바 강론하는 자[講官]도 어떻게 생각하는지 모르겠다.

이익(李瀷) 『역경질서(易經疾書)』

不拯, 以互坎言, 詳在明夷. 未退聽, 帖隨字, 隨而未退也. 蓋九三以陽剛居二陰之上, 互坎之中, 艮止故宜有拯而不拯. 然六二, 則不以爲快, 以陰從陽, 故猶且强隨而不退也. 腓但隨股而動, 故有此象.

'건지지 못함'은 호괘인 감괘(☵)로 말한 것이니, 명이괘에 자세하다. "물러나 듣지 않기 때문이다"에 '따른다'는 수(隨)자를 붙여 따르고 물러나지 않는 것이다. 대체로 구삼은 굳센 양으로 두 음의 위에 있고 호괘인 감괘의 가운데여서 그쳐야 함에 그치므로 마땅히 건짐이 있어야 하는데 건지지 못한다. 그러나 육이는 곧 기껍게 여기지 않음이 되는데, 음으로 양을 따르기 때문에 오히려 또 굳세게 따르고 물러나지 않는다. '장딴지'는 다만 넓적다리를 따라서 움직이므로 이러한 상이 있다.

권만(權萬) 『역설(易說)』

六二拯, 或作抍, 古文易作抍不其隨.

육이의 증(拯)은 어떤 본에는 抍로 썼으니, 고문역에서는 '부증기수(不抍其隨)'로 썼다.

유정원(柳正源) 『역해참고(易解參攷)』

正義, 腓腸也, 在足之上. 腓體或屈或伸, 躁動之物. 腓動則足隨之, 故謂足爲隨. 拯擧也. 今旣施於腓, 腓不得動, 則足无由擧, 故曰艮其腓, 不拯其隨也.
『주역정의』에서 말하였다: '비(腓)'는 '장(腸)'이니, 발 위에 있다. 장딴지의 몸체가 굽히기도 하고 펴기도 하니, 조급하게 움직이는 물건이다. 장딴지가 움직이면 발이 그에 따르기 때문에 발이 따르게 된다고 했다. '증(拯)'은 듦이다. 이제 이미 장딴지에 시행해보면 장딴지가 움직일 수 없으면 발이 그로 인해 들 수 없기 때문에 "장딴지에 그침이니, 따름을 건지지 못한다"고 했다.

○ 息齋余氏曰, 咸艮, 皆以六位取人身之象. 然自腓以上, 高卑參差不同, 可以見聖人之爲易不拘拘也.
식재여씨가 말하였다: 함괘와 간괘는 모두 여섯 자리에서 사람 몸의 상을 취했다. 그러나 장딴지로부터 그 이상은 높고 낮음이 들쑥날쑥하여 같지 않으니 성인이 역을 만듦에 얽매이지 않음을 볼 수 있다.

○ 案, 以二之中正, 不能拯三之不中而隨之. 隨之者, 强其所不欲也, 所以其心不快.
내가 살펴보았다: 이효의 중정으로 삼효의 알맞지 못함을 건질 수 없어 따른다. 따르는 자는 그가 하고자 하지 않는 바를 억지로 하는 것이다. 이 때문에 마음이 기껍지 않다.

傳, 拯之 [至] 後隨. 〈水心葉氏曰, 孔子嘗從大夫之列, 故請討陳恒. 然不在其位, 則隨之而已.〉
『정전』에서 말하였다: 건질 수 … 뒤에 따른다. 〈수심섭씨가 말하였다: 공자가 일찍이 대부의 반열에 나아갔기 때문에 진항(陳恒)을 토벌할 것을 청하였다.[26] 그러나 그 지위에 있지 않으면 따를 뿐이었다.〉

김상악(金相岳) 『산천역설(山天易說)』

腓, 足肚也. 二當腓處, 與五敵應, 无可進之道, 而三爲艮之身, 則腓之所隨也. 然三在互坎之中, 而二之陰, 不能往而拯之, 故其心不快也.
비(腓)는 장딴지이다. 이효는 장딴지가 있는 것에 해당하니, 오효와 적으로 대응하여 나아가는 도가 없는데 삼효는 간괘의 몸이 되니, 장딴지가 따르는 바이다. 그러나 삼효는 호괘인

---

26) 『논어 · 헌문』.

감괘 안에 있고 이효의 음은 가서 그를 건져줄 수 없으므로 마음이 기껍지 않다.

○ 拯, 謂拯救也. 凡言拯者, 多在坎體, 明夷六二, 渙初六曰, 用拯, 陽動於上也, 艮六二曰, 不拯, 陰止於下也. 隨者, 以己隨物也. 咸三之股, 以陽居上, 隨下而動, 故曰執其隨往吝. 艮二之腓, 以陰處下, 比三而止, 故曰不拯其隨, 心不快, 而已艮變, 則隨之反. 咸則艮反震, 可爲隨之. 不快者, 坎之心病也. 恒九三不恒其德, 故二承之而羞, 艮之三不止其所, 故二隨之而不快. 二變, 則又有恒之象也[27]. 蓋艮之爲止, 貴於心止, 而二之不快, 三之薰心, 皆心之不止也. 五之言有序, 心之止也, 故曰悔亡, 悔字, 亦從心也.
'건짐[拯]'은 건져줌을 말한다. '건져준다'고 말하는 모든 것은 대체로 감괘의 몸체에 있으니, 명이괘 육이와 환괘 초육에서 "건져줌을 쓴다[用拯]"고 말한 것은 양이 위에서 움직이기 때문이고, 간괘 육이에서 "건지지 못한다"고 한 것은 음이 아래에서 그치기 때문이다. '따름'은 자신이 대상을 따르는 것이다. 함괘(咸卦) 삼효의 넓적다리는 양으로 위에 있으나 아래를 따라서 움직이므로 "따르는 데에만 집착하니, 가면 부끄럽다"고 했다. 간괘 이효의 장딴지는 음으로 아래에 처하고 삼효와 비(比)의 관계이고 그치기 때문에 "따름을 건지지 못하여 마음이 기껍지 않다"고 했는데, 이미 간괘가 변했다면 수괘(隨卦䷐)가 뒤집어진 것이다. 함괘(咸卦䷞)에서는 간괘(☶)가 진괘(☳)로 뒤집어졌으니 따를 수 있다. "기껍지 않다"는 것은 감괘인 마음의 병이다. 항괘(恒卦䷟) 구삼은 그 덕을 항상되게 하지 않으므로 이효가 그것을 받들지만 부끄럽고 간괘 삼효는 그 자리에 그치지 못하므로 이효가 그를 따르지만 기껍지 않다. 이효가 변하면 곧 또 항괘의 상이 있다. 대체로 간괘가 그침이 되는 것이 마음이 그치는 것을 귀하게 여기니, 이효가 기껍지 않고 삼효가 마음을 태우는 것이 모두 마음이 그치지 않는 것이기 때문이다. 오효의 '말이 순서가 있음'은 마음의 그침이다. 그러므로 "후회가 없다"고 했으니, '후회[悔]'라는 글자가 또한 마음을 부수로 한다.

서유신(徐有臣) 『역의의언(易義擬言)』

趾之上爲腓也. 拯, 涉互坎之險也. 六五不相應, 故不能行也, 然其心, 則隨於五也. 腓則艮矣, 所隨者, 特其心也. 此蓋形止而心不止者也. 旣不能行, 又不能止, 故其心不快, 謂不能果斷也.
발꿈치의 위가 장딴지가 된다. '건짐'은 호괘인 감괘(☵)의 험함을 건너는 것이다. 육오가 서로 호응하지 않기 때문에 다닐 수 없으나 그 마음은 오효를 따른다. 장딴지는 곧 그침이니, 따르는 바는 다만 그 마음이다. 이는 대개 형체는 그치지만 마음은 그치지 않는 것이다.

---

27) 也: 경학자료집성DB에는 '之'로 되어 있으나, 경학자료집성 영인본을 참조하여 '也'로 바로잡았다.

이미 다닐 수 없는데도 그칠 수도 없기 때문에 그 마음이 기껍지 않으니, 과단할 수 없음을 말한다.

서유신(徐有臣) 『역의의언(易義擬言)』

六二曰, 其腓.
육이에서 말하였다: 장딴지에.
趾之上也.
발꿈치의 위이다.

不拯.
건지지 못하고.
互坎, 故曰拯, 艮止, 故不拯.
호괘가 감괘(☵)이므로 "건진다"고 하였고, 간괘는 그침이므로 건지지 못한다는 것이다.

박제가(朴齊家) 『주역(周易)』

六二, 不拯, 其隨.
육이는 건지지 못하고 따르기 때문이니,

拯雖通救, 然乃自上收下之名, 此當爲二之恨三之辭. 二居中得正, 自有止之情, 而繫于上, 恨三之過剛失中, 故云不快. 若自二而自歎不能救, 則其辭亦當與此少異, 雖曰不拯其所隨, 添一所字, 亦不甚明, 必曰莫拯而隨, 然後可通耳.
증(拯)이 비록 구(救)자와 통하지만 곧 위에서 아래를 거두어들이는 이름인데, 여기서는 마땅히 이효가 삼효를 원망하는 말이 된다. 이효는 가운데 있고 바름을 얻었으니, 자신은 그치는 실정이 있는데 위에 매여 삼효가 지나치게 굳세어 알맞음을 잃은 것을 원망하기 때문에 "기껍지 않다"고 했다. 만약 이효 스스로 건질 수 없음을 탄식한다면 그 말이 또한 마땅히 이것과는 조금 달라야 하니, 비록 "그 따르는 바를 건지지 못한다"고 하여 '~하는 바[所]'자를 첨가하더라도 매우 분명하지는 않으니, 반드시 "건질 수 없어서 따른다"고 한 뒤라야 통할 수 있다.

강엄(康儼) 『주역(周易)』

六二 [止] 不快

육이는 … 기껍지 않다.

或曰, 六二之與九三, 各止其所而已, 何必以不拯其隨, 懷不快之心乎. 曰, 三爲限, 而二爲腓, 則腓者, 隨跟者也. 六二, 上無正應, 而有中正之德, 九三, 爲內卦之主, 而與之相比, 則九三固六二之所當拯者也. 然九三過[28]剛不中, 而止於限, 不肯退聽, 六二欲拯而不能拯, 故有不快之心也. 如孔孟之於時君, 處當拯之位, 有欲拯之心, 而終不能拯, 則孔孟之心, 亦豈恝然而已乎. 然未嘗枉道而徇人, 則止其所之義, 固自若矣. 此程傳所謂不拯而唯隨者, 不見取於本義也.

어떤 이가 물었다: 육이는 구삼과 각각 제자리에 그칠 뿐인데 어째서 반드시 그 따름을 건지지 못하는 것으로 기껍지 않은 마음을 품는 것입니까?

답하였다. 삼효는 허리한계가 되고 이효는 장딴지가 되니, 장딴지는 발꿈치를 따르는 것입니다. 육이는 위로 정응은 없으나 중정한 덕이 있으며, 구삼은 내괘의 주인으로 육이와 서로 비(比)의 관계가 되니, 구삼은 진실로 육이가 마땅히 건져주어야 하는 대상입니다. 그러나 구삼은 지나치게 굳세고 알맞지 않으며 허리한계에 그쳐서 기꺼이 물러나 듣지 않으며, 육이는 건져주고자 하나 건져줄 수가 없으므로 기꺼워하지 않는 마음이 있습니다. 예를 들어 공자와 맹자가 당시의 임금에 대하여 마땅히 건져주어야 하는 지위에 처하여 건져주려는 마음이 있었으나 끝내 건져줄 수 없었으니, 공자와 맹자의 마음이 또한 어찌 근심걱정이 없었겠습니까? 그러나 일찍이 도를 굽혀 남을 따르지 않았으니 그 자리에 그치는 뜻이 진실로 그러한 것입니다. 이는 『정전』에서 이른바 "건질 수 없어 따를 뿐이다"고 한 것인데, 『본의』에서는 취하지 않았습니다.

김기례(金箕澧) 「역요선의강목(易要選義綱目)」

腓者, 隨股而動也. 二以中正宜止, 而三爲艮主, 過剛而動, 二不得救其動勢, 所隨也, 心何快矣.

장딴지는 넓적다리를 따라 움직인다. 이효는 중정함으로 마땅히 그쳐야 하고 삼효는 간괘의 주인이 되어 지나치게 굳세고 움직이는데, 이효는 움직이는 형세를 건질 수 없으니, 따르는 바에 마음이 어찌 기껍겠는가?

---

28) 過: 경학자료집성DB에는 '遇'로 되어 있으나, 경학자료집성 영인본을 참조하여 '過'로 바로잡았다.

이항로(李恒老) 「주역전의동이석의(周易傳義同異釋義)」

傳, 二, 旣不得以中正之道, 拯救三之不中, 則必勉而隨之, 不能拯而惟隨也. 雖咎不在, 然豈其所欲哉. 故其心不快.
『정전』에서 말하였다: 이효가 이미 중정의 도리로 삼효의 알맞지 않음을 건져줄 수 없으니, 분명 힘써 따르더라도 건져줄 수 없어 오직 따를 뿐인 것이다. 비록 허물은 있지 않다 하나 어찌 그것이 바라던 바이겠는가? 그러므로 마음이 기껍지 않다.

本義, 六二雖中正, 而體柔弱, 不能往而拯之. 是以其心不快也.
『본의』에서 말하였다: 이효가 중정하다고 해도 효의 몸체가 유약하여 가서 건져줄 수가 없다. 이러므로 그 마음이 기껍지 않다.

按, 六二以中正之德, 居艮止之時, 雖不能往拯九三裂□之危, 而若改我所守, 循彼所欲, 非艮其腓之義. 以文勢觀之, 則其隨之其字, 指九三也. 以而字易其字, 然後爲六二之隨九三也. 餘見小註.
내가 살펴보았다: 육이는 중정한 덕으로 간괘의 그치는 때에 있어 비록 가서 구삼의 □을 찢는 위험을 구할 수는 없으나 만약 자신이 지키는 바를 바꾸어 구삼이 바라는 바를 따른다면 "그 장딴지에 그친다"는 뜻이 아니다. 문세로 살펴본다면 '그 따름[其隨]'의 '그[其]'는 구삼을 가리킨다. 이(而)자로 그[其]자를 바꾼 뒤라야 육이가 구삼을 따르는 것이 된다. 나머지는 소주를 보라.

심대윤(沈大允) 『주역상의점법(周易象義占法)』

艮之蠱䷑, 多事也. 六二以柔中, 從三而居柔, 外物之來, 遻而誘脅者甚多, 而二能不就而從其所好, 故曰艮其腓. 腓不自動, 而隨股以動, 軆艮而居巽, 股之下有其象. 二居變軆之兌巽, 巽以說以從于三也, 下有初之比從, 而二不就焉, 故曰不拯其隨, 拯隨流而取物也. 巽离爲隨, 而互艮坎取於水爲拯, 不拯, 外物之來, 遻而隨於三也. 其者, 言所隨於三者, 非一事也. 以二之才柔, 不能沃而忘之, 猶有惑志而不釋然. 故曰其心不快, 旅之我心, 言有專主也. 此言其心, 无所專主也. 离爲心, 兌艮爲不快, 六二山之叢峰而未高也. 〈六二, 欲從其所好, 則外物之所欲者, 甚多而二能擇於其中, 而得其善, 不爲其所牽亂也. 至九三, 則痛絶之也.〉
간괘가 고괘(蠱卦䷑)로 바뀌었으니, 일이 많은 것이다. 육이는 부드러운 음으로 알맞고 삼효를 따르고 부드러운 자리에 있으니, 바깥 사물이 와서 만나 유혹하고 협박하는 것이 매우 많지만 이효는 좋아하는 바에 나아가 따르지 않을 수 있기 때문에 "그 장딴지에 그친다"고 했다. 장딴지는 스스로 움직이지 못하고 넓적다리를 따라 움직이고, 몸체는 간괘인데 손괘에 있으니, 넓적다리 아래에 그러한 상이 있다. 이효가 변한 몸체인 태괘와 손괘에 있으니, 손괘는 기뻐하여 삼효를 따르며, 아래에 비(比)의 관계인 초효가 따르지만 이효가 나아가지 않기 때문에 "그 따름을 건지지 못한다"고 했으니, '건짐'은 흐름에 따라 물건을 취하는 것이다. 손괘와 리괘가 따름이 되고 호괘인 간괘와 감괘는 물에서 취해 건짐이 된다. '건지지 못함'은 바깥 사물이 옴에 만나서 삼효를 따르는 것이다. '그[其]'는 삼효에 따르는 것이 한 가지 일이 아님을 말한다. 이효의 재질이 부드럽기 때문에 비옥하게 하여서 잊어버리게 할 수 있으니, 미혹된 뜻은 있으나 풀어지지 않는 것과 같다. 그러므로 "그 마음이 기껍지 않다"고 했다. 려괘(旅卦☲)의 '내 마음'은 오롯이 주장함이 있음을 말한다. 간괘에서의 '그 마음'은 오롯이 주장하는 바가 없다. 리괘는 마음이 되고 태괘와 간괘는 기껍지 않음이 되니, 육이는 산의 봉우리가 무리지었으나 높지 않은 것이다. 〈육이가 그 좋아하는 바를 따르고자 하면 바깥 사물 가운데 하고자 하는 것이 매우 많은데 이효는 그 가운데에서 택하여 그 선을 얻을 수 있고, 그에게 어지럽게 이끌리지 않는다. 구삼에 이르면 통절하게 끊는다.〉

오치기(吳致箕) 「주역경전증해(周易經傳增解)」

六二, 柔居中正, 上旡應與, 而稍上于趾, 故有艮其腓之象. 雖與九三之剛相比而隨, 然在止之時, 故不得往救其溺, 而三亦不能聽從, 是乃旣旡正應, 而又失其比, 所以其心不快也. 雖不言占, 卽象可知矣.

육이는 부드러운 음이 중정함에 있으나 위로 호응하여 함께 함이 없으며 발꿈치보다 조금 위이기 때문에 그 등에 그치는 상이 있다. 비록 구삼의 굳센 양과 서로 비(比)의 관계여서 따르지만 그치는 때에 있으므로 가서 그 빠짐을 건질 수 없고 삼효도 청종할 수 없으니, 이것이 바로 이미 정응이 없고 또 그 비(比)의 관계를 잃음이니, 이 때문에 그 마음이 기껍지 않다. 비록 점을 말하지는 않았지만, 상에 나아가 알 수 있다.

○ 足肚曰腓, 而取象與初同, 救溺之謂拯, 而三陷於二陰之間, 故二比三而欲拯也. 隨, 謂從也.

발의 배를 "장딴지"라고 하지만 상을 취함이 초효와 같아서 빠진 것을 구하는 것을 '건진다'고 하는데, 삼효는 두 음 사이에 빠졌기 때문에 이효는 삼효에 가까워 건지고자 한다. '수(隨)'는 따름을 말한다.

이진상(李震相) 『역학관규(易學管窺)』

不拯其隨,

그 따름을 건지지 못하기에.

參攷從程傳說. 然九三過剛, 雖難拯救, 六二中正, 決不詭隨. 特以陰隨陽, 以賤隨貴, 乃其本分, 而不能拯救其所随, 所以不快於心. 互坎故有心憂象.
『정전』의 설명에 따라 참고했다. 그러나 구삼은 지나치게 굳세어 비록 건져주기에는 어려울지라도 육이는 중정하여 결단코 거짓으로 따르지 못한다. 다만 음으로 양을 따르며 천함으로 귀함을 따르는 것은 바로 그 본분이나 그가 따르는 바를 건져줄 수 없으니, 이 때문에 마음에 기껍지 않다. 호괘가 감괘(☵)이기 때문에 마음이 근심하는 상이 있다.

이병헌(李炳憲) 『역경금문고통론(易經今文考通論)』

承現行本作拯.
승(承)은 현행본에 증(拯)으로 되어 있다.

按, 孟京馬陸王肅今古文, 皆承.
내가 살펴보았다: 맹희, 경방, 마융, 육덕명, 왕숙, 금문 · 고문은 모두 승(承)으로 썼다.

象曰, 不拯其隨, 未退聽也.

정전 「상전」에서 말하였다: "건지지 못하고 따름"은 물러나 듣지 않기 때문이다.
본의 「상전」에서 말하였다: "그 따름을 건지지 못함"은 물러나 듣지 않기 때문이다.

中國大全

傳

所以不拯之而唯隨者, 在上者, 未能下從也. 退聽, 下從也.

건져주지 못하고 오직 따르는 것은 윗사람이 낮추어 따르지 않기 때문이다. '물러나 들음'은 낮추어 따르는 것이다.

本義

三止乎上, 亦不肯退而聽乎二也.

삼효가 위에서 그쳐 버리고, 기꺼이 물러나 이효를 따르려 하지 않는 것이다.

小註

雲峯胡氏曰, 二與三, 占, 皆在象中, 皆有一心字. 二不能拯乎三, 故心不快, 三不肯下聽乎二, 故厲薰心.

운봉호씨가 말하였다: 이효와 삼효는 점이 다 상 안에 있는데, 모두 '마음'이란 말이 있다. 이효는 삼효를 건져줄 수 없으므로 마음이 기껍지 않고, 삼효는 기꺼이 이효에게 낮추어 따르려 하지 않으므로 위태로움이 마음을 태우는 것이다.

韓國大全

유정원(柳正源) 『역해참고(易解參攷)』

未退聽.
물러나 듣지 않기 때문이다.

正義, 聽從也, 旣不能拯動, 又不能靜退聽從其見止之命, 所以其心不快.
『주역정의』에서 말하였다: '들음'은 따르는 것인데, 이미 움직임을 건질 수 없고 또 그 그침을 드러낸 명(命)을 고요히 물러나 따를 수 없기 때문에 마음이 기껍지 않다.

○ 梁山來氏曰, 二下而三上, 故曰退. 周公不快, 主坎之心病而言, 孔子未聽, 主坎之耳痛而言.
양산래씨가 말하였다: 이효는 아래고 삼효는 위이므로 "물러난다"고 했다. 주공의 기껍지 않음은 감괘(☵)인 마음의 병을 주로 해서 말한 것이고, 공자의 듣지 않음은 감괘인 귓병을 주로 해서 말한 것이다.

김상악(金相岳) 『산천역설(山天易說)』

退聽, 謂下聽于二也.
'물러나 들음'은 낮추어 이효에게 들음을 말한다.

서유신(徐有臣) 『역의의언(易義擬言)』

腓之行止, 當聽於趾. 初六不入坎耳, 未退聽之象也.
장딴지의 다니고 그침은 마땅히 발꿈치를 따라야 한다. 초육이 감괘에 들어가지 못하니, 물러나 듣지 않는 상이 있다.

서유신(徐有臣) 『역의의언(易義擬言)』

象曰, 未退聽.
육이 「상전」에서 말하였다: 물러나 듣지 않기 때문이다.

初六, 不入於互坎耳之象.
초육은 호괘인 감괘(☵)의 귀에 들어가지 못하는 상이다.

박제가(朴齊家) 『주역(周易)』

象傳, 未退聽也.
「상전」에서 말하였다: 물러나 듣지 않기 때문이다.

又若責二之不能自退而聽命於天者, 然.
또 이효가 스스로 물러나 하늘에게서 명을 들을 수 없음을 질책한 것도 그러하다.

김기례(金箕澧) 「역요선의강목(易要選義綱目)」

未退聽.
물러나 듣지 않기 때문이다.

三不下聽二而動, 則爲二之不快, 自不免薰心.
삼효가 아래로 이효를 따르지 않고서 움직이면 이효가 기껍지 않게 되니, 저절로 마음을 태우게 됨을 면치 못한다.

심대윤(沈大允) 『주역상의점법(周易象義占法)』

二, 已進而從三矣. 不復退聽於初也.
이효가 이미 나아가 삼효를 따른다. 초효에게 다시 물러나 따르지 않는다.

오치기(吳致箕) 「주역경전증해(周易經傳增解)」

三止於上, 而亦不肯退聽乎二, 故不得拯其溺也.
삼효가 위에서 그치고 또 기꺼이 물러나 이효를 따르지 않기 때문에 그 빠짐을 건질 수 없다.

이병헌(李炳憲) 『역경금문고통론(易經今文考通論)』

本義曰, 三爲限, 則腓所隨也.
『본의』에서 말하였다: 삼효가 허리가 되니, 장딴지로서는 따를 바이다.

九三, 艮其限, 列其夤, 厲, 薰心.

구삼은 허리에 그치기에 등뼈를 벌림이니, 위태로움이 마음을 태운다.

中國大全

傳

限, 分隔也, 謂上下之際. 三, 以剛居剛而不中, 爲成艮之主, 決止之極也. 已在下體之上, 而隔上下之限, 皆爲止義. 故爲艮其限. 是確乎止, 而不復能進退者也. 在人身, 如列其夤. 夤, 膂也, 上下之際也. 列絶其夤, 則上下不相從屬, 言止於下之堅也. 止道, 貴乎得宜, 行止, 不能以時, 而定於一, 其堅强如此, 則處世乖戾, 與物睽絶, 其危甚矣. 人之固止一隅, 而擧世莫與宜者, 則艱蹇忿畏, 焚撓其中, 豈有安裕之理? 厲薰心, 謂不安之勢, 薰爍其中也.

'허리'는 나누어 사이를 떼는 것이니, 위아래가 닿는 데를 말한다. 삼효가 굳센 양으로서 굳센 양 자리에 있어 알맞지 않으나 간괘를 이루는 주효가 되니 결단코 그치는 끝이다. 이미 하체의 맨 위에 있어 상괘와 하괘의 허리를 가르니 다 그치는 뜻이 된다. 그러므로 '그 허리에 그침'이 된다. 이는 그침에 확고하여 다시 나가고 물러날 수 없는 것이다. 사람 몸이라면 그 '등뼈[夤]'를 벌리는 것과 같다. '인(夤)'은 등뼈이니, 위아래가 닿는 즈음이다. 그 등뼈를 벌려 끊어 놓으면 위아래가 서로 붙지 못하니, 아래에 그치는 것이 굳건함을 말한다. 그치는 도리는 마땅함을 얻는 것을 귀하게 여기는데, 다님과 그침을 때에 따라 못하고 하나에 고정하여 이처럼 단단하게 굳는다면, 처세가 어긋나고 바깥 사물을 등지고 끊어 그 위태로움이 심할 것이다. 한 귀퉁이에 굳게 그쳐 온 세상이 더불어 마땅할 수 없는 사람은 어렵고 갈등하여 제 속을 태우고 흔들 것이니, 어찌 편안하고 여유로울 리 있겠는가? '위태로움이 마음을 태운다'는 것은 불안한 형세가 그 속을 태움을 말한다.

本義

限, 身上下之際, 卽腰胯也. 夤, 膂也. 止于腓, 則不進而已, 九三, 以過剛不中, 當限之處, 而艮其限, 則不得屈伸, 而上下判隔, 如列其夤矣. 危厲薰心, 不安之甚也.

'한(限)'는 몸의 위아래가 닿는 즈음이니 바로 허리부분이다. '인(夤)'은 등뼈이다. 장딴지에 멈추면 나아가지 않을 뿐이지만, 구삼은 지나치게 굳세 알맞지 않음으로써 한계에 처해 허리에 그치니, 굽히고 펼 줄을 몰라 위아래가 갈려 떨어지니 그 등뼈를 벌림과 같다. 위태로움이 마음을 태움은 불안함이 심한 것이다.

小註

瀘川毛氏曰, 三, 處上下之間, 故爲限. 人身榮衞流通, 則泰而无疾, 上痞下結, 則危矣.
노천모씨가 말했다: 삼효는 상괘와 하괘 사이에 있으므로 '허리'가 된다. 사람의 몸은 기운이 왕성하고 잘 순환되면 건강하여 병이 없지만 위로 막히고 아래로 뭉치면 위험하게 된다.

○ 鄭氏剛中曰, 限, 上下體之際. 虞翻, 謂束帶之處. 夤, 馬融謂, 夾脊肉. 肉附脊, 則身有主而可立, 分列其夤, 則百體无以相屬. 心處中, 背處陰, 夤在背, 與心, 密相向, 列其夤, 則憂危之厲, 安得不薰灼及其心也?
정강중이 말했다: '한(限)'은 윗몸과 아랫몸이 붙은 즈음이다. 우번은 띠를 매는 부위라고 했다. '인(夤)'을 마융은 등뼈에 붙은 살이라고 보았다. 살이 등뼈에 붙으면 몸에 중심이 있어 설 수 있지만, 그 등뼈를 발라 벌리면 신체의 모든 부위가 붙을 수 없다. 심장이 가운데 있고, 등은 뒷면에 있는데, 등뼈는 등에 있으면서 심장과 가깝게 마주하니, 그 등뼈를 벌리면 근심하는 위태로움이 어찌 그 마음을 태우는 데 이르지 않겠는가?

○ 沙隨程氏曰, 限, 分上下, 夤, 列左右, 各止其所, 无相資相待之意. 故危薰心.
사수정씨가 말하였다: '허리'는 위아래를 나누고 '등뼈'는 좌우를 나누니, 각각 제 자리에 그쳐 서로 의지하고 기다리는 뜻이 없다. 그러므로 '위태로움이 마음을 태우는 것이다.'

○ 雲峯胡氏曰, 震, 所主, 在下初九, 下之最下者也. 九四, 雖亦震所主, 而溺於四柔之中, 有泥之象. 故不如初之吉. 艮, 所主, 在上上九, 上之最上者也. 九三, 雖亦艮所主, 然界乎四柔之中, 有限之象, 有列其夤之象, 故不如上之吉, 二曰, 其心不快, 三曰, 厲薰心. 蓋寂然不動者, 心之體, 如之何, 可以徇物, 感而遂通者, 心之用, 如之何, 可以絶物. 二, 陰柔, 隨三而不能拯之, 是徇物者也, 二, 本中正, 故其心, 猶以爲不快, 三, 過剛確乎止, 而不能進退, 以至上下隔絶, 是絶物者也. 三不中, 唯見其危厲薰心而已.
운봉호씨가 말하였다: 진괘는 주재하는 바가 하괘의 초구에 있으니 하괘에서도 가장 밑의 것이다. 구사도 비록 진괘의 주재하는 바이지만 네 음의 부드러움 속에 빠져 '빠짐'의 상이 있다. 그러므로 초효의 '길함'만 못하다. 간괘는 주재하는 바가 상괘의 상구에 있으니 상괘에

서도 제일 위의 것이다. 구삼도 비록 간괘를 주재하는 바이지만 부드러운 네 음과 경계가 나뉘어 '허리'의 상이 있고 '그 등뼈를 벌리는' 상이 있으므로 상효의 '길함'만 못하니, 이효에서 '그 마음이 기껍지 않다'고 하였고, 삼효에서 '위태로움이 마음을 태운다'고 하였다. 고요히 움직이지 않는 것은 마음의 본체인데 어떻게 바깥 사물을 따를 수 있고, 느껴 마침내 통하는 것은 마음의 작용인데 어떻게 바깥 사물을 끊을 수 있는가? 이효는 부드러운 음이라서 삼효를 따르면서도 건져줄 수 없는 것이 바깥사물을 따르는 것이고, 이효는 원래 중정하므로 그 마음이 오히려 기껍지 않게 여기고, 삼효는 지나치게 굳세고 그침에만 확고하여 나가고 물러날 수 없어 위아래를 갈라 끊기에까지 이르는 것이 바깥사물을 끊는 것이다. 삼효는 알맞지 않으니 오직 그 위태로움이 마음을 태움만을 볼 뿐이다.

○ 進齋徐氏曰, 艮二, 柔爻也, 而曰, 我心不快, 艮三, 剛爻也, 而曰, 厲薰心, 何也? 蓋六二之柔, 爲剛者所制, 故我心不快也, 九三之剛, 爲柔者所陷, 故厲薰心也.
진재서씨가 말하였다: 간괘 이효는 부드러운 음효인데 "내 마음이 기껍지 않다" 하고 간괘 삼효는 굳센 양효인데 "위태로움이 마음을 태운다"고 하는 것은 어째서인가? 육이의 부드러움이 굳센 양에게 제어되므로 내 마음이 기껍지 않고, 구삼의 굳셈이 부드러운 음에 빠지므로 위태로움이 마음을 태운다.

韓國大全

조호익(曺好益) 『역상설(易象說)』

三在上下之間, 故爲限. 在人則腰膀也. 列, 分列, 亦上下體取象. 夤, 膂也. 膂卽脊骨, 全體背象. 三多凶, 故厲. 薰離火象, 自三至上, 似離, 三近之, 故薰心坎象.
삼효는 위와 아래의 사이에 있기 때문에 '허리'가 된다. 사람에 있어서는 허리부분이다. '벌림[列]'은 나누어 벌리는 것이니, 또한 상체와 하체를 상으로 취했다. '인(夤)'은 '려(膂)'이다. '려'는 곧 등뼈[脊骨]니, 전체가 '등'의 상이다. 삼효는 흉함이 많기 때문에 위태롭다. '태움'은 리괘(☲)인 불의 상이니, 삼효에서 상효까지가 리괘와 같고, 삼효가 가깝기 때문에 마음을 태우는 것이 감괘의 상이다.

송시열(宋時烈) 『역설(易說)』

限者, 限隔不進之意. 三爻居中, 判隔上下四陰, 如行列而寅膂也. 來云, 寅者, 連也, 亦通否. 厲者, 三陷坎中, 危厲之道也. 薰心者, 其心如薰物於火也. 坎爲心, 離爲火, 上有離象也. 心在卦爲坎, 在身爲居中, 故二三皆云心也.

'허리'는 막혀 나아가지 못하는 뜻이다. 삼효는 가운데 있어 위아래의 네 음을 갈라 막으니, 행렬이 등뼈가 가지런한 것과 같다. 래지덕은 "'인(寅)'은 연이은 것이라고 하니, 또한 통하지 않겠는가? 위태로움은 삼효가 감괘(☵)안에 빠져 위태로운 도인 것이다. '마음을 태움'은 그 마음이 불에 물건을 태우는 듯한 것이다. 감괘는 마음이 되고 리괘는 불이 되는데, 위에 리괘의 상이 있다. 마음은 괘에 있어서는 감괘가 되지만 몸에 있어서는 가운데 있는 것이 되기 때문에 이효와 삼효를 모두 '마음'이라고 한다.

이익(李瀷) 『역경질서(易經疾書)』

限者髀也. 夤與◎同, 挾脊肉. 人身惟脊一條上下接連, 人得以爲人, 象天地之形也. 於此限隔, 則上下異物也, 九三, 豈更有心象. 上有身而下有體, 限隔而居下者, 是也. 列與烈通, 烈山氏亦云列山氏, 可以爲證. 烈者, 氣之上薰, 六四有艮身之象, 則心在身中, 而心又繫于夤者也. 股與身, 限隔而與夤筋脉相連, 三安有夤象. 只是上烈於夤, 而薰心在中. 九三以剛陽居衆陰之中, 躁動未已, 其無上薰於心乎. 脚勞則心疲, 其勢然也. 孟子曰, 蹶者, 趨者, 是氣也, 而反動其心, 亦此意.

'한(限)'은 '넓적다리[髀]'이다. '인(夤)'은 ◎와 같으니, 등뼈와 살을 끼고 있다. 사람의 몸에서 등뼈만이 위아래로 이어져 사람이 그 때문에 사람이 될 수 있으니 천지의 모양을 형상하기 때문이다. 여기에 막히게 되면 위아래가 다른 물건이 되니, 구삼에 어찌 다시 마음의 상이 있겠는가? 위에는 몸이 있고 아래에는 몸체가 있는데 막혀 아래에 있는 것이 이것이다. '열(列)'과 '열(烈)'은 통하니, 열산씨(烈山氏)를 또한 열산씨(列山氏)라고 하는 것이 증거가 된다. '열(烈)'은 기운이 위로 태우는데 육사에 몸에 그치는 상이 있으니, 마음은 몸 안에 있고 심장이 또 등뼈에 매어있다. 넓적다리[股]와 몸은 막혔지만 등뼈[夤]의 근맥과 서로 연결되니, 삼효에 어찌 등뼈[夤]의 상이 있겠는가? 다만 위로 등뼈[夤]에 태워져 안에서 마음을 태울 뿐이다. 구삼은 굳센 양으로 여러 음 사이에 있고, 성급하게 움직여 그만두지 않으니 위로 마음을 태움이 없겠는가? 다리가 수고로우면 마음이 피로함은 그 형세가 그러한 것이다. 맹자가 "엎어지고 달리는 것은 기(氣)이지만 도리어 그 마음을 움직인다"고 한 것이 또한 이 뜻이다.

심조(沈潮) 「역상차론(易象箚論)」

九三, 厲, 薰心.
구삼은 위태로움이 마음을 태운다.

坎爲加憂, 故曰厲薰心.
감괘는 근심을 더하게 되므로 "위태로움이 마음을 태운다"고 했다.

유정원(柳正源) 『역해참고(易解參攷)』

正義, 限, 身之中, 人繫帶之處. 言三當兩象之中, 故謂之限. 施止於限, 故曰艮其限也. 夤, 當中脊之肉也. 薰, 燒灼也. 旣止加其身之中, 則上下不通之義也. 是分列其夤, 夤旣分列, 身將喪亡, 故憂危之切, 薰灼其心.
『주역정의』에서 말하였다: '한(限)'은 몸의 가운데니, 사람이 띠를 맨 곳이다. 삼효가 두 상의 가운데에 해당함을 말했기 때문에 '허리[限]'라고 했다. 베풀음이 허리에 그치기 때문에 "그 허리에 그친다"고 했다. '인(夤)'은 가운데 등골의 살에 해당한다. '훈(薰)'은 불에 붙이는 것이다. 이미 그침을 몸 안에 더했다면 위아래가 통하지 않는다는 뜻이다. 이것이 그 등뼈[夤]를 나누어 벌림이니, 등뼈가 이미 나누어 벌려졌다면 몸을 잃게 되기 때문에 근심과 위태로움의 절실함이 그 마음을 태우는 것이다.

○ 眉山蘇氏曰, 在四故憂及心. 馬融云, 未聞易道以坎薰灼. 然坎伏離, 又爲心病, 則薰心, 坎體矣.
미산소씨가 말하였다: 사효의 자리에 있기 때문에 근심이 마음에 미친다. 마융은 "역의 도가 감괘로 태움을 듣지 못했다"고 했다. 그러나 감괘에 숨은 리괘가 또 마음의 병이 되니, '마음을 태움'은 감괘의 몸체이다.

○ 馮氏曰, 上下之分, 止而不通, 左右之間, 分而不合, 其象如此.
풍씨가 말하였다: 위아래의 구분이 그쳐서 통하지 않고, 좌우의 사이가 나뉘어 합하지 않으니, 그 상이 이와 같다.

○ 雙湖胡氏曰, 夤, 漢上謂膂, 韻註, 膂, 脊骨. 以卦體橫看, 九三恰似脊, 四陰似夾脊骨肉, 而爲夤也.
쌍호호씨가 말하였다: '인(夤)'을 한상주씨는 '등골뼈[膂]'라고 했는데, 음운의 주석에서 '려(膂)'는 '등골[脊骨]'이라고 했다. 괘의 몸체를 옆으로 보면 구삼은 흡사 등골과 같고 네 음은

등골의 살과 같아서 '인(夤)'이 된다.

○ 息齋余氏曰, 夤爲背肉, 所當止之地也. 限爲腰膀, 非所當止之地也. 九三, 過剛不中, 止於所不當止, 而反失其所當止, 故有艮限列夤危厲薰心之象.
식재여씨가 말하였다: '인(夤)'은 등의 살이 되니 그쳐야 하는 곳이다. '한(限)'은 허리부분이 되니, 마땅히 그쳐야 할 곳이 아니다. 구삼은 지나치게 굳세고 가운데가 아니니, 그치지 말아야할 곳에 그쳐 도리어 그쳐야 할 곳을 잃었기 때문에 허리에 그쳐 등뼈를 벌려 위태로움이 마음을 태우는 상이 있다.

○ 案, 以剛居剛, 上不能進, 下不能退, 不當止而止者也.
내가 살펴보았다: 굳센 양으로 굳센 자리에 있어 위로 나아갈 수도 없고 아래로 물러날 수도 없어서 그치지 말아야 하는데도 그치는 자이다.

김상악(金相岳)『산천역설(山天易說)』

三爲艮之身, 限卽身上下之際也. 夤, 夾脊肉, 在背下, 當心位者, 指四也. 三四相比, 變於互體. 艮其限, 則止於內, 而爲身之主. 列其夤, 則騖於外, 而爲心之動矣. 故危厲薰心. 失思不出位之義也.
삼효는 간괘의 몸이 되니, '허리'는 몸의 위아래가 닿는 즈음이다. '인(夤)'은 등뼈에 낀 살로 등 아래에 있으니, 마음의 자리에 해당하는 것은 사효를 가리킨다. 삼효와 사효는 서로 비(比)의 관계여서 호괘의 몸체에서 변한다. 그 허리에 그치면 안에서 그쳐 몸의 주인이 된다. 등뼈를 벌리면 밖으로 힘써 마음의 움직임이 된다. 그러므로 위태로움이 마음을 태움은 생각이 자리를 벗어나지 않는다는 뜻을 잃었다.

○ 艮爲山, 故限字, 從阜. 艮屬寅, 故夤字, 從寅. 蓋艮得離之成數, 離當寅, 而爲陽之限也. 列者, 爲震所動, 而分列於外也. 艮之三, 卽震之四也, 震曰遂泥, 亦變於互體之象也. 艮之諸爻, 皆時止則止者, 而三之艮限列夤, 失行止之宜, 故危懼之慮, 薰爍其中. 薰者, 離之象也. 郭冲晦云, 艮者, 限也. 內外不越. 天命, 限之內也, 不可出, 人欲, 限之外也, 不可入也.
간괘는 산이 되기 때문에 '허리[限]'가 부(阜)자를 부수로 한다. 간(艮)은 인(寅)에 속하기 때문에 '인(夤)'이 인(寅)자를 부수로 한다. 간괘가 리괘의 성수(成數)를 얻었으니, 리괘는 인(寅)에 해당하여 양의 허리가 된다. '벌림[列]'은 진괘에 의해 움직여 밖에서 나뉘어 벌어진다. 간괘의 삼효는 진괘의 사효이니, 진괘에서 "진흙탕에 떨어진다"고 한 것이 또한 호괘인 몸체에서 변하는 상이다. 간괘의 여러 효가 모두 때가 그칠만하면 그치는 것인데, 삼효의 '허리에 그치기에 등뼈를 벌림'은 다니고 그치는 마땅함을 잃었기 때문에 위태로워 두려워하는 염려가 그 마음을 태우고 녹이는 것이다. '태움[薰]'은 리괘의 상이다. 곽충회(郭冲晦)는 "간(艮)은 한정함이니, 안팎이 넘지 못한다. 천명은 안에서 한정하여 벗어나게 해서는 안 되고, 인욕은 밖에서 한정하여 들어오게 해서는 안 된다"고 했다.

서유신(徐有臣) 『역의의언(易義擬言)』

限, 門限也. 限之內, 艮背也, 限之外, 行庭也. 三居其間, 有門限象. 止於門限, 半出半入, 張其夤膂也. 當上下終始之際, 非止之時也, 處內外出入之交, 非止之所也. 欲行不行, 欲止不止, 疑慮不安, 危厲薰心也. 此蓋形與心, 俱不止者也. 人身取象, 在夤, 夤, 上下體連接處也. 震九四, 有艮止象, 艮九三, 有震動象, 是爲易之造化, 互卦亦不可略也.

'한(限)'은 문의 경계이다. 경계의 안이 '등에 그침'이며, 경계의 밖이 '뜰에 다님'이다. 삼효는 그 사이에 있어 문의 경계인 상이 있다. 문의 경계에 그치면 반쯤은 나가고 반쯤은 들어오니 그 등뼈를 늘림이다. 위와 아래, 시작과 끝이 맞닿는 즈음에 해당하니 그쳐야 하는 때가 아니며, 안과 밖, 나가고 들어옴이 사귀는 때에 처했으니 그치는 곳이 아니다. 다니고자 하나 다니지 못하고 그치고자 하나 그치지 못하니, 의심과 염려로 불안하여 위태로움이 마음을 태운다. 이는 모두 형체와 마음이 모두 그치지 않는 것이다. 사람 몸의 상을 취한 것이 등뼈에 있으니, 등뼈는 위아래의 몸체가 연결된 곳이다. 진괘(震卦䷲) 구사에 '간은 그침'이라는 상이 있고, 간괘 구삼에 '진은 움직임'이라는 상이 있으니, 이것이 역의 조화가 되는데, 호괘를 또한 생략할 수 없다.

서유신(徐有臣) 『역의의언(易義擬言)』

九三曰, 其限.
구삼에서 말하였다: 그 허리에,
艮, 門之限.
간은 문의 허리이다.

其夤
등뼈를
上下連接象.

위아래가 연결되어 맞닿는 상이다.

薰心.
마음을 태운다.
草木之氣, 蒸欝爲薰, 互震象也.
초목의 기운이 찌는 듯이 꽉 막히는 것이 태움이 되니, 호괘인 진괘(☳)의 상이다.

박제가(朴齊家) 『주역(周易)』

九三, 艮其限.
구삼은 허리에 그치기에,

限字, 非屬身之字, 只當從第三畫上一陽爻而言, 卽背也. 曰腰胯者, 指其限之辭, 非眞以訓限也. 夤, 乃夾脊肉, 分而列之, 卽一背而成兩之義, 畫以上下爲分限, 此又以左右爲分限, 不妨互通. 蓋此卦有背象者, 亦一義也. 必以咸爲前, 艮爲後, 至以輔爲從, 後可見, 則鑿之甚矣.
'한(限)'자는 '몸'에 속한 글자가 아니니, 다만 세 번째 획의 한 양효로부터 말한다면 곧 '등'이다. "허리부분이다"고 한 것은 그 '경계[限]'를 가리키는 말이지, 정말 '허리'를 뜻하는 것은 아니다. '인(夤)'은 등뼈에 낀 살이 나뉘어 벌려진 것이니, 곧 하나의 등인데 둘이 되는 뜻으로, 위아래로 그어 경계를 나누는 것이니, 이는 또 좌우로 경계를 나누어도 서로 통함을 방해하지 않는다. 이 괘에 등의 상이 있는 것이 또한 한결같은 뜻이다. 반드시 함괘(咸卦䷞)를 앞으로 하고 간괘를 뒤로 하여 볼[輔]이 뒤를 따르는 것이 됨에 이른 뒤에 볼 수 있다면 천착함이 심한 것이다.

강엄(康儼) 『주역(周易)』

按, 艮之所貴, 在乎止其所當止也. 九三, 過剛不中, 則非所當止之地也. 非所止而一於止, 則非所謂艮其止也. 然則敦艮何以爲吉乎. 曰敦艮, 非一於止而不動之謂也. 只如彖傳所謂動靜不失其時者. 是乃敦艮之義, 則豈可與九三之艮其限比而論之乎.
내가 살펴보았다: '그침'이 귀한 것은 그쳐야 할 곳에 그치는 데 있다. 구삼은 지나치게 굳세고 알맞지 않아 마땅히 그쳐야 할 곳은 아니다. 그칠 곳이 아닌데도 그침에 한결같으면 그쳐야 함에 그치는 것은 아니다. 그렇다면 '그침에 도타움'이 어떻게 길한 것이 되는가? "그침에 도탑다"고 하는 것은 그치는데 한결같아 움직이지 않는 것을 말하는 것이 아니라 다만 「단

전」에서 이른바 "움직임과 고요함이 그 때를 잃지 않는다"는 것과 같다. 이것이 바로 그침에 도타운 뜻인데, 어찌 구삼의 '허리에 그침'과 비교하여 논하겠는가?

이지연(李止淵) 『주역차의(周易箚疑)』

九三, 以陽剛之性每欲進動, 而內爲二陰之所挽止, 外爲二陰之所陷, 又上爲上九[29]之所壓, 而熱中者也. 夤者, 腰膂相續之骨際也, 所謂肯綮者也.

구삼은 굳센 양의 성질로 매번 나아가 움직이고자 하지만 안으로는 두 음에게 이끌려 그치게 되고 밖으로는 두 음에게 빠지게 되며, 또 위로 상구에게 억눌리게 되어 마음을 태우는 것이다. '인(夤)'은 허리와 엉덩이가 서로 연속하는 뼈가 맞닿는 사이이니, 이른바 '뼈와 살이 접한 곳[肯綮]'이다.

김기례(金箕澧) 「역요선의강목(易要選義綱目)」

三居上下之限, 不得中正, 故不進不退, 上下隔絕, 其所絕物, 如人身裂分, 膂脊百體不相屬. 則豈不危而心自焦.

삼효는 위아래의 경계에 있고 중정함을 얻지 못했기 때문에 나아가지도 못하고 물러나지도 못하여 위와 아래가 막히고 끊어졌으니, 그 물건을 끊은 것이 마치 사람의 몸이 찢어지고 나뉘어 등뼈와 온갖 곳이 서로 이어지지 않는 것과 같다. 그렇다면 어찌 위태로워 마음이 스스로 애가 타지 않겠는가?

이진상(李李震相) 『역학관규(易學管窺)』

艮其限.

허리에 그치기에.

三當上下之限, 而陷於四陰之中, 四陰分坼, 有列夤之象, 而適當坎心之中, 有心病象. 心火炎上, 而硬止之, 則適足以薰灼而已.

삼효는 위와 아래의 경계에 해당하는데 네 음 속에 빠져있고, 네 음은 나뉘고 갈라져 등뼈를 벌려놓는 상이 있고 감괘인 마음 안에 해당하여 마음에 병이 있는 상이 있다. 마음의 불은 타오르는데 억지로 그치게 하면 다만 태우게 할 뿐이다.

---

29) 九: 경학자료집성DB에는 '六'으로 되어 있으나 문맥에 따라 '九'로 바로잡았다.

심대윤(沈大允) 『주역상의점법(周易象義占法)』

艮之剝䷖, 剝變也. 九三, 以剛居剛, 堅止而不就於物, 居大坎之體, 有所偏陷, 而固守在乎衆陰之中, 而截然獨高, 居內卦之上, 而嚴上下之限, 故曰艮其限. 艮爲限, 列分位也. 夤膂之下服之上也. 居下體之上, 際於上體, 而分其位, 故曰列其夤. 坎膂對兌之巽股[30]曰夤, 兌艮爲分位曰列. 艮其限, 言其峻截而不接于物也. 列其夤, 言其突起而與大德竝立也. 外物之還我者, 皆剝變而不能雜于我, 我亦剝變而特異于衆也. 此高尙絶物, 而太過於德行者也. 夫不及, 則喪人之性, 喪人之性, 亦喪己之性, 太過, 則喪其性, 喪其性, 亦喪人之性. 子曰, 過猶不及, 其危甚矣. 其名德高絶于天下, 而天下亦不從焉, 故曰熏心. 坎爲憂, 离坎爲熏心, 未及於凶, 故不言凶, 不可以咎也, 故不言咎. 夫生人之性, 主乎利己, 而利己存乎利物. 是故情可節, 而使其不淫於邪曲, 亦不可无也, 欲可勝, 而使其不陷於偏私, 亦不可无也. 无情无欲, 則乃木石也. 君子之道, 要在四情得其中節, 發於義之所當行, 而求於分之所當得. 天有理有道, 理者, 性之欲利己者也, 道者, 利己存乎利物者也. 君子順其理, 而行之以道, 故守其忠恕,中庸而能與物同利焉. 食人之食, 衣人之衣, 居人之居, 行人之行, 求人之求, 利人之利, 害人之害, 憂人之憂, 樂人之樂, 與人爲類, 而脗然无間, 故天下親附, 而萬物爲用, 能盡其性, 而盡物之性. 其能參乎天地者, 以其同於愚夫也, 其能過於衆人者, 以其同於天下也. 是故堯舜與人同而已也. 九三之所爲, 正反中庸, 滅其情, 喪其利, 而唯正德之是務, 以自爲高, 天下之人, 畏而不親, 敬而不慕. 絶物獨立, 而猜忌者衆, 屢憎於人, 而怒於神, 行絶衆人, 而不能安其身. 名高天下, 而不能澤一民, 旣无用於當世, 而能爲百世之禍, 大道之賊也. 乾之上九, 有龍德, 能濟物利己, 而性氣高亢, 不和於衆者也. 艮之九三, 不能利己濟物, 而徒爲高絶者. 然亦不可謂之非德, 與老佛異端不同也. 三居下之上, 高山也. 上九[31], 太山也. 三山之聳拔壁立, 偏薄不厚, 而能以其高峻敵疑於太山者也.〈君子, 自盡其求利之道而已. 不以物欲動心, 不以得喪易慮, 其見明也, 故能從心所欲, 而不役于形氣, 所以能全性也. 若以外物自撓, 何以有爲乎. 是故絶其人欲者, 欲求成其性利也. 九三両絶之, 所以不可也. 夫死生榮辱, 不足以動其心者, 知有命也. 吾盡其至善, 而猶有不可得, 猶有不能免命也. 命者, 人力盡頭是也.〉

간괘가 박괘(剝卦䷖)로 바뀌었으니, 박은 변함이다. 구삼은 굳센 양으로 굳센 자리에 있고 그침에 견고하여 사물에 나아가지 않으며, 큰 감괘의 몸체에 있어 치우쳐 빠진 바[偏陷]가 있어도 여러 음 사이에서 굳게 지켜 뚜렷이 홀로 높고, 내괘의 맨 위에 있어 위아래의 한계가 엄하기 때문에 "허리에 그친다"고 했다. '그침'은 허리가 되고 '벌림'은 자리를 나눔이다.

30) 股: 경학자료집성DB에는 '服'으로 되어 있으나, 경학자료집성 영인본을 참조하여 '股'로 바로잡았다.
31) 九: 경학자료집성DB에는 '六'으로 되어 있으나, 문맥에 따라 '九'로 바로잡았다.

‘인(夤)’은 엉덩이 아래와 넓적다리의 위니, 하체의 맨 위에 있으면서 상체에 닿는 사이로 그 자리를 나누기 때문에 “등뼈를 벌린다”고 했다. 감괘인 엉덩이와 태괘가 거꾸로 된 손괘인 넓적다리를 ‘인(夤)’이라고 하고, 태괘와 간괘가 자리를 나누게 됨을 “벌린다”고 했다. ‘허리에 그침’은 높고 험하여 사물에 접하지 않음을 말한다. ‘등뼈를 벌림’은 우뚝 솟아 대덕과 나란히 섬을 말한다. 바깥 사물이 나를 만나는 것은 모두 깎이고 변해서 나와 섞일 수 없고, 나도 깎이고 변해서 특별히 무리와 다른 것이다. 이는 고상하여 사물을 끊고 덕행을 크게 지나친 것이다. 미치지 못하면 사람의 성품을 상실하고 사람의 성품을 상실하면 자신의 성품도 상실하며, 크게 지나치면 자신의 성품을 상실하고 자신의 성품을 상실하면 사람의 성품도 상실한다. 공자는 “지나침은 미치지 못함과 같다”고 했으니, 그 위태로움이 심하다. 그 이름과 덕이 천하 사람에게서 높이 떨어져서 천하 사람도 따르지 않으므로 “마음을 태운다”고 했다. 감괘는 근심이 되니 리괘와 감괘는 마음을 태움이 되지만 아직 흉함에는 이르지 않았기 때문에 “흉하다”고 말하지 않았으며, 허물일 수 없기 때문에 “허물”이라고 말하지 않았다. 살아있는 사람의 성품은 자기를 이롭게 함을 위주로 하는데, 자기를 이롭게 함은 사물을 이롭게 함에 있다. 이 때문에 정을 조절할 수 있어 바르지 않은 데[邪曲]에 빠지지 않게 함이 또한 없을 수 없으며, 욕구를 이길 수 있어 사사롭게 편리를 도모함에 빠지지 않게 함이 또한 없을 수 없다. 정도 없고 욕구도 없으면 곧 목석이다. 군자의 도는 네 가지 정에서 그 중절함을 얻어 마땅히 행해야 할 바의 의리에서 드러나고 마땅히 얻어야 할 바의 분수에서 구하는 데 요점이 있다. 하늘에 이치도 있고 도도 있으니, ‘이치’는 성품이 자신을 이롭게 하고자 하는 것이고, ‘도’는 자신을 이롭게 함이 사물을 이롭게 함에 있는 것이다. 군자는 이치에 순응하여 도로써 행하기 때문에 충서(忠恕)와 중용(中庸)을 지켜서 사물과 이로움을 함께 할 수 있다. 남이 먹는 것을 먹고 남이 입는 것을 입으며 남이 거처하는 곳에 거처하고 남이 다니는 곳에 다니며, 남이 구하는 것을 구하고 남이 이롭게 여기는 것을 이롭게 여기며 남이 해롭게 여기는 것을 해롭게 여기고 남이 걱정하는 바를 걱정하며, 남이 좋아하는 것을 좋아하여 남과 같은 부류가 되어 딱 맞아 틈이 없기 때문에 천하 사람들이 친하게 의지하고 만물이 쓰임이 되어 그 성을 다할 수 있어 사물의 성을 다한다. 천지에 참여할 수 있는 것은 어리석은 사람과도 같을 수 있기 때문이고, 다른 사람들보다 뛰어날 수 있는 것은 천하 사람들과 같기 때문이다. 이 때문에 요·순도 남과 같을 뿐이다. 구삼의 하는 바는 중용과 정반대여서 그 정을 없애고 그 이로움을 상실하며, 오직 정덕(正德)을 힘써 자신을 높게 여기니, 천하 사람들은 두려워하지만 친하지 않고 공경하지만 사모하지 않는다. 남을 끊고 독립하여 시기하고 꺼리는 자가 많아 자주 사람에게 미움 받고 신에게 노여움을 받으며, 행동은 여러 사람을 끊어 그 몸을 편안하게 할 수 없다. 이름이 천하에 높아도 한 사람에게도 은택을 줄 수 없어 이미 당시의 세상에 쓰임이 없어 백세의 화가 되니, 대도(大道)의 적이다. 건괘의 상구에 용의 덕이 있어 남을 건지고 자신을 이롭게 할 수 있는데, 성질과 기운이 높고 지나쳐 대중과 화합하지 못하는 자이다. 간괘의 구삼은 자신을 이롭게 하고 남을 구제할 수 없어서 한갓 높이 떨어진 자가 된다. 그러나 또한 그것을 덕이 아니라고 말할 수는 없으니, 노·불의 이단과는 다르다. 삼효는 하괘의 맨 위에 있어 높은 산이다. 상구는 태산이다. 삼효의 산이 벽같이 높이 우뚝 솟아 있으나, 치우치고 박하여 두텁지 못하고 그 고준함으로 태산을 대적하고 의심하는 자이다. 〈군자는 스스로 그 이로움을 구하는 도를 다할 뿐이다. 물욕으로 마음을 움직이지 않고 득실로 생각을 바꾸지 않아 그 견해가 분명하므로 마음이 하고자 하는 바를 따르더라도 형기에 부려지지 않으니, 이 때문에 성품을 온전히 할 수 있다. 만약 바깥 사물 때문에 자신이 어지러워진다면 무엇으로 훌륭한 일을 하겠는가? 이 때문에 인욕을 끊는 것은 그 성품의 이로움을 이루고자 하는 것이다. 구삼은 둘 다 끊어버리니, 이 때문에 할 수 없다. 죽음과 삶, 영예와 오욕이 그 마음을 움직일 수 없는 것은 명(命)이 있음을 알기 때문이다. 내가 그 지극한 선을 다하더라도 오히려 얻을 수 없는 것이 있으며, 오히려 명을 면할 수 없는 것도 있다. 명(命)은 사람의 힘으로 끝까지 다해야 하는 것이 이것이다.〉

오치기(吳致箕) 「주역경전증해(周易經傳增解)」

九三, 雖以陽剛得正, 上旡應與, 而居上下體之間, 故有艮其限之象, 而在止之時, 旣旡正應, 又與上下之柔當比而不比, 乃進退旡據屈伸不得, 是爲列絶其夤, 上下判隔, 故危厲而薰其心也.

구삼은 비록 굳센 양으로 바름을 얻었지만 위로 호응하여 함께 함이 없고, 상체와 하체의 사이에 있기 때문에 허리에 그치는 상이 있어 그쳐야 하는 때에 있는데, 이미 정응(正應)이 없고 또 위아래의 부드러운 음과 가까운데도 가까이 하지 않으니, 나아가고 물러날 자리도 없고 구부리고 펼 수도 없으니, 이것이 그 등뼈를 벌려 끊음이 되고, 위아래가 갈라져 단절되기 때문에 위태로워 그 마음을 태운다.

○ 上下體之間曰限, 而卽腰之位也. 列謂分也. 夤者連也. 腰本連乎上下, 能屈能伸, 而限止不動, 則上下相分, 而不能連, 故曰列其夤也. 薰心謂憂灼其心, 而取對體互離.

상체와 하체의 사이를 "한(限)"이라고 하는데, 허리에 가까운 자리이다. '벌림'은 나뉨을 말한다. '등뼈'는 연결된 것이다. 허리는 본래 위아래에 연결되어 굽히거나 펼 수 있는데 한정되고 그쳐 움직이지 못하면 위아래가 서로 나뉘어 연결될 수 없기 때문에 "등뼈를 벌린다"고 했다. '훈심'은 근심하여 그 마음을 태움을 말하는데, 짝이 되는 몸체로서의 호괘인 리괘에서 취했다.

이진상(李震相) 『역학관규(易學管窺)』

艮其限.
허리에 그치기에.

三當上下之限, 而陷於四陰之中, 四陰分坼, 有列夤之象, 而適當坎心之中, 有心病象. 心火炎上, 而硬止之, 則適足以薰灼而已.
삼효는 위아래의 허리(경계)에 해당하는데 네 음 속에 빠졌고, 네 음은 나뉘어 갈라짐에 등뼈를 벌리는 상이 있으니, 감괘인 마음 안에 마음의 병인 상이 있는 것에 해당한다. 마음의 불은 타오르는데 억지로 그치게 하면 태우게 할 뿐이다.

박문호(朴文鎬) 「경설(經說)・주역(周易)」

列絶, 猶言分絶也.
'벌려 끊음'은 나누어 끊는다고 말하는 것과 같다.

이병헌(李炳憲) 『역경금문고통론(易經今文考通論)』

裂從孟本.
'벌림[裂]'은 맹희본을 따랐다.

象曰, 艮其限, 危, 薰心也.

「상전」에서 말하였다: 그 허리에 그침이라 위태로움이 마음을 태운다.

中國大全

傳

謂其固止, 不能進退, 危懼之慮, 常薰爍其中心也.

그 굳게 그쳐 나가고 물러날 수 없기에 위태롭고 두려운 근심이 늘 그 속마음을 태우는 것을 말한다.

小註

雲峯胡氏曰, 震上六, 中未得, 動之極, 而心未安, 艮九三, 危薰心, 止之極, 而心亦未安.
운봉호씨가 말하였다: 진괘(震卦) 상육의 '속마음이 얻지 못했기 때문'은 움직임이 끝에 이르러 마음이 안정되지 않은 것이고, 간괘 구삼의 '위태로움이 마음을 태움'은 그침의 끝에 이르러 마음이 또한 아직 편안치 않은 것이다.

韓國大全

김상악(金相岳) 『산천역설(山天易說)』

列其夤, 所以危薰心也. 擧首句以釋之者, 與需六四曰, 需于血, 順以聽也, 相似. 順聽, 所以出自穴也, 非以需于血爲順聽也.
'등뼈를 벌림'은 위태로움이 마음을 태우는 까닭이다. 머릿구절을 들어서 해석한 것이 수괘

(需卦䷄)의 육사에서 "피에서 기다림은 순종하여 듣는 것이다"고 한 것과 비슷하다. '순종하여 들음'은 구덩이로부터 나오는 까닭이니, '피에서 기다림'으로 순종하여 듣는 것을 삼은 것은 아니다.

서유신(徐有臣) 『역의의언(易義擬言)』

危厲薰心, 故止於限也.
위태로움이 마음을 태우기 때문에 허리에서 그친다.

오치기(吳致箕) 「주역경전증해(周易經傳增解)」

不能進退屈伸, 而上下判隔, 故危懼而薰灼其中心也.
나아가고 물러나며 굽히고 펼 수 없어서 위아래가 갈라져 막히기 때문에 위태롭고 두려워 그 마음을 태우는 것이다.

이병헌(李炳憲) 『역경금문고통론(易經今文考通論)』

孟曰, 限, 要帶處也. 夤, 脊肉也.
맹희가 말하였다: '한(限)'은 허리띠가 있는 곳이다. '인(夤)'은 등뼈의 살이다.

馬曰, 薰灼其心.
마융이 말하였다: 그 마음을 태운다.

按, 殷之君臣, 進退兩難.
내가 살펴보았다: 은(殷)나라의 임금과 신하가 이러지도 저러지도 못하는 상태였다.

六四, 艮其身, 无咎.

육사는 그 몸에 그침이니, 허물이 없다.

中國大全

傳

四, 大臣之位, 止天下之當止者也. 以陰柔而不遇剛陽之君. 故不能止物, 唯自止其身, 則可无咎. 所以能无咎者, 以止於正也. 言止其身无咎, 則見其不能止物, 施於政, 則有咎矣. 在上位, 而僅能善其身, 无取之甚也.

사효는 대신의 자리이니, 세상의 그쳐야만 할 것을 그치게 하는 자이다. 유약한 음이어서 굳센 양의 임금을 만나지 못하였다. 그러므로 바깥사물을 그치게는 못하지만 자신만은 스스로 그치니 허물이 없을 수 있다. 허물이 없을 수 있는 것은 바름에 그치기 때문이다. '그 몸에 그침이니, 허물이 없다'는 바깥사물을 그치게 할 수 없음을 보았기 때문이니, 정치로 나선다면 허물이 있을 것이다. 윗자리에 있으면서 겨우 자신만을 착하게 할 수 있으니, 취할 바 없음이 심하다.

小註

魯齋許氏曰, 六四, 以柔止之才, 承柔止之君. 雖己身得正, 而於君事則有不能自濟者, 必藉陽剛之才而後, 可以成功. 故離九應之, 則終得婚媾, 震九應之, 則顚頤獲吉. 至於止乾之健納兌之說, 皆可成功, 而有喜不爾, 處剝見凶, 處蒙蠱見吝矣. 艮以能止爲義, 能止其身, 則无咎, 可也.

노재허씨가 말하였다: 육사는 부드럽고 그치는 재질로서 부드럽고 그치는 임금을 받든다. 자신은 비록 바름을 얻었지만, 임금의 일에 대해, 자신이 건져줄 수 없는 것이 있으니 반드시 굳센 양의 재질을 의지한 뒤에야 일을 이룰 수 있다. 그러므로 리괘(離卦)의 양효가 호응하면 (준괘의 육사가 되어) 끝내 배우자를 얻고, 진괘의 양효가 호응하면 (이괘[頤卦]의 육사가 되어) 뒤집혀 길러지나 길함을 얻는다. 건괘의 '굳건함'에 그쳐 태괘의 기쁨으로 들어가기에 이르기까지 다 일을 이룰 수 있어 기쁨만 있을 뿐이나 박괘에 처하게 되면 흉하게

되고, 몽괘나 고괘에 처하게 되면 부끄럽게 될 것이다. 간이 '그칠 수 있음'으로 뜻을 삼으니 그 몸에 그칠 수 있으면, 허물이 없음도 당연하다.

本義

以陰居陰, 時止而止. 故爲艮其身之象, 而占得无咎也.

음효로서 음 자리에 있으니, 때가 그칠만하여 그침이다. 그러므로 '그 몸에 그치는' 상이 되어, 점이 '허물없음'을 얻는다.

小註

胡氏曰, 自止其身, 使不妄動, 不爲物遷, 故无咎.
호씨가 말하였다: 스스로 그 몸에 그쳐서 함부로 행동하지 못하게 하여 바깥사물에 의해 옮기지 않으므로 허물이 없다.

○ 中溪張氏曰, 諸卦, 唯咸與艮, 以身取象, 此近取諸身者也. 艮四, 正當心位, 不言心而言身者, 蓋心不可見, 而身者, 心之區宇也. 觀其身之止, 則知其心之止, 又安有妄動之咎哉?
중계장씨가 말하였다: 여러 괘 중에 함괘와 간괘만 몸에서 상을 가져왔으니, 이는 가까이 몸에서 가져온 것이다. 간괘의 사효가 바로 마음자리에 해당하는데, 마음은 말하지 않고 몸을 말한 것은 마음을 볼 수는 없지만 몸이 마음의 집이기 때문이다. 그 몸이 그침을 보면 그 마음이 그침을 아니, 또 어찌 망령되게 행동하는 허물이 있겠는가?

○ 雲峯胡氏曰, 咸九四, 憧憧往來, 以心之動言, 此不言心而言身, 兼動靜言也. 身止, 則知心得其所止矣.
운봉호씨가 말하였다: 함괘 구사의 '동동거리며 오감'은 마음의 움직임으로 말한 것이고, 여기에서 마음을 말하지 않고 몸을 말한 것은 움직임과 고요함을 함께 말한 것이다. 몸이 그치면 마음이 그칠 곳을 얻었음을 알 수 있다.

○ 楊氏曰, 六四, 居上體, 能自止其身, 而无咎者也. 然爻旣曰身, 而象又曰躬者, 蓋身者, 伸也, 躬者, 屈也. 伸屈在我, 而不在物, 以六居四, 屈而不伸, 止而不行, 此君子知出處之大義也.

양씨가 말하였다: 육사는 상체에 있으면서 스스로 그 몸을 그칠 수 있어 허물이 없는 것이다. 효에서 '신(身, 몸)'이라고 한 것을 「상전」에서 다시 '궁(躬)'이라고 한 것은 신(身)은 신(伸, 폄)이고 궁(躬)은 굴(屈, 굽힘)이기 때문이다. 펴고 굽힘이 내게 있지 사물에 있지 않은데, 음효로서 사효의 자리에 있으므로 굽히고 펴지 않으며 그치고 다니지 않으니, 이것은 군자가 출처(出處)의 대의(大義)를 안 것이다.

韓國大全

조호익(曺好益)『역상설(易象說)』

六四, 艮其身.
육사는 그 몸에 그침이니.

身, 全體取象.
'몸'은 전체를 상으로 취했다.

中溪張氏曰, 四正當心位, 不言心而言身者, 蓋心不可見, 而身者, 心之區宇也.
중계장씨가 말하였다: 사효는 바로 마음의 자리에 해당하는데, '마음'이라고 말하지 않고 '몸'이라고 말한 것은 마음은 볼 수 없고 몸은 마음의 집이기 때문이다.

송시열(宋時烈)『역설(易說)』

艮身, 應彖辭而言, 自下体而漸上, 并與其身體而止時. 當艮故其占无咎. 蓋以不動爲主也.
'몸에 그침'은 단사에 호응하여 말하면 하체로부터 점차 올라가 그 신체와 함께 하여 그치는 때이다. '그침'에 해당하므로 그 점이 허물이 없다. 대체로 움직이지 않음을 위주로 한다.

이익(李瀷)『역경질서(易經疾書)』

上身下髀, 惟夤相連. 動作在髀, 所以動在心, 各有止之象. 心止而限隔於髀, 則雖欲動, 得乎. 此所謂艮其心也. 六四艮其身, 則夤與心包之矣. 傳云, 止諸躬也, 止道惟在於其躬也.
위의 몸과 아래의 넓적다리를 오직 등뼈가 서로 이어준다. 움직임은 넓적다리에 있고 움직이는 까닭은 마음에 있어 각각 그치는 상이 있다. 마음은 그쳤는데 허리가 넓적다리에 막히면 비록 움직이고자 하나 움직일 수 있겠는가? 이것이 이른바 그 마음에 그침이다. 육사의 '그 몸에 그침'은 등뼈와 마음을 포함한 것이다. 「소상전」에서 "몸에 그치는 것이다"고 한 것은 도에 그침이 오직 그 몸에 있다는 것이다.

유정원(柳正源) 『역해참고(易解參攷)』

徂徠石氏曰, 自趾以上, 皆謂之身. 心者, 身之主也, 故曰艮其身.
조래석씨가 말하였다: 발꿈치로부터 그 위를 모두 '몸'이라고 한다. '마음'은 몸의 주인이기 때문에 "그 몸에 그친다"고 했다.

○ 馮氏曰, 咸言心者, 以其感也, 面面相視, 所以因見而有感, 若身則无感矣. 艮言身者, 以其止也, 背背相比, 所以无見而遂止也. 若心則无止矣.
풍씨가 말하였다: 함괘(咸卦䷞)에서 '마음'이라고 말한 것은 그 '느끼는 것' 때문이니, 얼굴과 얼굴이 서로 보면 이 때문에 보는 것으로 인하여 느낌이 있는데, 몸과 같은 경우는 느낌이 없다. 간괘에서 '몸'이라고 말한 것은 그침 때문이니, 등과 등이 서로 가까이 있으면 볼 방법이 없어 마침내 그치는 까닭이다. 마음과 같은 경우는 그침이 없다.

○ 梁山來氏曰, 艮其身者, 安靜韜晦, 鄕隣有鬪, 括囊无咎之類, 是也.
양산래씨가 말하였다: '그 몸에 그침'이란 조용히 숨어 있어서 동네 이웃간에 싸움이 나도 입을 다물고 있어 허물이 없는 부류가 이것이다.

김상악(金相岳) 『산천역설(山天易說)』

身, 指三也. 四之比三, 爲艮其身之象, 柔不能自立, 從比而止, 得反身之義, 故无咎也.
'몸'은 삼효를 가리킨다. 사효는 삼효와 가까워 그 몸에 그치는 상이 되는데, 부드러운 음으로 스스로 설 수 없어 가까이 있는 것을 따라 그쳐 몸에 돌이키는 뜻을 얻었기 때문에 허물이 없다.

○ 四, 當心位而以身言者, 身爲心之區宇也, 觀其身之止, 則知其心之止也. 象曰, 不獲其身者, 止而止也, 爻曰, 艮其身者, 行而止也. 故无咎同辭.
사효는 마음의 자리에 해당하는데 '몸'으로 말한 것은 몸이 마음의 집이 되기 때문이니, 그 몸의 그침을 살피면 마음의 그침을 알 수 있다. 단사에서 "그 몸을 얻지 못한다"고 한 것은 그칠만한 때여서 그치는 것이고, 효사에서 "그 몸에 그친다"는 것은 다닐만한 때의 그침이다. 그러므로 "허물이 없다"는 말이 같다.

서유신(徐有臣) 『역의의언(易義擬言)』

夤之上爲身也. 外卦之初, 得其正位, 止於外者也. 此所謂行其庭不見其人者也. 不見其人, 則非人之止我, 我自止也, 故曰艮其身也. 行止得其時宜, 故曰无咎, 亦卦辭之无咎也.
등뼈의 위가 몸이 된다. 외괘의 초효는 바른 자리를 얻어 밖에서 그치는 자이다. 이것이 이른바 "그 뜰을 다녀도 그 사람을 보지 못한다"는 것이다. 그 사람을 보지 못하면 남이 나를 그치게 하는 것이 아니라 내가 스스로 그치는 것이므로 "그 몸에 그친다"고 했다. 다님과 그침이 때의 알맞음을 얻었기 때문에 "허물이 없다"고 했으니, 또한 괘사에서의 '허물이 없음'이다.

서유신(徐有臣) 『역의의언(易義擬言)』

六四曰, 其身.
육사에서 말하였다: 그 몸에,

四爲身.
사효가 몸이 된다.

이지연(李止淵) 『주역차의(周易箚疑)』

六四, 可以止, 則止者也.
육사는 그칠만하면 그치는 자이다.

김기례(金箕澧) 「역요선의강목(易要選義綱目)」

以柔居柔, 知止能止, 故无咎. 與渙三渙其身之義, 相反.
부드러운 음으로 부드러운 자리에 있어 그칠 줄 알아 그칠 수 있으므로 허물이 없다. 환괘

(渙卦䷺) 삼효에서 "몸의 사사로움을 흩는다"는 뜻과는 서로 반대된다.

이항로(李恒老)「주역전의동이석의(周易傳義同異釋義)」

傳, 在上位, 而僅能善其身, 无取[32]之甚也.
『정전』에서 말하였다: 윗자리에 있으면서 겨우 자신만을 착하게 할 수 있으니, 취할 바가 없음이 심하다.

本義, 以陰居陰, 時止而止, 故爲艮其身之象.
『본의』에서 말하였다: 음효로서 음 자리에 있으니, 때가 그칠만하여 그침이다. 그러므로 '그 몸에 그치는' 상이 된다.

按, 止有篤實之意, 僅足之謂.
내가 살펴보았다: 그침에 독실한 뜻이 있으니, 겨우 만족함을 말한다.

심대윤(沈大允)『주역상의점법(周易象義占法)』

艮之旅䷷, 无所住着也. 六四, 以柔居柔, 而從乎三, 不就于外物, 而從其所好, 情意不着于外物, 无六二之不快, 順其所欲而從之, 无九三之熏心, 象言不獲其身, 不動於欲也. 此之艮其身, 言從其所欲, 而不出於分外, 故曰艮其身. 疑若不能止, 而其道近乎中矣, 故曰无咎. 山之艸木茂盛, 而有文章者也. 巽离震坎, 有其象, 山有艸木而不着, 有旅之義. 〈其所欲者, 中庸之實利也. 人能不誘於情欲, 而心不牽于外物, 然後乃能審度得宜, 臨事不蔽, 無驟求利之心, 然後乃大利也.〉
간괘가 려괘(旅卦䷷)로 바뀌었으니, 머물러 있는 바가 없는 것이다. 육사는 부드러운 음으로 부드러운 자리에 있으면서 삼효를 따르고 바깥 사물에 나아가지 않고 좋아하는 바를 따라 마음이 바깥 사물에 집착하지 않으니, 육이의 기껍지 않음이 없고, 하고 싶은 것을 따라 좇으니, 구삼의 마음을 태움이 없다. 단사에서 "그 몸을 얻지 못한다"고 한 것은 욕심에 동요되지 않는 것이다. 여기의 '그 몸에 그침'은 하고 싶은 것을 따르더라도 분수 밖으로 벗어나지 않음을 말하므로 "그 몸에 그친다"고 말했다. 아마도 그치지 못할까 의심스럽지만 그 도는 중용에 가깝다. 그러므로 "허물이 없다"고 했다. 산의 초목이 무성하여 문채가 있는 것이다. 손괘와 리괘와 진괘와 감괘에 그러한 상이 있는데, 산에 초목이 있지만 붙어있지 않으

---

32) 取: 경학자료집성DB에는 '耻'로 되어 있으나 영인에 따라 '取'로 바로잡았다.

니, 나그네의 뜻이 있다. 〈그 하고 싶은 것이 중용(中庸)의 실리(實利)이다. 사람이 정욕에 유혹되지 않아 마음이 바깥 사물에 이끌리지 않은 뒤라야 이에 살피고 헤아려 알맞음을 얻을 수 있고, 일에 임하여 어둡지 않아 이로움을 구하는 마음에 달려감이 없은 뒤라야 이에 크게 이롭다.〉

오치기(吳致箕)「주역경전증해(周易經傳增解)」

六四, 以柔居柔, 而下旡應與, 在止之時, 雖居上位, 而旡所作爲, 不能治人而成物, 卽獨善其身者也. 故有艮其身之象, 而宜若有咎, 然以其得正而旡妄動之咎, 故言旡咎.
육사는 부드러운 음으로 부드러운 자리에 있고 아래로 호응하여 함께 함이 없다. 그치는 때에 있어서 비록 윗자리에 있지만 작위하는 바가 없어서 남을 다스리고 만물을 이룰 수 없으니, 곧 그 몸만을 선하게 하는 자이다. 그러므로 그 몸에 그치는 상이 있어 마땅히 허물이 있을 것 같으나, 그 바름을 얻고 망령되게 움직이는 허물이 없기 때문에 "허물이 없다"고 했다.

○ 四, 居腰之上, 當背之位, 而不曰背者, 象言背於剛言身於柔, 故四以身言也.
사효는 허리의 위에 있어 등의 자리에 해당하는데 "등"이라고 말하지 않은 것은 단사에서 굳센 양에서 '등'을 말했고 부드러운 음에서 '몸'을 말했기 때문에 사효에서 '몸'으로 말했다.

이진상(李震相)「역학관규(易學管窺)」

艮雖背身, 而艮背則身亦止矣. 言於六四者, 腰腹之際也, 不言心, 言其無感也.
'그침'이 비록 몸을 등지지만 등에 그치니 몸도 그치게 된다. 육사에서 말한 것은 허리와 배가 맞닿는 경계라는 것이고, '마음'이라고 하지 않은 것은 그 감응이 없음을 말한다.

박문호(朴文鎬)「경설(經說)·주역(周易)」

見其不能止物, 施於政, 則有咎矣. 見字釋於咎下, 不字釋於物下.
"바깥사물을 그치게 할 수 없어 정치에 베푼다면 허물이 있음을 본다[見其不能止物, 施於政, 則有咎矣]."에서 '본다[見]'는 글자를 '허물이 있다[咎]'는 글자 다음에 해석하고 '~없음[不]'이라는 글자는 '바깥사물[物]'이라는 글자 다음에 해석한다.

止以在上言, 只以其在上卦也.
'지(止)'는 위에 있는 것으로 말하니, 다만 그것이 상괘(上卦)에 있기 때문이다.

이정규(李正奎) 「독역기(讀易記)」

六四, 艮其身, 无咎, 六五, 艮其輔, 悔亡, 人之吉凶悔吝, 皆出於此也. 身不妄行, 則是艮其身也, 口无妄言, 則是艮其輔也. 若能此二者, 則豈惟无咎. 無論治亂, 可行于世矣.
육사에서 "그 몸에 그침이니, 허물이 없다"고 했고, 육오에서 "그 볼에 그침이라 후회가 없다"고 했으니, 사람의 길함과 흉함, 후회와 허물이 모두 여기에서 나온다. 몸이 망령되게 행동하지 않으면 이것이 그 몸에 그침이며, 입이 망령되게 말함이 없으면 이것이 그 볼에 그침이다. 만약 이 둘을 잘 할 수 있다면 어찌 허물만 없는 것이겠는가? 치세와 난세를 막론하고 세상에 행할 수 있다.

象曰, 艮其身, 止諸躬也.

「상전」에서 말하였다: "그 몸에 그침"은 자신의 몸에 그치는 것이다.

‖中國大全‖

傳

不能爲天下之止, 能止於其身而已, 豈足稱大臣之位也?

천하를 그치게 하지 못하고 제 몸에 그칠 뿐이니, 어찌 대신의 지위에 걸맞겠는가?

小註

白雲郭氏曰, 止諸躬者, 謂成己而已, 未能成物也.

백운곽씨가 말하였다: '몸에 그친다'는 자기를 이룰 뿐, 아직 사물을 이루어 줄 수는 없음을 이른다.

‖韓國大全‖

김상악(金相岳) 『산천역설(山天易說)』

伸則爲身, 屈則爲躬, 故經曰艮其身, 傳曰止諸躬也, 與三之艮限列夤相似. 艮之六爻, 上下敵應, 不相與也. 故三四二爻, 皆從比而取象. 蓋艮之德止, 故彖曰不獲其身, 爻曰艮其身, 止諸躬, 他卦之言身言躬者, 皆本于是也.

펴면 '몸[身]'이 되고 굽히면 '몸[躬]'이 되므로 경(經)에서 "그 몸[身]에 그친다"고 하고 「소상전」에서 "몸[躬]에 그치는 것이다"고 했으니, 삼효에서 허리에 그치고 등뼈를 벌리는 것과 서로 비슷하다. 간괘의 여섯 효는 위와 아래가 적으로 대응하여 서로 함께 하지 않는다. 그러므로 삼·사 두 효가 모두 비(比)의 관계로부터 상을 취했다. 대체로 간괘의 덕은 그치는 것이기 때문에 「단전」에서 "그 몸을 얻지 못한다"고 했고, 효사 「상전」에서 "'그 몸에 그침'은 자신의 몸에 그치는 것이다"고 했으니, 다른 괘에서 몸[身]'을 말하고 '몸[躬]'을 말한 것이 모두 여기에 근본한다.

서유신(徐有臣) 『역의의언(易義擬言)』

身, 猶汎言人身, 而躬則吾躬也. 要得外物之止, 莫若自止於吾躳也.

'몸[身]'은 사람의 몸을 범범하게 말하는 것과 같고, '몸[躬]'은 내 몸이다. 바깥 사물을 그치게 하는 것은 내 몸에서 스스로 그치는 것만 못함을 알아야 한다.

김기례(金箕澧) 「역요선의강목(易要選義綱目)」

止諸躬.

자신의 몸에 그치는 것이다.

躬, 如鞠躬之義, 屈而不伸, 止而不行. 雖[33]旡大臣成物之功, 幸承.

'몸[躬]'은 공경하고 근신하는 것과 같은 뜻이니, 굽히고 펴지 않으며 그치고 다니지 않는다. 대신이 만물을 이루어주는 공이 없더라도 요행이 이어간다.

심대윤(沈大允) 『주역상의점법(周易象義占法)』

言從其欲而止乎分內也.

욕심을 따르지만 분수 안에 그침을 말한다.

오치기(吳致箕) 「주역경전증해(周易經傳增解)」

獨善其身而成己而已, 未能成物也.

그 '몸'만 선하게 하여 자기를 이룰 뿐이어서 아직 남까지 이루어줄 수는 없다.

---

33) 雖: 경학자료집성DB에는 '難'으로 되어 있으나, 경학자료집성 영인본을 참조하여 '雖'로 바로잡았다.

이병헌(李炳憲) 『역경금문고통론(易經今文考通論)』

王曰, 中上稱身, 履得其位, 故不陷於咎也.

왕필이 말하였다: 가운데와 위를 몸이라고 하는데, 그 자리를 밟기 때문에 허물에 빠지지 않는다.

六五, 艮其輔, 言有序, 悔亡.

육오는 볼에 그침이라 말이 순서가 있음이니 후회가 없으리라.

中國大全

傳

五, 君位, 艮之主也. 主天下之止者也, 而陰柔之才, 不足以當此義. 故止以在上, 取輔義言之. 人之所當愼而止者, 唯言行也. 五, 在上, 故以輔言, 輔, 言之所由出也. 艮於輔, 則不妄出而有序也. 言, 輕發而无序, 則有悔, 止之於輔, 則悔亡也. 有序, 中節, 有次序也. 輔與頰舌, 皆言所由出, 而輔在中, 艮其輔, 謂止於中也.

오효는 임금의 지위이니 간괘의 주인이다. 천하의 그침을 주재하는 자이나 유약한 음의 재질로서는 이 뜻을 감당할 수 없다. 그러므로 그쳐 위에 있으니, '볼'의 뜻을 취해 말했다. 사람이 삼가 그쳐야만 할 것은 오직 말과 행동이다. 오효가 위에 있으므로 '볼'로 말하였는데, '볼'은 말이 나오는 곳이다. '볼'에 그치면 망령되게 나오지 않고 순서가 있다. 말이 가볍게 나오며 순서가 없으면 후회가 있으니, '볼'에 그치면 후회가 없을 것이다. 순서가 있어 절도에 맞음은 차례가 있는 것이다. '볼'과 '뺨', '혀'는 다 말이 나오는 곳인데 볼이 가운데 있으니, '그 볼에 그침'은 '알맞음'에 그침을 이른다.

本義

六五, 當輔之處. 故其象, 如此, 而其占, 悔亡也. 悔, 謂以陰居陽.

육오는 '볼'에 해당되는 곳이다. 그러므로 그 상이 이와 같고, 그 점이 '후회가 없다'이다. '후회'는 음으로서 양 자리에 있는 것을 이른다.

小註

中溪張氏曰, 輔者, 頰輔也, 言之所由出也. 五, 以柔居尊, 而得中, 發則爲絲綸之言. 故與其言未中倫, 孰若止其輔而不言, 非不言也, 不輕言也. 言不妄出, 則秩秩德音, 自然有序, 而其悔, 乃亡. 故咸上六曰, 咸其輔頰舌, 而夫子, 亦以滕口說, 爲戒也.
중계장씨가 말하였다: '볼[輔]'은 뺨의 볼이니, 말이 나오는 곳이다. 오효가 부드러움으로 존귀한 자리에 있어 알맞음[中]을 얻었으니, 발하면 임금이 명령하는 말씀[絲綸之言]이 된다.[34] 그러므로 그 말이 순서에 맞지 않기 보다는 그 볼에 그쳐 말하지 않는 것이 나으니, 말하지 않음이 아니라 가볍게 말하지 않는 것이다. 말이 망령되게 나오지 않으니 차분하게 좋은 말에는 저절로 순서가 있어 그 후회가 없어진다. 그러므로 함괘 상육에 '느낌이 그 볼이며 뺨이며 혀이다'라고 하였는데, 공자도 '입과 말로만 올려주는 것'[35]을 경계하였다.

○ 雲峯胡氏曰, 輔頰之兩傍骨, 背後可得而見者, 咸言其面, 故竝見頰舌, 艮其背, 故止言輔. 初艮趾, 止其行也, 五艮輔, 止其言也. 能止其言者, 必能止其所行, 故悔亡.
운봉호씨가 말하였다: 볼과 뺨의 양 옆 뼈는 뒤에서도 볼 수 있는 것인데, 함괘에서는 그 얼굴을 말하므로 뺨과 혀를 아울러 드러내었고, 간괘는 그 등에 그치므로 볼만 말하는데 그쳤다. 초효의 '발꿈치에 그침'은 다님을 그침이요, 오효의 '볼에 그침'은 말을 그침이다. 말을 그칠 수 있는 사람은 다니는 것도 그칠 수 있으므로 후회가 없다.

○ 隆山李氏曰, 人所見於外者, 不過言行二者, 在下有腓趾, 以象其行, 在上有輔頰, 以象其言, 所以明艮之義, 則一也.
융산이씨가 말하였다: 사람에게서 겉으로 드러나는 것은 기껏해야 말과 행동 둘 뿐이니, 아래에 장딴지와 발꿈치가 있어 그 행동을 상징하고, 위에 볼과 뺨이 있어 그 말을 상징함으로써 간괘의 의미를 밝힘은 같다.

---

34) 임금이 명령하는 말씀[絲綸之言]: 왕의 말은 처음에는 가느다란 실과 같지만, 밖으로 내뱉게 되면 굵은 실처럼 된다는 뜻[『禮記 · 緇衣』].
35) 『周易 · 咸卦』: 象曰, 咸其輔頰舌, 滕口說也.

韓國大全

조호익(曺好益)『역상설(易象說)』

六五, 艮其輔.
육오는 볼에 그침이라.

輔, 全體取象. 雙湖曰, 五居一身之上象. 朱子曰, 上一陽畫有頭之象, 中二陰有口之象, 所以艮其輔, 於五爻見. 內卦之下, 亦有足之象. 又曰咸艮, 皆以人身爲象. 但艮卦, 又差一位.
'볼'은 전체를 상으로 취했다. 쌍호는 "오효가 한 몸 위에 있는 상이다"고 했다. 주자는 "맨 위의 한 양 획에 머리의 상이 있고, 가운데 두 음에 입의 상이 있으니, 이 때문에 그 볼에 그치는 것이 오효에 보인다. 내괘의 아래에서 보면 또한 다리의 상이 있다"고 했다. 또 "함괘와 간괘는 모두 사람의 몸을 상으로 삼았다고 했다. 다만 간괘에서는 또 한 자리가 차이가 진다"라고 하였다.[36]

송시열(宋時烈)『역설(易說)』

艮錯, 則爲兌, 兌爲輔頰. 舌當艮之時, 言不妄發, 發必有序, 故无悔也. 占亦如之. 小象正字, 本義以爲羡文, 然以止看何如. 五主艮之位, 居中能止, 故无悔. 抑字相似, 而誤印否.
간괘가 음양이 바뀌면 태괘가 되니, 태괘는 볼과 뺨이 된다. 혀는 그치는 때에 해당하여 말을 망령되게 발설하지 않고 발설함에 반드시 질서가 있기 때문에 허물이 없다. 점도 그와 같다.

석지형(石之珩)『오위귀감(五位龜鑑)』

臣謹按, 艮之六五, 取頰骨之象, 何也. 蓋艮爲背立象, 故諸爻, 皆取背後之體, 而頰骨, 亦從背後可見, 故取其象也. 人於言語時, 必動其輔, 止其輔, 則言不出. 惟口興戎, 人皆可戒, 而人主出言, 尤宜致愼, 故高宗三年不言, 一言而四海咸仰, 莊王三年不鳴, 一鳴而諸侯皆驚, 斯可見, 所謂艮輔者, 非以不言爲正也. 待時而言, 言必有中, 則終日

---

36) 함괘에서는 상효에서 '咸其輔'라고 하였다.

言, 未嘗有言也. 雖然其止也其言也, 要皆止乎中正, 然後吉而悔亡, 伏願殿下, 愼其樞機, 而罔失中正焉.
신이 삼가 살펴보았습니다: 간괘의 육오가 광대뼈의 상을 취한 것은 어째서이겠습니까? 대체로 간괘는 등지고 서있는 상이 되므로 여러 효에서 모두 등 뒤의 몸체를 취했고, 광대뼈도 등 뒤로부터 볼 수 있으므로 그 상을 취했습니다. 사람이 말을 할 때에는 반드시 그 볼을 움직이니, 볼을 멈추면 말이 나오지 않습니다. 오직 입이 분란을 일으켜 사람들이 모두 경계해야 하는 것인데, 임금이 말을 하는 것은 더욱 마땅히 삼가야 하므로 고종이 삼년을 말하지 않다가 한번 말하자 사해가 모두 우러러보았으며, 장왕이 삼년을 울지 않다가 한번 울자 제후들이 모두 놀랐으니, 여기에서 이른바 '볼에 그침'은 말을 하지 않는 것을 바르게 여기는 것이 아님을 알 수 있습니다. 때를 기다려 말하고 말에 반드시 알맞음이 있으면 종일을 말하더라도 구설이 있는 적이 없습니다. 비록 그렇지만 그치고 말하는 것이 요컨대 모두 중정함에 그쳐야 하니, 그런 뒤에 길하여 후회가 없습니다. 엎드려 바라건대 전하께서는 그 관건이 되는 바를 삼가셔서 중정함을 잃지 마십시오.

이현석(李玄錫) 「역의규반(易義窺斑)」

雲峯胡氏曰, 咸艮, 皆以身取象, 咸言人前, 艮言人背, 艮言[37]腓, 咸亦言腓, 腓雖在後, 而前亦可見也. 咸言[38]輔, 艮亦言輔, 輔雖在前, 而後亦可見也. 故咸得兼艮之腓, 而不得兼艮之限夤, 艮得兼咸之輔, 而不得兼咸之頰舌. 其取象, 可謂精矣云. 竊嘗妄論, 此說極其明透, 而猶似未備, 咸言人前者, 咸, 感也, 人之受感, 恒在於前, 故取象於前也. 艮言人後者, 艮, 止也, 人之所止, 恒在於後, 故取象於背也. 咸初言拇, 艮初言趾者, 分前後也. 二之腓, 則前後, 皆可見也. 三則咸言股, 艮言限夤, 四則咸言心, 艮言身, 槪亦分前後也. 至於五爻, 則咸之言脢, 反在後, 艮之言輔, 反在前, 此其故何也. 五, 君位也, 群臣之所仰對瞻望, 有南面北面之別, 故由前而觀, 則在於後, 由後而觀, 則在於前, 此取象之精義也. 且咸則上爻爲輔, 艮則五爻爲輔, 亦有不同. 蓋咸, 上体是兌, 兌爲口, 故上爻極於輔頰, 艮則比象於鼻, 其極處至於鼻, 故五爻自居口輔, 其取象也, 可謂極精矣. 易中爻象, 多有難通處, 惟此両卦, 最爲分明精審. 而先儒所論, 猶恐未盡, 故敢贅說焉.
운봉호씨는 "함괘와 간괘는 모두 '몸'으로 상을 취했으니, 함괘에서는 사람의 앞을 말했고 간괘에서는 사람의 등을 말했는데, 간괘에서는 '장딴지'를 말했고 함괘에서도 '장딴지'를 말

37) 言: 경학자료집성 DB와 영인본에는 '其'로 되어 있으나, 『주역본의통석』에 따라 '言'으로 바로잡았다.
38) 言: 경학자료집성 DB와 영인본에는 '其'로 되어 있으나, 『주역본의통석』에 따라 '言'으로 바로잡았다.

한 것은 장딴지는 비록 뒤에 있지만 앞에서도 볼 수 있기 때문이다. 함괘에서는 '볼'을 말했고 간괘에서도 볼을 말한 것은 볼이 비록 앞에 있지만 뒤에서도 볼 수 있기 때문이다. 그러므로 함괘는 간괘의 장딴지를 겸할 수는 있으나 간괘의 허리와 등뼈를 겸할 수는 없으며, 간괘는 함괘의 볼을 겸할 수는 있으나 함괘의 뺨과 혀를 겸할 수는 없다. 그 상을 취함이 정밀하다고 할 수 있다"고 했다. 가만히 내 생각을 말하면 이 설명은 분명함을 다했는데도 오히려 갖추어지지 않은 듯한 것은 함괘에서 사람의 앞이라고 말한 것은 함(咸)이 느낌이어서 사람이 느낌을 받음이 항상 앞에 있으므로 앞에서 상을 취했다. 간괘에서 사람의 뒤라고 말한 것은 간(艮)이 그침이어서 사람의 그치는 바가 항상 뒤에 있으므로 등에서 상을 취했다. 함괘의 초효에서 '발가락'을 말했고 간괘의 초효에서 '발꿈치'를 말한 것은 앞과 뒤를 나눈 것이다. 이효의 '장딴지'는 앞뒤에서 모두 볼 수 있다. 삼효는 함괘에서는 '넓적다리'를 말했는데 간괘에서는 '허리'와 '등뼈'를 말했으며, 사효는 함괘에서는 '마음'을 말했는데 간괘에서는 '몸'을 말했으니, 대체로 또한 앞과 뒤를 나눈 것이다. 오효에 이르면 함괘에서는 '등살'을 말한 것은 도리어 뒤에 있고 간괘에서 볼을 말한 것은 도리어 앞에 있으니, 이는 그 까닭이 어째서인가? 오효는 임금의 자리이니, 여러 신하가 앙대(仰對)하고 바라보는 바여서 남면하고 북면하는 구별이 있으므로, 앞으로부터 살펴보면 뒤에 있고 뒤로부터 살펴보면 앞에 있으니, 이는 상을 취한 정밀한 뜻이다. 또 함괘에서는 상효가 볼이 되고 간괘는 오효가 볼이 되니, 또한 같지 않음이 있다. 함괘는 상체가 태괘인데, 태괘는 입이 되므로 상효는 볼과 뺨에서 다하고, 간괘에서는 상을 코에 견주었는데, 그 지극한 곳이 코에 이르므로 오효 자신이 입과 볼에 있으니, 그 상을 취함이 매우 정밀하다고 할 만하다. 역 가운데 효의 상이 통하기 어려운 곳이 많지만, 이 두 괘에서만 가장 분명하고 상세하다. 그런데 이전의 유학자들이 논한 바가 오히려 미진할까봐 감히 군더더기의 말을 보태었다.

이익(李瀷)『역경질서(易經疾書)』

此卦, 宜與咸相照, 其象差一位. 夤者, 如咸之脢, 亦心之所繫, 而彼五此四, 故彼以上爲輔, 此以五爲輔. 彼之上兌, 言從上出, 此之上艮, 剛以揜下, 故上九有敦艮之象, 而三[39]夤五輔, 其義當然. 輔者, 頰也, 言之躁急, 輔必先動, 艮其輔, 則言必有序.

이 괘는 마땅히 함괘와 서로 대조해보면 상의 한 자리가 차이난다. '등뼈'는 함괘의 '등살[脢]'과 같고, 또 심장이 매인 바인데 함괘에서는 오효이고 간괘에서는 사효이므로 함괘에서는 상효를 '볼'이라고 보았고 간괘에서는 오효를 '볼'이라고 보았다. 함괘의 상괘는 태괘이니 말이 위로부터 나오고, 여기서의 상괘는 간괘이니 굳셈이 아래를 가리므로, 상구에 그침에 도

39) 三: 경학자료집성DB에는 '四'로 되어 있으나 문맥에 따라 '三'을 바로잡았다.

타운 상이 있어서 삼효의 등뼈와 오효의 볼은 그 뜻이 마땅히 그러하다. '볼'은 뺨이니, 말이 조급함에 볼이 반드시 먼저 움직이는데 볼에 그치면 말에 반드시 질서가 있다.

유정원(柳正源) 『역해참고(易解參攷)』

六五 [止] 悔亡

육오는 … 후회가 없으리라.

王氏曰, 施止於輔, 以處於中, 故口旡擇言, 能亡其悔也.

왕필이 말하였다: 볼에 그침을 베풂은 가운데 처하기 때문에 입에 가리는 말이 없어서 후회가 없을 수 있다.

○ 杜氏曰, 震爲車, 輔, 頰車也. 互震而艮止其上, 艮其輔也.

두씨가 말하였다: 진괘는 수레가 되니, 볼은 협거(頰車)이다. 호괘가 진괘인데 간괘가 그 위에서 그치니, 볼에 그침이다.

○ 鮑氏曰, 咸上六爲輔, 艮六五爲輔, 何也. 咸以兌上爲口, 艮以九三爲心, 故以五之陰爲輔.

포씨가 말하였다: 함괘는 상육이 볼이 되고 간괘는 육오가 볼이 되는 것은 어째서인가? 함괘는 태괘의 상효로 입을 삼고 간괘는 구삼으로 마음을 삼으므로 오효인 음으로 볼을 삼은 것이다.

○ 朱子曰, 賈誼固有才, 文章亦雄偉, 只是言語急迫, 失進言之序, 宜乎絳灌之徒不說, 而文帝謙遜未遑也. 如韓信鄧禹諸葛孔明輩, 旡不有一定之規模, 漸漸做將去, 所以所爲, 皆卓然有成. 賈誼胸次終是閙著, 事不得有些子在胸中, 盡要迸出來. 只管跳躑暴�不已, 如乘生駒相似. 制禦它未下, 所以言語旡序, 而不能有所爲也. 易曰, 艮其輔言有序, 聖人之意, 可見矣.

주자가 말하였다: 가의는 진실로 재주가 있고 문장도 웅장하였는데 다만 말을 하는 것이 급박하여 진언(進言)하는 차례를 잃었으니, 마땅히 강후[周勃]와 관영(灌嬰)의 무리가 싫어하였고, 문제(文帝)는 겸양하여 손쓸 틈이 없었다. 마치 한신과 등우(鄧禹), 제갈공명과 같은 무리는 일정한 규모가 있어 점점 나아가니, 이 때문에 하는 바가 모두 탁월하게 이루는 것이 있었다. 가의는 가슴속이 끝내 패착 되었으니, 일에 조그마한 것이라도 얻지 못하면 가슴속에서 모두 솟아 나와서 다만 날뛰고 사나울 뿐이니, 산 망아지를 타는 것과 같아서

제어할 수 없으니, 이 때문에 말이 순서가 없어 이룬 것이 있을 수 없었다. 『주역』에서 "볼에 그침이라 말이 순서가 있다"고 했으니, 성인의 뜻을 볼 수 있다.

○ 雙湖胡氏曰, 取象, 或一爻或全體或數爻, 如輔以三至五有頤口象, 以形觀之, 四陰森列兩旁, 儼然口輔也. 雖下互震, 上實艮正體, 艮止而已, 故曰艮其輔.
쌍호호씨가 말하였다: 상을 취함이 혹은 한 효이거나 혹은 전체이거나 혹은 몇몇 효이니, 가령 '볼'은 삼효에서 오효까지 턱과 입의 상이 있기 때문이지만 형체로 살펴보면 네 음이 양쪽으로 빽빽이 늘어선 것이 엄연히 입과 볼이다. 비록 아래가 호괘인 진괘이지만 위는 실상 바른 몸체인 간괘이니, 간괘는 그침일 뿐이기 때문에 "볼에 그친다"고 했다.

○ 案, 艮其輔者, 非含默不言也. 當言而言, 當默而默, 不易不煩不悖不違, 止所止而有序也.
내가 살펴보았다: '볼에 그침'은 입을 다물고 말하지 않는 것이 아니다. 말을 해야 하면 하고 입을 다물어야 하면 다물어 경솔하지도 않고 번거롭지도 않으며 어긋나지도 않고 어기지도 않아 그쳐야 할 바에 그쳐서 순서가 있는 것이다.

김상악(金相岳) 『산천역설(山天易說)』

六五, 當輔之處. 柔中居艮, 比上而止. 互爲離體, 故言有序而悔亡. 悔, 謂以陰居陽也.
육오는 볼이 있는 곳에 해당하니, 부드러운 음이 알맞고 간괘에 있으며 상효에 가까워 그친다. 호괘가 리괘의 몸체가 되므로 말이 순서가 있어서 후회가 없다. 후회는 음으로 양의 자리에 있음을 말한다.

○ 輔, 兌象. 山澤通氣, 艮兌相伏. 艮陽塞, 兌上口, 故曰艮其輔. 咸上六曰. 咸其輔頰舌, 感人以言, 而无其實者也. 此曰艮其輔, 心安于靜, 而不躁妄者也. 所以有德者, 必有言, 有言者, 不必有德也. 言者, 離之象. 兩艮相次上下, 序之象. 悔者, 易則誕, 煩則支, 肆則忤, 悖則違之謂也. 言出於心, 心止則言有序, 故悔亡也.
'볼'은 태괘의 상이다. 산과 못이 기운을 통하고 간괘와 태괘가 서로 숨어있다. 간괘의 양은 막히고 태괘의 위는 입이므로 "볼에 그친다"고 했다. 함괘의 상육에서 "그 볼과 뺨과 혀에 느낀다"고 했으니, 말로 사람을 느끼게 하되 실체가 없는 것이다. 여기서는 "볼에 그친다"고 했으니, 마음이 고요함에 안정되어 성급하고 망령되지 않은 것이다. 이 때문에 덕이 있는 자는 반드시 말이 있지만, 말이 있는 자가 반드시 덕이 있는 것은 아니다. '말'은 리괘의 상이다. 두 간괘가 위아래로 서로 이었으니, 순서의 상이다. '후회'는 쉬우면 거짓되고 번거로우면 지루하며 거리낌이 없으면 게으르고 어그러지면 어김을 말한다. 말은 마음에서 나오는데 마음이 그치면 말에 순서가 있기 때문에 후회가 없다.

서유신(徐有臣) 『역의의언(易義擬言)』

輔, 口旁, 從後可見處也. 艮其輔, 口止也. 然非三緘者也, 語默得宜者也. 故曰言有序也, 此亦兼動靜言也. 互震有先動後止之象, 故曰悔亡也. 君子之行止, 在於出處語默, 故此又以艮輔言之也.

'볼'은 입 주위니, 뒤로부터 볼 수 있는 곳이다. '볼에 그침'은 입이 그치는 것이다. 그러나 입을 세 번 꿰매는 것이 아니라 말을 하고 입을 다무는 것이 마땅함을 얻은 것이다. 그러므로 "말에 순서가 있다"고 했으니, 이 또한 움직임과 고요함을 겸해 말한 것이다. 호괘인 진괘에 먼저 움직이고 뒤에 그치는 상이 있으므로 "후회가 없으리라"고 했다. 군자의 다님과 그침이 처신하고 말하는 데 있기 때문에 이 또한 '볼에 그침'으로 말했다.

서유신(徐有臣) 『역의의언(易義擬言)』

六五曰, 其輔.
육오에서 말하였다: 그 볼에,
取諸身, 五爲輔.
몸에서 구한다면 오효는 볼이 된다.

言有序.
말이 순서가 있다.
互震有言笑象.
호괘인 진괘(☳)에 말하고 웃는 상이 있다.

이지연(李止淵) 『주역차의(周易箚疑)』

六五, 夫人不言, 言必有中.
육오는 사람이 말을 하지 않으니, 말에 반드시 알맞음이 있다.

김기례(金箕澧) 「역요선의강목(易要選義綱目)」

輔, 頰車, 口上兩傍骨, 言所由出也. 以五柔居尊不能止天下, 故自止其言而有序, 則得正而悔亡. 五陰偶居上之下, 自有頰車象. 但自止, 故曰不吉.
'볼'은 협거(頰車)인데 입 위 양쪽 주위의 뼈니, 말이 말미암아 나오는 곳이다. 오효인 부드러운 음이 존귀한 자리에 있어 천하를 그치게 할 수 없기 때문에 스스로 말을 그치지만 순서가 있으니, 바름을 얻어 후회가 없다. 오효인 음[⚋]이 상효의 아래에 있어 저절로 협거(頰車)의 상이 있다. 다만 스스로 그치기 때문에 "길하지 않다"고 한다.

심대윤(沈大允) 『주역상의점법(周易象義占法)』

艮之漸䷴, 漸進也. 夫能不役于物, 則物必服焉. 不絶于物, 則必物歸焉. 卲子曰, 物物而不物於物, 是也. 六四能不役于物, 而亦不絶物矣. 至五則始有比輔者也. 以柔中居剛, 不就於物, 而上從于六, 從其所好, 艮之道, 得中而天下之所輔, 故曰艮其輔. 輔, 口之左右車輔骨也, 從後可見者也. 艮有人背立之象, 故以背取象也. 輔, 言則動. 六五動止得中, 故曰言有序. 六二居柔得中, 而勉於分內, 六五居剛得中, 而不求於分外. 夫守分而不妄求, 則物之歸服有漸而不驟, 有漸之義. 以五之位當輔處, 而艮爲言互巽爲序, 故以言有序喻之也. 艮之道, 守分而不求外物, 初无所得, 而今乃得物之比輔, 故曰悔亡. 六五之山, 枝脚漸布, 而層疊不獨尊也.〈輔, 前面[40]之見於後者, 而有動有止, 窒其人心之欲, 而得其天理之欲, 有輔之象也.〉
간괘가 점괘로 바뀌었으니, 점진적으로 나아가는 것이다. 물건에 부려지지 않을 수 있다면 물건이 반드시 복종하게 된다. 물건에 끊어지지 않으면 반드시 물건이 돌아온다. 소자가 "사물을 사물로 대하되 사물에 의해 사물이 되지 않는다"는 것이 이것이다. 육사는 물건에 부려지지 않을 수 있고 또 물건에 끊어지지 않는다. 오효에 이르면 비로소 볼에 견줄만한 것이 있다. 부드러운 음이 알맞음으로 굳센 자리에 있어 물건에 나아가지 않고 위로 상효를 따르니, 좋아하는 바를 따름은 간괘의 도가 알맞음을 얻어 천하가 돕는 바이므로 "그 볼에 그친다"고 했다. '볼'은 입 좌우의 거보(車輔)인 뼈이니, 뒤로부터 볼 수 있는 것이다. 간괘에 사람이 등지고 서있는 상이 있으므로 '등'으로 상을 취했다. '볼'은 말하면 움직인다. 육오는 움직임과 그침이 알맞음을 얻었으므로 "말에 순서가 있다"고 했다. 육이는 부드러운 자리에 있어 알맞음을 얻어서 분수 안에서 힘쓰며, 육오는 굳센 자리에 있어 알맞음을 얻어 분수 밖에서 구하지 않는다. 분수를 지키고 망령되게 구하지 않으면 물건이 돌아와 복종하는 데 점진함이 있고 급작스럽지 않으니 점진하는 뜻이 있다. 오효의 자리가 '볼'이 처한데 해당하고, 간괘는 말이 되고 호괘인 손괘는 순서가 되기 때문에 "말에 순서가 있다"는 것으로 비유하였다. 간괘의 도는 분수를 지키고 바깥 사물에서 구하지 않으니, 처음에는 얻는 바가 없으

40) 面: 경학자료집성DB에는 '而'로 되어 있으나 문맥에 따라 '面'으로 바로잡았다.

나 이제 물건이 가까이 하고 도움을 얻으므로 "후회가 없다"고 했다. 육오의 산은 가지와 다리가 점차 퍼져 겹겹이 쌓여 혼자만 높지는 않다. 〈'볼'은 전면 중, 뒤에서 드러난 것이어서 움직임도 있고 그침도 있으니, 인심의 욕심은 막고 천리의 욕심은 얻어 볼의 상이 있다.〉

오치기(吳致箕) 「주역경전증해(周易經傳增解)」

六五, 柔得中而居尊, 當口輔之處, 故有艮其輔之象, 而在止之時, 中以行正, 言必當理, 无誕煩肆忤之悔, 故其辭如此.
육오는 부드러운 음이 알맞음을 얻고 존귀한 자리에 있어 입과 볼이 처함에 해당하기 때문에 볼에 그치는 상이 있는데 그치는 때에 있어 알맞음으로 바름을 행하여 말이 반드시 이치에 합당하여 거짓되고 번거로우며 거리끼고 게으른 후회가 없으므로 그 말이 이와 같다.

○ 口傍曰輔, 而輔與言, 皆取於對兌. 序者, 言之當理也. 以柔居剛, 宜有悔, 而以其得中, 故所言當理而无悔也.
입 주위를 "볼"이라고 하는데 볼과 말은 모두 음양이 바뀐 태괘(☱)에서 취했다. '순서'는 말이 이치에 합당함이다. 부드러운 음으로 굳센 자리에 있어 마땅히 후회가 있어야 하는데 알맞음을 얻었기 때문에 말하는 것이 이치에 합당하여 후회가 없다.

이진상(李震相) 『역학관규(易學管窺)』

艮其輔.
볼에 그침이라.

杜氏以震爲車, 輔言此象, 而自三至上, 有頤口象, 儼然好輔也.
두씨는 진괘(☳)를 수레로 여겼고, 볼은 이 상을 말하는데 삼효로부터 상효에 이르기까지는 턱과 입의 상이 있으니, 위엄이 있으면서 예쁜 볼이다.

○ 輔也.
볼이다.

象曰, 艮其輔, 以中正也.

정전 「상전」에서 말하였다: '그 볼에 그침'은 알맞음[中]으로써 바름이다.
본의 「상전」에서 말하였다: '그 볼에 그침'은 알맞기[中] 때문이다.

中國大全

傳

五之所善者, 中也. 艮其輔, 謂止於中也. 言以得中爲正, 止之於輔, 使不失中, 乃得正也.

오효가 좋은 점은 '알맞음' 이다. '그 볼에 그침'은 알맞음에 그침을 이른다. 말은 알맞음을 얻는 것을 바름으로 삼으니, 볼에 그쳐 중을 잃지 않아야 바름을 얻는다.

本義

正字, 羡文. 叶韻, 可見.

'정(正)' 자는 잘못 들어간 글자이다. 운을 맞추어 보면 알 수 있다.

小註

誠齋楊氏曰, 高宗三年不言, 一言而四海咸仰, 威王三年不鳴, 一鳴而齊國震驚. 六五所以能艮其輔而言有序者, 以其德之中正而已, 所謂有德者, 必有言也.

성재양씨가 말하였다: 고종(高宗)이 삼 년간 말을 하지 않다가 한 번 말하자 사해 안의 사람들이 모두 우러러봤고,[41] 위왕(威王)이 삼 년을 울지 않다가 한 번 울자 제나라가 크게 놀랐

---

41) 『서경(書經)·무일(無逸)』: 은나라 고종이 상을 당하여 총재에게 정사를 맡기고 3년간 말을 하지 않았다가,

다.[42] 육오가 그 볼에 그쳐 말에 순서가 있을 수 있는 것은 그 덕이 중정하기 때문일 뿐이니, 이른바 덕이 있는 사람은 반드시 말이 있다[43]는 것이다.

韓國大全

유정원(柳正源)『역해참고(易解參攷)』

以中正.
알맞고 바르기 때문이다.

正義, 位雖不正, 以居得其中, 不失其正, 故言有序也.
『주역정의』에서 말하였다: 자리가 비록 바르지 않지만 거처함이 알맞음을 얻어 바름을 잃지 않았기 때문에 말에 순서가 있다.

○ 梁山來氏曰, 正當作止, 與止諸躬同. 以中而止, 所以悔亡.
양산래씨가 말하였다: '정(正)'은 '지(止)'로 써야하니, "몸에 그치는 것이다[止諸躬]"고 할 때의 '그침[止]'과 같다. 알맞음으로 그치니, 이 때문에 후회가 없다.

김상악(金相岳)『산천역설(山天易說)』

人之所當止而愼者, 惟言與行也. 故初曰艮其趾无咎, 五曰艮其輔悔亡. 五雖不正, 以中而正也, 初之居下, 能不失正也.

드디어 말을 하니 천하사람들이 기뻐하였다.

42) 『사기(史記)·골계열전(滑稽列傳)』: 순우곤이 정사에 관심을 두지 않고 방탕을 일삼는 제나라 위왕에게 넌지시 수수께끼를 내어 "큰 새가 궁전의 뜰에 사는데 3년동안 울지도 않고 날지도 않으니, 이 새가 무슨 새인지 아십니까?"라고 하였다. 위왕이 "이 새는 날지 않으면 그만이지만 날아오르면 반드시 하늘 높이 올라갈 것이고, 울지 않으면 그만이지만 한 번 울면 반드시 사람들을 놀라게 할 것이다"라고 하고는, 현령 72인을 불러들여 한 사람에게는 상을 주고, 한 사람에게는 벌을 준 후 군대를 일으키니, 제후들이 놀라 빼앗았던 땅을 돌려주었다.

43) 『論語·憲問』: 有德者 必有言, 有言者 不必有德

사람이 마땅히 그치고 삼가야 할 것은 말과 행동일 뿐이다. 그러므로 초효에서 "그 발꿈치에 그침이라 허물이 없다"고 했고, 오효에서 "볼에 그침이라 후회가 없다"고 했다. 오효가 비록 바르지는 않으나 알맞아 바르니, 초효가 아래에서 그 바름을 잃지 않을 수 있다.

서유신(徐有臣)『역의의언(易義擬言)』

五居中, 爲語黙得中之象也. 正, 疑羨文.

오효는 가운데 있어 말하고 입을 다무는 것이 알맞음을 얻은 상이 된다. '정(正)'은 아마도 잘못 들어간 글자인 듯하다.

심대윤(沈大允)『주역상의점법(周易象義占法)』

當作正中.

마땅히 정중(正中)으로 해야 한다.

오치기(吳致箕)「주역경전증해(周易經傳增解)」

艮其輔, 謂止其口, 而中以行正, 故其言有序也.

'볼에 그침'은 입에 그침을 이르는데, 알맞음으로 바름을 행하므로 말에 순서가 있다.

박문호(朴文鎬)「경설(經說)·주역(周易)」

中字爲韻, 本義得之. 抑或正字不爲衍而字乙耶.

'중(中)'자가 운(韻)이 되니, 『본의』가 옳다. 그렇지 않고 '정(正)'자가 잘못 들어간 것이 아니라면 글자가 잘못된 것인가?

이병헌(李炳憲)『역경금문고통론(易經今文考通論)』

王曰, 止於輔, 處於中, 故悔亡. 能用中正, 故言有序也.

왕필이 말하였다: 볼에 그치고 알맞음에 처했기 때문에 후회가 없다. 중정함을 쓸 수 있으므로 말에 순서가 있다.

上九, 敦艮, 吉.

상구는 그침에 도타움이니, 길하리라.

中國大全

傳

九, 以剛實居上, 而又成艮之主, 在艮之終, 止之至堅篤者也. 敦, 篤實也. 居止之極, 故不過而爲敦. 人之止, 難於久終. 故節或移於晩, 守或失於終, 事或廢於久, 人之所同患也. 上九, 能敦厚於終, 止道之至善, 所以吉也. 六爻之德, 唯此爲吉.

양효가 굳세고 실함으로서 맨 윗자리에 있고 또 간괘를 이루는 주인은 간괘의 마지막에 있으니, '그침'이 아주 단단하고 도타운 것이다. '도타움'은 독실함이다. '그침'의 끝에 있으므로 지나치지 않아 도타움이 된다. 사람의 '그침'은 오래하거나 잘 마치기가 어렵다. 그러므로 절개가 만년에 바뀌기도 하고 지킴을 마지막에 잃기도 하며 일이 오래되어 그만두게도 되니, 사람이라면 다 하는 근심이다. 상구가 마지막에 도타울 수 있는 것은 그치는 도리의 지극히 선한 것이니, 길한 것이다. 여섯 효의 덕 가운데 이 효만 길하다.

本義

以陽剛居止之極, 敦厚於止者也.

양의 굳셈으로 '그침'의 끝에 있으니, '그침'에 도탑다.

小註

中溪張氏曰, 上九, 在艮山之極, 剛健篤實, 可謂敦厚於艮終者也. 故六爻之中, 唯此獨吉.

중계장씨가 말하였다: 상구가 간괘인 산의 끝에 있어 강건하고 독실하니 '그침'의 마지막에 도탑다고 할만하다. 그러므로 육효 가운데 이 괘만 홀로 길하다.

○ 建安丘氏曰, 艮, 以人身取象, 艮, 止體, 身, 動物也. 六爻, 自初之趾至五之輔, 皆囿於一體, 而未能盡止道之善, 僅止於无咎悔亡而已, 獨上九爲成艮之主, 於當止之地, 而能止焉, 所謂止於至善者. 聖人, 以爲非形之可拘. 故曰, 敦艮吉. 其與悔亡无咎之辭, 異矣.
건안구씨가 말하였다: 간괘는 사람 몸에서 상을 가져왔다. 간괘(艮卦)는 그침의 몸체인데 몸은 움직이는 것이다. 여섯 효가 초효의 '발꿈치'에서 오효의 '볼'에 이르기까지 다 한 몸에 갇혀 아직 그치는 도리의 선함을 다할 수 없으니 겨우 '허물없음' '후회없음'에 그칠 뿐이나, 상구는 간괘의 주인이 되어 그쳐야만 할 곳에 그칠 수 있으니 '지극한 선에 그친다'는 것이다. 성인은 형체로 구속할 수 있지 않다. 그러므로 '그침에 도타움이니, 길하리라' 한 것이다. '후회없음'이나 '허물없음'같은 말과는 다르다.

又曰, 艮者, 震之反也. 艮之三, 卽震之四, 震之用, 在下, 故震陽, 最下者, 獨吉. 若震四之陽, 則下連二陰, 爲互艮之體, 失所以爲震矣. 艮之用, 在上, 故艮陽, 最上者, 獨吉, 若艮三之陽, 則連上二陰, 爲互震之體, 失其所以爲艮矣.
또 말하였다: 간괘는 진괘가 거꾸로 된 괘이다. 간괘의 삼효가 바로 진괘의 사효이고, 진괘의 운용이 아래에 있으므로 진괘의 양효는 가장 아래 있는 것만 길하다. 만약 진괘 사효의 양이 아래의 두 음효와 이어져 호괘인 간괘의 몸체가 되면 진괘(震卦)가 된 까닭을 잃게 될 것이다. 간괘의 운용은 위에 있으므로 간괘의 양효는 가장 위에 있는 것만 길하다. 만약 간괘 삼효의 양이 위의 두 음과 이어져 호체인 진괘의 몸체가 되면 간괘가 된 까닭을 잃게 될 것이다.

○ 雲峯胡氏曰, 咸艮, 皆以身取象, 咸, 言人前, 艮, 言人背. 艮其腓, 咸亦言腓, 腓雖在後, 而前亦可見也, 咸其輔, 艮亦言輔, 輔雖在前, 而後亦可見也. 故咸得兼艮之腓, 而不得兼艮之限夤, 艮得兼咸之輔, 而不得兼咸之頰舌, 其取象, 可謂精矣. 上獨不言象, 何哉. 敦臨敦復, 皆取坤土象, 艮山, 乃坤土而隆其上者也, 其厚也, 彌固, 故其象爲敦, 其占曰, 吉. 凡上爻, 除井鼎外, 鮮有吉者, 惟艮之在上體者, 凡八, 而皆吉, 人可不自厚哉. 厚於始, 可不厚於終哉.
운봉호씨가 말하였다: 함괘와 간괘 모두 몸에서 상을 가져왔지만, 함괘는 사람의 앞을 말하고 간괘는 사람의 등을 말한다. '그 장딴지에 그침'처럼 함괘 또한 '장딴지'를 말함은 장딴지가 비록 뒤에 있으나 앞에서도 볼 수 있기 때문이고, '그 볼에 느낌'처럼 간괘 또한 '볼'을

말함은 볼이 비록 앞에 있지만 뒤에서도 볼 수 있기 때문이다. 그러므로 함괘는 간괘의 장딴지를 겸할 수 있어도 간괘의 '허리'와 '등뼈'를 겸할 수는 없고, 간괘가 함괘의 '볼'을 겸할 수 있어도 함괘의 '뺨'과 '혀'를 겸할 수 없으니, 그 상을 가져옴이 정밀하다고 할 수 있다. 상효만 상을 언급하지 않은 것은 어째서인가? '임함에 돈독함[敦臨]',[44] '돌아오는데 도타움[敦復]'이[45] 다 곤괘의 흙에서 상을 취하였는데, 간괘의 산은 곤괘의 흙이 그 위로 솟은 것이라서 그 두터움이 더욱 단단하므로 그 상은 '도타움'이 되고, 그 점사에 '길하다'고 했다. 상효는 정괘(井卦)나 정괘(鼎卦)를 빼고는 길한 것이 드문데, 간괘가 상체에 있는 것은 여덟 개로 모두 길하니, 사람이 스스로 도탑게 하지 않을 수 있겠는가? 처음에 도타웠으면서 마지막에 도탑게 하지 않을 수 있겠는가?

‖韓國大全‖

조호익(曺好益) 『역상설(易象說)』

上九, 敦艮.
상구는 그침에 도타움이니,

敦, 坤土象. 艮山, 乃坤土而隆其上者也. 其厚也, 彌固, 故其象爲敦.
'도타움'은 곤괘인 흙의 상이다. 간괘인 산은 곧 곤괘인 흙인데 그 위로 솟은 것이다. 그 두터움이 더욱 견고하므로 상이 '도타움'이 된다.

송시열(宋時烈) 『역설(易說)』

敦者, 艮之德, 敦實. 艮爲土, 土上加土, 敦厚之象. 凡言敦厚, 皆於坤艮之卦, 如敦臨之類, 當艮之極, 以敦土爲德, 其吉可知. 小象厚終者, 艮之敦厚有終也.
'도타움'은 간괘의 덕이 도탑고 착실함이다. 간괘는 흙이 되니, 흙 위에 흙을 더하여 돈후(敦厚)한 상이다. 대체로 '돈후(敦厚)'라고 말한 것은 모두 곤괘와 간괘에서 이니, "도탑게 임한

44)『周易·臨卦』: 上六, 敦臨, 吉, 无咎.
45)『周易·復卦』: 六五, 敦復, 无悔.

다"와 같은 종류는 그침이 지극함에 해당하고 땅을 도탑게 하는 것으로 덕을 삼으니, 그 길함을 알 수 있다. 「소상전」에서 "마지막까지 도탑다"는 것은 간괘의 돈후함이 끝까지 함이 있는 것이다.

이익(李瀷) 『역경질서(易經疾書)』

卦以人身取象, 則上九之陽, 宜以頭面爲喩. 人之六陰脉, 皆至於身, 六陽脉, 皆達於頭面, 而止上九, 非頭面而何. 敦者, 厚終也. 自手足之端必達於高頂, 則所謂厚終也. 何以不言首, 自趾至輔, 又加於其上, 明其止之有極, 則雖不言, 猶言也.
괘를 사람의 몸으로 상을 취하면 상구의 양은 마땅히 머리와 낯으로 비유하여야 한다. 사람의 여섯 음의 맥락은 모두 몸에서 이르고 여섯 양의 맥락은 모두 머리와 낯에서 도달하니, 상구에 그치면 머리와 낯이 아니고 무엇이겠는가? '도탑다'는 것은 마지막까지 도타운 것이다. 수족의 끝으로부터 반드시 꼭대기까지에서 도달하면 이른바 마지막까지 도타운 것이다. 어째서 머리를 말하지 않고 발꿈치로부터 볼에 이르고, 또 그 위에 더하여 그침의 지극함이 있음을 밝힌다면 비록 말하지 않았더라도 오히려 말한 것과 같다.

유정원(柳正源) 『역해참고(易解參攷)』

姚氏曰, 爾雅謂丘再成爲敦, 所以明兼山之象.
요씨가 말하였다: 『이아』에서 "언덕이 거듭 이루어진 것이 돈독함[敦]이 된다"고 했으니, 그래서 산을 겸한 상을 밝힌 것이다.

○ 進齋徐氏曰, 易爻取厚象者, 三, 敦臨敦復敦艮. 臨復, 上體坤, 艮, 乾上爻交坤而成, 亦有厚象.
진재서씨가 말하였다: 역의 효에서 두터운 상을 취한 것이 셋이니, '돈독하게 임함[敦臨]'과 '돌아오기를 돈독하게 함[敦復]'과 '그침에 도타움[敦艮]'이다. 림괘와 복괘는 상체가 곤괘인데, '간'은 건괘 상효가 곤괘와 사귀어 이루어지니, 또 두터운 상이 있다.

○ 雙湖胡氏曰, 差一位, 咸九四爲心, 而艮九三爲心, 咸上六爲輔, 而艮六五爲輔也. 大要欲以九當心, 以六當輔, 故不能不差一位爾.
쌍호호씨가 말하였다: 한 자리가 차이나니, 함괘는 구사가 마음이 되는데 간괘는 구삼이 마음이 되고, 함괘는 상육이 볼이 되는데 간괘는 육오가 볼이 된다. 요체는 구(九)를 마음에 해당시키고 육(六)을 볼에 해당시키려 하므로 한 자리가 차이나지 않을 수 없다.

○ 梁山來氏曰, 敦, 與篤行之篤字同意. 時至則止, 貞固不變也. 山有敦厚之象, 故敦臨敦復, 以土取象.
양산래씨가 말하였다: '도타움[敦]'은 "도탑게 행한다[篤行]"고 하는 '도타움[篤]'과 뜻이 같다. 때가 지극하면 그쳐 정고(貞固)함이 변하지 않는다. 산에 돈후(敦厚)한 상이 있으므로 '돈독하게 임함[敦臨]'과 '돌아오기를 돈독하게 함[敦復]'은 흙으로 상을 취했다.

○ 案, 敦者, 極其止而不遷之意.
내가 살펴보았다: '도탑다'는 것은 그침을 다하여 옮기지 않는 뜻이다.

김상악(金相岳) 『산천역설(山天易說)』

一陽, 止於二陰之上, 爲敦艮之象, 卽卦辭之艮其背也. 能敦厚於終, 得時止之義, 故吉也.
한 양이 두 음의 위에서 그쳐 그침에 도타운 상이 되니, 곧 괘사의 '그 등에 그침'이다. 마침에 돈후(敦厚)할 수 있어 때의 그치는 뜻을 얻었기 때문에 길하다.

○ 艮體篤實, 敦之象. 坤艮同德, 故臨之上復之五, 皆言敦. 象傳曰, 厚終, 與用六之大終, 同義. 震所主在下, 艮所主在上, 故震初艮上, 最吉於六爻之中也.
간괘의 몸체는 독실(篤實)하니 도타운 상이다. 곤괘와 간괘는 덕이 같기 때문에 림괘(臨卦䷒)의 상효와 복괘(復卦䷗)의 오효에서 모두 도타움을 말했다. 「상전」에서 "마지막까지 도탑다"는 것은 용육(用六)의 '끝을 성대히 함'과 뜻이 같다. 진괘는 주장하는 바가 아래에 있고 간괘는 주장하는 바가 위에 있기 때문에 진괘 초효와 간괘 상효가 여섯 효 가운데 가장 길하다.

서유신(徐有臣) 『역의의언(易義擬言)』

終止而無變, 敦艮也. 初六所謂永貞者, 上九有之, 是以吉也. 獨不取象於人身, 而曰敦艮, 統一身而言也.
그침에 마쳐 변화가 없음이 그침에 도타움이다. 초육의 이른바 '길이 곧게 함'을 상구가 가지고 있으니, 이 때문에 길하다. 유독 사람의 몸에서 상을 취하지 않고 "그침에 도탑다"고 한 것은 한 몸을 통틀어서 말한 것이다.

서유신(徐有臣) 『역의의언(易義擬言)』

上九[46]曰, 敦艮.

상구에서 말하였다: 그침에 도타움이니.

艮, 篤實也.
'간(艮)'은 독실함이다.

윤행임(尹行恁) 『신호수필(新湖隨筆) · 역(易)』

從古名碩, 敦艮者, 絶罕, 在漢則張良, 在唐則李泌, 在宋則錢若水, 在皇明則劉基, 近乎敦艮, 而在三代, 則伊尹有焉.
예로부터 명석하여 '그침에 도타운' 자가 매우 드무니, 한나라에 있어서는 장량(張良)과 당나라에 있어서는 이필(李泌)과 송나라에 있어서는 전약수(錢若水)와 명나라에 있어서는 유기(劉基)가 '그침에 도타움'에 가까웠고, 삼대에 있어서는 이윤(伊尹)이 있다.

강엄(康儼) 『주역(周易)』

上九 [止] 吉.
상구는 … 길하리라.

按, 全卦以人身取象, 而自初六之趾至五六之輔, 則人身之象盡矣. 故於上九, 則只曰敦艮, 蓋據止之極而取象者也. 大學章句曰, 明德新民, 皆當止於至善之地而不遷, 此敦艮之義也.
내가 살펴보았다: 전체 괘가 사람의 몸으로 상을 취했는데, 초효의 '발꿈치'로부터 육오의 '볼'에 이르기까지 사람 몸의 상을 다했다. 그러므로 상구에서는 다만 "그침에 도탑다"고 했으니, 대체로 그침의 지극함에 근거하여 상을 취한 것이다. 『대학』 장구에서 "명덕(明德), 신민(新民)"이라고 한 것은 모두 지선(至善)한 곳에 마땅히 그치고 옮기지 않는 것이니, 이것이 그침에 도타운 뜻이다.

이지연(李止淵) 『주역차의(周易箚疑)』

至哉, 艮之取象以身也. 止者, 止而不進之謂也. 事止則弊, 學止則廢, 物止則壞, 行止則滯, 然而止於身, 則未嘗不以動一字爲興衰之幾也. 在上而妄動, 則亡, 在下而妄動, 則辱, 治心而妄動, 則荒, 治身而妄動, 則亂, 止雖不以道, 而不猶愈於動而生事者乎, 故曰

46) 上九: 경학자료집성 DB와 영인본에는 '上六'으로 되어 있으나, 간괘 상구이므로 바로잡았다.

治心治身之道, 无過於止一字, 心知其可以止, 身知其所當止, 則天下之能事, 畢矣.
간괘가 몸으로 상을 취함이 지극하구나. '지(止)'는 그쳐서 나아가지 않음을 말한다. 일이 그치면 해지고 배움이 그치면 폐기되고 물건이 그치면 허물어지고 행동이 그치면 정체되지만, 몸에 그침은 일찍이 움직인다는 글자로 흥하고 쇠하는 기미를 삼은 것이 아니다. 위에 있으면서 망령되게 움직이면 망하고, 아래에 있으면서 망령되게 움직이면 욕되며, 마음을 다스리면서 망령되게 움직이면 거칠고, 몸을 다스리면서 망령되게 움직이면 어지러우니, 그침이 비록 도로써 하는 것은 아니지만 오히려 움직여 일을 만드는 것보다는 낫지 않겠는가? 그러므로 마음을 다스리고 몸을 다스리는 도는 '그친다'는 글자에 지나칠 것이 없으니, 마음에 대해서는 그칠만함을 알고 몸에 대해서는 마땅히 그쳐야 할 곳을 알면 천하의 할 수 있는 일을 다 한 것이다.

김기례(金箕澧) 「역요선의강목(易要選義綱目)」

艮極而止於止, 有篤實之像, 故曰敦.
그침이 지극하여 그쳐야 함에 그치니, 독실(篤實)한 상이 있으므로 "도탑다"고 했다.

○ 胡雪峯曰, 復臨艮上爻, 皆曰敦者, 坤艮, 皆屬土, 故取坤厚. 艮在上體者, 凡八[47]而皆吉者, 取其止而終厚.
호운봉이 말하였다: 복괘와 림괘와 간괘의 상효에서 모두 "도탑다"고 한 것은 곤괘와 간괘가 모두 토(土)에 속하므로 곤괘의 두터움을 취한 것이다. 간괘가 상체에 있는 것은 무릇 여덟인데 모두 길한 것은 그 그침을 취해 끝이 도탑기 때문이다.

贊曰, 背面而止, 忘我忘人. 外內不交, 近且不親. 思不出位, 止心止身. 艮口艮趾, 言行有淳.
찬미하여 말하였다: 얼굴을 등지고서 그치니 나를 잊고 남을 잊네. 안팎이 사귀지 않으니 가깝지만 또 친하지 않네. 생각이 자리를 벗어나지 않으니 마음에 그치고 몸에 그치네. 입에 그치고 발꿈치에 그치니 말과 행동에 순박함이 있네.

심대윤(沈大允) 『주역상의점법(周易象義占法)』

艮之謙䷎, 歛下也. 以剛德居柔, 而處艮之極, 私欲旣滅, 道心獨全, 從心所欲, 而不踰距, 求而不濫, 得而不貪, 自然有成法, 不違中庸, 而大同於衆人, 和光同塵, 而不見有

47) 八: 경학자료집성DB에는 '入'로 되어 있으나, 경학자료집성 영인본을 참조하여 '八'로 바로잡았다.

高絶處, 止於至善者也. 故曰敦艮吉. 敦, 篤厚也. 艮, 坤之德也, 卽大德敦化者也. 充實而有光輝之謂大, 敦化者, 居其所而變化也. 以其止而不見其止, 止而有動意, 故不取背象. 艮之義, 止其所而不求乎分外, 勉其分內, 而待物之歸服, 故初六居卑守分者, 獨言利. 至上九敦化, 始言吉, 亦不及大吉, 无不利也. 上九, 太山之下又有山, 至高而厚, 勢平漸上, 而不見其高者也. 〈高下動靜致一, 以道心得人心之所欲得也, □心人心致一矣.〉
간괘가 겸괘(謙卦䷎)로 바뀌었으니, 아랫사람에게 바라는 것이다. 굳센 양의 덕으로 부드러운 자리에 있고 간괘의 끝에 처했으니, 사욕이 이미 없어지고 도심만이 온전하여 마음이 하고자 하는 바를 따르더라도 법도를 넘지 않아서 구하더라도 넘치지 않고 얻더라도 탐하지 않아 자연 법을 이룸이 있고 중용을 어기지 않아 중인(衆人)과 크게 같고, 빛을 감추고 티끌 속에 섞여[48] 높은 절개가 있음을 드러내지 않으니 지선(至善)에 처하여 그친 자이다. 그러므로 "그침에 도타움이니 길하다"고 했다. '도타움'은 돈후함이다. '그침'은 곤괘의 덕이니, 큰 덕으로 감화를 도탑게 하는 자이다. 충실하여 환하게 빛남이 있는 것을 '대(大)'라고 하니, 감화를 도탑게 함은 그 자리에 있으면서 변화시키는 것이다. 그침에 그침을 드러내지 않고 그치지만 움직이는 뜻이 있기 때문에 '등'의 상을 취하지 않았다. 간(艮)의 뜻은 그 자리에 그쳐서 분수 밖의 것을 구하지 않고 그 분수 안의 것에 힘써 만물이 돌아와 복종하기를 기다리기 때문에 초육은 낮은데 있어 분수를 지키는 자이니, 홀로 '이롭다'고 말했다. 상구의 감화를 도탑게 함에 이르러 비로소 길함을 말했으니, 또한 크게 길함에는 미치지 못했으나 이롭지 않음이 없다. 상구는 태산의 아래에 또 산이 있어 지극히 높고 두터운데 형세는 평평하게 점점 올라가니, 그 높음을 보지 못하는 경우가 있다. 〈높음과 낮음, 움직임과 고요함이 하나를 이루어 도심으로 인심이 얻고자 하는 바를 얻으니, □심과 인심이 하나를 이룬다.〉

오치기(吳致箕) 「주역경전증해(周易經傳增解)」

上九, 陽剛居艮之極, 而爲艮之主. 篤實於自修, 堅固於處靜, 當止而止, 終始不變, 卽敦厚於止道者也. 故言吉.
상구는 굳센 양이 간괘의 끝에 있어서 간괘의 주인이 된다. 스스로 닦음에 독실하고 고요한데 처함에 견고하여 마땅히 그쳐야 함에 그쳐 처음부터 끝까지 변하지 않으니, 곧 그치는 도에 돈후한 자이다. 그러므로 '길하다'고 말했다.

○ 敦臨敦復之敦, 皆取於坤厚之象, 而此亦取於爻變之坤也.

48) 『노자』 56장.

‘돈독하게 임함[敦臨]’과 ‘돌아오기를 돈독하게 함[敦復]’의 돈독함[敦]은 모두 곤괘의 두터운 상에서 취했는데, ‘그침에 도타움[敦艮]’ 또한 효가 변한 곤괘에서 취했다.

이진상(李震相) 『역학관규(易學管窺)』

爾雅, 丘再成爲敦, 兼山之象也. 敦者, 土體之厚, 故敦臨敦復敦艮, 皆土象也.
『이아』에서 “구(丘)가 거듭 이루어진 것이 도타움이 된다”고 했으니, 산을 겸한 상이다. ‘도타움’은 흙덩이의 두터움이므로 ‘돈독하게 임함[敦臨]’·‘돌아오기를 돈독하게 함[敦復]’·‘그침에 도타움[敦艮]’이 모두 흙의 상이다.

박문호(朴文鎬) 「경설(經說)·주역(周易)」

上是積厚之地, 故敦必於上言之. 臨卦亦然.
맨 위는 쌓아 도타운 곳이기 때문에 ‘도타움’을 반드시 상효에서 말했다. 림괘도 그러하다.

象曰, 敦艮之吉, 以厚終也.

「상전」에서 말하였다: "그침에 도타움"이 길한 것은 마지막까지 도탑기 때문이다.

中國大全

傳

天下之事, 唯終守之爲難, 能敦於止, 有終者也. 上之吉, 以其能厚於終也.

세상 일이 유독 마지막까지 지키는 것이 어려우니, 그침에 도타울 수 있음은 마침이 있는 것이다. 상효의 길함은 그것이 마지막까지 도타울 수 있기 때문이다.

小註

雲峯胡氏曰, 震, 以下一爻爲主. 故九四, 在上卦之下, 而未光, 不如在下卦之下者之致福. 艮, 以上一爻爲主, 九三, 在下卦之上, 而薰心, 不如在上卦之上者之厚終也. 非特艮上九爲然. 賁上九上得志, 大畜上九道大行, 蠱上九志可則, 頤上九大有慶, 損上九大得志, 蒙上九上下順, 皆艮之以厚終者也.

운봉호씨가 말하였다: 진괘(震卦)는 하괘의 효 하나가 주인이 된다. 그러므로 구사는 상괘의 아래에 있지만 '빛나지 못하니' 하괘의 아래에 있는 것이 '복을 부름'만 못하다. 간괘는 위의 효 하나가 주인이 되니, 구삼이 하괘의 위에 있어 마음을 태우는 것이 상괘의 위에 있는 것이 '마지막까지 도타움'만 못하다. 간괘의 상구만 그런 것이 아니다. 비괘(賁卦) 상구의 '위에서 뜻을 얻음'이나 대축괘(大畜卦) 상구의 '도리가 크게 행해짐', 고괘(蠱卦) 상구의 '뜻이 본받음직 함', 이괘(頤卦) 상구의 '크게 경사가 있음', 손괘(損卦) 상구의 '크게 뜻을 얻음', 몽괘(蒙卦) 상구의 '위아래가 따름'이 다 간괘의 '마지막까지 도탑기 때문'인 것이다.

○ 朱子曰, 艮卦是箇最好底卦, 動靜不失其時, 其道, 光明, 又剛健篤實, 輝光, 日新其德, 皆艮之象也. 艮, 居外卦者, 八, 而皆吉, 唯蒙卦, 半吉半凶. 如賁之上九, 白賁无咎, 上得志也, 剝之上九, 君子得輿, 民所載也, 大畜上九, 何天之衢, 道大行也, 蠱上九,不事王侯, 志可則也, 頤上九, 由頤厲吉, 大有慶也, 損上九, 弗損益之大得志也, 艮卦敦艮之吉以厚終也. 蒙卦上九, 擊蒙, 不利爲寇, 利禦寇, 雖小不利, 卦爻亦自好.
주자가 말하였다: 간괘가 가장 좋은 괘이니, 움직임과 고요함이 그 때를 잃지 않아 그 도리가 빛나고, 또 강건하고 독실하여 빛이 날로 그 덕을 새롭게 함이 다 간괘의 상이다. 간괘가 외괘에 있는 것이 여덟 개인데 다 길하나, 몽괘만 길흉이 반반이다. 비괘(賁卦)의 상구에 "'꾸밈이 바탕대로 함'이니 허물이 없으리라는 위에서 뜻을 얻음이라"나 박괘(剝卦) 상구의 "'군자가 수레를 얻음'은 백성들의 추대하는 바라", 대축괘(大畜卦) 상구의 "'얼마나 하늘이 트였는지'는 도리가 크게 행해짐이라", 고괘(蠱卦) 상구의 "'왕후를 섬기지 아니함'은 뜻이 본받음직 함이라", 이괘(頤卦) 상구의 "'말미암아 기름이니 위태롭게 여기면 길하리라'는 크게 경사가 있음이라", 손괘(損卦) 상구의 "'덜지 않고 더하면 허물이 없고'는 크게 뜻을 얻음이라" 같은 것들은 간괘의 "'그침에 도타움이니 길하리라'는 마지막까지 도탑기 때문이라"이다. 몽괘(蒙卦) 상구에서는 '어리석음을 깨우침이니 도적됨이 이롭지 않고 도적 막음이 이로우니라'라고 하였으니 비록 조금 이롭지 않기는 해도 괘효 자체는 좋은 것이다.
又曰, 蒙, 學者之事, 始之之事也, 艮, 成德之事, 終之之事也.
또 말하였다: 몽괘는 배우는 자의 일이니 시작하는 일이고, 간괘는 덕을 이루는 일이니 마무리 짓는 일이다.

○ 復卦, 静中有動, 艮卦, 又是動中要静, 復卦, 便是一箇大翻轉底艮卦, 艮卦, 便是兩箇翻轉底復卦. 復是五陰下一陽, 艮是二陰上一陽. 陽是動底物事, 陰是静底物事. 凡陽在下, 便是震動意思, 在中, 便是陷在二陰之中, 如人陷在窟裏相似在上, 則没去處了只得止. 故曰艮其止. 陰是柔順底物事, 在下則巽順, 陰柔不能自立, 須附於陽, 在中則是附麗之象, 在上則説, 蓋柔媚之物, 在上則歡悦.
복괘(復卦)는 고요함 속에 움직임이 있고 간괘(艮卦)는 움직임 속에서 고요함을 구하니, 복괘는 하나의 크게 뒤집힌 간괘이고 간괘는 두 개의 뒤집힌 복괘이다. 복괘는 다섯 음효 밑에 양효 하나가 있고, 간괘는 두 음효 위에 양효 하나가 있다. 양은 움직이는 것이고 음은 고요한 것이다. 양이 아래에 있으면 떨쳐 움직이려는 뜻이 있고, 가운데 있으면 두 음효 사이에 빠지니 사람이 함정에 빠진 것과 비슷하며, 위에 있으면 떠나지 않고 그칠 뿐이다. 그러므로 '그 그쳐야 함에 그침'이라고 한다. 음은 유순한 것으로서 아래에 있으면 공손히 따르니 부드러운 음은 스스로 설 수 없어 양에 붙어야 하고, 가운데 있으면 붙는 상이며, 위에 있으면 기쁘니, 부드럽고 예쁜 것이 위에 있으면 기쁘기 때문이다.

○ 艮, 就人身取象, 上一畫, 有頭之象, 中二陰, 有口之象. 所以艮其輔, 於五爻, 見内卦之下, 亦有足之象.

간괘는 사람 몸에서 상을 가져왔으니 위의 첫 획은 머리의 상이 있고, 가운데 두 음은 입의 상이 있다. 그래서 오효에서 '그 볼에 그친다'는 것이니, 내괘의 아래에도 발의 상이 있음을 알 수 있다.

又曰, 咸艮, 皆以人身爲象, 但艮卦又差一位.
또 말하였다: 함괘와 간괘가 다 사람 몸을 상으로 하였으나, 간괘에서 취한 몸의 자리가 한자리 적다.

○ 建安丘氏曰, 艮六爻, 以三上爲主, 而九三, 連上二陰, 有互震之體, 失其所以爲艮止之義矣. 而全艮之時用者, 獨在乎上. 故上敦艮吉, 而三艮其限厲薰心也. 其下四陰爻, 則皆隨陽而止者, 五近上艮, 故艮其輔, 言有序, 四遠之, 則亦艮其身, 而无咎也. 二近下艮, 故艮其腓, 不拯其隨, 初遠之, 則但艮其趾, 未失正而已. 合二體觀之, 而重艮之義, 可識矣.
건안구씨가 말하였다: 간괘의 여섯 효는 삼효와 상효가 주인이나 구삼은 윗괘의 두 음효와 이어져 호괘인 진괘(震卦)의 몸체가 있어 간괘의 그치는 뜻이 되는 까닭을 잃었다. 그런데 전체 간괘(☶)의 때와 쓰임은 오로지 상효에 있다. 그러므로 상효는 그침에 도타움이니, 길하며 삼효는 허리에 그치기에 위태로움이 마음을 태우는 것이다. 그 아래의 네 음효는 다 양효를 따라 그치는 것이니, 오효는 위의 그침에 가까우므로 그 볼에 그침이라 말이 순서 있으며, 사효는 떨어져 있으니 또한 그 몸에 그침이니, 허물이 없다. 이효는 아래의 그침에 가까우므로 장딴지에 그침이니, 그 따름을 건지지 못하며, 초효는 떨어져 있으니 다만 그 발꿈치에 그쳐서 바름을 잃지 않을 뿐이다. 두 괘의 몸체를 합쳐 보면 간괘를 겹친 뜻을 알 수 있다.

▌韓國大全▐

유정원(柳正源) 『역해참고(易解參攷)』

小註, 朱子說, 翻轉.
소주에서 주자가 말하였다: 뒤집혔다는 설명.

案, 翻, 反也, 覆也, 以三畫言之, 震是艮之反也. 而六畫卦之復, 大體似震, 則便是大翻轉之艮卦. 六畫卦之艮, 乃兩箇震之反體, 則便是兩箇翻轉之復卦. 此翻轉字, 只與朱子解鼎顚趾, 言翻轉鼎趾者相似.
내가 살펴보았다: '번(翻)'은 뒤집어진 것이며 엎어진 것이니, 삼획괘로 말하면 진괘(☳)는 간괘(☶)가 뒤집어진 것이다. 그런데 육획괘의 복괘(復卦䷗)는 큰 몸체가 진괘와 비슷하니, 곧 크게 뒤집어진 간괘이다. 육획괘의 간괘(艮卦䷳)는 곧 두 개의 진괘가 뒤집어진 몸체이니, 곧 두 개가 뒤집어진 복괘이다. 여기에서 '뒤집어졌다[翻轉]'는 글자는 다만 주자가 "솥의 발이 넘어졌다"는 것을 풀어서 솥의 발이 뒤집어졌다고 말하는 것과 같다.

김상악(金相岳) 『산천역설(山天易說)』

終則有始.
마치면 시작함이 있다.

○ 艮之德, 終始萬物, 故上九多吉, 皆得厚終之義也.
간괘의 덕은 만물을 마치고 시작하기 때문에 상구에 길함이 많은 것은 모두 "마지막까지 도탑다"는 뜻을 얻은 것이다.

서유신(徐有臣) 『역의의언(易義擬言)』

以剛居終, 以厚而終也. 土積之厚, 爲艮山也.
굳센 양으로 끝에 있음은 두터우면서 마치기 때문이다. 흙이 쌓여 두터움이 간괘인 산이 된다.

서유신(徐有臣) 『역의의언(易義擬言)』

厚終.
마지막까지 도탑다.

土積之厚, 爲山也.
흙이 쌓여 도타운 것이 산이 된다.

심대윤(沈大允) 『주역상의점법(周易象義占法)』

初无所得, 而終必爲物之所歸服, 故曰以厚終也, 坤爲厚爲終.
처음에는 얻는 바가 없으나 마침내는 반드시 만물이 돌아가 복종하는 바가 되기 때문에 "마지막까지 도탑기 때문이다"고 했으니, 곤괘가 도타움이 되고 마지막이 된다.

오치기(吳致箕) 「주역경전증해(周易經傳增解)」

天下之事, 唯終守爲難, 而其所止, 能敦厚於終, 故爲吉也.
천하의 일은 오직 끝까지 지키는 것이 어려운데, 그 그치는 바에 끝까지 돈후할 수 있기 때문에 길하게 된다.

이병헌(李炳憲) 『역경금문고통론(易經今文考通論)』

王曰, 居上[49]之極. 敦重在上, 不陷非妄, 宜其吉也.
왕필이 말하였다: 위의 끝에 있다. 도탑고 신중함이 위에 있어 그릇되고 망령됨에 빠지지 않으니, 그 길함이 마땅하다.

按, 周之君臣, 爰得我止, 此亦小綱領.
내가 살펴보았다: 주나라의 임금과 신하가 이에 자신이 그칠 곳을 얻었으니, 이것 또한 작은 강령이다.

49) 上: 경학자료집성 DB와 영인본에는 '止'로 되어 있으나, 『주역주소』 왕필 주에 따라 '上'으로 바로잡았다.

53

점괘

漸卦䷴

中國大全

傳

漸, 序卦, 艮者, 止也, 物不可以終止, 故受之以漸, 漸者, 進也. 止必有進, 屈伸消息之理也. 止之所生, 亦進也, 所反, 亦進也, 漸所以次艮也. 進以序爲漸, 今人以緩進爲漸, 進以序, 不越次, 所以緩也. 爲卦上巽下艮, 山上有木. 木之高而因山, 其高有因也, 其高有因, 乃其進有序也. 所以爲漸也.

점괘는 「서괘전」에서 "간(艮)은 그침이며 만물은 끝내 그칠 수가 없기 때문에 점괘로 받았으니, '점(漸)'은 나아감이다"고 하였다. 그치면 반드시 나아가게 되니 굽히고 펴며 융성하고 쇠하는 이치이다. 그침이 낳는 것 또한 나아감이며 반대되는 것 또한 나아감이니, 점괘가 간괘(艮卦☶) 다음이 되는 이유이다. 나아감을 순서에 따르는 것이 점(漸)인데, 오늘날의 사람들은 천천히 나아감을 점(漸)이라고 여기니, 질서에 맞춰 나아가고 순서를 뛰어넘지 않아서 느리게 되었다. 괘는 손괘(巽卦☴)가 위에 있고 간괘(艮卦☶)가 밑에 있어서, 산 위에 나무가 있다. 나무가 높으나 산을 따르니 높음에 따름이 있는 것이고, 높음에 따름이 있는 것이 곧 나아감에 순서가 있는 것이다. 점(漸)이 되었다.

韓國大全

이만부(李萬敷) 「역통(易統) · 역대상편람(易大象便覽) · 잡서변(雜書辨)」

木因山高, 漸進之象.
나무가 산으로 인하여 높으니 점진적으로 나아가는 상이 된다.

巽上艮下, 木之高而因山. 其高有因, 其進有序, 止於下而巽於上, 亦不遽進之義. 所以爲漸, 漸序, 不越次而進也.
손괘가 위에 있고 간괘가 아래에 있으니 나무의 높음은 산 때문이다. 높음에는 연유가 있고 나아감에는 질서가 있어서 아래에서 그치고 위로 겸손하니 이 또한 갑자기 나아가지 않는 뜻이다. 그래서 점괘가 되니 점진적이며 순차가 있어서 차례를 뛰어넘어 나아가지 않는다.

권만(權萬) 『역설(易說)』

漸, 鴻之進, 自干至陸, 用足自木至陵, 則不專用足, 而其羽乍動, 至逵然後, 乃用羽, 故曰其羽可用儀. 學者進學如此, 則無凌躐之失. 上九, 是化之之神歟.
점괘에서 기러기가 나아감에 물가에서 공중으로 날아가는데, 발을 사용하여 나무에서 평원으로 나아간다면, 전적으로 발만 사용하는 것이 아니라 날개도 잠시 사용하고, 공중에 이르게 된 후에는 날개를 사용하기 때문에 "그 날개는 예의와 법도가 될 만하다"고 했다. 배우는 자가 학문에 나아갈 때 이처럼 한다면 업신여기고 등급을 뛰어넘는 잘못이 없게 된다. 상구는 변화시키는 신일 것이다.

김상악(金相岳) 『산천역설(山天易說)』

序卦, 艮者, 止也, 物不可以終止, 故受之以漸.
「서괘전」에서 "간(艮)은 멈춤이니, 물건은 끝내 멈출 수만은 없기 때문에 점괘로써 받았다"[1]고 했다.

○ 漸, 漸進也. 木在山上, 以漸而高, 漸之象, 止於下而巽於上, 不遽其進, 漸之義也. 漸歸妹, 乃咸恒之交, 而兼反對. 咸恒, 旣配之夫婦, 漸歸妹, 將婚之男女也. 二卦之三陰三陽, 分布於上下, 爲乾坤之體, 而巽艮兌震之合, 有男女從父母之象, 故漸九三言夫婦, 歸妹上六言士女.
점(漸)은 점진적으로 나아감이다. 나무가 산 위에 있으니, 점진적으로 나아가 높아지는 것이 점괘의 상이며, 아래에서 그치고 위에서 공손하니, 갑작스럽게 나아가지 않는 것이 점괘의 뜻이다. 점괘와 귀매괘(歸妹卦䷵)는 함괘(咸卦䷞)와 항괘(恒卦䷟)가 사귀면서도 반대괘를 겸하고 있는 것에 해당한다. 함괘와 항괘는 이미 짝을 이룬 부부이고, 점괘와 귀매괘는 앞으로 혼인할 남녀이다. 두 괘에 속한 세 개의 음효와 양효가 상괘와 하괘에 분포되어 있어서, 건괘와 곤괘의 몸체가 되고, 손괘 · 간괘 · 태괘 · 진괘가 합함에는 남녀가 부모를 따르는 상이 있기 때문에, 점괘의 구삼에서는 부부(夫婦)를 언급하고,[2] 귀매괘의 상육에서는 남자

---

1) 『周易 · 序卦傳』: 震者, 動也, 物不可以終動, 止之. 故受之以艮, 艮者, 止也, 物不可以終止. 故受之以漸, 漸者, 進也, 進必有所歸. 故受之以歸妹, 得其所歸者必大. 故受之以豊, 豊者, 大也, 窮大者必失其居. 故受之以旅, 旅而无所容. 故受之以巽, 巽者, 入也, 入而後, 說之. 故受之以兌.

[士]와 여자[女]를 언급했다.[3]

서유신(徐有臣) 『역의의언(易義擬言)』

漸.
점괘.
卦中互坎, 水漸漬之象也.
괘 중의 호괘인 감괘는 물이 점점 스며드는 상이다.

曰, 女歸.
괘사에서 말하였다: 여자가 시집을 간다.
巽長女, 互離中女也.
손괘는 맏딸이 되고, 호괘인 리괘는 둘째 딸이 된다.

初六曰, 鴻漸.
초효에서 말하였다: 기러기가 점진적으로.
鴻, 水濱之鳥. 坎上之巽, 爲鴻象也. 互坎互離, 南北寒暑之象, 鴻鴈來去之候也.
기러기는 물가에 사는 새이다. 감괘 위의 손괘는 기러기의 상이 된다. 호괘인 감괘와 호괘인 리괘는 남쪽과 북쪽 추위와 더위의 상이 되고, 기러기가 도래하고 떠나가는 기후가 된다.
于干.
초효에서 말하였다: 물가로.
坎象.
감괘의 상이다.
小子.
초효에서 말하였다: 어린이.
艮象.
간괘의 상이다.
有言.
초효에서 말하였다: 말이 있다.
六四離有口象.

---

2) 『周易·漸卦』: 九三, 鴻漸于陸, 夫征不復, 婦孕不育, 凶, 利禦寇.
3) 『周易·歸妹卦』: 上六, 女承筐无實, 士刲羊无血, 无攸利.

육사의 리괘는 입의 상이 있다.

六二曰, 于磐.
육이에서 말하였다: 반석으로.
艮坎爲石.
간괘와 감괘는 돌이 된다.
飮食.
육이에서 말하였다: 음식.
坎象.
감괘의 상이다.

九三曰, 于陸.
구삼에서 말하였다: 평원으로.
水上亦坎象.
물위는 또한 감괘의 상이다.
不復.
구삼에서 말하였다: 돌아오지 않고.
爻性進而無退之象.
효의 성향은 나아가고 물러남이 없는 상이다.
婦孕.
구삼에서 말하였다: 부인은 잉태를 한다.
互離爲大腹也.
호괘인 리괘는 큰 배가 된다.
禦冦.
구삼에서 말하였다: 적을 막는다.
艮爲防, 坎爲盜也. 鴈奴, 警夜之象也.
간괘는 방비가 되고 감괘는 적이 된다. 안노(鴈奴)는 밤을 경계하는 상이다.

六四曰, 于木.
육사에서 말하였다: 나무로.
巽象.
손괘의 상이다.

九五曰, 于陵.
구오에서 말하였다: 구릉으로.
艮山之上也.
간괘의 산 위가 된다.

不孕.
구오에서 말하였다: 잉태를 하지 못했다.
離中虛之象也.
리괘는 가운데가 빈 상이다.

上九曰, 于陲.
상구에서 말하였다: 변경으로.
上九爲天陲也.
상구는 하늘의 가가 된다.

象曰, 不素飽.
육이의 「상전」에서 말하였다: 공허하게 배만 부른 것이 아니다.
坎中實之象.
감괘는 속이 찬 상이다.

김기례(金箕澧) 「역요선의강목(易要選義綱目)」

屈伸消息, 理之常也. 止必漸進之序.
굽히고 펴며 그치고 자라나는 것이 이치의 항상됨이다. 그침에는 반드시 점진적으로 나아가는 질서가 있다.

○ 木在山上, 有漸高之象.
나무가 산 위에 있으니 점진적으로 높아지는 상이 있다.

○ 長女歸少男.
나이 많은 여자가 젊은 남자에게 시집을 간다.

심대윤(沈大允)『주역상의점법(周易象義占法)』

漸, 漸進也. 木因山而長一層高一層, 風隨山而起一層高一層, 人得位而尊一等進一等, 女待男而貴一等進一等, 婦以夫貴母以子貴, 是也. 長女上于少男, 有母以子貴之象. 其進有序, 漸次而不躐, 爲漸進之義也. 巽爲方位職位等級之位, 艮爲分位地位處所之位. 內外之卦, 陽居陰上, 巽柔進而上乎艮剛, 有進而得位之象. 上巽命而下止柔, 進而任事, 上有二剛而下有一剛, 爲不獨尊貴而擧賢授位之義. 止而巽, 止於位而巽於行, 漸之道也. 互卦爲未濟, 始進而末終也. 漸, 有兄弟之象焉.

'점(漸)'은 점진적으로 나아감이다. 나무는 산으로 인해 한 층이 길어지고 높아지며, 바람은 산을 따라 한 층이 일어나서 높아지며, 사람은 지위를 얻어 한 등급이 존귀해지고 나아가며, 여자는 남자를 만나 한 등급이 존귀해지고 나아가니, 부인은 남편을 통해 존귀해지고 모친은 자식을 통해 존귀해지는 것이 여기에 해당한다. 나이가 많은 여자가 젊은 남자 위에 있으니, 모친이 자식을 통해 존귀해지는 상이 있다. 나아감에 질서가 있어서, 점진적이며 순차에 따라서 등급을 뛰어넘지 않으니, 점진적으로 나아가는 뜻이 된다. 손괘는 방위 · 직위 · 등급 등의 자리가 되고, 간괘는 분수 · 지위 · 머문 곳의 자리가 된다. 내괘와 외괘는 양이 음 위에 있어서, 손괘의 부드러움이 나아가 간괘의 굳셈 위에 있으니, 나아가 자리를 얻는 상이 있다. 위에서는 공손하게 명령하고 아래에서는 그쳐서 부드러우니, 나아가 일에 임하는 것이며, 위에 두 개의 굳센 양이 있고, 아래에 하나의 굳센 양이 있어서, 자기 홀로 존귀하게 되지 않고 현명한 자를 등용하여 지위를 내리는 뜻이 된다. "그치고 공손하다"는 지위에 머물며 행실을 공손히 한다는 뜻으로, 점괘의 도가 된다. 호괘는 미제괘(未濟卦䷿)가 되어, 처음에는 나아가고 끝에서는 마친다. 점괘에는 형제의 상이 있다.

漸, 女歸吉, 利貞.

정전 점(漸)은 여자가 시집을 가는 것이 길하니, 이로움이 곧기 때문이다.
본의 점(漸)은 여자가 시집을 가는 것이 길하니, 곧음이 이롭다.

中國大全

傳

以卦才兼漸義而言也. 乾坤之變爲巽艮, 巽艮重而爲漸. 在漸體而言, 中二爻交也, 由二爻之交然後, 男女各得正位. 初終二爻, 雖不當位, 亦陽上陰下, 得尊卑之正, 男女各得其正, 亦得位也, 與歸妹正相對. 女之歸能如是之正, 則吉也. 天下之事, 進必以漸者莫如女歸. 臣之進於朝, 人之進於事, 固當有序, 不以其序, 則陵節犯義, 凶咎隨之. 然以義之輕重, 廉恥之道, 女之從人, 最爲大也, 故以女歸爲義, 且男女萬事之先也. 諸卦多有利貞而所施或不同, 有涉不正之疑而爲之戒者, 有其事必貞, 乃得其宜者, 有言所以利者, 以其有貞也. 所謂涉不正之疑而爲之戒者, 損之九二是也, 處陰居說, 故戒以宜貞也. 有其事必貞, 乃得宜者, 大畜是也, 言所畜利於貞也. 有言所以利者以其有貞者, 漸是也, 言女歸之所以吉, 利於如此貞正也, 蓋其固有, 非設戒也. 漸之義宜能亨, 而不云亨者, 蓋亨者通達之義, 非漸進之義也.

괘의 재질로 점(漸)의 뜻을 겸하여 말했다. 건괘와 곤괘의 변화는 손괘와 감괘가 되고, 손괘와 감괘가 겹쳐서 점괘가 된다. 점괘의 몸체로 말하면 가운데의 두 효가 사귀니, 두 효가 사귄 뒤에라야 남녀가 각각 올바른 자리를 얻는다. 초효와 상효 두 효는 비록 자리에 합당하지 않지만 또한 양이 위에 있고 음이 밑에 있어서, 존비의 올바름을 얻어 남녀가 각각 올바름을 얻으니, 이 또한 자리를 얻음이며, 귀매괘(歸妹卦䷵)와 정반대가 된다. 여자가 시집을 감에 이처럼 올바를 수 있다면 길하다. 천하의 일들에 대해 나아가길 반드시 점진적으로 하는 것 가운데 여자가 시집가는 것보다 나은 것이 없다. 신하가 조정에 나아가고 사람이 어떤 일에 나아갈 때에는 진실로 순서가 있어야만 하니, 순서에 따르지 않는다면 절도를 능멸하고 도의를 범하게 되어 흉함과 허물이 뒤따른다. 그러나 도의의 경중과 염치의 도리에 있어서 여자가 남을 따르는 것이 가장 크기 때문에 여자가 시집감을 도의로 삼았고, 또 남녀는 모든 일의 우선순위가 된다. 여러 괘 중에는 '리정(利貞)'을 기록한 괘가 많은데 적용함에 간혹 다름이 있으니, 올바르지 못하다는 의혹을 사게 되어 그것을 위해 경계를 한 경우가 있고, 그 사안이 반드시 곧아야만 마땅함을 얻게 되는 경우가 있으며, 이로운 이유가 곧음이 있기 때문임을 뜻하는 경우가 있다. 올바르지 못하다는 의혹을 사게 되어 그것을 위해 경계를 한 경우는 손괘(損卦䷨)의 구이에 해당하니, 음에 처하여 기쁨에 머물기 때문에 마땅히 곧아야 한다고 경계를 하였다. 그 사안이 반드시 곧아야만 마땅함을 얻게 되는 경우는 대축괘(大畜卦䷙)에 해당하니, 쌓음이 곧아야 이롭다는 뜻이다. 이로운 이유가 곧음이 있기 때문임을 말하는 경우는 점괘에 해당하니, 여자가 시집감이 길한 이유는 이처럼 곧고 올바름이 이롭다는 뜻으로, 고유한 것이지 경계를 한 말이 아니다. 점(漸)의 뜻은 마땅히 형통할 수 있지만, 형통하다고 말하지 않은 이유는 형통은 통달한다는 뜻이지 점진적으로 나아간다는 뜻이 아니기 때문이다.

本義

漸, 漸進也. 爲卦止於下而巽於上, 爲不遽進之義, 有女歸之象焉, 又自二至五, 位皆得正, 故其占爲女歸吉而又戒以利貞也.

'점(漸)'은 점진적으로 나아감이다. 괘는 아래에서 그치고 위에서 공손하니, 갑작스럽게 나아가지 않는 뜻이 되며, 여자가 시집가는 상이 있고 또 이효로부터 오효에 이르기까지 그 자리가 모두 올바르기 때문에 점은 여자가 시집을 감이 길한 것이 되고, 또 "곧음이 이롭다"는 말로 경계하였다.

小註

中溪張氏曰, 漸者, 進以序而不迫之義. 女, 巽也. 適人爲歸, 故曰女歸. 以二體言, 艮男下於巽女, 亦爲女歸之義, 故聖人取女歸以明漸進之象, 所以爲吉. 然女歸固以漸爲吉, 而其利尤在於得正也. 以中四爻而觀, 雖陰陽皆當位, 而三四相比非正應也. 唯二五相應爲正, 故曰利貞.

중계장씨가 말하였다: '점(漸)'은 순서에 따라 나아가며 급박하게 하지 않는다는 뜻이다. '여(女)'는 손괘를 뜻한다. 남에게 감이 시집가는 뜻이 되기 때문에 '여귀(女歸)'라고 말하였다. 두 몸체로 말하면 간괘의 남자가 손괘의 여자보다 밑에 있으니, 이 또한 여자가 시집가는 뜻이 되기 때문에 성인은 여자가 시집간다는 뜻을 통해서 점진적으로 나아가는 상이 길함이 되는 이유를 설명하였다. 그러나 여자가 시집감에는 진실로 점진적인 것을 길함으로 삼지만 그 이로움은 더욱이 올바름을 얻는데 달려 있다. 가운데 네 효로 살펴보면 비록 음양이 모두 자리에 마땅하지만, 삼효와 사효는 서로 비(比)의 관계이고 올바른 호응은 아니다. 오직 이효와 오효만이 서로 호응함을 올바름으로 삼기 때문에 "곧음이 이롭다"고 하였다.

○ 漢上朱氏曰, 女謂嫁曰歸, 自內而外也. 漸專以女歸爲義, 蓋禮義廉恥之重, 天下國家之本, 无若女之歸也.
한상주씨가 말하였다: 여자에 대해서는 시집감을 '귀(歸)'라고 부르니 안으로부터 밖으로 나아가기 때문이다. 점괘는 전적으로 여자가 시집감을 뜻으로 삼았으니, 예의와 염치의 중대함과 천하국가의 근본은 여자가 시집감만 같은 것이 없기 때문이다.

○ 白雲郭氏曰, 女歸不以漸, 則奔也. 漸則爲歸, 故女歸以漸爲吉.
백운곽씨가 말하였다: 여자가 시집감에 점진적으로 하지 않는다면 분(奔)[4]이 된다. 점진적으로 가면 귀(歸)가 되기 때문에 여자가 시집감에 점진적으로 하는 것을 길함으로 삼는다.

○ 臨川吳氏曰, 巽女在外, 將入而來歸, 艮男在內, 方止而未往迎, 有女歸以漸之象. 聘則爲妻, 奔則爲妾. 自納采問名納吉納徵請期親迎六禮備而後成婚, 女歸之以漸如此.
임천오씨가 말하였다: 손괘의 여자는 밖에 있고 안으로 들어가서 시집을 가려고 하며, 간괘의 남자는 안에 있지만 멈춰서 아직 찾아가서 맞이하지 않았으니, 여자가 점진적으로 시집가는 상이 있다. 빙문으로 찾아가서 혼인을 하면 처가 되지만 여자가 분(奔)을 하면 첩이 된다. 납채[5] · 문명[6] · 납길[7] · 납징[8] · 청기 · [9]친영[10] 등의 육례(六禮) 절차를 모두 갖춘 뒤에라야 정식 혼인이 성립되니, 여자가 점진적으로 시집을 감은 이와 같다.

○ 雲峯胡氏曰, 咸取女吉, 取者之占也. 漸女歸吉, 嫁者之占也. 然皆以貞艮爲主. 艮, 止也. 止而說, 則其感也以正, 是爲取女之吉, 止而巽, 則其進也以正, 是爲女歸之吉.
운봉호씨가 말하였다: 함괘(咸卦䷞)는 부인을 맞이함이 길하니 부인을 맞이하는 자의 점이다. 점괘는 여자가 시집감이 길하니 시집을 보내는 자의 점이다. 그런데 둘 모두 곧은 간괘가 주인이 된다. 간괘는 그침이다. 그쳐서 기뻐한다면 올바르게 감응하니 부인을 맞이함이 길하게 되며, 그쳐서 유순하면 올바르게 나아가니 여자가 시집감이 길하게 된다.

---

4) 분(奔): 친영(親迎) 등의 정식 혼례 절차를 거치지 않고 시집가는 것을 뜻한다. 주로 첩 등을 얻을 때 쓰는 말이다.
5) 납채(納采): 혼인을 청원하며 여자 집안에 예물을 보내는 일을 뜻한다.
6) 문명(問名): 여자의 이름 및 출생일 등에 대해서 묻는 절차를 뜻한다.
7) 납길(納吉): 남자 집안에서 혼인이 어떠한가를 종묘(宗廟)에서 점을 치고, 길한 징조를 얻게 되면, 혼인을 최종적으로 결정하여, 여자 집안에 알리는 절차이다.
8) 납징(納徵): 납폐(納幣)라고도 부른다. 혼인 약속을 증명하기 위해, 여자 집안에 폐백을 보내는 일을 뜻한다.
9) 청기(請期): 남자 집안에서 여자 집안에 예물을 보낸 뒤에, 혼인하기에 좋은 길일(吉日)을 점치게 된다. 길(吉)한 날을 잡게 되면, 여자 집안에 통보를 하며 가부(可否)를 묻게 되는데, 이 절차가 바로 '청기'이다.
10) 친영(親迎): 사위될 자가 여자 집에 가서 혼례를 치르고, 자신의 집으로 데려오는 예식을 뜻한다.

‖韓國大全‖

권근(權近) 『주역천견록(周易淺見錄)』

革利貞, 所利者貞之義也. 漸利貞, 所以利者, 以其有貞也.
혁괘(革卦䷰)의 "바름이 이롭다"[11]는 말은 이롭게 여기는 것이 곧음이라는 뜻이 된다. 점괘의 "곧음이 이롭다"는 이롭게 여기는 이유가 곧음이 있기 때문이다.

○ 註, 中溪張氏, 云云.
소주에서 중계장씨가, 운운.

愚謂, 卦自否變, 卦之成, 由二爻之交也. 女歸, 主中二爻言. 下體本坤, 坤之六三, 上交於乾之四, 上體本乾, 乾之九四, 下交於坤之三. 男自外而來, 女自內而出, 有女歸之象. 六居四, 九居三, 男女各得正位, 故曰利貞.
내가 살펴보았다: 점괘는 비괘(否卦䷋)로부터 변화했고, 괘를 이룸은 이효의 사귐에서 비롯된다. "여자가 시집을 간다"는 가운데 이효를 중심으로 한 말이다. 하괘는 본래 곤괘이고, 곤괘의 육삼은 위로 건괘의 사효를 사귀며, 상괘는 본래 건괘이고, 건괘의 구사는 아래로 곤괘의 삼효와 사귄다. 남자가 밖으로부터 오고 여자가 안으로부터 나오니, 여자가 시집가는 상이 있다. 육(六)이 사효에 있고, 구(九)가 삼효에 있어서, 남녀가 각각 바른 자리를 얻었기 때문에 "곧음이 이롭다"고 했다.

송시열(宋時烈) 『역설(易說)』

漸者, 進之有次序也. 女, 指二女, 故謂歸五也. 必言歸者, 與故昧相綜也. 利貞者, 女之利於貞 也.
'점(漸)'은 나아감에 순서가 있는 것이다. '여(女)'는 이효의 여자를 가리키기 때문에 오효에게 시집간다고 했다. 반드시 시집간다고 말한 것은 귀매괘(歸妹卦䷵)와 거꾸로 된 괘가 되기 때문이다. "곧음이 이롭다"는 여자는 곧음이 이롭다는 뜻이다.

11) 『周易 · 革卦』: 革, 已日乃孚, 元亨利貞, 悔亡.

강석경(姜碩慶)「역의문답(易疑問答)」

漸之卦辭曰, 女歸吉, 而爻辭曰, 婦孕不育, 何也. 曰, 漸論卦德, 則爲止而巽. 止者, 安靜之義, 巽者, 和順之謂. 止於下而巽於上者, 是乃不遽進之象, 且以男下女, 有同咸感之義, 故卦爲女歸吉之象也. 爻論其位, 則三四二爻陰陽相比, 而本非正應以近相合, 是乃情慾之私昵, 豈爲正配之相遇哉, 故爻有不育之象也.
점괘의 괘사에서는 "여자가 시집을 가는 것이 길하다"라고 했는데, 효사에서 "부인은 잉태를 하더라도 양육을 못 한다"고 한 말은 어째서인가? 점괘에 대해 괘의 덕을 논의한다면, "그치고 공손하다"가 된다. 그친다는 것은 안정된다는 뜻이며, 공손하다는 것은 화락하고 온순하다는 뜻이다. 아래에서 그치고 위에서 공손한 것은 급작스럽게 나아가지 않는 상이며, 또 남자가 여자에게 낮추니, 함괘(咸卦䷞)가 서로 느끼는 것과 동일한 뜻이 있기 때문에, 괘는 여자가 시집을 가는 것이 길한 상이 된다. 효는 그 자리로 논의한다면, 삼효와 사효는 음양이 서로 가깝지만, 본래부터 정응으로 가까이한 것이 아니니, 서로 합하는 것은 정욕의 삿됨이 되므로 어찌 정식 배필이 서로 만나는 것이 되겠는가? 그러므로 효에는 양육을 못하는 상이 있다.

이현익(李顯益)「주역설(周易說)」

雙湖胡氏以三四爲女歸吉, 雲峯胡氏以三四爲女歸之不以漸, 二五爲女歸之以漸, 雲峯說是也. 三四則是夫婦之凶者, 何以爲吉乎.
쌍호호씨는 삼효와 사효를 "여자가 시집을 가는 것이 길하다"고 여겼고, 운봉호씨는 삼효와 사효는 여자가 시집을 갈 때 점진적으로 하지 않고, 이효와 오효는 여자가 시집을 갈 때 점진적으로 한다고 했는데, 운봉의 주장이 옳다. 삼효와 사효는 부부의 흉함이 되는데 어떻게 길함으로 여길 수 있는가?

朱子謂卦中兩箇孕婦字, 不知如何取象, 不可曉. 蓋朱子於易中卦爻取象, 不輕言之, 是豈無說而然乎. 正恐其或近於穿鑿耳.
주자는 괘에 나오는 두 개의 잉(孕)자와 부(婦)자는 어디에서 상을 취했는지 알 수 없으니, 이 뜻을 파악할 수 없다고 했다. 주자는 역의 괘와 효가 상을 취한 것에 대해 경솔하게 말하지 않았는데, 어찌 할 말이 없어서 그처럼 말한 것이겠는가? 바로 천착에 가깝게 될까 염려했기 때문이다.

이익(李瀷)『역경질서(易經疾書)』

六爻皆得位惟旣濟, 而其反者未濟, 雜卦云, 未濟, 男之窮, 其實女之同窮而不言也. 然則知旣濟爲男女感通之象. 旣濟之外, 中四爻得位者三, 蹇爲二男, 家人爲二女, 其男女相遇者, 惟漸也. 然漸歸妹爲反對之卦, 歸妹之互爲旣濟, 而漸之互則爲未濟, 故此卦爻辭, 有不復不育不孕之象. 山者, 土之高聳, 故木之長宜於山, 其長以漸, 不以驟者, 莫如木, 故以漸名卦. 男女相遇, 人道之大端, 理不可猝急. 十五許嫁, 二十而歸, 其間六禮咸備, 告神告君, 又告于鄕黨僚友, 其有漸如此, 故有女歸之象. 鴻之寒南暑北, 其行有序, 其至有信, 亦以漸不驟之物, 故爻辭取其義, 而婚禮以爲贄. 臣之於君, 其愼擇不輕亦然, 故有羔鴈二生之禮, 而又可以正邦.
여섯 효가 모두 제자리를 얻은 것은 오직 기제괘(旣濟卦䷾)뿐인데, 음양이 바뀐 괘는 미제괘(未濟卦䷿)이며, 「잡괘전」에서는 "미제괘는 남자의 궁한 곳이다"라고 했으나 실제로 여자도 동일하게 궁하지만 언급하지 않은 것이다. 따라서 기제괘는 남녀가 느껴서 통하는 상이 된다. 기제괘 이외에 가운데 네 효가 제자리를 얻은 것은 세 개인데, 건괘(蹇卦䷦)는 두 남자가 되고 가인괘(家人卦䷤)는 두 여자가 되며, 남녀가 서로 만나는 것은 오직 점괘뿐이다. 그런데 점괘와 귀매괘(歸妹卦䷵)는 거꾸로 뒤집어진 괘가 되고, 귀매괘의 호괘는 기제괘가 되며, 점괘의 호괘는 미제괘가 되기 때문에 이 괘의 효사에는 돌아가지 않고 양육하지 않으며 잉태를 하지 않는 상이 있다. 산은 땅이 높이 솟은 것이기 때문에 나무의 높음은 산에 합당하며, 길어짐은 점진적이며 갑작스럽지 않은 것은 나무만한 것이 없기 때문에 점괘로 괘명을 정했다. 남녀가 서로 만나는 것은 인도의 큰 단서이며 이치상 급작스럽게 할 수 없다. 십오 세 때 혼인을 약조하고 이십 세 때 시집을 가는데, 그 사이 육년의 기간에도 관련 예법이 모두 갖춰져 있으니, 신에게 아뢰고 임금에게 아뢰며 또 마을의 동료들에게 아뢰니, 이처럼 점진적인 면이 있기 때문에 여자가 시집가는 상이 있다. 기러기는 겨울에 남쪽으로 날아가고 여름에 북쪽으로 날아가는데, 날아갈 때에는 질서가 있고 도래함에는 신의가 있으니 이 또한 점진적이며 급작스럽지 않은 동물이기 때문에 효사에서 그 뜻을 취하였고, 혼례에서 예물로 삼는 것이다. 신하는 군주에 대해서 신중이 택하며 경솔하지 않음 또한 이와 같기 때문에 검은 양과 기러기라는 두 가지 희생물을 바치는 예가 있으므로 또한 나라를 바르게 할 수 있다.

유정원(柳正源) 『역해참고(易解參攷)』

正義, 徐而不速, 謂之漸也. 女人生有外成之義, 以夫爲家, 故謂嫁曰歸. 婦人之嫁, 備禮乃動, 吉在女嫁, 故曰女歸吉. 女歸有漸, 得禮之正, 故曰利貞.
『주역정의』에서 말하였다: 천천히 하며 빠르지 않는 것을 점(漸)이라고 부른다. 여자가 태어나면 외적으로 이루는 뜻을 가지고 있고, 남편의 집을 자신의 집으로 여기기 때문에 시집가는 것을 귀(歸)라고 부른다. 부인이 시집을 갈 때에는 예를 갖춰서 움직이고 길함은 여자가 시집을 가는데 있기 때문에 "여자가 시집을 가는 것이 길하다"라고 했다. 여자가 시집을 갈 때 점진적인 점이 있으면 예의 올바름을 얻었기 때문에 "곧음이 이롭다"고 했다.

○ 漢上朱氏曰, 坤三之四成巽, 女往也. 乾四之三成艮, 男下女也. 艮男下女, 然後巽女往而進, 艮陽居三, 巽陰居四, 男女各得其正矣.
한상주씨가 말하였다: 곤괘의 삼효가 사효로 가서 손괘를 이루니 여자가 떠나간다. 건괘의 사효가 삼효로 가서 간괘를 이루니 남자가 여자에게 낮춘다. 간괘의 남자가 여자에게 낮춘 뒤에야 손괘의 여자가 떠나서 나아가고, 간괘의 양이 삼효에 있고 손괘의 음효가 사효에 있으니, 남녀가 각각 바름을 얻었다.

○ 白雲蘭氏曰, 漸自比之六三往之於外, 漸進一位. 不躐等以漸而進者, 唯女歸爲得其義. 媒妁問之, 卜筮決之, 由納采問名納吉納徵請期親迎, 莫不有漸. 迨其歸也, 母醮之房中, 父命之阼階, 諸母戒之兩階之間, 三日廟見而後成婦. 其有漸而不苟進如此, 所以吉也.
백운란씨가 말하였다: 점괘는 비괘(比卦䷇)의 육삼으로부터 밖으로 가서 점진적으로 한 자리를 나아간 것이다. 등급을 뛰어넘지 않고 점진적으로 나아가는 것은 여자가 시집을 가는 것만이 그 뜻을 얻었다. 중매쟁이가 의사를 묻고 거북점과 시초점으로 결정을 하며, 납채·문명·납길·납징·청기·친영에 있어서도 점진적이지 않은 점이 없다. 시집을 갈 때에 있어서는 모친은 방안에서 술을 따라주고 부친은 동쪽 계단에서 명령을 내리며 제모는 양쪽 계단 사이에서 경계를 내리고, 3일이 지난 뒤에 종묘에서 알현한 후 정식 며느리가 된다. 점진적이며 구차하게 나아가지 않음이 이와 같으니 길하게 된다.

○ 雙湖胡氏曰, 彖辭以卦變言也. 漸自否變四, 女自內往外爲歸. 然曰女歸, 不曰男取者, 豈三四皆成卦之主, 雖正而非應, 位非婚姻妃偶之宜, 故唯取父母嫁女之象乎.
쌍호호씨가 말하였다: 단사는 괘의 변화로 말하였다. 점괘는 비괘(否卦䷋)로부터 사효가 변한 것이며, 여자가 안으로부터 밖으로 가는 것이 시집을 감이다. 그런데 "여자가 시집을 간다"라고 말하고, "남자가 아내를 들인다"라고 말하지 않은 것은 삼효와 사효가 모두 괘를 이루는 주인이고, 비록 바르지만 호응이 아니며 자리도 혼인을 하여 배필을 얻는 마땅함이 아니기 때문에 아마도 다만 부모가 딸을 시집보내는 상을 취한 것이다.

○ 晦齋先生曰, 漸卦專以女歸爲義. 蓋禮義廉恥之重, 无若女之歸也, 故其歸也, 必以正而有漸. 六禮備而成婚, 乃女歸之得其正也. 以正而進, 則可以配君子, 而以正家國, 以及於天下矣. 如或選不以德, 而進不以正, 則未有不至於亂. 如周之褒姒, 晉之驪姬,以俘女進, 漢之衛后趙后, 以謳歌者進, 唐之武后, 以先帝才人進, 如此之類, 是又不正之甚者也. 其卒有敗家覆國之禍宜哉.
회재선생이 말하였다: 점괘는 전적으로 여자가 시집가는 것을 뜻으로 삼는다. 예의와 염치 중 중대한 것은 여자가 시집가는 것 만한 것이 없기 때문에 시집을 갈 때 반드시 바르게 하고 점진적으로 해야 한다. 육예를 갖추고서 혼사를 이루면 여자가 시집을 감에 올바름을 얻은 것이다. 바르게 나아간다면 군자의 배필이 될 수 있고 집안과 나라를 바르게 하여 천하에 미칠 수 있다. 만약 선발할 때 덕을 기준으로 하지 않고 나아갈 때 올바름으로 하지 않는다면 혼란에 이르지 않는 경우가 없게 된다. 주나라의 포사나 진나라의 여희는 포로로 잡은 여자를 바친 것이고, 한나라의 위후 및 조후는 노래하던 자를 들인 것이며, 당나라의 무후는 선왕의 궁녀를 들인 것인데, 이와 같은 부류들은 또한 매우 바르지 못한 것이다. 따라서 끝내 국가를 패망시키는 재앙이 생기는 것이 마땅하지 않겠는가.

○ 案, 男先於女, 婚姻之正也. 少下於長, 倫序之正也. 剛居於外, 柔居於內, 家道之正也.
내가 살펴보았다: 남자가 여자보다 앞서 가는 것이 혼인의 올바름이다. 젊은 자가 연장자보다 낮추는 것은 인륜의 올바름이다. 굳셈이 밖에 있고 부드러움이 안에 있는 것이 가정의 올바름이다.

傳, 陵節.
『정전』에서 말하였다: 절도를 능멸한다.
學記, 不陵節而施之謂孫, 陳氏曰, 陵, 踰犯也. 節, 如節候之節. 禮節樂節, 長幼之節, 皆言分限所在.
『예기 · 학기』에서는 "절차를 뛰어넘지 않고 가르치는 것을 '손(孫)'이라고 한다"[12]라고 했고, 진호는 "능(陵)자는 뛰어넘어 범한다는 뜻이다. 절(節)자는 절기와 기후를 뜻할 때의 절(節)자와 같다. 예에는 예법에 따른 절도가 있고, 음악에는 음악에 따른 악절이 있으며, 사람에게는 나이에 따른 마디가 있는데, 이 모두는 한계가 있는 것을 뜻한다."라고 했다.

小註臨川說.
소주에서 임천오씨가 말하였다.
六禮, 士昏禮註, 納采, 使人納其采擇之禮. 問名, 將歸卜其吉凶. 納吉, 歸卜於廟, 得

12) 『禮記 · 學記』: 大學之法, 禁於未發之謂豫, 當其可之謂時, 不陵節而施之謂孫, 相觀而善之謂摩. 此四者, 敎之所由興也.

吉兆, 使使者往. 納徵, 使使者納幣. 請期, 夫家先卜, 其吉使使者往辭, 卽告之. 親迎, 往迎女家.
육예에 대해 『의례 · 사혼례』의 정현 주에서는 '납채(納采)'는 사람을 시켜 며느리로 들이겠다고 부탁하는 예물을 보내는 것이다. '문명(問名)'은 되돌아와서 길흉에 대해 거북점을 치고자 해서이다. '납길(納吉)'은 되돌아와서 종묘에서 거북점을 치고 길한 조짐을 얻어, 심부름꾼을 시켜 찾아가 알리는 것이다. '납징(納徵)'은 심부름꾼을 시켜서 폐물을 보내는 것이다. '청기(請期)'는 남편 집안에서 먼저 거북점을 치고, 길한 조짐에 대해 심부름꾼을 시켜서 찾아가 말하며, 그 사실을 알리는 것이다. '친영(親迎)'은 남편이 여자 집에 찾아가서 아내를 맞이하는 것이다.

김상악(金相岳) 『산천역설(山天易說)』

艮巽之交, 女歸之象. 卦成於三四, 而二之應五, 陽尊陰卑, 女歸之吉也. 四之比三, 男下女上, 女歸之利貞也.
간괘와 손괘가 사귀니 여자가 시집가는 상이다. 괘는 삼효와 사효에서 이루어지고, 이효는 오효에 호응하니 양은 존귀하고 음은 낮아서 여자가 시집감에 길하다. 사효는 삼효와 비(比)의 관계가 되고, 남자가 밑에 있고 여자가 위에 있으니 여자가 시집을 감에 곧음이 이롭다.

○ 漸之女待男行也, 故歸字着下. 歸妹, 妹之自歸也, 故歸字在上. 利貞, 卽家人之利女貞, 二女正位于內外, 而漸之進也. 將爲家人, 故先言女歸, 後言利貞.
점괘는 여자가 남자를 기다려 가기 때문에 귀(歸)자가 뒤에 붙어 있다. 반면 귀매괘(歸妹卦䷵)는 막내딸이 스스로 시집을 가기 때문에 귀(歸)자가 앞에 붙어 있다. '리정(利貞)'은 가인괘(家人卦䷤)의 "여자가 바르게 함이 이롭다"[13]이니, 두 여자는 안팎에서 자리를 바르게 하여 점진적으로 나아간다. 앞으로 집사람이 되기 때문에 먼저 여자가 시집을 간다고 말했고 이후에 곧음이 이롭다고 말했다.

김규오(金奎五) 「독역기의(讀易記疑)」

卦變, 本義爲以自渙旅而來, 蓋用一爻相變之例也. 來者兼之, 而此不言, 何也. 如以蠱睽之例例之, 又當曰自未濟, 然以全體看, 恐自未濟來, 九四進爲九五, 六三進爲六四, 九二進爲九三, 而六五下爲六二, 所謂進以正者, 蓋言自不正而進爲正也.
괘의 변화에 대해서 『본의』에서는 환괘(渙卦䷺)와 려괘(旅卦䷷)로부터 왔다고 했는데, 아

13) 『周易 · 家人卦』: 家人, 利女貞.

마도 하나의 효가 서로 변화하는 용례에 따른 것이다. 오는 것이 양쪽에서 겸해서 왔는데 이곳에서 언급하지 않은 것은 어째서인가? 예를 들어 고괘(蠱卦䷑)와 규괘(睽卦䷥)의 용례로 나열해 본다면, 또한 마땅히 미제괘(未濟卦䷿)로부터 왔다고 해야 하지만, 전체 괘로 본다면 아마도 미제괘로부터 오면 구사는 나아가서 구오가 되고 육삼은 나아가서 육사가 되며 구이는 나아가서 구삼이 되고, 육오는 내려가서 육이가 되니, '진이정(進以正)'이라는 말은 바르지 않음으로부터 나아가서 바름이 된다는 뜻이 된다.

○ 卦辭傳言乾坤變, 又言中二爻交, 則實爲自否而三進爲四也. 雙湖說是也. 卦辭女歸之女, 蓋指六四也, 而彖稱進得位, 進以正, 又言其位剛得中, 則又似專指九五而言矣.
괘사에 대한 『정전』에서는 건괘와 곤괘의 변화를 언급했고 또 가운데 두 효가 사귄다고 했으니, 실제로는 비괘(否卦)로부터 온 것이 되고 삼효가 나아가서 사효가 된 것이다. 쌍호호씨의 주장이 옳다. 괘사에서 "여자가 시집을 간다"라고 했을 때의 여자는 아마도 육사를 가리킬 것인데, 「단전」에서 "나아가 자리를 얻는다"라고 말하고 "올바름으로 나아간다"라고 말하며, 또 "그 자리는 강함이 중을 얻는 것이다"라고 말했으니, 또한 전적으로 구오만을 가리켜서 한 말이다.

서유신(徐有臣) 『역의의언(易義擬言)』

以漸而歸, 女待男也. 以漸而進, 士待君也. 以漸而行, 事待時也. 所以吉者, 由其漸也. 所以漸者, 由其貞也. 諸爻得正, 是爲貞也. 以正漸進, 乃女歸之禮也.
점진적으로 시집을 감은 여자가 남자를 기다리는 것이다. 점진적으로 나아감은 선비가 임금을 기다리는 것이다. 점진적으로 시행함은 일이 때를 기다리는 것이다. 길함이 되는 것은 점진적으로 함에 연유한다. 점진적으로 되는 것은 곧음에서 비롯된다. 여러 효들이 바름을 얻은 것이 곧음이 된다. 바르고 점진적으로 나아가니 여자가 시집가는 예가 된다.

이지연(李止淵) 『주역차의(周易箚疑)』

風在山上, 風之漸升者也. 木在山上, 木之漸高者也. 艮與巽, 雖有陰陽之分, 而不无少長之別. 以長女而上於少男, 家道之有漸次者也. 陽皆上進之物, 而上二陽則已進, 九三亦進, 則爲變, 而爲否之漸, 卦之所以爲漸者, 以進而不速之意也.
바람이 산 위에 있는 것은 바람이 점진적으로 올라간 것이다. 나무가 산 위에 있는 것은 나무가 점진적으로 높아진 것이다. 간괘와 손괘는 비록 음양에 따른 구분이 있지만 젊고 나이가 많은 구별이 없을 수 없다. 나이 많은 여자가 젊은 남자보다 위에 있는 것은 가정의 도리에 층차가 있는 것이다. 양은 모두 위로 나아가는 사물인데, 위의 두 양은 이미 나아갔으며, 구삼 또한 나아가면 변하여, 비괘(否卦䷋)가 점괘로 변한 것이 되니, 괘가 점괘가 되는 이유는 나아가되 빠르지 않는 뜻 때문이다.

김기례(金箕澧) 「역요선의강목(易要選義綱目)」

女自外于歸, 納采納徵六禮備而成婚, 則有漸次之理, 非漸則奔也, 故漸爲女歸吉, 利而巽, 故利於貞.

여자는 밖으로 부터 시집을 오니, 납채 · 납징 등의 육예를 갖추어서 혼인을 성사시키면 점진적이고 순차적인 이치가 있으니, 점진적으로 하지 않으면 분(奔)이기 때문에 점진적으로 하는 것이 여자가 시집가는 길함이 되고, 이롭고도 공손하기 때문에 곧음에서 이롭다.

심대윤(沈大允) 『주역상의점법(周易象義占法)』

女之爲婦, 始得位也. 自婦而爲母, 進有序也, 故曰女歸吉. 漸之道, 不可半道而廢, 在成而終之, 故曰利貞. 凡可成終者, 必正道也.

여자가 부인이 되면 비로소 지위를 얻는다. 부인으로부터 모친이 되니 나아감에 질서가 있기 때문에 "여자가 시집을 가는 것이 길하다"라고 했다. 점진적인 도는 중도에 폐지할 수 없고 성사시켜 마무리를 짓는데 달려 있기 때문에 "곧음이 이롭다"고 했다. 마무리를 잘 지을 수 있는 것은 반드시 올바른 도 때문이다.

오치기(吳致箕) 「주역경전증해(周易經傳增解)」

漸者, 漸進也. 艮以止在下, 巽以順在上, 有不遽其進而進以漸之象. 木在山上, 漸長而高, 亦爲漸之象也. 下則一陽在前, 而二陰在後, 上則二陽在前, 而一陰在後, 爲陽漸進陰漸退之象也. 巽上艮下, 男先乎女. 二五剛柔得俱中正而應, 巽柔進居其位, 故言女歸吉. 巽艮二體, 皆得正位, 故言利貞.

'점(漸)'은 점진적으로 나아간다는 뜻이다. 간괘는 그침으로 아래에 있고 손괘는 순종함으로 위에 있으니, 급작스럽게 나아가지 않고 점진적으로 나아가는 상이 있다. 나무가 산 위에 있으니 점진적으로 자라나서 높아지므로 또한 점괘의 상이 된다. 하괘는 하나의 양이 앞에 있고 두 음이 뒤에 있으며, 상괘는 두 양이 앞에 있고 하나의 음이 뒤에 있으니, 양은 점진적으로 나아가고 음은 점진적으로 물러나는 상이 된다. 손괘는 위에 있고 간괘는 아래에 있어서, 남자가 여자보다 앞선다. 이효와 오효는 굳셈과 부드러움이 모두 중정하여 호응하고, 손괘의 부드러움은 나아가서 자기 자리에 머물기 때문에 "여자가 시집을 가는 것이 길하다"

라고 했다. 손괘와 간괘는 모두 바른 자리를 얻었기 때문에 "곧음이 이롭다"고 했다.

○ 卦體三剛四柔, 爲成卦之主, 而柔乘剛, 故不言亨.
괘의 몸체는 삼효의 양과 사효의 음이 괘를 이루는 주인이 되는데, 음이 양을 타고 있기 때문에 형통하다고 말하지 않았다.

이진상(李震相) 『역학관규(易學管窺)』

震艮非正對, 而旣以反對爲序, 恐人不曉以爲震艮本自的對, 故便以漸歸妹次之. 其上體則雷風相對, 下體則山澤相對, 又以明通氣相薄之妙者也. 震艮不交, 一動一止, 故以漸歸妹次之. 然以長女而交於少男, 雖交而非其對也. 然人生之次第不同, 無害於義, 而但利於貞耳.
진괘(震卦䷲)와 간괘(艮卦䷳)는 정대(正對)가 아니지만 이미 반대(反對)를 질서로 삼았는데, 사람들이 깨닫지 못하고 진괘와 간괘가 본래부터 적대(的對)한다고 오해할 것을 염려했기 때문에 점괘(漸卦䷴)와 귀매괘(歸妹卦䷵)를 그 다음에 배열하였다. 상체는 우레와 바람이 상대가 되고 하체는 산과 못이 상대가 되니 또한 기가 통하면서도 서로 부딪히는 오묘함을 드러내었다. 진괘와 간괘는 사귀지 않고 한 번 움직이고 한 번 그치기 때문에 점괘와 귀매괘를 그 다음에 배열하였다. 그런데 나이가 많은 여자가 젊은 남자와 사귀니 비록 사귀더라도 상대가 아니다. 하지만 사람이 태어나는 순서가 다른 것이 도의에 해될 것은 없으니, 다만 곧음에서 이롭게 될 따름이다.

박문호(朴文鎬) 「경설(經說)·주역(周易)」

二五以內外之正位言. 初終以上下之正位言.
이(二)와 오(五)는 내외의 바른 자리로 말한 것이다. 초(初)와 종(終)은 상하의 바른 자리로 말한 것이다.

女之將歸, 必備六禮, 故云以漸者莫如女歸也. 廉恥之道, 下有觀之論之之義矣. 利於如此貞正, 言其利如此者, 由其貞正也.
여자가 시집을 가려고 할 때에는 반드시 육예를 갖춰야만 하기 때문에 "점진적으로 하는 것에는 여자가 시집을 가는 것만한 것이 없다"고 했다. 염치의 도는 아래로 살피고 논하는 뜻이 포함되어 있다. 이처럼 곧고 바름에서 이롭다는 말은 이와 같음이 이로운 것은 곧고 바름에서 비롯되었음을 뜻한다.

이정규(李正奎) 「독역기(讀易記)」

漸者, 進之有次序之謂也. 天下事物, 莫不有, 漸則吉, 不漸則凶. 惟此卦, 巽上艮下, 有男女之象, 且漸進而吉者, 莫如女歸, 故卦辭曰女歸吉, 利貞. 九五六二正應, 而漸之以禮, 故六二曰, 鴻漸于磐, 飮食衎衎, 吉, 九五曰, 鴻漸于陵, 婦三歲不孕, 終莫之勝, 吉, 是貞而吉也.

'점(漸)'은 나아감이 질서가 있다는 뜻이다. 천하의 사물 중에는 이를 갖추지 않은 것이 없으니, 점진적으로 하면 길하고 점진적으로 하지 않으면 흉하다. 다만 이 괘는 손괘가 위에 있고 간괘가 아래에 있어서 남녀의 상이 있고, 또 점진적으로 나아가서 길한 것 중에는 여자가 시집을 가는 것만 한 것이 없기 때문에, 괘사에서는 "여자가 시집을 가는 것이 길하니, 곧음이 이롭다"고 했다. 구오와 육이는 정응이 되며 예에 따라 점진적으로 하기 때문에 육이에서는 "기러기가 반석으로 점진적으로 나아가니, 음식을 먹음이 즐거워 길하다"고 했고, 구오에서는 "기러기가 높은 구릉으로 점진적으로 나아가니, 부인이 삼년 동안 잉태를 하지 못했지만, 끝내 그를 이기지 못하니, 길하다"고 한 것이 곧고 길하다는 뜻이다.

彖曰, 漸之進也, 女歸吉也.

「단전」에서 말하였다: 점진적으로 나아감은 "여자가 시집을 가는 것이 길함"이 된다.

中國大全

傳

如漸之義而進, 乃女歸之吉也, 謂正而有漸也. 女歸爲大耳, 他進亦然.

점(漸)의 뜻처럼 나아가면 여자가 시집감이 길하게 되니, 올바르고 점진적인 면이 있음을 의미한다. 여자가 시집가는 것이 큼이 될 따름이며, 다른 나아감 또한 이러하다.

本義

之字疑衍, 或是漸字.

'지(之)'자는 잘못 들어간 글자이거나 '점(漸)'자일 것이다.

小註

濾川毛氏曰, 易未有一義明兩卦者, 晉, 進也, 漸, 亦進, 何也. 漸, 非進, 以漸而進耳.
노천모씨가 말하였다: 역에서는 한 가지 뜻으로 두 괘를 설명한 경우가 없는데, 진괘(晉卦䷢)의 뜻은 나아감이며, 점괘의 뜻 또한 나아감인 이유는 어째서인가? 점괘는 단순히 나아감을 뜻하지 않고, 점진적으로 나아간다는 뜻일 따름이다.

韓國大全

조호익(曺好益) 『역상설(易象說)』

本義之字疑衍, 或是漸字. 愚謂, 需師咸恒之類, 卦名卽有此義, 如漸非有進義, 但其進以漸耳. 故加之字, 謂以漸而進者, 女歸爲吉也.

『본의』에서는 '지(之)'자가 잘못 들어간 글자이거나 점(漸)자의 오자일 것이라고 했다. 내가 생각하기에 수괘(需卦䷄)·사괘(師卦䷆)·함괘(咸卦䷞)·항괘(恒卦䷟)의 부류들은 괘명에 곧 그 의미가 있지만, 점괘의 경우에는 괘명에 나아간다는 뜻이 없고 단지 나아가기를 점진적으로 할 따름이다. 그래서 지(之)자를 덧붙인 것은 점진적으로 나아가는 것은 여자가 시집가는 것이 길함으로 삼았다는 뜻이다.

유정원(柳正源) 『역해참고(易解參攷)』

王氏曰, 之於進也.

왕필이 말하였다: 나아감으로 가는 것이다.

김상악(金相岳) 『산천역설(山天易說)』

以卦名義釋卦辭. 漸之進也, 以漸而進也, 故爲女歸之吉也.

괘의 이름으로 괘사를 풀이했다. '점지진야(漸之進也)'는 점진적으로 나아간다는 뜻이기 때문에 여자가 시집가는 것이 길함이 된다.

서유신(徐有臣) 『역의의언(易義擬言)』

漸之進, 異乎晉升之進, 是爲女歸之義, 故吉也.

점괘의 나아감은 진괘(晉卦䷢)와 승괘(升卦䷭)의 나아감과는 다르니, 이것은 여자가 시집을 가는 뜻이 되기 때문에 길하다.

박제가(朴齊家) 『주역(周易)』

彖傳, 漸之進也, 本義之字疑衍, 或是漸字.

「단전」에서 '점진적으로 나아감'이라고 했는데, 『본의』에서는 '지(之)'자가 잘못 들어간 글자이거나 점(漸)자의 오자라고 했다.

案, 篆書連兩字者下必書, 又今之一點或兩點, 當是草書以後事. 草書亦在秦先, 則連字之兩點與之字正同. 恐此爲兩點連書而誤, 如皇恐恐爲主臣也.
내가 살펴보았다: 전서에서 동일한 두 글자가 연속될 경우에는 그 뒤에 반드시 기록을 했고, 현재 한 개의 점이나 두 개의 점을 찍어서 표시한 것은 초서 이후의 일이다. 초서는 또한 진나라 이전에 만들어진 것이니 동일한 두 글자가 연속되어 두 개의 점을 찍었던 것은 지(之)자의 자형과 일치한다. 아마도 이것은 두 개의 점을 연속해서 쓰느라고 잘못된 것 같으니, 마치 '황공공위주신(皇恐恐爲主臣)'을 '황공지위주신(皇恐之爲主臣)'이라고 했던 것과 같다.

進得位，往有功也.

나아가 자리를 얻으면, 감에 공이 있다.

‖中國大全‖

傳

漸進之時而陰陽各得正位，進而有功也. 四復由上進而得正位，三離下而爲上，遂得正位，亦爲進得位之義.

점진적으로 나아갈 때이고 음양이 각각 올바른 자리를 얻어서 나아감에 공이 있다. 사효가 재차 위를 통해 나아가서 올바른 자리를 얻고, 삼효가 아래를 떠나 위가 되어, 결국 올바른 자리를 얻었으니, 이 또한 나아감에 자리를 얻는 뜻이 된다.

‖韓國大全‖

유정원(柳正源) 『역해참고(易解參攷)』

案，陽進得位，以三五言也. 陰進得位，以二四言也. 各得其位，是往有功也.

내가 살펴보았다: 양이 나아가서 자리를 얻음은 삼효와 오효로 말한 것이다. 음이 나아가서 자리를 얻음은 이효와 사효로 말한 것이다. 각각 자신의 자리를 얻었으니, 감에 공이 있는 것이다.

傳，四復[至]上遂.

『정전』에서 말하였다: 사효가 재차 … 위에 도달한다.

案, 上體本乾, 下體本坤, 而四之得位, 由其自下而上進也, 三之得位, 以其離下陰而上遂也.
내가 살펴보았다: 상괘는 본래 건괘이고 하괘는 본래 곤괘이며, 사효가 자리를 얻음은 아래로부터 위로 나아감에 따른 것이고, 삼효가 자리를 얻음은 아래의 음을 떠나 위로 도달하기 때문이다.

서유신(徐有臣) 『역의의언(易義擬言)』

蠱變爲漸. 六四自初而進也, 女歸之所以吉也.
고괘(蠱卦䷑)가 변하여 점괘가 된다. 육사는 초효로부터 나아간 것이니 여자의 시집감이 길함이 되는 이유이다.

김기례(金箕澧) 「역요선의강목(易要選義綱目)」

卦變自渙來, 九二進居三, 自旅來, 九四進居五. 五二得夫婦之正, 初上正上下之位, 但三四爲邪配, 故有不育之凶.
괘의 변화가 환괘(渙卦䷺)로부터 와서 구이가 나아가 삼효에 머물고, 려괘(旅卦䷷)로부터 와서 구사가 나아가 오효에 머문다. 오효와 이효는 부부의 바름을 얻었고, 초효와 상효는 위아래의 자리를 바르게 했지만 삼효와 사효는 삿되이 짝을 이루기 때문에 양육을 못하는 흉함이 있다.

심대윤(沈大允) 『주역상의점법(周易象義占法)』

言漸之爲進, 如女歸之有序也, 而兼釋卦辭也. 進得位者, 承女歸而言進而得位之有序也.
점괘의 나아감은 여자가 시집을 감에 질서가 있다는 뜻과 같으니, 괘사도 함께 풀이한 말이다. "나아가 자리를 얻는다"는 여자가 시집가는 것을 이어서 나아가 자리를 얻음에 질서가 있다고 했다.

進以正，可以正邦也.

올바름으로 나아가면, 나라를 올바르게 할 수 있다.

中國大全

傳

以正道而進, 可以正邦國, 至於天下也. 凡進於事, 進於德, 進於位, 莫不皆當以正也.

정도로써 나아가면 나라를 올바르게 하여 천하를 올바르게 하는 경지에 이를 수 있다. 일에 나아가고 덕에 나아가며 자리에 나아감에는 모두 정도로써 해야만 한다.

本義

以卦變釋利貞之意. 蓋此卦之變, 自渙而來, 九進居三, 自旅而來, 九進居五, 皆爲得位之正.

괘의 변화로써 리정(利貞)의 뜻을 풀이하였다. 점괘의 변화는 환괘(渙卦䷺)로부터 와서 구(九)가 나아가 삼효에 머물고, 려괘(旅卦䷷)로부터 와서 구(九)가 나아가 오효에 머무니, 모두 자리의 바름을 얻는다.

小註

楊氏曰, 聖人於漸以敦風化乎. 執此道仕進, 則无干祿慕位之恥, 无假塗捷徑之患, 以此而進, 則得位, 以此而往, 則有功.

양씨가 말하였다: 성인은 점괘를 통해서 풍속의 교화를 돈독히 하였다. 이러한 도를 가지고 벼슬살이를 하며 나아간다면 부유함을 추구하고 지위를 사모한다는 치욕이 없게 되며, 길을 빌리거나 지름길을 경유한다는 우환이 없게 되니, 이를 통해 나아간다면 자리를 얻고, 이를 통해 간다면 공이 있다.

‖ 韓國大全 ‖

유정원(柳正源) 『역해참고(易解參攷)』

進以正,
올바름으로 나아가면,

正義, 以六二適九五, 是進而以正.
『주역정의』에서 말하였다: 육이가 구오에게 가니, 나아가며 올바름에 따른 것이다.

本義, 卦變.
『본의』에서 말하였다: 괘의 변화로.

案, 本義於諸卦言卦變, 皆於卦下辭, 而此獨於彖傳言之者, 蓋以明進得位, 進以正之義也.
내가 살펴보았다: 『본의』에서는 여러 괘들에 대해 괘의 변화를 말한 것이 모두 괘사에서 했는데, 이곳에서는 유독 「단전」에서 말했으니, 이를 통해 나아가 자리를 얻는 것은 올바름으로 나아간다는 뜻임을 밝히기 위해서이다.

김상악(金相岳) 『산천역설(山天易說)』

以卦變言, 五進而得尊位, 故往而有功, 三進以正, 故可以正邦.
괘의 변화로 말을 하면 오효는 나아가서 존귀한 지위를 얻기 때문에 감에 공이 있고, 삼효는 나아가길 바름으로써 하기 때문에 나라를 바르게 할 수 있다.

○ 漸之所以爲吉, 爲利貞在女歸, 而女之所歸者男也. 故彖傳專以二陽爲主, 亦與家人相似. 可以正邦, 卽正家而天下定之意也. 三五互爲坎離, 故五之往有功, 得之於坎, 三之正邦, 得之於離也.
점진적으로 함이 길함이 되는 이유는 곧음이 이롭게 되는 것은 여자가 시집가는 것에 달려 있고 여자가 시집을 가는 대상은 남자이기 때문이다. 그래서 「단전」에서는 전적으로 두 양을 주인으로 삼으니, 가인괘(家人卦䷤)와 서로 유사하다. 나라를 바르게 할 수 있음은 "집안을 바르게 함에 천하가 정해진다"[14]는 뜻이다. 삼효와 오효는 호괘가 감괘와 리괘가 되기 때문에 오효가 감에 공이 있는 것은 감괘에서 얻음이며, 삼효가 나라를 바르게 하는 것은 리괘에서 얻음이다.

박제가(朴齊家) 『주역(周易)』

男女正則天下正, 猶家人之義也. 傳義竝不及此意.

남녀가 바르면 천하가 바르게 되니 가인괘(家人卦䷤)의 뜻과 같다. 『정전』과 『본의』에서는 모두 이러한 뜻을 언급하지 않았다.

강엄(康儼) 『주역(周易)』

按, 本義於卦辭曰, 自二至五, 位皆得正, 是兼二四爻而言, 於此則以卦變, 而但言三五二爻, 前後所釋不同, 何也. 或曰, 卦辭本義所云, 是統論一卦之體, 故兼二四爻而言之, 乃文王之本意也. 彖傳, 是夫子以卦變, 特取三五二爻, 故曰進得位進以正, 則本義亦不得不依也. 釋之所以與前釋不同也. 此說是否. 又按, 本義言卦變, 必於卦辭之下, 而此則特言於彖傳, 此必有義, 當更思之.

내가 살펴보았다: 『본의』는 괘사에 대해서 "이효로부터 오효에 이르기까지 그 자리가 모두 바르다"고 한 것은 이효와 사효를 겸해서 말했는데 이곳에 대해서는 괘의 변화를 통해서 단지 삼효와 오효만을 말했으니, 앞뒤의 해석이 다른 것은 어째서인가? 어떤 이는 "괘사에 대해 『본의』에서 말한 것은 한 괘의 몸체를 통괄적으로 논의한 것이기 때문에 이효와 사효를 겸해서 말한 것으로 문왕의 본의에 해당한다. 「단전」은 공자가 괘의 변화 가운데 특별히 삼효와 오효만을 취한 것이기 때문에 '나아가 자리를 얻는다'라고 말하고 '올바름으로 나아간다'라고 말했으므로, 『본의』가 또한 따르지 않을 수가 없었다. 그래서 그 풀이가 앞의 풀이와 다르게 된 것이다"라고 했다. 이 주장이 옳은지 그른지 모르겠다.

또 살펴보았다: 『본의』에서는 괘의 변화를 반드시 괘사 아래에서 설명을 했는데, 이곳에서는 특별히 「단전」에서 설명했으므로, 여기에 반드시 숨겨진 뜻이 있을 것이니, 재차 생각해 보아야 한다.

김기례(金箕澧) 「역요선의강목(易要選義綱目)」

易中諸卦, 分君臣正夫婦, 所以家道正而天下正.

---

14) 『周易·家人卦』: 彖曰, 家人, 女正位乎內, 男正位乎外, 男女正, 天地之大義也. 家人, 有嚴君焉, 父母之謂也. 父父子子兄兄弟弟夫夫婦婦而家道正, 正家而天下定矣.

『주역』의 여러 괘에서 임금과 신하의 본분을 구분하고 부부의 관계를 바르게 한 것은 가정의 도리가 바르게 되어 천하가 바르게 되기 때문이다.

최세학(崔世鶴) 주역단전괘변설(周易彖傳卦變說)」

漸, 否之二體變也. 三與四二爻爲主, 故彖以女歸吉進得位言之. 泰三居下體之上, 泰四居上體之下, 以男下女, 女歸吉也. 各得正位, 往有功也.
점괘는 비괘(否卦䷋)의 두 몸체가 변한 것이다. 삼효와 사효는 괘의 주인이 되기 때문에 「단전」에서는 "여자가 시집을 가는 것이 길하다"와 "나아가 자리를 얻는다"로 말했다. 태괘의 삼효는 하체의 위에 있고, 태괘의 사효는 상체의 아래에 있으니, 남자가 여자에게 낮추어, 여자가 시집가는 것이 길하다. 그리고 각각 바른 자리를 얻어 감에 공이 있다.

其位剛得中也.

그 자리는 강함이 중을 얻는 것이다.

中國大全

傳

上云進得位往有功也, 統言陰陽得位, 是以進而有功. 復云其位剛得中也, 所謂位者, 五以剛陽中正, 得尊位也. 諸爻之得正, 亦可謂之得位矣, 然未若五之得尊位, 故特言之.

앞에서 "나아가 자리를 얻으면, 감에 공이 있다"고 한 말은 음양이 자리를 얻었기 때문에 나아가면 공이 있다고 총괄적으로 말했다. 재차 "그 자리는 강함이 중을 얻은 것이다"고 하였는데, 자리는 오효가 굳센 양과 중정으로 존귀한 자리를 얻었음을 뜻한다. 나머지 효들 가운데 올바름을 얻으면 이 또한 자리를 얻었다고 할 수 있지만, 오효가 존귀한 자리를 얻음만 같지 못하기 때문에 특별히 언급하였다.

本義

以卦體言, 謂九五也.

괘의 몸체로 말하였으니 구오를 뜻한다.

小註

中溪張氏曰, 進以正可以正邦者, 家道正而天下定也. 非五居尊位, 剛而得中, 能如是乎.

중계장씨가 말하였다: "올바름으로 나아가면, 나라를 올바르게 할 수 있다"는 말은 가정의 도리가 올바르고 천하가 안정됨을 뜻한다. 오효가 존귀한 자리에 머물며, 굳센 양이고 알맞음을 얻지 못한다면, 이처럼 할 수 있겠는가?

韓國大全

유정원(柳正源) 『역해참고(易解參攷)』

剛得中.
강함이 중을 얻는 것이다.

雙湖胡氏曰, 九五一爻, 從旅蠱賁三卦變來, 皆得其正, 自旅來者九四, 進而居五, 自蠱來者九二, 進而居五, 自賁來者初九, 進而居五, 皆得其正也. 往則有功, 而進可以正邦也. 恐人以進得位, 卽爲六四之進爲得陰位, 故特結之以其位剛得中之辭, 則其指九五之位明矣. 本義謂自渙來者, 九進居三, 雖亦得正, 但於剛得中義, 不甚協耳.
쌍호호씨가 말하였다: 구오는 려괘(旅卦䷷)·고괘(蠱卦䷑)·비괘(賁卦䷕)로부터 와서 모두 바름을 얻었는데, 려괘로부터 온 구사는 나아가서 오효에 머물고 고괘로부터 온 구이는 나아가서 오효에 머물며 비괘로부터 온 초구는 나아가서 오효에 머무니 모두 바름을 얻은 것이다. 가서 공을 이루어 나아가서 나라를 바르게 한다. 사람들이 나아가 자리를 얻는 것을 육사가 나아가서 음의 자리를 얻는 것이라고 오해할까 염려했기 때문에 특별히 "그 자리는 강함이 중을 얻는 것이다"라는 말로 결론을 맺었으니, 구오의 자리를 가리키는 것이 명백하다. 『본의』에서는 "환괘(渙卦䷺)로부터 와서 구(九)가 나아가 삼효에 머문다"고 했는데, 비록 바름을 얻었다고 하지만 "강함이 중을 얻는다"는 뜻에 대해서는 매우 합치되지 않는다.

김상악(金相岳) 『산천역설(山天易說)』

又以卦變言, 其位卽進得位之位也. 九五不惟得位, 又正之中也. 位剛, 所以別於六二之柔, 得中, 所以別於九三之不中.
또한 괘의 변화로 말을 하면, 기위(其位)는 "나아가 자리를 얻는다"의 자리이다. 구오는 자리를 얻을 뿐만 아니라 또한 바른 자리로 가운데에 있다. 자리가 강함은 육이의 부드러움과 구별되며, 중을 얻음은 구삼의 중하지 않음과 구별된다.

서유신(徐有臣) 『역의의언(易義擬言)』

九五, 自二而進也. 剛得中者, 九五也. 四進得位, 五進以正, 是爲利貞也.
구오는 이효로부터 나아간 자이다. 강함이 중을 얻음은 구오이다. 사효는 나아가 자리를 얻고 오효는 나아가길 바름으로써 하니 곧음이 이로움이 된다.

김기례(金箕澧) 「역요선의강목(易要選義綱目)」

指九五.
구오를 가리킨다.

심대윤(沈大允) 『주역상의점법(周易象義占法)』

其進不以捷徑躐等, 而以正漸進, 故可以化俗而正邦也. 其位剛得中者, 承正邦而言進而得位者, 必賢德也. 釋彖二句, 皆言位者, 明漸之義重在於位也.
나아갈 때 지름길로 등급을 뛰어넘지 않고, 올바름으로 점진적으로 나아가기 때문에 풍속을 교화하고 나라를 바르게 할 수 있다. "그 자리는 강함이 중을 얻는 것이다"는 나라를 바르게 한다는 것을 이어서 나아가 자리를 얻는 자는 반드시 현명한 덕을 갖춘 자라고 했다. 「단전」의 두 구문을 풀이할 때 모두 자리를 언급한 것은 점괘의 뜻 중 중대함이 자리에 있음을 밝힌 것이다.

止而巽, 動不窮也.

그치고 공손하므로, 움직임에 곤궁하지 않다.

中國大全

傳

內艮止, 外巽順, 止爲安靜之象, 巽爲和順之義. 人之進也, 若以欲心之動, 則躁而不得其漸, 故有困窮, 在漸之義, 內止靜而外巽順, 故其進動, 不有困窮也.

내괘인 간괘는 그치고 외괘인 손괘는 순종하니, 그침은 안정의 상이 되며 순종은 온화하고 유순한 뜻이 된다. 사람이 나아감에 만약 욕심의 동함으로써 한다면 조급하여 점진적으로 할 수 없기 때문에 곤궁함이 생기지만, 점괘의 뜻에 있어서 내괘는 그치고 고요하며 외괘는 순종하기 때문에 나아가 움직임에 곤궁함이 없다.

本義

以卦德言漸進之義

괘의 덕으로써 점진적으로 나아가는 뜻을 설명하였다.

小註

東平劉氏曰, 夫物未有進而不上窮者, 動而不窮者, 惟漸爲然. 止乎下而巽以行之, 是以動不窮也.

동평유씨가 말하였다: 사물 중에는 나아가며 위로 올라가 궁하지 않은 것이 없는데 움직여 궁하지 않은 것은 오직 점괘만 그러할 따름이다. 밑에서 그치지만 순종함으로 시행하기 때문에 움직여 궁하지 않게 된다.

○ 中溪張氏曰, 艮止於內而巽以行之, 動而不暴, 則不至於困窮也.
중계장씨가 말하였다: 간괘가 안에서 그치고 손괘가 공손함으로 시행하며 움직이되 포악하지 않다면, 곤궁함에 이르지 않는다.

韓國大全

송시열(宋時烈) 『역설(易說)』

彖漸字下之字, 恐是疊字之草. 進得位者, 剛陽之爻, 進居九五也. 正者, 中正之位也. 止而巽, 靜之道, 而乃曰動不窮者, 靜是動之根, 又艮之言時動也.
「단전」의 '점(漸)'자 뒤에 있는 '지(之)'자는 아마도 글자의 중첩을 표시하는 초서체일 것이다. "나아가 자리를 얻는다"는 굳센 양의 효가 나아가 구오에 머무는 것이다. '올바름'은 중정한 자리이다. "그치고 공손하다"는 고요함의 도인데 "움직임에 곤궁하지 않다"라고 말한 것은 고요함은 움직임의 근본이 되고, 또 간괘는 때에 따라 움직임을 뜻하기 때문이다.

이익(李瀷) 『역경질서(易經疾書)』

漸之進也, 進得位, 故往有功. 進以正, 故以正邦. 其事極大, 與他卦之進不同, 故添一之字. 中四爻得位, 故閨門之內軌儀可則, 以至於正邦, 所謂不出家而成敎於國也.
점진적으로 나아감은 나아가서 자리를 얻기 때문에 감에 공이 있다. 올바름으로 나아가기 때문에 나라를 바르게 한다. 그 사안이 지극히 커서 다른 괘의 나아감과는 다르기 때문에 '지(之)'자를 붙였다. 가운데 네 효는 제자리를 얻었기 때문에 집안의 규범이 본받을 만하여 나라를 바르게 하는데 이르게 되니, 집을 나서지 않고도 가르침이 나라에서 이루어진다는 뜻이다.[15]

유정원(柳正源) 『역해참고(易解參攷)』

王氏曰, 賢德以止巽則居, 風俗以止巽乃善.

---

15) 『大學』: 所謂治國必先齊其家者, 其家不可敎而能敎人者無之. 故君子不出家而成敎於國.

왕필이 말하였다: 현명한 덕은 그쳐서 공손하다면 머물게 되고, 풍속은 그쳐서 공손하다면 선하게 된다.

○ 正義, 木生山上, 因山而高, 非是從下忽高, 故是漸義也.
『주역정의』에서 말하였다: 나무는 산 위에서 생겨나 산에 따라 높아지니, 아래를 따라 갑작스럽게 높아지는 것이 아니기 때문에 점진적인 뜻이 된다.

○ 漢上朱氏曰, 山上木, 止于下而漸于上也.
한상주씨가 말하였다: 산 위의 나무는 아래로는 그치고 위로는 점진적으로 나아간다.

김상악(金相岳)『산천역설(山天易說)』

以卦德言, 止而巽, 不足於行進之義, 故勉之以動. 不動則止於巽, 懦而窮也, 所以蠱之爲蠱, 下卑巽而上苟止也.
괘의 덕으로 말하면, 그치고 공손함은 가서 나아가는 뜻에서는 부족하기 때문에 움직임으로 독려를 했다. 움직이지 않는다면 공손함에 그치니, 나약하고 곤궁한 것으로 고괘(蠱卦䷑)가 고괘가 되는 이유는 아래로는 낮추고 공손하며 위로는 구차히 행동하기 때문이다.

서유신(徐有臣)『역의의언(易義擬言)』

上九, 自三而進也, 卦變之象, 故曰動也. 動不躁妄, 故其義爲不窮也. 進得位, 進以正, 動不窮, 所以通論卦才漸進之善, 而其要各有所屬之爻也.
상구는 삼효로부터 나아간 것이니 괘가 변한 상이기 때문에 움직인다고 말했다. 움직임이 조급하고 망령스럽지 않기 때문에 그 뜻은 곤궁하지 않음이 된다. 나아가 자리를 얻고 올바름으로 나아가며 움직임이 곤궁하지 않으니 괘의 재질이 점진적으로 나아가는 선함을 통괄적으로 논의하되 그 요점은 각각 해당하는 효가 있다.

윤행임(尹行恁)『신호수필(薪湖隨筆)·역(易)』

漸卦三陽三陰, 陰陽均敵, 而陰必勝陽, 且有漸進之意, 故以鴻爲喩. 鴻者, 陽鳥也, 言陽鳥以對婦孕, 卽亦扶陽之義也.
점괘의 세 양과 세 음은 음양이 균일하고 대등하지만, 음은 반드시 양을 이기고 또 점진적으로 나아가는 뜻이 있기 때문이 기러기로 비유를 들었다. 기러기는 양에 해당하는 새이니, 양에 해당하는 새를 말하여 부인이 잉태하는 것에 짝했으므로, 또한 양을 돕는 뜻이 된다.

김기례(金箕澧) 「역요선의강목(易要選義綱目)」

動不窮也.
움직임에 곤궁하지 않다.

內止外巽, 漸進而動, 不至困窮.
안으로 그치고 밖으로 공손하여 점진적으로 나아가며 움직이니 곤궁함에 이르지 않는다.

심대윤(沈大允) 『주역상의점법(周易象義占法)』

止而巽, 故能進而不止也. 此在釋彖之後者, 其文勢自不暇爾, 非有重義, 如益之卦德也. 漸有因有序, 未自用也, 故傳不釋利也.
그치고 공손하기 때문에 나아가며 그치지 않을 수 있다. 이것은 「단전」을 풀이한 말 뒤에 있어서 그 문세가 미칠 겨를이 없었을 뿐으로, 중대한 뜻이 있는 것이 아니니, 익괘(益卦䷩)의 괘덕과 같다. 점괘는 따르는 것이 있고 질서가 있어서 제멋대로 하지 않기 때문에 「단전」에서는 이로움을 풀이하지 않았다.

오치기(吳致箕) 「주역경전증해(周易經傳增解)」

此釋卦名義及卦辭, 言漸之義, 所以爲進者, 乃女歸之吉也. 在進之時, 剛柔各得其位, 可以往而有功矣. 其所以進者, 皆爲正道, 故亦可以正邦國, 此乃利貞之義也. 終又以卦體卦德, 特言九五之剛得中而居尊, 內靜止而外巽順, 故其動而進, 必有漸次, 不至窮迫也.
이것은 괘의 이름 및 괘사를 풀이한 것으로, 점괘의 뜻이 나아감이 되는 것은 곧 여자가 시집가는 길함이라는 뜻이다. 나아가야 할 때 양과 음이 각각 자리를 얻어서, 감에 공이 있을 수 있다. 나아가게 하는 것은 모두 올바른 도가 되기 때문에 또한 나라를 바르게 할 수 있으니, 이것이 곧음이 이롭다는 뜻이다. 끝에서는 재차 괘의 몸체 · 괘의 덕으로, 구오의 굳셈이 중을 얻어 존귀한 자리에 있고 내적으로 고요하게 그치며 외적으로 공손히 따르기 때문에 움직여 나아감에 반드시 점진적이고 질서가 있어, 곤궁하고 급박한 데에 이르지 않음을 특별해 말했다.

이진상(李震相) 『역학관규(易學管窺)』

不言取女, 而曰女歸者, 以其三四之交, 終非夫婦之正也. 漸以女歸爲義, 則當以乾坤之交言之, 下體本坤, 上體本乾, 而坤之六三進居乾之九四, 陰往居四, 則陽來居三矣. 自二至五, 陰陽各得正位, 進而有功者也. 傳言四復由上進而得正位, 謂九四本不正, 而由六三之上進, 而得爲九三位以正也. 三離下而爲上, 謂六三自下體來居四, 四乃上體, 六三爲六四, 故亦得正位也. 本義言卦變, 而渙之九進居三, 旅之九進居五, 皆以陽進爲義, 與女歸之象不叶韻. 女歸之貞爲正家之本, 而正家爲正邦之本, 未有女歸之不以正而能成風化者也. 周始以任姒興, 而中以褒姒亡, 亦可驗也. 且女子之歸, 男子之仕, 一義也. 伊尹孔明三聘, 而乃起, 故能有不世之功, 苟其曲徑于進, 則枉己而正人者未之有也. 雙湖謂從蠱賁來, 然九二之進, 初九之進, 可言於剛之得中, 而非柔進得正之象也.

아내를 들인다고 말하지 않았는데, "여자가 시집을 간다"고 말한 것은 삼효와 사효의 사귐은 끝내 부부의 올바름이 아니기 때문이다. 점괘는 여자가 시집을 가는 것으로 뜻을 삼았으니, 마땅히 건괘와 곤괘의 사귐으로 말을 해야 하는데, 하체는 본래 곤괘이고 상체는 본래 건괘여서 곤괘의 육삼이 나아가 건괘의 구사에 머물러, 음이 가서 사효에 있으니, 양이 와서 삼효에 있는 것이다. 이효로부터 오효까지는 음양이 각각 바른 자리를 얻어서, 나아감에 공이 있는 자이다. 『정전』에서는 "사효가 재차 위를 통해 나아가서 올바른 자리를 얻었다"라고 했는데, 구사는 본래 바르지 않지만 육삼이 위로 나아가는 것에 말미암아서 구삼의 자리를 얻어 바르게 되었다는 뜻이다. 『정전』에서 "삼효가 아래를 떠나 위가 되었다"고 한 말은 육삼이 하체로부터 와서 사효에 머무니, 사효는 상체가 되고, 육삼이 육사가 되었기 때문에 또한 바른 자리를 얻었다는 뜻이다. 『본의』에서는 괘의 변화를 언급하며, 환괘(渙卦䷺)의 구(九)가 나아가 삼효에 머물고 려괘(旅卦䷷)의 구(九)가 나아가 오효에 머문다고 했는데, 이 모두는 양이 나아가는 것을 뜻으로 삼아 여자가 시집가는 상과는 협운이 되지 않는다. 여자가 시집가는 곧음은 가정을 바르게 하는 근본이 되고 가정을 바르게 함은 나라를 바르게 하는 근본이 되니, 여자가 시집을 갈 때 바름으로써 하지 않고서 풍속을 교화할 수 있는 자는 없다. 주나라는 처음에는 태임과 태사로 흥성했다가 중간에 포사로 인해 망하게 되었으니, 이를 통해 증험할 수 있다. 또 여자가 시집을 가는 것과 남자가 벼슬을 하는 것은 동일한 뜻이다. 이윤과 공명이 세 차례 빙문을 받아 세상에 나왔기 때문에 불세출의 공을 세울 수 있었는데, 만약 바르지 못하게 나아갔다면 자신을 굽혀서 남을 바르게 할 수 있는 자는 없다. 쌍호호씨는 고괘(蠱卦䷑)와 비괘(賁卦䷕)로부터 왔다고 했는데, 구이의 나아감과 초구의 나아감에 대해서는 강함이 중을 얻는다고 할 수 있지만, 부드러움이 나아가 올바름을 얻었다는 상은 아니다.

○ 剛得中也.

강함이 중을 얻는 것이다.

此言非徒柔進而得位, 剛亦以漸而得尊位也.
이것은 단지 부드러움이 나아가 자리를 얻었다는 뜻만이 아니라, 강함 또한 점진적으로 나아가 존귀한 자리를 얻었다는 뜻이다.

박문호(朴文鎬) 「경설(經說) · 주역(周易)」

四復由上進, 此當云退而亦謂之進, 於事有不便. 蓋程子論卦變, 只取乾坤之變, 故如是言之. 然其言三之爲四, 已足以發明其意, 不必交互論之也.
사효는 재차 상효로 말미암아 나아가니, 이곳에서는 마땅히 물러간다고 해야 하는데도 또한 나아간다고 했으니, 일에 있어서는 불편함이 있다. 정자가 괘변을 논의한 것은 단지 건괘와 곤괘로부터의 변화만 취하였기 때문에 이처럼 말한 것이다. 그러나 삼효가 사효가 됨에 이미 그 뜻을 충분히 드러냈으므로, 상호 논의할 필요가 없다.

이병헌(李炳憲) 『역경금문고통론(易經今文考通論)』

虞曰, 女謂四, 歸, 嫁也. 三進四得位, 陰陽體正, 故吉也. 四進承五, 故往有功. 〈按, 虞謂否三之四.〉 與歸妹爲對, 皆三陰三陽之卦.
우번이 말하였다: 여자는 사효를 가리키며, 귀(歸)는 시집을 간다는 뜻이다. 삼효가 사효로 나아가 자리를 얻으니, 음양의 몸체가 바르기 때문에 길하다. 사효가 나아가 오효를 받들기 때문에 감에 공이 있다. 〈내가 살펴보았다: 우번은 비괘(否卦䷋)의 삼효가 사효로 간다고 한 것이다.〉 귀매괘(歸妹卦䷵)와는 음양이 바뀐 괘가 되는데, 둘 모두 세 음과 세 양으로 이루어진 괘이다.

象曰, 山上有木漸, 君子以, 居賢德, 善俗.

정전 「상전」에서 말하였다: 산 위에 나무가 있는 것이 점(漸)이니, 군자가 그것을 본받아 현명한 덕에 머물러 풍속을 선하게 했다.

본의 「상전」에서 말하였다. 산 위에 나무가 있는 것이 점(漸)이니, 군자가 그것을 본받아 덕에 머물며 풍속을 선하게 했다.

中國大全

傳

山上有木, 其高有因, 漸之義也. 君子觀漸之象, 以居賢善之德, 化美於風俗. 人之進於賢德, 必有其漸, 習而後能安, 非可陵節而遽至也. 在己且然, 敎化之於人, 不以漸, 其能入乎. 移風易俗, 非一朝一夕所能成, 故善俗必以漸也.

산 위에 나무가 있고 그 높음에는 따르는 것이 있으니, 점(漸)의 뜻이다. 군자가 점(漸)의 상을 살펴보고 현명하고 착한 덕에 머물러 풍속을 아름답게 교화한다. 사람이 현명한 덕에 나아감에는 반드시 점진적으로 시행함이 있어서 익힌 이후에야 편안할 수 있으니, 절도를 능멸하고 급작스럽게 도달할 수 없다. 자신에게 있어서도 이러한데, 남을 교화함에 있어서 점진적으로 하지 않는다면 가능하겠는가? 풍속을 변화시킴은 하루아침에 이룰 수 없기 때문에 풍속을 선하게 함은 반드시 점진적으로 시행해야 한다.

本義

二者皆當以漸而進. 疑賢字衍, 或善下有脫字.

두 가지는 모두 점진적으로 나아가야만 한다. '현(賢)'자는 잘못 들어간 글이거나 '선(善)'자 뒤에 누락된 글자가 있는 것 같다.

小註

朱子曰, 山上有木, 木漸長, 則山漸高, 所以爲漸.
주자가 말하였다: 산 위에 나무가 있고 나무가 점진적으로 자라난다면 산은 점진적으로 높아지니 이 때문에 점(漸)이 된다.

○ 楊氏曰, 地中生木, 以時而升, 山上有木, 其進以漸, 君子知木者至微之物, 猶不可以不漸, 而況於居賢德善俗乎. 居賢德而以漸, 修而後至, 勤而後精, 此楊子雲所謂始乎爲士, 終乎爲聖也. 善俗而以漸, 期而始變, 久而後成, 此孔子所謂善人爲邦百年, 可以勝殘去殺矣.
양씨가 말하였다: 땅에서 나무가 생겨나 때에 따라 올라가며, 산 위에 나무가 있어서 점진적으로 나아가는데, 군자는 나무처럼 지극히 사소한 사물에게도 오히려 점진적으로 하지 않을 수 없음을 알았는데, 하물며 현명한 덕에 머물며 풍속을 선하게 함에 있어서이겠는가? 현명한 덕에 머물기를 점진적으로 하여 수양을 한 이후에 지극해지고 움직인 이후에 정밀해지니, 이것은 양자운이 "사(士)가 되는 것에서 시작하여 끝내 성인이 된다"고 한 말에 해당한다. 풍속을 선하게 하기를 점진적으로 하며 기약해서 변화를 시작하고 오래된 이후에야 완성되니, 이것은 공자가 "선한 자가 나라를 백 년 동안 다스리면, 잔악함을 억누르고 살인을 제거할 수 있다"[16]고 한 말에 해당한다.

○ 雲峯胡氏曰, 居德, 象艮之止, 不漸, 豈能遽止. 善俗, 象巽之入, 不漸, 豈能遽入.
운봉호씨가 말하였다: 덕에 머무는 것은 간괘의 그침을 상징하니, 점진적으로 하지 않는다면 어떻게 급작스럽게 그칠 수 있겠는가? 풍속을 선하게 함은 손괘의 들어감을 상징하니, 점진적으로 하지 않는다면 어떻게 급작스럽게 들어갈 수 있겠는가?

○ 建安丘氏曰, 夬居德則忌, 而漸言居賢德, 何也. 蓋夬以潰決爲義, 漸以積累爲義故也.
건안구씨가 말하였다: 쾌괘(夬卦䷪)에서는 "덕에 머물며 금기사항을 본받는다"고 했고, 점괘에서 "현명한 덕에 머문다"고 한 것은 왜 차이가 생기는가? 쾌괘는 무너져 터짐을 뜻으로 삼았고, 점괘는 누적됨을 뜻으로 삼았기 때문이다.

---

16) 『論語·子路』: 子曰, 善人爲邦百年, 亦可以勝殘去殺矣. 誠哉是言也!

韓國大全

조호익(曺好益)『역상설(易象說)』

木之高, 因山之高, 俗之善, 由德之居. 因山然後高, 其高有漸, 居德然後善, 其善有漸, 此卦之象, 而君子法象之義也.

나무의 높음은 산의 높음에 따르고, 풍속의 선함은 덕에 머묾에 따른다. 산에 따른 이후에야 높아지고 높음에는 점진적인 면이 있으며, 덕에 머문 이후에야 선해지고 선함에는 점진적인 면이 있으니, 이것은 괘의 상이며, 군자가 상을 본받는 뜻이다.

송시열(宋時烈)『역설(易說)』

如大象末云, 君子當于賢德善俗之地, 未瑩. 蓋居時止而不遷之意, 艮象也. 善風俗者, 風行巽讓之意. 巽象凡言多先內後外, 須看山上有木之義.

만약「대상전」의 끝에서 군자가 덕을 현명하게 하고 풍속을 선하게 하는 처지에 해당한다고 했다면 분명하지 않다. 머묾에는 때에 따라 그쳐서 옮겨가지 않는 뜻이 있으니, 간괘의 상이다. 풍속을 선하게 하는 것은 공손함과 사양함이 시행된다는 뜻이다. 손괘의 상에서는 대체로 내괘를 먼저 하고 외괘를 뒤에 하는 것이 많으니, 산 위에 나무가 있는 뜻을 살펴야 한다.

이만부(李萬敷)「역통(易統)·역대상편람(易大象便覽)·잡서변(雜書辨)」

本義曰, 二者皆當以漸而進.

『본의』에서 말하였다: 두 가지는 모두 점진적으로 나아가야만 한다.

이익(李瀷)『역경질서(易經疾書)』

山之有木, 木得其所, 有其賢德之象. 木不可以孤長, 必衆茂, 然後方成叢菀, 有善俗之象. 吾聞諸養竹者, 根柢雖盤, 必須養之, 以漸積歲, 而方得高大, 若輒除其最茁, 終不成材意者. 木性皆然. 易擧正作善風俗.

산에 나무가 있으니, 나무는 제자리를 얻은 것으로, 현명한 덕의 상이 있다. 나무는 고립되어 자라날 수 없으니 반드시 무리를 이루어 무성하게 된 뒤에야 빼곡한 수풀을 이루니, 선한 풍속의 상이 있다. 내가 대나무를 기르는 자에게 들으니, 뿌리가 비록 둥글더라도 반드시 잘 보살펴서 점차 해가 지나야만 크게 자라날 수 있는데, 만약 갑작스럽게 가장 높이 솟아난

싹을 제거한다면 끝내 재목을 이룰 수 없다고 했다. 나무의 성질은 모두 이러하다. 『주역거정』에서는 '선풍속(善風俗)'이라고 기록했다.

김상악(金相岳) 『산천역설(山天易說)』

山上之木, 其高有漸. 居德, 卽修己之事, 非一言一行所可就, 善俗, 卽治人之事, 非一朝一夕所能成. 故二者皆當以漸而進也. 本義賢字疑衍. 居德, 象艮之止, 善俗, 取巽之入. 蠱漸二卦, 互取其象, 育德則可居, 振民則善俗.

산 위에 나무가 있는데 나무의 높음은 점진적으로 자라난 점이 있다. 덕에 머무는 것은 자신을 수양하는 일로, 한 마디 말이나 행동으로 이룰 수 있는 것이 아니며, 풍속을 선하게 하는 것은 사람을 다스리는 일로, 하루아침에 완성할 수 있는 일이 아니기 때문이다. 그래서 두 가지는 모두 마땅히 점진적으로 나아가야 한다. 『본의』에서는 '현(賢)'자가 잘못 들어간 글자라고 의심했다. 덕에 머무는 것은 간괘의 그치는 것을 본뜬 것이고, 풍속을 선하게 하는 것은 손괘의 들어감에서 취한 것이다. 고괘(蠱卦☶)와 점괘는 상호 그 상을 취했으니, "덕을 기른다"는 머물 수 있는 것이며, "백성들을 진작하다"는 풍속을 선하게 하는 것이다.[17)]

서유신(徐有臣) 『역의의언(易義擬言)』

山旣高, 而木又高, 以漸而進也. 其高之漸, 始基於山, 故曰山上有木也. 居德善俗, 君子之漸也. 居賢德, 山高象, 善風俗, 風行象. 居德, 如木之在山, 善俗, 如山之養木.

산은 이미 높은데 나무는 또 그보다 높으니, 점진적으로 나아갔기 때문이다. 높아짐에 점진적으로 하는 것은 산에 기초를 닦는 것에서 시작되므로, "산 위에 나무가 있다"고 했다. 덕에 머물고 풍속을 선하게 하는 것은 군자가 점진적으로 이루는 것이다. 현명한 덕에 머무는 것은 산이 높은 상이고, 풍속을 선하게 하는 것은 바람이 부는 상이다. 덕에 머무는 것은 나무가 산에 있는 것과 같고, 풍속을 선하게 하는 것은 산이 나무를 기르는 것과 같다.

박제가(朴齊家) 『주역(周易)』

大象, 居賢德, 善俗.

「대상전」에서 말하였다: 현명한 덕에 머물러 풍속을 선하게 했다.

建安丘氏曰, 夫居德則忌, 以潰決爲義, 漸以積累爲義故也.

---

17) 『周易·蠱卦』: 象曰, 山下有風, 蠱, 君子以, 振民育德.

건안구씨가 말하였다: 쾌괘(夬卦䷪)에서는 "덕에 머물며 금기사항을 본받는다"[18]고 했는데, 쾌괘는 무너져 터짐을 뜻으로 삼았고, 점괘는 누적됨을 뜻으로 삼았기 때문이다.

案, 德義已見夬. 若道德之德, 則豈有不居之時乎?
내가 살펴보았다: 덕(德)자의 뜻에 대해서는 이미 쾌괘에 나온다. 도덕(道德)의 덕(德)자라고 한다면 어찌 머물지 않는 때가 있을 수 있겠는가?

이지연(李止淵) 『주역차의(周易箚疑)』

山已高矣, 其上有木, 其高也漸. 居德善俗, 當如是也.
산은 이미 높은데 그 위에 나무가 있으니, 나무의 높음은 점진적이다. 덕에 머물며 풍속을 선하게 하는 것도 마땅히 이처럼 해야 한다.

김기례(金箕澧) 「역요선의강목(易要選義綱目)」

君子以, 居[19]賢德, 善俗.
군자가 그것을 본받아 현명한 덕에 머물러 풍속을 선하게 했다.

止於至善, 有積高爲山之象. 順以善俗, 有漸入巽木之象.
지극한 선에 그치는 것에는 쌓아 높아져 산이 되는 상이 있다. 온순하고 풍속을 선하게 하는 것에는 점진적으로 손괘인 나무로 들어가는 상이 있다.

박종영(朴宗永) 「경지몽해(經旨蒙解) · 주역(周易)」

蓋人之爲學, 工夫亦如此. 自灑掃應對, 以至於道成德立, 皆有漸次之工, 不可躐等而進也. 至於敎民善俗, 亦然, 漸磨仁義導以達之. 孔子所謂善人爲邦百年, 可以勝殘去殺矣, 如有用我者, 朞月可也, 三年有成, 此皆漸之義也.
사람이 학문을 할 때 그 공부 또한 이와 같다. 물 뿌리고 청소하며 응대하는 것으로부터 도를 이루고 덕을 세우는 것에 이르기까지 모두 점진적이며 순차에 따른 공부가 있어서, 등급을 뛰어넘어 나아갈 수 없다. 백성들을 가르쳐 풍속을 선하세 하는 것 또한 이와 같으니, 점진적으로 인의를 다듬어서 그들을 인도하여 통하게 해야 한다. 공자가 "선한 사람이

---

18) 『周易 · 夬卦』: 象曰, 澤上於天, 夬, 君子以, 施祿及下, 居德則忌.
19) 以居: 경학자료집성 DB와 영인본에는 '居以'로 기록되어 있었으나, 『주역』 경문에 따라 '以居'로 바로잡았다.

나라를 백 년 동안 다스리면 잔악한 자를 교화시키고 살인을 없앨 수 있다"[20]고 했고, "만약 나를 등용하는 사람이 있다면 일 년이면 괜찮게 되고 삼 년이면 이룸이 있을 것이다"[21]라고 한 말은 모두 점괘의 뜻이다.

심대윤(沈大允) 『주역상의점법(周易象義占法)』

山上有木, 主山而言也. 居賢德, 賢者在位也, 象艮德一陽得位也. 善俗, 象巽之風化, 進而上行也. 艮爲居, 艮巽爲賢德爲善俗, 人主之用賢易俗, 皆漸而有序, 舜之歷試, 齊魯之一變, 是也. 彖主巽而言進, 象主艮而言進之也. 人君官人不失賢, 則天下皆勸而爲善也. 居賢德則善俗在其中矣, 非二事也, 故曰居賢德善俗. 〈教選是也. 塾庠序校小學大學, 漸升而進於位, 有漸之義.〉

"산 위에 나무가 있다"는 산을 중심으로 한 말이다. "현명한 덕에 머문다"고 했는데, 현명한 자가 해당 지위에 있는 것은 간괘의 덕이 하나의 양이 제자리를 얻음을 상징한다. 풍속을 선하게 하는 것은 손괘의 풍화가 나아가 위로 올라감을 상징한다. 간괘는 머묾이 되고, 간괘와 손괘는 현명한 덕과 풍속을 선하게 함이 되는데, 임금이 현명한 자를 등용하고 풍속을 바꾸는 것은 모두 점진적이며 질서가 있으니, 순임금이 수차례 시험을 치르고 제나라와 노나라가 한 차례씩 바뀌는 것이 여기에 해당한다. 「단전」은 손괘를 중심으로 해서 나아감을 말했고, 「상전」은 간괘를 중심으로 해서 나아가게 함을 말했다. 임금과 관리들이 현명함을 잃지 않는다면 천하의 모든 사람들이 권면하여 선하게 된다. 현명한 덕에 머문다면 풍속을 선하게 하는 것도 그 안에 포함되니, 두 가지 일이 아니기 때문에 "현명한 덕에 머물러 풍속을 선하게 했다"라고 했다. 〈가르치고 선발하는 것이 여기에 해당한다. 숙(塾)·상(庠)·서(序)·교(校)·소학(小學)·대학(大學)에 입학할 때에는 점진적으로 승급되어 해당 자리로 나아가니, 점괘의 뜻이 있다.〉

오치기(吳致箕) 「주역경전증해(周易經傳增解)」

山上有木, 爲漸長, 漸高之象. 君子觀其象, 以居于賢德善俗之地, 而風俗之化, 皆以漸染而成, 故耳濡目染, 自成有道之人也. 賢德, 取象於互坎之得正, 善俗, 取象於巽之得位也.

산 위에 나무가 있어서 점진적으로 자라나니, 점진적으로 높아지는 상이다. 군자는 그 상을

---

20) 『論語·子路』: 子曰, 善人爲邦百年, 亦可以勝殘去殺矣. 誠哉是言也.

21) 『論語·子路』: 子曰, 苟有用我者, 期月而已可也, 三年有成.

본받아서 현명한 덕과 좋은 풍속에 머물게 되니, 풍속의 교화는 모두 점진적으로 물들어 완성되기 때문에 귀와 눈이 그에 젖어들어 스스로 도를 갖춘 사람을 이루게 된다. 현명한 덕은 호괘인 감괘가 바름을 얻는 데에서 상을 취했고, 선한 풍속은 손괘가 자리를 얻는 데에서 상을 취했다.

이진상(李震相) 『역학관규(易學管窺)』

居賢德, 善俗.
현명한 덕에 머물러 풍속을 선하게 했다.

山不厚則木不茂, 德不厚則俗無由得善. 居德象艮之止, 善俗象巽之入. 丘氏引居德則忌, 而說作以居德爲忌, 恐非本義.
산이 크지 않으면 나무가 무성하지 않고, 덕이 두텁지 않으면 풍속은 선하게 될 수 없다. 덕에 머무는 것은 간괘의 그치는 것을 본뜬 것이고, 풍속을 선하게 함은 손괘의 들어감을 본뜬 것이다. 구씨는 "덕에 머물며 금기사항을 본받는다"는 말을 인용하여, 덕에 머무는 것을 금기사항으로 설명했는데, 아마도 본래의 뜻은 아닌 것 같다.

이병헌(李炳憲) 『역경금문고통론(易經今文考通論)』

姚曰, 艮爲山, 巽木生於山, 積小高大, 由微及著, 故曰漸.
요신이 말하였다: 간괘는 산이 되고, 손괘의 나무는 산에서 생겨나니, 작은 것이 쌓여서 높고 거대해지고, 은미한 것으로부터 밝게 드러나기 때문에, 점(漸)이라고 했다.

初六, 鴻漸于干, 小子厲, 有言, 无咎.

초육은 기러기가 물가로 점진적으로 나아가니, 어린이는 위태로워서 말은 있지만 허물은 없다.

中國大全

傳

漸諸爻皆取鴻象, 鴻之爲物, 至有時而群有序, 不失其時序, 乃爲漸也. 干, 水湄. 水鳥止於水之湄, 水至近也, 其進可謂漸矣. 行而以時, 乃所謂漸, 漸進不失, 漸得其宜矣. 六居初, 至下也, 陰之才, 至弱也, 而上无應援, 以此而進, 常情之所憂也. 君子則深識遠照, 知義理之所安, 時事之所宜, 處之不疑, 小人幼子, 唯能見已然之事, 從衆人之知, 非能燭理也, 故危懼而有言, 蓋不知在下所以有進也, 用柔所以不躁也, 无應所以能漸也, 於義自无咎也. 若漸之初而用剛急進, 則失漸之義, 不能進而有咎必矣.

점괘의 여러 효들은 모두 기러기의 상을 취했으니, 기러기라는 생물은 찾아옴에 일정한 때가 있고 무리를 이룸에 질서가 있어서 때와 질서를 잃지 않으니, 곧 점진적인 것이 된다. '간(干)'자는 물가를 뜻한다. 물가에 사는 조류는 물가에서 그치니 물에서 지극히 가까우며, 그들이 나아감은 점진적이라고 할 수 있다. 행동하길 때에 맞춰서 함이 바로 점진적이라는 뜻이니, 점진적으로 나아감을 잃지 않으면 점진적으로 시행함이 그 알맞음을 얻게 된다. 육(六)은 초효 자리에 있어 지극히 낮고, 음의 재질은 지극히 유약하며 위로 호응하여 도와줌이 없으니, 이러한 처지에 따라 나아감은 일반적으로 근심하는 행위이다. 군자는 깊이 알고 멀리 비추어 의리상 편안할 바를 알고 때와 사안의 마땅할 바를 알아서 대처함에 의심하지 않는다. 소인과 어린아이들은 이미 나타난 현실만을 볼 수 있어서 여러 사람의 지식을 따르고, 이치를 밝힐 수 있는 것은 아니므로 위태롭게 여기고 두려워하여 이런저런 말들을 하게 되니, 아래에 있어 이 때문에 나아감이 있고 유순함을 써서 이 때문에 조급하지 않으며 호응이 없어 이 때문에 점진적으로 할 수 있어서, 그 뜻에 스스로 허물이 없음을 알지 못한다. 만약 점진적으로 나아가는 초기에 굳셈으로 급작스럽게 나아간다면, 점진적인 뜻을 잃어 반드시 나아갈 수 없고 허물이 생기게 된다.

本義

鴻之行有序而進有漸. 干, 水涯也, 始進於下, 未得所安而上復无應, 故其象如此, 而其占則爲小子厲, 雖有言, 而於義則无咎也.

기러기가 날아갈 때에는 질서가 있으며 나아감에도 점진적이다. '간(干)'자는 물가를 뜻하니 아래에서 처음으로 나아가서 아직 편안한 곳을 얻지 못했고 위에서도 호응함이 없기 때문에 그 상이 이와 같고, 그 점은 어린아이가 위태롭게 여겨서 비록 말은 있지만 뜻에는 허물이 없다.

小註

中溪張氏曰, 漸之六爻, 皆以鴻取義. 鴻, 水鳥也. 木落南翔, 氷泮北徂, 其往來也, 有時, 其先後也, 有序, 漸之象也. 干者, 水之湄也. 鴻爲水宿之物, 初在卑下, 有鴻漸于干之象.
중계장씨가 말하였다: 점괘의 여섯 효가 모두 기러기로 뜻을 취하였다. 기러기는 물가에 사는 조류이다. 나뭇잎이 떨어지면 남쪽으로 날아가고 얼음이 녹으면 북쪽으로 날아가니 기러기가 떠나고 찾아옴에는 정해진 때가 있으며 선후에도 일정한 순서가 있으니 점괘의 상이다. '간(干)'은 물가이다. 기러기는 물가에 머무는 생물이며, 초효는 비천하고 낮은데 있어서 기러기가 물가로 점진적으로 나아가는 상이 있다.

○ 建安丘氏曰, 當漸之始, 以水鳥而止于水湄, 其進不驟, 得漸之義矣.
건안구씨가 말하였다: 점진적으로 나아가는 초기에 물가에 사는 새가 물가에 머무는데, 그 나아감이 빨리하지 않으니 점진하는 뜻을 얻었다.

○ 張子曰, 鴻漸之始出至于干, 鴻鵠之志, 非小小所量, 見其出陸, 爭欲危之, 且疑其所處之非, 君子信己而行義, 无咎也.
장자가 말하였다: 기러기는 점진하며 처음 나아가 물가에 이르렀는데, 기러기의 뜻은 소소한 것들이 헤아릴 수 없고, 기러기가 육지로 나옴을 보고, 다툼과 욕심이 위태롭게 만들며, 또 잘못된 곳에 머물렀다고 의심을 하지만, 군자는 자신을 믿고 의리를 시행하여 허물이 없게 된다.

○ 雲峯胡氏曰, 三至四互坎, 故初有水涯之象. 艮少男, 故有小子象. 或曰, 鴻之飛, 長在前, 而幼在後, 幼者惟恐失群, 故危之而號呼, 長者必緩飛以俟之, 故爲小子厲, 有言之象. 以占者, 則小子在下, 未可遽進而進, 鴻之幼者, 不若也.
운봉호씨가 말하였다: 삼효가 사효에 이르면, 호괘가 감괘이므로 초효에는 물가의 상이 있

다. 간괘는 어린 남자이기 때문에 어린아이의 상이 있다. 어떤 이는 "기러기가 비행을 함에 나이 많은 기러기는 앞에서 날고 어린 기러기는 뒤에서 나는데, 어린 기러기는 무리를 잃게 될까 염려만 하기 때문에 위태롭게 여겨서 울부짖으면, 나이 많은 기러기가 반드시 천천히 비행하여 기다려 주기 때문에 어린아이는 위태롭게 여겨서 말이 있는 상이 된다"고 한다. 그런데 점치는 자를 기준으로 본다면 어린아이는 밑에 있어서 아직은 급작스럽게 나아갈 수 없는데도 나아갔지만, 어린 기러기는 이처럼 할 수 없다.

韓國大全

조호익(曺好益) 『역상설(易象說)』

初六, 鴻漸于干, 小子厲, 有言,
초육은 기러기가 물가로 점진적으로 나아가니, 어린이는 위태로워서 말은 있지만,

雲峯曰, 自子午以東爲陽, 子午以西爲陰. 由艮達巽, 子午以東, 陽氣之地也. 立春以後鴻雁來, 故六爻皆係以鴻. 鴻, 隨陽之鳥也.
운봉호씨가 말하였다: 자오(子午)로부터 동쪽은 양이 되고 자오로부터 서쪽은 음이 된다. 간방에서 손방까지는 자오의 동쪽이니 양기에 해당하는 자리이다. 입춘 이후에 기러기가 도래하기 때문에 여섯 효는 모두 기러기에 관련시켰다. 기러기는 양을 따르는 새이다.

愚謂, 以卦德言, 則上巽下止. 鴻之行長幼相隨, 群而有序, 長必俟幼, 有上巽之象, 幼必後長, 有下止之象. 以互體言, 則坎在下, 坎爲水, 離在上, 離爲鳥, 有水鳥之象. 合卦德互體, 取鴻象. 干, 水涯. 二至四互坎, 有水涯之象. 小子, 艮少男, 有小子之象. 有言, 左傳以艮爲言, 或曰艮伏兌口象.
내가 살펴보았다: 괘의 덕으로 말하자면 위로는 공손하고 아래로는 그친다. 기러기가 날아갈 때 나이가 많은 새와 어린 새가 서로 뒤따르며, 무리를 이루되 질서가 있어서, 나이가 많은 새는 반드시 어린 새를 기다리니 위로 공손한 상이 있고, 어린 새는 반드시 나이가 많은 새 뒤에 위치하니 아래로 그치는 상이 있다. 호체로 말하자면, 감괘는 아래에 있고 감괘는 물이 되며, 리괘는 위에 있고 리괘는 새가 되어, 물가에 사는 새의 상이 있다. 괘의 덕과 호체를 합하여 기러기의 상을 취하였다. 간(干)은 물가이다. 이효로부터 사효까지는 호괘가 감괘여

서 물가의 상이 있다. 어린이는 간괘가 막내아들이므로 어린이의 상이 있다. 유언(有言)은 『좌전』에서 간괘를 말로 삼았는데, 어떤 자는 간괘에 숨어있는 태괘는 입의 상이라고 했다.

송시열(宋時烈) 『역설(易說)』

諸易無鴻之取象, 然巽爲鸛, 綜震爲鵠, 互離爲飛鳥, 互坎爲水. 居於水上, 其至有時, 其群不亂者, 無如鴻, 故特取其象耶. 干者, 水岸也. 初近於坎, 故以干言之. 艮爲小男, 故曰小子. 近於坎險, 有危厲之意, 故曰厲. 當漸之時, 有艮止之義, 故亦爲厲. 艮錯則爲兌, 故曰有言. 彖有女歸象, 故此小子, 則雖不若二五之相應, 而但有言說, 其義又何咎矣.
역 중에는 기러기를 상으로 취한 것이 없지만 손괘는 황새가 되고 거꾸로 된 진괘는 고니가 되며 호괘인 리괘는 날아가는 새가 되고 호괘인 감괘는 물이 된다. 물 위에 살며 도래함에 정해진 때가 있고 무리를 짓더라도 혼잡스럽지 않은 것으로는 기러기만한 것이 없기 때문에 특별히 그 상을 취했을 것이다. 간(干)은 물가이다. 초효는 감괘에 가깝기 때문에 물가로 말했다. 간괘는 막내아들이 되기 때문에 어린이라고 했다. 감괘의 위험함에 가까우니, 위태로운 뜻이 있어서 위태롭다고 했다. 점괘의 때에는 간괘의 그치는 뜻이 있기 때문에 또한 위태로움이 된다. 간괘의 음양이 바뀐 괘는 태괘가 되기 때문에 말이 있다고 했다. 단전에는 여자가 시집가는 상이 있기 때문에 이곳에서 말한 어린이는 비록 이효와 오효가 상응하는 것만 못하지만 말이 있을 뿐이지 그 의리에 또한 무슨 허물이 있겠는가?

이익(李瀷) 『역경질서(易經疾書)』

鴻者, 進以漸之鳥也. 水居而至於逵, 則干[22]其最初也. 初有子之象, 而上無應, 則危厲也. 與需初二小有言終吉, 同義. 需之沙, 亦水際也.
기러기는 점진적으로 날아가는 새이다. 물에 살다가 하늘에 이르는데, 물가는 가장 처음이 된다. 초효에는 자식의 상이 있는데, 위로 호응함이 없으니 위태롭다. 수괘(需卦䷄)의 초효와 이효에서 "약간 말이 있으나, 마침내 길할 것이다"[23]라고 한 말과 같은 뜻이다. 수괘의 사(沙) 또한 물가이다.

심조(沈潮) 「역상차론(易象箚論)」

鴻, 水鳥也, 互坎象. 木落南翔互離也. 氷泮北徂互坎也.

---

22) 干: 경학자료집성DB에 '千'으로 되어 있으나, 경학자료집성 영인본을 참조하여 '干'으로 바로잡았다.
23) 『周易 · 需卦』: 九二, 需于沙, 小有言, 終吉.

기러기는 물가에 사는 새이니 호괘인 감괘의 상이다. 나뭇잎이 떨어지면 기러기가 남쪽으로 날아가는 것은 호괘인 리괘이다. 얼음이 녹으면 기러기가 북쪽으로 날아가는 것은 호괘인 감괘이다.

유정원(柳正源)『역해참고(易解參攷)』

林氏曰, 前互坎, 故有水湄之象. 詩所謂鴻飛遵渚, 是也.

임률이 말하였다: 앞의 호괘가 감괘이기 때문에 물가의 상이 있다.『시』에서 "기러기가 날아감에 물가를 따른다."[24]고 한 말이 이러한 사실을 나타낸다.

○ 西溪李氏曰, 爻列鴻于上, 群鴈也. 鴻之飛, 長在前, 幼在後, 此其序也. 初處初下, 小子也. 厲, 危也. 鴻之進也, 常有弓繳之危, 故小子厲, 有言. 遇有危事, 則鴻以警衆, 卽俗語所謂鴈奴, 玉堂閒話鴈宿沙渚, 大者居中, 令鴈奴圍而警採捕者, 是也. 其防患有道, 故雖危无咎.

서계이씨가 말하였다: 효에서 위에 기러기를 배열하였으니, 무리를 이룬 기러기가 된다. 기러기가 날아갈 때 나이 많은 새는 앞에 있고 어린 새는 뒤에 있으니, 이것이 질서이다. 초효는 처음이자 아래에 처해 있으니 어린이가 된다. 여(厲)는 위태롭다는 뜻이다. 기러기가 날아갈 때에는 항상 활이나 주살 등의 위험이 있기 때문에 어린이가 위태로워서 말이 있다. 위태로운 일을 당하게 된다면 기러기는 무리에게 알리니, 세속에서 안노(鴈奴)라고 하는 것으로,『옥당한화』에서 "기러기가 물가에서 잠잘 때 큰 놈은 중앙에 위치하여 안노로 하여금 경비를 서게 해서 포획하는 자들을 경계하였다"고 한 말이 이러한 사실을 나타낸다. 우환을 대비함에 방도가 있기 때문에 비록 위태롭더라도 허물이 없다.

○ 馮氏曰, 互坎有言象. 訟初六有言, 亦以坎也.

풍거비가 말하였다: 호괘인 감괘에는 말의 상이 있다. 송괘(訟卦䷅) 초육에 말이 있다는 것[25] 또한 감괘 때문이다.

○ 節初齊氏曰, 鴻, 陽鳥. 艮以東, 巽以南, 陽方也. 鴻生於北, 畏寒則徙南, 凍解則進北. 初曰干, 二曰磐, 三曰陸, 四曰木, 五曰陵, 六曰逵, 蓋其離澤國而翔雲天之次第也, 故曰漸.

---

24)『詩經・九罭』: 鴻飛遵渚, 公歸無所, 於女信處.

25)『周易・訟卦』: 初六, 不永所事, 小有言, 終吉.

절초제씨가 말하였다: 기러기는 양에 해당하는 새이다. 간괘는 동쪽이고 손괘는 남쪽이니, 양의 방위가 된다. 기러기는 북쪽에서 태어나지만 추위를 두려워하여 남쪽으로 이동하고, 얼음이 녹으면 북쪽으로 날아간다. 초효에서는 물가를 말했고 이효에서는 반석을 말했으며 삼효에서는 평원을 말했고 사효에서는 나무를 말했으며 오효에서는 구릉을 말했고 육효에서는 공중을 말했으니, 호수가 많은 나라를 떠나 하늘로 날아오르는 순서이기 때문에 점(漸)이라고 했다.

○ 雙湖胡氏曰, 互離爲飛鳥, 互坎爲水居, 又自坎北而離南, 象鴻之遷徙.
쌍호호씨가 말하였다: 호괘인 리괘는 날아가는 새가 되고, 호괘인 감괘는 물가에 거주함이 되며 또 감괘의 북쪽으로부터 리괘의 남쪽으로 가는 것은 기러기가 이동하는 것을 본뜬 것이다.

○ 梁山來氏曰, 昏禮用鴈, 取不再偶. 于女歸之義爲切, 所以六爻皆取鴻象.
양산래씨가 말하였다: 혼례를 치를 때 기러기를 사용하는 것은 재차 짝을 찾지 않는 뜻을 취하였다. 여자가 시집을 간다는 뜻에 더욱 절실하므로, 여섯 효에서는 모두 기러기의 상을 취했다.

김상악(金相岳) 『산천역설(山天易說)』

鴻, 水鳥, 其爲物也, 木落南翔, 氷泮北歸, 其來往有時, 先後有序, 不失其時序, 故取漸之義也. 三四互爲坎離, 而初以陰居下, 故有鴻漸于干之象. 艮體无應, 小子雖危懼, 而有言, 其進不驟, 得漸之義, 故无咎也.
기러기는 물가에 사는 새인데, 그 동물은 나뭇잎이 떨어지면 남쪽으로 날아가고 얼음이 녹으면 북쪽으로 되돌아가서, 도래하고 떠남에 정해진 때가 있고 선후에 질서가 있어서, 때와 질서를 잃지 않기 때문에 점괘의 뜻을 취하였다. 삼효와 사효는 호괘가 감괘와 리괘가 되는데, 초효는 음으로 아래에 있기 때문에 기러기가 물가로 점진적으로 나아가는 상이 있다. 간괘의 몸체에 호응함이 없어서 소자는 비록 위태롭고 두려워서 말을 하지만 나아감에 빠르지 않아 점괘의 뜻을 얻었기 때문에 허물이 없다.

○ 離禽居坎水之上者, 鴻也. 必翔而後集, 漸之義也. 初居坎體之外, 故曰鴻漸于干. 小子, 艮之少也. 鴻之飛, 長者前, 幼者後, 惟恐其失群而號呼也. 自下漸進, 有需之義. 于干于磐于陸, 與需之于郊于沙于泥相似. 小子之厲有言无咎, 卽需二之小有言終吉也. 二曰飮食衎衎吉, 卽需五之酒食貞吉也. 三曰利禦寇, 卽需之致寇至也. 漸之義, 女歸吉利貞, 而艮得離之成數而爲家人, 故六爻之象互相發明. 家人之初曰閑有家悔亡, 故此言小子之厲无咎. 二曰无攸遂在中饋貞吉, 故此言飮食衎衎之吉. 三曰家人嗃嗃悔厲吉, 婦子嘻嘻終吝, 故此言夫婦之凶而有禦寇之戒. 四曰富家大吉, 故此言或得其桷而安之. 五曰王假有家勿恤吉, 故此言爲間者莫之勝之吉. 上曰有孚威如終吉, 故此言其羽可用爲儀之吉. 威儀之合, 家道之成也, 故曰反身, 此言不可亂也.

리괘의 새가 감괘의 물 위에 머무니 기러기가 된다. 반드시 날아오른 이후에 운집하니 점괘의 뜻이다. 초효는 감괘의 몸체 바깥에 있기 때문에 "기러기가 물가로 점진적으로 나아간다"고 했다. 어린이는 간괘인 막내아들이다. 기러기가 날아갈 때 나이 많은 새는 앞에 있고 어린 새는 뒤에 있으며, 무리를 이탈하게 될까를 염려하여 울부짖는다. 아래로부터 점진적으로 나아감에는 수괘(需卦䷄)의 뜻이 있다. 물가로 · 반석으로 · 평원으로는 수괘의 교외에서 · 모래사장에서 · 진흙에서라고 한 말과 유사하다. 어린이는 위태로워서 말은 있지만 허물이 없는 것은 수괘 이효에서 "약간 말이 있으나, 마침내 길할 것이다"[26]라고 한 말에 해당한다. 이효에서 "음식을 먹음이 즐거워 길하다"라고 한 것은 수괘 오효에서 "술과 음식으로 기다리니 바르고 길하다"[27]고 한 말에 해당한다. 삼효에서 "적을 막음이 이롭다"라고 한 것은 수괘에서 "도적이 옴을 초래할 것이다"[28]라고 한 말에 해당한다. 점괘의 뜻에서는 여자가 시집가는 것이 길하여 곧음이 이로운데, 간괘는 리괘의 성수를 얻어서 가인괘(家人卦䷤)가 되기 때문에 여섯 효의 상이 상호 그 뜻을 나타낸다. 가인괘의 초효에서는 "집안을 이룸에 막으면 후회가 없어진다"[29]고 했기 때문에 이곳에서는 어린이가 위태롭지만 허물이 없다고 했다. 이효에서는 "이루는 바가 없고, 집안에 있어 먹이면 바르게 되어 길하다"[30]고 했기 때문에 이곳에서는 음식을 먹음이 즐거운 길함을 말했다. 삼효에서는 "가인이 원망하니 엄격함에 후회하지만 길하니, 부인과 자식이 희희덕 거리면 마침내 부끄럽게 된다"[31]고 했기 때문에, 이곳에서는 부부의 흉함을 언급하여 도적을 막는 경계가 있다. 사효에서는 "집안이 부유하니, 크게 길하다"[32]고 했기 때문에, 이곳에서는 혹 평평한 가지를 얻으면 편안하게 된다고 했다. 오효에서는 "왕이 집안을 이룸에 지극하니, 근심하지 않아 길하다"[33]라고 했기 때문에, 이곳에서는 방해를 하는 것이 끝내 이기지 못하는 길함을 말했다. 상효에서는 "믿음을 갖고 위엄으로 하면 마침내 길하리라"[34]라고 했기 때문에, 이곳에서는 그 날개는 예의와

---

26) 『周易 · 需卦』: 九二, 需于沙, 小有言, 終吉.
27) 『周易 · 需卦』: 九五, 需于酒食, 貞吉.
28) 『周易 · 需卦』: 九三, 需于泥, 致寇至.
29) 『周易 · 家人卦』: 初九, 閑有家, 悔亡.
30) 『周易 · 家人卦』: 六二, 无攸遂, 在中饋, 貞吉.
31) 『周易 · 家人卦』: 九三, 家人嗃嗃, 悔厲吉, 婦子嘻嘻, 終吝.
32) 『周易 · 家人卦』: 六四, 富家, 大吉.
33) 『周易 · 家人卦』: 九五, 王假有家, 勿恤, 吉.
34) 『周易 · 家人卦』: 上九, 有孚威如, 終吉.

법도가 될 만한 길함을 말했다. 위의가 합하는 것은 가정의 도리가 완성된 것이기 때문에 "자기 몸에 돌이킨다"[35]고 했고, 이곳에서는 어지럽힐 수 없다고 했다.

서유신(徐有臣) 『역의의언(易義擬言)』

卦中互坎互離, 南北寒暑之象, 鴻鴈來去之候, 此所以取象於鴻也. 下卦艮爲止集之象, 上卦巽爲飛翔之象也. 漸初而居下, 止於水干也. 小子, 艮爲少男也. 前有山水之險阻, 止而不進, 小子之所懼厲, 六四之所有言也. 漸得時宜, 故亦无咎也.
괘 중의 호괘인 감괘와 리괘는 남과 북, 추위와 더위의 상이며, 기러기가 도래하고 떠나는 절기가 되니, 이것이 기러기에서 상을 취한 이유이다. 하괘인 간괘는 그쳐서 모이는 상이 되고, 상괘인 손괘는 날아오르는 상이 된다. 점괘의 초효는 아래에 있어서 물가에 그친다. 어린이는 간괘가 막내아들이 되기 때문이다. 앞에 산과 물의 험준함이 있어서 그쳐서 나아가지 않으니, 어린이가 두려워하는 것이며, 육사가 말을 하게 되는 것이다. 점진적으로 때에 알맞음을 얻었기 때문에 또한 허물이 없다.

박제가(朴齊家) 『주역(周易)』

初六, 鴻漸于干,
초육은 기러기가 물가로 점진적으로 나아가니,

卦爲女歸, 而爻必取鴻. 先儒以爲取其有時有序, 詩雝雝鳴雁, 亦以歸妻爲說. 蓋自古婚姻, 必連串說雁矣. 本義于磐曰, 漸遠於水, 進於于而益安矣. 但鴻爲水鳥, 漸遠則愈不安矣. 三之陸, 始曰, 水鳥非安, 則二何以漸遠於水爲安也. 四之桷, 雖曰平柯, 反不如陸矣, 又何无咎. 此所以說不通者也, 此亦有其故矣. 初之辭曰干, 是女之歸而離家在途時也. 又曰小子厲者, 戒早婚之意. 長女少男不恰相當, 故其中有厲者存, 然亦无咎. 蓋至於三而孕不育之慮, 已伏於中, 乃長女少男之故也. 二之磐, 曰飮食衎衎, 卽送餞時也. 此非鴻之以磐爲安也, 乃從女之離家而言, 故如此. 陸則艮之全體, 而有過於陽之失, 非男之過也. 四之木則巽也, 豈有鴻而集木之理. 但以巽言, 故曰木. 恐人以爲無理之象, 故又必曰桷, 而象傳快說出巽者此也.
괘는 여자가 시집을 가는 것인데, 효에서는 반드시 기러기의 상을 취했다. 선대의 학자들은 때에 따르고 질서가 있는 데에서 상을 취한 것이라고 여겼고, 『시』에서 "옹옹히 우는 기러기여"[36]라고 한 말 또한 시집간 처로 설명을 했다. 예로부터 혼인을 할 때에는 반드시 한 쌍의

---

35) 『周易·家人卦』: 象曰, 威如之吉, 反身之謂也.

기러기를 사용했다. 『본의』에서는 '반석으로'에 대해서, "물에서 점점 멀어져서 물가로 나아가 더욱 편안하다"라고 했다. 그러나 기러기는 물가에 사는 새인데, 점점 멀어진다면 더욱 불안하게 된다. 삼효의 '평원'에 대해서 처음으로, 물가에 사는 새라고 했고 편안하게 여기는 것이 아니라고 했으니, 이효가 어찌 물에서 점점 멀어지는 것을 편안함으로 삼겠는가? 사효의 각(桷)에 대해서 비록 '평평한 가지'라고 했지만 도리어 육지만 못하다고 했는데, 또한 어찌하여 허물이 없는가? 이것은 주장 중 통하지 않는 점이며, 이 또한 본래의 까닭이 있다. 초효의 효사에서는 물가를 말했는데, 이것은 여자가 시집을 가게 되어 집을 떠나 도로에 있을 때를 뜻한다. 또 어린이가 두려워한다고 했는데, 이것은 너무 일찍 결혼하는 것에 대해 경계한 뜻이다. 나이 많은 여자와 젊은 남자는 서로 합당하지 않기 때문에 그 사이에 우려하는 점이 있지만 또한 허물은 없다. 삼효에 이르게 되면 잉태를 하더라도 양육을 못하는 우려가 이미 그 사이에 숨어 있으니, 나이가 많은 여자와 젊은 남자가 만났기 때문이다. 이효의 반석에 대해서는 "음식을 먹음이 즐겁다"고 했으니 전송하며 잔치를 열 때이다. 이것은 기러기가 반석을 편안하게 여긴다는 뜻이 아니며, 곧 여자가 자신의 집을 떠나는 것을 통해 말한 것이기 때문에 이와 같다. 평원은 간괘의 전체 몸체이고 양에 지나친 잘못이 있으니, 남자의 잘못이 아니다. 사효의 나무는 손괘인데 어찌 기러기가 나무에 모이는 이치가 있겠는가? 다만 손괘로 말을 했기 때문에 나무라고 했다. 그러나 사람들이 이치가 없는 상이라고 여길 것을 염려했기 때문에 또한 반드시 각(桷)이라고 했으니, 「상전」에서 손괘에서 나왔다고 설명한 것도 이러한 이유 때문이다.

윤행임(尹行恁) 『신호수필(新湖隨筆) · 역(易)』

漸易於長, 自干自盤自陸, 至於木至於陵至於逵, 則其進不可量也. 君子於學問之工, 則取則於斯, 於消長之幾, 則存戒於斯, 庶乎无咎.

점차적인 것은 자라남에 쉬워서 물가에서 · 반석에서 · 평원에서 나무에 이르고 구릉에 이르며 공중에 이른다고 했으니, 나아감을 헤아릴 수 없다. 군자가 학문을 하는 공부에 대해서 여기에서 법칙을 취하고, 사라지고 자라나는 기미에 대해서는 여기에서 경계를 새긴다면 거의 허물이 없게 될 것이다.

강엄(康儼) 『주역(周易)』

按, 需九二, 需于沙, 小有言, 蓋需之九二去險不遠, 故小有言說. 漸之初六自水, 而初

36) 『詩經 · 匏有苦葉』: 雝雝鳴鴈, 旭日始旦. 士如歸妻, 迨冰未泮.

六爲漸進之始, 故爲干象. 鴻, 是水宿之鳥, 而今乃去水而進於干, 故小子有言, 如賢人君子遯處山林, 義當出仕, 則幡然而起象. 人或有譏議之若然, 不知時義之當然也, 故象曰義无咎也.
내가 살펴보았다: 수괘(需卦䷄)의 구이에서는 "모래사장에서 기다리니, 약간 말이 있으나"[37]라고 했으니, 수괘의 구이는 위험으로부터 멀리 떨어지지 못했기 때문에 약간의 말이 있는 것이다. 점괘의 초육은 그 자체로 물이지만 초육은 점진적으로 나아가는 시작이 되기 때문에 물가의 상이 된다. 기러기는 물가에서 자는 새인데, 현재 물을 떠나 물가로 나아갔기 때문에 어린이가 말이 있는 것으로, 마치 현인이나 군자가 은둔하여 산림에 묻혀 살다가 도의에 따라 마땅히 출사할 때라면, 문뜩 일어나는 상과 같다. 사람들 중 간혹 그것을 비판하는 자가 있는 것이 그럴듯하지만, 때와 도의의 마땅함을 모르는 것이기 때문에, 상전에서는 "의리에 허물이 없다"고 했다.

이지연(李止淵) 『주역차의(周易箚疑)』

小子有言, 所謂水宿鳥相呼者也.
"어린이가 말이 있다"는 것은 물가에 사는 새가 서로 울부짖는 것을 뜻한다.

김기례(金箕澧) 「역요선의강목(易要選義綱目)」

鴻之行, 有時秋南[38]春北, 有序長在前幼在後. 幼恐失群而號, 則長必後應而行.
기러기의 이동에는 정해진 때가 있어서 가을에는 남쪽으로 날아가고 봄에는 북쪽으로 날아가며, 질서가 있어서 나이 많은 새는 앞에 있고 어린 새는 뒤에 있다. 어린 새가 무리에서 이탈할 것을 염려하여 울부짖으면, 나이가 많은 새는 반드시 그 뒤에 호응하고서 날아간다.

○ 初陰居下, 如小人幼子之柔弱, 不知漸進之理, 上无應援, 致危懼, 而有言. 然漸進之理不驟, 故无咎. 在互坎之下, 故爲水湄. 艮少男, 故初爲小子.
초효의 음은 아래에 있어 소인과 어린이의 유약함과 같으니, 점진적으로 나아가는 이치를 모르고 위로 호응하고 구원하는 자가 없어서 위태로움을 불러와 말이 있다. 그러나 점진적으로 나아가는 이치에서는 빨리 하지 않기 때문에 허물이 없다. 호괘인 감괘 아래에 있기 때문에 물가가 된다. 간괘는 막내아들이기 때문에 초효는 어린이가 된다.

---

37) 『周易 · 需卦』: 九二, 需于沙, 小有言, 終吉.
38) 南: 경학자료집성DB와 영인본에는 '甫'로 기록되어 있으나, 문맥에 따라 '南'으로 바로잡았다.

윤종섭(尹鍾燮) 『경(經)-역(易)』

漸者, 女歸也. 取於鴻者, 鴻爲水鳥, 互坎离, 有秋南春北之象. 是以鴈爲贄, 蓋取諸漸.
점괘는 여자가 시집을 가는 것이다. 기러기에서 상을 취한 것은 기러기가 물가에 사는 새이고, 호괘인 감괘와 리괘에는 가을에 남쪽으로 날아가고 봄에 북쪽으로 날아가는 상이 있다. 이러한 까닭으로 기러기를 예물로 삼는 것은 점진적인 뜻에서 의미를 취한 것이다.

심대윤(沈大允) 『주역상의점법(周易象義占法)』

漸有位也, 漸之爻位, 居剛位之專治者也, 居柔位之泛贊者也.
점괘의 자리에 있어서 점괘의 효 자리는 양의 자리에 있으면 오로지 다스리는 자이고, 음의 자리에 있으면 범범히 돕는 자이다.

漸之家人☲, 私鄙也. 鴻, 水鳥也. 其群飛成行, 陣陣有序, 而其進隨陽, 次次有漸, 得漸之義. 卦之二陽在上, 而下有又一陽, 有鴻之二行在前, 而後又有一行之象. 巽爲飛鳥, 而在坎水之上, 故六爻皆取象於鴻也. 人之離下而上, 如鴻之去水而陸也. 干[39], 先儒以爲水湄. 然以象言之, 在坎水之下, 而互离艮, 乃水中高燥之地也. 初六才柔居剛, 有所專治而居卑无位, 是得位於其家而爲之主, 如鴻之進而未出於水, 故曰鴻漸于干. 家長當以老成而初以少男居初才柔, 有小子之象, 故厲也. 离艮爲小子, 漸賢德有位也. 凡人能少而治家, 然後乃可長而居位, 故漸之初爻以小子居之也. 九三以艮德在上, 而遙臨之. 少男之治家, 有所不善, 則有父師教導之言, 故曰有言. 若以其年少而不預知家事, 則長而无所學无以居位, 君子爲政于家而成教于國, 故曰无咎.
점괘가 가인괘(家人卦☲)로 바뀌었으니, 사사로운 무리이다. 기러기는 물가에 사는 새이다. 무리를 지어 날아가며 대열을 이루고, 진형을 이루어 질서가 있는데, 나아감에 양을 따라 차례대로 점진적인 면이 있으니, 점괘의 뜻을 얻었다. 점괘는 두 양이 위에 있고 아래에는 또 하나의 양이 있어서, 기러기의 두 행렬이 앞에 있고 뒤에 또 하나의 행렬이 있는 상이 있다. 손괘는 날아가는 새가 되고 감괘인 물 위에 있기 때문에 여섯 효에서는 모두 기러기에서 상을 취했다. 사람이 아래를 떠나 위로 가는 것은 기러기가 물을 떠나 평원으로 가는 것과 같다. 간(干)에 대해서 선대 학자들은 물가로 여겼다. 그러나 상으로 말한다면 감괘인 물 아래에 있고, 호괘인 리괘와 간괘는 물 중간에 홀로 우뚝 솟아난 땅이 된다. 초육의 재질은 유약한데 굳센 양의 자리에 있어서, 전적으로 다스리는 점이 있지만 미천한 곳에 처하여 지위가 없는데, 그 집에서 지위를 얻어서 그를 주인으로 삼는 것은 마치 기러기가 나아감에

39) 干: 경학자료집성DB에 '于'으로 기록되어 있으니, 경학자료집성 영인본을 참조하여 '干'으로 바로잡았다.

아직 물에서 벗어나지 않은 것과 같기 때문에 "기러기가 물가로 점진적으로 나아간다"고 했다. 가장은 마땅히 노인이 되어야 하는데, 초효는 젊은 남자가 처음에 위치하여 재질이 유약하니 어린이의 상이 있기 때문에 위태롭다. 리괘와 간괘는 어린이가 되는데, 점괘는 현명한 덕을 가진 자가 지위를 얻는다. 사람이 어려서부터 가정을 다스릴 수 있은 뒤에야 장성하여 지위에 오르기 때문에 점괘의 초효는 어린이가 머무는 것이다. 구삼은 간괘의 덕으로 위에 있어서 멀리서 임한다. 젊은 남자가 집안을 다스리는 것에는 불선한 점이 있으니, 부친과 스승의 가르치는 말이 있기 때문에 "말이 있다"고 했다. 만약 나이가 어릴 때 미리 집안일에 대해서 알지 못한다면, 장성해서도 배운 것이 없어 지위에 오를 수 없고, 군자는 집안에서 정사를 시행하여 나라에서 정교를 이루기 때문에 "허물이 없다"고 했다.

오치기(吳致箕) 「주역경전증해(周易經傳增解)」

初六陰柔居下, 上无應與, 而以其在初, 故有鴻漸水干之象, 而以柔在下, 无應无比, 爲小子不得進道之象. 是以危厲而人有戒言. 宜若有咎, 然當漸之時, 能无躐等驟進之咎, 故言无咎.

초육은 부드러운 음이 아래에 있고 위로 호응하여 함께 하는 자가 없어서, 처음에 있기 때문에 기러기가 점차 물가로 나아가는 상이 있으며, 부드러운 음으로 아래에 있어 호응함이 없고 비(比)의 관계에 있는 자도 없어, 어린이가 나아가는 도를 얻지 못하는 상이 된다. 이러한 까닭으로 위태롭게 되어 사람이 경계의 말을 하게 된다. 마땅히 허물이 있을 것 같지만, 점진하는 때에 해당하여 등급을 뛰어넘고 성급하게 나아가는 허물이 없을 수 있기 때문에 "허물이 없다"고 했다.

○ 鴻, 鴈也. 行隨寒燠, 群飛有序, 於漸之義爲切. 婚禮用鴈, 取其不再偶, 於女歸之義, 亦切也. 干, 水湄也, 取於互坎. 小子, 取於艮. 言, 取於對兌也.

홍(鴻)은 기러기이다. 이동할 때 추위와 따뜻함을 따르며, 무리를 이루어 날아가되 질서가 있어서, 점괘의 뜻에 부합한다. 혼례에서 기러기를 예물로 사용하는 것은 재차 짝을 이루지 않는 것에서 뜻을 취한 것이니, 여자가 시집을 가는 뜻에 있어서도 부합한다. 간(干)은 물가이니, 호괘인 감괘에서 취했다. 어린이는 간괘에서 취했다. 말은 음양이 바뀐 태괘에서 취했다.

이진상(李震相) 『역학관규(易學管窺)』

鴻漸于干,

기러기가 물가로 점진적으로 나아가니,

漸以女歸爲義, 而昏禮用鴈, 故因以鴻爲[40]□, 鴻之進有漸故也. 干, 水涯. 自二至[41]四互坎而初臨之, 故曰干.
점괘는 여자가 시집가는 것을 뜻으로 삼고, 혼례에서는 기러기를 예물로 사용하기 때문에 그에 따라 기러기를 통해 나아간다고 했으니, 기러기가 날아갈 때에는 점진적인 면이 있기 때문이다. 간(干)은 물가이다. 이효로부터 사효까지는 호괘가 감괘이고 초효가 임하기 때문에 '물가'라고 했다.

박문호(朴文鎬) 「경설(經說) · 주역(周易)」

水至近, 言湄與水至近也.
"물에서 지극히 가깝다"는 말은 물가[湄]가 물과 지극히 가깝다는 뜻이다.

이병헌(李炳憲) 『역경금문고통론(易經今文考通論)』

虞曰, 鴻, 大鴈也. 漸, 進也. 小水從山流下, 稱干. 艮爲小子. 初失位, 故厲.
우번이 말하였다: 홍(鴻)은 큰 기러기이다. 점(漸)은 나아감이다. 작은 물이 산으로부터 아래로 흐르는 곳을 간(干)이라고 부른다. 간괘는 어린이가 된다. 초효는 자리를 잃었기 때문에 위태롭다.

王曰, 小子未傷君子, 故无咎.
왕필이 말하였다: 어린이는 군자를 아직 해치지 못하기 때문에 허물이 없다.

陸曰, 水畔稱干.
육적이 말하였다: 물가를 간(干)이라고 부른다.

程傳曰, 諸爻皆取鴻象, 至有時而群有序, 不失其時序, 乃爲漸也.
『정전』에서 말하였다: 여러 효들이 모두 기러기의 상을 취했으니, 찾아옴에 일정한 때가 있고 무리를 이룸에 질서가 있어서 때와 질서를 잃지 않으니, 곧 점진적인 것이 된다.

---

40) 爲: 경학자료집성DB에 '進'으로 되어 있으나, 경학자료집성 영인본을 참조하여 '爲'로 바로잡았다.
41) 二至: 경학자료집성DB에 '主主'로 되어 있고 영인본은 판독이 불가한데, 의미에 따라 '二至'로 바로잡았다.

象曰, 小子之厲, 義无咎也.

「상전」에서 말하였다: "어린이는 위태로움"은 의리에 허물이 없다.

中國大全

傳

雖小子以爲危厲, 在義理實无咎也.

비록 어린아이가 위태롭게 여기지만 의리에 있어서는 실제로 허물이 없다.

韓國大全

김상악(金相岳) 『산천역설(山天易說)』

位卑无應, 所以危厲. 然止於初而重其進, 故其義无咎也.

지위가 낮고 호응함이 없어서 위태롭게 된다. 그러나 초효에 그치고 나아감을 신중하게 하기 때문에 그 의리에 허물이 없다.

서유신(徐有臣) 『역의의언(易義擬言)』

初不應四, 其義爲无咎也.

초효는 사효에 호응하지 않으니 의리에 허물이 없다.

오치기(吳致箕) 「주역경전증해(周易經傳增解)」

在下, 无銳進之咎, 故於義亦无不可也.

아래에 있어서 민첩하게 나아가는 허물이 없기 때문에 의리에도 불가함이 없다.

六二, 鴻漸于磐, 飮食衎衎, 吉.

육이는 기러기가 반석으로 점진적으로 나아가니, 음식을 먹음이 즐거워 길하다.

中國大全

傳

二居中得正, 上應於五, 進之安裕者也. 但居漸, 故進不速. 磐, 石之安平者, 江河之濱所有, 象進之安, 自干之磐, 又漸進也. 二與九五之君, 以中正之道相應, 其進之安固平易, 莫加焉, 故其飮食和樂衎衎然, 吉可知也.

이효는 가운데에 있어서 바름을 얻었고 위로 오효와 호응하니 나아감이 편안하고 여유로운 자이다. 다만 점진적으로 나아감에 있으므로 나아감이 빠르지 않다. '반(磐)'은 돌 중에서도 평평하고 안전한 돌이니, 강이나 하천의 물가에 있고 편안히 나아감을 상징하며, 물가로부터 반석으로 나아감은 또한 점진적으로 나아간 것이다. 이효는 구오인 임금과 함께 중정의 도로써 서로 호응하니, 나아감이 안정되고 평이하여 더할 것이 없기 때문에, 음식을 먹음에 화락하고 즐거우니 길함을 알 수 있다.

本義

磐, 大石也, 漸遠於水, 進於干而益安矣. 衎衎, 和樂意. 六二柔順中正, 進以其漸而上有九五之應, 故其象如此, 而占則吉也.

'반(磐)'은 큰 돌이니, 물에서 점점 멀어져서 물가로 나아가 더욱 편안하다. '간간(衎衎)'은 화락하다는 뜻이다. 육이는 유순하고 중정하여 점진적으로 나아가고 위로 구오의 호응이 있기 때문에 그 상이 이와 같고 점이 길하다.

小註

雲峯胡氏曰, 艮爲石, 故有磐象. 互坎, 有飮食象. 鴻食則呼衆, 飮食衎衎和鳴. 二柔順而有應之象. 初始進於下, 未得所安, 二則自干進於磐, 未安者安矣. 初之小子厲有言, 危而傷也, 二飮食衎衎, 安且樂矣, 時使之然也. 在初則无應, 在二則柔順中正, 而上有九五之應也.
운봉호씨가 말하였다: 간괘는 돌이 되기 때문에 반석의 상이 있다. 호괘인 감괘는 음식의 상이 있다. 기러기는 음식을 먹으면 무리를 부르니 음식을 먹음에 즐거워서 호응하여 울부짖는다. 이효는 유순하여 호응하는 상이 있다. 초효는 아래에서 처음 나아가니 아직은 편안한 곳을 얻지 못하고, 이효는 물가에서 반석으로 나아가서 편안하지 못했던 것이 편안하게 되었다. 초효에서 어린아이가 위태롭게 여겨서 말이 있음은 위태로워 상처를 입음이며, 이효에서 음식을 먹음이 즐거움은 편안하고 또 즐거운 것이니 때가 그렇게 한 것이다. 초효에 있어서는 호응함이 없고 이효에 있어서는 유순하고 중정하며 위로 구오의 호응이 있다.

○ 中溪張氏曰, 凡禽鳥之食也, 俛而啄, 仰而四顧, 一或驚心, 則飛而去之. 今鴻漸而進由于干, 而處于磐之上, 高而不危, 飮食衎衎, 何其吉也. 二與五爲正應, 進居大臣之位, 猶鴻漸于磐也, 安然. 飮食有衎衎和樂之意, 其吉可知.
중계장씨가 말하였다: 조류들이 음식을 먹을 때에는 머리를 숙이고서 부리로 쪼며 머리를 들고서 주위를 둘러보다가 어떤 것에 놀라게 하면 날아올라 떠나간다. 이제 기러기가 점진하여 물가에서 말미암아 반석 위에 처하니, 높고 위태롭지 않다. 음식을 먹음이 즐거움은 어찌 그리 길한가? 이효는 오효와 정응하며 나아가 대신의 자리에 있으니 기러기가 반석으로 점진적으로 나아감과 같아 편안한 것이다. 음식을 먹음에 즐겁고 화락한 뜻이 있으니 그 길함을 알 수 있다.

‖韓國大全‖

조호익(曺好益) 『역상설(易象說)』

六二, 鴻漸于磐.
육이는 기러기가 반석으로 점진적으로 나아가니.

磐, 石之安平者, 江河之濱所有, 以下體艮連互體坎, 故取象.
반석은 돌 중에서도 평평한 것으로 강가에 있으며, 하체인 간괘는 호괘인 감괘와 연결되어 있기 때문에 상을 취했다.

송시열(宋時烈) 『역설(易說)』

磐者, 艮爲石也, 并見此. 初互坎爲酒食象, 故以飮食言之. 衎衎, 和樂之意. 小象不素飽者, 二處艮中爻, 艮有成始成終之義. 以女則有中饋之義, 故爻雖陰柔而不爲尸素於飽啜也.

반석은 간괘가 돌이 되기 때문이니, 모두 이곳에 드러난다. 첫 번째 호괘인 감괘는 술과 음식의 상이 되기 때문에 음식으로 말을 했다. '간간(衎衎)'은 화락하다는 뜻이다. 「소상전」에서 "공허하게 배만 부른 것이 아니다"라고 했는데, 이효는 간괘의 가운데 효에 있고, 간괘에는 시작을 이루고 마침을 이루는 뜻이 있다. 여자는 음식을 책임진다는 뜻이므로 효가 비록 부드러운 음이지만 하는 일도 없이 배불리 먹지 않기 때문이다.

이익(李瀷) 『역경질서(易經疾書)』

磐在干陸之間, 近水多石之地, 非指一石之許大也. 離干而漸進於磐, 爲求食也. 求而得食, 在人爲不素飽, 中正故也.

반(磐)은 물가와 평원 사이에 있으니, 물과 가까워 돌이 많은 지역으로, 매우 커다란 한 개의 돌을 가리키는 것이 아니다. 물가를 떠나서 암석지대로 점진적으로 나아가니, 음식을 구하고자 해서이다. 구하여 음식을 얻는 것은 사람에게 있어서 공허하게 배만 부르게 하는 것이 아님은 중정하기 때문이다.

심조(沈潮) 「역상차론(易象箚論)」

六二磐.
육이의 반석에 대하여.

磐, 水邊廣石也. 艮上畫入于坎中, 乃水邊廣石半沉半露之象也, 妙哉.
반(磐)은 물가의 넓은 돌이다. 간괘의 상획은 감괘 가운데로 들어가니, 물가의 넓은 돌이 절반은 잠기고 나머지 절반은 드러나는 상이 되므로, 그 뜻이 오묘하구나.

유정원(柳正源) 『역해참고(易解參攷)』

正義, 漢馬季長云, 山中石磐紆, 故稱磐也. 鴻, 是水鳥, 非是集於山石陵陸之禽. 而爻辭以此言鴻漸者, 蓋漸之爲義, 漸漸之於高, 故取山石陵陸, 以應漸高之義, 不復係水鳥也.
『주역정의』에서 말하였다: 한나라 마계장은 "산 속의 돌 중 너비가 넓은 것이기 때문에 반(磐)이라고 했다"라고 했다. 기러기는 물가에 사는 새이니, 산속의 돌이나 구릉 및 평원에 모여드는 동물이 아니다. 그런데도 효사에서 이러한 이유로 "기러기가 점진적으로 나아간다"라고 말한 것은 점괘의 뜻은 점진적으로 높아지는 것이기 때문에 산속의 돌이나 구릉 및 평원의 상을 취해 점점 높아지는 뜻에 호응을 시켰으니, 재차 물가에 사는 새와는 관련되지 않는다.

○ 西溪李氏曰, 磐, 水中石, 進至磐止而食矣. 所謂君看隨陽鴈, 各有稻粱謀,〈杜子美詩〉 是也.
서계이씨가 말하였다: 반(磐)은 물속에 있는 돌이니, 나아가 반석에서 그쳐 음식을 먹는 것이다. 이른바 "그대는 남쪽을 따라 날아가는 기러기를 보라, 기러기도 각각 먹고 살 계책이 있다"라고 한 것이 이것이다. 〈두자미의 시이다.〉

○ 案, 磐者, 中正之位也. 衎衎者, 中正之應也.
내가 살펴보았다: 반석은 중정한 자리를 뜻한다. '즐거움'은 중정의 호응을 뜻한다.

김상악(金相岳) 『산천역설(山天易說)』

六二, 居艮之中, 三之比, 五之應. 互爲坎離, 故有鴻漸于磐飮食衎衎之象. 漸進而得其所安, 自養自適, 何吉如之.
육이는 간괘의 가운데 있고, 삼효와 비(比)의 관계이며, 오효와 호용한다. 호괘는 감괘와 리괘이기 때문에 기러기가 반석으로 점진적으로 나아가니, 음식을 먹음이 즐거워하는 상이 있다. 점진적으로 나아가서 편안하게 여기는 곳을 얻어, 스스로를 살찌우고 유유자적하는데, 어떤 길함이 이와 같겠는가?

○ 磐者, 艮之石. 六二, 自三而下, 得其中于磐之象, 與渙之二曰, 渙奔其机相似, 卦變自渙而來也. 凡禽鳥之食也, 俛而啄, 仰而顧, 或驚心, 飛而去之, 而鴻漸于磐, 安而无危, 故飮食自適也. 飮食, 本稼穡賴亨飪以成, 坎離之象, 見鼎卦. 婦人之道, 飮食爲職, 故六二衎衎在陰爻爲最吉.
반석은 간괘의 돌을 뜻한다. 육이는 삼효로부터 내려가서 반석에 알맞게 되는 상을 얻는데, 환괘(渙卦䷺) 이효에서 "흩어짐에 안석(安席)으로 달려간다"[42]라고 한 말과 유사하니, 괘의 변화는 환괘로부터 왔기 때문이다. 조수가 음식을 먹을 때에는 숙이면 부리로 쪼고 머리를 들면 둘러보는데, 간혹 마음을 놀라게 한다면 날아올라 그곳을 떠나가니, 기러기가 점진적으로 반석으로 나아가면 편안하고 위태로움이 없기 때문에 음식을 먹으면서도 유유자적한 것이다. 음식은 본래 경작을 하고 조리를 하여 완성이 되는데, 감괘와 리괘의 상은 정괘(鼎卦䷱)에 나온다. 부인의 도리에서 음식 만드는 것을 직무로 삼기 때문에 육이의 즐거움은 음효에 있어서 가장 길하다.

서유신(徐有臣) 『역의의언(易義擬言)』

磐, 水中廣石, 漸進而止於磐也. 磐, 非飮喙之地, 蓋旣飽而游息也. 衎衎, 群居和適也. 六二中正得位, 應於九五, 享其祿食, 有是象也.

반(磐)은 물속에 있는 넓은 바위이니, 점진적으로 나아가서 반석에 머무는 것이다. 반석은 물을 마시고 부리로 곡식을 쪼는 곳이 아니니, 이미 배가 부른 상태에서 그곳에서 노닐며 쉬는 것이다. 간간(衎衎)은 무리를 이루어 화락하고 유순하게 있다는 뜻이다. 육이는 중정하여 제자리를 얻었고 구오와 호응하여 녹봉을 향유하니, 이러한 상이 있다.

윤행임(尹行恁) 『신호수필(薪湖隨筆)・역(易)』

漸之九二, 楊誠齋比之傅說孟子, 則過矣. 曹參代蕭何, 國勢已鞏, 民心已繫, 日飮醇酒, 衎衎爲樂, 曹參其當之.

점괘의 구이에 대해서 양성재는 부열과 맹자에 비견했는데, 지나친 비유이다. 조참이 소하를 대신하자 국력이 더욱 견고해지고 민심이 더욱 결속되어, 날마다 술을 마시며 화락하게 즐거움을 누렸으니, 조참이 여기에 해당한다.

이지연(李止淵) 『주역차의(周易箚疑)』

學古之道而徒哺啜, 則所謂素餐者也. 食之以中正之道, 則所謂修其天爵而人爵從之者也.

옛 도리를 배우면서 단지 먹고 마시기만 한다면, 이것이 이른바 공밥을 먹는다는 것이다. 음식을 먹을 때 중정의 도리에 따른다면, 이것이 이른바 "하늘이 주는 벼슬을 닦으면 사람이 주는 벼슬이 따른다"[43]는 것이다.

---

42) 『周易・渙卦』: 九二, 渙, 奔其机, 悔亡.

43) 『孟子・告子上』: 古之人修其天爵, 而人爵從之. 今之人修其天爵, 以要人爵, 旣得人爵, 而棄其天爵,

김기례(金箕澧) 「역요선의강목(易要選義綱目)」

二互坎, 故取飮食. 艮爲石, 故曰磐. 鴻自水出干, 而漸至平處. 鴻必呼群, 共食而和鴻, 故曰飮食衎衎. 蓋二居中正, 進有漸, 而上與五和應之象.

이효의 호괘는 감괘이기 때문에 음식에서 상을 취했다. 간괘는 돌이 되기 때문에 반석이라고 했다. 기러기는 물에서 물가로 나와 점진적으로 평평한 장소로 이동한다. 기러기는 반드시 무리를 향해 울부짖고 함께 음식을 먹으며 다른 기러기들과 조화를 이루기 때문에 "음식을 먹음이 즐겁다"고 했다. 이효는 중정한 자리에 있고 나아감에 점진적이며, 위로는 오효와 화락하게 호응하는 상이 된다.

○ 卦中二五得夫婦之正. 二居大臣位得君, 而置國家於磐石之安, 故象曰不素飽.

괘 중에서 이효와 오효는 부부의 바름을 얻는다. 이효는 대신의 자리에 있으며 임금을 얻었고, 국가를 안전한 반석 위로 올려두기 때문에 「상전」에서 "공허하게 배만 부른 것이 아니다"라고 했다.

심대윤(沈大允) 『주역상의점법(周易象義占法)』

漸之巽䷸. 六二始居卑位, 有應于五, 居柔泛贊而得其中, 巽以承命而食其祿, 故曰鴻漸于磐, 飮食衎衎. 磐, 水邊磐陀之石也. 坎爲大石, 坎互兌爲飮食. 衎衎, 艮兌安和之象, 如鴻之群喙于水邊也, 蓋祿仕者也. 漸之二五獨有應, 而亦有剛隔, 所以不能驟進也.

점괘가 손괘(巽卦䷸)로 바뀌었다. 육이는 처음에는 낮은 자리에 있었지만 오효와 호응함이 있고, 부드러운 음의 자리에 있어 널리 도우며 알맞음을 얻었고, 공손하게 명령을 받들어서 녹봉을 받기 때문에, "기러기가 반석으로 점진적으로 나아가니, 음식을 먹음이 즐겁다"고 했다. 반석은 물가의 암석지대에 있는 돌이다. 감괘는 큰 돌이 되고, 감괘의 호괘인 태괘는 음식이 된다. '간간(衎衎)'은 간괘와 태괘가 편안하고 화락한 상으로, 기러기가 무리를 이루어 물가에서 먹이를 먹는 것이니, 녹봉을 받아 벼슬살이를 하는 것이다. 점괘의 이효와 오효는 유독 호응함이 있지만, 또한 굳센 양에 의해 막혀 있으니, 재빨리 나아갈 수 없다.

오치기(吳致箕) 「주역경전증해(周易經傳增解)」

六二柔得中正, 上應九五剛中之君, 而以其居初之上, 故有鴻自干而漸進于磐之象. 以柔中之德進而遇九五之主, 安裕得志, 飮食和悅, 其象如此, 故占言吉.

則或之甚者也, 終亦必亡而已矣.

육이는 부드러운 음이 중정함을 얻었고, 위로 구오의 굳세고 알맞은 임금과 호응하는데, 초효의 위에 머물기 때문에 기러기가 물가로부터 점진적으로 나아가 반석에 도달하는 상이 있다. 부드럽고 알맞은 덕으로 나아가서 구오의 주인을 만났으니, 넉넉하고 편안하며 뜻을 얻었고 음식을 먹으며 화락하고 즐거우니, 그 상이 이와 같기 때문에 점에서는 길하다고 했다.

○ 水邊大石曰磐, 而取於互坎及艮也. 坎爲飮食之象. 衎衎, 和悅貌, 而取於爻變互兌也.
물가의 큰 돌을 반석이라고 부르는데 호괘인 감괘 및 간괘에서 취했다. 감괘는 음식의 상이 된다. '간간(衎衎)'은 조화롭고 즐거운 모양으로, 효가 변한 호괘인 태괘에서 취했다.

이진상(李震相) 『역학관규(易學管窺)』

鴻漸于磐.
기러기가 반석으로 점진적으로 나아가니.
六二已入坎體, 而坎爲水中大石, 故曰磐. 坎亦有飮食象.
육이는 이미 감괘의 몸체로 들어가고 감괘는 물속의 큰 바위가 되기 때문에 반석이라고 했다. 감괘는 또한 음식의 상을 가지고 있다.

○ 有言无咎[44]
말은 있지만 허물은 없다.
有言, 坎象. □初六有言, 亦以坎也.
말이 있음은 감괘의 상이다. □초육에서 말이 있다고 한 것 또한 감괘 때문이다.

박문호(朴文鎬) 「경설(經說) · 주역(周易)」

進於干, 言比干爲尤進也.
"물가로 나아가다"는 말은 물가[干]와 비교해보면 더욱 나아갔다는 뜻이다.

이용구(李容九) 「역주해선(易註解選)」

漸六二楊氏曰, 漸進而居大臣之位, 食君之祿, 豈素餐云乎. 欲置國於盘石之安, 納人

---

44) 유언무구(有言无咎)는 초효에만 기록되어 있는 문장인데, 이진상의 기록을 살펴보면, 이진상이 보았던 판본에는 이효에도 이 문장이 기록되어 있었던 것으로 판단된다.

民於和衎, 故傳說之志中興有商, 而非后則不食其祿, 孟子之志在平治天下, 而食前方丈, 則得志不爲.

점괘 육이에 대해 양씨가 말하였다: 점진적으로 나아가 대신의 자리에 있고 임금의 녹봉을 받는데 어찌 공밥을 먹는다 하겠는가? 나라를 안전한 반석 위에 올려놓고, 백성들을 화락한 곳으로 인도하고자 하기 때문에 부열의 뜻은 은나라를 중흥시키려는데 있었으나 그만한 임금이 아니라면 그 녹봉을 받지 않았고, 맹자의 뜻은 천하를 평화롭게 다스리는데 있어서 음식이 자기 앞에 한 길이 진열되는 것은 뜻을 얻을지라도 하지 않는다.[45]

45) 『孟子 · 盡心下』: 堂高數仞, 榱題數尺, 我得志, 弗爲也. 食前方丈, 侍妾數百人, 我得志, 弗爲也.

象曰, 飮食衎衎, 不素飽也.

「상전」에서 말하였다: "음식을 먹음이 즐거움"은 공허하게 배만 부른 것이 아니다.

中國大全

傳

爻辭以其進之安平, 故取飮食和樂爲言, 夫子恐後人之未喩, 又釋之云, 中正君子, 遇中正之主, 漸進于上, 將行其道以及天下. 所謂飮食衎衎, 謂其得志和樂, 不謂空飽飮食而已. 素, 空也.

효사는 나아감이 편안하기 때문에 음식을 먹음에 화락하다는 뜻으로 말했는데, 공자는 후인들이 깨닫지 못할까 염려했기 때문에 재차 풀이를 하여, "중정한 군자가 중정한 임금을 만나서, 위로 점진적으로 나아가 그 도를 시행하여 천하에 미치게 하려고 한 것이다. 이른바 '음식을 먹음에 즐겁다'는 말은 뜻을 얻어서 화락하게 됨을 뜻하는 것이지, 공연히 배불리만 먹음을 뜻하지는 않는다"고 하였다. '소(素)'자는 공허하다는 뜻이다.

本義

素飽, 如詩言素飡, 得之以道, 則不爲徒飽而處之安矣.

'소포(素飽)'는 『시경』에서 말한 '소손(素飡)'[46]과 같으니, 도로써 얻었다면 공연히 배불리 먹지 않아서 처함이 편안하게 된다.

---

46) 『詩經 · 伐檀』: 坎坎伐檀兮, 寘之河之干兮, 河水淸且漣猗. 不稼不穡, 胡取禾三百廛兮, 不狩不獵, 胡瞻爾庭有縣貆兮. 彼君子兮, 不素餐兮.

小註

臨川吳氏曰, 待可進而進, 非徒飽於飮食以自養而已.
임천오씨가 말하였다: 나아갈 수 있을 때까지 기다렸다가 나아가니, 일없이 음식을 배불리 먹어서 자기만 살찌울 뿐이 아니다.

○ 誠齋楊氏曰, 鴻自干而至于磐石之上, 則安而高矣. 此六二漸進而居大臣之位也. 食君之祿, 又豈素飡云乎. 亦欲置國家於磐石之安, 納人民於和衎之樂而已, 故傅說之志在中興有商, 而非后則不食其祿, 孟子之志在平治天下, 而食前方丈則得志不爲.
성재양씨가 말하였다: 기러기가 물가로부터 반석 위에 이르렀다면 편안하고 높다. 이것은 육이가 점진적으로 나아가 대신의 자리에 머문다는 뜻이다. 임금의 식록을 받는데 어떻게 공허하게 배불리 먹는다고 말했는가? 이 또한 국가를 평화로운 반석에 올리고 백성들을 화락한 기쁨 속에 들게 한 것일 뿐이다. 그렇기 때문에 부열의 뜻은 은나라를 중흥시키는데 있어서 임금다운 임금이 아니면 식록을 받지 않았고, 맹자의 뜻은 천하를 태평하게 다스리는데 있어서 호화로운 식사를 먹는 일은 뜻을 이루어도 하지 않았다.[47]

‖韓國大全‖

조호익(曺好益) 『역상설(易象說)』

飽, 三陰畫爲坤, 互坎在中, 有食在腹之象. 又離爲大腹.
배가 부름은 세 음획이 곤괘가 되고 호괘인 감괘가 그 속에 있으니, 배에 음식이 있는 상이다. 또 리괘는 큰 배가 된다.

김상악(金相岳) 『산천역설(山天易說)』

素飽, 卽詩之素餐也. 二之應五, 將正邦善俗, 置國家於磐石之安, 納人民於和衎之樂也. 豈爲徒飽而處之安者哉.

---

47) 『孟子・盡心下』: 堂高數仞, 榱題數尺, 我得志, 弗爲也. 食前方丈, 侍妾數百人, 我得志, 弗爲也.

소포(素飽)는 『시경』에 나오는 공밥[素餐][48]이다. 이효는 오효와 호응하여 장차 나라를 바르게 하고 풍속을 선하게 해서, 국가를 안정된 반석에 올려놓고, 백성들을 화락한 즐거움으로 들게 한다. 따라서 어찌 배만 부르게 하여 편안한 곳에 거처하는 자가 되겠는가?

서유신(徐有臣) 『역의의언(易義擬言)』

君子穀則耻, 小人長戚戚. 不素餐者, 方有和適氣象也.
군자는 녹봉에 대해 부끄러움을 느끼고 소인은 늘 걱정한다. 공밥을 먹지 않는 자는 화락하고 유순한 기상을 가지고 있다.

박제가(朴齊家) 『주역(周易)』

六二象傳, 不素飽也.
육이의 상전에서 말하였다: 평소처럼 배가 부르도록 먹지 않는다.

夫食而飽, 則不樂矣. 況婦之初到舅家者, 適中而止, 敢曰自昔在家時而以飽爲常乎. 二中順, 故飮食適中也, 卽不素飽之義.
음식을 먹되 배가 부를 때까지 먹으면 즐겁지 않다. 하물며 부인이 갓 시집온 자가 알맞게 먹으면 그쳐야지, 감히 "예전 집에 있을 때에는 배가 부르도록 먹는 것을 일상으로 여겼습니다"라고 말할 수 있겠는가? 이효는 가운데 있고 유순하기 때문에 음식을 먹는데 알맞게 하니, 평소처럼 배가 부르도록 먹지 않는 뜻이다.

심대윤(沈大允) 『주역상의점법(周易象義占法)』

言不素餐而尸位也.
공밥을 먹으며 자리만 차지하지 않는다는 뜻이다.

오치기(吳致箕) 「주역경전증해(周易經傳增解)」

得君而漸進爲用將行其道, 故其飮食和悅者, 不爲空飽也.
임금을 얻어 점진적으로 나아가 그 도를 시행하려고 하기 때문에, 음식을 먹으며 화락하고 즐거우니, 공허하게 배만 부르지 않게 된다.

---

48) 『詩經·伐檀』: 坎坎伐檀兮, 寘之河之干兮, 河水淸且漣猗. 不稼不穡, 胡取禾三百廛兮, 不狩不獵, 胡瞻爾庭有縣貆兮. 彼君子兮, 不素餐兮.

이병헌(李炳憲) 『역경금문고통론(易經今文考通論)』

王曰, 磐, 山石之安者. 少進得位, 祿養爲歡樂.
왕필이 말하였다: 반석은 산속의 돌 중에서도 편안한 것이다. 조금 앞으로 나아가 자리를 얻어서 녹봉을 통해 봉양함을 즐거움으로 삼는다.

虞曰, 素, 空也.
우번이 말하였다: '소(素)'자는 공허하다는 뜻이다.

九三, 鴻漸于陸, 夫征, 不復, 婦孕, 不育, 凶, 利禦寇.

정전 구삼은 기러기가 평원으로 점진적으로 나아가니, 남편이 가면 돌아오지 않고, 부인은 잉태를 하더라도 양육을 못하여 흉하니, 적을 막음이 이롭다.

본의 구삼은 기러기가 평원으로 점진적으로 나아가니, 남편이 가면 돌아오지 않고, 부인은 잉태를 하면 양육을 못하여 흉하니, 적을 막음이 이롭다.

中國大全

傳

平高曰陸, 平原也. 三在下卦之上, 進至於陸也. 陽, 上進者也, 居漸之時, 志將漸進而上无應援, 當守正以俟時, 安處平地, 則得漸之道, 若或不能自守, 欲有所牽, 志有所就, 則失漸之道. 四陰在上而密比, 陽所說也. 三陽在下而相親, 陰所從也. 二爻相比而无應, 相比則相親而易合, 无應則无適而相求, 故爲之戒. 夫, 陽也, 夫謂三. 三若不守正, 而與四合, 是知征而不知復. 征, 行也, 復, 反也, 不復, 謂不反顧義理. 婦, 謂四, 若以不正而合, 則雖孕而不育, 蓋非其道也, 如是則凶也. 三之所利, 在於禦寇, 非理而至者寇也. 守正以閑邪, 所謂禦寇也, 不能禦寇, 則自失而凶矣.

평평하고 높은 지대를 '육(陸)'이라고 부르니 평원을 의미한다. 삼효는 하괘의 위에 있고 나아가서 평원에 이른다. 양은 위로 나아가는 자인데 점진적으로 나아가야 할 때에 처하여 뜻은 점진적으로 나아가려고 하지만 위에서 호응하여 구원함이 없으니, 바름을 지켜서 때를 기다리고, 평지에서 편안하게 머문다면 점진적으로 나아가는 도를 얻지만, 만약 스스로 지킬 수 없어서 욕심에 끌리게 되고 나아가기를 뜻한다면 점진적으로 나아가는 도를 잃게 된다. 사효의 음이 위에 있고 매우 가까우니 양이 좋아하는 상황이다. 삼효의 양이 밑에 있고 서로 친하니 음이 따르는 상황이다. 두 효가 서로 가깝지만 호응함이 없는데 서로 가깝다면 서로 친하게 되어 합하기 쉽고, 호응할 제짝이 없다면 가서 서로를 찾음이 없기 때문에 경계하였다. 남편은 양을 뜻하니 '부(夫)'는 삼효를 가리킨다. 삼효가 만약 바름을 지키지 못하여 사효와 합하면, 가는 것만 알고 돌아옴을 모르는 것이다. '정(征)'은 떠남이며 '복(復)'은 돌아옴인데, 돌아오지 않음은 의리를 돌아보지 않는다는 뜻이다. '부(婦)'는 사효를 가리키는데 만약 바르지 않게 합한다면 비록 잉태를 하더라도 훈육을 못하니 도가 아니기 때문이며,

이처럼 하면 흉하게 된다. 삼효의 이로움은 도적을 막음에 있으니 도리가 아닌데도 오는 자는 도적이다. 바름을 지켜서 그릇됨을 막는 것은 "도적을 막다"는 뜻이니, 도적을 막지 못한다면 스스로 잃어서 흉하게 된다.

小註

進齋徐氏曰, 夫謂三, 婦謂四, 與小畜同義. 三四位皆不中, 相比而无應, 相比則相親而易合, 无應則无適而相求. 征, 往也. 孕, 得陽也.
진재서씨가 말하였다: 남편은 삼효를 뜻하며 부인은 사효를 뜻하니, 소축괘(小畜卦䷈)와 뜻이 같다. 삼효와 사효의 자리는 모두 알맞지 않아서 서로 가깝지만 호응함이 없으니, 서로 가깝다면 서로 친하여 쉽게 합치지만, 호응함이 없다면 갈 곳이 없어서 서로를 찾게 된다. '정(征)'은 간다는 뜻이다. '잉(孕)'은 양을 얻음이다.

○ 鄭氏剛中曰, 三上无應而親四, 四下无應而奔三. 三務進而妄動, 故征則不可還, 四失守而私交, 故孕則不敢育.
정강중이 말하였다: 삼효는 위에 호응할 짝이 없어 사효와 친하며, 사효는 아래에 호응할 짝이 없어 삼효에 분(奔)했다. 삼효는 나아가길 힘써서 망령되이 움직이기 때문에 가게 되면 돌아올 수 없고, 사효는 지킴을 잃어서 사사로이 교제를 했기 때문에 잉태를 하면 감히 훈육을 할 수 없다.

○ 雙湖胡氏曰, 嘗合卦爻辭觀之, 卦辭女歸吉者, 以三四兩爻也. 爻辭夫婦凶者, 亦三四兩爻也. 卦以兩體論, 巽女有歸艮男之象. 爻以應否論, 當相應之位者爲正, 不當相應之位者爲邪. 四女, 无歸三男之理也. 特相比而相得, 爲私情之相合耳. 此卦但言女歸, 不言取女, 不得與咸例論. 其謹始之意, 已可見於言外矣.
쌍호호씨가 말하였다: 괘사와 효사를 함께 살펴보니 괘사에서 여자가 시집감이 길하다고 한 말은 삼효와 사효 두 효 때문이다. 효사에서 남편과 부인이 흉하다고 한 말 또한 삼효와 사효 두 효 때문이다. 괘를 두 몸체로 논의해보면 손괘의 여자에게는 간괘의 남자에게 시집가는 상이 있다. 효의 호응여부로 논의해보면 서로 호응해야만 하는 자리는 바름이 되고 서로 호응해서는 안 되는 자리는 삿됨이 된다. 사효의 여자에게는 삼효의 남자에게 시집가는 이치가 없다. 단지 서로 가까워서 서로를 얻음은 사벽한 정으로 서로 합친 것일 따름이다. 이 괘에서는 "여자가 시집을 간다"라고만 말했고 "아내를 들이다"라고 말하지 않았으니, 함괘(咸卦䷞)의 용례처럼 논의할 수 없다. 시작에 삼간다는 뜻을 이미 말의 속뜻에서 살펴볼 수 있다.

本義

鴻, 水鳥, 陸, 非所安也. 九三過剛不中而无應, 故其象如此, 而其占夫征則不復, 婦孕則不育, 凶莫甚焉. 然以其過剛也, 故利禦寇.

기러기는 물가에 사는 조류이니 육지는 편안히 여기는 곳이 아니다. 구삼은 지나치게 굳세어 알맞지 않고 호응함이 없기 때문에 그 상이 이와 같고, 점은 남편이 가면 돌아오지 않고 부인이 잉태를 하면 훈육을 못하니 흉함이 매우 심하다. 그러나 지나치게 굳세기 때문에 적을 막음이 이롭다.

小註

朱子曰, 漸九三爻雖不好, 夫征不復, 婦孕不育, 卻利禦寇. 今術家擇日, 利婚姻底日, 不宜用兵, 利相戰底日, 不宜婚姻, 正是此意. 蓋用兵則要相殺相勝, 婚姻則要和合, 故用有不同也.

주자가 말하였다: 점괘 구삼의 효는 비록 좋지 않아서, 남편은 가서 돌아오지 않고 부인은 잉태를 했지만 훈육을 하지 않는데, 도리어 "적을 막음이 이롭다"고 했다. 현재 점치는 자들이 날짜를 택함에 혼인하기 이로운 날에는 전쟁을 일으켜서는 안 되고, 전쟁하기 이로운 날에는 혼인을 해서는 안 된다고 하는 말도 바로 이러한 뜻에 해당한다. 전쟁을 일으킨다면 서로 죽이고 이기려고 하며, 혼인을 하면 화합하고자 하기 때문에 사용함에 차이가 있다.

○ 中溪張氏曰, 三處艮體之上, 猶鴻自于干于磐而進至于高平之陸也.

중계장씨가 말하였다: 삼효는 간괘의 몸체 위에 있으니, 기러기가 물가로부터 반석에 오르고 더 나아가 높고 평준한 육지로 나아감과 같다.

○ 雲峯胡氏曰, 夫征不復者, 三悅四之陰, 往不以事也, 婦孕不育者, 四從三之陽, 合不以正也, 其凶也, 宜矣. 爻因彖言女歸之吉, 故又以此發明爲夫婦之所以凶者以爲戒也. 然以九三之剛而比六四之柔, 則爲夫婦不正之象, 九三倘能以其剛而遏六四之柔, 則又自有禦寇之象也. 或曰, 鴈群不亂, 止則相保, 亦有禦寇象.

운봉호씨가 말하였다: "남편이 가면 돌아오지 않는다"는 말은 삼효가 사효의 음을 좋아하는데 감에 정식 혼례로써 하지 않았기 때문이며, "부부인은 잉태를 하면 양육을 못한다"는 말은 사효가 삼효의 양을 따르는데 합함에 올바름으로써 하지 않았기 때문이니, 흉이 됨이 마땅하다. 효사는 「단전」에서 여자가 시집가는 길함을 언급함에 따랐기 때문에, 또한 이러한 뜻으로써 부부가 흉하게 되는 이유를 나타내어 경계로 삼았다. 그러나 구삼의 굳센 양으로 육사의 부드러운 음에 가까이 하면 부부가 되기에는 올바르지 못한 상이 되며, 구삼이

적어도 굳센 양으로 육사의 부드러운 음을 막는다면 또한 그 자체에 도적을 막는 상이 있다. 어떤 이는 기러기는 무리를 이루더라도 뒤섞이지 않고 멈추면 서로 보호하게 되어, 여기에는 또한 도적을 막는 상이 있다고 말한다.

○ 進齋徐氏曰, 此爻占凶, 凡皆不利, 唯利禦寇, 謂情好相比, 可濟患難也.
진재서씨가 말하였다: 이 효의 점은 흉하여 모든 것이 이롭지 않지만, 오직 도적을 막음이 이롭다고 한 말은 정감이 서로 가까워서 우환을 구제할 수 있다는 뜻이다.

∥韓國大全∥

조호익(曺好益)『역상설(易象說)』

高平曰陸, 艮象. 或曰初二地位, 三在地上, 有陸象. 夫, 三陽爻象. 征, 從陰也. 婦, 四陰爻象. 孕, 得陽也.
높고 평평한 지형을 '육(陸)'이라고 부르니 간괘의 상이다. 어떤 이는 "초효와 이효는 땅의 자리이고, 삼효는 땅 위에 있으니, 평원의 상이 있다"고 했다. 남편은 삼효의 양인 상이다. 감은 음을 따르는 것이다. 부인은 사효의 음인 상이다. 잉태는 양을 얻음이다.

註鄭氏云云, 雙湖云云.
소주에서 정씨가 운운, 쌍호가 운운.
愚謂, 彖言利貞, 以卦變言, 爻言凶者, 以卦體言. 以變言, 則坤之三往居於四, 乾之四來居於三, 男女各得其正. 以體言, 則艮巽非耦, 三四非應, 爲夫婦不正之象. 三本乾之四, 往則復乾體, 四本坤之三, 來則復坤體. 征, 指三之歸四, 旣還其居, 故有不復之象. 三進於四, 則包一陽在中, 有孕之象. 退於三, 則失陽, 故有不育之象. 禦寇, 禦, 艮手象, 寇, 互坎象. 互坎連下體艮, 有寇在門庭之象. 艮手在內而止之, 有禦寇之象.
내가 살펴보았다: 단사에서는 "곧음이 이롭다"고 했는데 괘의 변화로 말한 것이며, 효사에서는 흉하다고 했는데 괘의 몸체로 말한 것이다. 변화로 말한다면, 곤괘의 삼효가 가서 사효의 자리에 머물고, 건괘의 사효가 와서 삼효의 자리에 머무니, 남녀가 각각 바름을 얻는다. 몸체로 말한다면, 간괘와 손괘는 짝이 아니며 삼효와 사효는 호응관계가 아니니 부부가 바르지 못한 상이 된다. 삼효는 본래 건괘의 사효인데, 간다면 건괘의 몸체를 회복하고, 사효는

본래 곤괘의 삼효인데, 온다면 곤괘의 몸체를 회복한다. 감은 삼효가 사효로 돌아감을 뜻하는데 이미 자리로 돌아갔기 때문에 돌아오지 않는 상이 있다. 삼효가 사효로 나아간다면, 그 안에 하나의 양을 포함하고 있으니 잉태하는 상이 있다. 삼효로 물러난다면 양을 잃기 때문에 양육하지 못하는 상이 있다. 적을 막음에 있어서 막음은 간괘의 손인 상이고, 적은 호괘인 감괘의 상이다. 호괘인 감괘는 하괘인 간괘와 연결되어 적이 마당에 있는 상이 있다. 간괘의 손은 안에 있어서 그치게 하니, 적을 막는 상이 있다.

송시열(宋時烈) 『역설(易說)』

三爲鴻而如在坤卦中. 陸者, 平陸也, 坤之象也. 夫者, 艮爲男, 爻爲陽也. 征不復者, 往則必不復來也, 言求合于上九而往也. 婦者, 巽爲妻也. 孕者, 坎有中滿之象也. 不育者, 皇極書曰, 巽剛故無子, 似亦此意. 其象如此, 故其占亦凶. 利禦寇者, 坎爲寇敵, 而三與巽連承, 故不爲寇而利禦寇也, 言艮男求合于上九, 離絶群陰之中, 故小象曰離群醜也. 巽妻孕坎而不育, 昵比於三爻. 故小象曰失其道, 言非其應而求合也. 坎寇之不利寇, 而利於禦寇者, 與巽順之卦相比而保合也. 故曰順相保也. 三之婦孕而不育, 有坎象也, 五之婦三歲不孕, 有離象之中虛故也, 所以不同.

삼효는 기러기가 되니 마치 곤괘 가운데 있는 것과 같다. '육(陸)'은 평원을 뜻하며, 곤괘의 상이다. 남편은 간괘가 남자가 되고 효는 양의 자리이기 때문이다. "가면 돌아오지 않는다"는 가면 반드시 돌아오지 않는다는 뜻으로, 상구와 합하기를 구하고자 갔다는 뜻이다. 부인은 손괘가 처가 되기 때문이다. 잉태는 감괘에는 가운데가 차 있는 상이 있기 때문이다. "양육을 못한다"에 대해서 『황극경세서』에서는 "손괘는 강하기 때문에 자식이 없다"고 했는데, 이러한 뜻과 유사하다. 그 상이 이와 같기 때문에 점에서도 또한 흉하다고 했다. "적을 막음이 이롭다"는 감괘는 적이 되고, 삼효와 손괘는 연결되어 있기 때문에 적이 되지 않고 적을 막음이 이롭게 되니, 간괘의 남자가 상구와 합하기를 구하여, 여러 음들의 무리를 떠나고 관계를 끊기 때문에 「소상전」에서 "무리를 떠나 추한 것이다"라고 했다. 손괘의 처가 감괘를 잉태하지만 양육을 못하는 것은 삼효와 친밀하기 때문이다. 그러므로 「소상전」에서는 "도를 잃어버렸기 때문이다"라고 했으니, 호응이 아닌데도 합하기를 구한다는 뜻이다. 감괘의 적은 도적질을 하는 것이 이롭지 않고 적을 막는 것이 이로운 것은 순종하는 손괘와 서로 가까워 보호하며 합하기 때문이다. 그러므로 "순종함으로 서로를 보호하기 때문이다"라고 했다. 삼효의 부인이 잉태를 하지만 양육을 못하는 것은 감괘의 상이기 때문이고, 오효의 부인이 삼년 동안 잉태를 하지 못한 것은 리괘의 상에 가운데가 비어 있기 때문이니 서로 다른 것이다.

이익(李瀷) 『역경질서(易經疾書)』

陸則又進矣. 漸爲女歸之卦, 而其互爲未濟, 故爻辭多凶. 或曰, 下互爲坎, 坎中滿, 故九三有婦孕之象, 上互爲離, 離中虛, 故九五有不孕之象, 其言亦有理. 互坎之中, 互離之上, 各擧其陽而言, 惟未濟也, 故曰夫征不復, 婦孕不育. 五之不孕, 亦猶是也. 夫指上九, 兩剛非正應, 故不獨往而不復. 又或爲寇, 旣離群醜, 卽順守其分, 猶免於死亡, 故傳云順相保也.
평원이라면 또한 더욱 나아간 것이다. 점괘는 여자가 시집을 가는 괘인데, 호괘가 미제괘(未濟卦䷿)가 되기 때문에 효사에서는 대부분 흉하다고 했다. 어떤 이는 "하괘는 호괘가 감괘이니, 감괘는 가운데가 차 있기 때문에 구삼에는 부인이 잉태하는 상이 있고, 상괘는 호괘가 리괘이니, 리괘는 가운데가 비어 있기 때문에 구오는 잉태하지 못하는 상이 있다"고 했는데, 그 말에도 일리가 있다. 호괘인 감괘의 가운데와 호괘인 리괘의 위에서 각각 양을 들어 말하면 단지 미제괘이기 때문에 "남편이 가면 돌아오지 않고, 부인은 잉태를 하더라도 양육을 못한다"고 했다. 오효가 잉태를 하지 못하는 이유 또한 이 때문이다. 남편은 상구를 가리키는데, 두 굳센 양은 정응이 아니기 때문에 갈 뿐만 아니라 돌아오지 않는다. 또한 어떤 것은 적이 되는데, 이미 무리를 떠나 추하게 되었으니, 본분을 순종적으로 지킨다면 오히려 죽음을 면할 수 있기 때문에 「상전」에서는 "순종함으로 서로를 보호하기 때문이다"라고 했다.

심조(沈潮) 「역상차론(易象箚論)」

九三, 陸, 寇.
구삼에서 말하였다: 평원, 적.

陸, 艮也. 寇, 坎也.
평원은 간괘이다. 적은 감괘이다.

유정원(柳正源) 『역해참고(易解參攷)』

雙湖胡氏曰, 寇, 互坎象. 利禦寇, 艮止象. 漸互體離, 離爲大腹, 孕之象. 又互坎, 坎爲丈夫, 坎爲水. 水流而不返, 是夫征不復也. 夫征不復, 則婦人之道顚覆, 故孕而不育.
쌍호호씨가 말하였다: 적은 호괘인 감괘의 상이다. "적을 막음이 이롭다"는 간괘의 그치는 상이다. 점괘는 호체가 리괘이고, 리괘는 큰 배가 되니 잉태의 상이 된다. 또 호괘인 감괘에서 감괘는 사내가 되고 감괘는 물이 된다. 물은 흘러가면 돌아오지 않으니, 남편이 가서 돌아오지 않는 것이다. 남편이 가서 돌아오지 않는다면, 부인의 도는 전복되므로 잉태를

했지만 양육하지 못한다.

○ 案, 朱子曰, 卦中兩箇婦字, 不知如何取象. 然大體皆自卦辭女歸中推出.
내가 살펴보았다: 주자는 "괘에 나오는 두 개의 부인이라는 말은 어디에서 상을 취했는지 알 수 없다"고 했다. 그러나 대체로 모두 괘사에서 여자가 시집을 간다고 한 말로부터 도출된 것이다.

김상악(金相岳) 『산천역설(山天易說)』

高平曰陸. 九三居艮之終, 无應於上, 有鴻漸于陸, 不得其所安之象也. 比四而交, 失利貞之義, 故夫征不復, 婦孕不育, 凶莫甚焉. 惟剛過而止, 互爲坎體, 故利於禦寇也.
높고 평평한 곳을 '육(陸)'이라고 부른다. 구삼은 간괘의 끝에 있고 위로 호응함이 없으니, 기러기가 점진적으로 평원으로 나아가서, 편안히 있을 수 있는 장소를 얻지 못한 상이 있다. 사효와 가까워서 사귀니, 바름이 이롭다는 뜻을 잃었기 때문에 남편이 가면 돌아오지 않고, 부인은 잉태를 하더라도 양육을 못하니, 흉함이 이보다 심함이 없다. 다만 굳셈이 지나쳐서 그치니 호괘는 감괘의 몸체가 되기 때문에 적을 막음이 이롭다.

○ 陸, 山上之土, 艮之象. 九三, 自二而上, 成艮體, 故曰鴻漸于陸. 三夫四婦, 與小畜同, 三務進而妄動, 故征則不復, 四失守而私交, 故孕則不育. 來註, 三曰婦孕, 坎體之中滿, 而變則无坎, 故曰不育. 五曰婦不孕, 離腹之中空也. 蓋女必待男而行, 故三五皆以夫婦言, 而三與四, 則從比而合不正, 故不育之戒係于三. 五與二, 則以應而合得正, 故不孕之憂係于五也. 三四交, 則變而爲否, 否泰反類. 泰之三曰无往不復, 與夫征不復相反, 又三居二陰之中, 故小象曰離群醜也. 否之四, 則三陽同體, 故曰疇離祉, 所以美戒不同. 又變爻爲觀, 觀六二以窺爲觀, 失女貞之義, 故象傳曰亦可醜也. 兩戒, 陰陽之意可見. 寇者, 坎之盜也. 三四異體相比, 而艮陽能止陰之過, 故曰利禦寇, 與蒙上九同. 朱子曰, 術家擇日, 利婚媾之日, 不宜用兵, 利相戰之日, 不宜婚媾, 所以利與凶之異.
평원은 산 위에 쌓인 흙으로, 간괘의 상이다. 구삼은 이효로부터 위로 올라온 것이니 간괘의 몸체를 완성시키기 때문에 "구삼은 기러기가 평원으로 점진적으로 나아간다"고 했다. 삼효의 남편과 사효의 부인은 소축괘(小畜卦☰)와 동일한데, 삼효는 나아가기에 힘써서 망령스럽게 움직이기 때문에 가면 돌아오지 않고, 사효는 지킴을 잃고 사사롭게 사귀기 때문에 잉태를 하면 양육을 못한다. 래지덕의 주에서는 "삼효에서는 부인이 잉태를 한다고 했으니, 감괘의 몸체는 가운데가 차 있기 때문인데, 변화하면 감괘가 없기 때문에 양육을 못한다고 했다. 오효는 부인이 잉태를 못한다고 했는데, 리괘의 배는 가운데가 비어 있기 때문이다."

라고 했다. 여자는 반드시 남자를 기다린 뒤에야 길을 가기 때문에 삼효와 오효에서는 모두 부부로 말을 했는데, 삼효와 사효의 관계는 친한 관계를 따라서 합함이 바르지 않기 때문에 양육을 못한다는 경계를 삼효에 연결시켰다. 또 오효와 이효는 호응에 따라 합하여 바름을 얻었기 때문에 잉태를 못한다는 우려를 오효에 연결시켰다. 삼효와 사효가 사귀면 변하여 비괘(否卦䷋)가 되고, 비괘는 태괘(泰卦䷊)와 음양이 바뀐 괘가 된다. 태괘의 삼효에서는 "가서 돌아오지 않는 것은 없다"[49]고 하여 이곳에서 "남편이 가면 돌아오지 않는다"고 한 말과 상반되며, 또 삼효는 두 음의 가운데 있기 때문에 「소상전」에서는 "무리를 떠나 추한 것이다"라고 했다. 비괘의 사효는 세 양이 몸체를 같이 하기 때문에 "같은 무리가 모두 복을 누린다"[50]라고 했으니, 찬미하고 경계를 한 것이 다른 이유이다. 또 효가 변하면 관괘(觀卦䷓)가 되는데, 관괘의 육이는 엿보는 것을 봄으로 여겨,[51] 여자의 곧은 도의를 잃었기 때문에, 「상전」에서는 "이 또한 부끄러울 만하다"고 했다. 두 경계의 말은 음양의 뜻을 드러낼 수 있다. 적은 감괘의 도적이다. 삼효와 사효는 몸체가 다른데도 서로 가깝고, 간괘의 양은 음의 지나침을 그치게 할 수 있기 때문에 "적을 막음이 이롭다"고 했으니, 몽괘(蒙卦䷃) 상구와 동일하다.[52] 주자는 "현재 점치는 자들이 날짜를 택함에 혼인하기 이로운 날에는 전쟁을 일으켜서는 안 되고, 전쟁하기 이로운 날에는 혼인을 해서는 안 된다"고 했으니, 이로움과 흉함에 차이가 있는 이유이다.

서유신(徐有臣) 『역의의언(易義擬言)』

陸, 水上平地也. 九三過剛, 離干去磐, 而進于陸, 故曰征也. 爻性進而無退, 故不能復也. 平陸不宜於水鳥, 故不可育也. 多凶之地, 加憂之象也, 又况有寇賊者乎. 戒心不可忘也. 禦, 艮象. 寇, 坎象. 鴈奴警夜爲禦寇也.

육(陸)은 물가에 있는 평평한 곳이다. 구삼은 굳셈이 지나쳐서 물가를 떠나 반석을 지나쳐서 평원에 나아가기 때문에 "간다"고 했다. 효의 성질이 나아가고 물러남이 없기 때문에 다시 돌아올 수 없다. 평원은 물가에 사는 새에게는 적합한 지역이 아니기 때문에 양육을 할 수 없다. 대체로 흉한 지역은 근심을 더하는 상이 되니, 하물며 적이 있는 것에 있어서랴? 경계하는 마음을 잊어서는 안 된다. 막음은 간괘의 상이다. 적은 감괘의 상이다. 안노(鴈奴)는 밤중에 경계를 서니 적을 막음이 된다.

---

49) 『周易 · 泰卦』: 九三, 无平不陂, 无往不復, 艱貞, 无咎, 勿恤其孚, 于食有福.
50) 『周易 · 否卦』: 九四, 有命, 无咎, 疇離祉.
51) 『周易 · 觀卦』: 六二, 闚觀, 利女貞.
52) 『周易 · 蒙卦』: 上九, 擊蒙, 不利爲寇, 利禦寇.

하우현(河友賢) 『역의의(易疑義)』

九三, 夫征不復, 婦孕不育, 蓋九三以陽處下卦之上, 密比於六四之陰. 四於三, 非正應, 而今九三有上從務進之意, 此居漸之時而失漸之義者也, 故其占有夫征不復, 婦孕不育之凶. 利禦寇, 傳作戒之之辭, 本義則謂以其過剛也, 故利禦寇, 言此爻之占, 雖夫征而不復, 婦孕而不育, 然但利於禦寇也. 或問, 本義利禦寇之訓, 以象傳順相保之說推之, 則恐不合. 曰, 此等處不可詳知. 然本義解易只作占辭, 周公爻辭本來如此, 至夫子作象傳時, 始發揮義理出來. 故曰以夫子之易不可作文王周公之易.

구삼은 "남편이 가면 돌아오지 않고, 부인은 잉태를 하더라도 양육을 못한다"라고 했는데, 구삼은 양으로 하괘의 위에 있고, 육사의 음효와 밀접히 가깝다. 사효는 삼효에 대해서 정응이 아닌데, 현재 삼효는 위를 따라 나아감에 힘쓰는 뜻이 있으니, 이것은 점괘의 때에 처해서 점괘의 뜻을 잃은 자이기 때문에, 그 점사에 남편이 가면 돌아오지 않고, 부인은 잉태를 하더라도 양육을 못한다는 흉함이 있다. "적을 막음이 이롭다"에 대해 『정전』에서는 경계하는 말로 여겼고, 『본의』에서는 지나치게 굳세기 때문에 적을 막음이 이롭다고 했으니, 이 효의 점사가 비록 남편이 가면 돌아오지 않고, 부인은 잉태를 하더라도 양육을 못한다가 되지만, 적을 막는데 이로움이 된다는 뜻이다.

어떤 이가 물었다: 『본의』에서 "적을 막음이 이롭다"에 대한 풀이를 「상전」에서 "순종함으로 서로를 보호하기 때문이다"라고 한 말을 통해 추론해보면, 아마도 합치하지 않는 것 같습니다. 맞습니까?

답하였다: 이러한 점들에 대해서는 자세히 알 수 없습니다. 그러나 『본의』에서 역을 해석한 것은 단지 점사로 여겼는데, 주공의 효사는 본래 이와 같기 때문이며, 공자가 「상전」을 지었을 때가 되어서야 비로소 그것에 숨겨진 의리를 드러내게 되었습니다. 그래서 "공자의 역으로 문왕 및 주공의 역을 삼을 수 없다"고 합니다.

이지연(李止淵) 『주역차의(周易箚疑)』

夫征不復者, 所謂莫向臨卬去者也. 婦孕不育者, 棄之夢澤者. 此爻陷於三陰之間, 而爲互坎. 坎者盜也. 以陽剛得正而當上下二卦之間, 所謂重門待暴也.

"남편이 가면 돌아오지 않는다"는 미인이 많은 임중에는 가지 마오라는 뜻이다. "부인은 잉태를 하더라도 양육을 못한다"는 몽택에 버린다는 뜻이다. 이 효는 세 음의 사이에 빠져 있고, 호괘는 감괘가 된다. 감괘는 적이다. 굳센 양이 바른 자리를 얻었고, 상괘와 하괘 사이에 있으니, 문을 겹겹이 세워 사나움을 대비한다는 뜻이다.

김기례(金箕澧) 「역요선의강목(易要選義綱目)」

漸進于平原.
점진적으로 평원으로 나아간 것이다.

○ 夫謂三, 婦指四. 三過剛不中, 上无應援, 不知漸進之工, 比四則邪配也. 女歸當以貞, 而三溺四不返, 故曰征凶.
남편은 삼효를 뜻하고, 부인은 사효를 가리킨다. 삼효는 굳셈이 지나치고 알맞지 않으며, 위로 호응하여 구원하는 자가 없으니, 점진적으로 나아가는 노력을 모르는데, 사효와 가깝다면 사사로운 짝이 된다. 여자가 시집을 갈 때에는 마땅히 곧음에 따라야 하는데, 삼효는 사효에 빠져서 돌아오지 않기 때문에 가면 흉하다고 했다.

○ 四合不正之配, 則雖孕, 无可育之理.
사효는 바르지 못한 배필과 합하니, 비록 잉태를 하더라도 양육할 수 있는 이치가 없다.

○ 若順理而禦四, 則得其道而利矣.
만약 이치에 순종하여 사효를 막으면, 도를 얻어 이롭게 된다.

○ 艮止而剛, 故曰禦. 互坎, 故曰寇.
간괘는 그침이고 굳센 양이기 때문에 막는다고 했다. 호괘는 감괘이기 때문에 적이라고 했다.

이항로(李恒老) 「주역전의동이석의(周易傳義同異釋義)」

傳, 云云.
『정전』에서 말하였다: 운운.

本義, 云云.
『본의』에서 말하였다: 운운.

按, 漸卦自否來. 三上交四, 四下交三, 陰陽相應, 而各得其位. 然三四本非正應, 而但以密比之, 故又[53]當漸進之時, 循情忘義, 亂聚褻合, 象所謂夫征不復, 婦孕不育, 傳所謂離群醜也, 失其道也, 是也. 夫指九三, 婦指六四. 離群, 謂陽離群陰, 陰離群陽也.

53) 又: 경학자료집성DB에 '之'로 기록되어 있으나, 경학자료집성 영인본을 참조하여 '又'로 바로잡았다.

失道, 謂三當應上, 而反與四應, 四當應初, 而反與三應也. 然三行損一, 一行得友, 物之常也. 上巽下止, 各得正位, 勢之順也. 是以有相保禦寇之象. 蓋非君子正大之交, 无以同享和平之樂, 雖用小人姑息之恩, 足以共防倉卒之患也.

내가 살펴보았다: 점괘는 비괘(否卦䷋)로부터 왔다. 삼효는 위로 사효와 사귀고 사효는 아래로 삼효와 사귀니, 음양이 상응하여 각각 제자리를 얻은 것이다. 그러나 삼효와 사효는 본래 정응이 아니고 단지 은밀히 친한 것이기 때문에, 또한 점진적으로 나아갈 때에 정감에 따르고 도의를 잊어서 문란하게 모여 사사롭게 합하니, 효사에서 "남편이 가면 돌아오지 않고, 부인은 잉태를 하더라도 양육을 못 한다"라고 한 것이고, 「상전」에서 "무리를 떠나 추한 것이다"라고 하고, "도를 잃어버렸기 때문이다"라고 했다. 남편은 구삼을 가리키고 부인은 육사를 가리킨다. "무리를 떠난다"는 양이 여러 음들을 떠나고 음이 여러 양들을 떠남을 뜻한다. "도를 잃어버렸다"는 삼효는 마땅히 상효와 호응해야 하는데 반대로 사효와 호응하고, 사효는 마땅히 초효와 호응해야 하는데 반대로 삼효와 호응함을 뜻한다. 그러나 세 사람이 가면 한 사람을 덜어내고 한 사람이 가면 벗을 얻는 것[54]이 사물의 상도이다. 위로 공손하고 아래로 그쳐서 각각 바른 자리를 얻었으니 기세에 따른 것이다. 이러한 까닭으로 서로 도와서 적을 막는 상이 있다. 군자의 광명정대한 사귐이 아니라면 함께 누리며 화평한 즐거움이 없는데, 비록 소인의 일시적인 은덕을 쓰더라도 갑작스럽게 발생하는 우환은 함께 막을 수 있다.

심대윤(沈大允) 『주역상의점법(周易象義占法)』

漸之觀䷓, 觀仰也. 九三以剛居剛, 爲國邑之主, 得以專治, 而爲下陰所觀仰, 故曰鴻漸于陸. 陸, 平陸, 絶於水矣, 坤爲陸. 三獨遠於五六二陽而離居焉, 鴻之離群, 孤飛者也, 臣之辭君, 出牧者也. 三自乾來爲艮主, 故曰夫征不復. 坎爲夫, 對震巽爲征, 乾兌爲不復. 在外之臣, 必承事大臣, 以得通于君[55]. 三上從于四, 而不從于二, 故曰婦孕不育. 离爲婦, 坎爲孕, 言四之得三也. 艮爲育, 對兌爲不育, 言三之不從二也. 侯牧之臣, 當從于大臣, 而不當從于陪臣也. 今人謂兄弟爲雁行, 以長幼有序, 生産有次也. 故以孕育爲言也. 三旣有專治而不得自由, 遠於其君而從於大臣, 失其道也, 故凶. 三以剛才, 能安保其民, 不生叛亂. 坎變坤, 有化賊爲民之象, 故曰利禦冦. 艮爲禦, 侯牧之職, 在於保民而藩屛也. 三之位, 雖凶而利也.

점괘가 관괘(觀卦䷓)로 바뀌었으니, 위를 우러러 보는 것이다. 구삼은 굳센 양으로 양의

54) 『周易·損卦』: 六三, 三人行, 則損一人, 一人行, 則得其友.

55) 君: 경학자료집성DB에 '右'로 기록되어 있으나, 경학자료집성 영인본을 참조하여 '君'으로 바로잡았다.

자리에 있으니, 도읍의 주인이 되어 자기 마음대로 통치하여 아래에 있는 음이 우러러보는 대상이 되므로, "기러기가 평원으로 점진적으로 나아간다"고 했다. '육(陸)'은 평원으로 물과 떨어져 있는 곳이니, 곤괘는 평원이 된다. 삼효는 홀로 오효와 육효의 두 양과 멀리 떨어져 머물고 있으니, 기러기가 무리를 이탈하여 홀로 날아다니는 것이며, 신하가 임금에게 작별을 고하고 외지로 나가 관부의 수장을 맡은 것이다. 삼효는 건괘로부터 와서 간괘의 주인이 되었기 때문에 "남편이 가면 돌아오지 않는다"고 했다. 감괘는 남편이 되고 음양이 바뀐 진괘와 손괘는 감이 되며, 건괘와 태괘는 돌아오지 않음이 된다. 외지에 나가 있는 신하는 반드시 대신을 받들어 섬겨야만 임금과 소통할 수 있다. 삼효는 위로 사효를 따르지만 이효를 따르지 않기 때문에, "부인은 잉태를 하면 양육을 못한다"고 했다. 리괘는 부인이 되고 감괘는 잉태함이 되니, 사효가 삼효를 얻음을 뜻한다. 간괘는 양육이 되고 음양이 바뀐 태괘는 양육하지 않음이 되니, 삼효가 이효를 따르지 않음을 뜻한다. 한 주(州)를 담당하는 신하는 마땅히 대신을 따라야 하고, 배신[56]을 따라서는 안 된다. 오늘날의 사람들이 형제를 안항(雁行)이라 하는 것은 장유관계의 질서가 있고 먼저 낳고 뒤에 낳은 차이가 있기 때문이다. 그러므로 잉태와 양육으로 말했다. 삼효는 이미 자기 뜻대로 다스릴 수 있는데도 자기 마음대로 하지 못하고, 임금과 멀리 떨어져 대신을 따르니 도를 잃었기 때문에 흉하다고 했다. 삼효는 굳센 양의 재질을 가지고 있어서 백성들을 편안하게 보호할 수 있고, 반란이 일어나지 않도록 할 수 있다. 감괘가 변화하여 곤괘가 되면 적을 교화하여 백성으로 만드는 상이 있기 때문에 "적을 막음이 이롭다"고 했다. 간괘는 막음이 되고, 한 주를 담당하는 신하의 직무는 백성들을 보호하고 국성을 보호하는 울타리 역할을 하는데 있다. 삼효의 자리는 비록 흉하지만 또한 이롭다.

오치기(吳致箕) 「주역경전증해(周易經傳增解)」

九三過剛不中, 上无應與, 而以其居下之上, 故有鴻自磐而漸進于陸之象. 以夫而言, 則无應而溺于上下之陰, 故有所往而不能復. 以婦而言, 則過剛而失其道, 故雖有孕而不能育. 是所以言凶, 然剛柔相比而得正, 故又言所利惟在乎以順相保而禦外寇也.

구삼은 굳셈이 지나치고 알맞지 않으며 위로 호응하여 함께 하는 자도 없는데 하괘의 위에 있기 때문에 기러기가 반석으로부터 점진적으로 나아가 평원에 머무는 상이 있다. 남편을 기준으로 말한다면, 호응함이 없는데도 위아래의 음에 빠져 있기 때문에 가는 바가 있지만

56) 배신(陪臣): 고대에 천자(天子)는 제후(諸侯)들을 신하로 삼았고, 제후들은 대부(大夫)들을 신하로 삼았으며, 대부들은 가신(家臣)들을 신하로 삼았다. 그런데 대부의 입장에서 천자를 대할 때에는 제후보다 한 계급 위의 주군이 되므로, 대부는 천자에 대하여 자신을 '배신'이라고 칭했으며, 대부의 가신들이 제후를 대할 때에도 마찬가지로 '배신'이라고 칭했다.

되돌아 올 수 없다. 부인을 기준으로 말한다면, 굳셈이 지나치고 도를 잃었기 때문에 비록 잉태를 했지만 양육할 수 없다. 이러한 까닭으로 흉하다고 말했지만, 음과 양이 서로 가깝고 바름을 얻었기 때문에 또한 이로움이 오직 순종함으로 서로를 보호하여 외적을 막는데 있다고 했다.

○ 水邊平原曰陸也. 夫取互坎, 婦取互離, 而卦言女歸, 故此爻言夫婦也. 居止體之極, 而陷於二陰之間, 故有不復之象. 坎中滿爲孕之象, 而既无應與, 故爲不育之象. 艮爲止, 有禦之象, 對體互坎, 爲盜寇之象也.
물가의 평평한 땅을 육(陸)이라고 부른다. 남편은 호괘인 감괘에서 취했고 부인은 호괘인 리괘에서 취했는데, 괘사에서 여자가 시집을 간다고 말했기 때문에, 이곳 효에서는 부부라고 말했다. 간괘의 그치는 몸체 중 끝에 머물고 두 음 사이에 빠져 있기 때문에 돌아오지 못하는 상이 있다. 감괘의 가운데는 차서 잉태하는 상이 되는데, 이미 호응하여 함께 하는 자가 없기 때문에 양육을 못하는 상이 된다. 간괘는 그침이니 막는 상이 있고, 음양이 바뀐 몸체의 호괘는 감괘이니 도적의 상이 된다.

이진상(李震相) 『역학관규(易學管窺)』

鴻漸于陸,
기러기가 평원으로 점진적으로 나아가니,
陸遠於水, 非鴻所安, 而九三過剛不中, 故以漸陸爲象. 陽性上進, 往而難反, 且私悅於四, 自以爲安故.
평원은 물과 멀리 떨어져 있으니 기러기가 편안히 여기는 장소가 아니고, 구삼은 굳셈이 지나치고 알맞지 않기 때문에 점진적으로 평원으로 나아가는 것을 상으로 삼았다. 양의 성질은 위로 올라가는데 가면 돌아오기 어렵고, 또한 사적으로 사효를 기뻐하여 스스로 편안하다고 여기기 때문이다.

夫征不復,
남편이 가면 돌아오지 않고,
六四密比於五, 而反□三合, 故雖孕而不敢育, 此固㐫矣, 而爻義變動不居, 若能以過剛之性移之於禦寇之事, 則可得其利. □卦互坎離, 而坎爲寇盜, 離爲戈兵, 蓋四之陰邪不正, 非媾而□寇耳.
육사는 이효와 매우 가까운데 반대로 □삼효와 합하기 때문에 비록 잉태를 하지만 감히 양육을 할 수 없으니, 이러한 까닭으로 흉하지만, 효의 뜻은 변동하여 머물지 않아서, 만약 굳셈이 지나친 성질을 적을 막는 일로 전향시킬 수 있다면 이로움을 얻을 수 있다. □괘의 호괘는 감괘와 리괘이고, 감괘는 도적이 되며 리괘는 병장기가 되니, 사효의 음이 사사롭고 바르지 않아서, 화친하지 않고 □도적이 된다.

채종식(蔡鍾植) 「주역전의동귀해(周易傳義同歸解)」

漸九三鴻漸于陸, 傳作安處平地, 本義謂陸非所安. 蓋九三過剛不中, 志在上進者也. 程子以爲平高曰陸, 則陸是可安之地, 當安處平地, 而惜其九三之不然也. 朱子以爲水鳥曰鴻, 則陸非所安之處也, 故其象如此. 然則惜其可安而不之安者, 亦非朱子之義乎.
점괘의 구삼에서는 "기러기가 평원으로 점진적으로 나아간다"고 했고, 『정전』에서는 "평지에서 편안하게 머문다"고 했으며, 『본의』에서는 "육지는 편안히 여기는 곳이 아니다"라고 했다. 구삼은 굳셈이 지나치고 알맞지 않은데 뜻은 위로 나아가는데 있는 자이다. 정자는 평평하고 높은 땅을 육(陸)이라고 했으니, 평원은 편안하게 있을 수 있는 땅이므로, 마땅히 평지에서 편안하게 머물러야 하지만, 구삼이 그렇게 하지 못함을 애석하게 여긴 것이다. 주자는 물가에 사는 새를 홍(鴻)이라고 했으니, 평원은 편안히 있을 수 있는 장소가 아니기 때문에 그 상이 이와 같다. 그렇다면 편안하게 있을 수 있는데도 편안한 곳으로 가지 않음을 애석하게 여긴 것이 또한 주자의 뜻이 아니겠는가?

박문호(朴文鎬) 「경설(經說) · 주역(周易)」

非理而至者, 指四陰之來從也.
"도리가 아닌데도 온다"는 말은 사효의 음이 찾아와서 따름을 가리킨다.

이정규(李正奎) 「독역기(讀易記)」

九三六四非正應, 而以近私比, 故九三曰鴻漸于陸, 夫征不復, 婦孕不育凶. 六四鴻漸于木, 或得其桷, 无咎, 是不貞而凶也. 上九鴻漸于逵, 其羽可用爲儀吉, 賢達之人以高潔淸標處物外而爲天下儀表之象, 故吉也.
구삼과 육사는 정응이 아닌데도 가까워서 사적으로 친하기 때문에 구삼에서는 "기러기가 평원으로 점진적으로 나아가니, 남편이 가면 돌아오지 않고, 부인은 잉태를 하더라도 양육을 못하여 흉하다"고 했다. 육사에서는 "기러기가 나무로 점진적으로 나아가니, 혹 평평한 가지를 얻으면, 허물이 없게 된다"고 했으니, 곧지 않아서 흉한 것이다. 상구에서는 "기러기가 공중으로 점진적으로 나아가니, 그 날개는 예의와 법도가 될 만하니, 길하다"라고 했는데, 현달한 자는 고결하고 청아한 표본으로 사물에서 벗어나 있고, 천하의 예의와 법도의 상이 되기 때문에 길하다.

이병헌(李炳憲) 『역경금문고통론(易經今文考通論)』

馬曰, 山上高平曰陸.
마융이 말하였다: 산 위의 높고 평평한 지형을 '육(陸)'이라고 한다.

孟曰, 懷[57]子曰孕.
맹희가 말하였다: 자식을 회임하는 것을 '잉(孕)'이라고 부른다.

虞曰, 巽爲婦. 程傳曰, 夫謂三, 婦謂四. 非理而至者寇也. 禦止其惡, 故曰禦寇.
우번이 말하였다: 손괘는 부인이 된다. 『정전』에서는 "남편은 삼효를 뜻하고 부인은 사효를 뜻한다. 도리가 아닌데도 오는 자는 도적이다"라고 했다. 악함을 막기 때문에 "적을 막는다"고 했다.

57) 懷: 경학자료집성DB에 '褱'로 되어 있으나, 경학자료집성 영인본을 참조하여 '懷'로 바로잡았다.

象曰, 夫征不復, 離群, 醜也. 婦孕不育, 失其道也. 利用禦寇, 順相保也.

정전 「상전」에서 말하였다: "남편이 가면 돌아오지 않음"은 무리를 떠나 추한 것이다. "부인은 잉태를 하더라도 양육하지 못함"은 도를 잃어버렸기 때문이다. "적을 막는데 사용함이 이로움"은 순종함으로 서로를 보호하기 때문이다.

본의 「상전」에서 말하였다: "남편이 가면 돌아오지 않음"은 무리를 떠나 추한 것이다. "부인은 잉태를 하면 양육하지 못함"은 도를 잃어버렸기 때문이다. "적을 막는데 사용함이 이로움"은 순종함으로 서로를 보호하기 때문이다.

中國大全

傳

夫征不復, 則失漸之正, 從欲而失正, 離叛其群類, 爲可醜也. 卦之諸爻, 皆无不善, 若獨失正, 是離其群類. 婦孕, 不由其道, 所以不育也. 所利在禦寇, 謂以順道相保. 君子之與小人比也, 自守以正, 豈唯君子自完其己而已乎. 亦使小人, 得不陷於非義, 是以順道相保, 禦止其惡, 故曰禦寇.

남편이 가서 돌아오지 않는다면 점진적으로 나아가는 올바름을 잃고 욕심에 따라 정도를 잃어서 무리를 배반하고 떠나니 추할 수 있다. 괘의 여러 효들은 모두 선하지 않음이 없는데 자기 홀로 올바름을 잃는다면 무리를 떠나게 된다. 부인이 잉태를 했는데 도에 따르지 않아서 훈육을 하지 못한다. 이로움이 도적을 막는데 있음은 순종의 도리로써 서로를 보호한다는 뜻이다. 군자가 소인과 가까이 있음에 스스로 올바름으로써 지킨다면 어찌 군자 스스로 자기만을 완전하게 하는데 그치겠는가? 또한 소인으로 하여금 의롭지 않은 데 빠지지 않게끔 하니, 순종의 도리로써 서로를 보호하여 악함을 막기 때문에 "적을 막는다"고 하였다.

小註

朱子曰, 順相保也, 言須是上下同心協力相保聚, 方足以禦寇.

주자가 말하였다: 순종함으로 서로를 보호함은 상하가 마음과 힘을 합쳐서 서로 보호하여 모여들어야만 도적을 막을 수 있게 됨을 뜻한다.

韓國大全

권근(權近) 『주역천견록(周易淺見錄)』

漸九三象曰, 夫征不復, 離群醜也.
점괘 구삼의 상전에서 말하였다: "남편이 가면 돌아오지 않음"은 무리를 떠난 것이다.

程傳, 離其群類, 爲可醜也.
『정전』에서 말하였다: 무리를 배반하고 떠나니 추할 수 있다.

愚按, 醜卽類也, 恐不當以群字爲句絶.
내가 살펴보았다: '추(醜)'자는 부류[類]이니, 군(群)자에서 구문을 끊어서는 안 될 것 같다.

조호익(曺好益) 『역상설(易象說)』

象曰, 夫征不復, 離群, 醜也. 婦孕不育, 失其道也.
「상전」에서 말하였다: "남편이 가면 돌아오지 않음"은 무리를 떠나 추한 것이다. "부인은 잉태를 하면 양육하지 못함"은 도를 잃어버렸기 때문이다.

離群, 失道漸陸之義. 陸非所安, 而獨漸于陸, 爲離群爲失道. 其占夫征則不復, 婦孕則不育.
무리를 떠남은 길을 잃고서 평원으로 점진적으로 나아가는 뜻이다. 평원은 편안하게 머무는 곳이 아닌데 홀로 평원으로 점진적으로 나아가는 것이 무리를 떠나는 것이고 길을 잃는 것이 된다. 그러므로 점은 남편이 가면 돌아오지 않고 부인이 잉태를 하면 양육하지 않는다.

유정원(柳正源) 『역해참고(易解參攷)』

離群醜.

무리에게 붙는다.

正義, 言三與初二雖有陰陽之殊, 同體艮卦, 故謂之群醜.
『주역정의』에서 말하였다: 삼효는 초효 및 이효와 비록 음양에 따른 차이가 있지만, 동일하게 간괘의 몸체가 되기 때문에 무리라고 했다.

○ 梁山來氏曰, 離, 附著也. 莊子附離不以膠漆此也. 群醜者, 上下二陰也. 夫征不復者, 以附離群陰, 溺而不反也.
양산래씨가 말하였다: '이(離)'자는 붙는다는 뜻이다. 『장자』에서 "붙어 있는 것은 아교로 붙인 것이 아니다"라고 한 말이 바로 그 용례이다. 무리는 상하의 두 음을 뜻한다. "남편이 가면 돌아오지 않는다"는 여러 음들에게 붙어서, 그에 빠져 돌아오지 않기 때문이다.

김상악(金相岳) 『산천역설(山天易說)』

離群, 謂附離於群陰之中也. 陽之附陰, 爲可醜. 婦之乘夫, 失其道也. 惟所利在禦寇, 以順道相保也. 蒙上九, 亦有禦寇之戒, 故曰上下順也.
'이군(離群)'은 여러 음들 속에 붙는다는 뜻이다. 양이 음에 붙으니 추할 만 하다. 부인이 남편을 타고 있으니, 도를 잃은 것이다. 다만 이로움은 적을 막는데 있으니, 순종의 도리로 서로 보호하기 때문이다. 몽괘(蒙卦䷃)의 상구에서도 또한 적을 막는 경계가 있기 때문에[58] "위아래가 따르기 때문이다"[59]라고 했다.

서유신(徐有臣) 『역의의언(易義擬言)』

捨水而陸, 離其類也, 失其道也.
물을 떠나 평원으로 가니, 무리를 떠난 것이며 도를 잃은 것이다.

박제가(朴齊家) 『주역(周易)』

九三, 夫征不復.
구삼에서 말하였다: 남편이 가면 돌아오지 않는다.

---

58) 『周易·蒙卦』: 上九, 擊蒙, 不利爲寇, 利禦寇.
59) 『周易·蒙卦』: 象曰, 利用禦寇, 上下順也.

象傳, 離群醜也.
「상전」에서 말하였다: 무리를 떠난다.

爻之征不復者, 出而未返之時, 非其罪也. 群醜, 當作同類, 解象傳多言亦可醜也. 此無可醜之事, 只是離其同類之故也. 其曰順相保, 非謂能如此而後可禦冦也, 乃戒之之辭, 猶曰與其利禦冦, 何不順以相保之謂. 非釋爻之句. 利禦[60]寇, 猶曰宜防奸, 防奸則順保矣. 蒙上九, 亦有此句, 而傳亦下用字, 亦曰順. 蓋利之爲言, 猶曰宜也順也, 蓋爻之利禦冦之云, 與擊[61]蒙之禦冦, 乃托於占而含諷之辭. 易中此意不一而足, 但知者知之, 不必索言. 何以知其然也. 爻只三字, 而傳忽添箇用字, 則非釋爻也, 乃因爻而自爲之說耳. 蓋此爻正與順相保相反, 豈能同心恊力而禦冦者耶. 同心恊力, 然後能禦冦之說, 單說禦冦時, 非不好也, 而此爻卻連上文說. 朱子曰, 九三雖不好, 卻利禦寇. 今術家, 利婚姻日, 不宜用兵, 利相戰日, 不宜婚姻, 正是此意, 乃單說禦冦矣. 夫爻固有不連說者矣. 然此爻則以順相保之辭推之, 則乃指夫婦而言. 若單說禦冦, 則决不下用字, 用者, 因其道而說者也, 與卦彖大象之無依附而自說者不同. 爻傳者, 固依附而說者矣. 若無上文, 則着用字不得, 若以保也之也字, 作哉字看, 則此義可得.
효사에서 "가면 돌아오지 않는다"라고 한 것은 나가서 아직 되돌아오지 않았을 때로 그의 잘못이 아니다. '군추(群醜)'는 마땅히 동류(同類)라는 뜻이 되는데, 「상전」을 풀이한 『정전』에서는 대체로 "또한 추할만 하다"라고 했다. 그러나 여기에는 추할만한 일이 없으니, 이것은 단지 동류를 떠난 것이기 때문이다. 「상전」에서는 "순종함으로 서로를 보호하기 때문이다"라고 했는데, 이것은 이처럼 할 수 있은 뒤에야 적을 막을 수 있다는 뜻이 아니며, 경계하는 말로 "적을 막음이 이로운데 참여 한다"라고 말하는 것과 같으니, 어찌 순종함으로 서로를 보호한다는 뜻이 아니겠는가? 이것은 효사를 풀이한 구문이 아니다. "적을 막음이 이롭다"는 "마땅히 간사함을 막아야 한다"라는 말과 같으니, 간사함을 막으면 순종하고 보호하게 된다. 몽괘(蒙卦䷃) 상구에도 또한 이 구문이 있고,[62] 「상전」에도 용(用)자가 있고 또 순(順)이라고 말했다.[63] '이(利)'자는 마땅하다거나 순종한다고 하는 말과 같으니, 효사에서 "적을 막음이 이롭다"고 한 말과 몽매함을 일깨워 도적을 막는다는 것[64]은 점사에 의탁하여 풍간을 함유한 말이다. 『주역』에 나오는 이러한 뜻은 동일하지 않아도 되니, 다만 아는 자만 아는 것으로, 이런저런 말을 늘어놓을 필요가 없다. 그런데 어떻게 이러한 사실을 알 수 있는가?

60) 禦: '禦'자는 경학자료집성DB에 □로 표시되어 있었으나, 경학자료집성 영인본을 참조하여 '禦'로 바로잡았다.
61) 擊: 경학자료집성DB와 영인본에는 '繫'자로 기록되어 있었는데, 문맥에 따라 '擊'으로 바로잡았다.
62) 『周易·蒙卦』: 上九, 擊蒙, 不利爲寇, 利禦寇.
63) 『周易·蒙卦』: 象曰, 利用禦寇, 上下順也.
64) 『周易·蒙卦』: 上九, 擊蒙, 不利爲寇, 利禦寇.

효사에서는 단지 '이어구(利禦寇)'라는 세 글자만 기록되어 있는데, 「상전」에서는 갑자기 용(用)자를 쓰지 않았으니, 이것은 효사를 풀이한 말이 아니며, 효사에 따라서 스스로 한 말에 해당할 뿐이다. 이 효사의 뜻은 "순종함으로 서로를 보호하기 때문이다"라는 말과 상반되는데, 어찌 마음과 힘을 합할 수 있어야 적을 막을 수 있다고 하겠는가? 마음과 힘을 합한 이후에야 적을 막을 수 있다고 하는 설명이 적을 막는 때를 말한다면 좋지 않은 것은 아니지만, 이 효사는 앞의 문장과 연결해서 한 말이다. 주자는 "구삼은 비록 좋지 않지만, 도리어 '적을 막음이 이롭다'고 했다. 현재 점치는 자들이 혼인하기 이로운 날에는 전쟁을 일으켜서는 안 되고, 전쟁하기 이로운 날에는 혼인을 해서는 안 된다고 하는 말도 바로 이러한 뜻에 해당 한다"라고 했으니, 단지 적을 막는 것에 대해서만 설명한 것이다. 효사 중에는 연결해서 설명해서는 안 되는 것도 있다. 그런데 이 효에 있어서 "순종함으로 서로를 보호하기 때문이다"라는 말로 추론해보면, 부부를 가리켜서 한 말이다. 만약 적을 막는 것만을 말한 것이라면 결코 용(用)자를 붙이지 않았을 것이니, 용(用)자는 그 도에 따라 설명한 말로, 괘사·「단전」·「대상전」에서 다른 것에 의탁하지 않고 그 자체로 설명한 것과는 다르다. 효사의 「상전」은 의탁하여 설명한 것이다. 만약 앞의 문장이 없다면 용(用)자를 붙일 수 없으니, 보야(保也)라고 했을 때의 야(也)자를 재(哉)자로 해석하면, 이러한 뜻을 확인할 수 있다.

심대윤(沈大允) 『주역상의점법(周易象義占法)』

醜, 同類也.
'추(醜)'는 동류를 뜻한다.

오치기(吳致箕) 「주역경전증해(周易經傳增解)」

昵上下之陰, 故離群醜也. 過剛而不中, 故失其道也. 剛得其正, 故順相保也. 離, 麗也, 取於互離, 順取於變坤也.
위아래의 음과 친하기 때문에 무리에 붙는다. 굳셈이 지나치고 알맞지 않기 때문에 도를 잃는다. 굳센 양이 바른 자리를 얻었기 때문에 순종함으로 서로를 보호한다. 리괘는 붙음이니, 호괘인 리괘에서 취했고, 순종함은 바뀐 곤괘에서 취했다.

이진상(李震相) 『역학관규(易學管窺)』

離群醜也.
무리를 떠난 것이다.

陰爻謂之醜, 史記弟子傳, 亦以二陰謂之二醜. 三居下體之上, 而二陰承之, 雖非正應, 亦宜相保. 而今乃往合於四, 是離其在內之群醜也. 詩曰從其群醜, 恐非以離群爲醜事也. 失其道者, 四之從五道也, 私與三合, 則失其道矣. 爲三者苟能自反而自守, 則所統之二陰, 必能以順道相保, □六四之陰邪不能爲患矣. 大率彖之女歸, 各得陰陽之正位, 以靜而言也. 爻之夫征, 實非陰陽之正應, 以動而凶也. 爻彖同指三四, 而有動靜之別, 靜則各正, 而動則蔑貞故也.

음효를 무리[醜]라고 부른 것이니, 『사기 · 제자열전』에서도 또한 두 음을 이추(二醜)라고 불렀다. 삼효는 하체의 위에 있고 두 음이 그를 받드니, 비록 정응은 아니지만 또한 마땅히 서로 보호하게 된다. 그런데 현재 가서 사효와 합하니 이것은 안에 있는 무리를 떠난 것이다. 『시경』에서 "짐승 무리를 따른다"라고 했으니, 아마도 무리를 떠나는 것을 추악한 일로 여긴 것이 아닌 것 같다. "도를 잃어버렸기 때문이다"는 사효가 오효를 따르는 것이 도에 따르는 것인데, 사적으로 삼효와 합한다면 도를 잃어버린 것이다. 삼효가 만약 되돌아와서 스스로 지킬 수 있다면, 그가 통솔하는 두 음은 반드시 순종의 도리로 서로 보호할 수 있어서, □육사의 사사로운 음이 우환이 될 수 없다. 대체로 「단전」에서 여자가 시집을 간다고 한 것은 각각 음양의 바른 자리를 얻었기 때문으로, 고요함으로 말을 한 것이다. 효사에서 남편이 간다고 한 것은 실제로 음양의 정응이 아니니, 움직여서 흉한 것이다. 효사와 「단전」은 동일하게 삼효와 사효를 가리키는데 움직이고 고요한 차이가 있으니, 고요하면 각각 바르게 되지만 움직이면 곧음을 없애기 때문이다.

박문호(朴文鎬) 「경설(經說) · 주역(周易)」

孕不由其道, 言非正應而合也.

"잉태는 그 도에 따르지 않은 것이다"는 정응이 아닌데도 합했다는 뜻이다.

六四, 鴻漸于木, 或得其桷, 无咎.

육사는 기러기가 나무로 점진적으로 나아가니, 혹 평평한 가지를 얻으면 허물이 없게 된다.

中國大全

傳

當漸之時, 四以陰柔, 進據剛陽之上, 陽剛而上進, 豈能安處陰柔之下. 故四之處非安地, 如鴻之進于木也. 木, 漸高矣而有不安之象, 鴻趾連, 不能握枝, 故不木棲. 桷, 橫平之柯, 唯平柯之上, 乃能安處, 謂四之處本危, 或能自得安寧之道, 則无咎也, 如鴻之于木, 本不安, 或得平柯而處之, 則安也. 四居正而巽順, 宜无咎者也, 必以得失言者, 因得失以明其義也.

점진적으로 나아가야할 때 사효는 음의 부드러움으로 굳센 양 위로 나아가 머물러 있으니 양은 굳세어 위로 올라가는데, 어떻게 음의 부드러움 아래에 편안히 머물 수 있겠는가? 그렇기 때문에 사효가 편안치 못한 곳에 있음이 마치 기러기가 나무로 나아감과 같다. 나무는 점진적으로 높아지지만 불안한 상이 있고, 기러기는 발가락이 연결되어 나뭇가지를 잡지 못하기 때문에 나뭇가지에 머물지 않는다. '각(桷)'은 가로로 평평하게 뻗은 가지이니 오직 평평한 가지 위라야만 편안하게 머물 수 있다. 이 말은 사효가 머문 곳은 본래 위태롭지만 혹 스스로 편안할 수 있는 도를 얻는다면 허물이 없게 되니, 마치 기러기가 나무에 올라감은 본래 불안한 일이지만 혹 평평한 가지를 얻어서 머물게 된다면 편안하게 됨과 같다. 사효는 바른 자리에 있고 순종하므로 마땅히 허물이 없는 자이지만, 기어코 득실을 언급한 이유는 득실에 따라서 그 뜻을 밝히고자 했기 때문이다.

本義

鴻不木棲, 桷, 平柯也, 或得平柯, 則可以安矣. 六四乘剛而順巽, 故其象如此, 占者如之, 則无咎也.

기러기는 나무에 머물지 않는데 '각(桷)'은 평평한 가지를 뜻하므로, 혹여 평평한 가지를 얻게 된다면 편안하게 될 수 있다. 육사는 굳센 양을 탔지만 순종하기 때문에 그 상이 이와 같고, 점치는 자가 이처럼 된다면 허물이 없게 된다.

小註

雲峯胡氏曰, 巽爲木而處艮山之上九三之前. 三以一陽畫衡于下, 有桷之象. 鴻漸于此, 則愈高矣. 鴻之掌不能握木, 木雖高, 非鴻所安也. 然陰居陰得正, 如於木之中或得平柯而處之, 則亦安矣, 故无咎.
운봉호씨가 말하였다: 손괘는 나무가 되며 간괘인 산 위와 구삼의 앞에 머물러 있다. 삼효는 하나의 양이 밑에 가로로 그어져 있으니 가로로 뻗은 나뭇가지의 상이 있다. 기러기가 이곳에 점진적으로 나아간다면 더욱 높아진다. 기러기는 나뭇가지를 움켜잡을 수 없으니 나무가 비록 높더라도 기러기가 편안하게 여기는 장소는 아니다. 그러나 음이 음의 자리에 머물러 바름을 얻었으니, 마치 나무 중에서도 간혹 평평한 나뭇가지를 찾아 머문다면 또한 편안하게 됨과 같기 때문에 허물이 없다.

○ 臨川吳氏曰, 鴻水鳥, 而乘風以飛. 下卦艮止而有坎水, 故下三爻之象曰干, 曰磐, 曰陸, 皆鴻之漸進而止于水際者也. 上卦巽爲風爲高, 故上三爻之象曰木, 曰陵, 曰逵, 皆鴻之漸進而飛于風中者也.
임천오씨가 말하였다: 기러기는 물가에 사는 조류이며 바람을 타고 날아오른다. 하괘의 간괘는 그치며 감괘의 물이 있기 때문에 아래 삼효의 「상전」에서 "물가이다"·"반석이다"·"평원이다"라고 한 말은 모두 기러기가 점진적으로 나아가서 물가에 머문 경우를 뜻한다. 상괘의 손괘는 바람이 되고 높음이 되기 때문에 위 세 효의 「상전」에서 "나무이다"·"구릉이다"·"공중이다"라고 한 말은 모두 기러기가 점진적으로 나아가서 바람 속에서 날아오르는 경우를 뜻한다.

韓國大全

송시열(宋時烈) 『역설(易說)』

木者, 巽爲木也. 桷者, 平低之柯也. 處巽最下之爻故也. 或, 亦巽象. 小象順而巽者, 亦巽順低下之意, 且初爻相爲相應, 而初又陰柔, 故順與巽字疊, 見低平之意.
나무는 손괘가 나무이기 때문이다. '각(桷)'자는 평평한 가지이다. 손괘 중 가장 아래에 있는 효에 처해 있기 때문이다. '혹(或)' 또한 손괘의 상이다. 「소상전」에서 "순종하고 공손하다"고 한 것 또한 공손하고 순종하여 낮춘다는 뜻이고, 또 초효는 서로 상응이 되고 초효 또한 부드러운 음이기 때문에, 순(順)자와 손(巽)자를 거듭 기록한 것은 낮고 평평하다는 뜻을 드러내기 위해서이다.

이익(李瀷) 『역경질서(易經疾書)』

六四離下, 艮入巽木之初爻, 有漸于木之象. 木爲林藪之際, 鴻何得以集于枝幹乎. 先賢以平柯訓桷, 然鴻必衆集, 雖平柯非所安也. 旣云漸于木, 或得其桷, 則或非桷而有集木者也. 平柯, 猶不然, 况木耶. 此斷不然, 凡鴻之離乎水, 皆求食也. 桷, 恐是木實可食者也. 或得其桷, 與飮食衎衎, 相照, 漸于林藪, 雖非其宜, 或得木實而食之, 亦无咎. 桷, 或是槲之省, 槲乃橡之類, 高丈餘有實秋落. 字書有都桷樹, 八九月子熟, 古或有如此類耳. 凡木實有作角者, 作角則宜諧聲.〈作桷〉
육사는 리괘의 아래에 있고 간괘는 손괘인 나무의 초효로 들어가니, 나무로 점진적으로 나아가는 상이 있다. 나무가 숲속에 있을 때 기러기가 어떻게 가지와 줄기에 모여들 수 있겠는가? 선대 학자들은 평평한 가지로 '각(桷)'자를 풀이했는데, 기러기는 반드시 무리를 이루어 모여드니, 비록 평평한 가지라 하더라도 편안히 여기는 곳이 아니다. 이미 "나무로 점진적으로 나아가니, 혹 각(桷)을 얻는다"고 했으니, 혹여 각(桷)이 아니더라도 나무에 모여드는 경우가 있는 것이다. 평평한 가지도 오히려 그렇지 않은데 하물며 나무에 있어서랴? 이것은 결코 그렇지 않으니, 기러기가 물가에서 떠나게 되면 모든 경우 먹을 것을 구하기 때문이다. 각(桷)은 아마도 나무의 열매 중 기러기가 먹을 수 있는 것이다. "혹 열매를 얻는다"는 말은 "음식을 먹음이 즐겁다"라고 한 말과 서로 그 뜻을 드러내니, 숲으로 점진적으로 나아간 것은 비록 마땅한 일은 아니지만, 혹여 나무의 열매를 얻어서 먹을 수 있다면, 또한 허물이 없다. 각(桷)은 혹여 떡갈나무[槲]의 글자가 생략된 형태일 수도 있는데, '곡(槲)'은 상수리나무[橡]의 종류로, 높이는 열자가 넘고 열매를 맺으며 가을에 떨어진다. 『자서』에는 도각(都桷)이라는 나무가 수록되어 있는데, 팔월과 구월에 열매가 익는다고 하니, 옛날에도 아마 이러한 부류의 나무가 있었을 것이다. 나무에 맺힌 열매에 대해 각(角)으로 기록할 수 있는데, 각(角)으로 기록했다면 마땅히 해성(諧聲)이 되어야 한다. 〈각(桷)자로 기록한다.〉

유정원(柳正源) 『역해참고(易解參攷)』

王氏曰, 鳥而之木, 得其宜也. 或得其桷, 遇安棲也. 雖乘于剛, 志相得也.
왕필이 말하였다: 새가 나무로 간 것은 마땅함을 얻은 것이다. "혹 평평한 가지를 얻는다"고 한 것은 편안히 머물 수 있는 곳을 얻은 것이다. 비록 굳센 양을 타고 있지만 뜻은 서로 맞다.

○ 融堂錢氏曰, 桷, 木枝之小, 而可爲椽者. 先儒謂鴻不木棲, 鄉間歲暮, 則至棲於高木之上, 先儒殆失考.
융당전씨가 말하였다: 각(桷)은 나무의 가지 중에서도 작은 것이어서 서까래를 만들 수 있는 것이다. 선대 학자들은 기러기는 나무에 편안히 머물지 않는다고 했는데, 시골에서는 한 해의 끝이 되었을 때 오래된 나무 위로 날아와서 머무니, 선대 학자들은 아마도 고찰해보지 않았던 것 같다.

○ 雙湖胡氏曰, 木桷, 皆取巽木象. 鴻之漸進至此, 適當巽木之初也.
쌍호호씨가 말하였다: 나무와 평평한 가지는 모두 손괘인 나무의 상에서 취했다. 기러기가 점진적으로 나아가서 이곳에 이르게 되면 때마침 손괘인 나무의 초효에 있게 된다.

○ 案, 水鳥棲木危地也, 而其位則正, 其德則順, 得桷也. 知進而能知退, 居危而能思安, 所以爲无咎.
내가 살펴보았다: 물가에 사는 새가 나무에 머무는 것은 위태로운 자리에 있는 것이지만, 자리가 올바르고 덕은 순종하니 평평한 가지를 얻는다. 나아감을 알면서도 물러날 줄도 알고 위태로움에 처해 있으면서도 편안하게 생각할 줄 아니, 허물이 없게 되는 이유이다.

김상악(金相岳) 『산천역설(山天易說)』

桷, 平柯也. 六四居巽之初, 以陰得正, 乘三而順, 承五而巽, 故有鴻漸于木, 或得其桷之象. 漸進而得其所安, 无咎之道也.
각(桷)자는 평평한 가지이다. 육사는 손괘의 처음에 있으니, 음으로 바름을 얻었고 삼효를 타고 있지만 순종하며 오효를 받들면서 공손하기 때문에, 기러기가 나무로 점진적으로 나아가니, 혹 평평한 가지를 얻는 상이 있다. 점진적으로 나아가서 편안한 장소를 얻은 것은 허물이 없는 도이다.

○ 木, 巽象. 四自五下而成巽于木之象. 桷, 指三也. 一奇橫于二偶之上, 桷之象. 山上之木遇風而落, 則平柯自見, 故曰或得其桷. 山上有木, 小過同象. 又巽之究爲震, 變而爲小過, 小過之初上, 皆言飛鳥之凶, 故漸之鴻, 得其所安而无咎也. 又漸鴻之或得其桷, 與乾龍之或躍在淵相似. 上下无常, 非爲邪也, 進退无恒, 非離群也, 故无咎同占. 蓋順以巽, 漸之觀也. 觀之三曰, 觀我生進退, 故此曰或得其桷而安之.
나무는 손괘의 상이다. 사효는 오효로부터 아래로 내려가서 나무에 공손한 상을 이룬다. 평평한 가지는 삼효를 가리킨다. 하나의 양획이 두 개의 음획 위에 가로누워 있으니, 평평한 가지의 상이다. 산 위에 있는 나무가 바람을 만나 잎이 떨어지면 평평한 가지가 저절로 드러나기 때문에 "혹 평평한 가지를 얻는다"고 했다. 산 위에 나무가 있는 것은 소과괘(小過卦䷽)와 상이 같다. 또 손괘가 다하게 되면 진괘가 되고 변하여 소과괘가 되는데, 소과괘의 초효[65]와 상효[66]에서는 빠르게 나는 새의 흉함을 말했기 때문에, 점괘의 기러기는 편안한 곳을 얻어서 허물이 없다. 또 점괘의 기러기가 혹 평평한 가지를 얻는 것은 건괘(乾卦䷀)의 용이 혹 뛰어오르기도 하고 못에 있기도 하는 것[67]과 유사하다. 위아래가 모두 상도가 없는 것은 삿됨이 되지 않고, 나아가고 물러남에 항상됨이 없는 것은 무리를 떠나는 것이 아니기 때문에 허물이 없다는 것에서 점이 같다. "순종하고 공손하다"는 점괘가 관괘(觀卦䷓)로 바뀐 것이다. 관괘의 삼효에서는 "내가 내는 행동을 보아서 나아가고 물러가도다"라고 했기 때문에, 이곳에서는 혹 평평한 가지를 얻어서 편안하다고 했다.

서유신(徐有臣)『역의의언(易義擬言)』

漸于陸上之木, 又高矣, 巽象也. 四居兩剛之中, 如鴻飛於林木之間, 或有橫枝之妨礙也. 雖然巽順當位, 善能承接, 自爲无咎也.
평원 위에 있는 나무로 점진적으로 나아가니 더욱 높아진 것으로 손괘의 상이다. 사효는 두 굳센 양 사이에 있으니, 기러기가 숲속으로 날아갔는데 혹 지장을 주는 평평한 가지가 있는 것과 같다. 비록 그렇지만 공손하고 순종함이 자리에 마땅하고 받들고 접하기를 잘할 수 있어서 저절로 허물이 없게 된다.

---

65)『周易·小過卦』: 初六, 飛鳥, 以凶.
66)『周易·小過卦』: 上六, 弗遇, 過之, 飛鳥離之. 凶, 是謂災眚.
67)『周易·乾卦』: 九四, 或躍在淵, 无咎.

이지연(李止淵) 『주역차의(周易箚疑)』

飛則可高, 棲則不可高也. 位漸高矣, 求就於平, 乃安身之道也.
날아가면 높아질 수 있지만 머물게 되면 높아질 수 없다. 자리가 점점 높아지니 평평한 곳을 구하여 나아가는 것은 자신을 편안하게 하는 도이다.

김기례(金箕澧) 「역요선의강목(易要選義綱目)」

巽爲木, 故曰木曰桷.
손괘는 나무이기 때문에 '나무'라고 했고 '평평한 가지'라고 했다.

○ 乘剛比三, 非其匹也. 如鴻趾不能握木, 則非其捿也.
굳센 양을 타고 있고 삼효와 가까우나 그의 배필이 아니다. 만일 기러기의 발이 나무를 움켜쥘 수 없다면, 머문 것이 아니다.

○ 但四柔中居, 巽自卑而順三, 故无咎.
다만 사효의 부드러운 음이 알맞게 머물고 있는데, 공손하게 스스로를 낮추고 삼효를 따르기 때문에 허물이 없다.

○ 桶指三. 陽有平柯象. 或, 未[68]必然之辭.
평평한 가지는 삼효를 가리킨다. 양에는 평평한 가지의 상이 있다. '혹(或)'자는 반드시 그렇지만은 않다고 할 때 쓰는 말이다.

○ 與三爻辭意不同. 三戒過剛, 四取巽順.
삼효의 효사에 나온 뜻과 다르다. 삼효에 대해서는 지나치게 굳셈을 경계하였고, 사효는 공손함과 순종함을 취하였다.

심대윤(沈大允) 『주역상의점법(周易象義占法)』

漸之遯☶, 舍舊從新也. 六四以柔居柔而泛贊, 居近君之位, 故曰鴻漸于木. 四居卦之上體, 離地而上也. 離水而至於陸, 離地而至于逵, 進之序也. 舍三而從五, 有獻可替否, 捄弊興利之象, 遯之義也. 故曰或得其桷, 言擇于三五而得五也. 桷, 先儒云平柯

68) 未: 경학자료집성DB에 '末'로 기록되어 있으나, 경학자료집성 영인본을 참조하여 '未'로 바로잡았다.

也. 五居巽木, 而上連于六, 有大木平廣之象. 又遯之全爲大巽, 四居疑逼之位, 而取舍得宜, 故无咎. 木非鴻之所安, 而能擇其平柯, 故无害也.
점괘가 돈괘(遯卦䷠)로 바뀌었으니, 옛 것을 버리고 새로운 것을 따르는 것이다. 육사는 부드러운 음으로 음의 자리에 있으며 널리 돕고, 임금과 가까운 자리에 있기 때문에 "기러기가 나무로 점진적으로 나아간다"고 했다. 사효는 괘의 상체에 있으니, 땅을 떠나서 위로 나아가는 것이다. 물을 떠나서 평원으로 나아가고 땅을 떠나서 공중으로 나아가는 것은 나아감의 순서이다. 삼효를 버리고 오효를 따름에, 선을 권장하고 잘못을 바로잡아서 허물을 구원하고 이로움을 흥기시키는 상이 있으니, 돈괘의 뜻이다. 그러므로 "혹 평평한 가지를 얻는다"고 했으니, 삼효와 오효 사이에서 선택하여 오효를 얻었다는 뜻이다. '각(桷)'자를 선대 학자들은 평평한 가지라고 했다. 오효는 손괘의 나무에 있고 위로 육효와 연결되어 있으니, 큰 나무가 평평하고 넓은 상이 있다. 또 돈괘의 전체는 큰 손괘가 되고, 사효는 의심받고 핍박받는 자리에 있지만, 취사선택이 마땅함을 얻었기 때문에 허물이 없다. 나무는 기러기가 편안히 여기는 장소가 아니지만, 평평한 가지를 택할 수 있기 때문에 해가 없다.

오치기(吳致箕) 「주역경전증해(周易經傳增解)」

六四柔, 雖得正, 下无應與, 而以其居上體, 故有鴻自陸而漸進于木之象. 質柔而无應, 乘剛而不安, 宜若有咎, 然上比九五之君, 而居得其正, 故有或得其桷之象, 而言无咎.
육사는 부드러운 음이니, 비록 바른 자리를 얻었지만 아래로 호응하여 함께 하는 자가 없고, 상체에 머물고 있기 때문에 기러기가 평원으로부터 점진적으로 나무로 나아가는 상이 있다. 바탕이 유순하여 호응함이 없고 굳센 양을 타고 있어서 불안하니 마땅히 허물이 있을 것 같지만, 위로 구오의 임금과 가깝고 바른 자리를 얻었기 때문에 혹 평평한 가지를 얻는 상이 있어서, 허물이 없다고 했다.

○ 巽爲木之象. 或者, 未定之辭也. 枝柯之平正者, 曰桷也.
손괘는 나무의 상이 된다. '혹(或)'자는 확정하지 않을 때 쓰는 말이다. 가지 중에 평평하고 곧게 뻗은 것을 '각(桷)'이라고 부른다.

이진상(李震相) 『역학관규(易學管窺)』

鴻漸于木.
기러기가 나무로 점진적으로 나아가니.

鴻之翔高, 多集于木, 而四又巽體之始, 鴻當擇木而棲, 故言其得桷則无咎也. 桷者, 高平之柯, 指九五. 言六四近君, 當□道□□之不宜, 下附于三, 惟其疑於三, 故或之先儒謂鴻不木棲, 恐有未察.
기러기 중 높게 비상하는 것들은 대부분 나무에 모이게 되고, 사효는 또한 손괘의 처음이어서, 기러기가 마땅히 나무를 가려서 머물러야 하기 때문에 평평한 가지를 얻으면 허물이 없다고 했다. '각(桷)'은 높고 평평한 가지이니, 구오를 가리킨다. 즉 육사가 임금과 가까우면 □□□ 아래로 삼효에 붙으니, 삼효에 대해 의심하기 때문에 어떤 선대 학자들은 기러기는 나무에 머물지 않는다고 한 것인데, 아마도 자세히 고찰하지 않은 것 같다.

이병헌(李炳憲) 『역경금문고통론(易經今文考通論)』

孟曰, 秦曰㮴, 周謂之椽, 齊魯謂之桶.〈觀此則繇辭, 多出於齊魯人之手.〉
맹희가 말하였다: 진나라에서는 '양(㮴)'이라고 불렀고, 주나라에서는 '연(椽)'이라고 불렀는데, 제나라와 노나라에서는 '통(桶)'이라고 불렀다. 〈이것을 살펴보면 효사는 대부분 제나라와 노나라 사람들의 기록에서 나온 것이다.〉

虞曰, 巽爲木, 或得其桶, 得位順五, 故无咎.
우번이 말하였다: 손괘는 나무가 되니, "혹 평평한 가지를 얻는다"는 자리를 얻어서 오효에 순종하는 것이기 때문에 허물이 없다.

象曰, 或得其桷, 順以巽也.

「상전」에서 말하였다: "혹 평평한 가지를 얻음"은 순종하고 공손하기 때문이다.

中國大全

傳

桷者, 平安之處, 求安之道, 唯順與巽. 若其義順正, 其處卑巽, 何處而不安. 如四之順正而巽, 乃得桷也.

'각(桷)'은 평평하고 편안한 곳이니 편안함을 찾는 도는 오직 순종함과 겸손함에 달려 있다. 만약 그 도의가 순종하고 바르며 대처함이 겸손하다면 어떻게 처함에 불안하겠는가? 마치 사효의 순종하고 올바르면서도 겸손한 것처럼 한다면 평평한 가지를 얻게 된다.

韓國大全

조호익(曺好益)『역상설(易象說)』

愚謂, 或者, 未定之辭. 木之枝, 鮮有橫平, 故云或得. 順, 爻柔. 巽, 體巽.

내가 살펴보았다: '혹(或)'자는 확정하지 않는 말이다. 나무의 가지 중에는 넓고 평평한 것이 드물기 때문에 "혹 얻는다"고 했다. 순종은 효가 유순한 음이기 때문이다. 공손은 몸체가 손괘이기 때문이다.

김상악(金相岳)『산천역설(山天易說)』

履正爲順, 承剛爲巽.

바른 자리에 있는 것은 순종이 되고, 굳센 양을 받들고 있는 것은 공손이 된다.

서유신(徐有臣)『역의의언(易義擬言)』

以柔順之道, 穿過橫桷, 自得无礙也. 巽, 入也.
유순한 도로 평평한 가지를 통과하니, 자연스럽게 되어 막힘이 없게 된다. 손(巽)자는 들어감이다.

심대윤(沈大允)『주역상의점법(周易象義占法)』

柔爲巽主, 以承于五, 故曰順以巽也.
부드러운 음이 손괘의 주인이 되고 오효를 받들기 때문에 "순종하고 공손하기 때문이다"라고 했다.

오치기(吳致箕)「주역경전증해(周易經傳增解)」

柔得正而處巽, 故順以巽, 而可得其安也.
부드러운 음이 바른 자리를 얻고 처함이 공손하기 때문에, 순종하고 공손하여 편안한 자리를 얻을 수 있다.

九五, 鴻漸于陵, 婦三歲不孕, 終莫之勝, 吉.

구오는 기러기가 높은 구릉으로 점진적으로 나아가니, 부인이 삼년 동안 잉태를 하지 못했지만, 끝내 그를 이기지 못하니, 길하다.

中國大全

傳

陵, 高阜也, 鴻之所止, 最高處也, 象君之位. 雖得尊位, 然漸之時, 其道之行, 固亦非遽. 與二爲正應而中正之德同, 乃隔於三四, 三比二, 四比五, 皆隔其交者也. 未能卽合, 故三歲不孕, 然中正之道, 有必亨之理, 不正, 豈能隔害之. 故終莫之能勝, 但其合有漸耳, 終得其吉也. 以不正而敵中正, 一時之爲耳, 久其能勝乎.

'능(陵)'은 높은 구릉지대이니 기러기가 앉는 곳 중 가장 높은 지역이며 임금의 자리를 상징한다. 비록 존귀한 자리를 얻었지만 점진적으로 나아갈 때 도를 시행하는 일은 진실로 급작스럽게 할 수 없다. 이효와 정응이 되고 중정의 덕이 같지만 삼효와 사효에 막혀 있으니, 삼효는 이효와 가깝고 사효는 오효와 가까워 모두 사귐을 막는 자들이다. 아직은 곧바로 합하지 못하기 때문에 삼년 동안 잉태를 하지 못하지만, 중정의 도는 반드시 형통하게 되는 이치가 있으니, 부정한 자가 어찌 막고 해를 끼칠 수 있겠는가? 그렇기 때문에 끝내 그를 이길 수 없고 단지 합함에 점진적인 면이 있을 따름이며, 끝내는 길함을 얻게 된다. 부정함으로 중정함을 대적하는 것은 일시적인 행위일 뿐이니, 오래되면 이길 수 있겠는가?

本義

陵, 高阜也. 九五居尊, 六二正應在下而爲三四所隔. 然終不能奪其正也, 故其象如此, 而占者如是, 則吉也.

'능(陵)'은 높은 구릉지대이다. 구오는 존귀한 자리에 있고 육이가 정응으로 아래에 있지만 삼효와 사효에 의해 막힌다. 그러나 끝내 올바름을 빼앗지 못하기 때문에 그 상이 이와 같고, 점치는 자가 이처럼 한다면 길하게 된다.

小註

沙隨程氏曰, 二五當位, 非三所能抗, 終莫之勝, 是以吉也.
사수정씨가 말하였다: 이효와 오효는 마땅한 자리에 있어서 삼효가 막을 수 없으니, 끝내 이길 수 없기 때문에 길하다.

○ 開封耿氏曰, 剛上柔下, 是以物終莫之勝.
개봉경씨가 말하였다: 굳센 양이 위에 있고 부드러운 음이 아래에 있기 때문에, 다른 것들은 끝내 그를 이길 수 없다.

○ 中溪張氏曰, 鴻漸于陵, 陵爲高阜, 下視于磐于陸, 則于陵爲最高, 此人君處九五位之象也. 況五與二爲正應, 則二乃五之婦, 二漸進以歸於五也. 雖三欲塞之, 四欲間之, 歷三歲而不孕, 然二五以中正之道相應, 必得遂其室家之願. 彼不中不正者, 終莫能奪而勝之, 宜其吉也. 卦以巽爲女艮爲男, 而爻以五爲夫二爲婦者, 蓋以二五陰陽相應而言, 取義不同. 此其所以爲變易也.
중계장씨가 말하였다: 기러기가 점차 능(陵)으로 나아가는데 '능(陵)'은 높은 구릉지대이며, 반석으로 나아가고 평원으로 나아간 감과 비교해보면, 구릉으로 나아감이 가장 높은 지점이 되니, 이것은 임금이 구오의 자리에 있는 상이다. 하물며 오효가 이효와 정응이 되면 이효는 곧 오효의 부인이 되니 이효가 점진적으로 나아가서 오효에게 시집을 가는데 있어서는 어떠하겠는가? 비록 삼효가 막으려고 하며 사효가 끼어들려고 하여, 삼년이 지나더라도 잉태를 하지 못하더라도, 이효와 오효는 중정의 도로써 서로 호응하므로, 결국 가정을 이루는 소원을 성취하게 될 것이다. 중정하지 못한 자들은 끝내 그것을 빼앗거나 이길 수 없으니, 마땅히 길하게 된다. 괘에서는 손괘를 여자로 삼고 간괘를 남자로 삼았는데 효에서는 오효를 남편으로 삼고 이효를 부인으로 삼은 것은 이효와 오효는 음양이 서로 호응한다는 사실로 말한 것이니, 의미를 따름다. 이것이 변역이 되는 이유이다.

○ 雲峯胡氏曰, 三與五皆言婦, 五以二爲婦正也, 三以四爲婦非正也. 三四相比而爲夫婦, 婦雖孕而不敢育, 女歸之不以漸者也, 故凶. 二五相應而爲夫婦, 婦雖孕而三四莫能勝, 女歸之以其漸者也, 故吉. 周公於三五二爻言婦之吉凶, 而卦辭所謂女歸吉者, 愈明矣.
운봉호씨가 말하였다: 삼효와 오효에서는 모두 부인에 대해 언급했는데, 오효가 이효를 부

인으로 삼음은 올바르지만 삼효가 사효를 부인으로 삼음은 올바름이 아니다. 삼효와 사효가 서로 가까워서 부부가 되었지만, 부인은 비록 잉태를 하더라도 감히 훈육을 하지 못하니, 여자가 점진적인 방법으로 시집을 가지 않았기 때문에 흉하다. 이효와 오효는 서로 호응하여 부부가 되었으므로, 부인이 비록 잉태를 하더라도 삼효와 사효가 이겨낼 수 없으니, 여자가 점진적은 방법으로 시집을 갔기 때문에 길하다. 주공은 삼효와 오효 두 효에서 부인의 길흉에 대해서 언급했지만, 괘사에서 "여자가 시집을 감이 길하다"고 한 말이 더 분명하다.

▌韓國大全▐

조호익(曺好益) 『역상설(易象說)』

九五, 鴻漸于陵, 婦三歲不孕, 終莫之勝.
구오는 기러기가 높은 구릉으로 점진적으로 나아가니, 부인이 삼년 동안 잉태를 하지 못했지만, 끝내 그를 이기지 못한다.

陵, 艮象. 雙湖曰, 五變則艮. 婦, 指二. 三, 當五至三三爻象, 以一爻爲一歲而數之也. 不孕, 陰陽未合之象. 終莫之勝, 二五正應而三四莫能奪也.
구릉은 간괘의 상이다. 쌍호호씨는 "오효가 변하면 간괘가 된다"고 했다. 부인은 이효를 가리킨다. 삼(三)은 오효에서 삼효에 이르는 세 효의 상이니, 한 효를 일 년으로 삼아 헤아린 것이다. 잉태를 하지 못함은 음양이 합하지 못하는 상이다. "끝내 그를 이기지 못한다"는 이효와 오효가 정응이 되고 삼효와 사효가 빼앗지 못한 것이다.

송시열(宋時烈) 『역설(易說)』

凡爻, 非二五中爻不備, 而五位, 君位之主卦者也, 必以正應相看. 此之漸于陵者, 鴻漸上于五, 與二爻爲應, 二卽艮之中爻. 艮爲丘陵, 婦亦指二爻也, 有離象, 故曰三日不孕也. 終莫之勝者, 二爻柔順, 不能勝五剛. 小象得所願者, 言得所願於正應也. 且四近於五, 亦有求合于我之心, 而不能勝奪二爻之正應, 得我之所願也. 二項之間, 覽者詳之.
무릇 효는 가운데의 이효와 오효가 아니면 갖춰지지 않고, 오효의 자리는 임금의 자리로 괘의 주인이 되는 자이니, 반드시 정응으로 살펴보아야 한다. 이곳에서 "높은 구릉으로 점진적으로 나아간다"고 한 것은 기러기가 점진적으로 오효의 자리로 올라가서 이효와 호응이 되니, 이효는 간괘의 가운데 효이다. 간괘는 구릉이 되고, 부인 또한 이효를 가리키며 리괘의 상이 있기 때문에 "삼일 동안 잉태를 하지 못한다"고 했다. "끝내 그를 이기지 못한다"고 했는데, 이효는 유순하여 오효의 굳셈을 이길 수 없기 때문이다. 「소상전」에서 "원하던 바를 얻었기 때문이다"는 정응으로부터 원하던 바를 얻었다는 뜻이다. 또 사효는 오효와 가깝고 나의 마음에 합치되기를 구하는 점이 있지만, 이효의 정응을 빼앗을 수 없어서, 내가 원하던 바를 얻는다. 두 항목 사이에서 자세히 살펴야 한다.

이익(李瀷) 『역경질서(易經疾書)』[69]

五之婦二也. 以其互爲未濟之離, 離中虛, 故有三歲不孕之象, 自三至五, 有三歲之象. 然中正相應, 其願終有不可勝者也, 傳所謂得所願也.

오효의 부인은 이효이다. 호괘는 미제괘(未濟卦䷿)의 리괘가 되고, 리괘는 가운데가 비어 있기 때문에, 삼년 동안 잉태를 하지 못하는 상이 있으니, 삼효로부터 오효에 이르기까지 삼년의 상이 있기 때문이다. 그러나 중정하고 서로 호응하여, 그 바람에 대해서는 끝내 이기지 못하는 점이 있으니, 「상전」에서 이른바 "원하던 바를 얻었기 때문이다"이다.

유정원(柳正源) 『역해참고(易解參攷)』

王氏曰, 陵, 次陸者也. 進得中位, 而隔乎三四, 不得與其應合, 故婦三歲不孕也. 各履正而居中, 三四不能久塞其塗者也, 不過三歲, 必得所願矣.

왕필이 말하였다: 구릉은 평원 다음에 있는 것이다. 나아가서 가운데 자리를 얻었고 삼효와 사효에 막혀서 호응하고 합칠 수 없기 때문에 부인이 삼년 동안 잉태를 못한다. 각각 바른 자리에 있고 가운데 있어서, 삼효와 사효는 오랫동안 그 길을 막을 수 없으니, 삼년을 넘길 수 없어서 반드시 원하던 바를 얻는다.

○ 鄭氏剛中曰, 巽爲高, 亦取艮山在下, 有陵之象. 爾雅謂, 大陸曰阜, 大阜曰陵.

정강중이 말하였다: 손괘는 높음이 되며 또한 간괘의 산이 아래에 있는 것에서 취하였으니, 구릉의 상이 있다. 『이아』에서는 "큰 평원을 부(阜)라고 부르고, 큰 언덕을 능(陵)이라고 부른다"[70]고 했다.

---

69) 이 문장은 경학자료집성DB에 육사(六四)의 내용으로 분류했으나, 경학자료집성 영인본을 참조하여 이곳으로 옮겼다.

70) 『爾雅·釋地』: 下濕曰隰. 大野曰平. 廣平曰原. 高平曰陸. 大陸曰阜. 大阜曰陵. 大陵曰阿.

○ 雙湖胡氏曰, 五至三隔三爻, 故曰三歲.
쌍호호씨가 말하였다: 오효로부터 삼효에 이르기까지 세 효가 막혀 있기 때문에 삼년이라고 했다.

○ 案, 三之不育, 位不正也. 五之不孕, 德不合也. 君子所貴者, 位正而德合也.
내가 살펴보았다: 삼효가 양육을 못하는 것은 자리가 바르지 않기 때문이다. 오효가 잉태를 못하는 것은 덕이 합치되지 않기 때문이다. 군자가 존귀하게 여기는 것은 자리가 바르고 덕이 합치되는 것이다.

김상악(金相岳)『산천역설(山天易說)』

陵, 高阜也. 九五以巽乘艮, 漸進而得高位者也, 故有鴻漸于陵之象. 二之應爲三所蔽, 三歲不孕, 然邪不勝正, 終與正應相合而吉矣.
능(陵)은 높은 언덕이다. 구오는 손괘로 간괘를 타고 있어서 점진적으로 나아가 높은 자리를 얻은 자이기 때문에 기러기가 높은 구릉으로 점진적으로 나아가는 상이 있다. 이효의 호응은 삼효에 의해 가려져 있어서 삼년 동안 잉태를 못하지만 삿됨은 바름을 이길 수 없으니, 끝내 정응과 서로 합치되어 길하다.

○ 巽之高居艮山之上, 于陵之象. 婦, 指二也. 不孕, 謂未能卽合也, 與屯六二曰, 女子貞不字相似. 終莫之勝, 亦十年乃字也. 莫勝者, 艮土不能敵巽木也.
손괘의 높음이 간괘인 산 위에 있어서 구릉으로 가는 상이 된다. 부인은 이효를 가리킨다. 잉태를 못하는 것은 바로 합치되지 못한다는 뜻으로, 준괘(屯卦䷂) 육이에서 “여자가 정조를 지켜 잉태하지 않는다”는 말과 유사하다. “끝내 그를 이기지 못한다”는 또한 “십년이 되어서야 잉태한다”는 뜻이다.71) 이기지 못한다는 것은 간괘의 흙은 손괘의 나무를 대적할 수 없다는 뜻이다.

서유신(徐有臣)『역의의언(易義擬言)』

陵, 艮山也. 鴻飛山上, 又高於木也. 二五互未濟, 故有婦不孕之象也. 以漸而進, 女歸之吉, 非灾孼之所能勝, 故卒獲其吉也.
구릉은 간괘인 산이다. 기러기가 날아가 산 위에 있으면 또한 나무보다 높이 있는 것이다.

---

71)『周易 · 屯卦』: 六二, 屯如邅如, 乘馬班如, 匪寇, 婚媾. 女子貞, 不字, 十年, 乃字.

이효에서 오효까지는 호괘가 미제괘(未濟卦☲)이기 때문에 부인이 잉태를 못하는 상이 있다. 점진적으로 나아가는 것은 여자가 시집갈 때의 길함이니, 재앙이 이길 수 있는 대상이 아니기 때문에 끝내 길함을 얻는다.

이지연(李止淵) 『주역차의(周易箚疑)』

諸家皆以六二爲九五之婦, 此則拘於爻之陰陽而言之也. 然而六二則艮之中爻, 九五則巽之中爻也, 爻之陰陽, 終不如卦之陰陽也.
여러 학자들은 모두 육이를 구오의 부인으로 여겼지만, 이러한 경우는 효의 음양에 사로잡혀서 말한 것이다. 그러나 육이는 간괘의 가운데 효이고 구오는 손괘의 가운데 효이니, 효의 음양은 끝내 괘의 음양만 못하다.

김기례(金箕澧) 「역요선의강목(易要選義綱目)」

九五, 鴻漸于陵,
구오는 기러기가 높은 구릉으로 점진적으로 나아가니,
尊位, 故曰陵.
존귀한 지위이기 때문에 구릉이라고 했다.

婦.
부인.
指二.
이효를 가리킨다.

三歲不孕, 終莫之勝, 吉.
삼년 동안 잉태를 하지 못했지만, 끝내 그를 이기지 못하니, 길하다.
二五爲三四所隔, 卦辭雖不形言, 蓋三欲比[72]二, 四欲比五, 而二五以中正不從邪配. 故三四自有相比底意, 久而不合, 故曰三歲不孕. 邪不勝正, 三四終不能奪, 而二五終得相合, 故曰終莫勝吉.
이효와 오효는 삼효와 사효에게 막히는데, 괘사에서 비록 구체적으로 말을 하지 않았지만, 삼효는 이효와 가까이 하려고 하며 사효는 오효와 가까이 하려고 하지만, 이효와 오효는

72) 比: 경학자료집성DB에 '此'로 되어 있으나, 경학자료집성 영인본을 참조하여 '比'로 바로잡았다.

중정하여 삿되이 짝하는 것을 따르지 않는다. 그러므로 삼효와 사효는 스스로 서로 가까이 하려는 뜻이 있어서 오래도록 합하지 못하기 때문에 “삼년 동안 잉태를 하지 못했다”고 했다. 사사로움은 바름을 이길 수 없고, 삼효와 사효는 끝내 빼앗을 수 없으며 이효와 오효는 끝내 서로 합할 수 있기 때문에 “끝내 그를 이기지 못하니, 길하다”고 했다.

○ 五至二歷三爻, 故曰三歲. 三五二爻, 可見配匹邪正之吉凶處耳.
오효로부터 이효까지는 세 효를 거치기 때문에 삼년이라고 했다. 삼효와 오효는 배필의 삿되고 바름이 길하고 흉한 곳을 볼 수 있다.

심대윤(沈大允) 『주역상의점법(周易象義占法)』

漸之艮䷳, 位極而止也. 九五剛中而居尊位, 居剛而專治, 爲天下之主, 故曰鴻漸于陵. 陵高于木, 艮爲陵, 有應于二而不從于四, 故曰婦三歲不孕. 离爲婦, 巽爲三, 坎离爲歲, 坎爲孕, 五居巽而四居坎离, 言以四從五而不以五從四也. 人君於其臣下, 雖卑微隔遠者, 可從則從之, 雖親近尊寵者, 不可從則不從, 五之剛中而无私溺, 故曰終莫之勝吉. 坤爲終, 五爲擧賢授位之主, 進二于三則爲坤, 對兌爲莫, 艮得巽伏爲勝.
점괘가 간괘(艮卦䷳)로 바뀌었으니, 지위가 지극해져서 그치는 것이다. 구오는 굳세고 알맞으며 존귀한 자리에 있는데, 굳센 양의 자리에 있어서 다스림을 마음대로 하니 천하의 주인이 되기 때문에 “기러기가 높은 구릉으로 점진적으로 나아간다”고 했다. 구릉은 나무보다 높은데 간괘는 구릉이 되며, 이효에 호응하고 사효를 따르지 않기 때문에 “부인은 삼년 동안 잉태를 하지 못한다”고 했다. 리괘는 부인이 되고 손괘는 삼(三)이 되며 감괘와 리괘는 해[歲]가 되고 감괘는 잉태가 되는데, 오효는 손괘에 있고 사효는 감괘와 리괘에 있으니, 사효는 오효를 따르지만 오효로 사효를 따르게 할 수 없다는 뜻이다. 임금은 자신의 신하에 대해서 비록 신분이 낮고 미미하여 간극이 있어 멀리 떨어진 자일지라도 따를 수 있으면 따르고, 비록 친근하고 가까우며 존귀하고 총애를 받는 자일지라도 따를 수 없으면 따르지 않는데, 오효는 굳세며 알맞고 사사로움에 빠지는 일이 없기 때문에 “끝내 그를 이기지 못하니, 길하다”고 했다. 곤괘는 종(終)이 되고 오효는 현명한 자를 등용하여 지위를 주는 주인이며, 이효를 삼효로 나아가게 한다면 곤괘가 되고, 음양이 바뀐 태괘는 막(莫)이 되며, 간괘가 손괘의 복종함을 얻어서 승(勝)이 된다.

오치기(吳致箕) 「주역경전증해(周易經傳增解)」

九五陽剛中正, 下應六二之中正, 而以其居尊, 故有鴻自木而漸進于陵之象. 以剛中之德, 有柔中之應, 而爲九三所隔, 故有婦人三歲不孕之象. 然以其中正相應, 故三雖間隔而終不能勝, 五乃得其所願, 是以爲吉也.
구오는 굳센 양으로 중정하고 아래로 육이의 중정함과 호응하며 존귀한 자리에 있기 때문에, 기러기가 나무로부터 짐진적으로 구릉으로 나아가는 상이 있다. 굳세고 알맞은 덕이 부드럽고 알맞은 것과 호응함이 있지만, 구삼에 의해 막히기 때문에 부인이 삼년 동안 잉태를 못하는 상이 있다. 그러나 중정함이 서로 호응하기 때문에 삼효가 비록 막고 있지만 끝내 이길 수 없으니, 오효는 곧 원하던 바를 얻어서 길하게 된다.

○ 高阜曰陵, 而取於變艮也. 巽爲女, 艮爲男, 而五應二, 故言婦也. 三取於互離之居三, 而離中虛爲不孕之象. 莫之勝, 言三不得間也.
높은 언덕을 능(陵)이라고 부르는데 변화된 간괘에서 취했다. 손괘는 여자가 되고 간괘는 남자가 되는데, 오효는 이효와 호응하기 때문에 부인이라고 했다. 삼효는 호괘인 리괘가 삼효의 자리에 있음에서 취했고, 리괘의 가운데가 비어 있는 것이 잉태를 못하는 상이 된다. 이기지 못함은 삼효가 이간질을 할 수 없다는 뜻이다.

이진상(李震相) 『역학관규(易學管窺)』

鴻漸于陵.
기러기가 높은 구릉으로 점진적으로 나아가니.

艮山在下而巽象爲高, 故以大阜言. 三歲, 隔三爻也. 互離爲大腹, □二在離下, 故婦而不孕. 三在離初, 故孕而不育.
간괘인 산이 아래에 있고 손괘의 상은 높음이 되기 때문에 큰 언덕으로 말했다. 삼년은 세 효에게 막혀 있다는 뜻이다. 호괘인 리괘는 큰 배가 되고, □이효는 리괘의 아래에 있기 때문에 부인이 되지만 잉태를 못한다. 삼효는 리괘의 처음에 있기 때문에 잉태를 하지만 양육을 못한다.

박문호(朴文鎬) 「경설(經說) · 주역(周易)」

五隔三爻, 故有三歲之象.
오효는 세 효를 가로막기 때문에 삼년의 상이 있다.

象曰, 終莫之勝吉, 得所願也.

「상전」에서 말하였다: "끝내 그를 이기지 못하니 길함"은 원하던 바를 얻었기 때문이다.

中國大全

傳

君臣以中正相交, 其道當行, 雖有間其間者, 終豈能勝哉. 徐必得其所願, 乃漸之吉也.

임금과 신하가 중정으로 서로 사귀니 그 도는 마땅히 시행될 것이므로, 비록 그 사이에 간여하려는 자가 있더라도 끝내 어찌 이길 수 있겠는가? 천천히 하면 반드시 원하던 바를 얻게 되므로 점진적으로 시행함이 길하다.

小註

臨川吳氏曰, 中正相應, 乃二五所願, 其合雖遲, 終得其所願也.
임천오씨가 말하였다: 중정함으로 서로 호응을 함은 이효와 오효가 원하던 바이니, 합침이 비록 더디더라도 끝내 원하던 바를 얻게 된다.

韓國大全

김상악(金相岳) 『산천역설(山天易說)』

願, 志願也.

'원함'은 뜻이 원하는 것이다.

서유신(徐有臣) 『역의의언(易義擬言)』

夫婦相與, 乃其志願也.
부부가 함께 하는 것은 뜻이 원하던 것이다.

심대윤(沈大允) 『주역상의점법(周易象義占法)』

人君以進賢從善爲所願也.
임금은 현명한 자를 등용하고 선을 따르는 것을 원하는 바로 삼는다.

오치기(吳致箕) 「주역경전증해(周易經傳增解)」

二五以中正相交, 雖有三之間, 而終不能勝, 故得其所願也.
이효와 오효는 중정으로 서로 사귀니, 비록 삼년의 간극이 있지만 끝내 그를 이길 수 없기 때문에 원하던 바를 얻는다.

이병헌(李炳憲) 『역경금문고통론(易經今文考通論)』

卦自否來, 六四初係于三, 有三歲不孕之失, 進而承三, 則三終莫能勝, 是以言而得所願也, 又可以正邦也.
점괘는 비괘(否卦䷋)로부터 오는데 육사가 처음에는 삼효에 연계되어 삼년 동안 잉태를 못하는 잘못이 있지만, 나아가서 삼효를 받든다면 삼효는 끝내 이길 수 없으니, 이는 말을 함으로써 원하던 바를 얻고 또 이를 통해 나라를 바르게 할 수 있다.

上九, 鴻漸于陸, 其羽可用爲儀, 吉.

정전 상구는 기러기가 공중으로 점진적으로 나아가니, 그 날개는 예의와 법도가 될 만하니, 길하다.
본의 상구는 기러기가 공중으로 점진적으로 나아가니, 그 깃털은 예제의 장식이 될 만하니, 길하다.

中國大全

傳

安定胡公以陸爲逵, 逵, 雲路也, 謂虛空之中. 爾雅九達謂之逵, 逵, 通達无阻蔽之義也. 上九在至高之位, 又益上進, 是出乎位之外, 在他時則爲過矣, 於漸之時, 居巽之極, 必有其序, 如鴻之離所止而飛于雲空, 在人則超逸乎常事之外者也. 進至於是而不失其漸, 賢達之高致也, 故可用爲儀法而吉也. 羽, 鴻之所用進也, 以其進之用, 況上九進之道也.

안정호공은 '육(陸)'자를 '규(逵)'자로 여겼는데, '규(逵)'자는 구름길을 뜻하므로 허공을 의미한다. 『이아』에서는 "아홉 방향으로 소통됨을 '규(逵)'라고 부른다"[73]고 했으니, '규(逵)'는 두루 소통이 되어 막힘과 가림이 없다는 뜻이다. 상구는 가장 높은 자리에 있고 또 위로 더욱 나아가려고 하니 자리 밖으로 벗어난 것으로, 다른 때라면 지나침이 되지만 점진적으로 나아가야 할 때라면 손괘의 끝에 있어서 반드시 차례가 있게 되므로, 마치 기러기가 머문 곳에서 떠나 구름 사이로 날아오름과 같고, 사람으로 치자면 일상적인 일 밖으로 초월하여 벗어난 자에 해당한다. 나아감이 여기에 이르러 점진적인 방법을 잃지 않는다면 현명하고 통달한 자의 지극히 높은 경지가 되기 때문에 예의와 법도로 삼을 수 있어서 길하다. 날개는 기러기가 나아갈 때 사용하는 수단으로, 나아갈 때 사용하기 때문에 상구가 나아가는 도에 비유를 하였다.

本義

胡氏程氏皆云陸當作逵, 謂雲路也. 今以韻讀之良是. 儀, 羽旄旌纛之飾也. 上

---

73) 『爾雅 · 釋宮』: 九達謂之逵.

九至高, 出乎人位之外, 而其羽毛可用以爲儀飾, 位雖極高, 而不爲无用之象, 故其占爲如是則吉也.

호씨와 정씨는 모두 '육(陸)'자는 '규(逵)'자가 되어야 한다고 했으니 구름길을 뜻한다. 현재 독음에 따라 풀이해보면 그 해석이 옳다. '의(儀)'는 우모(羽旄)나 정독(旌纛) 등의 깃발 장식을 뜻한다. 상구는 지극히 높은 자리에 있어서 사람의 자리 밖으로 나오고, 그 깃털을 사용하여 예제의 장식으로 삼을 수 있으니, 자리가 비록 지극히 높더라도 무용(無用)의 상이 되지 않기 때문에 점이 이와 같다면 길하다.

小註

鄭氏剛中曰, 鳥羽皆有用而各有所取, 翟取其綵, 鷺取其白, 鴻取其知時, 取其羽以爲儀則, 則君子進退去就之義, 亦孰得而亂之. 可觀以爲法矣.
정강중이 말하였다: 새의 깃털은 모두 쓸모가 있어 각각 의미를 취함이 있으니, 꿩에 대해서는 그 무늬를 따르고, 백로에 대해서는 그 백색을 따르며, 기러기에 대해서는 때를 안다는 사실에 따르니, 기러기의 깃털을 취하여 의칙으로 삼는다면 군자가 나아가고 물러나며 떠나고 자리로 나아가는 뜻을 그 누가 어지럽힐 수 있겠는가? 그러므로 법도로 삼을 수 있음을 확인할 수 있다.

○ 建安丘氏曰, 上九居漸之極, 猶鴻自江干漸進于此而雲飛也. 羽乃鴻所用以進者, 而其進莫不有漸, 可以爲儀也. 賢達之人進處高潔不累於位, 非外物之所能屈其心而亂其志, 斯亦足以爲天下之儀表矣. 何吉如之.
건안구씨가 말하였다: 상구는 점괘의 끝에 있으니 기러기가 강가로부터 점진적으로 나아가 이곳에 이르러 구름으로 날아오름과 같다. 깃털은 기러기가 나아갈 때 사용하는 수단이고 나아감에 점진적이지 않음이 없으니 의칙으로 삼을 수 있다. 현명하고 통달한 자는 고결한 곳에 머물며 지위에 연연하지 않으니 외물이 그 마음을 굽히고 그 뜻을 어지럽힐 수 없으므로 이 또한 천하의 의표로 삼을 수 있으니, 어떠한 길함이 이와 같겠는가?

○ 雲峯胡氏曰, 鴻進以漸而不失其時, 翔以群而不失其序, 所謂進退可法者也, 而獨於上爻言之者, 要其終而不可亂也. 大抵无位者多无用, 上九猶賢達之高致, 其用可以爲法, 雖高而无位, 然不爲无用也. 故其象占如此. 或曰, 自子午以東爲陽, 子午以西爲陰. 由艮達巽, 子午以東陽氣之地也, 立春以後鴻鴈來, 故六爻皆係以鴻鴈隨陽之鳥也. 然龍爲陽物, 乾至上則亢, 漸至上則吉, 何也. 乾以六陽之極, 故過高而亢, 漸三陰三陽之進有序, 故致高而吉也.

운봉호씨가 말하였다:
기러기는 점진적으로 나아가며 그 시기를 놓치지 않고 무리를 이루어 날며 질서를 잃지 않으니, 이른바 "나아가고 물러남을 법도로 삼을 수 있다"는 경우에 해당하는데, 유독 상효에 대해서 언급한 이유는 요컨대 끝이라고 해서 어지럽혀서는 안 되기 때문이다. 대체로 지위가 없는 자는 대부분 사용함이 없지만 상구는 여전히 현명하고 통달함이 높고 지극하여 그 사용함을 법칙으로 삼을 수 있으니, 비록 높고 지위가 없더라도 무용(無用)이 되지 않는다. 그렇기 때문에 상과 점이 이와 같다. 어떤 이는 "자오(子午)의 선으로부터 동쪽은 양이 되고 자오로부터 서쪽은 음이 되는데, 간괘로부터 손괘로 이름은 자오의 선 동쪽은 양기에 해당하는 자리이고, 입춘 이후에 기러기가 도래하기 때문에 여섯 효는 모두 양을 따르는 새인 기러기로서 연계하였다"라고 했다. 그런데 용은 양을 대표하는 사물인데도, 건괘에서는 상효에 이르면 항(亢)이라고 했고, 점괘에서는 상효에 이르면 길하다고 한 것은 어째서인가? 건괘는 여섯 양의 지극함이기 때문에 지나치게 높아져서 항(亢)이 되고, 점괘는 세 음과 세 양이 나아감에 질서가 있기 때문에 지극히 높아지더라도 길하기 때문이다.

韓國大全

조호익(曺好益) 『역상설(易象說)』

上九, 鴻漸于陸.
상구는 기러기가 공중으로 점진적으로 나아가니.

逵, 雲路, 上九在天位象.
'규(逵)'는 구름길이니, 상구가 하늘 자리에 있는 상이다.

송시열(宋時烈) 『역설(易說)』

此爻與九三相應, 故亦曰陸. 凡鴻群飛有序, 而至於上九, 羽毛已成, 鴻中之大者, 飛中之居先者也, 故曰其羽可用爲儀. 漸之道, 至此而極, 其吉可知.
이 효는 구삼과 서로 호응하기 때문에 평원[陸]이라고 했다. 기러기가 무리를 이루어 날아갈 때에는 질서가 있으니, 상구에 이르면 깃털이 이미 완성되어, 기러기 중 몸집이 큰 것이고 비행 대열 중에서도 선두에 위치하는 것이기 때문에 "그 날개가 예의와 법도가 될 만하다"고 했다. 점괘의 도는 이곳에 이르러 지극해지니 길함을 알 수 있다.

이익(李瀷)『역경질서(易經疾書)』

鴻翮短而無綵, 恐非儀物之飾也. 詩曰肅肅鴇羽, 羽者, 謂其飛也, 又曰螽斯羽, 詵詵, 蟲何嘗有羽. 雖有羽, 又豈詵詵乎. 其謂飛也尤信. 鴻之飛也, 濟濟成列, 可以爲則, 故傳云不可亂也. 李光地曰, 上九在外, 無事之地, 在家爲保姆, 在國爲黎老也. 其說亦得. 雖迢然自引而亦爲人師範也.

기러기의 날개는 짧고 채색이 없으니, 아마도 예물의 장식이 아닐 것이다.『시경』에서는 "푸드덕 푸드덕 나는 너새의 깃이여"[74]라고 했는데, 이때의 '우(羽)'자는 날아감을 뜻하고, 또 "종사의 우(羽)가 가지런하다"[75]고 했는데, 곤충이 어찌 날개를 가졌겠으며, 비록 깃털이 있다고 한들 또 어찌 가지런하다고 하겠는가? 그러므로 날아가는 것을 뜻한다는 주장이 더욱 믿을 만하다. 기러기가 날아갈 때에는 엄숙하고 대열을 이루니 법칙으로 삼을 수 있기 때문에「상전」에서는 "어지럽힐 수 없기 때문이다"라고 했다. 이광지는 "상구는 밖에 있으니 할 일이 없는 곳이고 집에 있어서는 보모가 되며 국가에 있어서는 노인이 된다"고 했는데, 그 주장이 또한 옳다. 비록 초연히 스스로를 노력하는 것이지만 또한 남의 스승과 법칙이 될 수 있다.

유정원(柳正源)『역해참고(易解參攷)』

王氏曰, 進處高潔, 不累於物, 无物可以屈其心而亂其志. 峨峩淸遠儀可貴也, 故曰其羽可用爲儀吉.

왕필이 말하였다: 나아가 고결한 자리에 있고 사물에 얽매이지 않으니, 그 마음을 굽히고 뜻을 어지럽힐 수 있는 사물이 없다. 높고 청아하며 고원한 거동은 존귀하게 여길만 하기 때문에 "그 날개는 예의와 법도가 될 만하니, 길하다"고 했다.

○ 林氏曰, 鴻以漸致高, 所謂鴻飛冥冥者也.

임률이 말하였다: 기러기가 점진적으로 지극히 높이 올라가니 기러기가 날아감에 아득하다는 뜻이다.

---

74)『詩經 · 鴇羽』: 肅肅鴇羽, 集于苞栩. 王事靡盬, 不能蓺稷黍, 父母何怙. 悠悠蒼天, 曷其有所.

75)『詩經 · 螽斯』: 螽斯羽, 詵詵兮. 宜爾子孫, 振振兮.

○ 西溪李氏曰, 可用爲儀, 如贄見執鴈婚禮奠鴈之類, 謂其德可以配禮也.
서계이씨가 말하였다: "의(儀)로 쓸 수 있다"는 말은 예물을 가지고 서로 만나볼 때 기러기를 들고 가고 혼례에서 기러기를 예물로 늘어놓는 부류와 같으니, 덕이 예와 짝할 수 있다는 뜻이다.

김상악(金相岳) 『산천역설(山天易說)』

上九居漸之極. 極則必反, 而巽性進退, 漸進於上, 復退于三, 故有鴻漸于陸之象. 羽, 鴻之所用而進者也. 鴻之漸者, 進退不失其時, 先後不亂其序, 故其羽可用爲儀, 以是而進, 其吉宜矣.
상구는 점괘의 끝에 있다. 끝이 되면 반드시 되돌아오는데, 손괘의 성질은 나아가고 물러남이어서, 점진적으로 상효로 나아가면 다시 삼효로 되돌아오기 때문에 기러기가 평원으로 점진적으로 나아가는 상이 있다. 날개는 기러기가 사용해서 나아가는 것이다. 기러기가 점진적으로 나아가게 되면 나아가고 물러남에 그 때를 잃지 않고 선후에 있어서 그 질서를 어지럽히지 않기 때문에, 날개는 예의와 법도가 될 만하니, 이를 통해 나아가면 길함이 마땅하다.

○ 漸之極, 无地可進, 復反于陸, 是知進而復知退也. 三則惟知其征而不復, 故吉凶不同. 又艮東北, 是北陸也. 巽東南, 是南陸也. 鴻, 隨陽之鳥, 故漸於南陸者吉, 漸於北陸者凶也. 儀, 法則也. 其羽可用爲儀, 猶人之言行可法則也. 巽一陰, 艮一陽, 陰陽兩儀, 儀之象. 君子進退去就之義, 不累於高位, 不係於外物, 斯足以爲天下表儀也. 故蠱上九曰, 不事王侯, 志可則也, 則字與儀字義同. 乾六爻皆言龍, 而至上則亢, 漸六爻皆言鴻, 而至上則吉者, 何也. 在乾則知進而不知退, 所以過高而亢, 漸則自上而反于下, 所以致高而吉也. 旅上九曰, 鳥焚其巢, 中孚上九曰翰音登于天, 小過上六曰飛鳥離之, 卽窮上而不止, 故皆凶. 漸之鴻, 則漸進而不亂, 故獨吉.
점괘의 끝에는 나아갈 수 있는 장소가 없어서 재차 평원으로 돌아가니, 이것은 나아갈 줄 알면서도 다시 물러날 줄도 아는 것이다. 삼효는 오직 나아감만 알고 되돌아올 줄 모르기 때문에 길흉이 동일하지 않다. 또 간괘는 동북이 되니 북쪽 평원이 된다. 손괘는 동남이 되니 남쪽 평원이 된다. 기러기는 양을 따르는 새이기 때문에 남쪽 평원으로 점진적으로 나아가는 것은 길하지만, 북쪽 평원으로 점진적으로 나아가는 것은 흉하다. 의(儀)는 법칙이다. "그 날개는 법칙이 될 만하다"는 말은 사람의 언행을 법칙으로 삼을 수 있다는 뜻이다. 손괘의 한 음과 간괘의 한 양은 음양의 양의가 되니 법칙의 상이 된다. 군자가 나아가거나 물러나며 떠나거나 나아올 때의 뜻은 높은 지위에 얽매이지 않고 외부 사물에 얽매이지 않으니, 이것은 천하의 모범이 될 수 있다. 그러므로 고괘(蠱卦䷑) 상구에서 "'임금을 섬기지 않음'은 그 뜻을 본받을 만하다"[76]고 했으니, 칙(則)자와 의(儀)자의 뜻은 동일하다. 건괘(乾卦䷀)의 여섯 효에서는 모두 용을 말했는데 상효에 이르러서는 항(亢)이라고 했고, 점괘의 여섯 효에서는 모두 기러기를 말했는데 상효에 이르러서는 길하다고 한 이유는 어째서인가? 건괘의 경우 나아감만 알고 물러날 줄 모르니 지나치게 높아져서 항이 되는 것이며, 점괘의 경우 상효로부터 아래로 되돌아오니 지극히 높아지더라도 길한 이유이다. 려괘(旅卦䷷) 상구에서 "새가 둥지를 불태운다"[77]고 말하고 중부괘(中孚卦䷼) 상구에서 "날아가는 소리가 하늘로 올라간다"[78]고 말하며 소과괘(小過卦䷽) 상육에서 "나는 새가 멀리 떠나간다"[79]고 말한 것은 올라감을 다했으면서도 그치지 않기 때문에 모두 흉한 것이다. 점괘의 기러기는 점진적으로 나아가되 어지럽지 않기 때문에 홀로 길하다.

조유선(趙有善)『경의(經義)-주역본의(周易本義)』

漸上九可用爲儀.
점괘 상구에서 말하였다: 그 날개는 예의와 법도가 될 만하다.

程傳羽鴻之所用進也, 本義則曰羽旄旌纛之屬. 旣在雲逵則當爲人儀法, 正如鳳凰來儀之儀, 本義之說可疑.
『정전』에서는 "날개는 기러기가 나아갈 때 사용하는 수단이다"라고 했고, 『본의』에서는 "우모(羽旄)나 정독(旌纛) 등의 부류이다"라고 했다. 이미 구름길에 있다면 마땅히 사람에게 있어서 예의와 법도가 될 수 있으니, "봉황이 와서 춤을 춘다"[80]라고 했을 때의 의(儀)자와 같으니, 『본의』의 설명은 의심스럽다.

서유신(徐有臣)『역의의언(易義擬言)』

鴻飛進於天逵, 高遠而得意矣. 羽所以飛者, 稱其羽, 明飛鴻也. 鴻飛有序有儀, 可取以爲法也. 上九卦外无位, 謝官致事, 脫然遐擧, 可爲世人之儀則也. 不辱不殆, 其吉當如何哉.

---

76) 『周易·蠱卦』: 象曰, 不事王侯, 志可則也.
77) 『周易·旅卦』: 上九, 鳥焚其巢, 旅人先笑後號咷. 喪牛于易, 凶.
78) 『周易·中孚卦』: 上九, 翰音登于天, 貞凶.
79) 『周易·小過卦』: 上六, 弗遇, 過之, 飛鳥離之. 凶, 是謂災眚.
80) 『書經·益稷』: 夔曰, 戛擊鳴球, 搏拊琴瑟以詠, 祖考來格, 虞賓在位, 群后德讓, 下管鼗鼓, 合止柷敔, 笙鏞以間, 鳥獸蹌蹌, 簫韶九成, 鳳皇來儀.

기러기가 날아가 하늘로 나아가니 아득히 높아져서 뜻을 얻었다. 날개는 날아가는 수단인데, 날개라고 지칭한 것은 날아가는 기러기임을 나타낸다. 기러기가 날 때에는 질서가 있고 예의가 있어서 법도로 삼을 수 있다. 상구는 괘의 바깥쪽이어서 자리가 없고 관직을 사양하고 벼슬에서 물러나서 초연히 거처하여, 세상 사람들의 의로운 법칙이 될 수 있다. 욕되지 않고 위태롭지 않으니 그 길함이 어떻겠는가?

하우현(河友賢)『역의의(易疑義)』

上九可用爲儀, 儀字傳作儀法之儀, 本義作羽毛旌纛之飾. 蓋上九處至高无位之地, 而其羽毛亦可以取用爲飾也. 大抵古之人有晨門荷蕢者, 亦未可不謂賢達之人, 然而考其言行之間, 則有不可取用之病, 若其出於常事人位之外, 而可取其羽毛爲飾者, 惟嚴子陵陶元亮乎.

상구에서는 "의(儀)로 삼을 만하다"고 했는데, 의(儀)자에 대하여『정전』에서는 예의와 법도를 뜻하는 의(儀)자로 여겼고,『본의』에서는 깃발의 장식으로 여겼다. 상구는 지극히 높아 지위가 없는 곳에 있지만, 그 깃털은 또한 뽑아서 장식으로 사용할 수 있다. 고대 사람들 중 신문[81]이나 하궤[82]와 같은 자들은 또한 현달한 사람이라 부르지 않을 수 없지만, 그들의 언행을 살펴본다면 따를 수 없는 병폐가 있으니, 일상적인 사람의 지위에서 벗어나서 그 깃털을 장식으로 삼을 수 있는 자라면 오직 엄자릉이나 도원량과 같은 사람에 해당할 것이다.

이지연(李止淵)『주역차의(周易箚疑)』

儀者, 少長有禮之謂也. 況象傳以爲不可亂也, 益可見儀字之屬於鴻而爲家也. 吉一字, 乃其占也.

'의(儀)'자는 "어린 자와 나이가 든 자가 예를 갖추고 있다"[83]는 뜻이다. 하물며「상전」에서는 "어지럽힐 수 없기 때문이다"라고 했으니, 더욱 의(儀)자의 뜻이 기러기에 있어서 집이 됨을 알 수 있다. 길(吉)이라는 한 글자는 점사에 해당한다.

---

81)『論語 · 憲問』: 子路宿於石門. 晨門曰, 奚自? 子路曰, 自孔氏. 曰, 是知其不可而爲之者與?

82)『論語 · 憲問』: 子擊磬於衛, 有荷蕢而過孔氏之門者, 曰, 有心哉, 擊磬乎. 旣而曰, 鄙哉, 硜硜乎. 莫己知也, 斯己而已矣. 深則厲, 淺則揭. 子曰, 果哉. 末之難矣.

83)『春秋左氏傳』: 曰, "少長有禮, 其可用也." 遂伐其木, 以益其兵. (僖公 28)

김기례(金箕澧) 「역요선의강목(易要選義綱目)」

上在他卦多言无位, 而鴻之飛至于雲□, 則非如人之不登處, 故不以无位爲咎. 自艮歷震, 至巽陽方, 則陽鳥攸居, 而漸進而至上, 三陰三陽有序, 故其儀不亂, 行有時, 進有序, 不亂群, 其儀可以取法, 故曰其羽可用爲儀.
상효는 다른 괘에 대부분 자리가 없다고 했는데, 기러기가 날아가서 구름□에 이르는 것은 사람이 올라갈 수 없는 곳과는 같지 않기 때문에 자리가 없는 것을 허물로 삼지 않는다. 간괘로부터 진괘를 거쳐서 손괘인 양의 방위에 도달한다면 양에 따르는 새가 머무는 곳이고, 점진적으로 나아가서 상효에 이르게 되면 세 음과 세 양에 질서가 있기 때문에 그 거동을 어지럽힐 수 없으니, 행동함에 정해진 때가 있고 나아감에 질서가 있어서 무리를 어지럽게 하지 않아 그 거동은 법칙으로 삼을 수 있으므로 "그 날개는 예의와 법도가 될 만하다"고 했다.

○ 卦中初上不言夫婦, 有出處上下之等, 士大夫適君, 亦當漸進不亂矣.
점괘에서 초효와 상효에서 부부를 언급하지 않은 것은 나아가고 머물며 올라가고 내려가는 차등이 있기 때문이니, 사나 대부가 임금을 만날 때에도 또한 마땅히 점진적으로 나아가며 어지럽게 해서는 안 된다.

贊曰, 二進居三, 渙變之兮. 四往居五, 旅之攸隮. 進得其正, 六位不迷. 序不亂群, 外內漸齊.
찬미하여 말하였다: 이효가 나아가 삼효에 머무니 환괘(渙卦䷺)가 변한 것이로다. 사효가 가서 오효에 머무니 려괘(旅卦䷷)가 올라가게 한 것이네. 나아가 바름을 얻으니 여섯 자리가 미혹되지 않는구나. 질서가 있어 무리를 어지럽히지 않으니 안팎이 점차 가지런해지는구나.

이항로(李恒老) 「주역전의동이석의(周易傳義同異釋義)」

傳, 可用爲儀法而吉也.
『정전』에서 말하였다: 예의와 법도로 삼을 수 있어서 길하다.

本義, 儀, 羽旄旌纛之飾也.
『본의』에서 말하였다: '의(儀)'는 우모(羽旄)나 정독(旌纛) 등의 깃발 장식을 뜻한다.

按, 儀, 禮也. 言以鴈爲摯也, 孟子所謂儀不及物是也. 蓋君子見君禮賢, 必摯鴈者, 取其不亂也. 不亂何也. 進以漸也, 行以序也, 動有時也, 偶不改也, 故周公曰其羽可用爲儀吉, 孔子贊之曰, 不可亂也.
내가 살펴보았다: 의(儀)는 예를 뜻한다. 기러기를 예물로 삼는다는 뜻으로 『맹자』에서 "예의가 물건에 미치지 못한다"[84]고 한 말이 이러한 사실을 나타낸다. 군자가 임금을 뵙거나 현자에게 예로 대접을 할 때에는 반드시 기러기를 예물로 가져가니, 어지럽지 않다는 뜻을 취한 것이다. 어지럽지 않다는 것은 무슨 말인가? 나아갈 때 점진적으로 하며, 행동할 때 질서가 있고 움직일 때 시기에 맞추며 짝을 만나면 바꾸지 않기 때문에 주공은 "그 날개는 예가 될 만하니, 길하다"고 했고, 공자는 그 뜻을 풀이하여 "어지럽힐 수 없기 때문이다"라고 했다.

박종영(朴宗永) 「경지몽해(經旨蒙解) · 주역(周易)」

傳曰, 安定胡公以陸爲逵, 逵, 雲[85]路也. 上九在至高之位, 進至於是, 不失其漸, 賢達之高致, 故可用爲儀法而吉也.
『정전』에서 말하였다: 안정호공은 '육(陸)'자를 '규(逵)'자로 여겼는데, '규(逵)'자는 구름길을 뜻한다. 상구는 가장 높은 자리에 있고 나아감이 여기에 이르도록 점진적인 방법을 잃지 않는다면 현명하고 통달한 자의 지극히 높은 경지가 되기 때문에 예의와 법도로 삼을 수 있어서 길하다.

蓋鴻者, 知時序行之鳥也. 其飛有漸, 自江干漸進于雲逵, 其羽有用, 可以爲儀也. 賢達之人, 進處高潔, 不累於位, 非外物之所能屈其心而亂其志, 此亦足以爲天下之儀表, 吉莫大焉. 譬則鴻之羽, 如人之才德也. 進于雲逵, 如人學問之能事極功, 進於聖賢之域, 煥乎其有文章, 人皆顒仰其道德光輝也. 末之效驗, 至於過化而存神. 記曰化民成俗, 必由學, 其善俗也, 顧不宜哉.
기러기는 때를 알고 질서 있게 움직이는 새이다. 기러기가 날아갈 때에는 점진적인 면이 있어서, 강가로부터 점진적으로 나아가 구름에 이르니, 그 날개는 쓸모가 있어서 예의와 법도로 삼을 수 있다. 현달한 사람은 나아가서 고결한 자리에 머물며 지위에 얽매이지 않아서, 외부 사물이 그 마음을 굽히고 그 뜻을 어지럽힐 수 없으니, 이것은 또한 천하의 의표로 삼을 수 있으므로 길함이 매우 크다. 비유하자면 기러기의 날개는 사람의 재주 및 덕과 같다. 구름길에 나아가는 것은 사람이 학문을 통해 일을 잘 처리하고 지극한 공을 세워서 성현의 영역으로 들어가서, 문채를 찬란하게 빛내어 사람들이 모두 그의 광채나는 도덕을 우러

84) 『孟子 · 告子下』: 曰, "非也, 書曰, '享多儀, 儀不及物曰不享, 惟不役志于享.' 爲其不成享也."
85) 雲: 경학자료집성DB와 영인본에는 모두 '雪'자로 되어 있으나 『주역전의대전』 원문에 따라 '雲'으로 바로잡았다.

러보는 것과 같다. 그 끝에 이르러서는 효험이 지나가는 곳은 교화가 되고 보존한 것은 신묘해지는 경지에 이르게 된다.[86] 『예기』에서는 "백성들을 교화하고 풍속을 완성하는 것은 반드시 학문을 통해야 한다"[87]고 했으니 풍속을 선하게 함이 마땅하지 않겠는가?

심대윤(沈大允) 『주역상의점법(周易象義占法)』

漸之蹇䷦, 流行而朋合也. 上九以剛德居師傅之位, 未有職分之限, 居柔汎贊, 以道德教化天下, 而天下從之, 故曰鴻漸于陸. 陸, 先儒以爲逵, 逵, 雲路也. 坎雲, 巽風互對震道, 曰逵. 其文德綜錯繁盛而條理不紊, 可以施行而爲天下儀法, 故曰其羽可用爲儀吉. 巽爲儀爲羽, 對小過有艮震曰用. 始得位而未及施于天下, 故只取上卦之本對也. 君子得位則貴有措施而天下歸化, 故漸之終言其義也. 初未得位, 三四居疑逼而責任重, 故不言吉也.

점괘가 건괘(蹇卦䷦)로 바뀌었으니, 유행하여 붕우와 만나는 것이다. 상구는 굳센 덕으로 사부의 자리에 있으며 아직까지 직분의 제한이 없고 부드러운 음의 자리에서 널리 도우니, 도덕으로 천하를 교화하여 천하가 그를 따르기 때문에 "기러기가 공중으로 점진적으로 나아간다"고 했다. 육(陸)자에 대해 선대 학자들은 규(逵)자로 여겼는데, 규(逵)자는 구름길을 뜻한다. 감괘는 구름이고 손괘의 바람과 짝이 되는 진괘는 길이기 때문에 구름길이라고 했다. 문채와 덕이 뒤섞여 있고 번성하였는데 조리가 어지럽지 않아서 시행하여 천하의 예의와 법도로 삼을 수 있기 때문에 "그 날개는 예의와 법도가 될 만하니, 길하다"라고 했다. 손괘는 예의가 되고 날개가 되며, 음양이 바뀐 소과괘(小過卦䷽)에는 간괘와 진괘가 있어서 '쓴다[用]'고 했다. 처음 자리를 얻었지만 아직까지 천하에 베풀지 않았기 때문에 단지 상괘의 본체에서 음양이 바뀐 괘에서 취했다. 군자가 지위를 얻으면 널리 베풀어 천하가 귀화하는 것을 존귀하게 여기기 때문에 점괘의 끝에서는 그 뜻을 말한 것이다. 초효는 아직 지위를 얻지 못했고 삼효와 사효는 의심하고 핍박하는 자리에 있어서 책임이 막중하기 때문에 길하다고 말하지 않았다.

오치기(吳致箕) 「주역경전증해(周易經傳增解)」

上九, 陽剛居天位之上, 而下无應與, 以其極高, 故有鴻漸自陵而高飛于天逵之象. 其羽高擧有序而不亂, 與凡鳥不同, 可以爲儀法, 故言吉.

---

86) 『孟子 · 盡心上』: 夫君子所過者化, 所存者神, 上下與天地同流, 豈曰小補之哉?

87) 『禮記 · 學記』: 發慮憲, 求善良, 足以謏聞, 不足以動衆. 就賢體遠, 足以動衆, 未足以化民. 君子如欲化民成俗, 其必由學乎!

상구는 굳센 양이 하늘 자리의 끝에 있고 아래로 호응하여 함께 하는 자가 없는데, 지극히 높기 때문에 기러기가 높은 구릉으로부터 점진적으로 나아가 하늘로 높이 날아가는 상이 있다. 기러기가 날 때에는 높이 솟구침에 질서가 있고 어지럽지 않으니, 다른 새들과는 다르며, 예와 법도로 삼을 수 있기 때문에 길하다고 했다.

○ 程傳, 陸當作逵, 而言天逵也. 羽, 謂飛, 而變坎爲飛鳥之象也.
『정전』에서는 육(陸)자는 규(逵)자가 되어야 한다고 했으니, 하늘 길을 뜻한다. 우(羽)는 날아간다는 뜻으로, 변화된 감괘는 나는 새의 상이 된다.

이진상(李震相) 『역학관규(易學管窺)』

可用爲儀.
의(儀)로 삼을 수 있다.

本義以儀爲旌旄之飾. 然鴻必殺而取羽, 乃可飾旄, 恐非九五之善也. 西溪以贄□□雁昏禮奠鴈證之, 如曰享多儀, 九十其儀者, 是也. 鴻之行肅肅, 其羽亦可用爲儀法. 蓋鴻之在于磐陵陸坐而斂翮, 人不見其羽, 及其漸于雲逵, 舒足張翼, 人始□其□儀耳.
『본의』에서는 의(儀)자를 깃발의 장식으로 여겼다. 그러나 기러기는 반드시 죽여야만 깃털을 취하여 깃발의 장식으로 삼을 수 있으니, 아마도 구오의 선함으로 할 일은 아닌 것 같다. 서계는 기러기를 예물로 가져가고 혼례에서도 기러기를 예물로 늘어놓는다는 것으로 증거를 제시했으니, 예를 들어 "흠향에는 예의를 중시 여긴다"[88]고 말하고, "아홉이며 열인 것이 그 위의로다"[89]라고 한 말에 해당한다. 기러기가 움직일 때에는 엄숙하며 그 날갯짓은 또한 예의와 법도로 삼을 수 있다. 기러기가 반석과 높은 구릉 및 평원에 있을 때에는 앉아서 날개를 모으고 있어서 사람들은 날갯짓을 보지 못하는데, 구름으로 점진적으로 나아가게 되면 다리를 펴고 날개를 펼치게 되니, 사람들이 비로소 그 날개의 위용을 보게 될 따름이다.

박문호(朴文鎬) 「경설(經說)・주역(周易)」

逵, 飛處也, 非止處, 故陵爲所止之最高.
공중은 날아다니는 곳이니 머무는 곳이 아니기 때문에 구릉은 머무는 곳 중에서도 가장 높

---

88) 『孟子・告子下』: 曰, "非也, 書曰, '享多儀, 儀不及物曰不享, 惟不役志于享.' 爲其不成享也."
89) 『詩經・東山』: 我徂東山, 慆慆不歸. 我來自東, 零雨其濛. 倉庚于飛, 熠燿其羽. 之子于歸, 皇駁其馬. 親結其縭, 九十其儀. 其新孔嘉, 其舊如之何.

은 곳이다.

以韻讀之良是, 言逵與儀於韻爲叶.

“독음에 따라 풀이해보면 그 해석이 옳다”는 말은 ‘규(逵)’자와 ‘의(儀)’자는 협운이 된다는 뜻이다.

羽旄在於旌纛之最上, 故取以況之.

우모(羽旄)는 정독(旌纛)의 깃발 중에서도 가장 위에 달려 있기 때문에, 이를 취하여 비유하였다.

易之取物爲象甚多, 而亦無以一物象六爻者. 乾之九三, 已不能然, 而漸獨以一物盡象六爻. 但自干至逵, 并并有序, 漸之義大矣. 故君子貴乎循序而病夫躐等也.

『주역』에서 사물을 취하여 상으로 삼은 것은 매우 많지만, 또한 한 사물로 여섯 효에 대한 상으로 삼은 것은 없다. 건괘의 구삼에서도 이미 그처럼 할 수 없었는데, 점괘에서는 유독 한 가지 사물로 여섯 효에 대해 모두 상으로 삼았다. 다만 물가로부터 공중에 이르기까지 차근차근 차례가 있으니, 점괘의 뜻이 매우 크다. 그러므로 군자는 질서에 따르는 것은 귀하게 여기고 등급을 뛰어넘는 것을 싫어한다.

象曰, 其羽可用爲儀吉, 不可亂也.

정전 「상전」에서 말하였다: "그 날개는 예의와 법도가 될 만하니 길함"은 어지럽힐 수 없기 때문이다.
본의 「상전」에서 말하였다: "그 깃털은 예제의 장식이 될 만하니 길함"은 어지럽힐 수 없기 때문이다.

中國大全

傳

君子之進, 自下而上, 由微而著, 跬步造次, 莫不有序, 不失其序, 則无所不得其吉, 故九雖窮高, 而不失其吉. 可用爲儀法者, 以其有序而不可亂也.

군자의 나아감은 아래로부터 위로 올라가고 은미함으로부터 드러내서 반걸음 정도 되는 짧은 거리와 찰나의 시간이라도 항상 질서를 가지고 있으니, 질서를 잃지 않는다면 길하지 않을 수 없기 때문에, 구(九)가 비록 지극히 높아졌지만 길함을 잃지 않게 된다. 예의와 법도로 삼을 수 있는 이유는 질서를 가지고 있어서 어지럽힐 수 없기 때문이다.

本義

漸進愈高而不爲无用, 其志卓然, 豈可得而亂哉.

점진적으로 나아가 더욱 높아졌지만 무용(無用)이 되지 않고 그 뜻이 높고 뛰어난데 어떻게 어지럽힐 수 있겠는가?

小註

雲峯胡氏曰, 本義獨釋二與上兩爻象傳, 蓋以二居有用之位, 有益於人之國家, 而非素飽者, 上在无位之地, 亦足爲人之儀表而非无用者, 二志不在溫飽上志卓然不可亂. 士大夫之出處於此, 當有取焉.

운봉호씨가 말하였다: 『본의』에서는 유독 이효와 상효의 두 효의 「상전」에 대해서 풀이한 것은 이효가 유용(有用)한 자리에 있어서 국가에 보탬이 되고 공연히 배만 불리는 자가 아니며, 상효는 자리가 없는 위치에 있지만 또한 남의 의표가 될 수 있어서 무용(無用)이 되지 않는다고 했으니, 이효의 뜻은 따뜻하고 배불리 먹는데 있지 않고 상효의 뜻은 매우 높아서 어지럽힐 수 없다. 사대부의 출처는 여기에서 그 뜻을 취해야 한다.

○ 建安丘氏曰, 六爻皆以鴻爲象. 鴻, 水鳥也. 初言于干, 進之始也. 二言于磐, 則進于干矣. 三言于陸, 則又進于磐矣. 至四于木五于陵, 則鴻之漸愈高, 而无可進之地, 故以鴻飛爲象. 言逵者, 以其在天位之外也. 然漸卦以女歸爲義, 故中四爻有夫婦之象. 五與二應, 夫婦之正配也, 故以婦三歲不孕終莫之勝爲象. 三與四比, 夫婦之邪匹也, 故以婦孕不育失其道也爲象. 蓋夫婦之交, 亦當以漸, 夫苟患正配之難合而樂邪匹之易從, 則亦失漸之義矣.
건안구씨가 말하였다: 여섯 효는 모두 기러기를 상으로 삼았다. 기러기는 물가에 사는 조류이다. 초효에서는 물가로 나아간다고 했으니 나아감이 시작된 것이다. 이효에서는 반석으로 나아간다고 했으니 물가에서 나아간 것이다. 삼효에서는 평원으로 나아간다고 했으니 또한 반석에서 나아간 것이다. 사효에서 나무에 나아가고 오효에서 구릉으로 나아간다고 했으니, 기러기가 점진적으로 더욱 높게 날아서 나아갈 수 있는 곳이 없게 되었으므로 기러기가 날아감을 상으로 삼았다. '규(逵)'라고 한 말은 기러기가 하늘의 밖에 있기 때문이다. 그러나 점괘는 여자가 시집감을 뜻으로 삼았기 때문에 중간의 네 효에는 부부의 상이 있다. 오효는 이효와 호응하니 부부가 정식으로 짝을 이룬 경우이기 때문에 부인이 삼년 동안 잉태를 하지 않지만 끝내 그를 이길 수 없음을 상으로 삼았다. 삼효는 사효와 가깝지만 부부가 사특하게 배필이 된 경우이기 때문에 부인이 잉태를 하지만 훈육을 하지 못하니 그 도를 잃었기 때문이라는 뜻을 상으로 삼았다. 부부가 사귐에 있어서도 점진적으로 해야만 하니, 남편이 만약 정부인과 어렵게 합함을 싫어하고, 사사로운 첩이 쉽게 따름을 즐거워한다면 이 또한 점진적인 뜻을 잃어버린 것이다.

韓國大全

김장생(金長生)『경서변의(經書辨疑)-주역(周易)』

漸上九象, 不可亂.
점괘 상구「상전」에서 말하였다: 어지럽힐 수 없기 때문이다.

亂, 傳有次序不可亂, 義其志卓然, 豈可亂, 傳義不同.
'난(亂)'에 대하여『정전』에서는 질서가 있어서 어지럽힐 수 없다고 했고,『본의』에서는 그 뜻이 높고 탁월한데 어떻게 어지럽힐 수 있겠냐고 했으니,『정전』과『본의』의 해석이 다르다.

유정원(柳正源)『역해참고(易解參攷)』

不可亂.
어지럽힐 수 없기 때문이다.
梁山來氏曰, 不可亂者, 鴻飛于雲漢之間, 列陣有序, 所以可用爲儀. 若以人事論, 富貴利達, 不足以亂其心也. 若富貴利達, 亂其心, 唯知其進不知其退, 唯知其高不知其下, 安得可用爲儀. 今知進又知退, 知高又知下, 所以可以爲人之儀則.
양산래씨가 말하였다: "어지럽힐 수 없기 때문이다"는 기러기가 구름 사이를 날아감에 대열에 질서가 있어서 이것을 예의와 법도로 삼을 수 있다는 뜻이다. 인사를 통해 논해보자면 부귀와 영달로 그 마음을 어지럽힐 수 없다는 뜻이다. 만약 부귀와 영달이 마음을 어지럽히게 된다면, 오직 나아가는 것만 알고 물러날 줄은 모르며 오직 높아질 줄만 알고 낮출 줄은 모르는 것인데, 어떻게 예의와 법도로 삼을 수 있겠는가? 현재 나아갈 줄 알면서도 물러날 줄 알고 또 높아질 줄 알면서도 낮출 줄도 아니, 남에게 예의와 법도가 될 수 있다.

傳, 跬步.
『정전』에서 말하였다: 규보(跬步).
何氏曰, 一擧足爲跬, 再擧足爲步.
하씨가 말하였다: 한 걸음을 뗀 것이 규(跬)이고, 다시 한 걸음을 뗀 것이 보(步)이다.

김상악(金相岳)『산천역설(山天易說)』

傳義備矣.

『정전』과 『본의』에 잘 설명되어 있다.

서유신(徐有臣) 『역의의언(易義擬言)』

冥冥高擧, 莫可追攀, 誰得以亂之哉.
아득하고 멀며 높이 날아가 좇을 수 없는데 누가 어지럽힐 수 있겠는가?

박제가(朴齊家) 『주역(周易)』

從飛而言, 故曰羽. 非眞以其羽爲旄纛之飾, 如鷺羽翟羽也. 不可亂, 只是鴻之群之不亂而已. 不可亂者, 人雖欲亂之而鴻必以次而飛也. 其曰可用爲儀者, 猶曰可以爲則也. 夫事之終而不亂, 則爲漸上九之吉矣. 又何必別取一箇出乎人位之外, 而其志卓然云乎哉.
날아가는 것에 따라서 말을 했기 때문에 날개라고 했다. 이것은 백로의 깃털이나 꿩의 깃털처럼 진실로 깃털을 깃발 등의 장식으로 삼은 것이 아니다. "어지럽힐 수 없기 때문이다"는 기러기 무리가 어지럽지 않게 대열을 유지한다는 뜻일 따름이다. "어지럽힐 수 없기 때문이다"는 사람들이 비록 기러기 무리를 어지럽히려고 하지만 기러기는 반드시 질서에 따라 날아간다는 뜻이다. "의(儀)로 삼을 만하다"고 했는데, "법칙으로 삼을 수 있다"는 뜻이다. 어떤 사안이 끝이 났는데도 어지럽지 않다면 점괘 상구의 길함이 된다. 또 하필이면 『본의』에서처럼 별도로 이것 하나만 사람의 자리에서 벗어나서 그 뜻이 높고 뛰어나다고 할 수 있겠는가?

오치기(吳致箕) 「주역경전증해(周易經傳增解)」

高出人位之外, 故利. 慾不足以亂其心, 而其進可以爲法也.
높이 날아서 사람의 자리 밖으로 벗어나기 때문에 이롭다. 욕심은 마음을 어지럽히기에 부족하고, 그 나아감은 법도로 삼을만 하다.

이병헌(李炳憲) 『역경금문고통론(易經今文考通論)』

虞曰, 陸謂三也.
우번이 말하였다: 육(陸)은 삼효를 뜻한다.

正義曰, 上九與三皆處卦上, 故竝稱陸. 上九最居上極, 進處高潔, 不累於位, 無物可以亂其志也.

『주역정의』에서 말하였다: 상구는 삼효와 모두 괘의 끝에 있기 때문에 모두 육(陸)이라고 지칭했다. 상구는 상괘의 끝에 있어서, 나아가 고결한 자리에 머물며 자리에 얽매이지 않으니, 그 뜻을 어지럽힐 수 있는 사물이 없다.

한국주역대전 편찬실

연구책임자	최영진_성균관대 교수, 율곡학회 회장
연구실장	임옥균_성균관대
연구팀장	김학목_고려대
	이선경_성신여대
	허종은_성균관대
전임연구원	강필선_서일대
	김병애_서울시립대
	윤종빈_충남대
	이경한_성균관대
	이상훈_형양사범대
	정병섭_전북대
	조희영_숭실대
	진성수_전북대
	최정준_동방문화대
	함윤식_성균관대
연구원	김송자_성균관대
	단윤진_성균관대
	마용철_성균관대
	오상현_숭실대
	정진욱_성균관대
	이윤정_성균관대
	김혜일_경희대
	이은호_성균관대

한국주역대전 10 정괘·혁괘·정괘·진괘·간괘·점괘

초판 인쇄 2017년 8월 10일
초판 발행 2017년 8월 30일

엮 은 이 | 한국주역대전 편찬실
펴 낸 이 | 하운근
펴 낸 곳 | 學古房

주 소 | 경기도 고양시 덕양구 통일로 140 삼송테크노밸리 A동 B224
전 화 | (02)353-9908 편집부(02)356-9903
팩 스 | (02)6959-8234
홈페이지 | http://hakgobang.co.kr
전자우편 | hakgobang@naver.com, hakgobang@chol.com
등록번호 | 제311-1994-000001호

ISBN 978-89-6071-690-2 94140
978-89-6071-680-3 (세트)

값 : 1,250,000원 (전14책)

이 도서의 국립중앙도서관 출판예정도서목록(CIP)은 서지정보유통지원시스템 홈페이지(http://seoji.nl.go.kr)와 국가자료공동목록시스템(http://www.nl.go.kr/kolisnet)에서 이용하실 수 있습니다. (CIP제어번호 : CIP2017021508)